《新的美学原则在崛起》

语文出版社　2009

《新的美学原则在东方崛起》

福建人民出版社　2015

孙绍振文集

新的美学原则在崛起

海峡出版发行集团 | 海峡文艺出版社

图书在版编目(CIP)数据

新的美学原则在崛起/孙绍振著. —福州：海峡文艺出版社，2025.6
(孙绍振文集)
ISBN 978-7-5550-3007-2

Ⅰ. I207.22

中国国家版本馆 CIP 数据核字第 20250KV768 号

新的美学原则在崛起

孙绍振　著
出 版 人　林　滨
丛书统筹　林可莘
责任编辑　邱戊琴
编辑助理　王清云
出版发行　海峡文艺出版社
经　　销　福建新华发行(集团)有限责任公司
社　　址　福州市东水路 76 号 14 层
发 行 部　0591—87536797
印　　刷　上海盛通时代印刷有限公司
厂　　址　上海市金山工业区广业路 568 号
开　　本　787 毫米×1092 毫米　1/16
字　　数　788 千字
印　　张　38.25　　**插页**　1
版　　次　2025 年 6 月第 1 版
印　　次　2025 年 6 月第 1 次印刷
书　　号　ISBN 978-7-5550-3007-2
定　　价　208.00 元

如发现印装质量问题，请寄承印厂调换

出版说明

孙绍振先生是我国著名的文艺理论家、文学评论家、语文教育理论家、作家，是“闽派批评”的旗帜性人物。

他学贯中西、思通古今，全面梳理中国传统文艺理论中的重要命题，对当代西方文论进行了系统的分析和批判。他的文学研究贯穿着“实践真理论”的世界观和辩证方法论。他以一个“文学教练”的矫健身手，在“文学创作论”和“文学文本解读学”的坚实理论基础上，进行海量的经典文本分析，洞察小说、诗歌、散文等文类的艺术奥秘。由此，他建构了富有原创性的中国特色文学理论话语体系，在理论和实践结合方面发出中国声音。

他以先锋姿态投入“朦胧诗”大论战，业已留下重要的历史文献；以创新思维和精准表达，体现文学批评的力量与高度。

在语文教育改革中，他以犀利的思想拨乱反正，为语文教育的学科建设做出独特的贡献。其成就不仅深刻影响祖国大陆语文教育学界，还辐射至宝岛台湾，有力助推两岸学术、文化与教育交流。

作为一个作家，他钟情于诗歌、散文创作，产出丰硕的成果。其演讲体散文，卓尔成家。

为了全面展示孙绍振先生的研究成果和学术成就，我社组织出版“孙绍振文集”（20册），汇编其迄今为止的全部代表性学术著述和文学作品，涵盖文学理论建构、文艺评论、演讲、语文教育、文学创作等诸方面内容。希望这套文集能全面展示孙绍振先生的理论成就、评论成果和文学创作的整体风貌，呈现中国学派崛起的绰约风姿及其在世界学术话语体系中日渐突出的自主地位。

海峡文艺出版社

二〇二五年六月

目　录

第一辑　崛起论

第四辑　新诗序

第五辑　经典文本微观分析

附录

第一辑　崛起论

诗与“小我”[①]

一年多以前，诗人公刘曾经说过，有一根由来已久的绊索，捆绑着诗歌的手脚，这就是：不允许诗中有“我”。[②]对于新诗多年来的积弊，这样痛快淋漓的针砭，在当时曾经引起强烈的共鸣。一年多过去了，诗中不许有“我”的教条已为人所共弃。但是，这并不等于说捆绑新诗发展的绳索已经全部自动进入马王堆古墓。诗人们虽然在字面上不那么回避自我了，但是许多诗人真正的自我仍然在诗国的大门外躲藏着，在诗里出现的诗人的形象并不像生活中那样风貌各异，而是大同小异。在不少诗作中，诗人的自我正如过去有人所形容的那样，“就像拙劣的印刷版画”。[③]难道诗竟是这样一种奇怪的镜子，诗人们风貌各异的面孔，经它一照就变得像鸡蛋一样难以区分？没有两个诗人的签名是同样的，可是，许多诗人却雷同地唱着歌。这说明，除了不许诗中有“我”以外，还有一种教条在捆绑着新诗。这种教条养成了一种习惯：诗人们回避着各自个性鲜明的自我，而让放之四海而皆准的共性到诗中去做循规蹈矩的表演。

这就是诗中只能写“大我”[④]的艺术教条，这是一种比“诗中不许有我”更强大的习惯势力。

从20世纪50年代中期起，对诗歌中的自我，就流行着这样的分析：一种是“大我”，

① 1980年4月，我在南宁参加了全国第一次诗歌理论讨论会，我在会上的发言引起了轰动，《光明日报》一位姓章的资深编辑约我写了这篇文章，并发表于《光明日报》1980年7月30日。

② 公刘：《诗与诚实》，《文艺报》1979年4月号。

③ 这是别林斯基的话。

④ 关于“大我”的说法由来已久，最早可能从苏联红色经典诗人马雅可夫斯基那里来。原文是大写的“我”，或许与高尔基大写的“人”有关。这个“大写的我”与基督教《圣经》中写的“他”有密切的联想关系。在《圣经》中写的“他”是上帝，引申到大写的“我”中来，就有神圣的意义。马雅可夫斯基在长诗《好哇！》中还用了大写的“我”的所有格：“大街是我的，城市是我的！”与一首经典古俄罗斯民歌之中反复突出的“我的”遥相呼应。原文翻译如下：“雄健的，强壮的，没有任何人能够打败的；祖国，是我的；莫斯科，是我的。你是我最亲爱的。”当正统诗论家把“大我”当成金科玉律之时，却对“大我”的文化内涵一无所知。2009年7月补注。

是阶级的、人民的、时代的代表；一种是“小我”，是诗人个人的化身。在诗歌中只能表现“大我”，“小我”则是应该抛弃的。[1] 这样，就奠定了在诗歌中把个性溶解到原则中去的理论基础，为概念化、雷同化种下了种子。

这种机械地划分“大我”“小我”的理论把我们的创作思想搞乱了。对于诗人来说，当然应该与人民命运相共，呼吸相通，应该在情感上、道德上和人民一致。但是，这是对诗人思想的要求，它与构成诗歌形象的原则并不完全是一回事。在艺术上，把诗人的自我形象当成阶级和人民的化身，而完全撇开诗人的个性风貌，这样的自我形象不可能不是抽象的、概念的。

这种理论的错误还在于把普遍的本质和特殊的个性之间的关系搞混了，以为普遍绝对高于特殊，一般完全可以包含个别。其实，一般并不是个别的父亲，相反，个别才是一般的父亲。列宁在《谈谈辩证法问题》一文中说：“个别一定与一般相联而存在，一般只能在个别中存在，只能通过个别而存在。任何个别（不论怎样）都是一般。任何一般都是个别的（一部分，或一方面，或本质）。任何一般只是大致地包括一切个别事物。任何个别都不能完全包括在一般之中。”[2] 在诗中只能写“大我”的理论，过分崇拜一般和本质，对于特殊和个别采取傲慢的蔑视态度。可是当我们把特殊和个别当作偶然的因素排除掉的时候，便也排除了形象的生命。当我们的诗人抑制着个别的“小我”，使之不能出声，而刻意模拟着“大我”，使之充斥宇宙的时候，“大我”却抽象化到不可捉摸的程度了。当诗人模仿着哲学家的冷漠和持重，拘谨地以阶级的化身发言的时候，他的“大我”就纯粹到不会呼吸也不能歌唱了。这也并不奇怪，个别的麻雀，自然不令人肃然起敬，但是我们却天天可以听到它的歌声，而那代表一切鸟类的本质却连一句歌也唱不出来。这就像每一个苹果是可吃的，可是我们却不能吃一种普遍的水果而感到有任何的甜美。摒弃了“小我”，也就摒弃了“大我”的可感知性。排除了“小我”，也就是排除了诗人的艺术个性。“大我”自然是很高大而光彩照人的，但是它却有一个致命的缺点，那就是它不能独立存在，它离开了“小我”就没有生命了。追求“大我”的诗人必须把它和“小我”统一起来追求。

从20世纪50年代中期起，我们文艺理论界就产生了一种奇异的矛盾：在小说和戏剧领域中，人们都在异口同声地讨伐那种把典型当作一定社会力量本质的体现的庸俗社会学，而在诗歌领域中却在大肆推行这种用阶级的“大我”、人民的“大我”来排斥有独特个性的“小我”的庸俗社会学。好像存在着这样一种不成文的法规：在小说和戏剧中，只有普遍的共性，没有特殊的个性，是注定要失败的，而在诗歌领域中却成了成功之道。好像在诗歌的典型化中，追求通过“小我”上升到“大我”是一种自寻麻烦的曲径，好像诗歌是可

---

① 1980年10月在《诗刊》召开的诗歌讨论会上，有一位当时颇有名声的诗评家甚至提出“大我是目的，小我是手段”。

② 列宁：《谈谈辩证法问题》，《列宁选集》第2卷，人民出版社1974年版，第713页。

以直接表现“大我”的共性而不必管它什么个性的。这只能说明：在诗歌领域中，艺术教条主义要比其他领域严重得多。这也说明，我们对于诗歌艺术的特殊规律是缺乏认真的研究的。

诗，不同于小说与戏剧之处在于，它往往把诗人自己的内心世界作为直接表现对象。即使在诗歌作品中不直接表现诗人自己，诗人的个性也要成为间接表现对象。诗不像小说和戏剧那样，一定要让自我隐藏到情节和场景后面去。诗歌形象的特点在于它带着强烈的主观色彩，这种主观性往往可以使形象冲破生活原型，发生变异，而诗人不同的个性就在这千差万别的变了形的形象中突现出来。这种主观色彩自然是独异的，而不是普遍的、一般的，它是不能完全与“大我”重合的。如果生活中有一棵树，在不同个性的诗人笔下形象是不可能等同的。在第一个诗人笔下可能是一株珊瑚树；在第二个诗人那里可能是树冠上一片红花；在第三个诗人手中，树的形状可能与开屏的孔雀很难区别；在第四个诗人的作品中，树可能与烈士的微笑叠印在一起；在第五个诗人那里很可能把树当成诗人自我，他可以在这棵树上找到与自我的精神状态相通的某些特点，如果他是朝气蓬勃的，他就把树写得朝气蓬勃，如果他是暮气沉沉的，他也可以把树写得暮气沉沉。批评家如果责备他歪曲了树的本质，诗人可以回答：我只能表现和我的灵魂息息相通的东西，在我笔下，树的本质必须有我的个性。把诗歌当作客观对象本质的写照已经是不准确的了，把诗人的个性排斥在诗歌表现对象之外则更是错误。如果说诗人的自我只是某种“大我”，那么，这不过是在客观表现对象上打上一个千篇一律的橡皮图章罢了。每一个诗人都有权利把自己的个性和客观对象融合在一起。不同的诗人把同样的对象改造成各自不尽相同的样子是起码的权利。每一个诗人都应该而且可能有他自己独一无二的美学准则，他的创造性往往就集中表现为在别人司空见惯的东西上发现、创造出不可模仿的美来。而他的个性就是通过这些美的独创体现出来，在每一个独创形象上都留下只属于他的那种风貌。不同的诗人甚至可以有不同的抒情逻辑，正因为这样，在李白笔下，春天是从柳条上回来的；在20世纪30年代艾青的笔下，春天是从上海市郊烈士坟墓中回来的；而在李瑛笔下，春天是从北国的冰缝中漫溢出来的。每一个诗人都应该找到属于他自己的抒情逻辑。诗人的“小我”，是这样宝贵，它是不能公有的。

诗，自然不能限于表现“小我”。少女可以为失去的爱情而歌，守财奴不可以为失去的钱袋而歌，并不是任何一种“小我”的心灵颤动都有歌唱的价值。但是要歌唱“大我”的人，必须从“小我”出发，不能从“大我”到“大我”，而应该从“小我”上升到“大我”。从“大我”出发就是从概念出发。

我们通常说一个诗人应该是一个革命的人，因为从血管里冒出来的总是血，从水管里冒出来的总是水。但是，这样讲是不够的，我们还要说，一个诗人还应该是一个个性鲜明的人。像别林斯基所指出的那样，他比一般人更具鲜明的个性："诗人的个性越是深刻有力，就越是一个诗人。"[①]诗人不但要对客观对象有敏锐的感受能力，而且要对自我的个性，对那常常为常人的习惯所忽略了的心灵微妙的颤动有高度的敏感，甚至在没有外界条件刺激的情况下，也能唤醒种种敏感，表现这种敏感。

诗人要相信自己的"小我"。如果连自己的眼睛和耳朵都不敢相信，就很难真切地表现自己的个性。在诗里，是不能笼统地排斥自我表现的。《离骚》中的自我表现还少吗？如果绝对排斥"小我"，排斥自我表现，李白、杜甫、拜伦、雪莱、普希金、马雅可夫斯基、艾青、穆旦的风格还能存在吗？

当然，我们批评过小资产阶级的自我表现，但那是一个特殊历史条件下的产物。小资产阶级思想在当时可能与战争环境相矛盾，或许是阻碍革命发展的。诗人们当时改造自我的要求是如此之迫切，以至于已来不及区分什么是小资产阶级的自我表现，什么是诗歌中不可缺少的自我形象。但是，小资产阶级的自我表现从五四时期开始就是反对封建束缚、反抗帝国主义压迫的一个普遍表现形式，对新诗艺术基础的建立也起过积极作用。就是在解放区，像何其芳那样"快乐地爱好我自己"，"痛苦地突破我自己，提高我自己"[②]的自我表现，也还有进步的一面，是不可以笼统地加以否定的。光说诗是生活的反映，是不全面的；它同时是诗人心灵的创造，是诗人的个性表现。思想的原则和艺术的原则常常并不是能够完全统一的，在诗歌中否认自我表现，是当年思想革命的一种代价。任何革命不可能是没有代价的。在一个历史时期，诗人的自我隐藏起来，隐藏到工农翻身、人民解放的客观图景背后去，满足于做英勇斗争和忘我劳动的描绘，是合乎规律的。但是，对艺术来说，这不能不是一个过渡。等到诗人对自我的感情活动有了充分把握的时候，就不必这样（有时是过分地）羞怯地把自我当作"小我"来回避了。从这个意义上讲，《王贵与李香香》等叙事诗的出现，正是横跨两个历史时期的桥梁。但是不管桥梁多么壮丽，人们也不会在桥上徘徊不前。人们造桥是为了达到彼岸，因为人们知道，彼岸比此岸更加美妙。

今天，我们可以说，已经到达了彼岸。诗人和人民的感情已经水乳交融，知识分子的绝大多数已经成为无产阶级的一个组成部分。而在这个时候，回避自我，害怕"小我"，只能是昨天的一种艺术的习惯势力。是时候了，我们应该和它含笑挥手告别了。对于不少诗人来说，今天有一个寻找失去了的自我的任务，真实的未来，就从找到了属于自我独有的个性那天开始。

---

① 别林斯基：《别林斯基论文学》，梁真译，新文艺出版社 1958 年版，第 138 页。

② 按：此句出自何其芳的诗《夜歌》，收入诗集《夜歌》中，文化生活出版社 1950 年版。

恢复新诗根本的艺术传统

——舒婷的创作给我们的启示①

在诗歌爱好者面前，舒婷的诗歌创作闪耀着一片奇异而陌生的光彩。即使那些对她的创作不习惯、有怀疑的人也不能不承认，她的作品一开始就很讲究风格，而且是那种标志一定成熟程度的独特风格。而那些对她的诗歌十分喜爱的同志，遇到反对派的时候也不得不勉强同意对她的某些批评。诸如，情调比较低沉，自我内心的描写多于沸腾的战斗生活的表现，形式比较洋气，缺乏民族风格。但是，这些果真是缺点吗？如果真是缺点，而且假定能够得到克服，那样便该出现一个慷慨激昂的舒婷，在她的作品中便充满了英勇斗争和忘我劳动的场景，而且那形式又是与古典诗歌与民歌密切联系的，这么一来，舒婷还存在不存在？舒婷那引人注目的风格不是等于被谋杀了吗？由此可见，不管持什么观点的人都有一个从根本上让艺术思想再解放一点的任务，基于这种想法我想谈三个问题。

第一，关于情调的低沉和高昂的问题。

长期以来有一种流行的见解，以为诗歌应该是，而且只能是时代精神的号角，而号角的声音当然是高昂的。的确，按这样的标准，舒婷的诗作不能不是显得低沉的。我们已经习惯了把感情和瀑布、激流联系在一起，而舒婷在《呵，母亲》中却说这种感情："不是激流，不是瀑布，是花木掩映中唱不出歌声的古井。"而在《当你从我的窗下走过》中，她的自我形象就更令人惊异了，它强调的是外表的衰老，而要表现的却是"火热的恋情""轩昂的傲气"。用好像是低沉的形式来表现青春的热情，坚强的信念一点也不受外在因素的影响，其实这一类情调是一点也不"低沉"的，而是很高昂的。只是作者并不满足于新诗中流行的那种放肆的夸耀和粗豪的嚣张，她似乎故意回避那号角式的高昂。她说了，她蔑视"佯装的咆哮"。她即使有高昂的情调也往往刻意追求那不高昂的表现形式，她偏爱那种与

① 1979年，舒婷的诗歌，虽然并未在任何公开报刊上发表，可在读者中，引起了强烈的反响。赞扬与批判泾渭分明，批评者来势汹汹。《福建文艺》的魏世英独具慧眼，将舒婷十首左右的诗歌油印为活页，曰《心歌集》，在刊物上公开讨论。本文发表于《福建文艺》1980年第4期，后来被《新华月报》(《新华文摘》的前身）转载。

外在表现不同甚至矛盾的内心真实。

她温婉端丽的笔触表现的往往不是生活的具体场景和过程，而是去寻觅、探索、挖掘沸腾的生活溶解在自己心灵中的情绪，捕捉那些更深、更细、更微妙的心灵的秘密的颤动。在我们看来缺乏诗意的平凡，甚至是在渺小的感触中，她发现了诗意，在我们以为不可想象的领域中，她展开了想象的翅膀。虽然这不是号角，但是，作为一支月下的提琴曲，仍然反映了那十年浩劫留在一代青年心灵上的深刻烙印，难道我们可以因为她不是号手而否认她的作品是诗吗？难道时代的旋律只有号角才能演奏，而其他乐器都没有问津的权利吗？

当然舒婷创造的那个世界并不完全是一派炫目的阳光照耀着鲜花，相反，这里也有连绵的阴雨和落叶，要说“低沉”的话，也并不是没有低沉的东西。不错，她的抒情主人公往往给人一种沉默的孤寂之感；她“戴着荆冠”，忍受过许多精神苦难，但流露出来的却很少，内心“也许藏有一个重洋，但流出来，只是两颗泪珠”。在这不美满的精神世界中，她也怀有过希望，“要有坚实的肩膀，能靠上疲倦的头，需要有一双手，来支持最沉重的时刻”。但是改变这种不满的孤寂世界的希望却总是没有实现的：“也许有一个约会，至今尚未如期，也许有一次热恋，而不能相许。”从表面上看来，读者完全有理由怀疑这个抒情主人公是一个面色苍白的孤独者，一个脱离了群众、远离了集体的个人主义者，但是我们与其去责备作者描写了青春的孤寂心灵，不如去责备那叫火热的青春产生孤寂之感的环境吧。那种“渴望得到也懂得温柔”的独白，不是让我们想起了那一味强调斗争，人与人之间的关系不断恶化紧张的岁月吗？这种追求人与人之间关系的和谐、友爱而不能实现的痛苦，不是那以人民群众自己为对象的阶级斗争的长期反感造成的吗？这种寂寞（或者叫低沉）不正是那险恶的历史环境在一个年轻人心灵上的投影吗？而这种寂寞的内心独白所表现的恰恰是不甘于寂寞，而又找不到改变这种寂寞的现实力量，有时她只能孤独地抵抗这种叫人寂寞的环境：“从海岸到巉岩，多么寂寞我的影；从黄昏到夜阑，多么骄傲我的心。”舒婷的抒情主人公是在那真理被割破了喉管的年月中形成了自己的人生观，认识着现实，认识着自己，形成了特殊的精神气质的。舒婷虽然回避直接描绘社会政治环境，但她还是用自己的心灵去反映了那特殊的历史环境的某些显著的特点。她写道：“目睹了血腥的光荣”，“记载了伟大的罪孽”；还写到许多希望和辛勤的劳动“被秘密地埋葬”了的悲剧的现实。在这样的环境中，舒婷所塑造的自我形象既不是叱咤风云以扭转乾坤为己任的英雄，也不是由失望而沉沦，失去热情和理想的麻木者。她是既不甘寂寞，陷于虚无，又不能改变现实，改变自我的一种典型。也许，从外延上来说，这种心灵的典型比那真理的无畏探求者更众多，这是现代中国人精神状态的一个很重要的侧面。她好像为自己制造了一个美丽的、宁静的、远离世俗喧嚣的天地，躲在这小天地里，她免于同流合污的成分多于保全自己的因素。她是软弱的，又是坚强的；她蔑视“佯装的咆哮”，也同样蔑视“虚伪的平静”；她忍受着失望，又怀着胜利的信念：“呵，生活，虽然你已断送 / 无数纯洁的梦 / 也还有些勇敢的人 / 如暴风中，疾飞的海燕。”这正说明她要摆脱十年浩劫留给她精神上的沉重负担，她提醒自己，不能沉溺于过去的痛苦中：

这世界上既有沉迷的痛苦，还有苏醒的欢欣。

这自然是一种奇警的概括，有着叫人惊异的理性光彩，但是对于这样一个主人公来说，这不能算是表达得很完整很确切。因为沉迷者可能是没有痛苦的，而早醒者却可能有痛苦乃至牺牲，现实生活的逻辑往往与她所说的相反：“这世界上有苏醒的痛苦，还有沉迷的欢欣。”

这样就太“低沉”了。舒婷究竟还比较天真，她急于要挣脱沉重的精神负担。她宁愿让自己轻松一些，快活一些。当一个同辈青年在他的诗《一切》中发出叹息——“一切都是命运，一切都是烟云”[①]时，舒婷不同意他这样虚无。她同这种心灵的绝望进行争辩：“一切的现在都孕育着未来，未来的一切都在生长于它的昨天，希望，而且为它斗争，请把这一切放在你的肩上。”谁能说这样的调子是低沉颓废的呢？她不是在说为昨天沉重的挫折所压倒是错误的吗？但是，谁又能说这是她唯一的情调呢？她难道没有为被断送了的纯洁的梦哀叹过吗？她心灵的乐曲并不像号角那样单纯，如果说像一支提琴曲，那么她也有高音区和低音区，像两条小溪汇合起来，一条诉说着昨日心灵的创痛，甚至发出抑制不住的呻吟，一条发出流水般欢快的歌唱，反射着明天的阳光。但是她写的是今天，这两种调子是矛盾的，好像在互相争吵。因而有时连她自己也弄不清楚她心灵中什么是属于未来，什么是属于过去的。在她的散文（也许应该叫作散文诗）《随笔三则》中，一方面她把那个孤寂的世界写得那么美妙，一方面又禁不住想要和它告别：“不，我要回到人群里去。”她批判自己：“当我袖手旁观”，是远离了群众和集体。她甚至引用朱自清的诗来勉励自己：“从此我不再仰眼看青天，不再低头看白水，只谨慎着我双双的脚步；我要一步步踏在泥土上，打上深深的脚印。”但是这里的“回到人群”和“打上深深脚印”还是一种比较模糊的愿望，把这付诸实践，在群众斗争中逐渐改造自己，使自己摆脱对幽静的孤寂的依恋，并不是那样容易的。舒婷提供给我们的正是昨天造成的心灵阴郁在今天仍然一时摆脱不了的矛盾，这是一种现实意义相当广泛的矛盾，她以她的诚实把这种矛盾揭示得相当深刻。这也许可以说是一种典型。她深受十年浩劫之苦，诅咒那浩劫，但又对医治浩劫的漫长疗程缺乏理解；她严厉地谴责自己的旁观，又坦然地欣赏由于旁观造成的孤寂；她的理智告诉她昨天阴云正在消失，她的感情却又时时感受到创痛的发作；她和自己妥协，她又和自己争

① 这是北岛的诗《一切》中开篇的诗句。

辩。她在《这也是一切》中与其说是和别人争辩，不如说，也包含着自我争辩的意味在内；与其说是在勉励别人，不如说也在勉励自己。

舒婷所塑造的自我形象的典型意义在于她揭示了一代青年从沉迷到觉醒的艰难和曲折。当然，她所表现的并不那么完整和明确，但她还是在我们新诗画廊中增添了一个新角色，一个非英雄的平凡的角色，但又往往以英雄主义勉励自己的，以陌生而特异的丰采而引起了注意的角色。如果说她不像英雄那样光彩照人而责备她“低沉”，就等于取消这个角色生的权利。既然在小说中非英雄人物已经争得充当某一具体作品主角的权利（像《伤痕》中的王晓华），我们有什么权利在诗歌中宣布非英雄的抒情主人公是不准出生的？难道我们不应该珍惜一个诗坛新秀的抒情主人公的独特个性吗？当然，我们可以指出，如果舒婷不是过分回避社会政治环境的描写，作品中孤寂情绪的社会原因会更鲜明。我们也可以提出，在保证作者风格不受损害的前提下，可以加强抒情个性和环境的关系的表现，但是我们不可以一看到作品中有孤寂的情绪，就判定其为低沉的，甚至是颓废的，是非无产阶级的，因而是要受到谴责的。作为诗歌批评的一种准则，我们只能从作品的实际出发，先问它是否是真诚的，是否是深刻的，然后再研究它的长处和短处，最后才能得出对它艺术上基本的评价，在不损害作者风格的充分考虑下，提出对作者的希望，而不能从是高昂还是低沉这种抽象的概念出发轻率地对作品做法官式的宣判。

第二，关于新诗中的自我形象的传统问题。

有同志告诉我，舒婷颇受何其芳早期（1937 年以前的）诗作《预言》的影响。的确，她的作品中不乏何其芳早期诗作中那种对“嚣张的情感和事物”的回避。她也像当年的何其芳那样力图把浮夸的感情变为宁静的柔和的沉思默想。她像何其芳那样陶醉在大自然的美和自我内心世界微妙的感觉中，还有何其芳式的温柔的悲郁，陶醉在充满着寂寞的欢欣的小天地中。在 20 世纪 30 年代风云变幻的时代背景上出现的何其芳的自我形象，自然不是革命者。但是，就是这个脱离了现实的诚实青年在《预言》的最后对自己做了痛苦的否定。他说他不爱云，不爱月和星了，他宣告：“从此我要叽叽喳喳发议论。”后来在《夜歌》中他又坦率地表现了自己在革命队伍中感情上新我和旧我的矛盾：“我是如此快活地爱好我自己，我又如此痛苦地想突破我自己，提高我自己。”舒婷并没有幼稚地去因袭何其芳的词句，她只是继承了何其芳那种忠于自我的内心真实和忠于生活的真实的创作原则。何其芳从《预言》到《夜歌》，从未浮夸地美化自我，也不盲目地美化生活，比起虚伪的生活，他更厌恶虚伪的心灵。他唯一可以自夸的是他的诚实，他甚至诚实到不掩饰自己的软弱、幼稚和愚蠢。其实，这不仅是何其芳个人的创作原则，和何其芳同时活跃在 20 世纪 30 年代诗坛上的戴望舒、艾青和田间也都属于这种艺术传统的开拓者。和何其芳一样，戴望舒一开始也是脱离革命的[①]。作为一个诚实的知识分子，他哀叹着人生的不美满，后来在抗战期间他终于从他那著名的“雨巷”，那“丁香一样的忧愁”中走出来，把个人的哀愁和民族的灾难结合起来。他在《灾难的岁月》中甚至诉说了他宁愿为了胜利而牺牲的愿望，然而不同于何其芳的是，他没有自我否定的誓愿，也没有面向未来而欢呼，他用很大的篇幅抒写他对被战火毁灭了的和平宁静的往日的怀恋，这样他就塑造了与何其芳不同的抒情性格。艾青与田间虽然很早就把自己的命运交给了革命，但也和何其芳、戴望舒一样忠于他们感受到的、理解了的、在他们心灵里熟透了的生活。艾青从彩色的欧罗巴带回了一支芦笛，带着忧郁的情调诉说着农村的苦难和殉道的悲哀，后来在抗日战争的烽火中，他和我们的民族一起醒来，开始摆脱忧郁，成为太阳和火把的歌手。而在抗日期间与艾青齐名的田间，一开始虽然也写着中国农村的苦难，却没有艾青那样构成风格特色的忧郁，相反，他带着孩子气的纯真，夸耀自己：“我结实，我健康，我是战斗的小伙伴。”就是这个天真的小伙伴后来变成了激情歌唱民族解放斗争的鼓手。这四个在不同情况下加入无产阶级先锋队的诗人却有着不同的抒情主人公形象，有着不同的抒情个性、艺术个性。时代精神的号角是应该欢迎的，但是，如果没有具有不同艺术个性的号手，那号角也是不可能发出激动人心的乐曲的，而如果没有嘹亮的号音，只有活生生的人的心灵的展现，也可能是很迷人的旋律。舒婷继承的正是这种把展现人独特的心灵的真诚放在第一位的艺术传统。这种传统自然不是完美无缺的。由于生活和思想的局限，当年的新诗抒发主观感受多于对现实生活的深入表现。新诗中得到最深刻表现的是知识分子的心灵世界，而对劳动人民的生活和斗争的表现则成了最薄弱的环节。到了《在延安文艺座谈会上的讲话》发表以后，许多诗人一下子还来不及严格地区分小资产阶级的自我表现和诗歌创作中塑造自我形象的特殊规律的界限，事情便走向了另一极端，普遍存在的情况是以直接表现英勇斗争和忘我劳动的场景和过程为满足。[②]诗人的真实感受被忽视了，甚至产生了一种回避自我的倾向。新诗在力图突破思想和生活的局限的同时，优良艺术传统却遭到了不应有的冷落。通过塑造具有独特个性的自我形象来反映时代的风云变幻的正当途径荒芜了，长期被遗忘的青草所覆盖。

直到解放战争和抗美援朝战争结束之后，这个问题才重新提了出来。中国作家协会选编的 1953 至 1955 年的《诗选》的序言说：“抒情诗不能取消诗人自己的形象。”但是又说：“诗人只能是一个革命者，一个共产主义的战士，一个像毛泽东同志所说的‘毫无自私自利之心’的人，‘一个高尚的人，一个纯粹的人’。”[③]从普遍的政治道德的要求来说，自然是很

① 准确地说，在组织上，他是属于革命的，他参加过共青团，但艺术上却不愿牺牲艺术来为革命服务。

② 对于这一点，我的思想在后来有了发展，请参阅我后期的文章。

③ 中国作家协会编：《诗选：1953.9—1955.12》之《序言》，人民文学出版社 1956 年版。

正确的，但是作为诗歌创作中的自我形象，却是缺乏个性的。这里把思想道德的原则和艺术原则完全混同起来了。这是一种很奇异的现象。尽管当时在小说和戏剧中对于那种忽略人物个性的庸俗社会学的理论异口同声地谴责，但是对于这种更加突出的概念化的诗歌创作理论，却没有引起任何异议。尽管这个《序言》声称诗人“决不能够伪造自己的形象”，但是在客观上还是提倡诗人把内心真实感受和熟透了的生活隐蔽起来，以致用“一时一地”的政治口号来糊裱自我，成为普遍的倾向。在这种风气流行的时候，诗人要诚实地表现自我真实的感受是很困难的，何其芳在《回答》中不过只表露了对自己工作成绩不多的某种内省：“我身边落下树叶一样多的日子，为什么我结出的果实这样稀少？”就是这样一种诚实的自谴也遭到读者的非难和谴责。郭小川在《望星空》中，不过是用人在永恒的大自然面前刹那感到渺小来反衬在人民大会堂面前感到人民创造的伟大，依然遭到严厉的批判。这一切再加上政治运动中激化了捕风捉影的索隐式的诗歌批评，结果是容许诗人表现的感情领域越来越小。诗人只有越来越牺牲他的个性而扩大他的“纯粹的人”的共性，才能在政治上有较高的安全系数。这样就造成了一种可悲的情况，那些在20世纪30、40年代抒情个性十分鲜明的诗人不是销声匿迹①，就是越来越丧失了他们特殊的风格②。至于20世纪50年代的诗坛新秀们，本来就不及他们的前辈那样个性鲜明，在回避、伪装自我的风气统治之下，到了20世纪50年代末期，即使很有才情的诗人也很难不在浮夸诗风的裹挟之下丧失了自我，用假嗓唱着言不由衷的颂歌。这种用虚假的大话来粉饰自我和生活现实的流毒至今还没有肃清，至少是在艺术上那种脱离生活的虚夸的想象程式还没有根本打破。就在这个时候，出现了“一批一反”这些积弊的新人。他们虽然也有一些在思想上和艺术上走上了另一个极端，甚至有某种走向危险歧途的倾向，但就根本来说，他们像一股从原野上长驱直入的清风，给我们这个仍然摆脱不了“沉迷的欢欣”的诗坛以莫大的冲击。舒婷应该说是这类作者中的优秀代表。她代表着我们的未来，但是她的风格却来自我们的过去。她好像是横越我们头顶的桥梁，提醒我们认清自己脚下航线的曲折。她把几十年前新诗的优良传统一下子带到我们面前，她不是从“纯粹的人”，不是从高昂的时代精神出发，而是从具体的有个性的人出发，从溶解在真实心灵中的真实生活出发。虽然她力图更深地反映生活的内在本质，但是她更注意那特殊的自我形象的心灵的活动，着意表现其敏感和智慧。虽然，她的作品仍然带有20世纪30年代新诗反映社会环境不足的缺点，但是在她最好的作品中，忠于生活的普遍本质和忠于自我特殊感受是比较统一的。她不掩饰自我沉迷的一面，也不美化自我觉醒的一面，她遵循着特殊的抒情个性，对自我、同时也是对生活的现

---

① 如九叶诗人。

② 如冯至、臧克家。

象和本质进行着诚实的探索。有时在她笔下客观社会环境和主观的心灵感触很少是分离的，生活的图画和自我的形象是融合在一起的。在《祖国啊，我亲爱的祖国》中，她的想象大胆到把客观世界的精粹细节直接变成了自我形象的组成部分。读这样的作品，怎能不使习惯于把诗人的自我当作纯粹抽象的阶级本质、时代精神的抽象符号的读者产生一种醍醐灌顶之感呢?

1979 年，新诗在思想解放上取得了很辉煌的成就，但是我们并不满足，原因是它在艺术上并没有得到根本解放。具体表现之一，就是长期以来受到束缚的诗人的个性还没有得到充分解放。除了语言上的区别，诗人的自我还是共性多于个性。而为了解放诗人的个性，钻研一下舒婷代表着的新人的作品，温习一下新诗这一优良的艺术传统是很有必要的。当然，新诗的艺术传统不限于此，但这一点无疑是最主要的。

第三，关于外国诗歌影响和民族风格问题。

在舒婷的诗作中，不能说没有我国古典诗歌的影响，但是，外国诗歌，主要是西欧、北美、俄罗斯的诗歌，对她的影响，超过了我国民族传统诗歌对她的影响。在她那些写得最精彩的篇章和段落中，我们不但可以看到近代欧洲浪漫主义诗歌描绘生活和概括内心感情的方式，而且可以看到现代欧美从象征派到意象派的种种表现手法。她善于用极精致的细节去概括生活，把抽象的感情，化为具体可感的形象，如："道路已经抉择，没有蔷薇花，并不曾后悔过。""没有蔷薇花"，一个否定的细节，就点明了道路的艰难。这里的"蔷薇花"，连同它的大致稳定的诗意的内涵（不是植物学的内涵），是从欧美诗歌中借用来的。在另外一首诗中，她甚至用了一个《圣经》的典故"戴着荆冠"，表示她当时精神和物质的困境。这一切，也许并不算最成功，但是，用这样具有诗意暗喻的细节来化抽象为具体的自觉的方法，是欧美诗歌中常用的。这和我国古典诗歌中常用的直接描绘大自然和生活场景的传统方法是有一些区别的。特别是，当她直抒胸臆时，往往像欧美诗人那样把这种方法成套地加以运用，就更是我国古典诗歌中很少见的了。这使她构成形象的能力大大提高了。在《这也是一切》中，她一连用了十个互相独立又互相有某种关联的细节来反复强调同一思想。而在《致橡树》中，先是用了凌霄花、鸟儿、泉水、险峰来反衬木棉，接着又就着木棉用根、叶、枝、花、寒潮、风雷、霹雳、云霞、虹霓、雾霭，甚至泥土，展开主体形象，这样就不但有较高的形象的密度，而且细节之间有内在的有机性和连续性，这种在议论中追求形象的内在统一和完整的技巧在强调直抒激情的欧美诗歌中是特别发达的。

舒婷往往不停留在对客观世界做单纯的描绘上，她力求从描绘上升为抒发，这时她经常借助欧美诗歌中的隐喻和象征手法："不是一切星星，都仅仅指示黑夜，而不报告曙光。"这里的星星就不单单是大自然的现象，而且带上了隐喻的色彩，上升为对社会生活的某种概括，从而成为象征的形象了。从大自然现象出发，经过主观色彩极浓的抒情逻辑，达到对生活做哲理式的概括，正是欧美浪漫主义诗歌的常用手法。这种手法有利于扩展作品的生活容量和加强思想的深度，所以五四时期，思想解放和艺术解放的先驱者们，从郭沫若到闻一多都大量运用这种手法。舒婷正是继承了新诗敢于吸收外国诗歌的长处以弥补我国古典诗歌某种不足的传统。“五四”新诗这一宝贵传统，由于近十多年来片面地强调向古典诗歌和民歌学习而被严重忽略了①。

在舒婷的作品中，也有欧美现代派诗歌艺术的明显血脉。现代派（包括象征派和意象派），在思想上很复杂，自然不能说有多大进步意义，就是在艺术上形式主义倾向也是比较明显的②。但是，不能否认，就形式本身，他们的探索还是有比较深入之处的。早期新诗的作者们不像我们今天这样怯懦，他们并不因现代派的形式主义倾向而蔑视它的一切，相反，他们从中汲取了营养，尽管消化是艰难的，有时甚至难免食物中毒。何其芳接受法国象征派诗歌的美学原则，戴望舒甚至长期被视为现代派诗人，艾青是如此爱好维尔哈伦，译了他的《原野与城市》。形式主义的老师也可以有非形式主义的学生，问题在于你有没有化腐朽为神奇的勇气和能耐。舒婷成长在新诗处于闭关自守、自给而自不足的十多年中，她没有囿于世俗的潮流，勇敢地汲取了欧美现代派诗歌的某些艺术方法，剔除了其中的神秘色彩，使之变得更明朗，排除了其中玩弄形式的成分，使之变得更充实，构成了她独异的风格。她的许多作品不像我国古典诗歌那样以闪烁着珠光宝气的语言追求描绘客观情景的逼肖。她所追求的往往是诗人的直觉、幻觉，甚至是错觉。她似乎对于新诗中流行的那种太拘泥于生活真实的风气不满，她倾向于探求一种使生活的真实发生某种变幻的艺术的真实。这是主观色彩很浓的一种真实，象征派诗人把这叫作“最高真实”。这自然有偏颇之处，但在其另一方面却符合抒情艺术反映生活的特殊规律。请看她的《路遇》：

凤凰树突然倾斜
自行车的铃声悬浮在空间
地球飞速地倒转
回到十年前的那一夜

这是写突然相遇，感情激动，引起了一片昏眩的幻觉。它强调表现的不是客观景色的真实，它追求的是表现一刹那的错觉，这时理性和概念被排斥在一边，但这并不是终点，终点是理智的回归：“也许一切都不曾发生，不过是旧路引起我的错觉，即使一切都已发生过，我也习惯了不再流泪。”这里客观场景的真实与否是极不确定，也是作者不屑计较

① 这里指的是毛泽东提出的“新诗应该在民歌和古典诗歌的基础上发展”。
② 这是我当时的看法，可以反映出与当时主流舆论妥协的一面。

的，但是主观心灵的真实却十分肯定，也是作者严格追求的。舒婷在诗作中，往往追求这种直觉的（幻觉的、错觉的）和理性的统一的形象。这种直觉的主观色彩，无疑是有利于抒情的，但却是不利于表达思想的。舒婷艺术手段并不局限于此，她时而转向西欧古典诗歌（如浪漫派），以渗透着激情的理性对生活和感情进行直接概括，例如在《海滨晨曲》中那样对着大海的自白："让你的飓风把我炼成你的歌喉，让你的狂涛把我塑成你的性格，我决不犹豫，决不后退，决不发抖。"在这种情况下，舒婷常常能达到一种情理交融的境界。当浪漫派的尖锐直白和现代派的曲折的暗示结合在一起的时候，舒婷就写出了她最动人的篇章。

但是并不是在任何作品中她都能把这二者和谐地统一起来，有时，这二者是互相游离的。这在她早期的部分作品（如《珠贝——海的眼泪》《海滨晨曲》）中往往有比较明显的表现。引起读者纷纷非议的"晦涩"，就是由于这种原因引起的。这些作品的语言是明朗的，但是其总体形象的隐喻的意义往往是模糊的，即使那尖锐的直白也不能给整个诗篇做出明确的注解。这样，思想的不明朗，往往导致了形象的不统一，甚至某种程度的残破。当然，虽然有时作品的总体形象是统一的、完整的，但是作品的内容却是朦胧的。这是因为她是按着现代派的美学原则把山川草木当作"象征的森林"，用客观世界可感知的物象来暗示内心的微妙世界。现代派反对浪漫派的直接抒发理性和感情的偏向，力图找寻主观心灵的"客观对应物"。不了解这一点的读者，读她的《船》便感到理解的艰难。事实上她是通过搁浅了的船来暗示（或象征）一种搁浅了的感情。这种方法也许还有一个民族化的任务，新诗的前辈没有解决，舒婷也没有解决。看来这一严肃课题的解决我们只能寄希望于未来了。

给艺术的革新者更自由的空气[1]

写诗，并且把它公开发表出来当然是为了博得欣赏，欣赏的首要条件就是要看得懂，这是不言而喻的。可是，竟然出现了一些古怪的诗，叫人（至少是一部分人）看不懂，或者是看起来很费劲，这不是有点蹊跷吗？这些作者是在和自己作对还是和读者的理解力开玩笑呢？当然都不是。这种现象并不是偶然的，也不仅仅限于诗歌领域，在短篇小说中，不是也出现了叫一些读者似懂非懂的“雾里看花”似的作品（如王蒙的《春之声》《海的梦》）吗？在电影中某些意识流手法的运用不也使一些观众迷惑过吗？联系到近来对某些绘画的表现手法和歌曲的唱法[2]的纷纷议论，是不是可以说，这里有一个带普遍性的问题：那就是我们的文艺在探索新的风格和表现方法乃至建立新流派的过程中与群众发生了一些矛盾？

过去，每当艺术与群众发生矛盾的时候，我们总是责难艺术，说它脱离了群众。我们的理论长期过分偏执地强调艺术服从群众的趣味，当我们反对艺术家脱离群众满足于自我表现和自我欣赏的倾向时，我们往往忘记了艺术是一种精神文明，并不是任何人都可以不经任何训练和熏陶就能自发地掌握它的，忽略了艺术有改造、丰富群众趣味，提高群众艺术修养的任务。这种偏见，在过去很长一个时期曾一次又一次地牵制了艺术和群众共同提高各自的水平，以至今天在艺术创造探索新的手段、形式、风格、流派的时候，还有同志主张创新必须以群众一看就懂为前提。有人举白居易的例子，说他写诗时力求让没有文化的老太婆都能听懂。其实这不过是个传说，它的精神实质是在强调白居易很讲究诗歌语言的明白晓畅。白居易的大部分作品，恐怕不但没有文化的老太婆听不懂，就是很有文化的

---

① 本文发表于《诗刊》1980年9月号。

② “绘画的表现手法”指的是袁运甫兄弟的首都机场的壁画中有抽象的女性人体，引发了义愤填膺的批判，一度以布幕遮蔽。“歌曲的唱法”，指李谷一的轻声吐气，一度被指责。

老太婆也未必能听懂。诗，到了白居易时代，已经不是以诉诸听觉显出它的优越性了，何况就是听懂他的语言也不一定能听懂他的诗意，许多专治文学史的同志不是至今还对白居易的《长恨歌》的主题没有一致的看法吗？如果要讲语言的明白晓畅，那些今天被一些人认为是看不懂的诗，倒用的都是普通的词语。它的一个个句子是可以看懂的，不容易看懂可能是诗的整体，而恰恰在整体中包含着作者的追求。

在艺术追求创新的时候，需要一个很重要的条件，就是读者的宽容，正是这种宽容构成了足够的自由空气。偏狭的舆论对于艺术革新是有害的。对于批评家来说，丰富的艺术趣味和高深的艺术修养，往往使他富于历史感，他的历史眼光使他能比一般的读者高出一筹，他不会对自己还不能理解的艺术风格皱起眉头轻率地采取排斥的态度。他知道有些群众一时不能理解的，也可能是能给艺术带来新的生机的；今天不讨人喜欢的拖鼻涕黄毛丫头，明天可能成长为倾国倾城的美人。当美国电影家第一次大胆地运用特写镜头时，那分切的面部不是曾经吓跑了一些观众吗？一个西伯利亚的小学女教师第一次到莫斯科看电影，不是对银幕上把人体肢解成几个部分大惑不解吗？如果当时的电影家奉行非得群众一看就明白不可的艺术标准，电影艺术不是要受到令人遗憾的损失吗？当艺术家认定了分切镜头，特别是特写镜头正在给观众提供一种新的、不同于舞台艺术的联想原则的时候，他知道，这是电影在获得自己独立的艺术生命的关键时刻，他不应该向群众的欣赏习惯妥协，而是应该改造它。电影，是一种大众化程度最高的艺术，可是在它诞生的过程中，曾经也有过“化大众”的历史记录。

这是因为艺术虽然是人创造的，但当它诞生以后，它就不再属于人的主观意志，它在发展过程中便具有了客观的规律性，而不了解这种客观规律的人便很难驾驭它了。正是因为这样，马克思才说人不但创造了音乐，音乐也创造了听音乐的耳朵，对于非音乐的耳朵，音乐不是对象。这就是说，人耳的性能因音乐的存在而发展了。如果不接触音乐，人的耳朵的性能就只能停留在对音乐比较麻木的阶段。20世纪50年代农民听不懂洋嗓子男高音，以为歌唱家在打摆子了还坚持演出，应该责难的就不能光是歌唱家。有些艺术形式，在可以预见的未来，也只能为少数人欣赏，我们绝不能对它采取狭隘的歧视态度和轻浮的取消主义。正因为群众不懂才有一个学习的任务，不懂，并不是可以夸耀的光荣。就拿我国的近体诗来说，当它最初在搞平平仄仄时，不但老百姓不懂，就是当时颇有文化的皇帝也莫名其妙。

喜闻乐见是多闻多见的结果，少见往往产生多怪，不闻不见，趣味就可能狭隘，遇到新的风格和技巧，就可能不懂。喜闻乐见，不应该是一种固定的僵化的成见，不应该成为只允许现成艺术趣味通过的关卡。我们要为创造新的喜闻乐见的艺术风格打开大门。当然，从不能理解到喜闻乐见是一个极其曲折而痛苦的过程，在这过程中艺术和群众都不能不改造自己！

一切真正的艺术创新都不能不是一种新的美学趣味的创造和新的欣赏习惯的培养。在这个不平静的历史过程中，自然离不开对于传统艺术趣味的继承。对于诗歌，这一方面，我们的理论已经有了充分的阐述，有时还是过分的片面的强调。问题的另一个侧面被冷落了，那就是任何艺术创新都不能不和现成的传统的艺术趣味和欣赏习惯发生矛盾，甚至在一定程度上还是对它的破坏，传统的、流行的艺术趣味和欣赏习惯正是改造的对象。一切传统包括艺术传统都有它的保守性，艺术创新要进行到底，便不能不以异端的姿态向传统发出挑战。当马雅可夫斯基突破俄罗斯古典诗歌的美学原则时，他立志要“给庸俗的社会趣味以一记响亮的耳光”。当郭沫若要打破我国旧诗格律的罗网时，他说他“极端厌恶形式”，主张“形式的绝对自由”。当年的新诗革新者把“如厕是早上起来第一件大事”写到诗里，正是为了对“贵族的”“雕琢的”“山林文学”进行亵渎，这样的诗当然是旧诗艺术的迷恋者所不能理解的。因为新诗的革新者在相当长一段时间里忽略了继承传统，我们才在相当长一段时间里反复强调继承传统，但是我们又很快走向了另外一个极端，造成了对于民族艺术传统绝对崇拜的倾向。当一些革新者大胆地触犯了这些传统的美学趣味和欣赏习惯时，就引起了诗歌美学领域里一场不大不小的骚乱。在许多评论家看来，一切好东西都是继承了民族艺术传统的结果，而不是同时也破坏了传统中的一些成分、并对传统加以改造发展的结果。连郭小川那样的诗人的艺术创造也被认为只是继承了传统古典诗歌中的“托物喻志”的方法，好像郭小川没有创造什么新东西似的。把一切光荣都归于继承传统，造成了一种欣赏趣味的偏狭，往往削弱了诗人突破传统进行创造的勇气，使得不少读者甚至批评家对非传统的艺术风格、手法失去了感应能力。二十多年来，我们读者的趣味不是更宽容了，而是越来越狭隘了。而就在这个时候，一些中、青年诗人包括一些恢复了歌唱权利的老诗人采用了外国现代诗歌的一些非古典的表现形式，用外来的美学原则改造新诗、丰富新诗表现力的时候，他们与一部分群众和批评家的矛盾尖锐化了。新诗在走向21世纪，而我们批评家用的解剖刀却还是古典的。他们用古典诗歌的美学原则去衡量20世纪50、60年代的新诗，已经是捉襟见肘了，例如他们老是把我们的古典诗歌的意境的概念无限制地运用。其实，新诗的很大一部分是讲究激情抒发的，早已冲破了意境的美学原则。到20世纪70年代末、80年代初，新诗艺术发展更迅猛了，新诗更加现代化了。单是总结古典诗歌创作和欣赏规律的一些概念更加不够用了，这时，许多人发现一些新诗变得难以欣赏了。二十多年来，我们已经习惯了那种忘我劳动和英勇奋斗的场景描绘和豪壮感情的夸耀，我们已经把主题的鲜明和直接当成诗的要素。现在却遇到了一些诗在回避豪壮感情的夸耀和现实场景的描绘，蔑视主题的鲜明和直接。这些诗的作者，对流行的表现手法似乎采取不屑为伍的态度。他们好像在刻意追求某种朦胧的意象，好像在照相时故意把焦距对得不太准确，使感情和意象的联系比较模糊和隐秘。这样，诗的形象和思想便带有某种不确定性，但是它又是这样新颖，许多诗作中还有很独到的、深刻的沉思乃至哲理。不过，他们厌恶直接说出来，他们把它藏起来，让读者去找。读这些诗不像读某些古典诗歌和一般新诗那样轻松，它好像只接受肯动脑筋的读者，触发他们去回忆生活，推动他们的智慧和感情的发展。也许不光是读者有权选择诗，诗也有权选择读者，当然同时也要争取读者。

这种诗风的产生并不是偶然的。这是对在诗中做政治概念的图解的诗风的一种反抗，或者说，一种挑战；同时对于诗歌的美学趣味来说，也是一种发展。自然，豪情的夸耀和明朗的情思是好的，但它往往可能因为概念太明确而成为说教，使形象萎缩。曲折的暗示这时便应运而生，来弥补其不足。这种似雾里看花的作品，能给读者留下更多的想象余地。明朗是一种美，朦胧也可能是一种美。既然明朗已经培养起了明朗的欣赏者，朦胧也可以培养朦胧的欣赏者。当顾城写道："黑夜给了我黑色的眼睛，我却用它寻找光明。"

这就是他心目中的"一代人"。从表现这"一代人"的感受来说是很真实的：十年动乱，一片黑暗，就是在这一片黑暗中练就了追求光明的意向，越是黑暗，越是向往打破黑暗。这种诗，好处在于它给你的想象以新鲜的刺激，它促使你对它的"主题"做不无困惑的思考。这样的诗带来了一个新的艺术标准：艺术创造就是克服困难，艺术欣赏也得克服困难，而且难度提高了。我们不能老是拿老标准和老尺度去衡量它。也许，关于懂与不懂的争论不过是个现象，问题的实质是艺术标准的不同。

当然，这并不是说，当前那些引起纷纷非议的诗作已经很成熟了。相反的，其中大多数还是不成熟的。但是不能因为果子不成熟，就把它们摘掉。早在 20 世纪 30 年代何其芳写他的寂寞："告诉我欢乐是什么颜色，欢乐是什么声音。"如果拿到解放区去叫一个农民看，或甚至叫城市里一个工人看，恐怕都是要看不懂的。但是作为一种艺术手法，亦即用视觉、听觉（以及嗅觉、触觉和味觉）来把抽象的感情具体化，这种从法国象征主义者那里学来的艺术技巧是不可否定的，尽管它也是不成熟、不好懂的。现在一些引起人们纷纷非议的作品，自然有点像当年何其芳写《预言》（1931—1937）那样的朦胧。对于这种朦胧，不能一概否定。它应该和读者一起改造自己，尽可能地互相适应。虽然，改造的结果今天还很难预见，但是它的未来不仅仅依靠它自己不断发展，同时也需要读者的长进。如果我们的读者在 20 世纪 50 年代不能以宽容的态度对待何其芳的《回答》，那么到了 20 世纪 80 年代我们就应该总结历史的教训，把我们的水平提高一步。让我们一起来呼吁：给艺术的革新者以更自由的空气吧！

新的美学原则在崛起[①]

在历次思想解放运动和艺术革新潮流中，首先遭到挑战的总是权威和传统的神圣性，受到冲击的还有群众的习惯的信念。当前在新诗乃至文艺领域中的革新潮流，也不例外。权威和传统曾经是我们思想和艺术成就的丰碑，但是它的不可侵犯性却成了思想解放和艺术革新的障碍。它是过去历史条件造成的，当这些条件为新条件代替的时候，它的保守性、狭隘性就显示出来了，没有对权威的传统挑战甚至亵渎的勇气，思想解放就是一句奢侈性的空话。当艺术革新潮流开始的时候，传统、群众和革新者往往有一个互相摩擦，甚至互相折磨的阶段。

当前出现了一些新诗人，他们的才华和智慧才开出了有限的花朵，远远还不足以充分估计他们未来的发展，除了雷抒雁之外，他们之中还没有一个人出版过诗集，却引起了广泛的议论，有时甚至把读者分裂为称赞和反对的两派。尽管意见分歧，但他们的影响却成

---

① 本文发表于《诗刊》1981年第3期。该文发表时，《诗刊》有按语如下：这里发表的孙绍振同志的《新的美学原则在崛起》一文，是本刊自1980年8月号开展问题讨论以来一篇较为系统地阐明作者理论观点的文章。作者在评价近一两年某几个青年诗歌作者及其作品时说："与其说是新人的崛起，不如说是一种新的美学原则的崛起。"他认为这个崛起的"新的美学原则"有如下特点。1."他们不屑于做时代精神的号筒"；"不屑于表现自我感情世界以外的丰功伟绩"；"回避……我们习惯了的人物的经历、英勇的斗争和忘我的劳动的场景"；"不是直接去赞美生活，而是追求生活溶解在心灵中的秘密"。2. 提出社会学与美学的不一致性，强调自我表现，理由是："既然是人创造了社会，就不应该以社会的利益否定个人的利益，既然是人创造了社会的精神文明，就不应该把社会的（时代的）精神作为个人的精神的敌对力量……" 3."艺术革新，首先就是与传统的艺术习惯做斗争"。作者向青年诗人指出"要突破传统，必须……从传统和审美习惯中吸取某些'合理的内核'"，但又认为他们当前面临的矛盾，主要方面还在于旧的"艺术习惯的顽强惰性"。编辑部认为，当前正强调文学要为人民服务、为社会主义服务，以及坚持马克思主义美学原则方向时，这篇文章却提出了一些值得探讨的问题。我们希望诗歌的作者、评论作者和诗歌爱好者，在前一阶段讨论的基础上，进一步对此文进行研究、讨论，以明辨理论是非，这对于提高诗歌理论水平和促进诗歌创作的健康发展都将起积极作用。

了一种潮流，在全国范围内，吸引了许多年轻的乃至并不年轻的追随者。在他们面前，他们的前辈好像有点艺术上的停滞，正遭到他们的冲击。

如果前辈们没有新的发展和突破，很可能会丧失其全部权威性。谢冕把这一股年轻人的诗潮称为“新的崛起”，是富于历史感，表现出战略眼光的。不过把这种崛起理解为预言几个毛头小伙子和黄毛丫头会成为诗坛的旗帜，那也是太拘泥字句了。与其说是新人的崛起，不如说是一种新的美学原则的崛起。这种新的美学原则，不能说与传统的美学观念没有任何联系，但崛起的青年对我们传统的美学观念常常表现出一种不驯服的姿态。他们不屑于做时代精神的号筒，也不屑于表现自我感情世界以外的丰功伟绩。他们甚至于回避去写那些我们习惯了的人物的经历、英勇的斗争和忘我的劳动场景。他们和我们20世纪50年代的颂歌传统、60年代战歌传统有所不同，不是直接去赞美生活，而是追求生活溶解在心灵中的秘密。梁小斌说：“我认为诗人的宗旨在于改善人性，他必须勇于向人的内心进军。”他们在探索那些在传统的美学观看来是危险的禁区和陌生的处女地，而不管通向那里的道路是否覆盖着荆棘和荒草。正因为这样，他们的诗风有一种探险的特色，也许可以说他们在创造一种探索沉思的传统。徐敬亚说：“诗人应该有哲学家的思考和探险家的胆量”，这倒是我国当前的一种现实，迷信走向了反面，培养了那么多的哲学头脑，闪耀着理性的光辉。他们的这种思考和传统美学观念的不同之处乃是徐敬亚所说的诗人甚至“应该有早于政治家脚步的探讨精神”。从习惯于文艺从属于政治家的文坛看来，这不免有点“异端”了。当革新者最好的诗与传统的艺术从属于政治的观念一致的时候，他们自然成了受到钟爱的候鸟。正因为这样，舒婷的《这也是一切》、梁小斌的《中国，我的钥匙丢了》等等，得到异口同声的赞许。但是，他们有时也用时代赋予他们的哲学的思考力去考虑一些为传统美学原则所否决了的问题，例如个人的幸福在我们集体中应该占什么地位，人与人之间的和谐如何才能达到，分歧和激烈的争辩就产生了。它集中表现为人的价值标准问题。在年轻的探索者笔下，人的价值标准发生了巨大的变化，它不完全取决于社会政治标准。社会政治思想只是人的精神世界的一部分，它可以影响，甚至在一定条件下决定某些意识和感情，但是它不能代替，二者有不同的内涵，不同的规律。例如政治追求一元化，强调统一意志和行动，因而少数服从多数，而艺术所探求的人的感情可以是多元化的，不必少数服从多数。政治的实用价值和感情在一定程度上的非实用性，是有矛盾的，正如一棵木棉树在植物学家和在诗人眼中价值是不相同的一样。如果说传统的美学原则比较强调社会学与美学的一致，那么革新者比较强调二者的不同。表面上是一种美学原则的分歧，实质上是人的价值标准的分歧。在年轻的革新者看来，个人在社会中应该有一种更高的地位，既然是人创造了社会，就不应该以社会的利益否定个人的利益，既然是人创造了社会的精神文明，就不应该把社会的（时代的）精神作为个人的精神的敌对力量，那种人“异化”为自我物质和精神的统治力量的历史应该加以重新审查。在传统的诗歌理论中，“抒人民之情”得到高度的赞扬，而诗人的“自我表现”则被视为离经叛道，革新者要把这二者之间人为的鸿沟填平。即使从社会学的角度来看，社会的价值也不能离开个人的精神的价值，对于许多人的心灵是重要的，对于社会政治就有相当的重要性（举一个极端的例子：宗教），而不能单纯以是否切合一时的政治要求为准。个人与社会的分裂的历史应该结束。所以杨炼说：“我永远不会忘记作为民族的一员而歌唱，但我更首先记住作为一个人而歌唱。我坚信，只有每个人真正获得本来应有的权利，完全的互相结合才会实现。”我们的民族在十年浩劫中恢复了理性，这种恢复在最初的阶段是自发的，是以个体的人的觉醒为前提的。当个人在社会、国家中地位提高，权利逐步得以恢复，当社会、阶级、时代，逐渐不再成为个人的统治力量的时候，在诗歌中所谓个人的感情、个人的悲欢、个人的心灵世界便自然地提高其存在的价值。社会战胜野蛮，使人性复归，自然会导致艺术中的人性复归，而这种复归是社会文明程度提高的一种标志。在艺术上反映这种进步，自然有其社会价值，不过这种社会价值与传统的社会价值有很大的不同罢了。当舒婷说：“人啊，理解我吧。”她的哲学不是斗争的哲学，她的美学境界是追求和谐。她说：“我通过我自己深深意识到，今天，人们迫切需要尊重、信任和温暖。我愿意尽可能地用诗来表现我对‘人’的一种关切。障碍必须拆除，面具应当解下。我相信，人和人是能够互相理解的，因为通往心灵的道路总可以找到。”从理论的表述来说，这可能是有缺点的，离开了矛盾的统一，任何事物都是不存在的。但在创作实践上，作为对长期阶级斗争扩大化造成的人与人之间关系的恶化的一种反抗，它正是我们时代的一种折光。从美学来说，人的心灵美并不像传统美学原则所限定的那样只有在斗争中（在风口浪尖）才能表现，谁说斗争能离开统一，矛盾不能达到和谐呢？因为据说有百分之五的阶级敌人，就应该对百分之九十五的人瞪着敌视的目光，怀着戒备的心理，戴着虚虚实实的面具，乃至随时准备着冲入别人的房子去抄家、去戴人家的高帽吗？在舒婷的作品中常有一种孤寂的情绪，就是对人与人之间这种反常畸形的关系的一种厌倦，而追求真正的和谐又往往不能如愿，这时她发出深情的叹息，为什么不可以说是一种典型化的感情？为什么只有在炸弹与旗帜的境界中呐喊才是美的呢？不敢打破传统艺术的局限性，艺术解放就不可能实现。一种新的美学境界在发现，没有这种发现，总是像小农经济进行简单再生产那样用传统的艺术手段创作，我们的艺术就只能是永远不断地作钟摆式单调的重复。梁小斌说：“‘愤怒出诗人’成为被歪曲的时髦，于是有很多战士的形象出现。一首诗如果是显得沉郁一些，就斥为不健康。愤怒感情的滥用，使诗无法跟人民亲近起来。”他又说：“意义重大不是由所谓重大政治事件来表现的。一块蓝手绢，从晒台上落下来，同样也是意义重大的，给普通的玻璃器皿以绚烂的光彩。从内心平静的波浪中，觅求层次复杂的蔚蓝色精神世界。”这些话说得也许免不了偏颇，多少有些轻视战士和愤怒的形象在某种条件下不可替代的作用，但是他们的勇气是可惊叹的。他们一方面看到传统的美学境界的一些缺陷，一方面在寻找新的美学天地。在这个新的天地里衡量重大意义的标准就是在社会中提高了社会地位的人心灵是否觉醒、精神生活是否丰富。与艺术传统发生矛盾，实际上就是与艺术的习惯发生矛盾。在生活中，要提高人的地位，自然也有习惯的阻力，但是艺术的习惯势力比之生活中的习惯势力要顽强得多。因为在生活中，人们是以自觉的意识指导着人的思想和实践的，以新的自觉意识去克服旧的自觉意识，虽然也需要一个过程，但总是属于理性范畴，总是比较单纯。而在艺术中则不完全是理性主宰一切，它包含着感情。泰纳在《艺术哲学》中说，“在一般赋有诗人气质的人身上，都是不由自主的印象占着优势”，“若要下一个明确的定义，就得肯定其中有个自发的强烈的感觉”。艺术的感情色彩使它有一种“不由自主的”“自发的”一面，这一面有时还“占着优势”。长期的大量的艺术实践不但训练了艺术家的意识，而且训练了他的下意识或者潜意识。这样，使他的神经在感情达到饱和点的时候，依着一种“不由自主的”“自发的”习惯，达到一种条件反射的程度。习惯，就是意识与下意识的统一。不论是一个人还是一个民族，养成自己独创的艺术习惯都是艰难的。意识和潜意识都是建立在长期经验基础上的。个人、民族、时代的美学独创性，都渗透在这种习惯之中。年轻的革新者要克服一种习惯的拘束，同时，要确立一种新的习惯。不论克服还是确立，光凭自觉意识是不够的。光凭自觉意识就是光凭概念，它同时要和那“不由自主的”“自发的”潜意识打很久的交道。自觉意识不能完全战胜下意识，正如法国的语音学家可能读不好英语的重音一样，又如吴语区的语音学家可能说不好普通话中的卷舌的辅音一样。因为习惯是一种条件反射，形成了一种潜意识，是自觉意识不能管束的，它的存在就是反应固定化的结果，是很难变化的。恩格斯所说的传统的惰性在这里可以找到一部分注解。艺术革新，首先就是与传统的艺术习惯做斗争。顾城在《学诗札记二》中说：“诗的大敌是习惯——习惯于一种机械的接受方式，习惯于一种‘合法’的思维方式，习惯于一种公认的表现方式。习惯是知觉的厚茧，使冷感和热感都趋于麻木；习惯是感情的面具，使欢乐和痛苦都无从表达；习惯是语言的轴承，使那几个单调而圆滑的词汇循环不已；习惯是精神的狱墙，隔绝了横贯世界的信风，隔绝了爱、理解、信任，隔绝了心海的潮汐。习惯就是停滞，就是沼泽，就是衰老，习惯的终点就是死亡……当诗人用崭新的诗篇、崭新的审美意识粉碎了习惯之后，他和读者将获得再生——重新感知自己和世界。”也许把重新感知自我和世界当成革新者的任务并且痛快淋漓地宣告要与艺术的习惯势力做斗争，这还是第一次，因而它启发我们思考的功绩是不可低估的。但是作为一种理论的表述，我们还是要禁不住吹毛求疵一下，这里多少有些片面性，透露出革新者美学思想上的弱点。因为习惯，即使过时的习惯，也不光是停滞的沼泽，它还包含着过去的成就和经验。当革新者向习惯扔出决斗的白手套时，应该像梁小斌那样："我必须承认'四人帮'的那些理论也在哺育我，它也变成阳光，晒黑了我的皮肤。"自然，我们可以说"四人帮"的理论不是我们的传统的习惯，但也不可否认它是我们传统和习惯的畸形化，人总是要在前人积累的思想材料和艺术经验的基础上前进的，前人提供的不可能都是正面的、积极的、健康的，但人类正是在这并不绝对完美的阶梯上攀登的。光凭一个人的才华，光凭自己的生活积累是成不了艺术革新家的。《儒林外史》中写了一个王冕，孤独地反复画了好多年荷花，没有任何学习与参考的资料便卓尔成家，有了惊人的创造，从艺术理论上讲，这是不科学的。王冕的方法是从零开始的原始人的方法，用这样的方法是不可能创造出新的艺术水平来的。在创作实践中人们总是既要从生活出发，又不能完全排除从艺术出发。西洋画从写生开始，中国画从临摹开始，都是反映了规律的一个侧面，二者是可以结合起来的。马克思说："人是按着美的法则创造的。"就是说人在客观现成材料（素材）面前不是像动物那样被动的。美的法则，是主观的，虽然它可以是客观的某种反映，但又是心灵创造的规律的体现。在创作过程的某一阶段上，美的法则是向导，是先于形象诞生的。它又不是抽象的理念，而是活在传统的作品和审美习惯之中的。要突破传统，必须有某种马克思讲的"美的法则"，必然从传统和审美习惯中吸取某些"合理的内核"。习惯只能用习惯来克服，新的习惯必须向旧的习惯借用酵母。不是借用本民族的酵母的一部分，就是借用他民族的酵母的一部分。只有把借用习惯的酵母和突破习惯的僵化结合起来才能确立起新的习惯，才能创造出更高的艺术水平，否则只能导致艺术水平的降低。目前年轻的革新者们自然面临着旧的艺术习惯的顽强惰性，但是如果他们漠视了传统和习惯的积极因素，他们有一天会受到辩证法的惩罚。不过问题的复杂性在于，他们似乎并没有忽略继承，只是更侧重于继承他民族的习惯。但是这种习惯与我国本民族习惯的矛盾有时是很深的。虽然新诗史上大部分有独创性的流派，都和外民族独异的艺术刺激分不开，但是，即使其中的大诗人也还没有解决两个民族艺术习惯的矛盾，当这种矛盾激化到一定的程度，就会走向反面，产生闭关自守或者全盘西化的倾向。新诗的革新者如果漠视这样的历史经验，他们的成就将是比较有限的。不过，我们并不悲观，因为我们看到他们中的优秀代表并不像我们中的一些人认为的那样，以为自己已经掌握了历史发展的全部蓝图。他们有自知之明，他们知道自己还幼稚，舒婷在《献给我的同代人》中说：

为开拓心灵的处女地

走入禁区，也许——

就在那里牺牲

留下歪歪斜斜的脚印

给后来者

签署通行证

探索既是坚定的、不怕牺牲的，又是谦虚的，承认自己的脚步是孩子气的。我们可以毫不迟疑地说，他们肯定会有错误，有失败，有歧途的彷徨，但是，只要他们不动摇，又不固执，即使他们犯了错误，也是可以像列宁所说的那样，得到上帝的原谅的。同时，又会给后来者和他们自己留下历史的经验——但是，这些经验是不是会浪费，就要看我们善于不善于总结使之上升到理论的高度，并为他们所接受了。

自由的风在召唤[①]

自由的风在召唤，在召唤着时代的歌手。

伟大的人民在期待着你们的声音。

我听到过人们打听你们的消息。

那时你们的嘴唇曾经被冻僵。

可是现在春风、温暖的风正吹红你们的面颜。

那些脱离时代的人，最爱责难别人脱离时代。马恩曾经反对过做单纯时代精神的号筒。甘当传声筒的，只能吹出落在生活后面的悲歌。

在改革的浪潮面前，生活方式在迅速发生变异。潜意识里的偶像崇拜、自我麻醉、中庸之道、因循守旧、明哲保身正在遭到挑战。人的价值标准正在剧变，新的价值观念和审美心理模式正在崛起。

多少曾经被批、被禁的现在又恢复了尊严。在短短几年中，中国人民的灵魂深处好像发生了一场淮海大战。

谁最先感受到这灵魂深处的伟大阵痛，谁就不能不改革诗。

谁能满足于用麻痹的神经末梢来接收电子计算机的数据呢？谁能满足于用马雅可夫斯基的呐喊来代替历史的反思呢？

痛切地感到了不足，是突破的前兆。想象途径的单调，曾经那样地束缚了我们。

为了诗的改革，要致力于改革感知系统、联想系统，摆脱被动的留声机式的反映。历史要求我们按照自我思维模式重新安排一个新的世界，并且为这个新世界制定新的法律，确立新秩序。

---

① 本文发表于《深圳青年报》1985年春。这是《新的美学原则在崛起》遭到近四年批判以后发表的第一篇文章。

长期遭禁的自我变得可贵。时代，正使新的自我发出光辉。

历史的先头部队已经越过了找寻自我的阶段，到达了更新自我的阶段，而落伍者却在无休止地争论要不要寻找。

最严谨的裁判官将是时间。时间会给我们最好的答案。得到答案前，让我们用诗竞赛吧。光明磊落的诗，不祈求任何令箭。

论新诗的民族传统和外来影响问题[①]

新诗究竟要在什么“基础”上发展？这里所说的“基础”，自然不是指思想内容，而是指艺术，这里所说的“艺术”，主要也不是指诗行的节奏与章法。把建设新诗艺术基础的关键放在诗行的节奏形式上，正是20世纪50年代末关于新诗发展方向的全国性讨论的偏颇之处。建立某种或多种稳定的艺术形式是诗歌艺术发展成熟的结果，而不是前提。新诗的当务之急是确立自己的艺术基础，使之走向成熟。

这种艺术基础自然是新诗自己创造的，而不是古典诗歌、民歌中现成的，当然也不是从西欧古典和现代诗歌照搬的，否则，新诗就没有独立存在的艺术价值，不过是模仿的赝品罢了。有一种说法，新诗应该在古典诗歌和民歌的基础上发展。[②]事实上新诗正是打破了这种基础的产物。如果说在原有的基础上发展，那是古典诗歌从《诗经》、汉乐府民歌到魏晋南北朝五、七言诗，以至于唐诗、宋词、元曲的发展方式。其间只有楚辞是例外，它属于另一种艺术血统，楚辞中的直抒胸臆的政治抒情和虚拟的象征的形象体系和《诗经》写实风格不属同一艺术基础。新诗正是采取了从《诗经》到楚辞这种以重建新的艺术基础为特点的发展方式，而不是确立五、七言体统治地位前后以继承前代艺术基础为特点的发展方式。后者的艺术积累的丰富性是以发展得惊人缓慢为代价的，而在新诗草创时期，连这样缓慢的发展也已经停滞了。从唐诗发展为宋词，从宋词发展为元曲，几百年来再也没有什么新的艺术突破，正统诗坛一直让模仿唐诗或宋诗的复古倾向统治着。辛亥以后，我国古典诗歌艺术的危机已经达到十分严重的程度。刘半农在《诗与小说精神上之革新》中愤激地指出“做假诗的大约占98%”，他勇敢揭露诗坛的腐朽：

> 现在已成假诗世界，其专讲声调格律，拘执着几平几仄方可成句，或引古证今，

① 本文发表于《新文学论丛》1981年第1期。

② 这是1958年3月毛泽东在成都会议上谈及中国诗歌的出路时提出来的。

以为必如何如何始能对得工巧的，这种人我实在没工夫同他说话。其能脱却这窠臼，而专在性情上用功夫的，也大都走错了路头。如明明是贪名爱利的荒伧，却偏喜做山林村野的诗。明明是自己没甚本领，却偏喜大发牢骚，似乎这世界害了他什么。明明是处于青年有为的地位，却偏喜写些颓唐老境。明明是感情淡薄，却偏喜做出许多极恳挚的“怀旧”或“送别”诗来。明明是欲障未曾打破，却偏喜在空阔幽眇之处立论，说上许多可解不解的话儿，弄得诗不像诗，偈不像偈，诸如此类，无非是“不真”二字，在那儿捣鬼。

自有这种虚伪文学，他就不知不觉，与虚伪道德互相推波助澜；造出个不可收拾的虚伪社会来……胡适之先生说，仿古文章，便做到极好，亦不过在古物院中，添上几件“逼真赝鼎”。我说此等没价值诗，尚无进古物院资格，只合抛进垃圾桶里。①

我国古典诗歌作为一种高度发达的艺术，在这时走向了反面，它创造的美学境界本来是真实生活和鲜活心灵的升华，可是它却离开了它生命的源泉。但这不等于说它就立时毙命了。不，传统的美学观念，仍然没有完全丧失它的统治地位。在它的君临下，我国古典诗歌以它高度的魅力诱人陶醉于虚假的境界之中。艺术的习惯势力有时比生活中的习惯势力还要难破除。古典诗歌的高度感染力变成了高度的麻醉力。即使古典诗歌已经走向末日了，而在艺术上追求解放的诗人也很难打破旧的艺术基础进行新的创造。不是有过“诗界革命”吗？黄遵宪不是把新事物包括像“巴律门”（parliament，议会）这样的外国字写到诗里去了吗？但是，在“五四”新诗运动的倡导者看来，这样的作品仍然是“死的文字”。连南社那样拥有许多参与辛亥革命的人物的诗歌团体，都没有想到要打破我国古典诗歌的艺术基础才能有效地实行“诗界革命”。

一种高度发展的诗歌艺术传统，自然是诗歌创作得以繁荣的有利条件，它构成形象的方式，展开想象的途径都有一定规范，它的形式格律相当稳定，就是没有多少才华的人也可以把它当作一种技术或技巧来掌握，以至于从中国政客到日本军阀都不乏这样的人②。但是像一个诗人最近讲的那样，“你捕捉形象，形象也捕捉了你，幻想被圈进了一个天地”③。在科学上，高度权威在一定条件下会阻碍科学的发展；在艺术上也一样，权威的不可侵犯性也会阻碍艺术的发展。方便的现成的艺术技巧和艺术趣味、艺术概括方式在人们习惯了以后，会妨碍人们独辟蹊径，开拓新的艺术天地。千百年来视为楷模的想象方式、注视内心世界的传统范围构成了艺术的习惯势力，会把人的创造力束缚得死死的。甚至在它已经

① 刘半农：《诗与小说精神上之革新》，郑振铎编选《中国新文学大系·文学论争集》，上海良友图书印刷公司 1935 年版，第 342 页。

② 参阅毛翰：《日本汉诗概览》，《中国周边国家汉诗概览》，线装书局 2008 年版，第 125—202 页。

③ 出自杜运燮的诗作《占有》。

腐朽了的时候，还会迷惑那些主观上力图进行艺术革命的人，就像一株根部已经腐烂了的花树，仍然比那些没有来得及开出繁花的观赏植物更能吸引蜜蜂一样。晚清那些自信在进行诗界革命的人不过是像瓢虫才展开翅膀，还没有来得及找到新的花丛，便又落在最近的花朵上，终于舒舒服服地困在这传统艺术的透明罗网之中了。

不管多么发达的艺术传统，也只能把生活和心灵的某些方面，用某些独特的方式加以有限的艺术化，它不可能穷尽其全部内容，使之化为无限的艺术形象。生活和心灵中进入艺术领域的总是它的一小部分。艺术传统的有限性和生活与心灵的无限性是一对永恒的矛盾，即使这些有限的生活和心灵内容也要经过脱胎换骨的改造才能成为艺术。自发地凭借生活和心灵的素材是进不了真正的艺术创造之门的。人们在进行艺术创造时所依据的不仅仅是客观生活的真实，同时也根据各自主观的美感经验。一个民族的美感经验是凝聚在具体作品中的，而这种作品的经典性质又反过来创造了欣赏这种美学境界的心理习惯，使之成为一种客观存在的传统力量。人们在进行艺术创造时不能不受到这种传统的美学趣味的暗示，为之所驱使，甚至逼迫，在生活与艺术、主观与客观的痛苦而又欢乐的婚媾中使形象成为生活、自我和现成传统的共同的儿子。没有任何美感经验、艺术传统，只能有原始人的简单艺术，甚至连原始人的简单艺术也创造不出来。有限的艺术传统就这样又显示出保守性来。它的保守性和艺术要求不断创新又是一对永恒的矛盾。正因为这样，在没有一种新的美学趣味、美感经验代替旧的之前，不但建设新的艺术是很困难的任务，而且连打破旧的美学境界也不可能。美学传统的保守性使艺术革命甚至比思想革命更加艰巨。我国古典诗歌在这一点上表现得特别明显。早在宋朝辛弃疾就曾朦胧地感到艺术迷醉人的力量，甚至使人宁愿脱离生活和心灵的真实："少年不识愁滋味""为赋新词强说愁"，说明这种畸形现象是有历史根源的，到"五四"前夕，如刘半农指出的，已经成为一种末日的危机了。胡适也曾嘲笑过留学生中旧诗艺术的迷恋者，明明是在灯火辉煌的美国洋楼里，写起诗来偏偏要"茕茕一灯如豆"。

这说明要打破一种旧的艺术，哪怕是已经腐朽了的艺术，光凭借生活和心灵是不成的。艺术必须用艺术去战胜它的保守性和狭隘性，让新的生活和新的美感经验一起进入艺术。然而艺术总是落后于生活的，在新的艺术作品还没有诞生之前，新的美感经验在哪里呢？"五四"前后打破旧诗镣铐，创造新诗艺术所面临的就是这样的艰巨任务。

这时唯一现实的途径就是向外国诗歌，特别是以反抗传统表现叛逆精神的欧美和俄国浪漫主义诗歌学习，向他们借用反映新的社会力量的美感经验。但是这是需要才华也需要创造气魄的。并不是每一个接触外国诗歌的人都具备这种条件的。

最初，新诗在艺术上遭到了痛苦的挫折，写了第一部新诗集《尝试集》，而且并不缺乏欧美古典和现代诗歌知识的胡适，只打破了旧诗形式的有形镣铐，并未打破旧诗艺术的无形桎梏。《尝试集》中包含着很大一部分旧体诗词，就是在号称新诗的作品中，也有相当一部分袭用了旧体诗词的句法和情调，是“洗刷过的旧诗”，胡适把自己比作小脚女人放大脚，永远恢复不了天足。艺术传统的保守性在《尝试集》中有很突出的表现。早期新诗的另外两个闯将刘半农和刘大白，曾经借用民歌形式进行创作，但不久就放弃了这样的“尝试”。不论在当时还是今天，很少有人把这样的作品当成新诗的成功之作。因为在把生活艺术化的过程中，他们并不是创造了新的，而是因袭了旧的。旧诗在艺术上的保守性在顽强地阻挡新的生活、新的情感进入诗歌领域。

“五四”以后，新潮社的青年诗人和文学研究会《雪朝》诗集的一些作者，又走向另外一个极端。他们勇敢地抛弃了一切传统诗歌的艺术，甚至诗歌的一切形象特点，直接从生活出发。这样就把旧诗艺术彻底打破了。胡适所没有真正实行的“有什么话，说什么话，话怎么说，就怎么说”，他们毫不客气地实行了。在《雪朝》的序言中，郑振铎说出他们这一派人共同的诗歌主张：“我们要求‘率真’，有什么话，便说什么话，不隐匿，不虚冒。我们要求‘质朴’，只是把心灵所感到的坦白无饰地表现出来。雕凿与粉饰不过是虚伪的逸遁所与‘率真’的残害者。”他们反对旧诗艺术贵族化的珠光宝气的粉饰与雕琢，以至于蔑视对生活必要的净化、提炼和美化。他们完全忽略了生活与艺术的区别。他们以为只要冲破旧的形式，把真实的生活，用日常口语排成长短不齐的诗行，就是达到了令人狂喜的新的艺术境界了。他们还来不及理解，换了一种诗歌形式，就意味着换了一种构成形象的方式，特别是想象的方式。实际上就是要建立一种新的形象体系和美学原则，这好比要建立一种新的形象的“语法”那样艰难。如果没有这样的创造，就不能战胜旧诗艺术的保守性，甚至连明明是新的生活和内容，也会被旧的形式同化成旧的。胡适翻译拜伦的《哀希腊》就是这样的例子，用我们今天的新诗的语言和形象是不难翻译的：

希腊的群岛啊，希腊的群岛！
　　在这里，火一样热情的莎孚曾经恋爱和歌唱，
在这里，战争与和平的艺术曾经生长，
　　在这里，浮起月亮的故乡，跃出太阳的神像，
在这里，一切都还镀着永恒的夏日的华光，
　　但是除了那太阳，一切都已沦丧。

但是在当年新诗还没有这些与拜伦作品相对应的表现手段，胡适不满马君武和苏曼殊的翻译，但也只能把它译成骚体：

嗟汝希腊之群岛兮，

实文教武术之所肇始。

诗媛莎孚尝咏歌于斯兮，

亦羲和素娥之故里。

今维长夏之骄阳兮

纷灿烂其如初，

余徘徊以忧伤兮，哀旧烈之无余。

这里的译文用了这么多的楚辞式的传统形象和节奏形式，已经使拜伦的诗一点也没有了英国浪漫主义的风格，连思想也带上了中国传统观念的色彩。这不是偶然的，刘半农用古典诗歌的形式去翻译《马赛曲》，其效果也差不多如此。这说明形式虽然不能决定内容，但却有一种强大的力量迫使内容就范，使之适应自己的特点。郭沫若在《女神之再生》中说："旧的皮囊不能装下新的葡萄酒浆。"这里的情况说明，勉强装进去，会使葡萄酒变质。新时代要求当时年轻的觉醒者创造与新内容相适应的艺术手段。这自然是一项异常艰巨的任务。但是，当年的觉醒者在相当长一个时期里并没有理解这种艰巨性。他们满足于破坏旧艺术，却很少新创造。他们以为旧艺术已经死了，只要用活的生活就能代替它。但是，活生生的生活和心灵并没有直接产生活的艺术，当他们把"如厕是早晨第一件大事"之类的话写进诗里去的时候，并没有感到亵渎，但是连胡适也不能不嘲笑那"棒子面一根一根往嘴里送"的新诗了。事实上由于在艺术上缺乏创造性，一度生气勃勃的《雪朝》的作者们，很快就发现他们的新诗创作坚持不下去了。朱自清、周作人、俞平伯、徐玉诺、郭绍虞、叶绍钧、刘延陵、郑振铎很快就脱离了新诗战线。就这样在北京诞生的新诗，在一片反对声中不免有点寂寞。而这时远在东洋的郭沫若异军突起，在艺术上走上一条新路。比起胡适来，他深深了解新诗和旧诗在构成形象和想象的途径方面是有着不可漠视的区别。在《女神》初版中，他曾把自己"五四"以前写的一首词调色彩很浓的《别离》"翻译"（他自己这样说）成新诗（可惜后来的版本把译诗删了）。原诗第一节是这样的：

残月黄金梳，

我欲掇之赠彼姝。

彼姝不可见，

桥下流水声如泫。

郭沫若把这一段译成：

一弯残月儿，

还挂在天上。

一轮红日儿，

早出自东方。
我送了她回来，
走到旭川桥上！
应着桥下流水的哀音。
我的灵魂儿，
向我歌唱：
月儿啊，

你同那黄金梳一样。
我要想上天，
把你取来，
用我的手儿，
插在她头上。

天这么高，
我怎能爬得上，
天这么高，
我纵能爬得上，
我的爱啊，
你今儿到了何方？

这里就不仅仅是语言的翻译，增加了一些省略的成分，而是想象的翻译，把旧诗的想象译成了新诗的想象，可以看得出来，新诗的想象比旧诗常常与生活原型有更大的区别。在这里就是把原诗抒情主人公现实的感受，译成了主人公的虚拟性的想象，主要形象是主人公内心歌唱出来的。由于形式改变，诗的内容也发生了一些变化。

“五四”前后，在诗歌领域中发生的革命，既不能表面地把它当成一种诗行形式的革命，也不能简单地当成一种思想的革命，而应该主要是和这两者紧密相连的艺术革命。是想象方式和美学原则的革命。诗体的大解放如果不和概括与想象心灵活动方式的大解放结合在一起，是不可能不夭折的。

这是一次甚至比思想革命更加艰巨复杂的革命。要解脱我国古典诗歌的禁锢，不但需要新的思想的冲击，而且需要新的艺术的冲击。没有一种真正能称得上是艺术的刺激，人们对于旧艺术的迷信是很难打破的，对于新艺术的追求也是很难进行的。问题是谁有这种感受新的刺激的艺术敏感。在“五四”新诗人当中，自然郭沫若是最富于这样的敏感的。他在《我的作诗的经过》中（《沫若文集》第三册），记述了他在1913年第一次接触另外一种诗歌艺术的感受。他说当他从英文读本上读到美国诗人朗费罗的《箭与歌》时，甚至觉得：“第一次才和诗见了面一样。”[①] 试将这首诗翻译如下：

我把一支箭射向苍穹，
它落向何方，我不知影踪，
它飞得这么的迅速，
目光怎么也不能把它追踪。

我把一支歌唱向太空，
它落向何方，我不知影踪，
谁的目光能如此迅猛，
能追上歌声飞驰如风？

很久以后，在一棵橡树上，
我找到那支箭依然完好，
还有那支歌，我也重新找到，
它完整地保存在我朋友心中。

引起郭沫若惊异的自然不是这首诗的思想，而是它的艺术；因为这种珍惜知音友谊不朽的主题，在我国古典诗歌中是不少见的，但是其想象和构思方式，都闪着奇异而陌生的光芒。它不同于我国古典诗歌中追求实在环境逼肖的描绘，这里的箭与歌却是虚拟的想象，两个并列的形象从虚幻中突然重合，变得明晰起来，闪出思想的光华，还有它那带着类比推理色彩的在想象中层层推进的章法，都是中国古典艺术中前所未见的。郭沫若说是“像第一次见到诗一样”，意思就是第一次接触这种新的诗歌艺术，发现了另一个天地。郭沫若对于崭新的艺术天地的高度敏感，是胡适所望尘莫及的。正因为这样，在大量接受了西欧浪漫主义诗歌熏陶之后，郭沫若才以他狂飙突进的雄姿，为新诗开拓了通向新的艺术天地的道路。是他第一个把惠特曼、海涅、歌德、雪莱表现内心激情的方式带到中国新诗中来，使中国新诗在一种新的美学理想光华的照耀下开始了新的艺术创造。从此，新诗才可以算是跟旧诗艺术最后告别了。它踏上了一条艰难曲折的道路，在这条道路上前进的创造者，

① 郭沫若：《我的作诗的经过》，彭放编《郭沫若谈创作》，人民出版社1982年版，第34页。此处原文参看《沫若文集》第三册，人民文学出版社1957年版。

将越来越痛切地体会到，把艺术，特别是诗，比作像镜子那样冷漠地反映生活之花是多么不准确。艺术之花自然来于生活，但同时又是诗人心灵的创造。诗人的心自然不像呆板的平面镜，至少应该有三棱镜、凸透镜，甚至哈哈镜那样折光神奇的变幻能力。但它又不完全像透镜，一旦获得折光的能力就不会丧失了，相反，如果它不能与岁月更新，它就会由于其固有的狭隘性与保守性而僵化，而腐朽。它要求深入到前人未曾达到的领域，发现事物间的新的美学联系。从生活到艺术的道路是如此迷离恍惚，以至任何一个天才都不可能单独完成对一种艺术进行更新的任务。在“五四”当年，如果人们不善于从传统艺术以外的艺术进行学习，把其他艺术血统的创造成果消化为自己的心灵的果实，要进行创造性的艺术活动就像从猿到人那样的艰难。在哲学上，人们的直接经验不能径情直遂地上升为系统的理论，因而当年“五四”思想解放的先锋不能不从欧美、俄罗斯去借用思想武器（如进化论、泛神论、实用主义、无政府主义、马列主义）；在艺术上也是一样，人们朴素的心灵体验也不能直接上升为艺术形象，因而当年艺术解放的先锋就不能不从欧美和俄罗斯借用艺术武器。而在新诗领域，首先就是西欧北美、俄罗斯的古典诗歌，其中主要是浪漫主义诗歌，后来还有象征派、意象派，乃至于从象征派蜕变出来的布洛克和从未来派蜕变出来的马雅可夫斯基为代表的苏联革命诗歌。正是这些新的想象方式、概括心灵活动的方式乃至修辞方式所体现的新的美学原则吸引着年轻的觉醒者，去用活生生的艺术创造而不是用粗糙的生活碎片去代替生了锈的艺术古董。当年新诗的草创者们风华正茂，他们是勇敢的，如果他们有丝毫的怯懦，那么打破古典艺术传统的狭隘性和保守性，开拓新的艺术天地就是不可能的了。

中国传统的诗歌艺术即使有一千条好处，但是它有一个根本的弱点，就是太单纯了。它的容量比较小，表现比较繁复的生活和比较复杂的思想的手段十分薄弱。它最高的艺术创造集中在多彩的描绘中，渗透着心灵秘密的颤动。无论是欢乐还是悲哀，无论是铁马金戈还是红巾翠袖，它所擅长的是情景交融，它所追求的是意境。它往往避免形象、空间、时间和逻辑关系的过分明确，它往往省略有助于逻辑推理的连接词以及明确语法关系的介词。在传统诗歌中，特别是律诗、绝句和词中，句与句、词与词之间的语法关系的省略往往是提高形象密度的重要表现手段。因而表现复杂的思想不是它的长处，“理气”成了它的畏途。多数作品不仅要对词汇、典故作注，而且要对逻辑关系作注，甚至要对注再作注（叫作“疏”或“笺”），连很高明的注家也很难做出准确的判断。这就产生了“诗无达诂”的问题。正是因为这样，毛泽东 1957 年在给《诗刊》编辑部的信中，对旧诗只讲了它一条缺点：“束缚思想。”而西欧诗歌在文艺复兴时就已经经历了一次对死去的语言拉丁文的反叛，建立了所谓的“国语的文学”，它在资产阶级推崇理性的上升时期发展起来，在议会政治、个性自由的社会空气中，在印刷术大为发达的物质基础上，走向成熟。它有自己的严谨格律，仍有许多不及中国传统诗歌艺术之处（例如它的描绘手段、表现客观环境的形象的密度），但是它有一个不可忽视的优点，那就是有比较大的思想容量和生活容量。这是因为它不回避诗句间的逻辑关系，不省略对于逻辑推理来说是不可少的介词和复合句连接虚词。为了保证这种逻辑关系和语法关系的明确性不导致对格律的破坏，它不惜跨行，打破诗行在意义上的独立性。它不像中国传统诗歌那样珍惜诗行意义上的完足。它有足够的大发议论的手段，它的主要表现方法使它能够采取中国古典诗歌不常用的那种直接抒发的形式，它不回避在中国诗歌中视为畏途的哲理。英国浪漫主义的代表之一华兹华斯这样说：

我记得亚里士多德曾经说过，诗是一切文章中最富有哲学意味的，的确是这样。诗的目的是在真理；这种真理，不是个别局部的真理，而是普遍的有效的真理；这种真理不是以外在的证据做依靠，而是凭借热情深入人心。①

西欧诗歌的这种重视理性的倾向并没有使它背弃形象，它通过一种和中国传统诗歌不尽相同的因素和形象结合起来，这就是华兹华斯在这里所说的“热情”。别林斯基更确切地把它称为“激情”。他阐述了哲理和形象的矛盾怎样通过激情达到统一：

艺术不能容忍掺入抽象的哲学观念，尤其是理性观念，它只能容受诗情观念。而诗情观念不是三段论法，不是教条，不是规则，它是活生生的情欲，它是激情……有了激情，诗人爱上了观念，就像爱上一个美丽的、活生生的人一样，就热情如焚地被观念所渗透……在哲学中，观念是没有实体的，通过激情，它转化为具体的事实，转化为生动的创造物。②

别林斯基认为理性一旦和激情结合起来就有了具体的形象了，而且能达到“丝毫也看不出缝合或者是焊接的痕迹”的程度。可以说，西欧、北美、俄罗斯浪漫主义的古典诗歌所追求的是情与理交融的境界，这和我国古典诗歌追求的情景交融是有很明显的区别的。别林斯基所强调的激情往往有某种直白的特点，和我国传统诗歌的意境那种含蓄的风格也有所不同。我国古典诗论，有时是明确指出诗与理是不相容的，《沧浪诗话》正是反对宋诗中理气的产物。严羽强调的是“性情”和“趣味”：

诗有别趣，非关理也……所谓不涉理路、不落言筌者，上也……诗者，吟咏情性也。盛唐诸人惟在兴趣，羚羊挂角，无迹可求。故其妙处透彻玲珑，不可凑泊，如空中之音，相中之色，水中之月，镜中之象，言有尽而意无穷。近代诸公乃作奇特解会，

---

① 华兹华斯：《抒情歌谣集》（1800 年版），曹葆华译，《古典文艺理论译丛》（第 1 册），人民文学出版社 1961 年版。亚里士多德的话出于《诗学》，原文是这样的：“写诗这种活动，比写历史更富于哲学意味，更被严肃地对待，因为诗所描绘的事带有普遍性，历史则叙述个别的事。”

② 别林斯基：《普希金作品集》，《古典文艺理论译丛》（第 11 册）。

遂以文字为诗，以才学为诗，以议论为诗。夫岂不工，终非古人之诗也。[①]

这里强调性情和兴趣，都带着直觉的不可捉摸的色彩，不能用明确的理性观念来规范，只能由神秘的“妙语”来获得，后来人所主张的“神韵”也有类似的特点，都是强调不落议论、不涉道理、不发露直陈的。这种诗论自然也可能有某种偏激之处，但是它总是在一定程度上反映出中国传统诗歌在面临形象与理念的矛盾时的某种优越性和局限性。而到了“五四”时期，以思想解放为旗帜的新文学运动掀起时，这种局限与诗歌的社会职能的不适应就十分突出了。在这种情况下，西欧浪漫主义直抒激情的方式，进入新诗领域就是自然的了。正是因为这样，在郭沫若的《女神》中出现了一系列令当时青年耳目一新的情理交融的形象（他自称以“理智为父，感情为母”）。这种形象崭新的诗学内涵，成为新诗的传统形象体系最早的成分。例如“太阳”不再是“日为君象”的太阳，也不是大自然的星球，而是光明、解放的象征：“太阳哟，你请永远照在我的面前，不使退转！太阳哟，我眼光背开了你时，四面都是黑暗！”

西欧浪漫主义诗歌常从自然现象上升为直接对生活的哲理概括。这里所说的光明和黑暗的关系包含着一种哲理，但是并不抽象，因为这里有一种直觉，作为激情的基础。在这里情与理是交融着的，这正如雪莱的《西风歌》中“假如冬天来了，春天还会远吗”所暗示的冬天和春天的辩证关系一样，是从一种特殊的激情中激发出来的哲理，广泛运用这种情与理中激发出来的哲理，也即情与理交融的方法，使郭沫若的激情带着很明显的激情和理性结合的特点。在《凤凰涅槃》中，那烈火中翱翔的凤凰蕴含着死与生的辩证关系，自觉毁灭旧世界和旧我转化为永恒的生命。在《地球，我的母亲！》中，渗透着天赋人权的观念，当人好像是在贬抑自我，把自己当作大自然的儿子时，人就达到了最崇高最自由的境界。朱自清在《诗与哲理》中说，“五四”新诗人中只有郭沫若“强烈的情感能够将理融化在他的笔下”。[②]以《女神》为代表的新诗，在思想和生活容量上的扩大、想象方式的发展、明喻和暗喻性能的提高（一反“近取譬”的传统，采取“远取譬”的方式），都显出了我国传统艺术所不及的优点（尽管从总的艺术水平来说还不如），这一切，加上它的潜在能量，就使新诗能够找到它自己的语言，用自己的“语法”讲话了。

事实上，新诗只有在艺术上显出某些为旧诗不及之处，它才有存在的价值，才可能代替旧诗，占据诗坛的正统地位。如果它满足于向旧诗借用语言形象，如果它满足于向外国诗歌借用表现方法，它就不可能有自己的艺术生命。在新诗作为旧诗的否定出现之初，人

---

① 严羽：《沧浪诗话校笺》（上），张健校笺，上海古籍出版社2012年版，第129页、第157页、第173页。

② 朱自清：《诗与哲理》，《新诗杂话》，港青出版社1978年版，第33页。

们对它再不满，回到古典诗歌和民歌去，也不会成为一种倾向。“全盘西化”却在新诗的幼体上留下一定的烙印，就是那个实际上照搬象征派支离破碎的表现方法，以中国文字写着中国人很难看懂的外国诗的李金发，主观上也还是想“沟通”中国古典诗歌与西方现代诗歌的（见《食客与凶年》后记）。无可讳言，如何把西欧诗歌的美学原则和表现手段与中国传统的诗歌艺术结合起来，是新诗最薄弱的一环。正因为这样，新诗的艺术基础一直是比较薄弱的。不管是中国古典诗歌还是外国的古典诗歌，其艺术传统均有局限，如果满足于用一种局限性去代替另一种局限性，是谈不上新诗的创造和发展的，但是要把一种外来美学传统的短处做纯理性的分析已经不容易，更何况要在实践中用中国美学传统中的优长去加以补充和修正。亏得当年新诗的倡导者们大都是一些赤诚的爱国主义者，他们对中华民族艺术传统的深沉感情和深厚修养是不可能不表现在他们创作之中的。如果说，在《女神》中，占着优势的外国诗歌的艺术方法还只是和中国诗歌的某些艺术手段处于兼容并包的杂处状态，到了闻一多的《死水》中就有了某种程度的融合。为胡适的“八不主义”所否定了的典故，又以新的异彩出现了。在诗集《死水》中，英国浪漫主义的崇高直抒，法国象征主义以丑为美的五官感受的形象和中国诗歌的许多传统形象和格调结合在一起：

告诉我那智慧来得神奇，
说是河马献来的馈礼；
还告诉我这歌声的节奏，
原是九苞凤凰的传授。

一连串祈求式的洋气的排比句与古色古香的传统典故和想象一结合，就构成了一种特殊的情调。自然，闻一多的这种结合还是很有限的。这说明，新诗艺术上发展的战略方向还没有达到后来那样明确和自觉。

像中国古典诗歌艺术有它的局限一样，西欧浪漫主义诗歌在艺术上也有它不可忽略的缺陷，那就是它在追求情理交融的时候，往往产生理胜于情的概念化倾向。西欧浪漫主义诗歌中的说理成分比之我国的宋诗，实在是大得惊人。席勒被恩格斯批评为“时代精神的单纯传声筒”，歌德认为拜伦的大部分反抗现实的作品不过是“被扣压的议会发言”[①]并不是偶然的。朱自清早在编《中国新文学大系·诗集》时，以及后来在《诗与哲理》（载《新诗杂话》）中都曾指出初期新诗有偏重说理的倾向。当时影响很大的诗人徐志摩甚至以“诗哲”为笔名，这都是受西欧浪漫主义诗歌影响的表现。当然，有的研究者认为新诗所受外国诗歌影响只限于西欧浪漫主义[②]是不全面的。早在20世纪20年代初法国的象征派诗歌、

① 艾克曼：《歌德谈话录》，朱光潜译，人民文学出版社1978年版，第94页。
② 林以亮：《美国诗选序》，《美国诗选》，今日世界出版社1976年版。

美国的意象派诗歌在中国就有了影响。

象征派是欧美现代文学的鼻祖，在艺术上力图反叛传统的艺术趣味。它们反对浪漫派的直抒胸臆、高谈阔论、狂欢、暴怒，反对把诗当成感情的“喷射器”。认为直接说出来就不美了，坚决抛弃直接的表现。像随之而起的各种现代派艺术一样，他们都有点“不讲理”的味道。波德莱尔说：“诗的目的不是真理”，“艺术越达到哲学的明晰性，便越降低了自己”。①它所追求的不是情理交融，而是追求情、声、色、香、味相结合的美感，事实上，是力图赋予抽象的观念以具体的五官可感的形象。他们当然也要抒情，但他们厌恶明晰的理智和观念，他们力求把内心的感触移到一个可以看得见、摸得着、听得到的具体对象上，对于客观生活他们倒并不怎么尊重，只是当作内心“最高真实”的象征，追求情调的“客观对应物”。象征派的主观情调和客观形象是有点变态的。不但在思想上，而且在艺术上都有许多明显的腐朽之处，但是在通过景物和人物的描绘来暗示感情这一点上与中国传统诗歌艺术的情景交融又一脉相通了。当然，其间的区别也是很明显的。象征派笔下的人或物，往往是心灵的暗喻，而我国传统诗歌的描绘往往是现实性的。尽管如此，当后期象征派、美国意象派诗人接触到我国古典诗歌艺术时，还是感到莫大的振奋。庞德甚至宣称他是中国古典诗歌的师承者。意象派把中国的唐诗“云霞出海曙，梅柳渡江春”翻译成：

云和霞
向大海
黎明
梅和柳
渡过江
春

中国古典诗歌省略联结词、介词成分和逻辑因果成分，与意象派追求意象的并列和重合不谋而合。

尽管象征派和意象派在欧美现代文学中思想上比较复杂，但是他对形式的探究仍然有很深刻之处。为中国新诗艺术的基本建设做出贡献的诗人，多数是受过他们影响的。闻一多、戴望舒、艾青、何其芳都通过现代派、象征派、意象派的迷宫找到了自己的艺术道路。当然，也有在迷宫里过久迷途的，卞之琳过分晦涩的诗风也许可以作为这方面的例子。当然到了抗战期间，在他的《慰劳信集》中，这种情况有了改善。艾青早期用“莪加”的笔名写的作品也有这种在艺术上迷途的特点，但他不像卞之琳付出了那么多学费。他从写出《大堰河，我的保姆》以后，就用他的创作突破了象征派艺术方法的局限。他和象征派那种

① 伍蠡甫编选：《西方文论选》（下），人民文学出版社上海分社1964年版，第225页。

脱离社会，探索孤立抽象的人的内心倾向永远告别了，也告别了象征派的朦胧和残破。后来他在《诗论》中强调诗人的社会责任，在思想上追求“对今日世界的批判”“对于明日世界的瞩望与明晰”，已经抛弃了象征派的非理性美学原则了。当然，同时象征派在艺术上的某些优点他还是坚持的，“用可感触的意象去消灭朦胧的暗喻。诗的生命在于真实性成了美的凝结，有重量与硬度的体质，无论是梦，是幻想，必须是固体”。① 后来他的诗作中形象的可感触性和前期一样突出。何其芳也以后期《夜歌》的明朗否定了早期《预言》的晦涩，而当戴望舒写出《灾难的岁月》以后，他前期的陷于形式的艺术倾向也大致消失了。

所有这些都说明，接受外国带有形式主义倾向诗歌的影响并不绝对可怕，吃西红柿的人不一定脸红，吃乌贼鱼的人不一定脸黑，问题在于能不能消化。从一种外国艺术形式出发走向表现中国人的心灵，并且要达到前人未曾达到的领域，是相当艰难的。诗人的才华在这条道路上受到严峻的考验。满足于对外国人做简单模仿的，都很快地在这条道路上消失了，哪怕是模仿很革命的诗人也不能保证他有很久的艺术生命。闻一多、艾青、何其芳、戴望舒、穆旦、冯至在艺术上的创造和他们不满足模仿浪漫派，也不满足于追随现代派、象征派，而是把浪漫派的寓理于情和现代派的寓情于物结合起来有直接关系。而与他们差不多同时活跃于诗坛的蒋光慈和蒲风，虽然更多地受到苏联革命诗歌的影响，则多少限于追随，在艺术上不但没有突破，反而把苏联早期革命诗歌从浪漫派那里继承来的理胜于情的弱点大大地发展了。田间、郭小川、贺敬之都曾一度用马雅可夫斯基的扶梯诗形式进行创作。但有气魄的艺术家是不会停留于模仿阶段的。田间在走向成熟时，就改变自己曾经迷恋过的形式，尽管这种“改嫁”使田间付出惨痛的代价。而郭小川在告别了《向困难进军》那样的楼梯式诗歌以后，被誉为新诗的“技术革新能手”，这样说虽然不免有溢美的成分，但在艺术上，他确实达到了一个新水平。贺敬之既不同于田间，也不同于郭小川，他用中国古典诗歌以严整的对仗提高艺术概括的传统方式改造参差不齐、高低不平的扶梯诗行，用对称和不对称的统一，使节奏感和形象性都有了显著的提高。这种经过改造的扶梯诗，后来几乎取代了节奏和形象都很散漫的扶梯诗。贺敬之之失，在于过分政治化的图解和古典语言的被动追随。

由此看来，新诗要确立属于它自己的艺术基础，需要一个漫长的历史过程。如果说这种基础在郭沫若的《女神》中已经完成了，那是把这个任务看得太简单、太轻易了。如果说直到 20 世纪 50 年代末，还否认这种艺术基础的存在，还要从零开始，赤手空拳地回到古典诗歌和民歌上去，那就无异于说，新诗存在就是一种浪费。事实上在《女神》时期，新诗从外国输入的手段还只限于浪漫主义，应该说，还是比较贫弱的。后来象征派、现代

① 艾青:《诗论》，新文艺出版社 1954 年版。

派、意象派以及国际革命诗歌从马雅可夫斯基到聂鲁达、洛尔伽的输入都养育了一大批诗人，许多新的表现手段经过痛苦和欢乐的改造、净化，产生了不同的风格和流派，这时才可以说新诗的艺术基础是初具规模了。其间最容易被夸张的是外国革命诗歌加马雅可夫斯基的鼓动家式的夸耀对我国新诗的积极影响，而最容易受到误解的则是西欧北美的现代派诗歌对新诗的消极影响。其实从艺术上来讲，西欧北美的现代派诗歌对开拓新的美学天地的推动并不亚于国际革命诗歌。今日的诗歌爱好者往往只知道马雅可夫斯基那咆哮的语言，光知道西欧 19 世纪初期的浪漫主义有“玫瑰”和“夜莺”的传统，往往不知道否定这种传统的象征派，还有“死叶”和“银泪”的传统，而且这种传统也有很多称得上是真正的艺术创造。卞之琳在《重新介绍奥登的几首诗》中谈到西欧现代诗歌的艺术原则时说：

> 不用风花雪月也可以有诗情画意，不作豪言壮语也可表达崇高境界，不用陈腔滥调当然会产生清新感觉，偶尔用一点陈腔滥调也可以别开生面，好比废物利用……干脆凝练，也可以从容不迫；出语惊人，不同凡响，固然也应合情合理；语不惊人，也可以耐人寻味，冷隽也可抒发激情。①

这种“冷隽也可抒发激情”的原则属于英美现代诗歌艺术风格，它对 20 世纪 30、40 年代我国新诗不同流派的繁荣曾起过很大的作用，没有这种原则就不会有“九叶诗人”，不会有冯至、穆旦。今后在破除我们长期遗留下来的艺术陈规时，它仍然会起很大的作用。

当然，不应忘记，新诗在接受外国诗歌影响时没有解决如何与继承我国民族传统诗歌艺术结合的问题，因而它的民族独创性不强，这种先天性不足几乎时时威胁着它的生命和安全。早在 20 世纪 30 年代，它的民族形式问题就引起了许多关心它的人的忧虑。到了《在延安文艺座谈会上的讲话》发表以后，解放区的诗人出于一种改变现状的决心，纷纷从民歌中吸取营养，甚至放弃自由诗改用民歌写作，这对新诗民族化的美学境界的开拓和想象方式的发展、表现能力的提高也许有划阶段的意义。李季说他在民歌面前“简直被这单纯而又深刻的诗句惊呆了”。他感到“从来还没有看见过如此单纯易解而又深刻感人的东西”（《我是怎样学习民歌的》，见《文艺报》一卷六期）。这和郭沫若当年第一次读美国诗人朗费罗的作品的感受几乎是不谋而合。这只能说明一种新的美学境界给追求艺术创造的人的印象是多么惊人的相似。李季以他的《王贵与李香香》为扩大新诗的艺术基础，做出一种新的尝试：“烟锅锅点灯半炕炕明，/ 酒盅盅量米不嫌哥哥穷。”

爱情的坚定性，在新诗中已经有了许多成功的表现，但是这里却不像新诗中常见的那样夸耀激情，也不像古典诗歌那样用绚烂的文采加以美化。这里只是朴素地用好像不能入诗的生活细节表现物质的贫困和感情的富足。而且这些细节不是到诗歌固有的传统形象中

① 卞之琳：《重新介绍奥登的几首诗》，《诗刊》，1980 年第 1 期。

去找，而是在产生这种诗歌的环境中去选择。即使在需要美化和渲染的时候，也是在新诗和古典诗歌固有境界以外勇辟新天，主要是从农村的大自然和农业有关系的气候环境中提炼形象，并且用符合农民想象和联想习惯的方式展开："山丹丹开花红姣姣，/ 香香人材长得好。"

用花来形容女性的美在诗歌中是很陈旧的手法了，但这里却给人新鲜之感。因为它反映主人公心灵和生活环境的特点。至少在当时，给诗人的印象是为新诗提供一个新的感情世界和新的美学境界。虽然，当时的诗人弄不清这是前进还是后退，但它的巨大影响，使新诗产生了一系列新的传统形象，大大扩展了新诗的表现力。在新诗中，革命不再是诗人想象中"戴着白手套"干的了。新诗中受压迫的劳动者的形象不再带着精神麻木的表情，新诗中觉醒的战士不再带着自发的狂热，劳动的汗水第一次在新诗的领域中闪耀着美妙的光彩。

但是像一切艺术形式都有某种局限性一样，我国传统民歌也不例外，特别是我国民歌是自给自足自然经济的基础产物，它适应比较单纯的社会关系和朴素的文化生活。李季用它表现陕北农村土地革命，已经显出在反映社会生活背景的复杂和丰富方面有所不足，而到了社会主义改造时期，要用它表现哪怕仅仅是农村中人与人之间关系的变动就有更大的困难了。1956 年正当全国青年作者在北京聚会之时，李季在《热爱生活，大胆创造》中第一次公开把这种困难表露出来："过去的个体农民的汪洋大海变成了合作化新农村，这时你再用"五谷里数不过豌豆圆。/ 人里头数不过咱俩可怜。// 庄稼里数不过糜子光，/ 人里头数不过咱俩凄惶"的调子来描述这些正在形成的新型农民，那会是多么不协调啊。"（《文艺学习》，1956 年第 3 期）这里主要是从内容上讲民歌的局限，自然是比较委婉的。其实内容的局限之所以成为一种局限，是由于艺术形式的保守性往往能阻挡新的生活内容的进入。新的内容和旧的艺术传统之间的"不协调"主要是有限的想象领域和表现力造成的。艾青早在 1946 年在《吴满有》的后记中就说过："一般地说，农民喜欢具体，喜欢直接与他们相关的事。"民歌也是这样，它的艺术领域要比新诗狭窄。它作为新诗艺术的一个组成部分是很好的，但是并不因为我们对劳动者怀着特殊感情，民歌进入新诗艺术领域就不需要改造和突破。把民歌现成的艺术成果甚至原句直接搬到新诗中来的倾向，在《王贵与李香香》中不用讳言，是大量的。这和当年在《女神》中简单地搬用西欧浪漫主义甚至表现主义（如《新生》）的表现方法一样，是无可厚非的[①]。但是像产生过"全盘西化"的倾向一样，也产生过全盘民歌化的倾向。从 20 世纪 40 年代起，就有一种对民歌的热情推崇淹没了对民歌必要的科学分析的潮流。学习民歌者往往是满足于因袭其表面形式，而不着眼于

① 还可以举出闻一多早期诗作对欧美诗人的模仿的例子，如《洗衣歌》是模仿英国诗人托马斯·怀特的。

突破和创造。但是艺术发展的客观规律是无情的，谁对它采取傲慢的蔑视态度，谁就不免要忍受它的惩罚带来的痛苦。早在 20 世纪 50 年代初期，这种规律就开始发挥它的作用了，许多以民歌起家的诗人从李季到阮章竞，从贺敬之到张志民都不约而同地改用自由体甚至扶梯诗的形式写作。在当时，新诗在盲目崇拜西欧诗歌艺术方面，已经有了足够的教训，而对盲目崇拜民歌的危害却还没有充分清醒的认识。这样就产生了用行政的手段推行民歌，人为地维护它正统的独霸地位的悲剧。同时又有“在民歌与古典诗歌基础上发展”的提法，这就等于说要丢弃新诗已经成形的血肉之躯，回到母亲的胚胎里去重新用脐带吸收营养。其实，离开胚胎是生命发展的必然规律，而不是背弃血统的大逆不道的行为。这以后的二十年，新诗的发展基本上处于停滞的阶段。自然，也不可能有完全的停滞。新诗在与民歌的关系上没有取得任何进展，相反，美学境界却越来越狭窄，美学趣味也越来越贫乏。在一个时期，诗歌领域中似乎除了愤怒的火焰和劳动的汗水以外便没有什么更美妙的形象。可是现在继承古典诗歌的艺术传统方面，至少在节奏感和语言的质量上是有着普遍的进步的。当然向古典诗歌汲取艺术营养并取得突破早在这以前就开始了。贺敬之在他 1956 年写的《放声歌唱》中，批判地运用古典诗歌对仗的手法，以提高扶梯诗行的概括力，为改善新诗的散文化倾向做出了贡献：

五月——
　　麦浪。
八月——
　　海浪。
桃花——
　　南方。
雪花——
　　北方……
我走遍了
　　我广大祖国的
　　　　每一个地方——

我国古典诗歌省略细节之间语法成分和逻辑关系的传统方式和来自欧洲的以分切诗行节奏为特点的扶梯诗第一次结合了起来。贺敬之后来在《雷锋之歌》进一步发展了这种手段，把古典诗歌的对称和新诗的参差诗行结合起来，用对称和不对称的统一来组织节奏，既提高了形象密度又不妨碍诗行间逻辑关系的明确，从而使他的诗形象激情和议论能够较好地结合。在 20 世纪 60 年代李瑛则把经过消化了西欧诗歌的五官感受形象和古典诗歌的文采结合起来，达到了情景交融和情理交融的统一，在《献给火的年代》中，他组织诗行节奏的方式大体也采取了词组的对称与不对称的统一形式，这种形式在20世纪60年代成为一种流行方式，正像20世纪50年代中期以前回避对称的方式是普遍的潮流一样。

应该说20世纪50年代中期，新诗的艺术基础已经相当丰厚，它融汇了西欧浪漫主义、现代派以及苏联革命诗歌、世界革命诗歌（如聂鲁达）的艺术技巧，并力图与中国民歌的美学趣味相结合，同时把古典诗歌的优良艺术传统加以消化的工作也有了良好的开端[①]。但是不幸的是我们不知道珍惜这种辛苦积累起来的艺术基础，以致在后来的二十年付出了沉重的代价。新诗六十年艺术发展告诉我们如下真理：第一，它不能用简单的阶级划分代替艺术本身的互相渗透和继承。它不能因为西欧北美的浪漫主义和现代主义的诗歌不是无产阶级的创造而拒绝接受它有益的成分，它不能因为民歌属于劳动人民而不看到它艺术表现力的有限；第二，它不能由于简单的民族感情拒绝向其他民族艺术虚心地学习，更不能盲目地满足于本民族艺术传统固有的一切；第三，最主要的还是它不能忘掉：不管向劳动人民还是向资产阶级，不管是向本民族还是向他民族的艺术传统学习，都不能代替它自己在此基础上的创造。新诗如果不能取诸家之长，走自己的路，如果它不能创造出有别于外国诗歌、古典诗歌、民歌的艺术，开辟出一切诗歌尚未发现的境界，那么，它就不能算是成熟的。如果由于对目前新诗艺术水平的不满，而宁愿倒退到古典诗歌和民歌的基础上去，那是放弃时代给予我们的创造任务。新诗不能离开它已有的基础去发展，它只能在自己的基础之上才可能有真正的发展。当然这个基础还有许多人所共知的缺陷，但也只能在它发展的过程中去克服、弥补。作为一种艺术形式，不论是古典诗歌还是民歌，仍然有存在的权利，而且在有才华的诗人手中，它还会大放异彩。但是新诗的民族形式只能是民族形式的新诗，而不是古典诗歌或民歌改良形式。它应该是把时代特色和民族风格结合起来的统一体。既然我们允许话剧和电影先从外国引进新形式，然后在实践过程中进行民族化的改造，为什么我们不该让新诗享有这样的平等权利呢？既然，我们并不要求小说在志怪、传奇、章回小说的基础上发展，为什么要给新诗以这样特别的“关怀”呢？

当前，新诗的艺术基础已经确立了，但有了基础不等于有了创造，施了基肥不等于长出茁壮的禾苗，这还需要良种和一系列的其他条件。新诗正期待着“良种”，能集新诗全部艺术财富于一身，也就是能够把外国浪漫主义诗歌、现代派诗歌和中国古典诗歌、民歌的艺术传统通过内心的洪炉熔炼在崭新的形象中，真正地开一代诗风。艺术自身发展的规律必然孕育着这样的人才，这样的人将不是孤独的启明星，而是灿烂的星群，正是他们将改变新诗目前尚不能受到普遍欢迎的状态，最终向小说和电影索求艺术的王冠。

---

① 如果把台湾20世纪50年代现代派诗歌的实验考虑进去的话，更是如此。

诗的审美直觉的误差和审美感觉的更新[①]

大家都在说，美是主观客观的统一，可统一于什么呢？是统一于客观还是统一于主观？也许是统一于“统一”（实践）吧。这个问题至今还没有深入地研究下去。就算在美学上得出了大家都能接受的结论，诗的问题仍然没有解决。当主观与客观在诗的形象中实现统一之时，它的特殊性是什么呢？人们都说诗是抒情的，是不是就统一于主观感情的抒发呢？ 20世纪50年代，何其芳在给诗下定义的时候，曾经把直接抒情当作诗的重要特征，但是这个著名定义的漏洞甚多，至少直接抒情在我国古典诗歌中并不占优势。除了《离骚》《古诗十九首》，以及部分的汉魏乐府和后来的古风歌行以外，我们古典诗歌大都不以直接抒情见长。唐诗、宋词、元曲中的大部分作品都以自然环境和人物关系的描绘为中心，也就是以诗的感觉和知觉（直觉）为中心。宋代诗人梅尧臣曾经成功地对这种无形的规范做过比较精确的概括：“状难写之景如在目前，含不尽之意见于言外。”感情不是用言词直接抒发出来的，而是渗透在对景物的感觉和知觉（直觉）之中的。直接抒情的成分自然不能说没有，但是很少是独立存在的，它总是依附于对于物象的感觉和知觉。从量上来说，它不占优势地位，从质上来说它没有独立性，因而中国古典诗歌中一个纲领性的美学范畴——“意境”，被台湾诗歌理论家理解为“画境”，也就是渗透于视感觉和视知觉（直觉）的那种“象外之象”，感情的明白直接表达是会破坏由感觉和知觉构成的弹性很强的意境的。在西方诗歌史上也有同样的情况，最初古典主义诗歌像歌德所总结的那样是从对个别的物象特殊感觉和知觉（直觉）的描绘开始的，后来浪漫主义者把“激情加想象”或者“强烈感情的自然流露”放在了纲领性的地位。他们在理论上相当严重地忽视了感觉和知觉（直觉）的重要。但是在实践中他们并没有放弃对于直觉的描绘。在那些把对于物象的直觉

① 本文发表于《文艺研究》1985年第5期。

和心灵的感情结合起来的作品中产生了浪漫主义诗歌最光辉的杰作，但是在理论上过分强调激情，漠视直觉使他们的诗歌往往流于空泛，甚至抽象。歌德在批评席勒时早已指出，可惜没有引起得意洋洋的浪漫主义诗人的警惕，因而在不到一世纪以后，先是象征主义者，后是意象派就起来对浪漫主义者把诗当作感情的喷射器的倾向进行讨伐，波德莱尔宣称：内在的感情要在外在的五官感觉中得到表现，这就是“心灵和感官的狂欢”，马拉美把诗当作灵魂的雕塑，而艾略特要求从感官世界找到感情的“客观对应物”。受过象征主义影响的艾青在早年的《诗论》中主张，连梦也得有“硬度”。所有这一切都汇合为一种以感觉和知觉（直觉）覆盖感情的潮流。

不论是中国古典诗歌还是西方古典诗歌都显示了一个统一的规律，那就是诗虽然是抒情的，但是直接抒情并不是诗歌形象的主要特征。诗歌美学中主观与客观的统一并不直接统一于感情，而是统一于感觉和知觉，也就是统一于审美直觉。

这是因为统一于感情容易变成统一于概念。感情来自人的内在体验，它不来自外在的感觉器官，感情主要依赖内在的“机体觉”，而这种机体觉是不能准确定位的，因而被心理学家称之为“黑暗的感觉”，光凭这种黑暗的感觉，诗人很难使读者的心灵放出光明。在诗中，如不借助感觉和知觉（直觉），而是以直接抒情去传达这种“黑暗”，则很可能传达的是抽象的概念。

诗是抒情的，但是，诗又特别容易舒舒服服地滑入概念化的罗网，正是因为这样，诗不能依赖于直接抒情，诗人的任务就是找到那种能统一物象和心象的直觉。但是诗的直觉，并不等于生活的感觉和知觉之和。如果在诗中罗列生活的感觉和知觉，即使精致万分，也可能是王夫之所批评的那种“极镂绘之工，一皆匠气也”。诗的直觉是客观大千世界和主观变幻莫测的心灵的一次偶然而又必然的邂逅，它是两个世界的一个交接点，在这个交接点上，凝聚着客观生活和主观感情的索引。在诗歌形象中表现出来的直觉，并不完全是通常生理感觉器官感知的物理属性，在一刹那的直觉中被激活的，可能是诗人一生中感情和生活的一个系列。这个系列又受到诗人所固有的审美规范的同化而发生了变异。这样生理的感觉和知觉就转化为心理感受，心理感受又转化为审美直觉。这不仅仅是克罗齐所说的混沌的“直觉”，而是在更高层次上的艺术的直觉，是经过从生理到心理，又从心理到审美的双重转化，导致了双重变异。在这里纯生理的感知与审美直觉之间就产生了一种“误差”。正是这种“误差”使诗人的心理感知图式进入了审美直觉的层次。如果李白只把月亮当成月亮，不产生某种错觉，不把月亮当成自己的朋友，没有这样的“误差”，就不可能写出“举杯邀明月，对影成三人”那样的佳句来。

通常我们把原始生理感知因素的重要强调得太过分了，以为它对形象的受胎完全起积极作用，但是原始的生理感知只能感知事物的物理性能（味觉还能感知其化学性能），这种物化性能对于诗人的审美感知来说是比较狭隘的。因而它还有束缚诗人的审美感知潜能的消极作用。诗人的感知如果仅仅等于客观对象的物化属性，如果诗人的审美感知等于生理感知，其间没有“误差”（对于审美感知是顺差），那么形象就被客观对象的有限属性所束缚，诗人就失去了感受的自由，就不可能产生自己特有的审美直觉。审美感知的顺差越大，可携带的感情和知性成分越多，独特的审美直觉的自由选择余地也越大；反之，顺差越小，可携带的感情和知性成分越少，独特的审美直觉的自由选择余地也越小。事实上，诗人的才华不取决于对生理感觉的依附而取决于对生理感觉的超越。

把人的心灵比作镜子，这是个蹩脚的比喻。现代自然科学的发展告诉我们：不存在中性的观察，一切观察都要受到科学家的理论模式或文学家的审美感知图式的“同化”，才能顺利地发生认识活动。任何的观察都要受到社会群体的流行观念和主体本身的动机的影响。同样是观察太阳，亚里士多德、托勒密、第谷都坚信太阳绕地而行，而哥白尼却看出来地球绕日而行。同样一幅苹果的静物写生，对于见过苹果的孩子是苹果，对于没有见过苹果只见过地瓜的孩子可能以为是地瓜。对于科学来说，把苹果看成地瓜是谬误，对于审美来说，这种误差恰恰可能成为孩子心灵世界的索引，没有这种误差倒无法窥见孩子心灵的特异了。审美直觉的误差只是对于对象来说是误差，对于主体来说不但不是误差反而是一种独特的反映。诗人如果不能突破生理感知的束缚，不能找到自己特殊的审美直觉误差，就无从准确地表现自我。同样的对象由于不同的感情会产生不同的感觉超越，不同的超越方向、途径。从这个意义上来讲，每一个诗人都必须争取在感觉超越上出奇制胜，一代又一代的诗人都在进行着永无终止的感觉超越竞赛。诗的审美直觉的容量就是在这种竞赛的过程中，不断丰富不断积累的。

长期的积累使审美直觉的超越产生了惯性，这就是那种虽未见诸文字但又无所不在的审美规范。每一代诗人要追求新的超越都不能不受到前一代诗人在他们作品中遗传下来的稳定规范的约束，传统审美规范是和经典性诗作的权威性联系在一起的。然而诗人的任务并不仅仅是接受传统规范，诗人如果要创造，也就是要获得传统的经典的诗作中没有的那种新的审美直觉的误差，这样就得突破传统的审美直觉规范。

诗歌的繁荣并不以一种风格（直觉）的成熟为标志，往往以多种风格（直觉）的并存或交替为标志。不同风格的直觉互相映衬可以增强直觉的强度；直觉相对迅速的更新也可以增强直觉的强度。反之，则削弱直觉的强度。

每逢诗歌发展到一个历史转折关头，这种规律的作用就表现得特别明显。首先是传统的审美直觉误差一元化了，神圣化了，在诗歌领域中成了唯一的模式，常常使诗人产生一种错觉，好像在这种规范以外便不可设想有任何新的规范，这样美学上的神圣化不但助长了诗人的自卑感，而且长期的自卑感必然使诗人的感觉器官和审美想象僵化，于是就普遍地导致了诗人内在自由的丧失。

一切诗歌艺术的更新首先得从感觉的更新开始，感觉更新的障碍是传统感觉的封闭性。五四初期刘大白、刘半农都用乐府体、民歌体写过同情劳动人民疾苦的诗，但是并没有开拓新的审美直觉，仍然袭用了传统的感觉，因而在当时及后世都只有极少数人认为他们的诗是一种新的创造。虽然他们在诗的技法方面比之当时其他青年诗人要纯熟得多，但是在后来的感觉竞赛中他们败给了身在异国的年轻人郭沫若。刘大白、刘半农没有完成的审美直觉更新的历史任务，由郭沫若完成了。后者开拓了一片感觉的新大陆。

在诗歌领域中感觉的更新是一场真正的革命，这不仅是艺术技巧的变革，而且是诗人心理素质的更新。传统直觉规范在历史积累过程中的秩序是那样森严，程式是那样稳定，以致即使缺乏诗情的人也能依照规范炮制出诗来，而确有诗情的人反倒常常因这规范不能容纳他的审美直觉的误差而写不出诗来。这种封闭的一元化的规范不但阻挡着新生活进入诗的境界，而且窒息着新的自我感觉的生命。胡适嘲笑那些在古典诗歌感觉规范封锁下失去了自我感觉的留学生朋友：明明是在美国大学电光明亮的校舍里，可是写起诗来就非变成“茕茕一灯如豆”不可。

越是到现代，诗的感觉和知觉的更新速度就越快，绝大多数诗人往往赶不上感觉更新的速度，这倒并不是他们没有更新的愿望，而是他们对感觉和知觉更新的规律缺乏了解，因而主观与客观没有统一到更新的感觉上。或者仍然处在传统审美直觉的封闭体系之中，或者用新的生理感觉的罗列来代替审美直觉的更新（像五四初期的《新潮》和“文学研究会”的诗人）。二者都没有认识到中国古典诗歌审美直觉误差的根本规律和局限。

其实我国古典诗歌的审美直觉误差是向着两个极点分化的。

一是内在质地和外在形态上的变异，不管是写自然还是写人生，一切感觉都借华彩、珍异的物化形态出现，太阳、月亮、星星、眼泪都与金银珠玉等联系在一起，这种感觉和知觉误差的美学原则显然是从实用价值的珍贵转化为感情价值的高贵。比如：“琉璃钟，琥珀浓，小槽酒滴真珠红。”

这酒是否果真如此珍贵是不值得考究的，关键在于某种内心的珍贵感觉。这自然是一种审美价值的准确性，这里的审美价值是实用价值的升值。

我国古典诗歌审美直觉误差的另一极化倾向与上面所说的恰恰相反，即审美价值是实用价值的贬值，在内在质地和外在形态上向朴拙、平淡的方向演进，即使身在帝王宫殿也以身居茅屋自矜，即使贵为卿相，钟鸣鼎食，也虚拟斜风细雨，芒鞋蓑笠，诗的审美直觉在这样的误差中显示着从人世的浮华向大自然的退隐。同样是一杯酒就只能是浊酒、淡酒了："浊酒一杯家万里""三杯两盏淡酒"。这里寄托的是对世俗实用价值观念的漠视。

"五四"新诗如果不从这两极中解放出来，不冲破审美价值观念对于实用价值观念在正反两极上的依附性，就不能顺利地进行审美感觉的更新。郭沫若以狂飙突进、火山爆发的姿态，使诗的感觉处于更主动的地位，一切审美价值取决于人的感情的强烈和自由，从事物属性的转移，到形态性状的变异都由人的感情决定。月亮、太阳、星星、眼泪都不一定与金银珠玉联系在一起，感觉更大规模地从物理属性和传统的审美规范中解放了出来，审美价值与实用价值的联系越来越显得不重要，感觉和知觉的误差挣脱了一元化的联想程序，从而多元化地分化起来。这时如果再写到一杯酒，感觉就自由得多了，也许它是一杯人生的苦酒，也许它是一杯爱情的浓酒，也许它像烈火一样燃烧着你的肌体，也许它像大海淹没了你的灵魂，甚至它在唱歌，它在哭泣，它在跳舞，从物理感觉向心理感觉到审美感觉的过程，呈现为一种多维（方向）的辐射状态。人的感情，尤其是中国古典诗歌少见的狂欢式激情随着审美直觉误差的多方面的展开，得到了多彩多姿的表现。

这是一次审美感觉和知觉的伟大彻底的革命，也许它太彻底了，至今仍然有些人在潜意识上不能接受它。这又是一次迟到的革命，诗歌的审美感觉和知觉沉睡了几百年，一旦醒来，就非急起直追不可，因而在中国新诗近七十年的历史过程中感觉与知觉的更新迅猛异常。在短短的几十年中就走完了以往几百年落下的感觉与知觉发展的路程。在西方，古典主义、浪漫主义、象征主义是一个历史的连续，而在中国新诗的最初的十年中成了同时并存。这样就形成了一种不平衡的局面，一方面浪漫主义的审美直觉还没有占据优势，一些读者还只习惯于摹写生理感觉；另一方面受到象征主义和意象派影响的审美直觉已经在浩浩荡荡地进军了。中国的新诗的感觉更新可能比中国社会革命和经济改革更加不平衡，因而时常造成一种由于审美感知层次的断裂而引起的震荡，冲突是如此激烈，以至在几十年中，冲突的一方多次借助诗歌以外的神圣旗帜来讨伐另一方。而这样只能更加扩大、加深感觉层次的断裂。

历史的经验证明，审美感觉和知觉不更新则诗歌艺术必然停滞，诗必然逐渐脱离生活也脱离自身。但是任何审美感觉和知觉的更新都要有一个过程，都得有相对的稳定性。只有当稳定性变为停滞性的时候，审美感觉和知觉的更新才能获得读者的广泛支持。如果不是这样，过分频繁的审美感觉和知觉的更新则容易加剧社会审美感知层次的断裂。从我们当前的诗歌创作的宏观发展趋势来说，主要的危险是一些变化的僵化的感觉和知觉严重地束缚着诗人和一部分读者的心灵。

"五四"新诗的审美感知误差已经大大地超过了古典诗歌的审美感知误差，而当前新的审美感知误差，不仅仅是在量上扩大了审美感知误差的可能性，也不仅仅是诗人的审美感知更加自由，而且有一种在根本上改变审美主体和审美客体之间关系的趋势。从新诗的传统感知系统来说，星星点燃了夜是合乎审美规范的，但是新崛起的审美规范却可以把星星和夜的关系颠倒过来："夜点燃了星星。"这种误差的特点是反向的。从传统审美规范来说，是太阳照耀着我的瞳孔，或者误差扩大一些，照耀着我的心灵、我的理想。从新崛起的审美规范来说，也可以是我的目光支起了太阳，是我的心灵使太阳发光，是我的理想让太阳不倦地上升、上升。

我们的感觉为了超越古典诗歌的审美感知规范经历了那么多的痛苦，我们的感觉要超越新诗的传统及其审美感知规范可能要经历历史剧烈的痛苦。当然，新崛起的审美感知系统并非要冲决一切写实的、浪漫的感知系统，只是不满足于已有的审美感知误差。审美感知的丰富，不仅依赖同类感知误差系统量的增加，主要应该靠不同类的感知误差系统之间的交融，多一种感知误差系统就多一份自由。新崛起的审美感知系统之所以有生命，在于它感知误差系统内在要素的丰富和内在结构的多层次。它不像传统审美感知误差那样单纯，它不但有从主体到客体的正视误差，而且有从客体到主体的倒视误差，它不但有近距离的摹写，而且有远距离的超越，不仅有对物象的超越，而且有对心象的超越。在这样的结构中，形象思维的空间就比较广大，自我表现的手段就比较多样。

新崛起的审美感知体系总的特点是与生理感觉之间误差的扩大。这本来是很自然的现象，误差越大留给诗人感情的空间和形象创新的选择余地就越大。有人不理解这一点，把它称之为"反理性"倾向。其实，在这扩大的误差中所包含的不仅仅是诗人的感情而且有诗人的智性。扩大了的误差和扩大了的智性相联系，正是新的审美感知体系有别于浪漫主义的重要方面。虽然波德莱尔曾经反对过诗与哲学的联盟，认为"艺术越想达到哲学的明晰性，便越降低自己"。但是这话是针对浪漫主义诗人（如华兹华斯）公然宣言诗是最接近哲学而说的。艺术当然不能像哲学那样严密，它应有自身的模糊性。但后来的意象派诗人并不是"不讲理"的，他们有时甚至比浪漫主义者更强调"智性"。不过他们追求的智性不是像传统的审美规范所肯定的那样，通过感情倾泻出来。它的智性是越过感情直接通过感觉和知觉表现出来的。用台湾诗人洛夫在一本台湾诗歌选集的序言中的话来说，他们和浪漫主义诗人不一样，他们打开了感性直觉的窗子，又关上了理性概括的窗子。他们说要"扭断逻辑的脖子"，但事实上他们所扭断的只是逻辑外在格式，并没有取消逻辑，逻辑的力量被隐藏到审美感觉背后去了。这就是所谓"从未经智性污染的本相出发"，这里所谓"本相"事实上也就是直觉，他们追求顺着感觉和知觉的自然流程任意象迸发，但是在混沌中要建立起一种秩序，从特殊中显示某种普遍，从有限中达到无限。这样的感觉和知觉就和智性达到某种平衡。这样就好像用五官感觉和知觉来代替浪漫的诗人所常用的概念来进行思维，用蔡其矫的话来说，也就是“用身体来思维”。但是这里的五官感觉和身体都不是纯生理的概念而是属于审美范畴。浪漫主义的情理交融变成了直觉和智性的交融，直觉取代了感情的作用，使形象的直接可感性大大加强了，在手法上就产生意象叠加、意象跳跃那种以意象代替概念和逻辑的手法，恐怕也就是这种手法给一些读者和评论家造成了藐视理性的错觉。

造成这种错觉的原因自然并不完全在读者和评论家方面，同时也在新的审美直觉本身的矛盾。用直觉来代替概念本身就是不完美的。新的审美感觉被台湾诗人洛夫比作“有如迎叶尊者拈花在山顶一笑”，这一笑背后含着知性但又有很大的模糊性，新的审美直觉大概也是有限直觉的明确性和无限知性的模糊性的统一。这便不同于通常意义上的象征，“象征”的内在知性的意蕴不像这样充满了随机性。这种随机性对于联想、想象、意蕴的封闭体系是一种突破，对于诗人的审美感觉也是一种解放，但是知性意蕴具有随机性也给艺术传达带来某种梗阻。从这个意义上，有许多人对朦胧诗的多义性、暧昧性产生义愤填膺的议论是可以理解的。应当承认，新的审美感知体系本身得有完善的过程，而读者、批评家也有一个习惯的过程，正是因为这样，审美感知体系过快的更新对于诗歌艺术的发展是不利的。看来矛盾是尖锐的：不更新审美感知体系必然导致老化，失去创造的生命原动力，而更新太快又不利审美感知体系本身的完善和向广大读者和评论家普及。从世界诗歌史的宏观角度来看，19 世纪末 20 世纪初诗歌审美感知体系的更新速度大大快于前几个世纪，因而诗歌的读者范围相应地缩小了，过分迅速的更替使感觉知觉的误差不能稳定为审美规范，至少是不利于形式的成熟。就我国当前的诗歌现状来说，审美感知体系的更新还没有普遍地推广，因而产生了审美感知层次的断裂。但鉴于我国诗歌审美感知革命，已经是一次迟到了的革命，因而我个人认为，目前这场革命不存在放慢速度的问题，而是要更加全面地推广，更加坚定地进行。

自然，目前的速度已经使一些人不能适应这样的更新。但是，这多半是因为现实中我们用之于艺术感觉更新的时间太少，而用在艺术感觉更新以外的于事无补的争执上的时间又太多，其实，平心静气地用历史的或辩证的或艺术的眼光来看，更新竟有不可阻挡之势。它是诗歌形象内部矛盾在当前社会条件作用下激化的必然的结果。也是对浪漫主义直接抒情脱离了感觉的惩罚。

论诗歌研究的传统方法和“新方法”①

从世界文学史看，诗的理论遗产无疑比小说的丰厚。各国诗学的理论著作拥有那么高的经典性和权威性，后起的、暴发的小说在理论上是不敢望其项背的。从中国文学史看，情况更是如此。浩如烟海的诗话比寥寥可数的小说评点声势浩大多了。我国古典诗学提出的理论范畴远比小说理论深刻而丰富。但是，应该承认，今天诗的艺术王冠早已让给小说，诗歌理论也落后于小说的理论了。

最突出的一点是诗歌理论的一些基本范畴内涵还相当朦胧而含混，而小说理论范畴相对地要明确和严密得多。某些流行的诗的理论范畴并不是诗歌创作经验的升华，不是从诗歌内部矛盾的分析和综合中产生的，而是从小说理论中借用来的。例如，我们常常讲，当代诗歌的主流是现实主义的。现实主义这个范畴就是从小说（还有戏剧）理论中借来的。恩格斯在《致玛·哈克奈斯》的信中，曾对19世纪小说中的现实主义做过明确的规定，那就是：“除了细节的真实性以外，还要真实地再现典型环境中的典型人物。”把这个定义用于诗，来真格儿的细节真实，那么诗的想象和变形还能有立足之地吗？如果说“国破山河在，城春草木深”是细节的真实，那么“感时花溅泪，恨别鸟惊心”就该是细节的不真实。在诗里，山高到“离天三尺三”和“小扁担，三尺三”，如果用小说那样的细节真实标准去推敲，就一点诗意也没有了。诗的细节，也就是诗人的感觉和知觉，是要在感情的冲击下发生变异的。在诗中，事物的物理属性、人的生理感觉和诗人的审美感受的差距因想象而扩大了。对“飞流直下三千尺”的诗句，是不能用数学的准确标准去判别“三千尺”的真实性如何的。

感情是不科学的。如果不允许感情冲击感觉知觉，如果没有变形、变声、变味、变质，

① 本文发表于《诗刊》1985年第12期。

诗人的想象就没有自由可言。如果诗只能像小说那样描写，诗就可能退化为散文。诗不是在摹写客体属性中产生的，而是从客体属性起飞，超越了客体属性才产生的。“银河落九天”，在科学上，在散文中，如果是真的，那是人类的毁灭，但是在诗中是感情对感觉和知觉的胜利冲击，是诗的超越性的凯旋。现实主义的诗歌的细节要怎样才是真实的？至今还没有人回答。至于现实主义的细节和浪漫主义的细节在诗中如何区分就更无人问津。

说到现实主义诗歌中是否有典型性格，也是一个有点玄乎的问题。我们在《诗经》、楚辞、汉乐府以及唐诗、宋词、元曲中能找到多少性格呢？当然可以举出杜甫的《石壕吏》为例，但是那样简单的描述，既没有超过唐宋传奇，也赶不上宋元话本中的优秀之作。杜甫光凭刻画人物不可能在文学史上占有那么辉煌的地位。白居易一直被认为是现实主义诗歌主张的先驱，但是他只是说不要“嘲风雪，弄花草”，诗歌应该为时、为事、为民，最后还得为天子（“唯歌生民病，愿得天子知”）而作。这是一种追求社会政治功利的诗歌主张，与性格范畴沾不上边。

当然，有同志意识到了这一点，提出了诗歌中的现实主义与小说中的不同，它表现为一种典型环境中的典型情绪。这在方法论上是进了一步，算是注意探寻诗歌审美规范的特殊性了。但这只是问题的提出。自然，爱因斯坦说过，问题的提出有时比问题的解决更有意义，但解决问题的任务仍然横在我们面前。事实上这个定义与诗歌中的现实主义还是沾不上边。且不忙追究典型情绪的严格内涵是什么，光凭直觉来看，浪漫主义的情绪难道就不典型吗？例如，郭沫若在《凤凰涅槃》中所表现的那种在彻底否定旧我和旧现实的过程中实现更新世界、更新自我的情绪，难道可以说它不典型吗？单在五四时期，闻一多就论证过在当时的青年中这是一种普遍的情绪，然而，郭沫若的《凤凰涅槃》并未因此而被列入现实主义范畴。

所有这一切，说明我们的诗歌理论，在基本范畴上还缺乏理论的严密性。一些基本概念还处于低层次的直观状态。而直观概念与科学概念、理论术语是很不一样的。首先，它并不深刻，流于表面感觉和想象，而本质与现象是有矛盾的。马克思说过，如果本质与现象没有矛盾，科学研究就可以取消了。其次，它不稳定，在不同的上下文中，在不同的人笔下，它的含义不一样。再次，它不准确，不能全面概括已知经验的特征。最后，它不自洽，缺乏科学概念自我渗透、自我扬弃、自我再生的功能。这样的概念，按库恩在《科学革命的结构》中所规定的标准，还属于“前科学”。我们的诗歌理论威信不高，与理论的科学不够自洽有关，而科学的自洽性不强又与我们在基本概念的抽象方法上很不讲究，很不细心，马马虎虎，以意为之的学风有关。这就使我们不科学的基本抽象方法长期得不到纠正。

马克思说过，社会科学家不像自然科学家那样，可以借助实验的手段对物质进行研究，社会科学家凭借的是科学的抽象。如果抽象出来基本范畴、基本概念不严密，就必然有损于理论的科学性。

科学的理论体系都是由几个最简单、最基本的概括和最原则的概念为出发点，然后一步一步做逻辑展开的。对于客观世界的运动来说，这是一种逻辑的复制，历史的摹写，而对于理论体系本身来说，则好像是概念自身系统演化。理论就是客观的逻辑复制和本身系统演化的统一，如物理学中的力学，以速度、加速度、质量、力等基本概念和牛顿定律为基础，分别研究直线运动、曲线运动，引申出功和能的范畴，确立能量守恒和动量守恒原理。这就是刚体力学体系。又如马克思的《资本论》，从商品的价值抽象开始，从具体劳动和抽象劳动的对立中引申出使用价值和交换价值的矛盾。交换过程中又演化出等价交换的普遍平衡和劳动力作为商品的不等价交换的特殊矛盾，由此推导出剩余价值。从而揭示等价交换掩盖下的剥削，以及无产阶级的贫困化和竞争的盲目性而导致经济危机。马克思对资本主义经济规律做逻辑复制时采取的是从商品这个基本概念中进行系统演化的办法。这表面上看来是逻辑的、静态的方法，实际上是逻辑的与历史发展的统一。商品的内部矛盾，作为逻辑的起点，同时又是历史的起点，经济危机作为商品的必然产物，也是历史的过程。这就是恩格斯所说的逻辑和历史的统一。

任何称得上科学体系的理论都是从最简单、最基本的细胞形态的抽象开始的，从最简单、最抽象的范畴，最基本的概念演绎出了庞大的辉煌的理论体系。作为逻辑起点的基本概念，必须是严密的、确定的，只有这样，它在系统演化过程中才不致由于最初层次的微小误差导致最终层次的荒谬绝伦。只有这样，它在自我增值、自我扬弃、自我再生的过程中才不致陷入理论的混乱。

诗歌理论至今缺乏严整的科学体系，原因就在于它的基本概念是直观的、朦胧的。朦胧对于诗歌创作来说有某种审美价值，但对于理论——特别是对于理论的体系演化来说是致命的，因为不确定的概念在多层次的演化中不能保持一贯性。

中国古典诗歌理论中运用最多的基本范畴是意境，可它至今仍然是一种以意为之的朦胧概念。长期以来，口耳相传，人们把它理解为客观的“境”与主观的“意”的统一，但是这里并没有任何属于诗的特殊内涵，因为任何文学形象都可以说是客观的“境”与主观的“意”的统一。海明威笔下的老人，一方面是加勒比海上的渔夫，另一方面是海明威自己灵魂的肖像。在桑提亚哥身上有海明威的精神自传（信念、冒险、失败的英雄主义）。列宁在《哲学笔记》中引述了古希腊哲学家色诺芬的一句名言：如果牛会画画，给他一支笔，让他画一个上帝，他必然画出一头牛来。高尔基在《谈谈我怎样学习写作》中对此加以发挥说：大概蚊子画出来的上帝是蚊子，结核菌画出来的上帝是结核菌。不管是海明威、牛，还是蚊子、结核菌，他们创造的形象都是客观的“境”和主观的“意”的统一，但它们写的肯定不是诗。

长期以来我们对基本范畴的朦胧是过分宽容了，这种宽容在个人修养上是可贵的，它们有利于拓广我们的胸怀，但却以降低我们的科学水平为代价。

当我们对某一问题展开热烈讨论时，直观的朦胧的概念常使争辩化为一场聋子的对话。表面上喧闹非凡，实际上是偷换概念，各自转移概念，造成概念的大混战。

从方法论上讲，造成这种满足于概念内涵的不稳定性是有许多原因的。原因之一，也许我国古典诗论中直观式评点传统太强大了。原因之二，也许与传统方法过分强调对具体问题的具体分析有关。当然，传统的方法，也不是不讲系统，马克思在《资本论》中就为理论的系统展开提供了典范。但这一切并没有被总结为普遍的方法。列宁说，马克思并没有写一本辩证逻辑，但是他的辩证逻辑都写在他的《资本论》中。马克思的科学方法论隐含着系统性，但并没有直接正面地产生一种关于系统方法的理论，没有形成一套构成系统的范畴和概念，没有关于层次、要素、结构、功能、系统、子系统的概念，这就很难有效地积累系统方法的成果，系统的实践经验就不能理论化、自觉化。正因为这样，一些理论工作者吸取一些横断科学的新成果，用系统论、控制论、信息论的方法来弥补传统方法的不足，自然是有意义的。

系统论的方法，主要弥补了传统方法过分拘于具体分析的不足，比较侧重在整体上做宏观的综合。但这种方法的有效运用，仍然要求概念的稳定性，概念的朦胧含混如不改变，则系统方法同样如传统的方法一样，其优越性很难发挥。

根治概念的朦胧，不应是传统方法的抛弃。例如关于诗歌中意境的含糊规定，只要用传统方法来检验就可看出犯了一个抽象过宽的毛病。在哲学上，只看到矛盾的普遍性，没有抓住矛盾的特殊性，而关于现实主义的规定又犯了抽象过窄的毛病，从哲学上说，是把矛盾的特殊性当成了矛盾的普遍性。普遍性与特殊性的矛盾是认识过程中的基本矛盾，每一个理论家对此必须有精确的把握。对普遍性的忽略，或者对特殊性的漠视，都使思维在对象表面上滑行，特别是漠视事物特殊性对于理论的科学化有致命的后果。要在基本概念上深化和科学化，我们不仅需要引进新的方法，而且要充分注意基本方法的科学化。例如，要在概念的内涵上抓住特殊矛盾，就得在外延上限制。外延的扩大，导致内涵的缩小。如果我们把意境的适应范围无限扩大，其结果是内涵无限稀薄，不管什么诗都用意境作为最高规范，其结果是意境的消灭。意境像一切范畴一样，在自身的矛盾中运动着，在一定条件下，不可避免地走向反面。例如，在某些强调自然流露的诗中，意境可能成为感情的束缚。当诗人像火山爆发一样的感情倾泻出来的时候，是与意境相对立的范畴（激情）在起作用。意境是一组意象之间的意蕴，在“象外之象”中流露并不激烈的感情。意境是不可以用语言道破的，而激情是要用狂暴的语言洪流、以极端化形式倾泻的。当马雅可夫斯基写道，“看吧，羡慕吧，我是苏维埃公民”，当李白写道，“安能摧眉折腰事权贵，使我不得开心颜”，早就越出了意境规范之外了。到了“五四”前夕，我国古典诗歌的衰落期，意境的审美规范已严重地束缚诗人的感情，直到郭沫若以狂飙突进的雄姿打破了它，中国新诗在艺术上才得以诞生。找到了意境的外延在空间上、时间上的限度，意境的内涵自然就会相应地增加。这种方法正是传统的基本的方法，严格遵循这种方法，无疑有利于提高我们基本范畴和概念的科学性，增加我们理论的活力。

如果完全排斥基本方法的科学化，仅仅把希望寄托在新方法、尖端方法上，希望很可能要落空。例如，有些同志在文章中把生活当作信息源，把诗人大脑的作用归结为对信息的储存和反馈，而把读者当作信息的接受者。这也许对打开思路，开拓思维空间有积极意义。但是，这什么也没有说明。关键在于大脑的储存和反馈，经过什么样的程序是诗的，而什么样的程序是非诗的、破坏诗的。其实，用传统的方法、基本的方法一衡量，这里的毛病是很容易看出来的。这个毛病就是抽象太宽，只有矛盾的普遍性。这里说的不是诗，而是人的思维，甚至不仅适合于思维而且适合于比较精密的集成电路。这不是向诗的特殊规律开拓前进，反而退回到“人是机器”那样的机械哲学层次上去了。

任何新方法、尖端方法的引进，其目的不外是揭示诗歌形象的特殊结构和特殊规律。你用系统、要素、结构、功能、层次的术语也好，你用矛盾的普遍性、矛盾的特殊性的术语也好，关键在于你能不能将原有的基本概念深化，把基本抽象方法用得更活，能不能把其中潜在的特殊矛盾更充分地揭示出来。如果能，诗歌理论就随着概念的深化而深化了；如果不能，那不过在概念术语的更新中热闹了一番而已。

引进新方法、尖端方法，对思维模式的更新是一件富有战略意义的事，这将促进我国民族文化的更新、民族心理的解放。但这种解放属于精神领域，是一种精致的解放，任何粗放作业，对于这个领域都是无益的。目前有一种倾向很值得注意，那就是把吸取新方法变成了对横断科学的新理论术语和观念的套用。吸取系统的方法，变成了简单搬用系统观点。这在基本方法上的特点就是纯用演绎法。系统论认为一切事物都是系统。诗歌创作是个事物，因而诗歌创作就是系统，但是，这种演绎法是有局限的。在诗歌创作是不是个系统还没有得到证明之前，就不能断言一切都是系统。演绎法的缺点正在于此，结论已经包含在前提之中。因而，在运用演绎法时，要用归纳法加以补救。诗歌创作系统的特殊矛盾，从普遍系统论原理中是演绎不出来的，这还得靠过硬的归纳功夫。当然，归纳是要完全才有效，但归纳又很难保证完全。因为归纳是从普遍存在的个别抽出一般，而个别的对象是无限的。例如，一切的诗歌都是抒情的，但是，你在有限经验中不可能穷尽一切诗歌。虽然，我们可以凭有限的经验去推测无限，但任何推测都不可能完全可靠，我们可以凭经验推测明天早上太阳一定从地平线上升起，但是恩格斯说过：总有一天太阳不再从东方升起了，这就是归纳法的局限，它要求完全而又不可能绝对完全。因而归纳法不能孤立地运用，它需要演绎法来补救。归纳和演绎都有所长和不足，恩格斯说过不能贬低一方而把另一方捧到天上去。库恩在总结了自然科学发展历史中两种方法交替作用的经验后提出：在这两种方法间保持“必要的张力”。

不管运用老方法，还是引进新方法，都要在基本方法上有充分的准备和过硬的功夫，否则，不管你使用什么方法都不能改变基本概念和范畴的朦胧，都不能使基本概念深化，任何生硬的搬用都会阻碍学科进步。

关于诗歌流派嬗变过速问题①

在新时期文学中再也没有比新诗引起的争论更为激烈更为深刻的了。早在 1980 年所谓“朦胧诗”的冲击，就把读者分裂为拥护和反对的两派，经过几番争辩和这几年的实践，当年所争论的问题，有很大部分目前已不成问题了。可是新诗潮的发展是如此迅猛，刚刚在诗坛上站稳了脚跟的舒婷、北岛，很快又被一些后来者视为“过时”了，以至产生了“江山代有才人出，各领风骚三五年”的慨叹。舒婷、北岛是在突破传统审美规范的过程中“崛起”的，可是他们没有郭沫若、李季那样雄踞诗坛几十年的幸运，眨眼之间自己又成了被突破的对象。诗歌艺术迅猛发展的声势好像比头几年的那一次更为浩大。1986 年，在中国诗坛上公开发表主张，揭起的旗号竟有几十种（有人夸张地说不下百种），这可能不但在中国诗史上，而且在世界诗史上也是空前的。旗号的纷纭说明了诗歌艺术的嬗变在加速。从诗歌艺术的发展来说，如果没有发展，没有一代又一代诗人的创新、突破，诗艺将会因停滞而走向衰亡，中国古典诗歌在元明以来六百年的历史就是证明。

任何一种审美形式的发展都要受到两种因素的制约，那就是积累审美规范和打破审美规范。没有积累，艺术会变成生活粗糙的碎片或者情绪粗暴的发泄。但是任何一种规范都是有限的，它只能表现生活和心灵的有限方面，因而任何一种艺术形式越是成熟，它的有限性、稳定性与生活、心灵的无限性和变幻性越发生冲突。因而诗歌艺术的发展，一方面表现为诗越来越像诗，也就是越来越像已经获得经典性的诗，这就是庞德为什么要说一切诗人所写的诗都是他头脑中记得最熟的几十首诗的翻版的原因。另一方面，则相反，越是有创造性的诗人越是要打破既成规范，越是把诗写得不像诗。可后来终于被承认，甚至变成是最像诗的诗。从宏观的历史发展过程来说，这两个要素处在同一动态的结构演化过程中，由于结构的有机性，任何一方的变动都要引起另一方的相应调节。这是系统结构的自

① 本文发表于《诗歌报》1987 年 10 月 6 日。

调节自组织功能决定的。这种调节的过程是一种历史过程，多则几百年，少则几十年，很少是一代人生命限度以内能够完成的，处在这个调节的历史过程中的诗人是非常痛苦的。并不是每个人都能从宏观上自觉地认清这个过程，因而难免陷入盲目性。有限的时间视域使人们在诗艺的渐变和突变中失去宁静。这几年纷纭的旗号此起彼伏，就是失去平静而引起躁动情绪的具体表现。

当然，这种躁动主要产生于不能忍受旧的规范的束缚，多方面地寻求突破的要求。他们在创作上，的确也有许多可以称道的突破：江河、杨炼、梁小斌自不必说，就是宋琳、范方、吴晓也都有某些在美学原则上超越舒婷、北岛之处。这主要表现为对人的意识的纵深层次的深入。如果说，传统的浪漫主义主要在表现人激烈强化的感情方面取得了历史性的胜利的话，那么象征派、意象派就主要在回避强大的激情，在平静的情绪中用外部感觉和语言的变异、分化、解析和深化来表现人的智性方面取得了历史性的胜利。在这两方面，富于浪漫热情的古典美的舒婷、富于现代感觉和智性的北岛已经取得广泛的认同，因而所谓“后崛起”的诗人们就不屑于第二次走上别人踏出的路径了，在他们看来，既然激情、智性与感觉的领域已经有了现成的男女国王，他们就只好到舒婷、北岛遗漏的天地去称雄了。这里涵盖着人的整个生命的过程，他们在生命的全面体验中，包括在潜意识、下意识中，在与美相对立的丑中，在深层的本能中发现了一系列崭新的层次。宋琳说：“诗人的艺术行为不仅是一种自觉运动，而且是一种精神本能运动。这意味着，只有把良心、道义、责任以及审美倾向等意识中的自觉转化成本能，才能进入诗的状态。对于一个真正的诗人来说，任何美学上的禁忌都是与他高度自由的天性和意志格格不入的，一首诗就是诗人生命过程中的一个瞬间的展开。”[①]作为一种理论，也许可以从中找出许多明显的毛病，但是作为一种情绪，一种在舒婷、北岛的世界以外替代审美的新大陆的情绪，有它历史的合理性，宋琳的确寻找到了一些比舒婷、北岛更自由、更带随机性的情绪和更具瞬间性的联想过程。就是在这随机性的不事雕饰的过程中，他发现了传统审美规范所遗忘了的新大陆，我很欣赏他的《站在窗前的一分钟》：

作为城市的一个公民
我必须习惯起早
在窗子前面对街道剃胡须
顺便安排了一天的事情
楼下停着的车是别人的
我也不会错过伸出车门的一条腿

① 见《诗刊》1986年11月，第30页。

回过头来察看自己的脸
泡沫褪去的部分有了皮革的硬度
我满意还是悲哀
我将带上饥饿的胃出去
排在任何一个屁股后面平静地等待
抓住一天中可能出现的一切变故
也许就发生拐弯的地方
像上次那场车祸
有人朝这边就有人朝那边
我应该接受阳光的邀请
从上午到黄昏
迈动稳重的双脚
然后怀着作客的心情回来
像憋在喉咙里的一口痰

准确地进入瓷缸
想起生锈的膝盖还需要卸下来修理

我们对这样的情绪，甚至生活态度，从思考的角度可以做许多批评，对这样的懒散，这样的缺乏生活奔头的心态也可以提出许多规劝，但是，我们不能不承认他唤醒了我们似乎有过的感觉。在短短的一分钟当中，他带领着我们深入到不知是他的，还是我们的思绪的纵深层次中去，他非常精细地把那些在我们意识边缘，甚至沉到意识以下的情绪记忆还给了我们。如果说，在表现意识边缘上，他与舒婷、北岛的区别还不大的话，那么他那回避舒婷式的多情和优雅以及北岛的深思和冷酷，而不回避生命体验中美的反面甚至是丑得煞风景的成分方面（把排在别人后面丑化为“排在任何一个屁股后面”，把自己奔波一天从外面回来丑化为“像憋在喉咙里的一口痰／准确地进入瓷缸”），你不能不说，他发现了，创造了他自己的感觉世界，没有第二人能够模仿的世界。

事实上所谓“后崛起”的诗人不管多庞杂，他们存在的最大合理性就是在通常最不像有诗的心灵深处发现了诗。他们连舒婷、北岛都不追随，就不要说公刘和李瑛了，也许他们选择的历史使命就在于把这些不像诗的诗写得比舒婷、北岛更像诗。

扩大诗的审美疆域，提高诗的审美价值，这是历史对他们的要求。他们也心雄万夫，以超迈前贤的姿态自豪地歌唱着，但是这个任务是太艰巨了，完成这个任务的必然是一个文化巨人，光有一点得自于天的聪明才智，只能小打小闹一番。要全面超越前人，站在前人的肩膀上攀登，必得囊括前人的审美经验，而这是需要时间和耐心，甚至需要学养的，把这个任务看得太轻易只能使自己才智的潜在量受损。

任何一个流派都是一种审美经验的定向积累，每一个流派都刻意超越其他流派，但是一切流派是否能完成自己的任务，主要看它的审美经验积累是否达到某种饱和度。这种饱和度分为两个方面：一个是继承的饱和度，一个是发展的饱和度。互相反对的流派的健康发展是以互相渗透为前提的，两个方面缺一不可。任何一方面的发育不良，都有碍于孕育超越前贤的巨匠。这在中国新诗的发展史上是有过经验教训的。

由于中国新诗对于古典诗歌的艺术革命是一次迟到的革命，因而在西方从古典主义、浪漫主义、现代主义差不多两三个世纪的历史被压缩在“五四”以后的三十年中。浪漫主义的诗艺在郭沫若、徐志摩、闻一多那里远远还没有得到充分的成熟，成熟浪漫主义的优越性还没有来得及发挥到临界点，还不具备向自身的反面转化的条件，象征主义（作为现代主义的先驱）就吸引了中国新诗领域中最有才智的后来者，如冯至、戴望舒、卞之琳、何其芳和艾青，因而造成了浪漫主义诗艺的发育不良。一个有趣的现象是，我国革命诗人中的殷夫、蒋光慈、蒲风、任钧，七月诗人绿原、鲁藜、阿垅、胡风都选择了在艺术上发育不良的浪漫主义直接抒情，他们最拿手的是浪漫主义的激情和想象。其结果是这么一大批诗坛精英将毕生精力奉献于激情，却没有为世界浪漫主义的激情诗艺做出新的贡献。20世纪30年代，在诗艺上，在表现生命体验和生活深度上做出突破的是艾青，艾青比戴望舒更进了一步，把象征主义的审美经验和革命的功利结合了起来，他比他同时的革命诗人，在审美体验上有更多的发现和创造。中国的象征主义诗艺不像浪漫主义那样发育不良。艾青正面表现了西方象征主义者表现不了的革命历史内容，他在象征主义的雕塑美与浪漫主义的热情倾诉的结合上，大大超过了拘守于现实主义的臧克家。正是因为这样，他无愧于中国新艺术基础的真正奠定者，同时他的诗又是世界象征主义的独创的发展。但是正当艾青风华正茂，潜在能量还没有充分发挥的时候，客观形势的发展又推动着艾青为了适应社会的迫切需要，匆忙地进行诗艺的自我否定和大幅度的革新。其结果是20世纪40年代、50年代初艾青的一系列实践性尝试都以失败告终。而在20世纪50年代初，《九叶集》诸诗人如穆旦、杭约赫、陈敬容、袁可嘉、唐湜、唐祈力图坚持他们原来的艺术立场，迫于政治形势，其结果是不得不夭折。

西方浪漫主义经过上百年的积累才达于成熟，产生了拜伦、雪莱、普希金那样的巨星。我国新诗的浪漫主义诗艺还处在成长阶段，象征主义正在走向饱和，但还远远没有达到超成熟的阶段，却由于社会形势的逼迫，过早中断了诗艺的积累过程，因而二者都没有达到饱和。代之而起的是李季的《王贵与李香香》，但是李季所开拓的审美体验，也还远远没有达到饱和的阶段，客观形势的发展又使李季失去了达到成熟的把握。他在20世纪50年代初期又轻率地丢开了他驾轻就熟的想象规范，其结果是艺术上陷于困境。李季所开拓的道路后来为几个在才智上远不及李季的诗人所继续。其结果是强制性的行政力量也挽救不了它趋向衰亡的结局，所有这一切都证明了：过分匆忙的更替导致了两败俱伤。

艺术是一种审美心理体验的传达，可是审美心理并不完全像克罗齐所说的那样是一种个人自发的直觉，并不是任何直觉都能符合诗的审美规范的。要提高艺术直觉的审美价值，需要一个积累过程，要产生巨星则更要审美经验达到饱和。这个过程有时是缓慢的，特别是在古代，从沈约发现了四声可用之诗律的创造，到盛唐写出成熟的近体律绝来，其间经过了三百年左右的时间，现代的发展自然会快些，可是仍然与生活的发展不成比例。从“五四”时期胡适提出中国古典诗歌以“顿”为节奏单位，闻一多追求诗的建筑美、音乐美和绘画美，诗人、语言学家陆志韦提出诗行旁边加重点的节奏形式，林庚提出“半逗律”（似从法语诗律演化来），何其芳提出现代格律诗，毛泽东提出在民歌和古典诗歌的基础上发展，六十多年过去了，新诗连一个外部节奏形式还没有建立起来，至于其他方面如内部情绪节奏、意象、整体结构等等都无从提上日程。

如果新诗不是这样匆忙地热衷于流派和形式的更迭，如果新诗更注意各种流派审美经验的饱和积累，如果新诗的发展更稳健些，新诗就不用在20世纪50年代重新进行浪漫主义的“原始积累”，也不用在20世纪70年代末期重新进行象征派和意象派的启蒙了。

今天我们新诗面临的问题，仍然有各种流派，甚至同一流派之内不同风格之间审美经验的饱和度不足的问题。出于主体意识的觉醒，今天比昨天更加强调了排他性。不过过去的排他性主要是政治的，而今天则集中在审美范畴之中。历史已证明，没有排他性，不成流派；但过度的排他性必然导致狭隘和肤浅。对于“后崛起”的诗人们来说，这一点，似乎特别应该引起深思。由于排他性的泛滥，流派变得很小，有时一个旗号下只有几个同道。这样是不利于审美经验的积累的。这就导致了直到今天，“后崛起”诗人还没有产生一个辉煌的代表，每当我读他们那些闪耀着才智的诗作时，时常想起唐太宗对曹操的评价：“一将之智有余，万乘之才不足。”他们中的许多人都有独树一帜的才气，但是却没有一个人让我感到那继往开来的伟大气魄。他们似乎还没有想到要成为一个时代全部诗艺的总代表。今天，我们应该呼唤那种站在历史的制高点上囊括一切流派的大家风度。如果他们有一种百川归海的历史自觉性，他们就不会那么偏激地宣布“舒婷、北岛的时代已经过去了”。审美经验的积累要达到饱和，不能是一条道走到黑的，为什么不可以把心灵纵深层次的探索和社会生活的探索结合起来呢？孤立地探索心灵固然是对过去孤立地强调外部社会环境的惩罚，但是孤立强调内心深层的探索难道就不会引起另一种惩罚吗？在无情的历史辩证法面前，最聪明的办法是在这二者之间保持必要的张力。这个主张即使有限地得以实现，我想至少也可以缓解一下当前流派嬗变过速所造成的各种流派乃至风格的审美经验不饱和的问题。

"后新潮"诗的困窘与出路①

不管支持"后新潮"诗歌的评论家怀着多么强烈的激情为他们辩护，也不管"后新潮"诗人怀着多么执着的信念，一个相当残酷的事实是他们的读者正在像水蒸气一样地消失，而坚持在阵地上的大多是作者，这里自然有个商品价值问题。它是非常严酷的：达不到印数，出版社就不肯印行，众多的诗歌刊物正在为生存而挣扎。更严酷的是知音难觅，有多少人能理解"后新潮"诗人探索的意义呢？在我看来，不仅广大读者不甚了了，就是把自己最美好的年华奉献给"后新潮"诗的作者们也未必有充分清醒的认识。

一个非常重要的基点是，对于一切艺术，包括一切诗歌来说，都是对人本身的一种探索。现实主义从人与外部世界的关系，特别是从外部感知去探索人的社会性，他们的障碍是纯粹外部世界很难表现人的内在复杂性。浪漫主义从人的内心激情寻求直接倾诉的途径，但是他们遇到了困难，因为人的内心是那么难以表达、难以深入，以致他们不得不借助于想象的方法把人的感情激化到一种极端状态，才能表述于万一。极化感情的浪漫主义，事实上并不能直接表述情感的真实状态，而是某种间接的（想象的）变异状态。由于情感的"黑暗性"，浪漫主义者在"极化"的过程中，不得不运用理性的语言和逻辑，因而总的说来，浪漫主义，从根本上来说不能不与某种概念化结下不解之缘。

后期浪漫主义的情感喷射变成概念的喷射是命中注定的。西方浪漫主义所凭借的主要艺术方法——直接抒情就是一种空想，情感是不可能直接抒发的。有一个很简单的心理学道理直至今日还没有被世人勘破：那就是情感不像人的外部感觉是可以注意、观察的。首先，情感在心灵中发生，而观察情感的唯一手段也是心灵，这样就构成了一种永远无法解决的矛盾，就像要求显微镜去观察显微镜的镜头一样；其次，情感发生时的基本状态是激动，而任何观察包括最简单的外部观察要求冷静。观察要求与观察对象的特征之间是不相

① 本文发表于《文论报》1993年3月20日。

容的。这一点实证主义者孔德和构造主义心理学派的创始人之一铁欣纳早在一个世纪之前就指出了。正是因为这样，艺术创作，作为对心灵探测的手段都是不完善的，都是在一定历史条件下的一种试探，正如人对外部世界的科学认识都是一种“试错”（如波普尔所说）一样，因而总是免不了有一种历史更替的性质。每一种创作方法或形式都有自身不能克服的局限性，由于它有局限性，就必然要被历史淘汰。新的创作方法克服了旧的局限又产生了新的局限性。尽管局限性的形式和内容在不断地变化着，然而局限性却是永远存在的。这具体地表现在，虽然艺术总是努力探索着自我内心的奥秘，而且不断取得哥伦布式的发现，然而人的心灵永远是个黑箱，永远是一个艺术的哥德巴赫猜想的对象。正因为这样，当代哲学对于人本身的生存状态的思索多少处于某种混乱的状态；由于混乱，当代哲学家们，特别是西方的哲学家们甚至去崇拜东方神秘主义的古典哲学。这是哲学的困惑，也是人类智慧的局限。也正因为这样，歌德才说，人类生存的最高境界就是意识到自己的情绪和思想，能够说出自己的内心感觉并能认识别人心灵的人，就是艺术家。歌德认为莎士比亚达到了这个境界，其实莎士比亚笔下人物的情感离活着的人还不知有多远，至少托尔斯泰就这样看。

后现代主义诗歌对浪漫主义和现代派诗歌的局限性的认识是很清醒的，然而他们对自己的创作方法的局限性远远没有达到同样清醒的程度。因而他们未免在做出贡献时显出某种盲目性。他们强调生命的体验，主要特点是力图通过超越了社会文化语言的不自由的强制，追求与自我生命的直接对话，其实说得简明一点，就是把生命深层与社会群体不相联系的那部分感性、知性乃至非理性，未被社会文化侵染的原生层次，充分自由地流泻出来。但是人的表层心理结构的特点是相当富于灵活的调节能力，每当它被触动之时，它只是在瞬间失去平稳，凭着它的自调节功能又在瞬间恢复了平衡，维持它的表层结构的稳定，因而不管是意识流的小说，还是生活流的诗歌，都很难通过自由联想的方法把人性的深层奥秘揭示出来。人的心理表层意识之流犹如河流的表层，即使抽刀断水，也常常是枉费心力。那些探索人类生命深层结构的诗歌其实并没有真正触摸到生命的本体，只是像浪漫主义者一样，把他们对于生命力的想象写了出来，他们并不见得比浪漫主义者更深刻，只是他们运用了新的象征符号体系以后，分外兴奋，便觉得他们进入了浪漫主义者所不能进入的隧道。他们说他们在与个体生命做着直接的对话，其实，这是他们的幻觉欺骗了自己。

人的生命的深层至今仍是一个黑箱，这是当代脑科学的局限，也是人类生命科学的局限。在脑科学取得重大突破之前，一切与原生生命的对话都不过是聋子与哑巴的对话，对话者不过让他残缺不全的感觉在表现他们自己的悲壮的雄心而已。

老实说，现当代的世界诗歌在这方面探索的成绩远不及小说。因为小说，除极个别纯意识流的小说之外，都是把人物放到一个非常态环境中，使人物的常态心理发生震荡。这是他们的基本方法。当非常态环境与人物表层心理失去平衡达到一定程度之时，表层心理结构就可能来不及恢复平衡，产生自调节机能失效的现象，这时，人就变得不像通常的自我了。用荣格的话来说就是人的“人格面具”失落了。只有在这时，人的生命本体，才能像电火光样一闪而过，或者像胎儿一样发出一声惊天动地的啼哭。三番五次超出常规，人的内在深层原生状态才会出现。在平时，人常是并不认得自己，也不认得朋友、妻子和儿女，为什么认识一个人要花几十年工夫呢？为什么当代小说的成就会如此高出于当代诗歌呢？奥秘就在于此。

当代诗歌，包括“后新潮”诗歌，企图与生命做直接的对话，甚至企图在静态的、不变的乃至抽象的环境中窥探人心灵深层的奥秘，那就好像拒绝把某种物质放入试管，拒绝对之加温、加压、通电，拒绝使之与酸作用，与碱作用，纯用思辨的方法想出它的物理和化学属性一样。正是因为这样，“后新潮”诗歌中最先锋的一派正在走向诗的反面，从“朦胧诗”的追求美和深度，到“后新潮”诗中的一部分追求丑和无深度，说明了“后新潮”诗终究不过是在试探。他们是在前辈诗人遗忘了的、遗弃了的、想象所不及的世界试探，而试探不管是科学的，还是艺术的，都要付出代价，一次的成功必有百次的失败为先导。也许，他们的失败还没有达到百次，因而我们至今仍然没有看到他们真正能够称得上是艺术上的成功。也许他们要说：“我们追求的就不是艺术而是反艺术，反诗。”然而反诗、反艺术的目的是通过反对一种诗、一种艺术、去创造另一种艺术、另一种诗；在另一种艺术成为艺术之前，读者们是不会轻易被俘虏的。归根到底，艺术只能用艺术来战胜，就是反艺术，也得有反艺术的艺术，如果反艺术而失去艺术，不但那是艺术的悲剧，而且是艺术家的悲剧。

也许，历史注定了这一代诗人要在这里牺牲，也许只有在牺牲之后才有更辉煌的顿悟，这一切最权威的证明只能在我们这一代人死去百年之后。然而既然一切的科学实验理论和科学理论的价值都在于它的可证伪性，那么，“后新潮”诗的价值恰恰在于它已经提供了诸多事实让我们清醒。如果一次成功真要以一百次的失败为条件，那么，我们这一代是属于一百次还是属于一次呢？很可惜，我不能不做出一个相当悲观的结论：也许我们的失败还没有达到一百次。我们是继续下去，还是另寻出路呢？也许我们得考虑一下如何决策了。

向艺术的败家子发出警告[1]

从“五四”以来，中国的现代新诗，就以流派更替过分迅速为患。本来流派的更替是为了艺术的积累更加丰厚，更加多样。任何诗歌艺术流派的更替，都不可能没有一点点艺术成果的损失，不付出代价，就不可能有更大的发展；但是过分频繁的更替，不但不能推动艺术的更快发展，反而可能导致艺术的破产。

在西方，流派的更替常常是一个流派烂熟了，它的基本艺术成就普及到连没有什么才华的人都可以如法炮制了，才开始有新的流派来代替它。在后现代诗歌产生以前，诗歌的更替，是自然的，艺术积累的损失虽然不能说一点没有，但是得失相较，还是得大于失。而在我们中国，流派的更替往往是人为的。一个流派还没有来得及成熟，另一个流派就因为一些急于标新立异的先锋人物拉开了旗帜。

这样非自然的更替，有两个害处：一是，本来我们中国现代新诗的艺术家底就比较薄，中间经过20世纪40年代的倒退、50年代末期的行政干预、60年代的摧毁，直到新时期开始，还处于艺术上恢复元气的阶段。在短短的几年内，恢复得非常之快，不但恢复了，而且在北岛、舒婷那里还有些发展。如果把台湾诗歌也考虑在内的话，应该说，这种发展还是初步的，在程度上还是有限的，原有的艺术成就并未普及到家喻户晓的程度。但是，仅仅两三年的时间，就被宣布pass（过时）了，这种世界第一的高速度的艺术流派更替，也许曾经使一些诗人感到痛快，但是其苦果却是艺术积累的水土流失，在不少诗人那里是艺术的破产（这是20世纪40年代以来的第二次局部破产现象，第一次可以田间为例）。二是，新诗艺术不是从传统的艺术基础上产生的，而是生搬硬套外国的流派。而大多数急于标新立异的新诗人的外国语言修养，还不足以达到可以欣赏乃至批判地吸收西方诗歌流派的艺术精华的程度。如果我们不是过分浮躁，本是应该记得大诗人接受外国诗歌新流派时，不

① 本文发表于《星星》诗刊1987年8月号。

管是卞之琳、闻一多，还是余光中、洛夫大都是可以直接欣赏外国诗歌的，而今天许多所谓新流派的倡导者，他们对于外国语言的掌握还达不到可以欣赏或者批判外国诗歌的程度，于是就产生了“以其昏昏，使人昭昭”的混乱局面。

当前中国新诗显然是处于危机之中。主要表现在两个方面：首先是有追求的诗人陷入理念化。他们叛逆新诗和朦胧诗的全部理论基础是照搬西方诗歌的。西方当代诗歌，尤其是后现代的诗歌其基本理论都是以诗歌表现某种西方文化哲学的理论为最高境界的。这种表现文化哲学的追求本身就与诗歌的艺术本性发生矛盾。从中国新诗的历史来看，把诗歌作为任何一种理念的图解，都曾付出了惨重的代价。不管是图解革命的理念还是图解西方某种意识形态的理念，都是与诗作为一种艺术的内在机制不能相容的。其次，由于把表现理念作为新诗的根本任务，就必然导致新诗的艺术准则发生混乱。既然诗歌的任务是表现某种文化哲学理念，就必然与诗歌的一切传统的艺术成就彻底决裂。每一个诗人都可以有自己独创的准则（例如没有深度的准则），每一个诗人都可以不承认其他任何人的准则，这就不但使读者，而且使作者陷入了艺术的无政府状态，其实就是把任意性当作艺术，其结果是无准则。不是有人公然提出“反艺术”的口号吗？他们本来也许以为我反了一切传统的艺术，就会建构起最新的艺术。但是艺术并不是能够在空地上建立起来的，一些艺术的败家子至今还不清醒。哀哉！在可以预见的未来，我们20世纪80、90年代以表现西方某种文化哲学思想为最高任务的诗歌，必然受到历史的嘲笑。

“后新潮”诗的反思①

1997 年 6 月底，现代汉诗学术讨论会在武夷山举行，在大会发言中，刘登翰先生提出了一个很有意思的问题：当年（1980 年），在南宁诗歌讨论会上，孙绍振对一些人因为朦胧诗“看不懂”又主张要引导的人，表示了极大的反感。他说，既然是看不懂，又有什么本钱来引导呢？难道是凭你们干饭吃得比别人多吗？难道看不懂是你们的光荣吗？这种锋芒毕露的观点，引起会场上一片哗然。但是今天，孙绍振在这里却表示，目前的大量新诗他看不懂了。不但如此，而且还在本年度《星星》的 8 月号上发表了文章，要“向艺术的败家子发出警告”。

这的确值得反思。

这些年来我对于新诗的思考并不是从今天开始。严格地说来，早在 1980 年 10 月我写那篇《新的美学原则在崛起》的时候就有所流露了。那时虽然在主要方面，我是为新诗在艺术上的新突破、新开拓而摇旗呐喊的，这已经因为那场大辩论的重要性而载入史册了。但是由于辩论，不能不在互相对立的方面进行，因而不论是我的朋友还是我的论敌都难免忽略了我的论述的另一个方面。就是在当时，我对于朦胧诗作为一种艺术的探索本身可能带来的问题，是怀着某种隐忧的。我在那篇文章的最后这样说：“我们可以毫不怀疑地说，他们肯定会有错误，有失败，有歧途的彷徨。但是，只要他们不动摇，又不固执，即使他们犯了错误，也是可以像列宁所说的那样，得到上帝的原谅的。同时，又会给后来者和他们自己留下历史的经验。——但是，这些经验是不是会浪费，就要看我们善于不善于总结使之上升到理论的高度，并为他们所接受了。”我在这篇文章中还特别说了：“目前年轻的革新者们自然面临着旧的艺术习惯的顽强惰性，但是如果他们漠视了传统和习惯的积极因素，他们有一天会受到辩证法的惩罚。”

---

① 本文发表于《诗刊》1998 年第 1 期。

这在当时，在我看来，也许是在遥远的未来才有可能发生的事。

但是，事情发展的速度远远超过了我的想象。舒婷、北岛们才风行了两三年，就被一批“后新潮”诗的诗人们宣布为已经“pass”了。而后起的诗人的艺术方面有了许多开拓性的探索，有了很多可以研究的发展，这些都是要认真地加以总结的，对这些成绩采取任何虚无的态度加以抹杀是不公正的。这一点，我已经在《关于诗歌流派嬗变过速问题》做了初步的研究。当然这还不够，我将在另一篇文章中，做更深入的研究。但是有一点，却不能否认，总的来说，自从所谓“后新潮”诗产生以来，虽然也有新探索，但是所造成的混乱，似乎比取得的成绩更为突出，新诗的水平并没有全面地提高，相反，给我的印象是，有点江河日下的样子。

这就使我不能不感到困惑。所以在《关于诗歌流派嬗变过速问题》中，在肯定新诗潮取得的成就以后，在这篇文章的最后，我不无胆怯地提出了我所忧虑的问题：“后新潮”诗时期，诗歌过分地私人化，成为压倒一切的倾向，表现社会生活和个人的关系不知不觉已经成为嘲弄的对象。我相当委婉地说：“（新的）审美经验的积累要达到饱和，不能是一条道走到黑的。为什么不可以把心灵纵深层次的探索和社会生活的探索结合起来呢？孤立地探索心灵固然是对过去孤立地强调外部社会环境的惩罚，但是孤立地强调内心深层的探索难道就不会引起另一种惩罚吗？”

到了 1989 年 5 月，一种更为极端的理论出笼了。这种理论认为，诗不应该与社会发生关系。因为根据一种西方的语言文化学说（后来为非非派所接受），自我的一切都是靠不住的。从话语到感觉都是被集体的文化、话语的无意识所歪曲了的。因而，诗人应该和没有被话语歪曲过的原生的自我生命直接对话。我读过现代心理学史，直接和自我的心灵对话是不可能的。19 世纪德国的构造主义心理学派，早就感到困难了。于是我在当年 5 月份不无愤激地写了一篇叫作《“后新潮”诗的困窘与出路》，寄到《羊城晚报》去，承蒙何龙先生重视，于 6 月排出清样。但是，考虑到 1989 年夏天的特殊心理气候，我又去信何龙先生把稿子撤了回来。直到三年以后，我从美国归来，才交给《文论报》发表了。在这篇文章的最后，我掩饰不住忧愤，这样写道：“在脑科学取得重大突破之前，一切与原生生命的对话都不过是聋子与哑巴的对话，对话者不过让他残缺不全的感觉在表现他们自己的悲壮的雄心而已。”

从这篇文章开始，我对于我们当前的诗歌运动开始悲观起来。我有了一种面临失败的预感，我接下去写道：“正是因为这样，‘后新潮’诗歌中最先锋的一派正在走向诗的反面……‘后新潮’诗终究不过是在试探，他们是在前辈诗人遗忘了的、遗弃了的、想象所不及的世界探索，而试探不管是科学的，还是艺术的，都是要付出代价的。一次成功必有百次的失败为先导。也许，他们的失败还没有达到百次，因而我们至今仍然没有看到他们真正能够称得上是艺术上的成功。”写到这里，我无法克制住我的苦闷，不得不最大限度地表达出我的真实心态：“也许，历史注定了这一代诗人要在这里牺牲，也许只有在牺牲之后才有更辉煌的顿悟，这一切最权威的证明只能在我们这一代人死去百年之后。然而既然一切的科学实验理论和科学理论的价值都在于它的可证伪性，那么，‘后新潮’诗的价值恰恰在于它已经提供了诸多事实让我们清醒。如果一次成功真要以一百次的失败为条件，那么，我们这一代是属于一百次还是属于一次呢？很可惜，我不能不做出一个相当悲观的结论：也许我们的失败还没有达到一百次。我们是继续下去，还是另寻出路呢？也许我们得考虑一下如何决策了。”

从文艺思潮史的角度来看，任何一种创作的新潮流，都是为克服前一种创作主流的危机应运而生的。前一种创作主流形态之所以产生危机，是因为它在艺术上的历史片面性，新的潮流去冲击这种片面性（权威的、顽固的、僵化的）的时候，常常以一种绝对全面的（自觉是完美的）姿态出现，这就不可避免地带着另一种艺术的片面性。艺术的历史就是在这样曲折的道路上前进的。从这个意义上说，每一次艺术上巨大的跃进，不但要在初期付出艺术上降低水平的代价，而且在后期要面临新的危机。人类的社会生活不存在理想化的道路，人类的艺术发展更是如此。所有在艺术上革新的流派都有一个走向反面的问题，也就是从生气勃勃到奄奄一息，从鲜花遍地到通向坟场，这是任何流派很难避免的命运。

1980 年，在南宁会议上，我们有着一种面对新历史的使命感。这种使命感不仅仅是社会的，而且还有艺术的。长期停留在空洞的叫喊上，使诗歌艺术腐败。空洞的叫喊最明显的负面效应就是诗人不敢相信自己的眼睛、耳朵、鼻子，不敢相信自己的一切感觉和思想。这就造成了对自我的麻木不仁。这不但使诗歌腐败，而且使诗人的心灵腐败。正是这种双重的腐败造成了新诗史上长达十多年的“假大空”。假、大和空，同样都是诗歌的大敌，但是归根到底，还是“假”字最可怕，因为，显而易见，“大”和“空”也是一种假的表现。

由于诗歌本身所要求的高度想象性、假定性，诗歌比小说和散文，对于“假”是最缺乏天然的免疫力的。

“后新潮”诗歌，从形式到句式，从内在的关系到外部的排列，都有不少怪异得叫人莫名其妙的地方。但是，这并不可怕。不管它多么怪异，多么令人倒胃口，都有它们存在的权利，正如癞蛤蟆和赤练蛇都有存在的权利一样。看不懂癞蛤蟆和赤练蛇并不是生物学家的光荣，看不懂某些后现代的诗也不是诗歌评论家自豪的本钱。在许多看不懂的怪现象之中，我以为最令人不能容忍的就是虚伪。诗人装腔作势，借着诗以外的精神道具来做自我灵魂的化妆的做法，实在令真正的内行感到困惑。

在我们的诗坛上，虚假现象可以说是铺天盖地。或者用一个年轻诗歌评论家的话来说，就是到处都是“塑料诗歌”。用外国文化哲学理论廉价包装起来的假冒伪劣诗歌占领了诗坛的很大一部分。

然而事情严重性在于：许多批评家在此时表现了胆怯的沉默。

明明是中国人，包括这些作者，在走向现代化的空前的历史大浪潮中，在世界最大的工地上，为城市马路的拓宽，为高速公路的出现而挥汗，为进入家庭的电视机、电冰箱、电脑，为自己的新住房，为它的装修而奔波不息。在生活里，得到这一切的和尚未得到的，他们的心灵，他们的神经，他们的意识和潜意识，正在经历着空前的翻腾。在现代化的过程中，人们的感觉、想象、思维、梦幻都在发生震荡，人们的神经和心理不管是乐滋滋的，还是苦叽叽的，都是目标明确的，为改变现实和自我的关系，为自我适应新生活而不断地调节自己精神和意志。总之一句话，人们生活得是挺有奔头的，就是一些暂时还没有感到有奔头的，至少也是咬紧牙根的，他们之中多少人是活得挺有滋味的，就是暂时还不很有滋味的人，也是有力量面对缺乏滋味的感觉的严峻性的。人们在这个空前的浪潮里改变着现实和自我的感觉和情绪的关系，丰富着自己的生命。这应该是一幅空前壮阔的精神大变动的历史图景。然而一到了诗里，生活和情感最起码的准则，被颠倒了。好像不是做一个与这场伟大的变革有关联的人，有正常感觉的、神经坚强的人更有光彩，而是与这场变革完全脱离，做一个神秘的、抽象的人，或者神经怪异的、装腔作势的精神贵族更可以骄人。在有些极端的作品中，表现出来的是，好像不是活着更好，倒是死更有味道。如果这些诗人，在生活中，真的是这样的，我还不能不佩服他们，然而，恰恰是这些人，在生活中，（除了个别人），他并不想自杀，可是，在诗中，在诗歌评论中，自杀却成了某种至高无上的人生境界。令我深深感到痛苦的是，许多诗人，在诗里是一副对于群体不耐烦的面孔，连对于一生下来就接受的民族语言，他都感到委屈；好像不应该是语言先于他个人存在，而是他个人先于语言存在才合理似的。有些诗人在诗里，有些评论家在文章中，经常流露出一种，如韩少功先生所说的，好像全世界只剩下他一个人才最自由。其实是，在现实生活里他却需要许多人为他服务，他要活得比什么人都更滋润。许多诗人，在诗歌中，做出一副恨不得毁灭掉一切现代物质文明的样子，而在生活里却为了现代化的物质条件，无所不用其极。不少人在诗里，反复表示厌倦了现代化的一切物质的和思维的成就，不久以后却跑到商海里去，干出了连起码的商业道德和伦理都不顾的勾当来。这使我想起了刘半农五四时期在《诗和小说精神上之革新》中讲的一段话：

明明是贪名爱利的荒伧，却偏喜做山林村野的诗。明明是自己没甚本领，却偏喜大发牢骚，似乎这世界害了他什么。明明是处于青年有为的地位，却偏喜写些颓唐老境。明明是感情淡薄，却偏喜做出许多极恳挚的“怀旧”或“送别”诗来。明明是欲障未曾打破，却偏喜在空阔幽眇之处立论，说上许多可解不解的话儿，弄得诗不像诗，偈不像偈，诸如此类，无非是“不真”二字，在那儿捣鬼。[①]

重温“五四”先驱的这一段话，不禁令人有喜剧之感，好像当代诗坛上的一些诗人又不合时宜地重演了20世纪初的一幕。的确，有不少诗，真的写得像刘半农所说的“诗不像诗，偈不像偈”。问题的严重还不在于诗歌中出现了这种神秘、晦涩的倾向，这只是一种表现形式，最值得忧虑的是，诗歌不但失去了真诚，而且失去了起码的尊严。过去我们的诗人说，不要仅仅把诗歌当作生命，而要把生命当作诗歌，而现在的情况是，并不是把诗歌当作生命，而是把诗歌和生命放在一起，当作游戏（有一种后现代的文化哲学正是把一切文学话语都当作游戏的）。

应该承认，诗歌这种最讲究真诚的艺术形式，不但最容易走向虚假，而且也最容易走向放浪，从人格的放浪到艺术形式的放浪（相比起来电影就没有诗歌这么多的自由，因为它又是一种工业）。

诗坛的虚假，产生于人格的虚假，又必然普及着人格的虚假。虚假的势头在20世纪90年代初愈演愈烈，其实质是表现了某些中国知识分子思想的危机和精神的堕落。

这种堕落，具体表现在三个方面：第一，对诗人自我的生命缺乏责任感，把生命当作游戏。一切的道德、责任、真理、正义，都变成了荒唐的幻觉。做人既没有目的，也没有意义，只有没有意义的虚无主义才有意义。第二，对于诗歌本身，缺乏责任感。既然把自我的生命当作游戏了，文化乃至一切艺术都只能是游戏，一切艺术的追求也是如此。一任自我绝对自由地践踏艺术，就是最高的“创新”。第三，缺乏时代的使命感。不少人以把个人和社会、传统、文化的对立绝对化为时髦。对于国家和民族不负任何责任是理所当然的。而要想有所匡正倒是可笑的。可悲的是，这种本质上小市民的游戏人生观，犬儒主义的精神侏儒，却披上后现代文化哲学的外表，以一种假洋鬼子的作态，炮制着虚假的精神优越感，在一些天真烂漫的青年人和中老年人中散发着民族文化自卑感的精神污染，这种文化气候所造成的堕落竟然成为某种民间的“正统”。这就使以虚假为荣，变成了以精神的崩溃和堕落为荣。某些知识分子的精神的“废都”在诗歌中表现得比在小说中更为严重。

非常遗憾的是，这种风气至今除了生活本身给予他们的教训以外，批评界还没有意识到自身庄严的责任感。在一段时间里，批评家们太习惯于依附，太满足于追随，太缺乏独立的批判精神了。这是从“五四”以来批评家对西方文论和对诗人的被动依附的习惯势力

---

① 刘半农：《诗与小说精神上之革新》，郑振铎编选《中国新文学大系·文学论争集》，上海良友图书印刷公司1935年版，第342页。

造成的。而真正的批评应该是独立的。彻底的批判精神（或者解构的精神），不论是马克思主义，还是解构主义、后现代主义都是不可或缺的。

难道离开了彻底的批判精神，我们还能有抗流而起的精神力量吗？还能承担得起民族精神重建的重大责任吗？面对当前的诗歌危机，有良知的批评家不能不感到沉重。

人格与诗格双重的虚假，导致我的精神痛楚。诗究竟是为什么的？我们为什么要把最宝贵的年华奉献给诗呢？难道不是为了真诚地表现自己、提高自己、体认自己、净化自己，而是为了伪装自己、裱糊自己、欺骗自己、标榜自己吗？人究竟应该怎样活着？这些年我们好像自己放弃了思考力，在纷至沓来的西方文论面前只有一惊一乍的份。过去笛卡尔说："我思，故我在。"现在又有存在主义的哲学说："我在，故我思。"过去尼采说："上帝死了。"现在福柯先生又宣布说："人（包括'我'）死了。"我就深感不解，既然你（人的理性思考力）已经死了，你又用什么（人的理性思考力）来宣布自己死了呢？所有后现代的理论在说到别人的时候都是振振有词的，一旦到了涉及自己的时候就不能不陷入悖论了。其实一切的后现代理论在"自我关涉"这个范畴上都是不能不走向自我否定的。有一个青年理论家学着福柯的舌说："一切的话语、语言都是一堵墙。"他的意思是，一切的话语、语言都只起障蔽作用，而不起表达和交流作用。这颇有点吓人，但是这个大前提，适合不适合你自己呢？如果不适合，那么你就不能说"一切"的话语、语言都是一堵墙；如果适合，那么，你这个全称判断本身就包括你自己说的那句话在内，你的这句话本身就是一堵墙，并不能传达你的真实意思，很有可能违背了你的原意。你的这句话本身说得合乎逻辑的结论只能是：并不是一切的语言都是一堵墙。[①]

不管怎么说，也无须去用西方的经院哲学的思辨术来纠缠，我们总不能离开现实。我们学了那么多哲学，都是为了获得对于生命的问题的思考力。最可贵的并不仅是思考力，而且是一旦想通了，就毫不犹豫地去身体力行（或者用存在主义的话来说，选择并且承担后果）。如果用自己并没有弄清，并没有系统批判过的、也不准备身体力行的哲学来为自己化妆，就这样消耗自己的生命和青春，这在哲学上算是什么样的名堂呢？这不但是违反诗的、哲学的本性，而且是违反人的本性的。

本来，作为一个人，写诗要贴近自我，作为一个中国人，要贴近中华民族的文化心理深邃的底蕴，越贴近才越有出息。那些外国大诗人，正因为异常地贴近了自己和自己的民族，才获得了世界性的声誉，这也许并不是特别高深的道理。但是现在流行的却是，写诗

① 纯粹思想方法、逻辑方法上的吹求，并不妨碍我对福柯先生借助尼采主义对现代资本主义意识形态彻底颠覆的愿望和魄力的尊敬，这一点我希望不要引起读者的误解。我所批评的是，我们的同行中，有一些人运用福柯先生的理论，却违背福柯先生对一切既定权威（从逻辑上来说，应该包括福柯先生自己目前已经取得了的世界性的权威理论在内）进行挑战和颠覆的基本精神。

首先要远离自己，远离中国人的感觉和心灵底蕴。他们也不是什么都不贴近，他们要贴近的是外国人的感觉，而且不是一般的感觉，而是哲学的感觉。有些人连贴近中国哲学都不屑，非要贴近西方哲学、形而上学的玄思才过瘾。正因为此，我在1998年初为《星星》第8期写了一篇文章，其中有这样的话：

> 当前中国新诗显然是处于危机之中。主要表现在两个方面：首先是有追求的诗人陷入理念化。他们叛逆新诗和朦胧诗的全部理论基础是照搬西方诗歌的。西方当代诗歌，尤其是后现代的诗歌，其基本理论都是以诗歌表现某种西方文化哲学的理论为最高境界的。这种表现文化哲学的追求本身就与诗歌的艺术本性发生矛盾。从中国新诗的历史来看，把诗歌作为任何一种理念的图解，都曾付出了惨重的代价。不管是图解革命的理念还是图解西方某种意识形态的理念，都是与诗作为一种艺术的内在机制不能相容的。其次，由于把表现理念作为新诗的根本任务，就必然导致新诗的艺术准则发生混乱。既然诗歌的任务是表现某种文化哲学理念，就必然与诗歌的一切传统的艺术成就彻底决裂。每一个诗人都可以有自己独创的准则（例如没有深度的准则），每一个诗人都可以不承认其他任何人的准则，这就不但使读者，而且使作者陷入了艺术的无政府状态，其实就是把任意性当作艺术，其结果是无准则，不是有人公然提出"反艺术"的口号吗？他们本来也许以为我反了一切传统的艺术，就会建构起最新的艺术。但是艺术并不是能够在空地上建立起来的。一些艺术的败家子至今还不清醒。哀哉！在可以预见的未来，我们20世纪80、90年代以表现西方某种文化哲学思想为最高任务的诗歌，必然受到历史的嘲笑。

面对"后新潮"的诗作和他们的一些极端的依附于哲学的而不是从属于人的心灵的理论，我不禁想起20世纪30年代所谓"辩证唯物主义创作方法"的提法。他们甘心于把艺术作为哲学的附庸，和今天西方（尤其是法国的一些大人物）把作品当成哲学的图解（甚至"讲义"）类似，同样是艺术的教条主义。受到这种西方艺术教条主义的影响，今天"后新潮"的诗歌不但与我们日常的感觉、我们的肉体和灵魂距离异常遥远，而且连和真正的诗歌艺术的距离也变得遥远了。可悲的是，许多作者对于那些深奥的西方哲学也并没有系统的理解，他们不过是以一种挟洋自重的手法，以装腔作势的姿态，说出许多口是心非的语言，来吓唬中国的老百姓。

是的，我曾经提倡过宽容，但是任何宽容都不是无条件的，当年我们提倡宽容的时候，对于那些朦胧的诗探索不宽容的人，就并不宽容。我们所用的语言，尤其是在口头辩论的时候，有时还是比较尖刻的。现在我仍然这样：什么都可以宽容，但是对于毁灭自我、毁灭诗歌的浪子，对这个国家和人民不负任何责任的犬儒主义，我们不是一般地提出批评，而是要提出语重心长的警告。我在 1981 年发表的《新的美学原则在崛起》中曾经说过，新的一代的历史任务是要把自我表现和抒人民之情的人为的历史鸿沟填平。这个历史任务还没有完成。我们希望一切诗人都能把对于诗的使命感、对于自我的使命感、对于时代的使命感统一起来，首先做一个真正意义上的人，然后再谈得上把自己的生命升华为诗。我无法相信，没有真正意义上的使命感，光凭文字游戏和思想上和形式上的极端放浪，会有本钱在我们的诗坛上做出什么骄人的姿态。

字思维和并置美学原则的突围
——读《石虎诗抄》[1]

石虎先生，以画师之尊，倡议汉诗“字思维”之说，初闻并置美学，既感震惊，又似猛省。及读先生之文，神思飞越，潇洒飘逸。恍兮惚兮，似幻似真，壶奥迷蒙，笔意淋漓，其浩然之气中有镜花水月，玲珑凑泊之妙，文外之旨，韵外之致，如奇峰横空出世，如天马之行空凌虚，其形而上者，于不可言处见精神；其形而下者，于不可说处见功力。

先生厌言西哲，然先生之画，熔中外于一炉，化前卫与传统于尺幅之间。笔走龙蛇，意蕴玄机，神不为形拘，形不为物役。笔墨线条色块猝然遇合，偶然之处有必然，神与物游，在有心与无意之间，虽先生重操笔墨，似亦不能复得也。

先生有大气魄，大手笔，大喜大悲，大起大落，发于其画，仰之者遍及海内外，然于其文，似禅非禅，似道非道，其大彻大悟，大勇大识，则惊者与疑者甚伙。盖与“五四”以来诗论家比之，其才以神韵夺人，而不以理气取胜，虽亚里士多德之逻辑亦难以羁勒。故不当以学院文章视之，不与西方语文相较，不与先生之诗作互文阐释，不能与先生神会也。

僻居海隅，幸得先生近作《石虎诗抄》，展读之，抚爱之，沉思之，时有醍醐灌顶之乐，时遭当头棒喝之惑。间有所悟，忽有所疑，于不求甚解处，似有顿悟。此读书之真快乐也。

——手记

“字思维”之说，与“五四”以来输入的语言学，似有迎头相撞之势。目前已经成为共识的语言学原理确认语言是一种声音符号，语音乃是思维的根本。人类与动物的区别，以

① 本文发表于《石虎诗抄》，作家出版社 2002 年版。

马克思的原理而言，乃是能够制造工具，而且能有目的地劳动。这个学说，代表了一个时代的水平，但是，并不完美，我曾经看到一个材料，说是有海龟类动物，佯仰于海底或礁石，待有贝壳类来附者，乃以蹼取石击而食之。后来的语言学说，则主张，人与动物最根本的区别乃是人类有语言作象征符号交流思想情感。其实，这个说法也可能是不完善的。文献记载，孔门弟子公冶长能解鸟语，且猿啼虫鸣，其悲欢哀乐，虽不如人心之精致，然声息之沟通，有目共睹。

欧洲人、印度人，语同源，属印欧语系，其语言复杂在声音之变。名词有性数格之幻，俄语名词多到六格，德语则有四格，且有阴阳性，单复数，动词有人称时态之分，语气有真实与虚拟之别，其奥妙皆在语音形态之间，其名词之前缀、后缀，冠词之阴性、阳性，动词之过去、未来、进行、完成，皆有法度，而法度皆依语音之微妙变幻为统一整体，不得有丝毫龃龉。

文字不过是记录声音之符号而已。

文臣属于声，字可以改，而声不可乱也。

西人语言，除历史遗留之音形脱节少数例外，文字皆赖声音而存，以声音为生命，而以何种文字符号为记，与声音无涉。故同为斯拉夫人，波兰、捷克、塞尔维亚以拉丁字母为文，而俄语则从教会斯拉夫文字转化为现代俄语文字，未见其语言之民族特性有所窒息。同属日耳曼语族，英语、德语，与属拉丁语之法语、意大利语、西班牙语、罗马尼亚语等，并取拉丁字母为文，亦不见其有碍于思维之精密。

然吾汉语则不然，声与文混为一体，微妙尽在笔画之间，一点、一钩之异，音义尽殊，笔画与语义，如氢与氧化合为水，不可分割。

“五四”先贤不察于此，以西文准则推之，误以为水乳分离，唾手可得，遂有保声易文之说，发出废除汉字之豪言，此后汉字拉丁化之论，不绝于耳，鲁迅浩叹童稚识字之难，毛泽东为普及文化计，皆有意于汉字改革。20世纪50年代有文字改革政府机构之设，汉字拉丁化之议，遂从学术自由探讨，几成行政规范。大雅学人皆望风而从，独北京大学唐兰教授力排众议，虽陷于孤立，然八十年来之实践，终于证明，汉字不能为拼音所代替，只留下《汉语拼音方案》，与军阀时代之《国语注音符号》，统一语音则可，改革汉字则难于行蜀道。历史不可抗拒，人力无法回天。

原因何在？

拉丁、斯拉夫、日耳曼语多音节，声音多变幻之空间，时态、性、数、格借多变而不致雷同，于不同处求其语法、词法之从属性统一，于细微处曲尽其妙。语言如此，思维亦然，故古希腊亚里士多德之逻辑学有同一律、矛盾律、排中律，其核心乃同一律，矛盾、排中不过是防止违反同一律的规范。故西人之思维，呈线性。而吾汉人则单凭语音则易滋混淆。汉语词汇虽从单音发展到双音节为主，然单音节仍有相当比重。汉人之思维，汉字之妙用，其笔画常与绘画通，所谓书画同源，毛笔性能，刚柔相济，书画皆可胜任，而西人鹅毛与刷子异曲不能同工也。故中国画家言，妙在“疏可走马，密不透风”，其实文意何尝有异？可实，可玄，水乳交融，可意会不可言传，心领神会，心照不宣，言不尽意，意在言外，言有尽而意无穷，“不着一字，尽得风流”，不赖汉字之形则不能达意。

西人原始文字本为象形，或象物形，或象人形，后形与义脱离，转化为拼音字母，我汉字始亦象形，形之图式化符号化组合，形与声呈浮动性组合，形声会意，变幻无穷。唯其“会意”，乃有大自由。

先生不为汉字形而下之表面现象所拘，强调字象非物象，字象与物象皆有“形意义广延”，其初不仅始于物，且发于心，其止亦不止于物，而终于道（《字象篇》）。从这个意义上，先生提出：“字象虽为汉字的灵魂”“是一个大于认知的世界”。其广延的心理自由使得感性字象具有思维功能。故汉字可以综合音象、物象，达于抽象而不脱离形象，蕴于形象而升华为抽象。文从语始，音不尽用，汉人即便口语交谈，亦难以脱离文字，其语音之扞格难通处，常伴以字形之解释。人名、路名，仅凭字音往往难以沟通，必以偏旁笔画相告。若非语言学家，读白字滔滔者天下皆是，其于为文，每每文采华赡，锦贝灿然。用之为文者，常难以诵之于口也。

故西人之 imagism，五四时期胡适译为“影象派”，流于表层之感觉，差之毫厘，谬之千里。日后为“意象派”所代替。其原因在于，象中有意，象中有声。二象尽在字中。西方诗论家所说的“意象思维”，与先生所说“字思维”，遥遥相对，息息相通。

然先生强调汉人不同于西人之处，乃在文字之超越语音，在西人以心中有意象即足矣，而在中国非文字不足以正其果。故先生曰：字象思维是“绝对的”，而字音与字意仅仅是字象的“外部属性”（《论字思维》）。此言虽有绝对化之嫌，然于汉字之特质，尤其是其超越声音的“非言说性”，有切中肯綮之妙。

先生主张之精髓，不完全在单个之文字，且在字与字之间。

由于汉字无词法和语法形态的变幻，除联绵词以外，几乎每一字皆可为词根，故组合之自由度较之西文为大。关键在于其间之统率关系并非不可或缺，并置往往成文，成文往往有新意。故先生曰：

> 人们一向所说的字义，不过是字象的局部认知含义，在字的本元范畴中，尚存有大量未被开启的、未认知的含义。在汉字如此博大的抽象建构中，有什么命名的困难呢？汉字之间的并置，为中国人的意识提供了巨大的舞台。当两个字自由并置在一起，

就意味着宇宙中类与类之间发生相撞相姻，潜合出无限妙悟玄机。由汉字自由并置所造成的两山相撞，两水相融般的象象比隔和融化所产生的义象升华，是“字思维”的并置美学原则。(《论字思维》)

并置美学原则，虽然不能说已经穷尽了汉字的全部美学潜能，然可以说触及了核心。这不仅仅是艺术家的直觉顿悟，而且是对汉诗的一种理论概括。汉语诗学这方面的特点，早在20世纪初，就被西方陷于浪漫主义的滥情的诗人们发现。可惜他们不通中文，只是通过借用了汉字的日语和为数不多的汉语诗歌，发现了与西方诗学迥然不同的艺术世界。他们的惊异和激动的程度，无异于哥伦布发现了新大陆，结果是产生了一个划时代的流派——意象派。其领袖就是后来被称为伟大诗人的庞德。这个庞德，在他的厚得像砖头一样的《诗章》(*The Pisan Cantos*) 中，干脆就把汉字作为他的灵感的源泉。书楷书汉字于前，自作诗章于后。在他看来，汉字天生就是充满诗性的。且看“朋友”，在英语中，已经被用得如磨光的铜币，而在汉语里面居然是两个月亮并置；光明，在英语里已经失去了对感觉的冲击力，然而在汉字中，竟然是日月并出；早晨，已经被礼貌性地问好用得情感老化了，可是汉字“旦”却是太阳出现在一条地平线上，而暮，则是太阳被草丛所淹没。

不是一个人，而是一批诗国的忠臣，像孩子一样对中国古典诗歌进行幼稚的误读和模仿。然而，他们长于心理学，而短于文字学，他们发现了一座丰富的矿藏，惜乎，为表面的华彩所蔽，未能深掘，草草做心理学之命名，曰：意象。本着心理学的思路，做理论的概括。把文字之间既无介词又无谓语的浮动意象并列，叫作“意象叠加”，这个诗歌流派，还写出了像《地铁车站》那样被称为经典的诗章。但是，美国意象派，只学到了最为表面的东西。像“枯藤老树昏鸦，小桥流水人家，古道西风瘦马”，还有“鸡声茅店月，人迹板桥霜”这样的手法，在我们汉诗的宝库中不过是“小儿科”。

他们只是得其形，而失其神，只从心理的表层、从感觉的光色形上着眼，也许正是因为这样，这个流派，只风行了不到十年的时间。

他们所忽略的是汉字并置的结构功能大于要素之和，其更为深层的东西，那就是汉族人心灵深层的自由。也就是先生所说的并置“潜合出无限妙悟玄机”“象象比隔和融化所产生的义象升华，是‘字思维’的并置美学原则。”(《论字思维》) 由此，先生指出汉字中“存有大量未被开启的未被认知的含义”，引申出汉字具有相对的“填充性”，“一定意义上说，字之新义，是由诗人来灌注的”。

先生的理论发现，是对中国古典诗歌艺术特质的一个侧面更为深邃的总结。表面上并置的巨大可能和威力，属于技巧范畴，实质上蕴含着对于人生、对于宇宙的一种崭新理解。“象象并置，万物寓于其间”，此言对于世俗人生观念与传统艺术观念当有巨大冲击。

先生之文亦如其画，从精神到文字无不充满传统文化的执着，甚至有排斥西化的语言，然而其要旨，却与西方前卫文论有殊途同归之妙。如果把先生的上述主张，与俄国形式主义者所强调的“陌生化”，以及近年流行之诗乃语言可能性之探索比较，其诗学纲领何其相似乃尔！

立足于传统与前卫的两座山上，先生发出“字思维”的宣言：“汉字以其无比灵动的本质，以其永恒的灵性的范畴，笑对当代诗人：不是汉字负于诗人，是诗人负于汉字。”这不仅仅是一种宣言，而是一种挑战，其对象乃是当代乃至前辈诗人，其中包含着对于中国现代新诗的重新审视、重新评价的要求。

《石虎诗抄》，贯彻了先生并置美学的全部信念，观其诗，名词自由并置者交错迭出，动词减少到最低限度。并置之美以超越语法的主谓宾名形动的统帅关系、突破逻辑之时间空间序列为特点。字里行间，有两个极端的张力。一个极端是所用语言和意境极端古典，回避一切口语词汇；另一个极端是与当代诗坛最前卫的个人化、私语化诗歌艺术在精神上异曲同工。令人想到台湾不为人理解的极端现代派和大陆非非诗派。其喧哗与呢喃，其拼贴与扭曲，皆有西方诗派的源头。然而先生之诗，出自传统古意。即使读者无法解读其全部诗句，然其间情韵，恍兮惚兮，漶兮漫兮，隐隐约约，迷迷蒙蒙，通常智慧之人，亦能领略其大概。以《沐眠》为例：“不拒风雨居为何 / 躬天客 / 上欢青赐 / 窗门钭引婆娑露丹颗 / 细冷问朝安 / 宿鸟鸣后山 / 厌厌梦衾拥雨 / 半神半仙庸自许。”这也许是先生诗作中句子比较完整的一类，每一句均有相应的动词谓语，但是每一行的文字在逻辑上是并置的。散乱之星，如银河布天，其无序之趣甚于有序：从“风雨”“窗门”“细冷”“朝安”“宿鸟”“后山”“梦衾”“拥雨”中，读者在想象中不难构成情境与画境，有风雨中的慵倦、怡然自得，有与大自然的默契，超越尘世的飘飘欲仙的潇洒。如果有读者批评古典情韵的追求痕迹太重，不能说没有道理。类似的作品还有《烛我》《弗人》等。但是，先生的诗作，这样的风格是比较少的。更多的是把古典的追求与前卫的观念结合得比较紧密的。其中最为成功的要算是《额其》了。这把先生的并置原则发挥到了极致，如果光就其中的句子而言，其无序性也发挥到了极致：

金盘十五宴齐额

　　其其格

芜珊曼帐蔽踏歌

来云朵话鹿羊说

斟灯酌烛醉人合

如果光就这一节说，其中许多文字的并置是难以用逻辑来梳理的。可是，尽管不能逻辑化，却能令人感受到一种欢乐的宴飨的场景，这是与帐篷、草原、金属的酒盘和牧场有关的，从“其其格”多重的复沓，就可以猜测想象到是蒙古民族，绝不是其他族的民俗。

这是第一重并置的暗示力量的显示，其特点在于和谐，每一组并置的文字在性质上都是统一的。这种统一与西方诗歌语法上的统一不同，而是在打破语法统一性的基础上，构成了一种感觉的、情调的、文字的统一性。

然而，把无序性和统一性结合得这样紧密还只是这首诗的成功的起点。

这首诗的好处还在于，其统一性超越了无序性，这是由于先生用了复沓的章法，使得无序的统一性，从单层次化为多层次。接下去，那种草原上的风情在层次上增加了厚度，而且在内容上展开了历史的深度：

　　其其格
恨杯龙年驼饮火
谁竭清雨断流河
金秋墨染胡杨棵
　　其其格
酒闻天骄甲胄回
那踏金靴跨金驼
呆木重阵又铁戈
　　其其格
金盘十五宴齐额

读者不难从“胡杨”“天骄”“金驼”“铁戈”这样并无逻辑关系的并置中，感到只有蒙古民族才有的历史豪情，正是这样的豪情把无序的文字引向纵深，让读者闻到了酒气，听到了铁马金戈的声音，感受那宴会上豪迈的、欢乐的氛围。

从这个意义上来说，这首诗作的传统的有序性、和谐性、统一性似乎还是多了一点，也许还不能完全表现先生在艺术上探险的雄心。如果这个想法是不错的，我想更能代表他的艺术上突围（反叛）的作品，也许应该是那些并置得更加无序，看起来更“混乱”的东西，比如像《玄雀》，不但没有《额其》那样平行的章法，而且也不是同一情绪的反复渲染，其中包含着相当的叙事性。诗情与叙事本来就有冲突，何况先生的并置性美学原则，是与时间的连续性难以相容的。也许于此有所忽略，也许背水一战。

这显然是写人的，用“不父而谁”这样怪异的别扭的句子，也许正是先生所说的“障义词”，把意义遮蔽起来，等待读者的想象在曲折迷离中和作者会合，作者不想让读者和他轻松地正面会合，而是若即若离、若隐若现地观照。这种观照不是一目了然的，是需要过程的，正如汉武帝形容等待意中人：“是邪？非邪？立而望之，翩翩其何来迟。”尽管诗中，有不少的“障义”性并置，但是，仍然有一定数量明晰的“潜义”性并置。如：“棕衣而蔽”“马井盘车斗灌”。从这些并置的文字，再加上其他更多动词和谓语参与的句子，读者是不难感到这个父亲生活在一种什么环境、怀着什么样的心绪的。然而从争取读者来说，这样的作品，可能是知音甚稀的。相比起来，《不而》就要精致得多，当然读者接受也比较轻松：

翠彼横舟
不口而诗
娜彼回雪
不足而舞

艳彼扶蓉
不杯而醉
盈彼蟾月
不双而福

为了最大限度地并置，在回避动词谓语方面，与上一首是不一样的，但是，由于提炼得单纯，故其精神潇洒、逍遥、雍容，升华出透明的诗境。但是，对于一种新的美学原则来说，太单纯了，内容的适应性就不得不受到限制。

一切艺术原则，都是有局限的，过分运用，必然走向单调。并置的艺术原则，也不例外，与之相反而又相成的另一方面是其生命的一部分。也许，应该有一种“潜谓语”来化解并置的孤立。先生常言“道”，然而太初混沌，细析之，则有对立统一，所谓“一阴一阳谓之道”。唯其矛盾，乃不孤悬，阴阳相克相生，方有衍生之功能：“道生一，一生二，二生三，三生万物。”事实上，先生在实践中对于单纯并置，早已有所突破。不过每逢他不得不运用谓语性动词的时候，偏爱倒装的诡异句式：如“逃返倭魍”“睹血婴躯”。这是汉字的特权，令人想起杜甫的“香稻啄余鹦鹉粒，碧梧栖老凤凰枝”。汉字由于并置的自由，诗意的衍生，比西方语文多彩。先生似不以此为满足，常以更为自由之句法表现其“障义”，为读者制造克服难度之乐趣。如先生自己很重视的一首：

须齿墨头骑
筐鼻马面侧
刃荆胡道雪
直蛮诗奴国

探索之勇和迷蒙之美甚可赞叹，但是，过度诡谲却可能使大多数读者接受不了。即便受过相当专业训练的爱好者也很难与作者超越常规的预期相会合。而且从诗艺来说，意象密度自然是应该追求的，但是，过度拥挤，也可能造成某种“浓得化不开”的窒息。

先生常用某种自创的句法，减少词语间的从属性表述，追求诗句的陌生化，表现其艺术突围的剽悍，其成也，有令人惊异之效，如上述“不口而歌”“不杯而醉”等等，或者用文言的虚词以平行性代替动词谓语的从属性：“牛也麒风”“羊也麟仪”。这好像是先生相当得意的句法，他似乎情不自禁地反复运用：“冬也冰白”“夏也草碧”。还有在草稿上出现的：“碧也草蝶”“朱也花鞋”。所有这样的句法的创造其成功处，不难造成一种雾里看花的弹性效果。

对于比较单纯的题材而言，这样的句法足够了，但是，如果所驾驭的题材比较宏大，光凭这样的句法，就不能不显得局促了。在这本诗集中，比较长的作品，就我的欣赏力所能达到的水准而言，似乎难以达到最佳效果。这是因为，并置固然触及了汉字文化的核心，但是，这还不能说是汉字文化的全部。如汉字的并置与从属、汉诗的韵律、情绪之抑扬顿挫，都是诗学，尤其是先生所醉心的古典性质很强的诗艺所不能忽略的。作为核心的并置，也不能孤立存在，如果离开了其从属性，可能走向孤立，即便有迷蒙之美，而缺乏张力，无序之极，也可能导致混乱。

先生以画师之尊，作诗坛突击手，其中之艰难险阻，非常人所能想象。画家与诗人，于艺则一，于思维方式，则有不可忽略之矛盾。古今大家能深知其中甘苦者几稀。王维以诗名，然有“宿世谬词客，前生应画师”之叹。东坡赞之诗中有画，画中有诗。王维如何调和了诗画之分野，至今仍然是个谜。德国莱辛有诗画不同之论。诗乃时间艺术，画乃空间艺术，空间并置，一目了然，而时间绵延，须读者在记忆中将前后相续为一体。钱锺书先生承此说，极言其法门有异。盖李思训竟月之功，其金碧山水，罗列胸前，不过瞬间一睹之快。而拉奥孔之故事则不容过细描述也。余惜先生放达恣肆，然疏于约束，并置之美，遂有泛滥之势。且大量个人化的话语，本为私人记忆的索引，在作者不乏填充并置的空间，于读者却可能缺乏指向性，导致想象迷失。

以字思维在理论上的黄钟大吕之音，理当引发众声喧哗之局面，方能成大气候、大波澜，然当代诗坛，多报以沉默观望，或窃窃私语，或吞吞吐吐。

歌德云，理论是灰色的，生命之树常青。一种横空出世的诗歌纲领，一种新的流派，一种新的形式，其生命不仅仅在理论，而在于诗的探索实践。艺术乃灵魂之冒险。生也有涯，艺也无涯。以有限之生命，探无限之艺术，岂不殆哉。

唐诗之繁荣，源远流长，自沈约讲究声律，到盛唐星汉灿烂，挟当局科举之制，举数代学子之灵。凡四百余年，方称鼎盛。西方之十四行诗自意大利到英吉利，再至俄罗斯、美利坚，亦耗数百年。无论中西，其立志为艺术之哥伦布者多，葬身鱼腹者众，修成正果者百不得一。先生欲验其主张，以画师之笔，作诗国尖兵，以余勇可贾之势，于诗坛如入无人之境，其智其勇，令人赞叹。《石虎诗抄》之作，不可小觑。其功、其过，百代之后自明。然毛泽东言，一万年太久，今人亦不能辞其评断之责。乃作如是言，其为荒谬乎，其为睿智乎，未惶顾及，但愿为先生作灵魂之冒险之后盾也。

愚者千虑，必有一得，言毕自省，面对造物，乃有不知所云之怯。

诗论纷争：在个人承担和历史承担之间①

2013年谢冕在一篇短文中发出了“新诗已经离我们远去”的感叹；2014年，《诗刊》1月号又推出了我的《“后新潮”诗的反思》。我们对于当前新诗创作和走向的忧虑、批评引起了广泛的反应。在关注诗歌命运的同行之间和一些讨论会上，学者对此议论纷纷，有的还相当激烈。这里推出的是几位持不同见解的新诗研究专家的最新研究成果。

虽然学者们观点各异，但是文风却同样的委婉。即使立场相左，他们却都回避了正面的、直接的交锋，采取了各抒己见的方式。细心的读者不难发现，他们对当代新诗，尤其是20世纪90年代的新诗的评价，正好代表了当代诗坛上的三派观点。

王光明在文中说，一个时期以来，对于“后新潮”诗的批评成了时髦。这是不错的。我本人对于“后新潮”诗的探索的批评，可能就是较为严厉的一个。我不像谢冕那样，温文尔雅，委婉曲折，我毫不讳言对后新诗潮的不满，甚至愤怒。我的文风向来是锋芒毕露，暴躁凌厉，我甚至用了“艺术的败家子”“犬儒主义”“挟洋自重”等等的语言，来表现我对新诗的焦虑。而谢冕教授在这篇文章中，保持了他的学者的持重。为了引出他的观念，他回顾了新诗20世纪80年代的历史（也可以说，绕了几个弯子），最后提出他对于相当多的新诗人过分沉溺于“个人世界”的不满。

他虽然千方百计地为所要批评的现象寻找客观的原因，但是不能不表示为“诗的社会属性和公众关怀被消解”“诗歌的传统审美性被冷淡”感到焦灼。他的行文，处处的审慎。读者显然可以感到他从思路到用语的分寸：一方面他尽可能地保护那些艺术的、灵魂的探索者；一方面作为长者，又不能不从他所理解的历史的责任出发，指出，“不仅是崇高的命题受到冷遇，甚至连传统的优美和抒情也变得遥远了。由于众多的缺失，众多的诗都因而

① 本文发表于《东南学术》1992年第2期。这是我为《东南学术》组织谢冕、王光明、陈仲义、王珂、郜积意笔谈“后新潮”诗写的前言。原标题是“主持人的话”。

失去了分量”。

谢冕是不轻易做正面批评的，作为资深评论家，他更善于从正面提出建设性意见。在这里，他提醒诗人不要忘记，尽管这是一个宽容的时代，但是仍然有“重要的诗”和“不重要的诗”的区别。诗人不仅要“看到个人，而且通过个人忧患和悲欢的情感经历看到时代，看到那时代全部整体……从中感受到那个时代的特有的精神。重要的诗人是概括的，重要的诗人总是从个人的体验出发，到达时代的中心，并准确地把握那个时代的灵魂”。他的文章不短，但是其他的话，都是为这几句话而写的。

虽然王光明与谢冕有过师承关系，而且在后来的不断探索中，王光明也已经形成了自己对于当代诗歌现状的独特见解，但是，在王光明提交的这篇文章中，他所提出的命题，从根本立场上是和谢冕针锋相对的。他的文章的题目就是《个人承担的诗歌》，他认为：对于“后新潮”诗的诗歌一些不够到位的批评，产生于在美学上以朦胧诗的准则来衡量一切。而“后新潮”诗并不追求朦胧诗的意识形态“抗衡的热情”，诗人们正在疏离处于中心话语地位的主流意识形态，以便“更深入地进入灵魂本体的探索”。他认为朦胧诗所表现的不过是一代人的声音，而“后新潮”诗的价值则是“从一代人的声音中凸现了个人的声音”。“后新潮”诗的语言反抗大众文化的肤浅、媚俗。王光明在他们寻求语言“向未知的生长”中，感到了“真正的诗歌探索”之光。“后新潮”诗的诗人，虽然没有对时代做出直接的反映，但是他们“以内省的崇高和语言的自足”“从灵魂的视野去阐述和想象当代的生存处境”，这种探索不是以群体为中心的，而是“落实在个体的承担者身上”的。对于这样的诗歌，重要的不是笼统的批评，而是对话。

相对于谢冕和王光明而言，陈仲义的理论立场似乎处于二者之间。

陈仲义所理解的个人化写作，并非孤立的、抽象的，他更加强调由个体发出的是“全相”信息，“即使再淡化隐匿，都多少带有时代的擦痕”，也多多少少有个人与社会、时代的有机联系。这一点，王光明在行文中虽然不是完全反对的，但是却并不强调。不过陈仲义更加正面地指出有两种个人化，一种是仅仅归属于个人，另一种则超越于个人。对于纯个人生理的冲动和融入某一社会实践这二者，陈仲义认为，后者更有意义，从终极意义上说，他认为这种诗“是非个人的”。

在这里，陈仲义和谢冕所说的“重要的诗”就能够相互衔接了。

正是从这一点出发，陈仲义正面批评了绝对个人化的写作可能导致“自在的封闭”，也就是某种程度上的自恋症。他指出：个人化可能变成“私密化”“私我化”，“从个人化到私我化相距仅有一步之遥。稍不检点，一个闪身，就落入‘单人牢房’。”

从理论上来说，陈仲义提出的这个崭新观念，可能是新诗理论发展中的一个重要范畴，也许当代新诗理论史会记录下他对于个人化的范畴上所作的这一份的功绩。

他以理论家深邃的洞察力指出：

> 自囿于“单人牢房”的私我化，愈加规避社会实践，就愈退回内心，甚至让内心世界取代一切，从而导致从内心到内心书写的封闭循环。至少在狭窄性方面暴露了自己有一个缺损的胃，那么，这个胃如何接待美国诗人辛普森所倡导的消化“煤、鞋子和铀”呢？
>
> 私我化无疑会放大自己的能量——个人倨于万物之上，甚而放纵到把一切经过个人染指的，都提升到无以复加的，凡被个人目光、心情、触摸的事物都被赋予神圣、永恒的意味，实在也是个不大不小的幻觉。在这种幻觉作用下，无限拔高个人，将导致个体与群体真正的割裂。无奈诗写者，十有八九，都耽于幻觉这一迷魂药。
>
> 沉溺在幻觉私我化的专利中，带着个人隐私色彩的语境，少不了挟携着未经筛滤的分泌物，一味地自恋，随心所欲地实验，无节制地即兴。写只有自己进得去、小圈子啃得动的“天书”，此种自言自语的“方言”，本质上，难道不是另一种“哑语”“失语”吗？

陈仲义此文的震撼力在于他不仅指出了诗坛上存在的问题，而且进一步分析了产生这种现象的根源在于：诗歌艺术准则的混乱。这种混乱的根源不仅在于外部社会环境，而且在于内在的哲学方法——相对主义。艺术准则流派纷纭，自然倾向于适当的相对；这为诗坛粉碎文化专制所必要，也为诗歌创造的多元提供自由的生存空间。但是绝对的相对主义却可能成为诗歌艺术本身的“杀手”。在当今，这可能是一种存在的荒谬，难以绝对驱除。一方面这是由于严酷的文化专制解除以后的历史文化语境的解放，另一方面也是由于诗人极端心理和新诗本身的求变倾向。

这就很容易导致把多元共生当作艺术准则的无政府。

在我近年读到对于当代诗坛的学术分析中，陈仲义的论述可能是最为深切的了。他对于当代诗坛的珍惜和忧虑集中在两点上。

第一，个人化自然有其合理性，但是要把个人化从私我化的危险中解脱出来。他把理念的焦点放在把个人的产品变成“公众贡品”的“转换机制”上。但是，他又十分强调，“不能要求个人文本一定要与时代现实产生严格对称对应和直接功能”。他认为，作为诗，个人文本与时代可能是“曲折投影式、隐匿渗透式、缝隙散发式、互文互涉式……而不是单相反映式”。

第二，他提出，在艺术上把自由的无经典写作变为有限的多元经典写作。

正是从这里，他不但和王光明，而且和谢冕拉开了距离。

他显得不像王光明那么激进，又不像谢冕那么传统。他的方法论似乎总是在寻找在两个极端之间的超越，为此他提出超越庸常的、渺小的、“过度倚重当下形而下”的个人化，进入更高的“历史个人化”，亦即形而上“彼在”境界。他的理论不仅停留在思想上，而且深入艺术的深层。他指出，不管是怎样的多元创作，总是离不开某种经典文本，在相对经典文本的基础上，他热情地寄希望于来日，“掀起大规模的词语运动”，创造“一系列‘新的反讽、戏剧性、叙事、消解、文类兼容、综合并举，造成新一轮混沌诗风，冲击着诗学规范和命题，且以重建的美感经验改变以往的阅读效应’”。他并不厌弃读者，相反，他满怀热望地帮助读者“重新学会咀嚼”。

所有这一切，我想都是许多理论家可以接受的。

但是，光是在理论上明确是容易的，要真正在具体文本上达到一种艺术的共识，却又是很难区分多元和无标准写作。

几乎像是一种巧合，吴思敬和王珂的两篇论文，正是在文本的艺术分析上，给我们打开了眼界。在他们的文章中，用了那么多的篇幅来解读一系列新诗文本。吴思敬对于当代新诗叙述不同于浪漫主义的诗歌语言的当代叙事式诗歌语言的分析，尤其是对于平淡的灰色事态的当代诗风的分析，对于语言实验的反思，在严肃意义上的荒谬，尤其是对于20世纪80年代某些实验诗人对于语言不严肃的“施暴”，是相当深邃的；而王珂则从功能主义的角度出发来肯定20世纪90年代诗歌的成绩。“诗人无论是情感宣泄式写作或者是语言游戏式写作，都有助于诗人的生活。”有意思的是，他对“平民个体化”的女性诗歌作了精微剖析。而部积意的评论则是从文学史角度切入到诗歌分析的另外一层意义。他的重点在于对激进主义的批评，并结合20世纪90年代诗歌作为一种知识产品所具备的意义加以阐发，可能会引发相关的文化史、思想史的话题。

我想，为新诗感到困惑的读者、诗人、批评家，读了他们的文章不但会对某些新诗潮的现象减少疏离之感，而且可能会带来意外的亲切之感。

当前新诗的命运问题

中国新诗呈现着相当矛盾的图景。一方面可以说空前的繁荣，正式的和民间的新诗刊物纷至沓来，新诗集公开出版的和自费印行的，再加上网络诗歌，可谓铺天盖地。五花八门的大奖（大量是民间的），令人眼花缭乱，风起云涌的诗歌笔会、朗诵会，从县级的到省市级的层出不穷。在大学里，硕士、博士论文的选题，新诗是长盛不衰的热门。没有一个时代，诗的产量（或者说新诗的 GDP）加上新诗的理论研究，达到这样天花乱坠的程度。相对于诗歌在西方世界、西方大学里备受冷落的状况，中国新诗人的数量完全可以说世界第一。夸张地说，每一树叶的正面和反面，都被诗人写过了。另一方面，不能不承认，新诗和读者的距离，这几年虽然有所缩短，但是仍然相当遥远，旧的爱好者相继老去，新一代的爱好者又为图像为主的新媒体所吸引。这就产生了一个现象，新诗的作者群体几乎与读者群体相等。新诗的经典，并没有因为数量的疯涨，在质量上有显著的提高。北岛在第一届中坤国际诗歌奖的获奖感言中认为，“四十年后的今天，汉语诗歌再度危机四伏。由于商业化与体制化合围的铜墙铁壁，由于全球化导致地方性差异的消失，由于新媒体所带来的新洗脑方式，汉语在解放的狂欢中耗尽能量而走向衰竭。”“诗歌与世界无关，与人类的苦难经验无关，因而失去命名的功能及精神向度。这甚至比四十年前的危机更可怕。”①

每一个诗人，都追求为物做第一次命名，但是，语言乃历史文化之反复运用之载体，第一次命名若脱离潜在的历史文化积淀，则为读者一次性遗忘者乃必然结局，对读者的藐视和刁难必然导致命名覆灭的悲剧。最成功的第一次命名，则与（世界性的，民族传统的）历史文化基因关联，终将成为全民话语。如五四时期郭沫若的“凤凰涅槃”，将非洲不死鸟神话、中国凤凰的传说、印度佛家涅槃（寂灭）之说，与欧洲泛神论哲学结合起来，本系绝对个人化的命名，如今却变为全民语言。明于此，就不可能产生后来所谓“为极少数人

① 北岛：《汉语在解放的狂欢中耗尽能量》，《东方早报》2009 年 11 月 13 日。

写作”，“尺度在西方汉家手里”等荒谬绝伦的主张。

新诗诞生至今已近百年，直到今日还有相当大的读者群体拒绝新诗，而把精神投入古典诗词。据有关统计，专门刊登古典诗歌杂志的发行量和新诗的王牌《诗刊》相去并不遥远。新诗在某种意义上并没有如“五四”先驱想象的那样战胜了古典诗歌。相反，某些人士却发出了新诗危机的呼声。一个评论家说得比较折中：“现代诗不会消亡，但也活不好。”

产生这种怪异现象不完全是自发的，而是有理论原因的。

1989 年 5 月出现了一种极端的理论：诗不应该与社会发生关系。根据一种西方的语言文化学说 (后来为非非派所接受)，自我的一切，从话语到感觉都是被集体的文化、话语的无意识所歪曲了的。因而，诗人应该和没有被话语歪曲过的原生的自我生命直接对话。其实，这完全是空想。在脑科学取得重大突破之前，一切与原生生命的对话都不过是聋子与哑巴的对话，对话者不过让他残缺不全的感知在表现他们自己的悲壮的雄心而已。正是因为这样，“后新潮”诗终究不过是在试探，他们是在前辈诗人遗忘了的、遗弃了的、想象所不及的世界探索，而试探不管是科学的，还是艺术的，都要付出代价。一次成功必有百次的失败为先导。也许，他们的失败还没有达到百次，因而我们至今仍然没有看到他们真正能够称得上是艺术上的成功。

从文艺思潮史的角度来看，任何一种创作的新潮流，都是为克服前一种创作主流的危机而产生的。前一种创作主流形态之所以产生危机，是因为它在艺术上的历史片面性，新的潮流去冲击这种片面性 (权威的、顽固的、僵化的) 的时候，常常以一种绝对全面的 (自觉是完美的) 姿态出现，却不可避免地带着另一种艺术的片面性。艺术的历史就是在这样曲折的道路上前进的。从这个意义上说，每一次艺术上巨大的跃进，不但要在初期付出艺术上降低水平的代价，而且在后期要面临新的危机。所有在艺术上革新的流派都有一个走向反面的问题，也就是从生气勃勃到奄奄一息，从鲜花遍地到通向坟场，这是任何流派很难避免的命运。

由于诗歌本身所要求的高度想象性、假定性，诗歌比小说和散文，对于虚假是最缺乏天然的免疫力的。对于诗歌的生命来说，最具杀伤力的就是虚伪。不可回避的现象是，到处都是“塑料诗歌”。

用外国文化哲学理论廉价包装起来的假冒伪劣诗歌占领了很大一部分诗坛。许多批评家在此时表现了胆怯的沉默。

好像不是做一个与一场大时代的变革有关联的人，有正常感觉的、神经坚强的人更有光彩，而是与这场变革完全脱离，做一个神秘的、抽象的人，或者神经怪异的、装腔作势的精神贵族更可以骄人。在有些极端的作品中，表现出来的是，好像不是活着更好，倒是死更有价值。如果这些诗人，在生活中，真的是这样的，还不能不佩服他们，然而，恰恰是这些人，在生活中（除了个别人）并不想自杀，可是在诗中，在诗歌评论中，自杀却成了某种至高无上的人生境界。海子作为一个非常有成就，写出了经典之作的诗人，自杀了，诗歌评论家们，不但没有感到痛心，反而表现出某种神圣性的向往的样子。顾城成了杀人犯，不但很少人谴责，反而说请让诗人的灵魂安静一下吧。

许多诗人，在诗里是一副对于群体不耐烦的面孔，连对于一生下来就接受的民族语言，他都感到委屈；好像不应该是语言先于他个人存在，而是他个人先于语言存在才合理似的。有些诗人在诗里，有些评论家在文章中，经常流露出一种，如韩少功先生所说的，好像全世只剩下他一个人才最自由。其实是，在现实生活里他却需要许多人为他服务。他要活得比什么人都更滋润。许多诗人，在诗歌中，恨不得毁灭掉一切现代物质文明，而在生活里却为了享用现代化的物质文明，无所不用其极。

这样的虚假为什么能够堂而皇之地存在，主要是披着西方文论的权威的外衣。过去尼采说：上帝死了。现在福柯先生又宣布说："人（包括'我'）死了"。我就深感不解，人，当然包括你，既然你（人的理性思考力）已经死了，你又用什么（人的理性思考力）来宣布自己死了呢？所有后现代的理论在说到别人的时候都是振振有词的，一旦到了涉及自己的时候就不能不陷入悖论了。其实一切的后现代理论在"自我关涉"这个范畴上都是不能不走向自我否定的。有一个青年理论家学着福柯的舌说：一切的话语、语言都是一堵墙。他的意思是，一切的话语、语言都只起障蔽作用，而不起表达和交流作用。这颇有点吓人，但是这个大前提，适合不适合你自己呢？如果不适合，那么你就不能说"一切"的话语、语言都是一堵墙；如果适合，那么，你这个全称判断本身就包括你自己说的那句话在内，你的这句话本身就是一堵墙，并不能传达你的真实意思，很有可能违背了你的原意。你的这句话本身说得合乎逻辑的结论只能是：并不是一切的语言都是一堵墙。

本来，作为一个人，写诗要贴近自我，作为一个中国人，要贴近中华民族的文化心理深邃的底蕴，越贴近才越有出息。那些外国大诗人，正因为异常地贴近了自己和自己的民族，才获得了世界性的声誉，这也许并不是特别高深的道理。但是现在流行的却是，写诗首先要远离自己，远离中国人的感觉和心灵底蕴。他们也不是什么都不贴近，他们要贴近的是外国人的感觉，而且不是一般的感觉，而是哲学的感觉。有些人连贴近中国哲学都贴不到，却要贴近西方哲学、形而上学的玄思，不过是挟洋自重。

正是洞察了这一点，我的朋友陈仲义正面批评了绝对个人化的写作可能导致"自我的封闭"，也就是自恋症。他指出：个人化可能变成"私密化""私我化"，"从个人化到私我化相距仅有一步之遥。稍不检点，一个闪身，就落入‘单人牢房’”。[①]

关在这样的单身牢房里的自我其实从精神到艺术是很贫乏的。而同样是受到西方文学熏陶的旅美诗人郑愁予在《错误》中以中国古典传统的意象（莲花、柳絮、春帷）和西方修辞（美丽的错误）结合取胜，因而成了不朽的经典。曾经写过极端超现实主义作品的洛夫后来也致力于和中国古典诗意的融合，写出了《边界望乡》。诗中写他以望远镜遥望大陆，“一座远山迎面飞来/把我撞成了/严重的内伤”，可以说是超现实主义的手法，其中融进了王安石的“两山排闼送青来”。接下去又写到有一朵凋残的杜鹃（特别点明在“禁止越界”的牌子下）“咯血”。这出自古典诗歌中“杜鹃啼血”的典故，但这里翻新为“咯血”。“啼血”是古典的诗意，《西厢记》中，张生“绿杨声里听杜宇（即杜鹃），一声声道：不如归去”。而“咯血”则为现代医学的术语。这就把感情的痛变成了生理的病，病因全在潜意识里，潜藏在杜鹃一声声的“不如归去”中。特点是从古典转向现代，在错综的语义中转化；在章法上，潜藏语义在暗示中呼应暗示，形成若隐若现的暗示链接。“咯血”和前面的“病了，病了”呼应，而接着下来的鹧鸪的啼声，在古汉语诗歌的典故中有“行不得也，哥哥”的意蕴，与“不如归去”呼应。这样的诗歌才是世界性的经典。一些把自我封闭在西方语言学的单身牢房里的诗人，在钻研一番这样的经典之后，不产生醍醐灌顶的感觉，就可能是榆木脑袋了。

① 陈仲义：《诗写的个人化与相对主义》，《东南学术》1999年第2期。

揭示当代诗艺探索的风险
——介绍一种到位的当代诗歌批评

当代新诗从朦胧诗发展到“后新潮”诗，已经进行了多种多样的艺术探索和实验，诗坛呈现了多元并存、各领风骚的局面。但是，流派越是繁多，越意味着艺术准则的迅猛更替和竞争。每一种艺术流派都莫不以为自身的流派优于任何其他流派。但是，每一个流派又大都不能以其他流派的艺术追求为然，这就产生了一个问题：究竟有没有一种相对统一的准则来衡量各种流派的优劣？在相对主义盛行的今天，文化哲学的前沿理论家对此大抵持否定态度；但是，几乎每一个诗人却执着地认为自身的艺术追求属于最优秀之列。

面对这样的困境，最简单的办法就是等待历史的检验，让历史来发言，但是，历史进展的过程太过漫长。难道在历史做出严酷的裁决以前，我们就命中注定只能无所作为？

不管艺术的准则有多么重要，最热门的话语却不是艺术，而是属于文化哲学的，分歧的焦点是：在诗歌中，如何处理个人心灵探索和公众生活关系。

以谢冕为代表的一派，显然力图在这个问题上做出他的回答。谢冕在 1999 年《东南学术》第 2 期上发表了《实现的与期待的》一文，从百年诗歌历史的角度（也就是绕了一个大弯子），强化他早已提出过的观点：不能不表示为“诗的社会属性和公众关怀被消解”“诗歌的传统审美性被冷淡”感到焦灼。他行文显然谨慎，一方面他尽可能地保护那些艺术的、灵魂的探索者，一方面作为长者，又不能不从他所理解的历史的责任出发，指出：“不仅是崇高的命题受到冷遇，甚至连传统的优美和抒情也变得遥远了。由于众多缺失，众多的诗都因而失去了分量。”

谢冕是不轻易做正面批评的，作为资深评论家，他更善于从正面提出建设性意见。他提醒诗人不要忘记，尽管这是一个宽容的时代，但是仍然有“重要的诗”和“不重要的诗”的区别。诗人不仅要“看到个人，而且通过个人忧患和悲欢的情感经历看到时代，看到那时代全部整体……从中感受到那个时代的特有的精神。重要的诗人是概括的，重要的诗人总是从个人的体验出发，到达时代的中心，并准确地把握那个时代的灵魂”。他的文章不短，但是其他的话，都是为这几句话而写的。

谢冕的这个观念，得到许多人的赞赏。但是，不能认同的也大有人在，只是以文章的形式发表出来的却较少。福建师大的王光明教授，作为后辈，对于谢冕有充分的尊重，但是，他在《个体承担的诗歌》(《诗探索》1999 年第 2 期）中提出的命题，从根本立场是更加同情“后新潮”诗的一些探索的，从总的倾向来看，甚至对王家新他们的奉献给“无限少数人”的那些实验性诗歌，他也是支持的。从这个意义上来说，他的立场是属于个人化写作一类的，和谢冕的公众关怀是针锋相对的。

他认为：对于“后新潮”诗的诗歌产生了一些“不够到位的批评”，原因在于，在美学上，以朦胧诗的准则来衡量一切。而“后新潮”诗并不追求朦胧诗的意识形态“抗衡的热情”，诗人们正在疏离于中心话语地位的主流意识形态，以便“更深入地进入灵魂本体探索”。他认为朦胧诗所表现的不过是一代人的声音，而“后新潮”诗的价值则是“从一代人的声音中凸现了个人的声音”。“后新潮”诗的语言的价值是反抗大众文化的肤浅、媚俗。王光明在他们寻求语言“向未知的生长”中，感到了“真正的诗歌探索”之光。“后新潮”诗的探索不是以群体为中心的，而是“落实在个体的承担者身上”的。

王光明属于中年批评家的一员，但是，中年批评家的理论姿态却是纷纭的。相对于谢冕和王光明而言，陈仲义在《诗写的个人化与相对主义》(《东南学术》1999 年第 2 期）中，所持的理论立场处于二者之间。

在目前的诗歌理论界，也许陈仲义是一个被忽略了的真正的诗歌理论家，他已经写了好几部功底相当扎实的诗歌理论专著，早在 20 世纪 80 年代我为他的一本专著作序的时候，我就坦率地承认，他的诗评在许多方面超过了我和谢冕。但是，由于种种原因，他在理论上的重要性，至今没有得到充分的重视。

陈仲义并不笼统地反对个人化写作，但是他认为个人，并非孤立的、抽象的，他更加强调个体应该是“全息”的，“即使再淡化隐匿，都多少带有时代的擦痕”，多多少少有个人与社会、时代的有机联系。

陈仲义更加深刻地指出有两种“个人化”，一种是仅仅归属于个人，另一种则超越于个人，把纯生理的冲动和融入某一社会实体。两种个人相比，陈仲义认为，后者更有意义，从终极意义上说，他认为这种诗，不管他打什么旗号，实际上“是非个人的”。

在这里，陈仲义和谢冕所说的“重要的诗”就能够相互衔接了。

正是从这一点出发，陈仲义正面批评了绝对个人化的写作可能导致“自在的封闭”，也就是某种程度上的“自恋症”。他指出：个人化可能变成“私密化”“私我化”，“从个人化到私我化相距仅有一步之遥。稍不检点，一个闪身，就落入‘单人牢房’。”

从1998年以来，对于“后新潮”诗有过许多批评，包括我和谢冕的批评，大都有王光明所说的“不够到位的”缺失，但是，陈仲义提出的批评，在我看来，却是比较到位的。不但如此，他提出了一系列崭新的概念，可能是新诗理论发展中相当重要的范畴，也许当代新诗理论史上会记录下他对于个人化在范畴上所作的分化和衍生的功绩。他以理论家深邃的洞察力指出：

> 自囿于“单人牢房”的私我化，愈加规避社会实践，就愈退回内心，甚至让内心世界，取代一切，从而导致从内心到内心书写的封闭循环。至少在狭窄性方面暴露了自己有一个缺损的胃，那么，这个胃如何接待美国诗人辛普森所倡导的消化“煤、鞋子和铀”呢？私我化无疑会放大自己的能量——个人据于万物之上，甚而放纵到把一切经过个人染指的，都提升到无以复加的高度，个人目光、心情、触摸的事物都被赋予神圣、永恒的意味，实在也是个不大不小的幻觉。在这种幻觉作用下，无限拔高个人，将导致个体与群体真正的割裂。无奈诗写者，十有八九，都耽于幻觉这一迷魂药。
>
> 沉溺在幻觉私我化的专利中，带着个人隐私色彩的语境，少不了挟携着未经筛滤的分泌物。一味地自恋、随心所欲地实验、无节制地即兴，写只有自己进得去、小圈子啃得动的“天书”，此种自言自语的“方言”，本质上，难道不是另一种“哑语”“失语”吗？

不管主张个人化写作的流派在理论上对于陈仲义有多么大的保留，他对于个人化诗人面临的风险所作的原创性的精警概括，也许会触动他们敏感的心灵。

作为一个诗歌理论家，他的文章之所以往往具有震撼力，关键在于：他不仅仅在哲学上、思想上，指出相对主义的问题，而且坚持从艺术上，甚至从操作层面上，分析产生这种现象的根源——诗歌艺术准则的混乱。

艺术准则流派纷纭，是诗坛粉碎一元文化专制的结果，也为诗歌创造的多元提供自由的空间；但是也带来了绝对的相对主义，这可能成为诗歌艺术本身的“杀手”。这一方面由于严酷的文化专制解除以后的历史文化语境解放，另一方面也是由于诗人极端心理和新诗本身的求变倾向。

这就很容易把多元共生当作艺术准则的虚无。

不管是持民间立场的“口语写作”，还是持精英主义的“知识分子写作”，在理论上和实践中都回避了一个问题：那就是，如何证明你所献身的诗歌流派艺术比之朦胧诗更为成熟？

陈仲义在《日常主义诗歌——论 90 年代先锋诗歌走势》(《诗探索》1999 年第 2 期）中进一步探讨了这个问题。一方面深邃地揭示了“后新潮”诗的现象哲学的基础，另一方面，更为精确地强调了把个人的产品变成“公众贡品”的“转换机制”的艰巨历程。

在我所读过的对于当代诗坛的学术分析中，陈仲义的论述可能是最为深切的了。

他以他所特有的宏观把握和微观分析相结合的方法，相当具体地揭示了中国当代诗歌发展中带来的危机。他在这篇文章的结论中指出：风行于 20 世纪 90 年代的逃避宏大主题的“日常主义”诗歌，让个体生命能量在琐碎事物上展开，“让凡庸事物隐露无限契机”“放弃宏大的社会承诺，取‘观察’‘解剖’‘考古’等与此前不同的工作方式，推出诸如‘细屑’‘缠绕’‘析释’‘杂芜’等增长点，以其综合叙事策略与混沌面貌张扬 90 年代一路诗风”。

这一切无疑都是艺术的探险，不可轻率否定。但是，对于任何清醒的艺术家来说，一切艺术探险，都并不一定预示胜利的桂冠，而且也包含着葬身鱼腹的风险。在这一点上陈仲义显得特别清醒，他严峻地指出：“然而这种变异，不加自律，放任随机，日益增多晦涩臃肿，最终，会因诗性亏损，至少还得返回诗美的简洁与纯正。”[①] 这里实际上已经从根本上指出了“后新潮”诗在艺术上与传统诗艺的根本区别，传统诗艺的美学原则被他概括为“简洁与纯正”，可能并不十分准确，但是用来表明与“后新潮”诗的“细屑”“缠绕”“杂芜”“析释”相对，已经提供了足够的补充，让内行的读者去想象。

多年来对“后新潮”诗的批评，大量集中在文化哲学上，而当今的读者对文化哲学相对于 20 世纪 50 年代是比较宽容的，他们更多的不满还在于艺术上。“后新潮”诗，在艺术上拒绝了传统诗艺的抒情、象征、隐喻等等的手法，完全不以传统诗艺的和谐、统一为意，狂热地向相反的方向追寻。像臧棣在一篇文章中所说的“迷恋写作过程中的欢悦感”，尽情施展语言本身的繁殖力。但是，并不是所有诗人都很清醒地意识到艺术上的风险的。陈仲义的可贵就在于，非常具体地分析了这种风险。当年轻的诗人们为把乏味的事情写成诗而兴奋不已的时候，陈仲义却指出：

> 然而，难度也在这里。凡庸事物如何置换为诗学意义上（不是文化上！）的诗意才是真正关键。产生这一“瓶颈”制约的，不外是：1. 当乏味事物成为普遍诗歌对象，它先天早已处于劣势。2. 诗歌方式的改变，反过来遏止诗意的畅达。遗憾的是不少诗人在哲学立场体认上，恪守现象学分析美学支点毫不动摇，却在诗性的追求上用心不够。这势必加速杂芜综合趋势，诸如文体超量混用、拼合，结构过于发散、松弛；能指所指疏离对应关系，肌质散漫；嬉戏式语言迷宫，搅成团团语言焦糊，从而大大伤

① 陈仲义：《日常主义诗歌——论 90 年代先锋诗歌走势》,《诗探索》1999 年第 2 期，第 16 页。

害诗意，包括淹没深度意象、抒情性、简洁风格等等。[1]

我们过去，对于“后新潮”诗的批评，之所以不够到位，其原因就在于，往往只满足于从文化哲学思想上加以分析，涉及文本的不如涉及理论的多；而陈仲义的批评却不但是从哲学文化思想方面上做得比我们深刻，而且在各种文本的艺术肌理方面，做得比我们细致。

他的这些观念并不是即兴的神来之笔，而是从他系统的研究（朦胧诗专著、台湾诗歌专著，关于当代诗歌的专著）中提炼出来的。

把他对“后新潮”诗的批评说成是到位的，已经不太准确了，更恰当地说，应该是到家的。他丰富的学术成果已经把“后新潮”诗的研究从外部推向了内部，不是浅层次的内部，而是内部的核心——艺术方法的构成。你说你的探索是有意偏离传统诗艺的和谐、统一、简洁而选择了“细屑”“缠绕”和“杂芜”，这只能说明你选择了更大的难度，艺术上面临着更大的风险，你说你是用当代的所谓“叙事”（这是不少“后新潮”诗理论家所常用的一种说法），来逃避抒情、象征、隐喻的，那么你要明白，你把诗之所短用来和散文之所长来竞赛，“如何在诗的界域，合理巧妙有利地施展叙述，而不至于超量挥霍，是对诗人自控力的一种挑战”，这是陈仲义提出的一个忠实的警告。非常巧合的是，陈仲义文章中没有提到的曾经风行一时的“诗到语言为止”主张，恰恰在同一期刊物孙文波的文章[2]中有很中肯的批评。他们两人共同的题旨是如何用诗人在艺术上的成功来代替宣言上的武断。正如孙文波所说，诗歌作为一种“元艺术”，总是有某种可比性。建构新的艺术是为了在质量上超越旧的艺术，而不是满足写法上与旧的诗艺不同。

从这些文章中，显示出来论争的双方不是像上海人所说的自说自话，不是在平面的层次上滑行，而是在相当深入的层次上，进行着艺术上的交锋。如果诗人和理论家在未来的论争中，不小心离开了这一点，不论是个人化的张扬还是对私我化的声讨都难免成为聋子的对话。

---

① 陈仲义：《日常主义诗歌——论90年代先锋诗歌走势》，《诗探索》1999年第2期，第15页。

② 见孙文波：《我理解的90年代：个人写作、叙事及其他》，《诗探索》1999年第2期。

历史的裁决
——朦胧诗二十周年祭①

一、历史的里程碑

1989 年初，北京的《诗刊》做了一次有关诗歌读者的民意调查，有六十名当代和现代诗人上了受到读者欢迎的排名榜。尽管这个名单在不少读者和行家中颇有争议，在《中华读书报》上甚至还出现了严厉的质疑，但是，唯一没有争议的是名列榜首的舒婷。

对于新一代的青年诗歌爱好者来说，舒婷的名字并不陌生，但是舒婷当年作为朦胧诗的一名杰出代表，在早期所受到的非难、所引发的冲突，其火药味之浓，他们可能是难以想象的。在中国当代诗歌史上，关于朦胧诗的论争和波及的规模、触及灵魂的深度，如果不是绝后的，也是空前的。诗坛上主要的活跃人士，包括当时诗坛的泰斗们，都卷了进去。历史将记载下艾青、公刘、臧克家、贺敬之、郑敏、柯岩、牛汉、绿原等等当年的立场。阵线是空前分明的；发起冲击的是一批年纪很轻（在一篇文章中被称为“毛头小伙子和黄毛丫头”），连一本诗集都还没有印出来的诗人和他们理论上的支持者。

当时，不论从现成的影响，还是从发表权力来说，年轻诗人处于明显的弱势，但是争论还是展开了，公开的争辩持续了六年（1980—1985），经历了四个阶段。在大部分时间里，朦胧诗，尤其是他们的理论代表处于被动，一度受到艺术以外的力量的压制，甚至遭受围困；然而朦胧诗不但没有消隐，反而越来越获得同情和支持，越来越扩大了它的追随者队伍。到了 1984 年底至 1985 年初，在中国作家第四次代表大会上，胡启立在祝词中，代表中共中央宣布了“创作自由”，形势发生了根本的变化。朦胧诗和他们的理论代表化被

① 本文发表于《文学报》1998 年 12 月 3 日，原题为《历史的选择》。

动为主动，结束了被当作异端的历史，在主流诗坛占据了地位。20世纪80年代中期以后，朦胧诗，尤其是舒婷、北岛的诗，成为大学生、研究生毕业论文的热门选题；在港台，乃至在西方大学的研究机构里，朦胧诗人成了中国诗歌成就的代表，得到了远比老一辈泰斗级诗人更大的重视。他们的作品，单在20世纪80年代中期就分别被翻译成英、法、德、意、瑞典等国的文字，成为中外文化交流色彩鲜艳的一翼。他们的成就被《中国当代新诗史》[①]和层出不穷的专著所赞扬。朦胧诗的杰出作品，已经进入中国诗歌的经典行列，毫无愧色地与艾青、闻一多、徐志摩、戴望舒、何其芳、穆旦、余光中、洛夫、蔡其矫的名作并列。

朦胧诗的出现标志着中国当代诗史上一个新时期的开始，它在突破历史障碍、追求艺术革新、开一代诗风方面所做出的贡献，随着时间的推移，将越来越显出辉煌的历史价值。

事实胜于雄辩，艺术胜于教条；真正忠于艺术的人，最能敏锐地和艺术进行心灵沟通。艺术本身的力量比之任何貌似神圣的、吓人的逻辑更能化解隔膜和敌意。曾几何时，绝大多数当年对朦胧诗持激烈批判、反对态度的诗人、理论家，和朦胧诗人、他们的理论代表们，亦即所谓“崛起派”的人士，通过历史的实践，走到了一起，不少还成了真正的朋友。当年惊心动魄的理论搏斗，像普希金所说的那样，早已化作了“亲切的怀恋”。富有良知的诗人和理论家们，对历史的如此公正的裁决同样欢欣鼓舞。

历史庄严地证明了当年朦胧诗的大论战，在中国新诗的艺术探险的转折关头树立了一座辉煌的里程碑。这座丰碑无声地显示：取得胜利的不仅仅是中国当代诗歌艺术，而且也是历史的权威。任何理论，即使最权威的理论，哪怕挟有再大的行政权力，都不可能成为真理的垄断者，相反，要听从历史的宣判；检验艺术的准则只能是诗歌艺术探索的历史实践。正是因为这一点，最终成了全民，也包括争辩双方的共识，在中国当代文艺思想史上，追求思想解放和艺术革新的一方，并没有像他们的先辈那样为了冲破一种思想观念的谬误而成为殉道者，也没有为了破除一种艺术教条而付出数十年的生命和自由的代价。

写在这历史的丰碑的正面是朦胧诗的艺术成就，而在它的背面，则宣告了：历史的悲剧不再重演。

二、两个诗坛，四个回合

人们习惯于把朦胧诗的出现定在1980年第8期《诗刊》上刊载的一篇《令人气闷的“朦胧”》(章明)的时候。但是，“令人气闷”的感觉的出现，标志着它的存在已经不可忽

① 刘登翰、洪子诚：《中国当代新诗史》，人民文学出版社1993年版。

视。从纯学术的观点来考证，要确定朦胧诗最初出现的时限，也许并不是一件很容易的事。在正式出版物上，最早的信号是公刘 1979 年在四川的《星星》诗刊上介绍顾城的诗作《新的课题》(后来北京的《文艺报》转载。接着是《福建文艺》，从 1980 年第 1 期开始了对于舒婷诗作的讨论)。但是，朦胧诗出现的奇特点恰恰是：它长期在主流诗坛以外；诗人们最初写作的目的，不过是为了在朋友圈子中传抄。当影响积累到一定程度，就出现了在蜡纸上刻写的油印散页。他们没有想到，也没有指望有朝一日为正统诗坛所接纳，更没有奢望拥有比主流刊物更为广大的读者。但是，它们还是在 1979 年出现在两个刊物上了，不过不是正规的刊物，而是油印的刊物。

在舒婷的家乡福建，人们最早读到她的作品，是在福州市马尾区的一个油印刊物《兰花圃》上。这本油印得相当粗糙的、区级的、没有正式出版许可的刊物，由于登载了舒婷的诗，引起了全国好几个省的读者和诗人热烈的争论。后来，敏感的诗歌爱好者注意到，与这差不多同时，登载舒婷、北岛、食指、芒克的诗和小说的，还有北京的一家油印刊物《今天》。这个不起眼的《今天》创刊于 1978 年的 12 月。系统地登载后来称之为“朦胧诗”的作品的，这是第一家。这种诗歌的新品种很快就引起了读者的惊喜。

21 世纪研究中国诗歌的博士、教授如果要研究中国大陆朦胧诗最初诞生于何时的话，1978 年 12 月，也许这是一个最恰当的日子；虽然许多朦胧诗的写作和流传是在“文化大革命”十年浩劫时期（本人第一次见到北岛和舒婷的作品，是 1975 年左右，诗人蔡其矫以手抄本的形式秘密出示）。这本刊物对中国当代诗歌史的艺术探险所起的作用，也许连它的编者北岛也没有想到。

在社会、历史和艺术发生大转折的时候，常常有这样的现象：艺术的价值和刊物的印刷质量不是毫无关系就是恰成反比。

特别要提醒读者的是，1978 年 12 月的特殊历史背景：邓小平复职一年以后，中共中央十一届三中全会公报发表不久。解放思想、破除迷信的潮流席卷长城内外、大河上下。如果不是这样，一个非官方的、不正统的油印刊物，很可能在它能流传全国、引起广泛的激动之前，就销声匿迹了。历史的机遇使《今天》的生命不但没有被扼杀，反而被推向辉煌的历史前哨。

在《今天》出现以后，大学校园里类似的学生刊物纷纷出笼。在北京大学有《未名湖》，人民大学有《林园》，北京师大有《初航》，吉林大学有《赤子心》，武汉大学有《珞珈山》，贵州大学有《崛起的一代》，等等。几乎所有的这类刊物都与主流诗坛异趣，当然，不约而同，大抵是油印的，最堂皇的也不过是铅印的。

一个相当严峻的现实已经摆在了面前：中国从来统一的诗坛，实际上已经分化成在艺术趣味和价值取向上不同的两个营垒；读者也迅速地分化为支持和反对的双方。朦胧诗就这样向正统诗坛和前辈诗人发起了有声有色的冲击，中国现当代诗史上，一次划时代的大转折已经开始。

朦胧诗，艺术上早已有充分的积蓄，所差的只是为自己的合法性树起理论的旗帜。

较量将不可避免，何时爆发、以何种形式爆发，却要等待着偶然的机遇。口头上的争论已经是客观存在，文字上的争论则是从福州的《兰花圃》上开始的。对于舒婷的诗，表示热烈欢呼的和表示反感的，相持不下。持反对意见的宣称，舒婷的诗脱离火热的斗争，远离人民大众，完全是个人化的，人民大众可以对之不感兴趣。反对派中貌似宽容的意见是：即使要给舒婷的艺术鼓掌，也只能鼓三下，不能太多，因为它缺乏“教育意义”。舒婷回了一封信，对于正统文艺理论所强调的“教育意义”，嗤之以鼻。在舒婷的家乡厦门，相当多的人士对舒婷热衷于表现个人的心灵的倾向表示强烈的反感。

《福建文艺》的魏世英先生以资深编辑的敏感，于1979年底提出对舒婷的诗歌进行讨论。身处正统舆论围困之中的舒婷对于“讨论”是不是意味着批判，一度颇有疑虑。讨论开始以后，从厦门地区发出的是密集的“高炮”，一个很正统的来自空军部队的诗人发表的反对意见最为强烈：诗歌应该“抒人民之情”，应该是时代精神的嘹亮号角。即使在以江青为首的“四人帮”肆虐的浩劫时期，广大人民群众也在《天安门诗抄》中表达了他们对于“四人帮”愤怒的声讨，充满了英雄主义的气概，而舒婷很大一部分作品充满了低沉的哀伤。她的孤芳自赏，是背离人民大众的。一位生活在偏僻的小县城的年轻作者，在《厦门日报》上，甚至斥责支持舒婷的评论家是人民诗歌的“屠夫”。出乎舒婷意料的是，在福州，多数读者和评论家对于她的诗发出热烈的欢呼，给予极高的评价，认为她的出现具有划时代的意义。但是这并不妨碍一些拘于诗歌应该“在民歌和中国古典诗歌基础上发展”的同人对舒婷发出猛烈的批评。

在《福建文艺》组织的讨论会上，争辩发展到最激烈的时候，民歌派人士用了人身攻击和讽刺的语言，当时还是厦门灯泡厂流水线上的一名女工的舒婷哭了。与会者一方面安慰舒婷，让她到走廊里去擦眼泪，一方面十分绅士风度地装作什么也没有看见的样子。

这是1980年1月的事。

过了三个月，1980年4月，第一届全国诗歌理论讨论会在广西南宁、桂林召开。这标志着关于朦胧诗的争论进入了第二阶段，朦胧诗从不登大雅之堂的油印刊物走向了全国性的学术殿堂。从叽叽喳喳的议论变成了严峻的论战，不过这还是口头的，还不能算是最正式的。

这时顾城的几首诗已经在刚刚复刊的《星星》诗刊3月号上出现，引起了与会者极其强烈的震动。顾城那些富有一定社会意义的诗歌，如《一代人》（“黑夜给了我黑色的眼睛／我却用它寻找光明”）得到了赞赏。但是他的不包含直接的社会意义的作品，例如《弧线》，就遭到了不少人的声讨、质疑：这样古怪的东西，也能算是诗吗？这一类诗最初的命名，并不是“朦胧诗”，而是“古怪诗”；它似乎古怪地刁难读者，下决心让人看不懂（后来还传来舒婷对于看不懂的批评断然拒绝：你看不懂，你的儿子会看懂）。争论自然而然地爆发了。

一派主张对于“古怪诗”这样脱离群众、脱离时代的堕落的倾向要加以“引导”；而另一派，以谢冕、孙绍振为代表，则为“古怪诗”辩护。当年还是中年讲师的谢冕提醒大家：每当一种新的创造产生，我们总是匆匆忙忙去引导，“采取行动”的结果，不是推动诗歌艺术的发展，而是设置了障碍。

而更年轻的孙绍振则以他的坦率而尖锐的演说，把争辩推向了高潮，他锋芒毕露地指出，引导派本身在逻辑上存在着悖论：既然你们宣布看不懂，你们又有什么本钱去引导呢？难道凭你干饭比人家吃得多吗？难道看不懂是你们的光荣吗？

这自然引起了对方的愤怒（后来，消息传到北京，震惊了诗坛的泰斗，臧克家甚至写信给谢冕，劝说他与孙绍振“划清界限”。）到了大会的最后一天，广西诗人黄勇刹（著名歌剧《刘三姐》的执笔者），则把为古怪诗辩护的理论家讽刺为困难时期骗人肚子的“小球藻”。反对派不无忧虑地提出：危机不在于古怪诗，而在于为古怪诗张目的“古怪诗论”。

虽然双方在使用语言时，已经相当的情绪化了，但是，气氛还是比较友好的，在这个阶段还没有任何来自诗歌以外的压力。

这是 1980 年 4 月间的事。

当时《光明日报》的一位资深编辑章先生，以他敏锐的眼力看出了这场论争的重要性。他约请了谢冕和孙绍振为《光明日报》撰文。谢冕很快写出了《在新的崛起面前》。从此以后，“古怪诗派”就被改称为“崛起派”。

这标志着：关于朦胧诗的论争进入了第三阶段。从口头移到了全国性的报刊和出版物上，从片断的感觉印象上升为系统的理论。朦胧诗也顺理成章地以其艺术风貌开始了征服正规出版物的历程。《诗刊》上出现了《令人气闷的“朦胧”》，于是“朦胧”这个比较通俗的说法（虽然它很不科学，内涵很不清晰）就在诗歌创作上代替了“崛起”，而在谈及朦胧诗的理论的时候，由于它并不朦胧，仍然以“崛起”名之。

《诗刊》在 1980 年初开始登载朦胧派的诗作，到了夏天，邀请 14 位可以接受的年轻诗人（除了北岛、芒克、食指等）去参加“青春诗会”。不久以后，《诗刊》在北京郊区定福庄广播学院召开了全国性的朦胧诗讨论会。这是一次真正理论的而不是感觉印象的交锋。

双方摆开了阵势，旗鼓相当（据《诗刊》一位编辑说，支持者以谢冕、孙绍振、吴思敬等为代表。后来据一位《诗刊》的编辑粗略统计，支持与反对的是14对14）。部分言论的综述以《一次热烈而冷静的交锋》为题发表在《诗刊》1980年第12期上。

争论的焦点很集中：诗人的自我在诗歌中究竟应该占一种什么样的位置。谁也没有绝对否认诗歌中自我的必要。但是，反对一方提出的自我必须是人民大众的自我。一个理论家沿袭苏联诗人马雅可夫斯基“大写的我”说法提出：诗中代表个人的我是“小我”，而代表人民的我则是“大我”。“小我”只是手段，“大我”才是目的。这在表面上很符合苏联的传统说法，但是实际上完全违反了列宁在《哲学笔记》中普遍、一般是特殊、个别的一部分，而不是相反的学说。但是不管怎么说，这个说法倒是把问题提高到哲学、美学的层次上来了。

这就预示着论争第四个阶段的到来是迟早的事了。

三、不可阻挡的新的美学潮流

朦胧诗的争辩是由看不懂而引起的，所谓“朦胧”，不过是一个现象，要弄清深藏着的实质，就不能离开当时中国诗坛的历史语境。

从20世纪40年代初和整个50、60年代以来，大陆诗坛的基本口号就是：诗歌应该抒人民之情，而不是“个人小鸟一样地歌唱”（俄国19世纪理论家别林斯基的话）。诗坛上最权威的、最经典的作品，都是充满了强烈的激情和鲜明的思想的，主题是社会性很强的，以颂歌、战歌和幸福的牧歌为主旋律的，格调是豪迈的、英雄主义的，语言是明朗的、大众化的。人们已经习惯了将它当作“时代精神的号角”（虽然马克思主义的经典作家曾经明确地反对过像席勒那种“单纯时代精神号筒”的倾向）；读者也习惯了从诗歌中接受火热的情感和光辉的思想的灌输。而朦胧诗人，固然也有一些作品，有鲜明的社会政治主题，如舒婷的《祖国啊，我亲爱的祖国》、梁小斌的《中国，我的钥匙丢了》，但是，更多的作品，却是远离强烈的政治主题，甚至回避直接、鲜明地给自己的情绪定性。他们的诗中，没有任何英雄主义的颂歌和战歌的格调。这就是后来孙绍振在他引起了围攻的《新的美学原则在崛起》中所说的：“不屑于做时代精神的号筒，不屑于表现自我情感世界以外的丰功伟绩。”最初引起争议的顾城的《弧线》，就是写了飞鸟、少年弯腰、海浪、葡萄藤，作弧状的共同运动形态。从语言来说，是再明白不过了，但是习惯于诗歌的政治社会价值的读者就不能不纳闷了，这里有什么可以称之为诗的思想呢？其实，朦胧诗人所表现的，是对于人的感觉的追寻。从特殊感觉出发进行深度意味的探索。以人的生命运动和感觉活动为特点，其意义是要由读者自己去领会的，作者是不能说破的，这有一点像禅宗，说白了，对于诗，是一种破坏。

“朦胧”的感觉，来自思想和艺术的双重隔膜。

这就涉及一个诗歌美学上根本性的问题：是否只有直接表现社会政治意义、表现集体的情感才有价值？离开了个人的独特的感觉和情感，抒人民之情会不会导致抽象，把人变成空壳？事实上，所谓抒人民之情实际上是与某种流行的政策、政治运动联系在一起的。符合某种政治需求的，就叫抒发了人民大众的情感；不符合的，就是脱离人民大众的情感。在这种理论统治下，多少诗人，不敢相信自己，不敢相信自己的耳朵、眼睛，相反倒要相信空洞甚至虚假的宏大概念。诗人的成功之道不是无限地贴近自我，而是远离自我。把抒人民之情和自我表现绝对地对立起来，这就是长期以来，诗坛上充斥着“假大空诗”“口号诗”“吹牛诗”的原因。虚假成为当代中国新诗的一大顽症。多少虚假的诗歌仅仅由于符合了一时流行的意识形态、政治运动的要求，就被赞扬。但是，在一次又一次的短命的政治运动为实践所证伪了以后，那些被当作经典加以鼓吹的作品，就暴露了它不但麻醉了人民而且麻醉了自我、麻醉了艺术的本质。如果要历数这些诗坛赝品的作者的话，可以把许多泰斗的名字（如郭沫若、臧克家、贺敬之）都包括进去。颇有讽刺意味的是反复地重演悲剧，却没有引起马克思所说的喜剧性的感觉。这种顽固的虚假，毁灭、糟蹋了多少诗人的才华，在粉碎“四人帮”以后并没有迅速感到痛惜，立即受到正面的清算。

所幸，实践走在了理论的前面，年轻一代的诗人们提出了冲破“感觉的硬茧”，重新感觉真实的自我的美学命题。

冲突的关键还在于诗歌的功能：传统的诗歌价值观论是一种工具论。诗歌的价值取决于狭隘的社会功利，具体来说，就是意识形态的宣传和政治鼓动。苏联诗人马雅可夫斯基的诗可以作为代表：“无论是诗／还是歌／都是炸弹和旗帜／歌手的声音／可以唤醒阶级。”而所谓“小我”，个人的内心世界的奥秘的探索，当然不可能成为意识形态的载体、成为宣传工具。而新的一代诗人则认为探索个人的内心是新诗的一项不可回避的任务。他们自然也有反思，但是不仅限于社会历史的，而且还延伸到人的个体。

孙绍振企图把这种新诗歌从价值观念、从美学原则上总结起来：“表面上是一种美学原则的分歧，实质上恰恰是人的价值标准的分歧。”在 1985 年 4 月 21 日的《深圳青年报》上，他进一步说，“在改革的浪潮面前，生活的广度和方式在发生变异……人的价值正在发生巨变，新价值观念和审美心理模式正在崛起”，“谁先感觉到这灵魂深处的伟大阵痛，谁就不能不改革诗”。

所谓懂不懂的问题，首先就是在新的时代浪潮面前懂不懂人的价值和尊严的问题。满足于做齿轮和螺丝钉、不管火车头往何处开的时代已经结束了，迷信走向了反面，为新的一代创造了哲学的头脑。他们认为，不能思考个人，就不能思考国家和民族。

人是不是工具？有没有他的价值和尊严？诗是不是仅仅是武器？有没有它自己的目的？分歧本来是朦胧的，是一种潜在状态的对立，后来，年轻的徐敬亚在《崛起的诗群》中才华横溢地用爆炸性的话语表述为："正是那些'吹牛诗''僵死诗''瞒和骗的口号诗'将新诗艺术推向了不是变革就是死亡的极端……这是新诗自身的否定，是一次伴着社会否定而出现的文学否定。"

正是由于触及传统诗歌美学的根本要害，双方就有一种迎头相撞的感觉。占有发表优势和组织优势的传统派，特别是长期遵循正统文艺政策，追求政治鼓动的民歌、古典诗风并取得了权威地位的人士，就借助了手中行政力量，对朦胧诗，特别是他们的理论代表，组织了长达三年的"围剿"。在政治形势发生微妙变化的时候，三个"崛起"论者或者被加上按语进行全国性的批判，或者被借助行政的权威加以挞伐。最严峻的1983年，孙绍振甚至被绑到"反毛泽东文艺思想的纲领"（郑伯农）的十字架上去。同时，朦胧诗的主要代表舒婷和北岛也都受到批判。周良沛甚至把舒婷的《往事二三》牵强附会地说成是"色情"（"野合"）。但是动用20世纪50、60年代的过时的武器，早已被证明不是理论上强大的表现。恰恰相反，这种批判，早已失去了20世纪50、60年代对胡风、右派批判的威力。群众不再盲从，被批判者不但没有孤立，相反倒成了"英雄"。三个"崛起"论者，不但收到了来自全国各地的支持的信件，甚至还有女孩子求爱的照片。在艾青于上海《文汇报》上发出了对"崛起"论者的批评以后，远在贵州的一批青年别出心裁油印了一份《致艾青的公开信》，警告艾青："你已经老态龙钟，不要在我们中间挤来挤去，否则就要把你扭到火葬场。"任性的发泄成了对粗暴压制的惩罚。

论争的激烈程度，使人们想到了20世纪50年代台湾现代派诗歌最初出现时的风波。

值得一提的是，这场论争还波及高层。1983年，在高层领导之中，也引起了不同的反应。周扬由于发表了一篇对于人道主义和马克思所说的人的"异化"的肯定的文章，同样也受到了批评；他倒是对崛起派甚为同情。当时的胡耀邦在这场批判中无疑成了减轻打击的垫子。而在福建，思想超前的领导项南则坚决地保护了本省的"崛起"派人士。

朦胧诗论争的过程及其迥异于20世纪50、60年代大批判的历史证明：不管是大批判的语言，还是顽童式的愤激，都没有改变争论的性质和不可逆转的历史潮流。

朦胧诗的论战就这样进入了第四个阶段。这一次的特点是在理论上深化了，虽然诗歌以外的行政压制也不止一次地介入了。但是，双方毕竟都经过真理标准的大辩论的洗礼。尽管出现了在当时看来是相当紧张的形势，乌云毕竟是暂时的，比之当代文学史上任何一次文艺思想的论战，革新者付出的代价可以说是最微小的（除了徐敬亚弄得户口一度没有着落）。

论战本身显示了：最雄辩的是生活本身；最强大的后盾也来自生活本身。

就在论战过程中，改革开放曲曲折折地进行，在经济政策上，个人与集体关系的调整在有条不紊地推进，人的价值和尊严随之在提高。无视个人利益的历史，在政治、经济、文化各个方面漠视个体的创造力，抹杀个性，并没有更有效地壮大集体力量，相反倒是危害了国家和民族。而在波澜壮阔的改革开放的征途中，正是个体活力的空前张扬为民族国家带来了勃勃生机。贬抑个体的堂皇理论，不管字面上多么神圣，最后逃不脱为眼前伟大实践所证伪的命运。

四、空前广阔的艺术空间

朦胧诗论战的第四阶段之所以深刻，还因为它不仅仅局限于人的价值和尊严的范畴，而且深入到艺术本身的领域里去。

使读者感到朦胧的，还有艺术的原因。长期以来，正统文坛强调的是老百姓的喜闻乐见，读者已经习惯了英雄主义的战歌和崇高的颂歌，以及幸福的牧歌情调。英勇的劳动、忘我的斗争、强烈的爱和火样的愤怒都是充满浪漫激情的。这样单一风格的作品培养出来的读者的理解力当然也是单一的。当诗中出现了日常的、平静的、不激烈的内心审视时，就不免产生某种惶惑。

如此激烈的诗歌艺术革新不是像在西方那样渐进式地进行的，而是突变式的。在最为极端的作品中，几乎是从浪漫主义的感情泛滥，一下子进入了现代主义的从感觉超过情感，跳到智性。许多读者的想象力一下子不可能适应，于是就产生了“看不懂”的现象。

最初引发章明先生写出《令人气闷的“朦胧”》一文的并不是年轻诗人的作品，而是沉默了多年的九叶诗人杜运燮的诗《秋》。第一节就有这样的句子：“连鸽哨也发出了成熟的声音。”鸽哨怎么会“成熟”呢？许多读者还来不及明白新的艺术追求带来了崭新的想象和话语的潮流。

这是中国新诗象征主义、现代主义传统断裂了三十年的结果。

如果戴望舒、王辛笛、穆旦的诗，没有被打入冷宫，就不会有这样的“气闷”。

读者艺术趣味的偏狭，正是诗人艺术想象空间的狭隘造成的。

从20世纪50年代以来，我们的诗坛占统治地位的，理论上是现实主义的，但是在艺术方法上却是浪漫主义的，以激情和想象来美化现实和自我的方法，长期专擅诗坛。现代派、象征派诗人早已被批判或者被冷冻。粉碎“四人帮”以后，诗坛出现一片繁荣景象：长期遭到摧残、压制的诗人们重新开始了艺术的探索。这是一支相当庞大的队伍，其中包括以艾青为代表的一批被错误地划为“右派”的诗人，更早失去了歌唱权利的胡风派的七月诗人，还有沉默了十几年的九叶诗人，加上蔡其矫这样长期处在诗坛边缘却保持艺术创作活力的诗人们的歌唱，构成欢乐的交响。但是除了还没有充分展示成就的九叶诗人，艺术方法，基本上是浪漫主义的描绘和抒情。强化、美化感情，成了约定俗成的规范。激情加上想象，再结合鲜明的、华彩的话语，是浪漫主义的不二法门。从想象到情感，都不言而喻地在现成的模式之中。诗人们驾轻就熟，在传统的艺术空间中，享受着自给自足的欢乐。一旦年轻人在浪漫主义想象空间以外，展开了他们的天地，把现代诗歌的错觉、幻觉、逻辑的跳跃和断裂，甚至冷峻、混乱的情感和感觉带到诗歌里来的时候，触及灵魂的、动肝火的争执就是理所当然的事了。

二十年后，回顾当年被许多人认为“看不懂”的诗歌，现在已经可以毫不费劲地看懂了。历史的实践已经证明，他们当年不过是把卞之琳、冯至、穆旦长期被忽略、被排斥的传统恢复了过来，在新的历史时期和世界诗歌的艺术潮流相联系，向纵深挺进而已。像国家不能不对外开放一样，诗歌也不能闭关自守；开放的结果，天并没有塌下来，国家缩短了与发达国家的经济的距离，诗歌也缩短了与当代世界诗歌的差距。比之二十年前，浪漫主义的直接抒情的流派一统天下的局面结束了；诗人和读者的想象早已挣脱了单纯的战歌、颂歌和牧歌的罗网。最容易从夸张滑向“假大空”的浪漫主义，由于与现代诗歌沉思的方法相结合，获得了新鲜的生命。在浪漫主义的审美之外，现代主义的审丑，也拓开了广阔的天地；现代诗歌的方法，从感觉越过情感，直接走向智性思索的追求，使得我们的诗歌普遍具备了思想力度，乃至哲学的高度。除了浪漫的激情之外，冷峻的激情和淡漠的观照、非理性的凝神成为当代诗歌的共同课题。逻辑的断裂、意象的悬浮、温婉的低回、荒诞的反讽、现象的阐释，可谓异彩纷呈。

20世纪80年代中期，徐敬亚在深圳发起的新潮诗歌大展，纷纭的旗号不下百种，从中可以纵览诗坛空前繁荣的景观。尤其是对于个体生命的沉思、无意识的挖掘，弥补了我们20世纪50年代诗歌深邃性不足的缺陷。读者的想象力也得到了解放，变得宽容。何其芳在1954年因为自己工作成绩不尽如人意，在《回答》中发出了一点低回的自谴，就遭到读者的呵斥的历史一去不复返了。郭小川作为作家协会党组书记，所作的叙事诗《一个与八个》生前不能发表，在20世纪80年代中期改编成电影还得了奖，已经成为文学史上的逸闻。中国新诗全部传统和世界诗歌的最新动向，无不在我们的诗坛有多姿多彩的折光。如果没有这样的景观，谁能想象我们的诗坛哪一天能和我们伟大民族在世界上的文化形象相称！

中国诗歌何去何从，是闭关自守还是在开放改革中脱胎换骨，建立起无愧于我们时代的新诗歌，已经由二十年的历史作出了庄严的宣判。

当然，在朦胧诗结束了被动的局面以后，它本身又有了分化。从大我中解放出来的小我，小到什么程度，是不是一定要像“非非”派那样，小到连全民的语言和固有的文化都要厌弃，都要认为是对原生的自我的一种扭曲，一定要提出反文化、反语言的口号才过瘾？从浪漫主义方法中突围出来的智性，和感觉、情感的关系应该如何协调，尤其是在诗歌创造中是走向“扭断语言脖子”的游戏，还是走向心理的深化；新的探索带来的新一轮更为广泛的“看不懂”的现象该如何解释，对于在大众文化冲击下读者的疏离，这一切都如深不可测的海洋，令所有关心诗歌的同仁感到惶惑。

探索诗艺的勇士们在投入波诡云谲的未知领域时，谁将成为诗歌艺术上发现新大陆的哥伦布，谁是葬身鱼腹的牺牲者？谁的笔下有真理的灿烂之火，谁的眼前闪过的不过是没有热度的冷光？那过早地宣称到达彼岸的，也许不过是错觉，那被宣布已经 pass 了的，也许将葆有永久的青春。所有这一切，绝不是任何人的宣言和旗号所能决定的；经过朦胧诗大辩论的我们，将耐心地听候历史下一轮的宣判。

关于所谓“脱离人民”的理论基础
——根据在张家港诗会上的发言[①]

一

来到张家港，十分感奋，这是因为：看到了一些硕果仅存的老诗人。在我年轻的时候，最初就是因为受到他们作品的熏陶，养成了我最初的气质趣味。这不但使我回忆起他们当年的诗歌，而且使我想起了我少年时代的心境。当我知道坐在我面前的诗人就是屠岸的时候，我问他，是不是在中华人民共和国成立的时候写过诗？他说，没有啊。我说，可是我念过你的诗，那是对共和国为数不多的颂歌中的一首。当时中学语文教师作为补充教材发了下来，并没有讲解，可是我却记住了。开头的句子是这样的：“你长途奔波的历史老人啊，应该停下脚步，赞叹又欢呼……”

他笑了起来，说：是的，有这样一首诗，发表在当时上海的《文汇报》上。可惜，已经忘记了，没有收集到自己的选集里去。后来我又遇到绿原先生，我告诉他我第一次知道他的名字是在中华人民共和国成立以前出版的《开明少年》上；那好像是叶圣陶或者夏丏尊先生主编的。[③] 那里有一个栏目，叫作《诗人的心》，刊物可能是20世纪40年代出版的，我在1953年前后，在昆山中学的图书馆里把它找了出来。

那一期介绍绿原的一首诗，是悼念弟弟的。第一句是：“小河转着弯回家了。”绿原先生笑了起来，他说是有这么一首诗。但是，他不知道《开明少年》给转载了，而且还有人写了评介的文字。我问他所写的弟弟死亡，是不是真的？他说，不是，是虚构的，就是写

① 本文发表于《诗探索》1998年第1辑。2009年2月14日略作文字润色。

② 据笔者后来查阅，《开明少年》由上海生活书店发行，主编为叶圣陶，该刊1945年创刊，1951年停刊。

一种儿童失去弟弟的感觉。我记得，他的一本集子和艾青、亦门、鲁藜、天蓝、田间、冀汸、孙钿的诗集编在胡风先生的《七月诗丛》里，叫作《童话》。在 1952 年，我进入高中的时候，恰巧书店卖特价书，我就买了一套，虽然其中有好多诗，我不一定全懂，但是，就我所记得起来的诗句来看，绿原先生的诗的确充满了孩子气的童真。

往日已经淡化了的记忆被唤醒以后，肯定会变得更加不可磨灭，成为来日亲切的心灵财富。

但是，在振奋的同时，我又感到一点忧虑。

主要是，这次来参加会议的，所持观点是相近的。从大会发言来看，都是对“后新潮”诗人的探索表示非议的。我自己也对这些年轻诗人的创作倾向表示过不满。为此我还在前年的《星星》和去年《诗刊》第 1 期上对他们进行了可以说是相当，甚至是空前严厉的批评，用了“败家子”“犬儒主义”“挟洋自重”“艺术教条主义”等等的语言。

当我发出这样的批评的时候，我是严肃的，我在那两篇文章中详细地叙述了我十多年反思的过程。但是，我并不以为对于这样一个复杂的问题，我的看法就是真理，就没有偏颇。我到这里来并不完全是为了听到相同的意义，更为强烈的愿望，是听到年轻人，尤其是被我批评的人，对我的反批评。没有批评，就没有进步。没有争鸣，就没有学术。没有不同意见，就没有开学术讨论会的必要。然而非常遗憾的是，到了这里，我听到的大都是没有必要的雷同。

中国作家协会组织的这次全国性诗会的主题是团结、繁荣。但是，如果在会上只听到一样的意见，没有多少异议，把不同的意见排斥在会外，这能不能叫作真正的团结呢？在会外是百花齐放，在会上是一家作主，这样的现象至少不能说是正常的。再说，繁荣，光有同样追求的诗人们努力，一种风格，或者同类风格，是不是能够真正繁荣起来，这是一个很值得沉思的问题。

这还只是问题的一个方面。

令人更为忧虑的是，不少朋友在对“后新潮”诗人提出批评的时候所持的基本观念，其大前提，并不是很可靠的。就哲学基础来说，甚至可以说是抱残守缺的。不少发言者批评当前的新诗“脱离人民”。他们的意思我是体会到了的，但是，作为一种严肃的理念却是粗陋的。既脱离了中国新诗批评的历史经验，又脱离了当代学术思想的最新成就。

不少发言者非常严厉地批评当代青年诗人，却又缺乏他们所具备的哲学和文化学理的基础，对于他们的话语和范畴十分隔膜。给人一种印象，人们并不以自己修养方面的不足而遗憾，相反倒以自己的封闭而自豪。

早在 1980 年的南宁诗会上，我就告诫过那些自称看不懂朦胧诗而又很有雄心壮志要引导青年的朋友：既然声称看不懂，那又凭什么去引导人家呢？难道凭你干饭比人家吃得更多吗？难道看不懂是你们的光荣吗？我的意思是要引导就得钻进去，像鲁迅和创造社论争那样，进入他们的学理境界；同时还要进行自我解剖，自我更新。

如果满足于从感性上表示不满，甚至强烈的义愤，除了说明我们无能以外，只能表明我们懒惰。

对自己不懂的东西懒得去钻研，这是我们的通病，这也包括我自己；这不仅是指老一辈的朋友，而且也包括年轻的朋友，他们对老一辈的话语，传统的马克思主义的话语同样是懒得理睬的。但是，在这里，在这个会上，我感到占优势的是，我们对于他们的哲学基础缺乏沟通的愿望。我们没有争取到足以与他们创作和理论水平相当的代表来参加，就是一个明证。

本来，我们这个诗坛早就分化了，互相批评几乎成为聋子的对话。这常常使我想起：一群长得过分矮小的、已经停止发育的人和一群长得不合比例的细长的、还在继续蹿长的人在互相指责。而长得过分细长的一群对于来自过分短小的人的指责不屑一顾，而停止发育的一群则并不因此情绪受到打击。

二

在这里，来自许多方面的对于年轻探索者的批判集中在一点上：他们“脱离人民”“脱离现实”“脱离群众”。这种批评的诗学基础出自诗歌应该“抒人民之情”的经典信条。

但是正是他们对这种经典信条的执着，更使我感到忧虑。

这给我一种时光倒退的感觉，这本是在朦胧诗辩论的时候就已经解决了的问题。

然而历史的前进往往比之思想的前进更快速得多；思想落后于现实，理论落后于创作，也许并不值得大惊小怪，但是真正的理论家的任务却不该是在历史性理论争论已经澄清了以后，又振振有词地把它重新搅混。

我建议，批评年轻的探索者脱离人民的朋友们，扪心自问：这种所谓抒人民之情的理论本身是不是就有一段长期脱离人民的历史？一些当年被奉为抒人民之情的佳作，现在看来，是真诚地抒了人民之情，还是虚伪地表现了反人民之情？

1998 年底，我在《文学报》为纪念朦胧诗二十周年而作的文章《历史的选择》中回顾了朦胧诗出现之时遭到的非难，也是集中在脱离人民、脱离群众这一点上，当年的所谓抒人民之情经典理论，在经过几十年的历史检验，有没有留下什么惨痛的教训呢？我在那篇文章中这样总结：关键不在于要不要抒人民之情，而是人民这个概念被异化了。人民与诗人的自我被绝对地分裂了，人民作为一个政治概念与活生生的老百姓现实生活人为地割裂了：

所谓抒人民之情是与某种流行的政策、政治运动联系在一起的。符合当时政治需求的，就叫抒发了人民大众的情感；不符合的，就是脱离人民大众的情感。在这种理论统治下，多少诗人，不敢相信自己，不敢相信自己的耳朵、眼睛，相反倒要相信空洞，甚至虚假的概念。诗人的成功之道不是无限地贴近自我，而是远离自我。把抒人民之情和忠实地自我表现绝对地对立起来，这就是长期以来，诗坛上充斥着“假大空诗”“口号诗”“吹牛诗”的原因。虚假成为当代中国新诗的一大顽症。多少虚假的诗歌仅仅由于符合了一时流行的意识形态、政治运动的要求，就被赞扬为表现了人民群众斗志昂扬的精神风貌。但是，在一次又一次的短命的政治运动为实践所证伪了以后，那些被当作经典加以鼓吹的作品，就暴露了它不但是麻醉了人民而且麻醉了诗人的自我，麻醉了艺术。如果要历数这些诗坛垃圾的作者的话可以把许多泰斗的名字，而且可以把我自己年轻时期的一些作品都包括进去。颇有讽刺意味的是反复地重演悲剧，却没有引起马克思所说的喜剧性的感觉。这种顽固的虚假，毁灭、糟蹋了多少诗人才华的正统理论，在粉碎“四人帮”以后并没有立即受到正面的清算。所幸，实践走在了理论的前面，年轻一代的诗人们提出了冲破感觉的硬茧，重新感觉真实的自我的美学命题。①

当年的朦胧诗大辩论，在重重压力下，在理论上曾经对此做出过英勇的冲击，但是真正学理上的基本建设并没有来得及进行。起初是由于外界的压力，处于被整肃的地位；后来是由于过分浮躁地为新引进的西方文化哲学所吸引。再加上，朦胧诗在创作上所取得的风靡一时的胜利掩盖了理论上的不足。

看来，历史的批判不可能是一劳永逸的。随着学术的发展，新的时代不能不在新的理论制高点上对旧的理论问题做出新的解释。不这样就可能产生两个后果：第一，不断做低水平的重复，如同 20 世纪 50、60 年代的大陆诗坛在批评胡风、右派时期一样；一种就是历史的倒退，如同在 20 世纪 40 年代的解放区和十年浩劫期间一样。

当前的特点是：面临一些青年诗人在创作上的超前畸形的发展，一部分理论一度产生了比创作更为畸形的态势，而另一部分却产生了历史的倒退。这种倒退有时到了荒谬的程度，一些朋友连朦胧诗的成就和历史贡献都要加以否认，特别是在我们开始正面对朦胧诗以后的诗歌潮流进行反思的时候，某个诗报就在孜孜不倦地操作这样历史倒退的事业。

面对那些为实践证伪了的理论，那些历史的倒退论者，我们不能简单地责难他们的顽

---

① 孙绍振：《历史的选择》，《文学报》1998 年 12 月 3 日。

固，倒是应该反省自身当年在学理上的浮躁。当我们再一次回答他们的问题时，就不能满足于过去的水平，而是要在新的世界文化哲学诗歌理论的基础上做出回答。我们的愿望是：不但要在观念上，而且要在方法上把当代的最新学术成就吸收进来。

就所谓抒人民之情的理论来说，其要害是人民。用当前流行的话语学说来说，人民是核心话语，把这个话语弄清楚了，其他问题也就迎刃而解了。

前面的一段引文，是光从经验上来批评的，号称抒人民之情的作品，有过麻醉人民、欺骗人民的历史；那些应运动之景的作品，不论是“反右”时期的、“大跃进”时期的，还是“浩劫”时期的，其特点是打着人民的旗号，其思想情感恰恰是反对人民的。

但是作为学理，光是从经验上来批判，是肤浅的。

具体问题具体分析不但是马克思主义方法，而且是解构主义、权力话语、现象学方法的活的灵魂。马克思主义方法起码要求对人民这个核心命题要做具体分析；现象学要求把所要研究的概念作为一种现象悬搁起来，加以还原，从头开始；解构主义要求把概念内涵中的陈见加以颠覆；权力话语学说要求对一切现成的观念中先入为主的、理所当然的潜在的大前提做文化考古式的还原，以便把为话语所遮蔽的真理显现出来。

虽然这些方法在被解释的过程中，往往被神秘、玄虚化了，但是，所有这些学说，在不带任何框框、力求重新面对存在这一点上是一致的。这从根本精神上来说，与我国古老的研究问题原始要终的原则是一脉相通的。

所谓“抒人民之情”中的“人民”本是一个政治概念，是相对于政治上的敌人而言的。抒人民之情，从命题本身来说，就是不能抒政治敌人之情。其隐含的预设是，诗人无疑是属于人民的一员。这样的话语，似乎天经地义。但是，实践上恰恰相反。抒人民之情，政治上属于人民的诗人，所抒发的感情却可能是敌人的，这相当严酷的一面，却是隐含着的。当一些先行者在阐释中，把人民这个概念，和诗人的身份略做理性的还原的时候，居然付出沉重的，甚至鲜血和自由的代价以后，人们才意识到：人民变成了一层薄薄的糖衣。

所谓“人民”本来标志着一种政治界限和法律的权利。诗人不言而喻地属于这个范畴，但是这个范畴却有一种功能：就是把政治上、法律上属于人民的诗人转化为政治上的甚至是法律意义上的敌人，其最大的严酷性在于这样的转化又似乎是遵循着政治和法律上的神圣规范和严格程序的。

人民的名义是崇高的、神圣的。但是许多野蛮的、令人齿冷的惨剧都是在这样崇高、神圣的名义下进行的。

之所以这样，是由于人民的范畴内涵有两个隐含着的矛盾。

第一，人民是由个体的人组合成的，因而是与每一个个体不言而喻地联系在一起的。

但是，在我们传统的诗歌理论中，人民是一个抽象的集体概念，它是与人民的每一个成员毫不相干的。人民这个核心概念所从属的，不是每一个具体的个人，而是种种抽象的政治规定。第二，还有一个可以说是中国的特殊国情的理论。在政治上，知识分子是人民的一部分，而在艺术上，在诗歌里，知识分子却处于一种人民与反人民之间的暧昧状态。在政治上人民是伟大历史的创造者，是可以歌颂的，而在艺术作品里，知识分子却不是处在这个伟大历史的创造者的统一体里。要表现知识分子的思想情感，如果不是处在某种被讽刺、被改造的地位，就可能被贬之为脱离人民的。如果你要坚持，那你就可能从脱离人民变成反人民的。

作为人民的具体成员，不管是工人农民还是知识分子（特别是知识分子），是不能代表人民的，代表人民的只能是当时的政策。反右派来了，你的良心感觉到不义，但是你被告知：抽象的人民早就义愤填膺地反击了。“大跃进”导致了灾难和饥饿，你的肚子感到了，然而，那不是人民的感觉，而是敌人才有的感觉。“文化大革命”损失太惨烈了，这是反动分子的感觉，广大人民群众是欢欣鼓舞的。“人民”这个抽象的概念剥夺了诗人对自己的感觉、知觉、意志、情绪、想象、判断的权力和信念。个人等于零，一切都取决于那个弹性很大的人民的集体概念，其实也就是不断变幻的政治的、政策的和宣传的需要。

人民概念的神圣性，事实上是政治、政策、宣传的神圣性。正是这样神圣的政策话语给予了它转化敌人与人民的权力。这就形成了一个令后人很难以想象的定律：以人民集体的名义，取消了人民中每一个成员的自我感觉的能力和自我保护的权力；人民的名义越是崇高，人民中的每一个分子越是处于任意被宰割的卑微的地位。七月诗人、右派诗人都曾经在诗歌中歌颂过人民的崇高，他们，尤其是在 20 世纪 50 年代以后，从来就没有歌颂过个人的崇高。但是他们还是成了这个崇高的人民祭坛上的牺牲。

而那些同样被剥夺了自我感觉和自我保护权力的其他诗人和评论家则舒舒服服地用概念的空壳代替自己的良心来思考。对自己的朋友、同行进行义愤填膺的挞伐。在以人民的名义剥夺灵魂和思想上，二者是一致的。所不同的是，一个是主动的，一个是被动的。不管是主动的，还是被动的，同样失去了用自己良心来感觉世界和生活的权利，而主动的一方在挞伐他人的时候，不但牺牲了良心而且还缩小了自己的安全感。

人民和敌人，作为政治和法律概念的内涵和外延本来是相当稳定的。可是作为一种诗歌理论概念的内涵和外延却是可以在瞬息之间转化的。应该指出，它作为一种抹杀个体的理论和艾略特的超越个体，达到更高的概括，逃避个性的追求，不可同日而语。这是因为这种诗歌理论的话语能够轻易地转化为政治的、法律的强制力，这就造成了我国当代诗歌史上特有的历史悲剧反复出现的景观。从人民灵魂的工程师到被唾弃和唾弃、被侮辱和侮辱、被践踏和践踏的臭老九，右派、反革命、反动文人，转化的轻率程度，可能是空前的。这就不但导致了诗人品质的低落，而且导致了诗歌品质的低落。诗歌想象空间狭促到这种程度，甚至在民族悲剧的外部政治机制有了改变以后，而任意地将人民转化为非人民的理论机制，却没有变化。只要这种转化人民和敌人的理论机制仍然在运作，就很难预言历史的悲剧不会重演。

不管是马克思主义还是解构主义，不管是现象学还是话语学说，其好处都在于不为现成的神圣的概念所蒙蔽。尤其是话语学说，特别重视在词语里进行知识考古，摆在我们面前的这个关键词：人民，就很值得考察其来龙去脉。真正的奥秘往往不在词语所显示出来的东西，而在于词语所掩盖了的东西。不管是解构，还是悬搁，还是知识考古，目的就是为了揭示那些为美丽的显性语义所掩盖了的隐性内涵。浮在表面的东西常常是带着欺骗性的，被掩盖了的东西才是实质。

对于人民和现实这样的概念缺乏具体分析，缺乏解构，缺乏颠覆，缺乏悬搁和还原，常常使我们一些很有头脑的批评家陷入黑格尔所说的“抽象思维”、马克思所说的缺乏具体规定性的贫困的概念窘境。

事实上，生活和诗歌的历史早已把这些前提性话语做了具体分析，甚至是解构了，生活所解构的不仅是上述人民概念崇拜的游戏，而且解构了与之相反的、走向另一个极端的自我崇拜，甚至是自我瓦解的游戏。

我在《“后新潮”诗的反思》中指出20世纪90年代以后的先锋派诗歌图解西方文化哲学，形成了新的概念化潮流。我的用语是非常尖刻的。但是，我并没有说他们脱离人民、脱离群众，我所批评的是，他们脱离了自我，活生生的个体，活生生的自我。他们的毛病是虚假，是在做作出一种与真实的自我不同的样子，目的是生吞活剥地图解某种西方文化学说，而不是脱离了抽象的人民。

也许他们可能还脱离了一些很重要的东西，但是，用脱离人民这样的理论来批评他们可能是文不对题的。

当然，有些朋友除了说到他们脱离人民，还说到他们脱离时代、脱离现实，时代和现实的内涵上与人民多多少少有些不同，但是从根本上来说，关于什么是时代、什么是现实，话语的内在机制是同样的。用这样的概念，遵循这样的机制，要和青年诗人对话，只能是南辕北辙。只有把这个有点滑稽的概念暂时悬搁起来，才有可能心平气和还原到本初的现实上来。否则，一切都很难避免成为聋子的独白。

在历史机遇的中心和边缘

——舒婷的诗和散文在当代文学史上的地位[1]

当舒婷开始写诗的时候，她根本就没有想到发表。当她看到自己的诗在知识青年的枕头下珍藏着、日记本里被传抄着、昏暗的煤油灯下默读着，已经十分满足了。政治运动把人与人的心灵扭曲，互相之间不是敌视就是戒备的气氛使得她感到痛苦。然而她并不绝望，她相信人与人之间的善良本性是可以达到沟通的。她觉得用诗来沟通是最好的方法。

当“四人帮”文化专制达到高潮的时候，几乎中国所有的著名作家都被横扫了。这是中国当代文学史上一个特别荒凉的时期。

到了20世纪80年代，当舒婷在诗坛上以明星的姿态出现的时候，人们在她的诗中几乎看不到革命诗人颂歌和战歌的影响。她的抒情格调是那样奇异，把读者一下子分化为狂热地欢呼和愤怒地反对的两类。说来可笑，直到1980年以前，没有什么正式出版的刊物接受她的诗。幸而福州市马尾区有一个油印的刊物叫作《兰花圃》的，创造了一个奇迹：不仅发表了她的诗，而且吸引了全国各地的诗歌爱好者对她的诗展开了争论。争论已经在民间展开了。《福建文艺》的魏世英先生很有见地地决定于1980年正式在《福建文艺》上发表舒婷的诗作，并且公开讨论。起初，舒婷对于“讨论”是不是会演变成一场围攻还没有把握。出乎她意外的是在厦门非难她的理论，在福州遭到了迎头痛击。争论相当激烈，有一次一个心胸狭窄的理论家甚至把舒婷弄哭了，然而舒婷还是节节取得了胜利。影响扩散到全国，推动了中国当代新诗史上波澜壮阔的朦胧诗讨论。

争论之所以重要，是因为：舒婷的诗所体现的美学原则与传统的权威的诗歌美学原则几乎是迎头相撞。

---

① 本文发表于《当代作家评论》1998年第3期。

在起初，连艾青都没有意识到舒婷的意义。传统的理论话语权威性太高了：诗歌应该是时代精神的号角，诗人所抒发的不应该是个人的、私有的情感，而是人民大众的、集体的情感。人民大众的感情是无产阶级的，而个人的感情则是资产阶级、小资产阶级的“自我表现”。人民大众的情感在传统的诗歌中总是在英勇劳动、忘我斗争中，奏出慷慨激昂的旋律。而在舒婷的诗作中间却时常表现出某种个人的低回，她明显地回避着流行的豪迈。她在诗中公开表示蔑视那种“佯装的咆哮”，同时也厌恶某种“虚伪的平静”。她所师承的是何其芳的传统，何其芳早年就一直回避的“嚣张的事物和感情”。舒婷时常沉浸在一种沉默的孤寂之中，忍受着深沉的精神的苦难。

当争论在《福建文艺》上相持不下的时候，孙绍振写了一篇文章，正是这篇文章把舒婷的讨论引向了全国的视野。他认为舒婷的诗的重大意义在于“恢复了新诗中断了将近四十年的、根本的艺术传统”。由于盲目地反对小资产阶级的自我表现，要求诗中的自我应该是“一个高尚的人，纯粹的人”（《诗选：1953.9—1955.12》序），这一切再加上政治运动中激化了的捕风捉影的索隐式的批评，诗人们在确保安全感和随俗惰性的作用下，往往有意无意地在回避自我，伪造自我。“这样就造成了一种可悲的情况，那些在20世纪30、40年代抒情个性十分鲜明的诗人不是销声匿迹，就是越来越丧失了他们特殊的风格。至于20世纪50年代的诗坛新秀们，本来就不及他们的前辈们那样个性鲜明，在回避、伪装自我的风气统治之下，到了20世纪50年代末期，即使很有才情的诗人也很难不在浮夸诗风的裹挟之下丧失了自我，用假嗓唱着言不由衷的颂歌。”这就是统治中国诗坛数十年的“假大空”诗风。奇怪的是，当真理像烈士张志新一样被割破了喉咙的时代结束，权威诗人恢复歌唱的权利以后，他们仍然在习惯了的模式中徘徊。中国当代诗歌从20世纪40年代以来形成的危机并没有在美学原则上突破。

谁也没有想到这个历史的任务竟然由一个黄毛丫头（和她的同辈诗人）承担起来。她的诗作所展示的不仅是一个独特的个性，而且是中国新诗自从20世纪40年代以来中断了的艺术传统。这就是忠于自我的内心真实，忠于生活的本真。舒婷和她的同辈们“从未浮夸地美化自我，也不盲目地美化生活。比起虚伪的生活，他们更厌恶虚伪的心灵。他们唯一可以自夸的是他们的诚实，他们甚至诚实到不掩饰自己的软弱、幼稚和愚蠢”。孙绍振在那篇文章中热情洋溢地指出舒婷的诗歌在文学史的重大意义：“他们像一股从原野上长驱直入的清风，给我们这个仍然摆脱不了‘沉迷的欢欣’的诗坛以莫大的冲击……她把几十年前新诗的优良传统一下子带到了我们面前，她不是从‘纯粹的人’，不是从高昂的时代精神出发，而是从具体的有个性的人出发，从溶解在真实心灵中的真实生活出发……她不掩饰自我沉迷的一面，也不美化自我觉醒的一面，她遵循着特殊的抒情个性，对自我、同时也是对生活的现象和本质进行着诚实的探索。”（引文见《福建文艺》1980 年第 4 期）在这里，实际上已经接触了舒婷不仅仅是继承了而且是发展了新诗的传统的课题了。后者，要到后来他写《新的美学原则在崛起》的时候，才得到明确的阐释：以舒婷为代表的新一代诗人提出了传统美学价值所否决了的命题。关于个人的幸福、人与人之间不是斗争而是和谐，集中起来就是人的价值和尊严问题：“表面上是平常原则的分歧，实质上是人的价值标准的分歧。”这样，舒婷的诗就接触到了一个时代转折点上敏感的神经，因此，在历史精神的艺术坐标上，就打下了她的烙印。

舒婷是幸运的，在历史需要突破的时候，她的诗把历史的冲突吸引到自己身上来。她就处在一代诗风转折的中心。她和她的同辈诗人标志着人的价值和尊严的崛起，新的美学原则的复活，也意味着新诗从古典和民歌的行政模式的禁锢中解放出来，向世界诗歌开放。这样她就在新诗乃至中国现代文学史上占有一个划时代的地位。舒婷碰上了一个难得的历史机遇，在这之前之后，就算有了比她更高的，也不能在历史上有这么重要的地位。舒婷自己有时漫不经心地用“上帝的青睐”来形容这个机遇。但是，这个说法似乎并不完善。上帝的青睐、历史的青睐都只是一种千载难逢的可能性。如果没有足够的才华，也是白搭。恩格斯说，文艺复兴时期是需要巨人也产生了巨人的时代。但是并不意味着需要巨人就一定有巨人出现。当楚辞时代结束以后，到了伟大的汉王朝巩固统治的时候，在诗歌领域里是需要比屈原更高大的巨人的，但是这样的巨人没有出现。舒婷并非完全靠历史的机遇，同时她还具备了与历史需要相应的才华。可以说，一个大作家的出现是机遇与才智的猝然遇合的结果。在她后来的作品中，尤其是到了 20 世纪 80、90 年代，她对于生活和自我个性和生命有了不少更为深刻的发现。这一切无疑在她个人的创作历程上标志着新的高度，但是，机遇毕竟是难得的。拂晓已经过去了，新诗的天宇上已经不是只有启明星，而是群星灿烂了。她的才华仍然是那么耀眼，甚至有些诗写得比之当时更为深刻，更为成熟，但是，却没有原来那些诗的历史重要性了。

她不是小作家，她多少有一点大家风范。她的创作生命的开花期、结实期和她的营养期交织着，因而相当漫长。她一出现就成熟的风格并没有把她的自我监禁起来，她才华的活力使她没有不断重复自己、模仿自己。她不时发表超越已有成就的诗作，令热爱她的读者惊喜。然而总的说来，她最旺盛的创造力已经不完全集中在诗歌上，有很大一部分转移到了散文，尤其是幽默散文边疆的开拓上去了。

艺术的奥秘是如此艰深，即使很有才华的作家，往往只能在一种文体、在一个我写的时期笔阵横扫，换一种形式，常常难免平庸。难能可贵的是，舒婷除了诗歌，她还在中国当代幽默散文史上提供了一种独特的风格。把她在诗歌和散文两个方面的创造结合起来，舒婷的灵魂就以理想化和现实性的二重组合构成了丰富的完整性，她的智能结构就显示了更为强大的功能。

可惜的是，她的散文至今还没有引起评论家足够的重视。这不是因为她的散文在艺术上没有突破，没有宝贵的创造，也不是完全缺乏历史的机遇。也许是因为她不在历史机遇的中心。此外，在散文领域里从来也没有像在诗歌领域中那样耸动远近视听的争论。没有一种缘由把她卷入旋涡。没有这种旋涡，就不能成为文化视点的中心。在这传媒高度发达的时代，散文篇幅短小，而且分散。评论家和读者光凭在报刊上自发地阅读，很难统观其艺术创造的分量。好在1997年江苏文艺出版社做了一件好事，将舒婷全部的诗歌和散文（除了几首散文诗）系统地编纂起来，分为三集，第一集是诗，曰《最后的挽歌》，第二、第三集是散文，分别以《梅在那山》和《凹凸手记》为书名，这就使我们有条件来系统研究、评价舒婷的散文的历史价值了。

舒婷的散文以幽默见长，这是许多行家共同的观感。当然，舒婷的散文不完全是幽默的，其中也不乏一些抒情的篇章，而在《丽夏不再》那样的作品中，舒婷甚至创造了一个性格扭曲，可爱而又可恨的复杂人物。从中可以看出舒婷具有小说家的上乘修养。但是就艺术创造力来说，她的幽默散文不但在她的作品中，而且在当代幽默散文史上具有不可低估的地位。虽然中国当代散文的幽默传统一度在大陆中断，但是幽默传统的恢复的幸运却没有降临到她的头上。最初在中国大陆散文以幽默风格引起激赏的是杨绛的《干校六记》。

在舒婷的幽默散文引起注目的时候，中国现代幽默散文的传统已经得到恢复，许多遭受长期冷落的幽默散文大家已经备受瞩目：钱锺书式的与社会人生的讽刺相结合的犀利的硬幽默，梁实秋、余光中、王了一式的自我调侃的软幽默散文被反复重印。孙犁那样富于智性沉思的，杨绛超脱困境的轻松的，汪曾祺式的充满佛性达观的，李敖刀子一样泼辣甚至残忍的，柏杨以玩世姿态表达愤世之情的，还有后现代黑色幽默的评论已经被批评家反复称道。

舒婷如果没有自己独特的风貌，是不可能不被这些大家所淹没的。然而她还是从这么多前辈之中脱颖而出了。

她的幽默散文最擅长自我调侃。她不同于余光中、王力先生，余、王二先生的自我调侃，往往集中表现自己的无奈、尴尬。而舒婷的自我调侃却常常不仅仅表现自己的无奈、自己的尴尬，而且还有对于朋友亲人的嘲弄、挖苦。然而这种挖苦又与柏杨不怕丑的自称“老泼皮”不同，她在戏谑中所渗透的是亲情和友情的融洽，这里充满了她的任性，暗含着朋友对她的姑息。正是由于这样，就她的幽默的情绪结构来说，不是单纯的嘲讽。就她自己来说，交织着自嘲和他嘲、反讽和调侃、任性和耍赖、尖刻的挑剔和无限的欣赏等等的复合情绪，就被她调侃的朋友亲人来说，则显示了对她的宽容和姑息、无奈和怪嗔、不认真的反击和自作聪明的傻气。她在幽默散文的情绪结构中渗透了这么复杂的成分，创造了一种可以称之为复调幽默散文的风格。她的朋友，一个不乏幽默感的作家（据说是张洁）对她的幽默说了一句相当中肯的话：“舒婷，你把我挖苦得好不快活！”

舒婷的幽默从表面上看是带进攻性的，但是这种进攻是软性的，因为在她的进攻中，绝对是虚拟的，极少现实批判的色彩。她不像鲁迅、钱锺书，以小说家的眼光对人性被扭曲做冷峻的刻画，也不具有王力、梁实秋、余光中学者的渊博和雍容，没有杂文家柏杨、李敖面对丑恶现实的人性的勇猛气概，她的特点是善良：即使在十年浩劫期间，她身陷困境，她也没有在人性的邪恶方面耗费多少心智。令她有兴趣一写的更多的是知青友情的美好，就是写到农民由于贫困而造成的扭曲的婚姻、不自然的男女关系，也不是血与火的冲突，而是充满了纯朴的和谐。就是在不得不表现的悲剧中，她所强调的与其说是控诉，不如说是对于纯洁情感、心灵沟通的渴望和珍惜。在她笔下，虽然有痛苦，但是却很少揭露心灵的丑恶。不论是在十年浩劫期间还是在新时期，她都乐于用幽默的语言去把她珍惜的情感艺术化。她用她幽默调侃的语言创造了一个自由的、任性的、不管多么调皮都会受到朋友、亲人赞赏、原谅的真诚的情感氛围。

她的幽默与她抒情的心理素质水乳交融。在似乎任性地“丑化”的甚至是漫画化的夸张的笔墨中，她把她的生活圈子表现得总是充满着美好的诗意。幽默的“丑化”与诗意的美化在许多场合互为表里。可以毫不夸张地说，她的散文创造了一种特殊的幽默，也许可以把它命名为抒情性幽默。虽然在中国现代散文史上，美化与丑化结合的幽默并不一定自她开始，但是，在她的散文中得到如此饱和、丰富多彩的表现，完成了一种文化人格的塑造，却是不可忽视的事实。

生活中的丑和恶不在她的调侃与嘲讽范围之中，人与人的隔膜、个性的扭曲也很难引起她的兴趣；倒是她所欣赏的、她所钟爱的品性却有可能进入她幽默调侃的境界。不论是她丈夫的书呆子气还是她妹妹、外婆显而易见悖谬的行为逻辑，都不但是可笑的，而且是可亲的。至于那些和她一起出席会议、在国外旅行的朋友，从她所尊敬的邵燕祥，到她视为莫逆的傅天琳，一个个都显得呆头呆脑、傻里傻气。她所创造的精神氛围是，在这些朋友面前可以尽情任性，用词可以尽情地尖酸：她友情寄托甚深的诗人吕德安送给她的画发霉了，她竟然说，可能是吕德安把画笔浸在尿桶里的结果。就是对她自己，也时常故作蠢言。和儿子送别她丈夫上飞机以后，儿子和她同样思念不已，儿子向她诉说很想念爸爸。她问为什么，答曰：因为爸爸在家时，会背儿子上楼。她接下去写了一句：我不想，因为他不背我上楼。不管什么大名鼎鼎的作家到了她笔下，莫不有弄巧成拙的故事或者自作聪明的失误。越是她所钟爱的对象，她越是有兴致去显示他们的可笑可恨中有多少妙不可言的可爱可亲。她用一种嘲讽的、有时甚至是居高临下的姿态，调侃她所热爱的一切。表面上对人用语相当挖苦，但是并不给人以刻薄之感。其奥秘就在于这种挖苦充分显示出她在浓郁的友情中，是多么的任性，多么的放肆，多么的顽皮，多么的自由。在这样的友情的圈子里，精神多么的放松，互相之间是多么的不设防。

她的散文充满了谐趣，这种谐趣在她的诗中是很难得到表现的。原因是在诗中她致力于把心灵理想化，而在散文中她所表现的是在世俗生活中她的自由心态的自如、自得、自然。

这实在是一个不可忽视的美学现象。在诗中，她是严肃的、深沉的、超脱于世俗的、遨游在精神圣殿中的、为灵魂升华而苦苦地追求的；而在散文中，她习惯于把一切都当作好玩的事情拿来调笑。她把调笑最亲密的朋友、亲人和她自己当作一种最美妙的乐趣。她不厌其烦地叙述为了儿子的一百架玩具小汽车，为了丈夫对于她发型的漠不关心，为了操劳不已的家务，为了一切鸡毛蒜皮的琐事，耗尽了心血。这一切似乎与她作为一个诗人的精神追求形成反差。她淋漓尽致地描述了做家庭主妇的许多尴尬，并不因此而感到过分的委屈。她每每以一种相当轻松的笔调来表现这种尴尬。她在用流水账式的笔调写了她面对家务以后说："做一个女人真难，却也乐在其中。"

正是因为这样，写到她极尴尬时，她极自得；在极劳累时，极甜蜜；讲到极倒霉时，掩饰不住极幸运之感；挑剔丈夫极迟钝时，流露出极欣赏；说教育儿子极操心时，简直是极自豪；写自己极不走运时，显然极自信。所有这一切，集中起来构成了她把幽默的"丑化"和诗情的美化结合出水乳交融的心态。

在中国当代散文中，尤其是在20世纪50、60年代的散文中，诗的美化与幽默曾经水火不容。杨朔式的诗化模式风行天下使得幽默散文几乎遭到灭顶之灾。到了20世纪70年代以后，诗化散文走向式微，而幽默散文大为振兴之时，许多幽默散文家，不是囿于诗化散文的美化，有点放不开，就是有点不怕丑，热衷于煞风景，甚至耍贫嘴。一时幽默散文大兴，弄到作家毛志成都发出了对于"幽默痞"的忧虑（《作品与争鸣》1998年第1期）。这说明幽默的"丑化"和散文的诗化、美化二者在美学上的历史鸿沟是多么深，要把这二者结合起来，其难度是多么的大。值得庆幸的是，在这个美学问题还没有引起散文理论家的焦虑的时候，舒婷却以她近二十年的努力，用她抒情性的、诗化的、美化的幽默散文在这中断了数十年的美学鸿沟上架起了一条艺术的桥梁。

虽然如此，舒婷在散文方面的创造，其历史的重要性似乎还不能和她的诗相比。不能说没有历史的机遇，中国当代散文曾经在杨朔模式里窒息多年，重大突破的机遇对于每一个作家是平等的，但是在这一方面，上帝把他的青睐投向了余秋雨。舒婷并没有和这个机遇失之交臂，只是，她不处在这个历史的旋涡的中心，她是在边缘上，丰富了历史的突破。写到这里，我愿意向读者提出一个问题：就此，我们能够断言舒婷的散文才华不及诗歌吗？也许她的对手太强大了，光是一个王小波就不但幽默的风格比较丰富，而且在智性的深度上超过了她。

附录一

我与“朦胧诗”的论争
——与张伟栋的访谈录

按：程光炜教授的博士生张伟栋有志研究20世纪80年代的朦胧诗，为收集朦胧诗的资料不遗余力，系统查阅了我有关朦胧诗的文章，向我提出问题，集中在文字记载以外的活的历史信息方面，我做了回答。

问：您在《我的桥和我的墙》这篇学术自述的文章中说：“从写那篇‘崛起’的时候开始，我就非常坚定地相信文学的特殊价值和政治的、理性价值的区别。”比较您在《新诗发展概况》的写作所持有的“政治化”的观念和立场，这种转变是非常巨大的。在新时期有很多人也都这样从“政治的、实用理性价值”转变为坚信“文学的特殊价值”，这些人的转变大多都表现为“去政治化”的路向。我想问的是，您的这种转变与政治体制有着直接的关系吗？这里面是否还有着其他具体的事件或是原因？现在回过头来看，您是否可以为我们描述一下这种转变的具体过程？

答：1952年，我考入江苏省昆山中学高中部。一天，看到新华书店处理中华人民共和国成立以前的旧书。其中有一套胡风编辑的“七月诗丛”，只缺一本艾青的《向太阳》。我买下这套书，很快便爱不释手。

我知道，毛主席《在延安文艺座谈会上的讲话》中号召以民歌形式创作。可看了“七月诗丛”，我却对当时最红的民歌体诗歌，如李季的《王贵与李香香》等的诗歌看不下去了。“千里的雷声万里的闪，红旗一展天下都红遍”还马马虎虎，至于“不是革命我们翻不了身，不是革命我们结不了婚”，这是诗吗？我只能硬着头皮强迫自己相信：这是好诗。但是，“七月诗丛”还有其他一些诗集，我爱上了何其芳、绿原、鲁藜、天蓝、陈亦门（阿垅）等人的诗，形成了艺术趣味，闻一多、徐志摩，还有艾青、田间早期的诗作，在我心里，这才是真正的诗。那时，我自己也开始学习写诗，不久，还在上海《青年报》上发表了一首新诗。有了实践经验，对武断地鼓吹民歌体的主流思潮，就越来越感到不对劲。虽然在政治上，我为生活在“毛泽东时代、斯大林世纪”而感到自豪，但是，在艺术上，我常常感到与官方提倡的诗风格格不入，对于硬性的民歌崇拜极其厌恶。民歌表现手段是比较有限的，所能表现的，也往往是比较单纯的农村生活和情感，其表现力，怎么能赶得上世界诗歌？我隐隐约约感到，有一种拿民歌压抑诗人创作的倾向，把王老九的农民诗歌抬得那么高，而且是众口一词，简直是睁着眼睛说瞎话。

1955年，我考入北京大学，很快就参加了诗社，我的眼界大开。我沉醉于马雅可夫斯基最有名的长诗《好》和其他一些短诗之中，他的《开会迷》是列宁推崇的，斯大林还称赞马氏是苏联最有天才的诗人。他的“我是穿裤子的云”，我觉得，想象寓意都极丰富，很过瘾，相比起来，李季等等的四行体半自由诗，都显得粗糙。后来又陆续读了智利的聂鲁达，他的“北亚美利加啊，像野牛皮一样伸展”更是精致。法国的阿拉贡、土耳其的希克梅特，这些都是共产党人，他们的诗都带有现代派色彩，意象新异，远非民歌可比。还有洛尔伽，他是西班牙革命政府的文化部长，为法西斯长枪党所杀害，他的“在远方大海，笑吟吟，浪是牙齿，天是嘴唇”，令人心醉神迷。所有这些诗人，才华横溢，好像不约而同地在进行着想象力的竞赛。人家也是革命的，马雅可夫斯基的名言是“无论是诗，无论是歌，都是炸弹和旗帜”，但，为什么人家在艺术上那样异彩纷呈，而我们的革命诗歌，却充满了生硬的概念？公式化、概念化，反了多少年，越反越猖獗。诗坛上那些吹得天花乱坠的诗歌，实在太“土”。现在想起来，原因可能是，西方那些革命诗歌，都属于超越了我们所熟悉现实主义或者浪漫主义诗歌的流派。马雅可夫斯基早期是未来主义的代表人物。他有一句名言，“给庸俗的艺术趣味一记响亮的耳光”，我觉得很精彩。聂鲁达早期是象征主义，他的《伐木者，醒来吧！》《献给斯大林格勒的情歌》，我曾一度每天早晨起来就念一段，真是过瘾。

我的审美情趣就是在这样的状态中潜移默化地形成。

我想，这样的诗，才是值得把生命奉献的呀。我的心灵打开了一面灿烂的窗子。当时流行的诗歌，没有几首能让我的审美情怀得到满足，包括闻捷的《天山牧歌》，在艺术上也还不能算成熟。就是名噪一时的贺敬之、郭小川的政治抒情诗，我也有所保留。不要说比起那些世界红色诗歌的经典之作，就是比起名不见经传的保加利亚的革命诗人瓦普察洛夫，也是相形见绌。

马恩明明声言不能像席勒那样做单纯的时代精神号筒，可我们的主流诗论却一再把时代精神当作最根本的艺术准则。

我听说，巴金的笔名是巴枯宁和克鲁泡特金的结合。我也给自己起了个笔名“马达”，意即马雅可夫斯基和聂鲁达。

后来，顺着这种艺术趣味，我又读了艾吕雅等法国左翼诗人的作品，他们的诗给我的震动更是强烈。他们在艺术上有种强烈的反叛意识，很对我的胃口。朋友说我有一点“迷洋”思想，我自己也感到有点危机。因为，我和政治概念和道德说教充斥的主流诗风格格不入。但我仍然喜欢叛逆，在一次团小组会上，我公开说，大学生应该有“叛逆精神”，理所当然地遭到了众口一词的围攻。

我在北大诗社做干事，诗社常办讲座。我去请过何其芳、冯至演讲。何其芳很认真，讲稿写满了蝇头小楷，我第一次听到是在延安文艺座谈会前夕，何其芳是歌颂光明派，而艾青等则是暴露黑暗派。冯至则把刚刚翻译好的《海涅诗选》的序言先拿给我们。诗社还请过当时最红的两位诗人贺敬之和郭小川。郭小川比较开放，他对当时闻捷式的“有了奖章，女孩子就爱”的牧歌模式持保留意见，他认为人不是那么简单的。那时也没有讲课费的概念，他骑着自行车来，骑着自行车去。贺敬之朗诵的《放声歌唱》，我至今记忆犹新，但是，我一直对他的艺术有保留。我认为他后来的作品，还不如最早十几岁孩子时期写的《乡村之夜》，像“黑八子叔叔站在高粱地里”多带劲。对他的政治抒情诗，我心中狐疑，因为，很明显，是对马雅可夫斯基的“扶梯形式”的模仿。

在反右派运动中我差一口气，当了右派，随之，失去了自信，有一种负罪感，痛切感到不改造自己的世界观，会变成人民的敌人，失去和大家一起唱《社会主义好》(歌中有一句“反动派，被打倒，右派分子想反也反不了”）的权利。我曾经在检讨中写过，为了祖国的富强，中国的知识分子最为迫切的事就是改造资产阶级思想立场，同时改造自己的资产阶级的文艺趣味。差一口气，就是右派，让我还真有点后怕，常常真诚地感激党挽救了自己，以某种赎罪的心情，改造自己的文艺思想。因而在和谢冕、孙玉石、洪子诚他们一起写《新诗发展史话》的时候，我竭力戒备自己的“资产阶级艺术趣味”，努力从无产阶级、劳动人民的立场、观点、感情去分析《王贵与李香香》，尽可能从中找出艺术上的好处。其实，这只是理性上，感到非这样做不可，实际上，自己并没有真正感觉到艺术。许多话也许不错。2007年，钱理群看了我当时对《王贵与李香香》的分析，他从文学史家的立场出发，说不错嘛。但是，我当时，确实是违心的。

除此之外，我还在后来的新诗写作中，也尽可能窒息自己的原初感觉，刘登翰把这叫作“回避自我”，我后来说，这是“歪曲自我”“糊裱自我”。很长一段时间里，我们把一些假大空的套话，当成人民的、无产阶级的崇高。这种情况下，我经常处于矛盾之中，一方面，我失去了自我，只会模仿贺敬之、郭小川式的颂歌和战歌，也就是当时所谓时代精神——“大我”的豪情；另一方面，我的趣味，又特别亲近那些平凡的个人化的东西，也就是所谓“小我”的情调。这种矛盾，在一般情况下，是潜在的，而在和一些比我更为年轻的诗歌爱好者交往的时候，就突显出来了。20世纪70年代初，有一个叫吴小龙的青年，拿他的诗给我看，他写一个“盲流”入城市的民工，唱起“凄凉的平阳小调”，他欣赏这种凄凉，而且“祝他好运”。这种小人物的凄凉，肯定不是无产阶级大我的情调，可是我感觉到，和颂歌和战歌相比，有一种特别真切的、令人心灵颤动的感觉。我时常意识到，自己真切感觉到的，找不到诗歌语言，明明不是自己的感觉，现成的意象却左右逢源。最令我震撼的记忆是，从蔡其矫那里读到他不可能在公开刊物上发表的很叛逆的诗。我在一篇怀念蔡老的文章中这样写："阅读之后，第一印象就是惊异万分，简直是醍醐灌顶。几乎每一首，都使我灵魂震撼。有些句子，有惊人的影射，实属'大逆不道'，如'不要让灾难佯装幸福，不要让帝王扮成导师''当颂扬之声不再感人'。如果有人出卖，只要一两句，就足以打成'现行反革命'。感人最深的是《屠夫》，具体诗句当然记不得了，现在从他的诗集《雾中汉水》查得，这是他 1973 年（正是我初到福州的时候）的作品：'当人猛增／而猪陡减／你满面红光／下巴叠成三层／想捞些油水的／都向你罗拜／即使是混毛的／浅膘的／灰色的／提着一块走过街上／也引来无数羡慕／就在这／匮乏上面／崇拜上面／建造你渺小狂妄的权威。'"

我当时之所以感到惊心动魄，主要原因是，我一直感到我们的诗歌，组装英雄主义的豪言壮语，已经成了习惯，只能用有限的话语说话，换一种语调，就什么也讲不出来。蔡其矫还有一首《所思》，一样充满了反叛的情绪："仲夏夜迟升的月亮／为黑暗的条状云掩蔽／一切都非常寂静／仿佛在等重现光明／受伤的老狗蜷伏在草地上／默想生活的残酷／对热情招呼不再信任／因为他并不愚蠢。"

在那文化专制的时代，把孤独感诗化是很危险的，何况其中还凝聚着受伤的感觉，而且充满隐秘的期盼和刻毒的复仇情绪。这是令人有点毛骨悚然的。震惊之余，有些振奋，振奋之余，也有些惭愧。我在当时，虽然还没有觉悟到否定"文化大革命"的程度，可是，在密友之间议论江青，发泄不满，已经不是很稀罕的事。但是从来也不敢想到过把这转化为书面的诗歌语言。"文化大革命"期间，多少善良的人，往往就是因为书信、日记，而付出鲜血的，甚至生命的代价。严酷的现实，让人们学乖了，朋友、亲人之间，连书信都不敢写了（我和谢冕就心照不宣地互相不写信），何况把这些异端思想，字斟句酌，写成整整一本诗。蔡其矫显然把在密友间传阅他大逆不道的思想和艺术，当成一种乐趣。一种肃然起敬的感觉油然而生，不仅仅是他的勇气，而且也为他能把刻骨铭心的思索转化为诗歌。回想起来，我在极端苦闷之时，也曾经借诗发泄愤懑。唯一的一次，那是 1969 年春天，在华侨大学被隔离审查，一连四个月被关在一间斗室里，除了一本《毛泽东选集》以外，什么书也不给。但是，我充其量只能把咒骂写成打油诗，抄在从报页边上裁下来的小纸片上，卷成一个纸捻，插进眼镜盒的夹层，绝对不敢拿给任何人看。几年以后，有点后怕，终于取出来吞下了肚子。在蔡其矫的诗作面前，深深感到自己是个大俗人，写作品就是为了发表，而蔡其矫，写就是为写，放在抽屉里，并不想发表，就是给自己、给自己的朋友看看，过过瘾，如果有什么目的，也就是一种思想和才能的证明。这种境界是我所达不到的。虽然感到惭愧，但是，多多少少也有一点自豪，毕竟他把我当作朋友，把我当成能够进入他诗歌艺术境界的人物，这也许是那些徒有青春容貌的少女所不能到达的档次。

更使我震撼的是后来，他来了，一手托着一个手抄本的诗集，是两个年轻人的。我狼吞虎咽地浏览了一个女工的诗集，虽然，她的经历和我如此之不同，但是，她对人的隔膜的哀伤，对人与人之间沟通的渴望，还有可意会而难以言传的、潜在微妙的体验和意识，包括那无声的共鸣和温婉的默契，那样的微妙，那样的清纯，完全是另外一个心灵的和艺术的世界。我第一次听到了舒婷的名字，但是没有记住，那种精神清净之感却一直留在我心里。真正要记住舒婷这个名字，则要等到 1978 年底，舒婷诗歌引起了争议的时候。蔡其矫展示给我的另一本手抄诗集，是北岛的。给我的冲击也极具有震撼性，他的哲理性的冷峻和深邃，令我感到骨头里冒出来一股凉意。事过四十年，当时令我毛骨悚然的诗句，已经忘记了。只有一句，是永生永世难忘的："世界，我们和解了吧！"这句话，像刀子一样刻在我心里，可惜的是，后来多次阅读北岛的诗集，都没有找到。每逢我想起这句诗，冥冥之中，就出现了一个冷酷的面容，和被我们用颂歌来赞美的世界冷眼对峙，说是"和解"，其实势不两立。虽然那时，我并不完全认同他的这种孤独的姿态，但是，作为诗歌艺术的追求者，我不能不感到，这不仅仅是思想的，而且是艺术的突破。时间大概是 1975 年与 1976 年之间，我是真正感到自己的虚弱了。诗歌领域，并不是只有颂歌、战歌和牧歌的语言，另一种诗的境界，已经被开拓出来。我平时所感所思，老是被自己拒绝于诗门之外，可人家已经写得这样精彩了。说到这里，我想起来，后来，有人以为我在 1980 年开始为朦胧诗呐喊，是冷锅子里爆出来一颗热栗子。其实，并不是，我的内心早就感到了某种蜕变。用陈思和的话来说，这是一种"潜在写作"，为不能发表的写作，播下种子。虽然后来我比较早就呼喊起来，但是，比之年轻诗人，还是比较晚熟的，这可能是因为，在诗歌趣味这种精致的领域，脱胎换骨，是需要比较漫长的时间的，过了四五年，我才写出了《恢复新诗根本的艺术传统——舒婷的创作给我们的启示》和那引起诗坛地震的《新的美学原则在崛起》。

1978 年，舒婷的诗出现在福州马尾区文化馆油印的一本诗刊《兰花圃》上。这本油印诗刊居然发行到全国，甚至有新疆等边远省份的读者来信，就舒婷诗歌展开争论，这令我激动不已。我感到，这正是我在 1956 年一直想写却没有写出来的诗。不久以后，我又看到了《今天》，我确信一个新诗的时代终于来了。因为有在大学时读阿拉贡、艾吕雅、洛尔伽、聂鲁达，还有拉丁语系的阿尔贝蒂等的经历，所以我不认为他们的诗晦涩难懂。相反，舒婷等人的诗使我产生了思想和艺术解放的强烈兴奋。

1980 年，《福建文艺》发表了舒婷的诗，连续展开讨论。把舒婷本人请了过来。当时，她还是厦门灯泡厂流水线上的女工。在厦门，她的诗早有所争论，批判派占了上风，《厦门日报》上，一度整版整版的批判文章。当魏世英先生决定在《福建文艺》上讨论舒婷的诗的时候，最初，有些人，包括舒婷，甚至远在北京的诗刊社一些人士，还以为是福州要批判她。但是，在福州的讨论会上，支持派却占了上风。我写了长达一万字的文章，那就是后来被《新华月报》转载的《恢复新诗根本的艺术传统——舒婷的创作给我们的启示》，但是，批判派很激烈。一位持批判态度的（会写一点民歌的），讲话比较尖酸，把舒婷弄哭了。舒婷出去擦干眼泪，我们非常绅士地装作什么也没有看见，继续辩论。

在一万字的长文中，我把舒婷的诗当作新诗复兴的标志。我说，中国自艾青、戴望舒、田间、何其芳等诗人之后诗歌忠于自我的艺术传统就中断了，舒婷他们恢复了20世纪30年代以来的诗歌传统。我怎样想就怎样写了，没有想到，据说引起了《诗刊》一个有一点地位的女性诗人的极大不满，她说，照他这么说，中国新诗六十年的历史，就只剩下三个半诗人。她的意思是，连贺敬之、郭小川都不在内，何其芳，只算半个，因为，他后来革命了。六十年新诗，只有三个半诗人，还传到艾青那里去，引起他的狐疑。后来性情活跃被公刘称之为古道热肠的翻译家江枫，看了这篇文章，跑到艾青家里，说，就是剩下三个半，您老人家还是第一个。据江枫说，艾青甚慰。

问：围绕“朦胧诗”展开的论争，1980年的“南宁会议”可以说是一个重要的开端，这次会议真正揭开了“朦胧诗”论争的序幕，您能详细地谈一下这次会议的组织与召开的情况以及这次会议的整个过程吗？

答：1978年10月左右，中国作家协会组织了大庆和鞍山之旅，一方面是宣示，在“文革”期间停止了十年的中国作家协会恢复运作，同时也是旨在实践所谓“创作要上去，作家要下去”的准则。我和刘登翰很荣幸地参加了。当时团长是艾芜，副团长是刚刚发表了轰动一时的《哥德巴赫猜想》的徐迟。作家比较多，诗人并不占多数，艾青和公刘都参加了。但是，都是“摘帽右派”。我从《解放军进行曲》的词作者公木口中得知，周扬已经说了，艾青右派问题可能重新考虑。而其他的人物，如丁玲，则是真反党。当时正是真理标准大辩论的前夕，每到之处，沸沸扬扬，那是一个历史大变动的时期，山雨欲来，春江水暖，一些青年根本不管右派不右派，总是簇拥着艾青和公刘。而艾青在会上，也不时发出一些出格之言，如宣称自己是一面鼓，有一根针就要“呸”的一声出气，等等。

这个访问团的消息，是新华社发的通稿，影响很大，一些诗人没有赶上，后来，就另外组织了一次南海之旅。诗人启动了，理论家也就顺理成章地要有所表现，于是张炯、谢冕他们，当时可能已经组织了当代文学研究会，就策划了南宁的第一届诗歌理论讨论会。老同学在“文革”期间很少见面，就借此机会聚会一番，我就是怀着这样的心情去了。

问：您在《回顾一次写作》那本书中说："会上我本来不准备发言。因为，直到当时，我还对理论抱着怀疑的态度。直到会议快结束时，张炯要求我'放一炮'，我没有多大兴趣，但他和谢冕都坚持。我就提出一个条件，把我的发言安排最后。"您的发言也使得这次会议不得不延期，您能详述一下会议上争论的具体情况吗？会议是以怎样的方式结束的？当时，您和谢冕先生等人在会下有过怎样的交流和反思？您在《为朦胧诗呐喊》那篇文章中说："一些人将这次会议的内容向上级做了汇报。我的名字也传到很多人的耳朵里。据说，一位老诗人还特意给谢冕写了封信，告诉他要与我划清界限。当然遭到谢冕的断然拒绝。"当时谢冕先生在会上对"朦胧诗"进行了怎样的辩护？

答：1980年4月，第一届诗歌理论讨论会，在广西南宁、桂林召开。这标志着关于朦胧诗的争论进入了第二阶段，从不登大雅之堂的油印刊物走向了全国性的学术殿堂。从叽叽喳喳的议论变成了严肃的论战，不过这还是口头的，还不能算是最正式的。

这时顾城的几首诗已经在刚刚复刊的《星星》诗刊3月号上出现，引起了与会者极其强烈的震动。顾城那些富有一定社会意义的诗歌，如《一代人》("黑夜给了我黑色的眼睛，我却用它去寻找光明")得到了赞赏。但是他的不包含直接的社会意义的作品，例如《弧线》，就遭到了不少人的声讨、质疑：这样"古怪"的东西，也能算是诗吗？闻山先生甚至在大会发言中说顾城的一些诗是"堕落"。对这些诗最初的命名，并不是"朦胧诗"，而是"古怪诗"：它似乎古怪地刁难读者，下决心让人看不懂（后来还传来舒婷对于看不懂的批评断然拒绝：你看不懂，你的儿子会看懂）。争论自然而然地爆发了。一派主张对于"古怪诗"这样脱离群众、脱离时代的堕落的倾向要加以"引导"，而另一派以谢冕和我为代表，则为"古怪诗"辩护。当年还是中年讲师的谢冕提醒大家：每当一种新的创造产生，我们总是匆匆忙忙去引导，"采取行动"的结果，不但不是推动诗歌艺术的发展，而是设置了障碍。

而当时更年轻的我则以坦率而尖锐的演说，把争论推向了高潮，我的话以锋芒毕露为特色。我说，引导派本身在逻辑上存在着悖论：既然你们宣布看不懂，你们又有什么本钱去引导呢？难道不懂就是引导的本钱吗？如果没有什么本钱，又要引导人家，难道凭你干饭比人家吃得多吗？难道看不懂是你们的光荣吗？我的讲话把会场分裂了。一方面，引起与会青年的热烈鼓掌，另一方面，引起对方的愤怒。有些人就说，这不行，这家伙骂我们是吃干饭的。大会发言不能就这么结束，不能让他这么便宜就溜了。于是第二天的大会发言更热闹，语言上比较意气用事，但还算比较友好，纯粹是艺术理念之争。当然，争论比较肤浅，基本上集中在我那些比较放肆的语言上。我提出的原则性观念却没有得到充分展开。例如，我说，在《延安文艺座谈会上的讲话》发表以后，虽然民歌体取得了巨大成就，如出现了《王贵与李香香》，但是，诗人都去写民歌体，代工农兵立言，却没有多大成就。田间放弃了鼓点式的节奏去写准五言体的《超车传》，改过来，改过去，直到1958年还在改，越改越厚，越改越离谱，其结果是，把艺术的车子赶到沟里，艺术上“全军覆没”。不管这个“全军覆没”引起会场上多么强烈的震惊，我继续说，艾青也去写比较整齐的接近五言的诗歌，歌颂什么劳动模范吴满有，结果这家伙国民党一来，就投降，弄得艾青浪费才华。艾青放弃了他的“散文美”，艺术上从此一蹶不振。以后的新诗，常常有茅盾所说的“格格不能畅吐”的倾向。何其芳拥护民歌，但是自己不写，再也写不出稍稍赶上《夜歌与白天的歌》的水平。李季以民歌起家，但是新中国成立以后，就承认新的生活，民歌形式不够用，改写半自由的四行体。我的这个意思写在我为参加这个会议而写的《论新诗的民族传统和外来影响问题》中。

当时广西师大有位徐敏岐先生，显然，注意到我的发言的分量，在会上说，孙绍振的意见很偏颇，但是，要反对他需要花一番工夫。消息传到北京，震惊了诗坛泰斗臧克家，他觉得我是“大放厥词”，写信给谢冕说，你是党培养的青年评论家呀，你要和孙绍振“划清界限”呀。理所当然地遭到谢冕拒绝。后来我到谢冕家去，他的孩子见到我，就偷偷问，这就是那个“大放厥词”的叔叔吗?

到了大会最后一天，广西诗人黄勇刹（歌剧《刘三姐》的执笔者）发言，他很气愤，又很幽默。他说，这些古怪诗理论家使我想起了1960年，饭吃不饱，肚子饿。忽然报纸上来了一条消息，说是，只要把树叶泡在水里，过几天，就可以产生一种小球藻，营养比猪肉还强。我相信了，可是肚子不相信，还是饿得要命。现在，在我们诗歌界，出现了一种“小球藻理论家”，骗人的，不要上当。

大家都笑起来。我也给他鼓掌了。

反对派以老实巴交的丁力为代表，不无忧虑地提出：危机不在于古怪诗，而在于为古怪诗张目的“古怪诗论”。虽然双方语言已经相当的情绪化了，但是，气氛还是比较友好的。当时还有一个人，看出争论的深度，那是后来当了云南省委宣传部长的诗人晓雪，他对谢冕说，老孙的言外之意是，为了《王贵与李香香》，付出的代价是太大了。我听到了以后觉得，不愧是第一个写出研究艾青著作的才子。在这个阶段我不知道任何政治压力。但是，后来听说，在会上发言的曲有源，回去后被弄得很惨。但我已经不记得他当时在会上说了些什么。他在报刊上没有遭到批判。

问：1980年的“南宁会议”之后，谢冕应《光明日报》之约写了《在新的崛起面前》，几个月后，您也写了《新的美学原则在崛起》，这两篇文章在当时对“朦胧诗”做出了最有力的辩护，给当时的文坛带来了很大的震动。根据您描述的发表经过，这篇文章是《诗刊》

为了对您进行批判才得以发表的，请您详述一下这篇文章写作和发表的经过。

答：1980年4月，当时《光明日报》的一位资深编辑章先生，以他敏锐的眼力看出了这场论争的重要性。他约请了谢冕和我为《光明日报》撰文。当时，谢冕已经是全国著名的诗论家，而我还没有写过什么评论文章，名不见经传，他约我写文章，不仅是因为瞧得起我的发言，而且还因为我当时为了参加会议，带去了一篇论文《论新诗的民族传统和外来影响问题》，他说，这个人发言虽然偏颇，但是论文还有东西。谢冕很快就写出了《在新的崛起面前》。我写的文章是《诗与"小我"》。两篇文章，都没有特别引起注意。虽然这标志着关于朦胧诗的论争进入了第三阶段，从口头移到了全国性的报刊和出版物上，从片段的感觉印象上升为系统的理论。朦胧诗也顺理成章地以其艺术风貌开始了征服出版物的历程。不久，《诗刊》上出现了章明先生的《令人气闷的"朦胧"》，举的例子是"连秋天的鸽哨都是成熟了"[①]，鸽哨怎么能成熟呢？这种朦胧令人气闷。于是，"朦胧"这个比较通俗的说法（虽然它很不科学，内涵很不清晰）就代替了"崛起"，而在谈及朦胧诗的理论的时候，由于它并不朦胧，仍然以"崛起"名之。"崛起"也并不完全是谢冕的发明，前不久，在报刊上有一篇表彰李四光的报告文学叫作《亚洲大陆的新崛起》[②]。

谢冕以他的文采和情采让地质学的"崛起"，变成了文学史思想解放的历史关键词。

由于南宁会议的影响，又加上《令人气闷的"朦胧"》，《诗刊》就决定展开讨论。最初他们请蔡其矫代表朦胧诗人做辩护。文章写成了，但《诗刊》不满意，当时我正在前门一家旅馆里，编辑第1期的《诗探索》。这个刊物是南宁会议的产物，会后由张炯、谢冕、雁翼、杨匡汉和我等作为编委。张炯请我到北京，住在崇文门旅馆里编辑第1期刊物。《诗刊》有人看了我为南宁会议写的论文，又听说我的发言，就请我去写。我写了《给艺术的革新者更自由的空气》。不久，《诗刊》开始登载朦胧诗。到了8月，还邀请十四位可以接受的年轻诗人（除了北岛、芒克、食指等）去参加"青春诗会"。不久以后，《诗刊》在北京郊区定福庄广播学院召开了全国性的朦胧诗讨论会。这是一次真正的理论的而不是感觉印象的交锋。双方摆开了阵势，旗鼓相当。据《诗刊》一位编辑说，支持者以谢冕、孙绍振、吴思敬等为代表，粗略统计，支持和反对的是十四对十四，但是谢冕、孙绍振、吴思敬，还有钟文，由于是大学教师，学术资源比较丰富，尤其是吴思敬，言必有据，说着说着就掏出一张卡片。当时在《花城》工作的诗歌评论家易征还找了一个反对派中有分量的人士，对他说，要和崛起派辩论，光懂得古典诗话，是不够的。会上部分言论的综述以

① 此句出自杜运燮的《秋》，原句为"连鸽哨都发出成熟的音调"。

② 黄钢：《亚洲大陆的新崛起——从李四光走的道路看新中国地质科学的跃进》，《人民日报》1978年1月7日。

《一次热烈而冷静的交锋》为题发表在1980年第12期的《诗刊》上。在那里，记录了我一段很直率的言论："我们的新诗史上，有为革命奉献了生命的诗人，如殷夫、陈辉，然而他们对新诗的艺术并没有什么贡献，而那些不革命的，对革命保持距离的，如徐志摩、闻一多，还有不革命时期的何其芳，还有参加了革命组织而不革命的戴望舒，却对新诗的艺术发展做出了不可磨灭的贡献，这说明什么问题呢？"这种议论对当时把诗歌当成"炸弹和旗帜"，当作时代精神的号角的主流理论来说，是惊世骇俗的。

争论的焦点之一：诗人的自我和人民大众之间究竟是个什么关系。反对一方提出的自我必须是人民大众的"大我"，而不是小资产阶级的"小我"。一个理论家沿用苏联诗人马雅可夫斯基"大写的我"说法提出：诗中个人的"小我"是手段，而代表人民的我是"大我"，才是目的。

我有一次长篇发言，整整一个上午，包场。我说，"大我"是普遍性，"小我"是特殊性，而根据列宁的《谈谈辩证法问题》，特殊性大于普遍性，普遍性只是特殊性的一部分。而且马雅可夫斯基的"大我"，大写的我，从《圣经》中来，大写的"他"是上帝，大写的"我"，隐含着把自我当成上帝。后来，我在《道德忏悔和历史反思》(《文艺争鸣》2008年第2期）中，回忆这次发言中最尖锐的部分，从个人迷信、造神运动的异化理论来阐释自我如何被消灭的。

这次，来听会的增加了柯岩和邵燕祥等领导。邵燕祥支持我们，但是他似乎不便发言。有人说我说话走火了。可是当时还很年轻的高洪波说，这算什么，中央的理论务虚会上，还有比之更为激烈的。

后来，《诗刊》资深编辑吴家瑾约我写稿。起初，我并不想写，说我已经写过了。恰好，《福建文艺》在福州又开了一个诗歌讨论会，这次舒婷也参加了。就在这个会上，《福建文艺》的魏世英先生把舒婷、顾城、梁小斌、杨炼、徐敬亚的"诗歌札记"，收集了一组，打印成一个小册子，后来发表在该刊上。我一看就十分激动，就从会议上偷偷溜回去，写了那篇《新的美学原则在崛起》。最初题目前面还有两个字"欢呼"。但不久便被《诗刊》退了回来。还有一封信，说：你的文章很好，但是提出的问题比较多，建议你分别写成文章发表。这是很礼貌的退稿语言。可是过了一个月左右吧，《诗刊》让一个年轻的理论编辑给我写信说，你的稿其实很重要，我们觉得还是发表比较好，请我把稿子寄回去。此时，我也说不好自己是傻还是聪明，感觉气氛有些不对劲，是不是要批判我啊？我把稿子的主要观点，写在一封信里，寄给谢冕，让他把关，如果有重大问题，就给我来信，没有问题，就算了。过了几天，谢冕没有来信。我想，他大概是觉得没有问题。就把自己稿子里最直率的话都删了，给了《诗刊》。后来，我得知，《诗刊》那个挺有地位的女诗人（柯岩）看了修改的稿子，对张炯说，你们那个孙绍振“缩回去了”。现代文学馆筹建的时候，向我征集手稿。有多少他们都要，但，我只给他们那个原稿。

不久以后，刘登翰收到张炯的短信：“孙猴的文章被《诗刊》加了按语，要批判。”这是通风报信的意思。很多人后来对张炯不满，我一直对这位老同学在人品上，怀着敬意。虽然他已经是官方人士，但是，敢于冒这个风险，难能可贵。我当然有些紧张，就写了信，给《诗刊》说，文章要修改，请他们把稿子退回。但是，他们回信说，刊物已经付印，“为避免重大经济损失”，就不退回了。这时，我又得到在鞍山文联工作的殷晋培同学的来信，他在北京参加一个理论学习班，得知要批判我，叫我小心，但我已经成了瓮中之鳖。

等到3月号的《诗刊》出来，我才看到在我的文章前面，有一个挺有倾向的按语。程代熙的批判文章，在同一期刊出，名为“讨论”，可见被批判的文章还没有发表，批判的文章已经写好了。

差不多在同时，《人民日报》刊登了程代熙的文章摘要和《诗刊》的按语，《红旗》杂志也有文章，对我进行批判。看到《人民日报》发表批判文章的当天，我走在去课堂的路上，心里忐忑不安。从20世纪50年代过来的人都知道，《人民日报》发表批判文章对一个人意味着什么。我不知道怎么去面对学生。但没想到，一走进教室，学生们竟全体起立，为我鼓掌，令我有热泪盈眶的感觉。接着，出乎意料的是，不断收到读者支持的来信，当时还很年轻的吴思敬说，他气呼呼地跑到《诗刊》去抗议。谢冕从《诗刊》上看到我的文章说，他们受不了，光是那第一段，他们就受不了。我的第一段是这样的：

> 在历次思想解放运动和艺术革新潮流中，首先遭到挑战的总是权威和传统的神圣性，受到冲击的还有群众的习惯的信念。当前在新诗乃至文艺领域中的革新潮流，也不例外。权威和传统曾经是我们思想和艺术成就的丰碑，但是它的不可侵犯性却成了思想解放和艺术革新的障碍。它是过去历史条件造成的，当这些条件为新条件代替的时候，它的保守性、狭隘性就显示出来了，没有对权威的传统挑战甚至亵渎的勇气，思想解放就是一句奢侈性的空话。在艺术革新潮流开始的时候，传统、群众和革新者往往有一个互相摩擦，甚至互相折磨的阶段。

当时，主流的话语是，传统是革命的、群众是英雄的，领袖说过，“群众是真正的英雄，而我们往往是幼稚可笑的”。而我却说，传统是狭隘的、保守的，不但不能顶礼膜拜，相反要“挑战甚至亵渎”，那些靠几句语录吃饭的人士，当然吃不消、受不了。程代熙硬把我往叔本华身上挂，其实，他不知道，我根本就没有读过叔本华。我当时醉心于西方自然科学史，读了不少“科学学”著作。细心的读者可能发现，在我后来的学术论文中，有明显的科学主义的追求，源头就在这里。在我写作《新的美学原则在崛起》的时候，桌子上就有一本杂志，叫作《潜科学》，是专门发表从草创科学到成熟科学的论文的。就是在自然科学史中，我得知科学观念的突破，从来就不指望老权威在世的时候能够得到承认，只能等到老权威死亡，才可能获得胜利。这就是我的文章中用了“亵渎”这样的字眼的原因。

我这样痛快淋漓的文风，可能是年轻人特别喜欢的。有一个大学生来信说，我读你的文章，激动得要流泪，读程代熙的文章，却愤怒得要冒出火来。贵州大学学生张嘉彦和工人诗人黄翔甚至还说，如有不测，可以到他们那里“避难”。最有意思的是，一个北大女同学宣布爱上了我，还寄来了照片。我说，我已经结婚了，有了孩子。可她说，爱不爱是我的权利，接受不接受是你的权利。她从孙玉石那里弄到我和女儿的照片，还认真考虑过到福州来工作。在文艺界上层，当然也引起了反应，听说，陆定一在我的文章上，批了四个字：“不可多得。”当时，我的感觉，这是不可多得的反面教材的缩略语。今天看来，不一定很准确，很可能有赞赏的意思。一向扶持我们的徐迟，他也写过引起瞩目的《现代化与现代派》，8月份路过福州，请何为陪同，来到福建师大看我，他对批判之类表示不屑。出乎我们意料的是，在《文汇报》上，出现了艾青批判“崛起”的文章，主要意思是，崛起理论，表面上是为了青年诗人的崛起，实际上，为了他们自己的崛起。

艾青的恼火，可能和我多少有些关系。贵州大学那时出了一本油印的小本子《崛起的一代》，把一些年长的诗人都骂得很凶。有一篇是《致艾青的公开信》，其中有一句是：“艾青你已经老态龙钟了，不要在我们队伍里挤，不然，就把你揪到火葬场去。”我当时，看了一笑，觉得这是出出气的，就没有说什么。在他们点名骂的那一大批中年以上的诗人中，我比较偏爱李瑛，就去信让张嘉彦把李瑛的名字去掉。后来，骂艾青的那句刻薄的话，就在诗歌界一些人士中间流传开了。艾青的火气，可能就是从这而来。不过，艾青的话，可能并不完全是他自己的。我得知，在批判我的文章发表之时，《诗刊》一个有地位的女士，写信给舒婷，意思也是这样，你的诗是好的，但这些崛起理论家，名为青年诗人辩护，实际是为了自己崛起。后来，甚至传出这句话是舒婷说的，我绝对不相信。这里，我不得不说，在当时，艾青的思想有点跟不上。就在我们去大庆、鞍山的时候，我们得知，蔡其矫把他在“文革”期间写的那些潜在写作，拿给他看，他说，你这样的东西，只能拿到地下刊物上去发表。他的态度是保守的。至于蔡其矫，在“文革”后期说的“新诗就是给贺敬之、郭小川搞坏的”，他更无法想象了。我最初也不理解。但这句话一直留在我心里，直到读了更多舒婷和北岛的诗，才体悟到，他们的政治抒情诗就是那种概念化的“时代精神的号筒”，而把诗写得那么长，就取消了情感的精致和语言的微妙追求。我在《新的美学原则在崛起》中所说的，他们不屑于做时代精神的号筒，大抵就是发源于此种思考。

至于程代熙的文章发表出来，反应如何，我没有第一手材料。只是我们学校的李联明先生告诉我，在一次文艺理论的学术会议上，他遇到了程代熙。程问起我的情况，李告诉他，孙绍振收到大量读者来信，都是支持的，甚至还有女孩子爱上了。程代熙说，可是我收到的全是骂我的。

过了许多时间，我才从一个同学那里知道批判我的来龙去脉。

《诗刊》退稿，是在1980年底，第一次“反自由化”已经决策。那时，电影界已经挂上号的是白桦的《苦恋》。《解放军报》等都发了严厉的批判文章。我的《新的美学原则在崛起》还没有发表。但是，一个领导在中宣部文艺主持了一个会，把我的文章的打印稿拿出来，表示问题比较大了。青年诗人们已经形成了一种倾向，不能让它形成自觉的理论，因而要展开评论。会议规格很高，都是一方权威报刊或部门的领导。《文艺报》的陈丹晨说，孙绍振是我的大学同学。领导不解，年龄也不对呀。可能我在南宁的发言，被一些人士漫画化，他把我当成抢话筒的红卫兵。陈丹晨说，自己是调干生，工作过几年，故年龄大一些，而孙是中学生考上来的。会上的人士都认为我的文章有问题，但是，都不主张用大批判的办法，故云“讨论”。《诗刊》负责人表示为难，说此文已退稿。主持会议的领导，沉吟着说，那还是想法把稿子要回来。

这就是我从来不怪《诗刊》编辑写信给我，让我把稿子寄回去的原委。

当时，有关人士对讨论可能是有几分真心。不久以后，我接到丁力、宋垒两位朋友的书信，说因为想在中央音乐学院办一个文学方面的专业，到了中央宣传部。那位领导人士问他是不是认识孙绍振，他们说认识，他就让丁、宋二位带口信给我，说这是讨论，我们党不会像过去那样，扣帽子、打棍子、抓辫子了。此时，由于《人民日报》的按语，福建师大党委七上八下，不知什么路数。通过我的朋友来了解情况。我就把丁力、宋垒的信奉上。党委觉得问题并不如想象的那么严重。后来《红旗》杂志的柯蓝来到福州。在谈话间，问到了我的情况。他说，孙绍振的问题，虽然不是政治问题，可是是文艺思想中的政治问题。

《诗刊》当时还特地写信说，我可以发表不同意见。《人民日报》理论组的马畏安来了信，说，你可以发表不同意见。我对他们提出要平等。程代熙一万字，我也一万字，并且不得在我的文章上再加按语。我在北京的支持者要看清样。《诗刊》一个有一点资格的编辑（不是朱先树）回答说我“未能免俗”，这句话使我觉得，这位编辑是真正的丈二金刚，我个子太矮，三十八年来至今摸不着头脑。后来马畏安就不理睬我了。据陈丹晨说，他们对我的态度感到“很厌恶”。当然，我对他们的感觉，可能程度更甚。

当时老同学江枫，出于义愤，要求为文辩论。后来他的文章，在《诗刊》发出来了。我印象最深的是，他指出程代熙的硬伤，连艾略特放逐个性的主张都不知道。读到此文的公刘称赞江枫是少有“古道热肠”。其他省市一些文艺刊物，不少起哄参与了围攻。不过，毕竟和“文革”大批判不同了，不是一味攻讦，有时多少夹着一些温和客气语言，如《雨花》上的文章，其中有一句：孙绍振的文章，也有深思熟虑的东西等。但是，所有这些文字，都不能改变行政权力单方面压制的性质。

按照规定，我们单位应该派一个党委负责同志和我谈话。但是，没有人愿意来。过了很久，来了一个，据说在省委党校教过书的。他似乎在马列文论方面并不内行。连马恩反对“席勒式的单纯的时代精神的号筒”都不甚了了。没有办法，权力与智慧不相称。

按照惯例，《人民日报》都批评了，我们学校应该有人为文批判。由一个副校长出面请我校文艺理论权威李联明先生为文。李的回答很精致：“宁犯天条，不犯众怒。”

当时周扬作为宣传部的首长，处境不好，路过福州，开了一个处级文艺干部的座谈会。我是一个小小的讲师，本没有资格参与。周扬点名要我去。会上我发言表示，现在就说我有错可能为时过早。程代熙说我受了叔本华（当时名声很差）的影响，这是文不对题。与其说我受了叔本华的影响，不如说我是受了周扬的影响。我说，在1958年听周扬的《建设马克思主义美学》的报告，我的目的就要以我们的美学标准来衡量诗歌。我的这番话，完全是不识时务。后来才知道，这样的话，只能给当时备受压抑的周扬帮倒忙。但周扬似乎很有修养，很沉着。一开头就平静地说，我的文章他看了，觉得我“很有诗的禀赋”。不过作为共产党员，他不能不说，我的文章，是列宁说的那种“精致的唯心主义”。会后，周扬和我握手，一个中年干部拍我的肩膀，说：“你以后有什么问题，可来找我。”我看看此人，并不认识，就也拍拍他的肩膀，说：“同志，你哪个单位的？”旁边有个干部模样的人，忍着笑说，这是黄敏同志。我不知道黄敏是何许人物。直到回来以后，才知道是省委常委，宣教口负责人士。

问：《新的美学原则在崛起》这篇文章对这种“崛起”的新的美学原则，从三个方面做出了辩护：第一，不屑于做时代精神的号筒，不屑于表现自我感情世界以外的丰功伟绩，而是追求生活溶解在心灵中的秘密；第二，强调自我表现；第三，对于传统艺术习惯的背离。这三个方面现在看来，有着很强的针对性。从当时争论双方针锋相对的情势来看，这样具有非常明确的针对性的表述是很有效果的，但也忽略了某些东西，譬如对“朦胧诗”与“革命诗歌”的关系。北岛在《80年代访谈录》中对这一关系有着很清醒的反思：“现在如果有人向我提起《回答》，我会觉得惭愧，我对那类的诗基本持否定态度。在某种意义上，它是官方话语的一种回声。那时候我们的写作和革命诗歌关系密切，多是高音调的，用很大的词，带有语言的暴力倾向。我们是从那个时代过来的，没法不受影响，这些年来，我一直在写作中反省，设法摆脱那种话语的影响。对于我们这代人来说，这是一辈子的事。”您现在怎样评价这场争论，以及怎样看待“朦胧诗”的写作，与当时有着怎样的不同？

答：我当时主要的目标，就是强调个人的价值与尊严。我觉得没有个人的价值和尊严，就没有什么人民的伟大。我厌恶以抒人民之情的神圣旗帜，否定自我表现。我早就说过，小我是特殊性，大我，人民之情，是普遍性，普遍性只能是特殊的一个部分。但是，我只能说，二者之间不能有人为的鸿沟，应该统一。实际上，我认为，没有抽象的人民之情，只有具体的个体的人。所谓崭新的美学原则，就是个人的价值和尊严为核心的原则：反对用阶级的、时代的、人民的这样抽象的概念，抹杀个人的价值和尊严。这显然是一种启蒙主义的理念，不过我以一种心灵的呐喊的风格表现出来，其理论基础是从费尔巴哈到马克思的“异化”学说，这个学说，当时是王若水先生大力宣扬的。过了两年，周扬则集中到《关于人道主义的反思》中，提到更高的理论层次。我在《新的美学原则在崛起》中有所阐述。

我当时的思想可以归结为启蒙主义个体价值论。这是从我切身的经历中概括出来的。我们的主流理论中的“人民”有两个特殊的内涵，第一是与敌人相对立的，第二是和个体相对立的。人民因与敌人对立而日益崇高起来，但同时，人民越是崇高，作为人民的个体却越是卑微。当人民被提高到极点的时候，个体就被压到了敌人的边缘。

在这样的历史背景下，我形成了人的个体价值与集体价值不可分割的理论。当然和北岛的思想背景大不相同。当时的问题，不是什么大词和小词，高调和低调。在那种语境下，我根本就来不及想到什么美学，只是想出一口气，发泄一下，人生能有几回呐喊的机遇来表现反叛激情啊。那时我还在思想的青春期，文章也充满凌厉之气，横冲直撞，旁若无人。说到北岛的反思，当年，我的文章中就有回答，不能排斥愤怒的价值，不过是针对梁小斌的：“多少有些轻视战士和愤怒的形象在某种条件下不可替代的作用，但是他们的勇气是可惊叹的。”你们看我评舒婷的第一篇文章，是把舒婷的《这也是一切》和北岛的《回答》拿来对比的。①

北岛不满当时的自己，是情志方面的强烈性，我不满意北岛的是，对生活的虚无，当然这也可能是他的愤激。

问：您在发表《新的美学原则在崛起》之后受到了批判，在1983年，在对“三个崛起”的大规模的批判中您也再次受到了批判，请详细谈一下您在整个论争当中受到的批判情况，以及对您的生活和工作的影响。

答：1981年，对我的批判高潮大约持续了半年。一年之后，大约是1982年，事态比较

① 此处可参看本书文章《恢复新诗根本的艺术传统——舒婷的创作给我们的启示》。

平缓下去，我的文章又开始可以发表了。那时我有点悲观，就开始写小说，在《福建文学》上发表了《暮雨中的自行车》，没有想到居然在省优秀文学作品初评过程中得了奖，还是一等奖。然而，有人表示异议。一个福建籍的北京归来的年轻的评论家郑伯农，又在一篇文章中说我的小说写了“人格分裂”。最后评委会决定，让我拿另外一篇来换掉这一篇。这是我第一篇小说。得奖的事就这样黄了。写小说的兴致，就这样被扼杀了。小日子又开始红火了一年多，可是好景不长，1983年的上半年，气氛又紧张起来。徐敬亚把他的《崛起的诗群》拿到大连的一个文艺刊物《海燕》上发表了，其观点和我与谢冕显然是一脉相承，在某些语言上，还更加直率。这个刊物影响不大，他又把它弄到甘肃省的《当代文艺思潮》上发表。不久在西南师大开了一个诗歌讨论会，会上只宣读了郑伯农的一篇文章，把“三个崛起”绑在一起批判。据云，会议的氛围很是严峻，用“山雨欲来风满楼”来形容已经不够了。因为不仅仅是风来了，而且是雷声都响了。程代熙还发表了《给徐敬亚的公开信》。后来郑伯农的文章在《光明日报》发表出来，我看到我的那篇被当成“三个崛起”中“反毛泽东文艺思想的纲领”。

周围的压力更加严酷起来。我的处境变得微妙起来。省委宣传部一位副部长是我的朋友，他托一个朋友带话给我：孙绍振，不要让我踩地雷。福建省文联、作家协会开会，通知我，我不去，我知道他们要批判我。后来省文联一位女领导从东北回来，说福建省不能按兵不动，坚持要批判我。我不是省文联的人，不去，本来她是无可奈何的，可是，她派两个作家协会的领导在我家坐等。我回家吃饭，就被他们挟持去开会。一场早已准备好了的批判会，就拉开了架势。应该承认，当时我比较悲观，而且，也不坚强。我不是英雄，我在给吴思敬的信中说，一要生存，二要发展。先生存，委屈一下自己，留得青山在。所以，在会议开头之时，我表示愿意与中央保持一致。一些人，就把早已准备好的稿子拿出来念，我硬着头皮听。会议似乎开得很热烈，当中还休息了一下。继续开会的时候，有些人的稿子还没有来得及拿出来，省委宣传部的一位副部长来了，不待发言完毕，就讲话，说：“孙绍振已经跟中央保持一致了。”不但是那些发言的，就是我，都大吃一惊。我还没有检讨嘛，就一致了？会议就这么草草结束。一个朋友告诉我：警报解除。我不知是真是假。就在那个会结束的时候，那个叫我不要给他地雷踩的省委宣传部副部长，约我写一篇自我认识的稿子。我虽然不够英雄，毕竟也是老运动员了，却不想留下白纸黑字的检讨，就很干脆地以朋友的口吻对他说，说句老实话，我还没有摸到贵党的底。这个副部长，其实是个书生，他本以为是帮我过关，听我的话时一脸茫然。

过了好些年，我才知道，省委书记项南听说在开批判我的会，大发雷霆，说：“我还没有调走呢，你们就开会批判孙绍振啦。”于是宣传部赶紧收兵。有一次，他在一个青年作者的会议上，有一句话是这样的：“老实说，青年人也不怕那些张牙舞爪。”正是因为这样，我在“三个崛起”挨整的过程中，是最为轻松的。

项南逝世以后好几年，在香港出版一本《人民公仆项南》，那里收了我一篇文章。其中有这样的文字：

> 天道无常，有作为的人往往比庸人更容易受伤。他是福建省解放以来最得民心的一位书记，然而却在离任的时候，受了党内的处分。当历史错误地对待一个人物的时候，这是很残酷的，但是，当时间证明这是不公平的时候，历史却并不对他道歉。我年轻的时候，曾经写过：早发的真理之花，往往孤独地凋零。然而项南并不孤独，福建人民早在心中，替他平反了。①

尽管有项南像硕大无朋的榕树庇护着我，仍然有些人士不甘心。大约是年底，教育部来了一个女士，是一个可能是叫作《高教战线》的刊物的编辑，说是在我们学校驻了一个星期了，想让我写一篇再认识，条件很宽松，可以不提“崛起”，就是讲讲新的认识就行。出于多次运动的经验，对于在报刊上发表检讨文字极其警惕，但又不能硬顶，就用搪塞的办法糊弄她。我答应写文章。她说，应该在1月5日交稿。因为10日要发稿。我说，可以。我想等她回到北京，她就没有办法指挥我了。1月5日她的信来了，催稿。我只好狡猾地编造谎言：“不能把稿子给你，原因是《文艺报》也向我约稿，他们的条件是什么时候都可以，并没有限定时间。”她马上回信，请示了领导，我们也和《文艺报》一样，不限定时间。但是，最好不要拖过一年。我就没有再回信，让她去望穿秋水吧。

过了一年，福建省文联的一些人士可能觉得我在“三个崛起”中太便宜了，又派了一个人来，此人是我福建师大的同事，特地问我，对于批评有什么新的想法，我一听，就知道，又来让我做检讨了。虽然我知道这位同事不过是奉命行事，但是，我觉得没有必要跟他讲客气话，我说：“我的文章，是在北京发表的，如果我要消除流毒，也不会在福建。福建省文联的领导何必这么多操心呢？”此人一看苗头不对，满脸赔笑，走了。

几件后事：

1985年，中国作家协会四次代表大会、中国文联第五次代表大会召开前夕，中国作协和中国文联的工作报告，都已经起草好了。两个报告中，都有批判“三个崛起”的内容。但得知胡耀邦主持中央的祝词中提出“创作自由”，有关方面连夜加以修改，文联报告把批判“三个崛起”的文字全部删节了，作协也做了删节，可是只留下对我的《新的美学原则在崛起》的批判，可能是觉得“反毛泽东文艺思想的纲领”不能轻易放过吧。结果在会议

---

① 此文后收入我的散文集《灵魂的喜剧》，题目改为《榕树和项南》，辽宁大学出版社2000年版，第203—205页。

上，遭到反对。我听说，吴祖光说，为什么只提对孙绍振的批判？这不是欺侮人吗？他还直接批评诗人朱子奇，主持过批判工作，到了会上却潇洒得很像没事人一样。

那以后，我在一个会上，遇到邹荻帆，他马上向我道歉，说那个按语是他在医院加上去的。我因为知道内情，决策的并不是他，故说我对你没有多大意见，只是对西南师大讨论会那种制造政治上紧张空气的作风有很大的意见。

多少年后，大约是1998年，全国作家协会开会前夕，当过文联党组领导和《文艺报》主编的郑伯农要当选代表，有关方面就把他划归家乡福建来选举。在福建省作家协会主席团讨论，大家都说，这是你的老冤家，你说怎么办。我想了一下说，他当个代表，代表他那种思想的流派，应该支持、宽容一些。又有人问，要给他多少票呢？要不要给他一点难堪，勉强过半？我说，算了，好人做到底，给他全票。结果他就全票当选了。

非常遗憾的是，项南在福建的时候，我并不知道，他是如此坚决庇护了我。直到他去世前夕，我到北京参加过几次作家代表大会，也不知道项南家住何方，没有想起去拜访。后来，听去拜访他的朋友说，他还记得我。从朋友那里知道项南庇护我的全部情况时，已经是他过世以后了。今天想起来，当年未去项南家拜访的遗憾永远也不能弥补了。

最后，我还要提一下，在四五年前，武汉大学开了个贺敬之的诗歌讨论会，我的博士生余岱宗去参加了这个会议。回来对我说，贺敬之在会上说，他对朦胧诗是很支持的，对舒婷等年轻诗人，是很欣赏的。我听了大笑。

附录二

《新的美学原则在崛起》修改前后
——答研究者连敏问

按：《新的美学原则在崛起》有个手写的原稿《欢呼新美学原则在崛起》，保存在现代文学馆。经过我的授权，年轻的研究者连敏将之复印出来。对照诗刊发表的稿子，她发现有相当大的差异，并且觉得差异有学术研究的价值，就采访了我。下面是我们问答的记录。连敏的论文《〈新的美学原则在崛起〉修改及发表始末》后来刊载于《文学评论》2015 年第 3 期。

问：请问《福建文学》发表舒婷、顾城、梁小斌"诗歌札记"是哪一期还有印象吗?

答：这个材料，是在 1980 年 10 月《福建文学》(那时可能还叫《福建文艺》) 组织的诗歌讨论会上发的，按当时的印刷周期两个月，可能是在 1980 年 12 月前后的《福建文学》上，你到国家图书馆去查阅是不难的。

问：关于标题，为何去掉"欢呼"两字?

答：当时《诗刊》退稿又来索稿，我有点怀疑，故对原稿做了些修改：第一，删掉"欢呼"把呐喊的强度降低一点；第二，把政治性的成分删节了一些。例如开头第一段全删。删掉的原文如下：

> 十年浩劫，我们民族从躯体到感情遭到一次空前残酷的蹂躏，也激起一股启蒙性的保护的反射。当我们从狂热的美梦和痛苦的噩梦中惊醒过来的时候，含着痛苦和欢欣的眼泪看到的不仅是神殿的空寂，而且也震惊于自己昨日宗教徒式的愚昧。这时受到实践理性审判就不只限于那梦境的虚妄，而且还有那以前长期的催人入梦的迷人心窍的幻景。那长期丧失了的思考的权利和理性的智光一起降临在我们曾经为迷信毒害的心灵，好像是奇迹似的，狂热变成了冷峻，迷信走向反面，培养了那么多的哲学的头脑，闪耀着智慧的光华，出现了那么固执的对我们引以为自豪的道路怀疑的审视的目光，增加了那么多灵敏的耳朵，倾听着我们民族心灵的独白和遍及各个阶层的争辩。一系列像天堂的圆柱一样曾经那么庄严的，我们用感情保卫过的传统观念也慢慢现出裂痕，逐渐地由倾倒而崩塌了。

这里的"空前残酷的蹂躏""神殿的空寂""宗教徒式的愚昧""为迷信毒害的心灵""天堂的圆柱""崩塌了"都是政治性很强的，我怕被他们上纲到政治上去。虽然我这样的表述是感性的形象，但是，内涵显而易见是政治，批判是很尖锐的。

在文章后面还有“在社会主义国家，人与人之间为什么要那样紧张，一个个像乌眼鸡似的，恨不得我吃了你，你吃了我，人与人之间，不应那样互相戒备，不应该为了安全而戴上政治面具，不能因为有万分之一可能有小偷，就对所有的人都当作小偷而不信任”，也删节了。

问：与《诗刊》编辑的通信是否还有保存？

答：很可惜，没有保存。信是朱先树写的，但是，责任不是他的。所以在几次搬家整理的时候觉得没有必要把他的名字纠缠到这件不名誉的事情中去，就没有保留。

问：原稿第 4 页“这种潮流的突起是不可能像李元洛同志那样以作者的热衷和评论者的褒扬来结束的”这句话有何出处？

答：在这以前，《诗刊》在北京广播学院召开的讨论会上，以谢冕、我、吴思敬、钟文为代表的一方坚定支持朦胧诗，而以丁力、宋壘、闻山，还有李元洛为代表的一方反对朦胧诗。丁力、宋壘、闻山等都是编辑，在学术上比较薄弱，往往限于政治表态，而李元洛有相当的古典诗歌修养，故反对朦胧诗的发言，有些理论水平，可以说是我们的对手。在修改稿件时，我想到对于有诗歌修养的对手，要尊重人家的学问，而且这以后，他也改变了观点，成了我的朋友，我不想随便点名，就把他的名字删节了。

问：舒婷《四月的黄昏》解读部分为何删去？这个解读部分是这样的：

> 在舒婷的作品中时常有一种孤寂的情绪，就是对生活中人与人之间的关系的不真实，不和谐的叹息。（手写稿第 8 页）这种叹息用传统的美学标准来比量很可能是不可理解的，比如《四月的黄昏》，就有许多读者觉得看不懂：“四月的黄昏 / 流曳着一组组绿色的旋律 / 在峡谷低回 / 在天空游移 / 要是灵魂里溢满了回响 / 又何必苦苦寻觅 / 要歌唱你就歌唱吧，但请 / 轻轻，轻轻，温柔地。”
>
> 这里不过写的是春天景色和音响的一种感觉，用了通感的手法，用视觉的特点表现听觉（绿色的旋律）。不停留在外在景色和音响的描绘上是许多年轻诗人的共同特点，他们总是要把外在和内心的形象结合起来，这样充满在黄昏的天空和山谷中的景色和音响就变成了诗人灵魂中的回响了，这是外在的事物引起的内心像黄昏一样温柔的感受，这种感受不是清晰的，但是没有必要去把它弄清楚，因为这模糊或朦胧引起的回忆更广泛。（手写稿第 9 页）因而她接下去写：“四月的黄昏 / 仿佛一段失而复得的记忆 / 也许有一个约会 / 至今尚未如期 / 也许有一次热恋 / 而不能不相许 / 要哭泣你就哭泣吧，让泪水 / 流啊，流啊，默默地。”
>
> 人与人之间这样不能理解，自然叫人痛惜的，但是不管是尚未如期的向往，还是

不能相许，追忆都是属于自己的，而不是社会的，不能大声讲出来哭出来的，不像哭总理那样有鲜明的政治色彩，但都是心灵活跃、丰富的表现，像张洁在“非党群众”中写的那样，这样的痛苦也是一种享受，对人是一种享受，就是它的价值。（手写稿第10页）有同志说，这纯属个人的，脱离政治的，没有普遍性。政治关系并非生活的全部，与政治没有直接关系的事物也有它的普遍性，人的喜怒哀乐可以独立于政治之外，它的普遍价值就是人本身对于幸福、友谊、爱情的追求的价值，就是美的价值。把这一切当成小我，当成纯粹个人的、脱离人民的东西，正是传统美学的偏颇。它的价值规律可以是与政治价值的规律保持相当的特殊性和相对的独立性。在政治之外，也可以有它自身的意义。

答：有两方面的考虑，第一，更保险一些。对个人化的情感，与社会性、群众（人民大众）明显无关的，不要太具体，免得被抓住小辫子。因为原文有以她的个人化的痛苦和悼念周总理的诗的政治性痛苦对比。我正面提出非政治性的痛苦也有价值，但这样说太直白了。

问：还删去了一些对复出的老诗人的评价，为什么？这一段是这样的：“一个很突出的现象是不可否认的，不止一代诗人心灵的花朵进入了凋落的秋天（李瑛除外），其中有20世纪30年代我们新诗艺术传统的开拓者，也有在不同历史时期曾经是当时成就的代表，他们越过了成就的顶峰，已不可能创造新的顶峰。他们心灵上开放出来的花朵已经不是诗的花园中最出众的了，人们对这些诗人的不满早已溢于言表。在民歌与古典诗歌的道路上产生过风靡一时的影响的诗人的道路几乎被诗坛新秀忘却了，连《甘蔗林——青纱帐》《王贵与李香香》《大堰河，我的保姆》和《雷锋之歌》都没有了新来的追随者。那些写过风靡一时诗作的诗人一下子变得不引人注目了。他们恢复了歌唱的权利以后，刊物在几度礼貌性恭维以后，停止了对他们的评介……是冷落的。这说明，我们诗坛的主流在艺术上面临着一个停滞的局面。”

答：我想，这些老诗人，我虽然觉得他们的艺术前景黯淡是不可逆转的了，但是，他们毕竟是养育过我们这一代的，因而，就有点手下留情的考虑。这其中有我非常尊敬的艾青等，也有我非常不感冒的贺敬之。你们采访吴家瑾的时候，她说：“孙绍振性格比较直爽，说话直接。他说新诗是“五四”的传统，就是被贺敬之他们搞坏了。他是很勇敢的。”[a] 其实，这只是我的一个方面。有时，我也有胆怯的一面，得罪那么多大人物，他们又有那么多的盲目的赞美者，树敌太多，毕竟是有点风险。

问：您对“编者按”概括的“新的美学原则”三个特点有什么看法？

---

① 见连敏：《〈新的美学原则在崛起〉修改及发表始末》，《文学评论》2015年第3期注释15。

答：那个按语，表面上有点客观的概括，实质上一望而知，就是批判此文的。因为它在最后提出："编辑部认为，当前正强调文学要为人民服务、为社会主义服务，以及坚持马克思主义美学原则方向时，这篇文章却提出了一些值得探讨的问题。"这个对比，特别是其中的"却"明显是号召大家来批判。

当时我还比较天真，没有想得太复杂，就糊里糊涂把稿子寄回去了。后来你们去访问了当时《诗刊》的朱先树，他们说："中宣部开了会，邹荻帆去参加了，回来就传达，第一态度要明确，第二倾向性要明确，不对的要批评，第三要拿孙绍振做靶子。他们说一定要把孙绍振的稿子拿回来。"[a]后来参加会议的张炯向我通风报信，我立马去信向《诗刊》说要修改。他们回信说，稿已经付印，为避免重大经济损失，就讨论讨论吧。我当然也就没有办法了。

---

① 见连敏：《〈新的美学原则在崛起〉修改及发表始末》，《文学评论》2015 年第 3 期。

附录三

《欢呼新的美学原则在崛起》原稿

十年浩劫，我们民族从躯体到感情遭到一次空前残酷的蹂躏，也激起一股启蒙性的保护的反射。当我们从狂热的美梦和痛苦的噩梦中惊醒过来的时候，含着痛苦和欢欣的眼泪看到的不仅是神殿的空寂，而且也震惊于自己昨日宗教徒式的愚昧。这时受到实践理性审判就不只限于那梦境的虚妄，而且还有那以前长期的催人入梦的迷人心窍的幻景。那长期丧失了的思考的权利和理性的智光一起降临在我们曾经为迷信毒害的心灵，好像是奇迹似的，狂热变成了冷峻，迷信走向反面，培养了那么多的哲学（手写稿第1页）的头脑，闪耀着智慧的光华，出现了那么固执的对我们引以为自豪的道路怀疑的审视的目光，增加了那么多灵敏的耳朵，倾听着我们民族心灵的独白和遍及各个阶层的争辩。一系列像天堂的圆柱一样曾经那么庄严的，我们用感情保卫过的传统观念也不可捉摸地慢慢现出裂痕，逐渐地由倾倒而崩塌了。

像历次思想解放或者思想启蒙运动一样，遭到挑战的总是权威和传统的神圣性。权威和传统曾经是我们思想的和艺术成就的丰碑，但它的不可侵犯性也是思想和艺术解放的障碍。因为它是一定条件的结晶，当这些条件成为历史的时候，没有对权威传统和神圣性亵渎的勇气，思想解放就是一句空话。

诗歌艺术解放的规律在这一点上，是与思想解放是一致的。但是在艺术解放的战场上，传统观念有更大的保守性，艺术有一种超越时代的影响，人们在怀着不安的心情谈论诗歌的危机。（手写稿第2页）这是一种艺术的危机，倒不是世界危机中的商品价值的危机。诗歌上思想解放成就的光辉不足以掩盖艺术危机的阴影。

一个很突出的现象是不可否认的，不止一代诗人心灵的花朵进入了凋落的秋天（李瑛除外），其中有20世纪30年代我们新诗艺术传统的开拓者，也曾经在不同历史时期是当时成就的代表，他们越过了成就的顶峰，已不可能创造新的顶峰。他们心灵上开放出来的花朵已经不是诗的花园中最出众的了，人们对这些诗人的不满早已溢于言表。在民歌与古典诗歌的道路上产生过风靡一时的影响的诗人的道路几乎被诗坛新秀忘却了，连《甘蔗林——青纱帐》《王贵与李香香》《大堰河，我的保姆》和《雷锋之歌》都没有了新来的追随者。那些写过风靡一时诗作的诗人一下子变得不引人注目了。他们恢复了歌唱的权利以后，刊物在几度礼貌性恭维以后，停止了对他们的评价。这说明，我们诗坛的主流在艺术上面临着一个停滞的局面。

相反的，倒是出现了一些年轻诗人，他们的作品一下子把读者分裂为推崇和反对的两派，尽管他们之中至今还没有一个人出过一本诗集，他们的才华和智慧才开出有限的花朵，远远还没有耗尽智慧的基肥，但却在全国范围内产生了那么多的年轻的追求者，这几乎可以说是形成了一个潮流，这种潮流的突起是不可能像李元洛同志那样以作者的热衷和评论者的褒扬来结束的。（手写稿第 3 页）

一方面是掩盖不住的停滞，一方面是一股激流在不断壮大，这不是明摆着的事实吗？如果我们那些曾经卓有成就的几代诗人在艺术上没有新的突破（不是思想上），危机将不再是一种预感，而是现实。谢冕同志把青年人的诗潮称之为“崛起”，是富于历史感，表现出战略眼光的。

如果把这种崛起理解为这几个毛头小伙子已成为或将要成为珠穆朗玛峰，那就太狭隘了。与其说是新人的崛起不如说是一种新的美学原则的崛起。（手写稿第 4 页）梁小斌说：“我认为诗人的宗旨在改善人性，他必须勇于向人的内心进军。人的内心世界究竟是怎么回事，从现在起，就开始探求吧，心灵走过的道路，就是历史的道路。”这些新人对传统的美学原则表现出一种不驯服的姿态。他们不屑于外在的丰功伟绩和现有成就、光辉前景的多彩描绘，他们疏于书写人物的经历和再现劳动和战斗的场景，而致力于向内心世界的深处进军。也许这样说，还太抽象，有些脱离社会，但是在实践中他们并没有真正脱离；他们所探寻的是些尚未得到表现的心灵的禁区和处女地。其中有些往往是为传统的美学观点否决了的，以致通向那里的道路长期为青草和荆棘所覆盖。徐敬亚说：“诗人应该有哲学家的思考和探险家的胆量。”自然，它表现在某些政治社会问题上，如《将军》（按指叶文福的《将军，你不能这样做》）和《小草》（按指雷抒雁《小草在歌唱》）那样，这在广大的诗歌爱好者乃至非爱好者中是没有争论的。同样的道理，对于舒婷的《致橡树》《祖国啊，我亲爱的祖国》《这也是一切》，是异口同声地称赞的，因为传统的美学观是以直接的社会政治意识形态效果为前提的。（手写稿第 5 页）但是当这种探索深入到人的心灵世界，如某些与社会政治并无直接联系的角落时，争论就发生了。

在这些探索者看来，社会价值不能离开人的心灵的价值，对于人的心灵是重要的，对于社会就是重要的。社会政治斗争是精神世界的一部分，它可以影响意识，在一定条件下，甚至能决定某些意识和感情，它的实用功利目的，和美学的陶冶性灵的美学目的，有一致之处，但都还有很大的矛盾，例如政治追求一元化，追求统一意志，少数服从多数，美则追求多元化，少数不必服从多数。政治的实用价值和艺术的非实用价值，这正如在植物家眼中的一棵树和画家眼中的一棵树一样，可以说是属于不同世界的，也正如一阵风、一股浪花在流体力学家听来和音乐家听来不是同样的一样。传统的美学原则比较侧重社会学与美学的一致，而新的探索者比较侧重二者的区别。（手写稿第6页）当然这种区别不是绝对的。大我小我之争，这种表面上是美学的争论，实际上是对人的价值的一种重新衡量，是对人，特别是个人在社会上的地位一种新的价值标准的发现。既然是人创造了社会，就不应该以社会的利益否认个人的利益，既然是人创造了精神文明，就不应该把社会的精神（时代的精神）作为个人精神的统治力量。这种人“异化”为自我精神的敌对力量的历史应该结束。传统诗歌理论中，有过抒发人民之情的提法，都否定了诗人的自我表现，而新一代的诗人们都要把这二者的鸿沟填平，杨炼说：“我永远不会忘记作为民族的一员而歌唱，但我首先记住作为一个人的歌唱，我坚信，只有每个人真正获得本来应有的权利，完全互相结合才会实现。”个人在国家中的地位提高了，个人在诗歌中的地位还需要斗争。新一代的诗人不像我们传统的美学观那样，把人与人之间的关系当作阶级关系，把人与人之间的互相排斥，吃掉另一方作为美的境界，以为人的美只有在斗争中才能表现出来。（手写稿第7页）舒婷说：“人啊，理解我吧！”使她受到感动的，不是人与人之间的搏斗，她的哲学（如果有的话）不是我们所谓的斗争的哲学，她说：“我通过我深深意识到，今天，人们迫切需要尊重、信任和温暖。我愿意尽可能地用诗来表现我对‘人’的一种关切。障碍必须拆除，面具应当解下。我相信：人和人是能够互相理解的，因为通往心灵的道路总可以找到。”这种思想倾向表面上是脱离了社会谈抽象的人，实际上相反，恰恰是对长期以来阶级斗争扩大化的一种反抗。在社会主义国家，人与人之间为什么要那样紧张，一个个像乌眼鸡似的，恨不得我吃了你，你吃了我，人与人之间，不应那样互相戒备，不应该为了安全而戴上政治面具，不能因为有万分之一可能有小偷，就把所有的人都当作小偷而不信任。在舒婷的作品中时常有一种孤寂的情绪，就是对生活中人与人之间的关系的不真实、不和谐的叹息。（手写稿第8页）这种叹息用传统的美学标准来比量很可能是不可理解的，比如《四月的黄昏》，就有许多读者觉得看不懂：

四月的黄昏
流曳着一组组绿色的旋律
在峡谷低回
在天空游移
要是灵魂里溢满了回响
又何必苦苦寻觅
要歌唱你就歌唱吧，但请
轻轻，轻轻，温柔地

这里不过写的是春天景色和音响的一种感觉，用了通感的手法，用视觉的特点表现听觉（绿色的旋律），不停留在外在景色和音响的描绘上是许多年轻诗人的共同特点，他们总是要把外在和内心的形象结合起来，这样充满在黄昏的天空和山谷中的景色和音响就变成了诗人灵魂中的回响了，这是外在的事物引起的内心像黄昏一样温柔的感受，这种感受不是清晰的，但是没有必要去把它弄清楚，因为这模糊或朦胧引起的回忆更广泛。（手写稿第9页）因而她接下去写：

四月的黄昏
仿佛一段失而复得的记忆
也许有一个约会
至今尚未如期；
也许有一次热恋
而不能相许
要哭泣你就哭泣吧，让泪水
流啊，流啊，默默地

人与人之间这样不能理解，自然叫人痛惜的，但是不管是尚未如期的向往，还是不能相许，追忆都是属于自己的，而不是社会的，不能大声讲出来哭出来的，不像哭总理那样有鲜明的政治色彩，但都是心灵活跃、丰富的表现，像张洁在“非党群众”中写的那样，这样的痛苦也是一种享受，对人是一种享受，就是它的价值。（手写稿第10页）有同志说，这纯属个人的，脱离政治的，没有普遍性。政治关系并非生活的全部，与政治没有直接关系的事物也有它的普遍性，人的喜怒哀乐可以独立于政治之外，它的普遍价值就是人本身对于幸福、友谊、爱情的追求的价值，就是美的价值。把这一切当成小我，当成纯粹个人的、脱离人民的东西，正是传统美学的偏颇。它的价值规律可以是与政治价值的规律保持相当的特殊性和相对的独立性。在政治之外，也可以有它自身的意义。所以梁小斌说：“意义重大不是由所谓的重大政治事件来表现的，一块蓝手绢，从晒台上落下来，同样也是意义重大的，给普通的玻璃器皿以绚烂的光彩。从内心平静的波浪中，觅求层次复杂的蔚蓝色精神世界。”“‘愤怒出诗人’成为被歪曲的时髦，于是有很多战士的形象出现，一首诗如果显得沉郁一些就被斥为不健康，愤怒感情的滥用使诗无法跟人民亲近起来。”（手写稿第11页）

这里就不但在内容上与传统的美学观念发生矛盾，而且在艺术上与传统的美有了冲突。其实，在生活领域中，个人对于幸福自由的追求和欢笑和对于友谊、爱情不美满的叹息早已取得了合法的权利，政治工作（特别是在共青团工作中）只是在调节个人与社会的关系，注重双方的发展，而不是笼统抑制任何一方。可是在诗歌艺术领域中这样的解放，都遇到了比生活中更大的阻力。这是因为在生活中自然也有习惯势力，人们是以自觉的意识指导着人们的实践的，以意识克服意识属于理性范畴，就比较容易。而在艺术中意识则不完全主宰一方。泰纳在《艺术哲学》中这样说：“在一般赋有诗人气质的人身上，都是不由自主的印象占着优势”，“若要下一个明确的定义，就得肯定其中有个自发的强烈的感觉”。（手写稿第 12 页）政治是高度自觉的有组织的，而艺术则不同，它除了有自觉意识的一方面外，还有泰纳所说的：“不由自主的”“自发的”这一面，而且这一面还占着优势，一个人总是要经过长期大量的反复的练习才能到达艺术的境界。长期大量、反复实践之所以必要，不但为了训练艺术家的意识，而且训练了他的下意识和潜意识，使他的神经在一定条件下能够养成一种不由自主的反射自发的习惯，达到一种得心应手和条件反射的程度。习惯就是意识和下意识的统一，一个人养不成这种独特的习惯，光凭自觉意识的指挥，是成不了有独创风格的诗人的。一个民族一个时代如果没有大量普遍地养成不同于其他时代和民族的习惯，也是不可能有自己时代的独创性和民族独创性。（手写稿第 13 页）在习惯中体现着时代、民族、个人的美学的独创原则，要这样做光凭自觉意识是不够的，光凭自觉意识就是光凭概念，它同时还要和不由自主的自发的潜意识打交道。艺术革新难就难在不能光凭自觉意识，自觉意识不能完全战胜传统习惯，正等于上海的语音学家讲普通话但不能改变他吴语中很丰富的舌尖音，也不能自如地发出卷舌音，又如美国的语言学家往往读错法语的舌音一样。（手写稿第 14 页）因为他的习惯也就是一种条件反射已经固定了，很难变化了。从这个意义上来讲，革新，首先就是与习惯做斗争，因为这种习惯是艺术的，它就更顽固。顾城在他的《学诗札记（二）》中说：

> 诗的大敌是方式——习惯于一种机械的接受方式，习惯于一种“合法”的思维习惯，习惯于一种公认的表现方式。习惯是感觉的厚茧，使冷感和感热都趋于麻木；习惯是感情的面具，使欢乐和痛苦都无从表达；习惯是语言的套轴，使那几个单调而圆滑的词汇循环不已；习惯是精神的狱墙，隔绝了横贯世界的信风，隔绝了爱、理解、信任，隔绝了心海的潮汐。（手写稿第 15 页）习惯就是停滞，就是沼泽，就是衰老，习惯的终点就是死亡。
>
> 我感到习惯的包围中，诗失去了血色，甚至生命。真正的诗人必须是一名斗士，他不知道屈服，只知道把挑战的白手套丢向习惯，丢向陈旧的形式、伦理意识……哪怕面对的观念像山一样大。
>
> 当诗人用崭新的诗篇，崭新的审美意识粉碎了习惯 ，他和读者将获得再生——重新感知自己和世界。

这是从心理学的角度来说明艺术革新的重要和困难，在实践上也是切中那种假大空的诗风的要害的。习惯只能用习惯来克服，条件反射只能用条件反射来战胜，因而革新者的任务是艰巨的。如果要吹求一下，也许年轻的顾城在这里忽略了，当他们向旧习惯挑战时，所凭借的不光是生活。（手写稿第16页）人们不能像《儒林外史》中王冕那样一个人单独练习多年，便有惊人的创造，王冕的方法是原始人的方法，是不可能创造出一种新的艺术水平的。在创作实践中，人们总是既要从生活出发，又要从艺术出发，马克思说：人是按着美的法则创造的，虽然美有客观的根源，但在创造的开始，美的观念是主观的，这种美的观念是溶化在艺术传统中的。突破传统，必然要从中汲取营养，反对习惯，也不能不从中继承有用的东西，不是借用这种传统的一部分，就是借用另一种传统的一部分（包括外来的传统），然后把它和表现生活结合起来，以创造一种新的传统和习惯。顾城和舒婷在创作实践中借用得较多的是非本民族的艺术传统，因而就产生了不懂，其实也就是不习惯的问题，从本民族的联想和想象的习惯出发，就往往不能理解与之不同的联想和想象的习惯，例如我国传统想象的层次是比较单纯的，短距离的，以具体事物的外在特点的一点相通为主的，而青年诗人们都从外国现代诗歌中借用了联想的远距离和想象的多层次，联想和想象有许多成分是属于潜意识或下意识领域的，这样就从不习惯，于是便感到朦胧乃至晦涩，甚至发出看不懂的呼声了。（手写稿第17页）例如舒婷的《四月的黄昏》。（手写稿第18页）

从内容上来说，这里写的是人与人之间关系还不理想的一种痛惜，有这种痛惜，正是人的心灵觉醒的表现，用梁小斌的话来说，这是“重新表现现代人的一种灵敏的痛苦”，是追求更多的精神文明的一种表现，这是打破了我们的思维习惯的。从形式上说，他追求的那种不确定性用传统的主题明确、感情明朗来衡量，也是不能肯定的，但是他无疑都是在争取着新的思想权利和文明高度，同时也在丰富美学感情领域。当然也可以认为这是不成熟的，我们可以表示不满，她在个人情感领域以外表现还不够，但我们不能否决她在自己感情领域以内对艺术革新的启发，对于该艺术上的异端都不应该采取轻率的蔑视态度，就是对众所周知看不懂的李金发也一样。（手写稿第19页）

残片：

理解、新人，隔绝了心海的潮汐。“习惯就是停滞，就是沼泽，就是衰老，习惯的终点就是死亡……当诗人用崭新的诗篇，崭新的审美意识粉碎了习惯之后，他和读者将获得再生——重新感知自己和世界。”也许把革新者面临艰难，表述得这么淋漓尽致又这么具体化到习惯上，这还是第一次。但我们也可以从理论上吹求一下，顾城的这种表述有片面性，因为习惯，不但是停滞的沼泽，同时是成就的结晶。当他向旧的习惯扔过决斗的白手套时，应该像梁小斌那样承认旧的习惯也曾经哺育过他。不能光凭个人，光凭生活作艺术的革新。

《儒林外史》上写了一个王冕，孤独的一个人，没有任何学习借鉴的材料，多年反复练习就有惊人的创造，是不科学的。王冕的方法是从零开始的原始人的方法，用这样的方法是不可能创造出新的艺术水平来的。在创作实践中，人们总是既要从生活出发，又要从艺术出发，把写生和临摹结合起来。马克思说人是按着美的法则创造的，他说不能在客观的素材面前无所作为。（手写稿第 14 页）美虽然有客观的根源，但在创作过程中，美的法则是主观的。美的法则不是抽象的，它是活在传统的作品中和审美的传统习惯中的，突破传统的习惯，必然要从习惯中汲取合理的内核，习惯只能由习惯来克服，不是主要用本民族传统习惯的一部分，就是借用他民族传统习惯的一部分。把借用传统习惯和突破传统习惯结合起来，把从生活出发和建立新的习惯结合起来，才有希望创造更高的艺术水平，否则只能导致艺术水平的降低。在这一点上年轻的革新者，也许还处在为突破热情所振奋的阶段，实践将使他们意识到，哪怕传统是狼，也可以养活饥饿的孩子。（手写稿第 15 页）

附录四

《新的美学原则在崛起》手稿

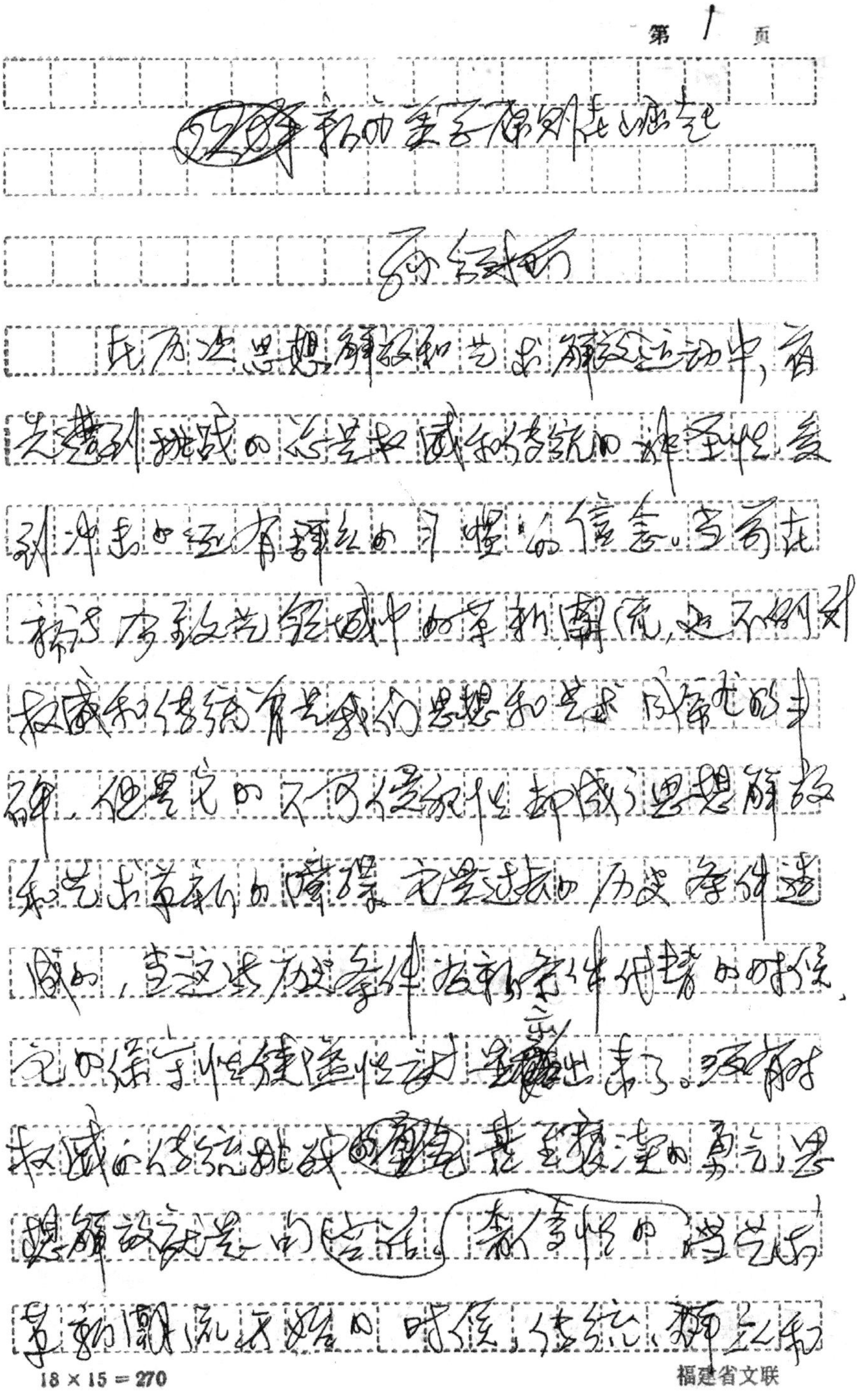
第 1 页

新的美学原则在崛起

孙绍振

在历次思想解放和艺术解放运动中，首先遭到挑战的总是权威和传统的神圣性，受到冲击的经常是群众的习惯的信念。当前在诗歌等领域中的革新潮流，也不例外。权威和传统曾经是我们思想和艺术成就的丰碑，但是它的不可侵犯性却成了思想解放和艺术革新的障碍。它是过去的历史条件造成的，当这些历史条件为新的条件代替的时候，它的保守性和惰性就显出来了。没有对权威和传统挑战的勇气甚至是冒犯的勇气，思想解放就是一句空话。新诗作为艺术革新潮流开始的时候，传统、权威和

18 × 15 = 270　　福建省文联

年轻诗人往往有一个互相影响，甚至互相折磨的过程。

当前出现了一些新诗人，他们的才华和智慧打开了新的前景，这已经足以充分估计他们未来的发展，除了舒婷以外，他们之中还没有一个人出版过一本诗集，却引起了广泛的议论，有时甚至使读者分裂为称赞和反对的两派。尽管意见分歧，但他们的影响都成了一股潮流，在全国范围内，吸引了许多年轻的人甚至不年轻的追随者。在他们面前，他们的前辈好像都在艺术上的停滞，已遭到他们的冲击了。

如果前辈们没有新的发展和突破，很可能会表现出某种权威性的排斥，而把这股年轻人的诗潮称之为"古怪的逆流"，是违反历史表现出战略眼光的。不过把这种文章仅仅地理解为几个黄毛丫头、毛头小伙子和会战的诗坛的挑战，那也是太简单了。与其说新人的崛起，不如说是一种新的美学原则的崛起。这种新的美学原则不能说与传统美学观念没有任何联系，但崛起的青年对我们传统美学观念常常表现出一种不驯服的姿态。他们不屑于作时代精神的号筒，也不屑于表现自我感情世界以外的丰功伟绩，他们甚至回避去写那些我们习惯了的人物的经历、英勇斗争和忘我劳动的场景。他们和我们五十年代的颂歌传统和60年代的战歌传统有所不同，不是直接去赞美生活，而是追求生活溶解在心灵中的秘密。梁小斌说：“我认为诗人的宗旨在于改善人性，他必须勇于向人们的内心进军。”他们在探索那些在传统的美学观看来是危险的禁区和陷阱的地方，而不管通向那里的道路是否覆盖着荆棘和荒草。这用不着选择，他们的诗风有一种探险者的特色。也许可以说他们在创造一种探索风格的传统。舒婷甚至说过诗人应该有探索的思考和探险家的胆量。这是我国当前的一种现实，生活走向了反面，培养了那以前的哲学思想，闪耀着理性的光芒。他们的这种思考和传统美学观念不同之处是舒婷在她说的“诗人甚至应该有异于政治家的胆略和探讨精神”，以习惯于文艺从属于政治家的文艺指示者，这不免有点“异端”了。当事物有着那样的诗与传统的文艺从属于政治的观念一致的时候，他们自然成了各种权威的信息。这用不着选择，舒婷在《这也是一切》

18×15=270　　福建省文联

误以为在中国，我们现只是丢了的艺术，得到西方同声的赞许。但是，我们有时也用时代政治的思想去考虑一些应该纯属于艺术范畴的问题，例如关于个人的幸福在我们集体中应该占什么地位的问题，人与人之间的和谐如何才能达到的等，分歧和激烈的争论就产生了。它像中国表现在人的价值标准问题。在年轻的探索者眼下，人的价值标准发生了巨大的变化，这不完全取决于社会政治标准。社会政治思想只是人的精神世界的一部分，它可以影响甚至在一定条件下支配其他意识和感情，但是它不能代替后者。二者有不同的内涵，不同的规律。例如政治追求一元化，强调统一意志和行动，用少数服从多数，而艺术选择的人的感情可以是多元化的，不必少服从于多数。政治的实用价值和感情在一定程度上的非实用性，是有矛盾的。正如一棵树木在木材商和诗人眼中价值是不同的一样。如果说古典传统的美学原则比较强调社会学与美学的一致，那么革新者则比较强调二者的不同。表面上是美学原则的分歧，实质上是人的价值标准的分歧。在年青的革新者看来，个人在社会中应有更高的地位，既然是人创造了社会，就不应该把社会的（时代的）精神作为个人精神的敌对力量，那种人"异化"为自我物质和精神的统治力量的历史应该重新加以审查。在传统的诗歌理论中，"抒人民之情"得到高度的赞扬，而诗人的"自我表现"则被视为离经叛道，革新者要把这二者之间的鸿沟填平。从社会学与美学角度来看，社会的价值

不承认有个人的精神价值，对于许多人似乎是

重要的，对于社会政治就有相应的重要性（第一个

根据的[illegible]），而不能以单纯是否切合

一时的政治要求当然。个人在社会中应有的地位

的历史已经结束。所以梁小斌说："我那过去的[illegible]

诗作为时代的一支号角，但我更首先认为

个人[illegible]我坚信：只有每个人真

正获得应有的权利，完全的互相结合才能

实现。"我们的民族经过十年浩劫后恢复了理

性，这种恢复在最初阶段是自发的，是以个

体的人的觉醒为前提的。当个人在社会、国家中地

位提高，权利受到尊重，当社会、阶级、时

代逐渐不再成为个人的统治力量的时候，在

诗歌中所谓个人的感情、个人的悲欢，个人的心

灵世界自然便提高了其存在的价值。社会的

18 × 15 = 270　　福建省文联

战胜野蛮，使人性复归，自然在艺术中的人性复归，而这种复归是社会文明程度提高的一种标志。在艺术上反映这种进步，自然有其社会价值，不过这种社会价值与传统的社会价值有很大的不同罢了。当舒婷说："人啊，理解我吧，"她的哲学不是斗争的哲学，她的美学境界是追求和谐。她说："我通过我自己深深意识到，今天，人们迫切需要尊重、信任和温暖。我愿意尽可能用诗来表现我对'人'的一种关怀。障碍必须拆除，面具应当摘下。我相信：人和人是能够互相理解的，因为通往心灵的道路总是可以找到"。从理论的表述来看，这可能是有道理的。然而了[illegible]的境况，任何事物是不存在的。但在创作实践上，作为当时同时代诗人自身抒发

诗歌不可能在[illegible]实现一种新的美学[illegible]境界
在出现，没有这种出现，这是像她给[illegible]进行
简单再生产那样用那套传统的艺术手段创作成
我们的艺术就只能是永远作一种模式的单调重
复。梁小斌说："[illegible]成为[illegible]
好[illegible]，而是有组织[illegible]的形象出现。"[illegible]如果写
得没那一点，就什么不能建立。[illegible]感情的监
用使诗无法跟人民靠近起来。"她又说："意义
重大不是由所谓的太阳或者事件来提供的。[illegible]
[illegible]，从阳台上落下来，同样也是意义重大的。"
[illegible]的[illegible]的，从内心
[illegible]的[illegible]中[illegible]精神
世界"，[illegible]，[illegible]有些
[illegible]和[illegible]的[illegible]在[illegible]下的[illegible]
代的作用，但是他们的[illegible]是可[illegible]。[illegible]

一方面看到传统美学的境界的一些缺陷，一方面在寻找新的美学主张。在这个新的美学思想的意义上来说，美的新标准是在社会中提高了社会的全体的人心灵是否觉醒，精神生活是否丰富。与艺术传统发生矛盾，实际上就是与艺术的习惯发生矛盾。在生活中，要提高人的地位，自然也有习惯阻力，但是艺术的习惯势力比之生活中的习惯势力要更顽强得多。因为在生活中，人们是以自觉的意识指导人的思想和实践的，以新的自觉意识去克服旧的自觉意识，也总是需要一个过程，但总之是属于理性范畴，总是比较单纯。而在艺术中则不完全是理性主宰一切，它包含着感情的素朴的直觉成分在内，其中读者与作者都有许多无意识的习惯上都是不由自主的心理占着优势。"若要下一个明确的定义，就得首在其中有一种自发的语言的感觉。"艺术的技巧和情绪影响使它有一种"不由自主"的、"自发的"一面，但一面有时还是有意识的。"长期的文学和艺术实践不仅训练了艺术家的意识，而且训练了他的下意识或者潜意识。这样，作家的神经和感情达到敏感的程度，依靠一种"不由自主的"、自发的"习惯达到一种条件反射的程度。习惯是意识与下意识的统一的结果。个人或是一个民族养成自己的特别的艺术习惯都是很不容易的。意识和潜意识都是建立在长期经验的基础之上的。个人风格、时代的美学的特征，都会建立在这种习惯之中。年轻的革新者要摆脱一种习惯的约束，同时要确立一种新习惯。不论是哪一个确立，都依靠自觉意识是不够的。当然自觉意识也很重要，要依靠检验，它同时还要和那"不由自主的""自发的"

潜意识影响人的交道，自觉意识不能完全战胜下意识，正如法国的语言学家马丁内说不好变语的重音一样，又如意语在语言学家不能说不好意思语中甚至的辅音一样。因为习惯是一种条件反射，形成了一种潜意识，是自觉意识不能管束的，文学创作就是如此，因为它的结果，是很难变化的。恩格斯所说的传统的惰性正是写的从我们一部分注解。艺术革新，首先就是与传统的艺术习惯作斗争。故马拉美在谈小诗时说三个中说："诗的最大敌就是习惯——习惯于一种思维方式，习惯于一种公认的机械的接受方式，习惯于一种合法的思维方式，习惯于一种公认的表现方式。习惯是感觉的屏障，使冷和热都变得麻木；习惯是感情的面具，使欢乐和痛苦都无从表达；习惯是语言的牢狱，使那几个单词藻圆滑的词汇循环不已；习惯是精神的壮墙隔绝了横暴世界的侵袭，隔绝了噪音、理解、变化，隔绝了人海的潮汐。习惯就是停滞，就是沉闷，就是衰老，习惯的终点就是死亡——本读人用崭新的语言、新鲜的美意，冲破了习惯之后，使和读者将获得再生——重新感知自己的世界。"也许把重新感知自身和世界当成艺术家的终身目标太过偏激，甚至是与艺术的习惯势力作斗争，这也是第一位。因为它启发我们思考的功能是不可替代的。但是作为一种理论表述，我们还是禁不住吹毛求疵一下，这里至少有片面性，透露出革新者在思想上的弱点。因为习惯，即使过去的习惯，也不完全是停滞的沉闷，它还包含着过去的成就和经验。在革新者向习惯挑出决斗的白手套时，应该保留必要的戒惧，以我必须承认'四人帮'的那些理论也在侵蚀我们，它也要成为附着，腐蚀了我们的肌肤。自然，我们可以说'四人帮'的理论不是我们传统的习惯，但也不可否认它是我们传统习惯的畸形变化。人总是要在前人积累的思想材料和艺术经验的基础上前进的，前人提供的东西可能都是正确的、积极的、健康的，但大量还是有这样那样不绝对完美的附掺上去的。看看古人的书，看看自己的生活积累是成不了艺术家的。《儒林外史》中写了个王冕，孤独地反复地画了好多荷花，没有任何师承与参考的资料，但毕竟有了惊人的创造，从艺术理论上讲，这是不科学的。王冕的方法是从零开始的方法，用这样的方法是不可能创造出新的艺术来的。我们宣扬什么一切从生活出发，又不能完全由具体的艺术出发的。西洋画从写生开始，中国画从临摹开始，都反映了规律的一个侧面，二者是可以结合起来的。马克思说：人是按美的法则创造的，这是说人在客观现实世界面前不是像动物那样被动的。美的法则是主观的，而且它可以是客观的某种反映，但又是人主观创造的规律的体现。在创作过程的某一阶段上，美的法则是内在的，是先于形象诞生的。它又不是抽象的理念，而是存在传统的作品和审美的习惯之中的。每一种艺术传统必须有某种马克思讲的“美的法则”，必然在传统和审美习惯中吸取某些“合理的内核”。习惯是靠运用习惯来表现，新的习惯必然包含旧的习惯借用酵母。不是借用本民族的酵母的一部分，就是借用他民族的酵母的一部分。只有把借用习惯和突破习惯的僵化结合起来才能确立新的习惯，才能创造出更高的艺术水平，否则只能导致艺术水平的降低。目前有些诗歌的革新者们看到了旧的艺术习惯的顽强的惰性，但他们似乎忽视了传统和习惯的积极因素，他们有一天会受到辩证法的惩罚。这问题的复杂性在于，他们所要反对的是旧的习惯，只是更新丰富民族的习惯，但是这种习惯与我国本民族的习惯不一样，有时是很深刻的。在我们诗史上大部分有独创性的流派都是和外民族的艺术刺激分不开。但是，即使其中的大诗人也都没有解决两个民族艺术习惯的矛盾。当这种矛盾积累到一定程度时，就会产生两个方面：闭关自守或全盘西化的倾向。新诗的革新者如果漠视这样的历史经验，他们的困惑就像是比较有限的。不过我们并不悲观，因为我们看到他们中间的优秀代表并不像我们中的一些人认为的那样，以为自己已经掌握了历史发展的全部奥秘。他们有自知之明，他们知道自己还幼稚。舒婷在《献给我的同代人》中说：

为开拓心灵的处女地
走入禁区，也许——
就在那里牺牲
留下歪歪斜斜的脚印
给后来者
签署通行证。

舒婷既是勇敢的，又是不怕牺牲的，又是谦虚的，承认自己的脚印是歪歪斜斜的。我们可以宽容地说，他们肯定会有错误，有缺点，有误入歧途的经验的，但是，只要他们不动摇，又不固执，即使他们犯了错误，也可以纠正自己的认识和偏颇，得到一定的教训的，同时又会给后来者和他们自己留下宝贵的经验。

——但是，这些经验是不是会白费，就要看我们善于不善于总结使之上升到理论的高度，并为他们接受了。

1980年八月21日

1981年1月21日修改

18 × 15 = 270　　福建省文联

第二辑 『崛起前』诗论

唱向新中国
——《新诗发展概况》第五章[①]

一

千里的雷声万里的闪
陕北红了个半边天

——李季

1942年，毛泽东在延安文艺座谈会上做了讲话（1943年，《在延安文艺座谈会上的讲话》在《解放日报》发表）。在“讲话”的指引下，新诗进入了一个崭新的历史时期。

二十多年来，新诗一直是无产阶级领导的文艺战线上一股积极活跃的力量。诗的战斗传统和诗人与人民群众相结合的方向，随着社会斗争的发展，逐步得到明确。从新诗出现开始，就有不少诗人在探索这条道路。五四时期，刘半农做过民谣体的尝试；大革命前夕，革命文学的提倡者开始喊出了“到民间去”“到兵间去”的口号；在左联最活跃的那几年，对鲁迅、瞿秋白所倡导的大众文化问题的讨论与实践，已将把这条道路的探索提到无产阶级文学的日程上来了；在抗日的高潮中，朗诵诗、街头诗的运动，民族形式的讨论、旧形式的利用等都表明新诗走向人民的新的趋势。这些努力都有不同的收获，但没有得到根本的解决。新诗没有能为人民群众所接受，主要原因在于诗人的立场、世界观和思想感情有问题。而这些讨论恰恰忽略了这一点，只局限于对形式的探讨。

抗日高潮中，许多诗人来到解放区，进入了一个崭新的天地，诗人的内心感情世界和

① 本文写于1959年底，当时我还是大学四年级学生，与谢冕、孙玉石、刘登翰、洪子诚、殷晋培合作，由本人执笔。后因种种原因未发表。2007年据保存于谢冕处之原稿收入北京大学出版社之《回忆一次写作》。

劳动群众的感情世界的距离，就明显地暴露出来了。他们歌颂新生活的诗，比起群众革命斗争强有力的脉搏，显得脆弱纤细，体现不出劳动人民的光辉形象（如何其芳《夜歌》中的一些诗）。

1942 年前后，革命正处在最艰难的岁月。全世界面临法西斯的奴役，希特勒侵占了苏联的大块土地，延安被国民党反动派重重封锁，敌后根据地与日军进行着残酷的搏斗，全国人民在共产党的领导下，也与蒋介石的消极抗日、投降卖国展开了激烈的斗争。政治上的斗争必然反映到文艺上来。王实味、萧军、罗峰、丁玲、艾青等掀起了一股向党进攻的修正主义歪风。这股歪风也波及解放区诗坛。在报刊上，出现了一些抒发小资产阶级的庸俗趣味的诗歌，歪曲了现实和人民的形象。这一类诗，朦胧、晦涩，形象阴暗，语言欧化，偷运着象征派和现代派的货色。①

1942 年，解放区开展了整风运动。"讲话"就是整风运动的一个文件。但是它却远远超过了运动的范围，总结了"五四"以来新文学运动的经验，解决了历史遗留下来的问题，给文学逆流以毁灭性的还击。"讲话"阐明文学"为什么"和"如何为"两个基本的问题，在工农兵方向的前提之下，辩证地解决了普及与提高的关系，第一次把作家世界观的改造强调到头等重要的地位，号召作家投入火热的斗争中去，向人民自己的文艺学习。

"讲话"的发表不仅澄清了新诗一时的混乱现象，而且拨云见日地照亮了新诗通向人民的广阔大道。这是一个伟大的开始，这是一次比五四运动更深刻的文学革命，从这个时候起，新诗才真正地开始了与广大工农群众的结合，带来了解放区诗坛的繁荣。一方面是在蓬勃的群众创作运动的基础上培养了人民自己的歌手，另一方面是在人民群众斗争生活的土壤中成长着人民的诗人队伍。几年以后，我们从李季、田间、柯仲平、阮章竞、张志民、贺敬之等人的创作中，就看到了解放区诗歌园地的百花盛开的局面。

二

在毛主席"讲话"的指引下，诗人们深入斗争改造思想，这样就给解放区诗歌带来根本的变化。这个变化主要表现在：诗歌新的主题、新的人物、新的语言、新的形式的出现。

1924 年来，新诗传统的抒情主人公是知识分子自己，描写知识分子的觉醒，歌唱他们

① 关于这种思想上的不良倾向我们可以晋察冀《诗建设》上的《亚当与夏娃》为例。这首诗把农村妇女为了掩护革命干部，被敌人强迫与区长接吻不伦不类地比喻为"亚当与夏娃"第一次"神圣的接吻"。《解放日报》文艺副刊上也发表了陈学昭等一些与革命集体格格不入的变态心理的诗，而语言的欧化倾向我们只要看下面的例子就够了："肺病色的早晨"（《诗建设》），"悒闷的残片凋零了"（罗烽的诗题），"没有耸起耳叶的狗的饶舌"（侯唯动）……（以上材料转引自汪超中：《解放区文艺概述》，百花文艺出版社 1958 年版）。

对光明理想的渴望追求；在斗争低潮，当先进的思想还没有变成广大的群众行动时，咏叹他们彷徨、孤独、苦闷的心情；诗人们把个人的痛苦、追求和人民的命运、祖国的解放联系起来，诅咒现实，歌唱斗争。这些诗起过启蒙和战斗的作用。但是到了20世纪40年代，特别是在解放区，中国人民在共产党的领导下已经进行了二十多年的艰苦战斗。他们是历史的真正主人，并且正在进行着决定中国命运的伟大行动。这时，诗人们如果还把自己的歌唱局限在小资产阶级知识分子狭隘的范围里，就必然要脱离人民和斗争，违背历史的真实。“讲话”发表以后，掀起了群众的创作热潮，人民自己开始表现自己了。诗人走向火热的斗争，转移了立脚点，为解决这问题提供了基础。于是在解放区的诗坛上，正像周扬同志在《新的人民的文艺》中所说的：“民族的、阶级的斗争与劳动生产成了作品中压倒一切的主题，工农兵群众在作品中如在社会中一样取得了真正主人公的地位。”劳动人民的言行举止、思想感情代替了知识分子个人的自我抒情和自我表现。诗歌抒情主人公的转变，是新诗发展上一次最大的飞跃。社会主义现实主义要求我们具体地、历史地、真实地在革命的发展中来反映现实。解放区诗歌通过斗争和生产的壮丽生活来刻画历史真正主人——劳动人民的形象，抒人民之情，正是社会主义现实主义重大发展的标志。诗人们把自己的理想和激情，更多地融入对生活的理解和人民形象的刻画上。诗的语言和形式也发生了重大的变革：二十四年来，自由体首次退居次要地位，许多诗人学习民歌，吸取民族传统的形象和表现手法，在民歌的基础上进行多样的探索与尝试。这是一个富于创造的时期，诗人们共同致力于创造为中国老百姓喜闻乐见的民族气派、民族风格的诗歌形式，但又各有其创造特色。同样采用陕北“信天游”的形式，张志民就没有采取李季所采取的一句起兴一句抒情（或叙事）方式。阮章竞则在俚歌故事的要求下，采用另一种七言体，使自己的作品更接近于民间说唱的形式。老诗人柯仲平更注意吸取古典诗歌的形象、格律来丰富自己的表现手法。而新诗人贺敬之和戈壁舟都唱着既与民族传统有着紧密的联系又是属于个人所有的调子，加入诗歌的大合唱。由于抒情主人公是工农兵大众，这也是要求诗歌摒弃知识分子的陈腔滥调，以人民群众的口语为基础，进行加工和提炼。因此解放区的诗歌语言有着丰富的表现力和浓郁的生活色彩。

1942年以后，田间长期地参加群众斗争，在思想深处经历了“从旁观者的地位，真正站到主人翁的地位”的变化。他感到自己“走进了一个新的创作世界，这世界宽阔无比，可以和群众的内心谈话”（田间《纪念〈在延安文艺座谈会上的讲话〉发表十周年》）。这时他认识到自己的诗很多不能上群众之口，诗中那种无法抑制的热情往往也是缺乏锻炼的表现。他认为政治热情是诗的灵魂，“但激情的表现须要有完善的轨道”（田间《写在〈给战斗者〉的末页》）为了使自己的诗更好地和人民结合，田间改变了自己的风格和形式，急骤的旋律在变化着，抒情格调深沉了。他尝试着在民歌的基础上开出一条新路来，他开始把强烈的深厚的感情溶解到具体生活斗争的描绘中去，写了很多小叙事诗。这些诗里描绘了解放区的生产和战斗中各式各样的人物。创造大量的新的英雄人物形象是田间这一时期的创作特色。他的几个杰出的组诗：《小叙事诗》《英雄谣》《参议会随笔》《名将录》，接触到解放区生活的几个方面，反映了党领导下的工农兵大众在民族解放战争与劳动生产中的无比智慧与英雄气概。田间这个时期，在表现现实的深度和广度上大大地进步了。人民的英雄形象是在斗争中塑造的，而不是像“她也要杀人”，主要从情绪上去歌颂。思想上的进步决定了艺术趋于成熟，表现在前期创作中的一些浮泛的感情少了，形式和语言上的一些生拗、芜杂的缺点逐渐消失。这一时期田间在艺术上的进步突出表现在高度的艺术概括能力上。田间善于选择最富有表现力的场面，最有特征的形象，用白描手法、浑然的意境在短短的一二十行左右的诗中，塑造出一个鲜明的英雄形象。如《名将录》中诗人的艺术才华照亮了将军戎马生涯的一个片段，却完整地揭示了将军的人格和气质。像《山中》中贺龙将军的形象，《阅兵》中聂荣臻将军的形象，而在《月下》中，肖克将军的形象：

年轻的将军
既不喝酒
也不抽烟
闲时爱看些书
他独坐窗前
看完一段书
走到院中
忽见月边有雾

这时，天已夜半
他又听见远处
仿佛有马嘀唤
笑非笑，哭非哭

将军随即下令
全军枕枪待发
自己仍在窗前
又看了一段书

敌人虽到沟前

但不敢进沟

徘徊一夜

随月落去

全诗的意境和肖克将军的形象达到了完善的统一。应该说这是田间淡泊而蕴藉的风格形成的标志，代表着田间艺术上的高度水平。

田间是重视艺术创造的。当他在写《中国牧歌》和《中国农村的故事》时，就以自己的节奏和只属于自己的一套汲取形象的手段，在新诗的领域上开垦出一块新绿的园地，而在思想感情经历了深刻的变化以后，一系列的创作都表明他又在辛勤地开拓着一个新的艺术境界。他在《写在〈给战斗者〉的末页》中说："为了歌唱新人新事就要求新的'语调'。""这种新的语调要和中国古典诗歌群众创作同一血脉。"但他认为诗人不应该重复古典诗歌和民歌的意境、情调和语言，应该学习他们，创作自己的风格。这一时期的创作中，他与古典诗歌、民歌一直保持着联系，但又一直没丧失田间自己的特色。

1946年，田间发表了长篇叙事诗《赶车传》。长诗通过贫农石不烂一家的遭遇和斗争，概括了我国农民在新中国成立前所走过的历史道路。

从个人反抗的软弱，到团结起来斗争，石不烂赶的一辆车，赶过山，赶过坡，只有赶上毛主席的路，才是一条金路。长诗不拘于事实的交代，运用了大胆的情节飞跃的手法。但是在《赶羊车》中，故事情节比较粗糙，情节的飞跃处理得不够恰当，还有些不必要的铺张堆砌，过分拘泥于五言形式，也使语言变得拗口。1958年以后，田间把这部长诗发展到更大的规模。①

老诗人柯仲平这一时期的创作大部分收在《从延安到北京》里。在解放战争中，他一直随军前进，经常配合战斗的需要，把诗写到岩壁上，或者在出征的前夕，从一个兵团到一个兵团地区朗诵诗，作为征前的动员。因此，他这个时期的诗，饱凝着战斗者的情绪：豪放、乐观、凝练而又朴素，富于鼓动性，艺术格调上更侧重于在民歌和口语的基础上，继承古典诗歌的韵味、节奏和传统的形象，来表现我们这一代豪杰的英雄气概，这是南下大军的征歌："黄河水，入龙门 / 猛冲猛打浪猛飞 / 我猛冲猛打猛将敌包围 / 猛进猛追猛将敌粉碎。"

同样记录着解放战争胜利号音的诗人还有严辰。《星辰集》的写作正是全国人民大翻身的前夕，因而诗中充满乐观豪迈的格调。

---

① 对于1958年的《赶车传》，我在1980年南宁会议上的评论是艺术上"全军覆没"，把"车子赶到了沟里"去了。

贺敬之和戈壁舟都是在党的直接培养下在群众斗争中锻炼成长起来的青年诗人。贺敬之早期的诗作收在开国后出版的《乡村的夜》中，这是一本风格朴素的农村血泪史。而后一本诗集《朝阳花开》，则表现了另一个充满欢笑的新农村，调子开朗、明快，洋溢着一种诙谐轻松的民歌风味，形式也更趋于格律化。长诗《笑》塑造了一个翻身老农民的形象，诗人不仅善于通过生活细节刻画农村的悲惨生活，也善于利用自然氛围来衬托出新农村的欢乐情绪。为了表达种种情绪，《笑》保持了民歌的格调又突破字数的限制，更加自由豪放。

由于党的教育，艾青在 1942 年以后，也试图用劳动人民喜闻乐见的形式来写边区的人民。他写了一首长诗，但并不成功，终于停止了这方面的努力，然后用他熟悉的调子写了一些自由诗，从一个民主主义者的立场出发歌颂解放区的新生活，在诗集《反法西斯》和《欢呼集》中，那种艾青所特有的忧郁、低沉的情调是消失了，但是写得并不成功，在表现民主主义革命胜利的形式方面，艾青已经不是得心应手了，往往写得抽象空洞，在伟大的群众斗争面前露出无可奈何的窘态，创作的危机在这个时候已暴露出来。

三

1945 年以后，在解放区的诗坛上，掀起了一个叙事诗的高潮。这是因为：在客观上，正处于一个阶级斗争尖锐复杂的时代，解放区正发生着中国历史上没有过的翻天覆地的土地革命，民族的矛盾、阶级的矛盾交织在一起，激烈的斗争激发着人们美好的心灵和英雄的行动，多少惊心动魄的故事在人民中间产生、流传。我们的人民是有叙事诗的传统的，在解放区的民歌和说唱中，人民群众已经不断地通过集体的创作来表现自己身边的英雄人物。丰富生动的材料等待着加工和创造。在新诗的发展史上，也曾有过不少革命分子写过群众斗争的长诗，但是他们不是带着知识分子的观点和主观狂热情绪来描写人民群众（田间的《她也要杀人》和艾青的《他死在第二次》就是明显的例子），就是只能吹着革命的号角，反映动荡时代某些生活片段，表示对革命的倾向。毛主席的“讲话”发表以后，诗人们深入群众生活的内心，以群众的眼睛观察事变；伟大的现实，历史的题材，无比丰富的生活决定了诗人们采取史诗式的构思。抒情诗的容量毕竟太小了！他们需要把轰轰烈烈的群众运动表现出来。于是一个波澜壮阔的叙事诗高潮到来了。它甚至使抒情诗也有了叙事的倾向。继李季的《王贵与李香香》之后，张志民写了《王九诉苦》《死不着》，阮章竞写了《圈套》。

在这些长幅的土地革命的历史画卷中，人民翻身的主题是共同的，斗争中成长起来的新人物形象是共同的，诗歌形式的民歌格调、民族气派也是共同的。诗人火热的革命激情渗透在对新人物的描绘中，人民群众站到历史画幅的中心地位上来。

1945年，《王贵与李香香》出版，不管在解放区还是在国统区，长诗影响之大，是前所未有的。陆定一、周扬、郭沫若、茅盾都写了推荐文章。郭沫若称它是人民翻身和文艺翻身的“响亮的信号”。茅盾说：“这是一个卓越的创造，说它是民族形式的史诗，似乎也不算过分。”周而复在香港出版的《王贵与李香香》的后记中写道：“《王贵与李香香》的出现，无疑的是中国诗坛上一个划时代的大事件……它给我们提供了新诗写作的严肃课题。说得广泛一点，它给我们提供了人民文艺创作实践的方向。”

长诗的影响之所以这么大，是因为它第一次在毛主席“讲话”的指引下，以完美的中国作风中国气派的艺术形式，描绘了我们时代的主人——劳动人民的内心世界和英勇斗争，真实而深刻地揭示了20世纪40年代阶级斗争的巨大画面。

李季在“讲话”发表时还是一个陕北地区的县区干部。基层的工作实践锻炼了他的思想感情，使他走进了人民群众的生活和内心的深处，掌握了现实斗争的丰富史实和生活经验。在“讲话”的启发和实际生活的教育下，他批判了知识分子的自大，端正了对民间创作的态度，投身到陕北的歌海里，虚心地学习和记录民歌。在写作长诗以前，李季还曾利用民间的传说、故事，采取人民口语，以章回小说、说书等民间形式写过《卜掌村演义》《救命墙》和《老阴阳怒打虫朗爷》等通俗文艺作品。在思想和艺术上都有了相当的准备以后，才根据一个在人民中流传得相当广的故事，创作出这部长诗。可见，正是火热的群众斗争、深厚的民间文艺的土壤练就了一位有才华的诗人，孕育了一部放着异彩的史诗。

《王贵与李香香》写的是土地革命时期一对青年的革命、恋爱故事。一个地区的红军游击队，领导着人民群众，推翻了地主的统治，捉拿了一个小小的恶霸，却反映了千军万马扫荡整个封建势力的巨大历史变化，反映了农民走向幸福生活的道路。长诗通过王贵与李香香的几次悲欢离合——红军与反动政权几次曲折斗争的传奇性情节，展开了陕北土地革命的历史主题，展开了群众斗争轰轰烈烈壮丽的场面。人物形象是在这些富于传奇色彩的情节中塑造的。在王贵与李香香这两个农民形象身上，表达了这个阶级的伟大觉醒。王贵的形象是和他对地主阶级的仇恨、顽强不屈的斗争，和对革命深厚的感情一起出现在我们面前的。他和香香的患难婚姻，几经波折，也在波折中，亲身体验到了农民寻求幸福生活的道路。在第二部和第三部的曲折斗争中，长诗特别突出细致地刻画了王贵对革命的感情。王贵的特殊个人遭遇，在旧社会里是普遍的、典型的。在这些复杂的斗争中，我们才生动地看到20世纪40年代农民身上最典型的特征：富于英雄主义的革命精神。而在香香的身上，作者特别动人地描写了她和王贵的爱情，富贵不能淫，威武不能屈。作者深入细腻地展现了李香香的内心世界，从而使我们看到劳动妇女勤劳的品德，深沉的感情和日益觉醒起来的斗争精神。无论是王贵对革命的感情，还是香香对王贵深沉的爱情，都完美地体现了民族性格的特征。劳动人民质朴、优美的灵魂，第一次完美地展示在读者眼前。作者把王贵与李香香的爱情波折摆在阶级斗争的环境中来充分展开，自然令人信服地把农民追求美好生活的愿望和革命结合起来了，这是历史的生活真实。作者不是写了一个王贵、一个死羊湾，而是写了一个阶级、一个时代。王贵与李香香的斗争总是随时随地与整个农村的斗争联系着。李季还给我们描绘了一幅幅丰富多彩的斗争图画：

打开寨子分粮食，

土地牛羊分个光。

少先队来赤卫军，

净是些十八九的年轻人。

女人们走路一阵风，

长头发剪成短缨缨。

这是时代的典型概括。意气风发的人物形象、生活图画是在抒情与叙事交织的诗行中展开的。这虽然是一部叙事诗，但处处都渗透着优美的民歌抒情格调。长诗集中的构思、单纯的情节和为数不多的人物，也表现了诗人努力在故事发展中自然地抒情，在抒情中自然地发展故事的匠心。诗人很少中止故事的进行，让主人公进行冗长的独白，更没有忙于发展故事，忽略了人物内心的情绪。

《王贵与李香香》的艺术风格是朴素的。不论是盛大的场景，还是人物命运的重大关头，李季都没有过于渲染，更没有津津于做作的形容。他从容地遵循着民歌朴素基调的传统，用白描的手法完成它的主题。长诗的内容是丰富的，但篇幅不大。“信天游”诗行间的飞跃，促使诗人去选取那些最突出、最鲜明的形象，而把那些可以由读者联想补充的尽量省去。而“信天游”的比兴手法，不仅能把背景和人物的情绪融为一体，丰富了读者的艺术联想，增加了浓郁的抒情气氛，而且省去了许多技术性的用来过渡的诗行。

《王贵与李香香》虽然采取“信天游”的形式，但还是有诗人自己的创造的。“信天游”往往是两句一联，表达一个独立的意思。李季借用民歌联唱的形式，不是两句，而是几句一联，表达一个意境、一幅图画，但都经过匠心的改造、安排，显得浑然一体，而无生搬硬套的痕迹。在语言上，李季得心应手地运用人民口头语汇、谚语、俗语和日常生活用惯了的比喻，语言富于表现力和生活气息。

所有这些方面，都构成了长诗史诗性的意义和民族色彩，在新诗与人民结合的道路上树立一块光辉的丰碑。

继《王贵与李香香》后，张志民出版了诗集《天晴了》，包括《王九诉苦》《死不着》

《野女儿》《报喜》《接喜报》五首诗。作者带着血泪控诉恶贯满盈的旧世界，满怀喜悦地歌颂人民翻身的新世纪。作者说："我没有写诗的天才。我只是勤苦地挖掘生活实际，因此我的《王九诉苦》《死不着》《野女儿》等诗就是在与农民一起吃糠饼子的生活里写出来的。"这段自述帮助我们理解了他的风格为什么那么质朴，那么富于浓厚的泥土气息，又具有震撼人心的力量。《王九诉苦》几乎就是诉苦会上的一篇记录，但是作者却巧妙地在这一刹那照亮了王九半辈子的苦难经历，塑造了一个饱经重重压迫的坚强农民的形象。《死不着》则在更广阔的背景上直接描写了农民的苦难、斗争和胜利翻身的历程。作者紧紧抓住来喜和死不着两条线索的强烈对比，表现了两个世界的对立斗争，语言是人民的口语，形式也是人民喜爱的"信天游"。作者善于选取典型的生活情节，短促有力而准确地来刻画人物。《死不着》第一节的十二行诗，就爱憎鲜明地突出了一个地主老爷孙老财的形象。在这里，作者没有以炫目的艺术手腕来博取读者的欢心，而是质朴地通过现实生活本身，通过人民中那些血泪故事来震撼读者的心灵。

《圈套》写于 1947 年，作者阮章竞在抗日初期就开始创作。在他最早的诗篇中，我们能感到作者善于刻画人物、安排情节和熟练地运用民间形式的才能。他把自己的第一首长诗《圈套》称作俚歌故事，不分行排列出版。事实上，这首长诗更近于民间的说唱文学，着重在故事的发展，很少抒情的穿插。作者生动地在重重的矛盾和曲折的情节中，刻画了人物，表现了复杂的农村阶级斗争的主题。人物在情节的展开中塑造，李万开、英娥娘，还有那个地主老婆母夜叉，都那么栩栩如生、惟妙惟肖。作者十分擅长于刻画各类妇女的内心世界，另外两首短叙事诗《送别》和《盼喜报》，作者通过朴素无华的内心世界的动人倾诉，使我们看到了解放区妇女崇高的精神世界。抒情和叙事得到较好的交融，作者在进行着的一种新的探索。阮章竞的诗，民族特色是特别浓郁的。

四

解放区和国统区不但是两个地区、两个政权，而且代表着两个时代，这自然要产生两种不同的诗歌内容。自武汉陷落直到 1945 年日本法西斯进攻湘桂，国民党反动派的投降活动日益变本加厉。六年左右的时间，国民党消极抗日，积极反共，掀起了多次的反共高潮。抗日战争胜利以后，美帝国主义代替了日本帝国主义的位置，进一步加速了中国的殖民地化。在美帝国主义的支持指使下，国民党反动派发动了对解放区的全面进攻。在国统区内，国民党加盟血腥的法西斯统治，对进步文艺的迫害愈来愈厉害，查禁书刊、封闭报馆，进步文艺工作者仍然坚持战斗岗位。在抗战后期到新中国成立前夕的八九年间，国统区人民对反动统治进行坚决回击，从 1944 年以后，掀起了一次比一次更壮阔的民主运动。这种新的阶级力量的对比和政治斗争的形势在诗歌领域中的反映是：政治讽刺诗成为诗坛的主流，进步的诗人始终以锐利的笔进行战斗。

但是，在政治潮流低下和国民党反动派的恐怖统治面前，一部分知识分子因为看不到民族的前途，寻不到出路而苦闷彷徨了。抗战时期“下乡”“入伍”的作家被迫回到城市中来。国统区腐朽、高压的政治空气，使他们感到窒息。抗战初期那种对民族解放斗争的高涨热情，那种对战斗的无限喜悦的诗歌逐渐消失了。一些诗人感到抒写个人感情的创作陷入了绝境。苍白空洞的内容，只求助于华丽的语言修饰。诗坛上颓废、感伤的情绪，像一阵小风轻轻地吹起来，在抗战爆发前就已疲弱了的现代派诗风，又在死灰里冒出白烟。其恶性发展就是穆旦、杜运燮（“中国新诗派”）之流，非常起劲地零售着他们脑海里一团团颓废、模糊的印象。不过这已是现代派分化的残余。而这些寂寞地在反动王朝末日出版一两期丛书的“南北才子”，也没有什么艺术“才能”，不过是发一两声哀号的先朝遗少罢了。抗战胜利以后，勉强支撑起来的“中国新诗派”，很快就在民主运动的浪潮和解放战争的号角声中销声匿迹了。

正是在国统区诗坛最沉闷、最缺乏创造性，同时也是最需要尖锐战斗和思想指导的时候，毛主席的“讲话”，和在“讲话”发表以后实践工农兵方向的第一批成果，像暗夜中的第一道曙光，照亮了国统区诗歌前进的方向。虽然由于客观环境和诗人主观思想的限制，“讲话”没能充分展开广泛的学习和讨论，工农兵的方向难以得到实践，但是进步的文艺工作者从“讲话”中得到教导，在解放区的作品里得到启示，进行了多方面诗与人民结合的努力。1944 年以后，诗人袁水拍开始以“马凡陀”为笔名发表山歌，企图突破诗歌的知识分子范围，深入城市群众中去。在四川和华南，都展开了方言诗和方言文学的讨论与试验，他们下到乡里，听农民讲故事，记录他们的语言，然后把写成的诗念给他们听，征求他们的意见修改。不过由于条件的限制，方言诗没有产生很大的影响，想单纯从语言形式着手，而不是从思想感情的改造开始，不是一条正确的路。“讲话”给诗人最大的鼓舞和影响，则是讽刺诗的倾向性鲜明了，战斗力加强了，揭露黑暗社会的抨击力量增大了。

1945 年以后，当“讲话”已经产生了巨大而深刻的影响并且获得丰收的时候，敌视人民文艺的胡风反革命集团从理论到实践对文艺的工农兵方向发动了一次进攻，提出作家的“主观战斗精神”和“到处有生活”来反对作家必须深入思想改造，反对文艺表现工农兵；而当诗歌日益和人民斗争结合起来，诗人努力向民歌学习的时候，胡风更进一步在“为人民而歌的歌手们”中公然地煽动诗人不要“从人民剽窃”“奴颜婢膝地谄媚人民”，对努力实践毛主席文艺方向的诗人加以攻击和谩骂。胡风集团的“诗歌理论家”阿垅出了三厚册

《诗与现实》妄图引导诗歌走上反动的道路。他认为诗是“绝望而狂妄的产物”，妄图使诗坛成为他们的火力点。在另一方面，胡风更注意发展他反动小集团的势力，创办泥土社，出版《蚂蚁小集》，出版宣扬资产阶级“主观战斗精神”的作品来和革命的人民文艺对抗。胡风集团代表的反动王朝末流在面临毁灭之前的叫嚣，在重庆和香港都遭到革命文艺工作者严厉的批判。诗人们以更加深入现实的斗争，更勇猛的战斗，回击了这股反动暗流。

随着民主运动的掀起，在诗坛上，暴露黑暗、讽刺现实成了压倒一切的主题。诗人臧克家在《宝贝儿》代序中写道：“这一年来，讽刺诗多起来了，这不是由于诗人忽然高兴，而是碰眼触心的‘事实’太多，把诗人刺起来了……恨，铸成力，力，向着黑暗的墙壁推去，推，推，推，推倒它！”诗人们把火一样的诗句投向人民的敌人——国民党反动派和美帝国主义，他们抓住巨大的政治事件，抓住细小的日常生活，以燃烧的政治热情，照亮了黑暗王国里肮脏、混乱的一切。

臧克家这时期的创作有写于 1944 年的抒情诗集《泥土的歌》。收在《宝贝儿》(1944—1947)、《生命的零度》(1945—1947)、《冬天》(1947) 中的，则大部分是讽刺诗。

《泥土的歌》是作者从前线被迫退到后方的产物。离开了生活的前线，作者写不出丰富多彩的长篇“报告诗”了，加以政治上的苦闷，只能回到农民诗人原有的主题——破产的农村上去，这就决定了《泥土的歌》思想内容上的双重性。一方面，诗人为农民受压迫的命运唱出了不平之歌，无情地揭露了旧中国农村普遍血淋淋的事实，像《三代》这样的诗可以作为代表：“孩子，在土里洗澡；爸爸，在土里流汗；爷爷，在土里埋葬。”在全部诗作中贯穿着诗人对于农民苦难的人道主义同情和对黑暗现实不可排解的愤怒。另一方面，《泥土的歌》写了农民，却又逃离蓬勃的革命运动，诗人政治上的苦闷和对于反动统治的据点——城市的厌倦，都使他在农村生活图景上涂了太多的田园色彩。因而他对农民的热情也往往表现在歌颂他们“压死了不作声，冤死了不申诉，累死了——为着别人”的品质上。他没有接触到斗争的现实，只朦胧地唱着“上帝……也给奴隶们，一双反抗的手”。在 20 世纪 40 年代革命的农村唱着 20 世纪 30 年代的泥土的歌。后来，革命文艺工作者们曾经指出《泥土的歌》的重大缺点。1948 年诗人在《关于〈泥土之歌〉的自白》中，也做了自我批评。继《泥土的歌》出版的《宝贝儿》和《生命的零度》，标志着诗人创作的新动向，说明诗人在不断克服思想上的弱点，跟随着现实前进。政治讽刺诗的主题闯入了创作的田园。他在《宝贝儿》的“代序”中说：“在今天，不但要求诗要带政治讽刺性，还进一步要求政治讽刺诗……当眼前没有光明可以歌颂时，把火一样的诗句投向包围了我们的黑暗，叫它燃烧去罢。”这两个诗集和《冬天》，是诗人愤怒的爆炸。诗人把讽刺的矛头指向现实政治的核心。不过臧克家究竟是个艺术风格比较严谨的诗人，他的很多政治讽刺诗，严格来说只是带有政治讽刺性的抒情诗。在他的诗里，表现得最为突出的是揭露的力量，是诗人愤怒情绪的跳荡。诗的战斗性并不借助于幽默，也不擅长于运用笑的暗箭。这样，臧克家的诗，比上一时期，由于强烈的政治讽刺倾向，要更泼辣、犀利，更有坚决的斗争精神和明朗的革命态度。而他的艺术个性并没有多大变化。他不过是在写着农村的破产，写着一些“劳苦而高尚的形象”的同时，也写了城市的混乱、污浊，写着从农村流入城市的苦难的人民。诗人看到“一夜西北风，冻死那么多人，整个中国人已经人鬼不分”的时候，不禁大声疾呼了：“这年头，那儿去找繁荣？ / 繁荣全个集中在战地；/ 这年头什么都冰冷，/ 发热的只有枪筒子！”

在讽刺诗的园地里独树一帜，发挥了巨大的战斗作用的则要称袁水拍的《马凡陀的山歌》。袁水拍本来是一个抒情诗人，前一个时期出版了几部抒情诗集。但是，黑暗、混沌不堪的现实激怒了诗人，使他不能平静地从容地抒发个人的情怀，他感到战斗需要更犀利的武器，要匕首和炸弹。他感到需要有一种更能和人民接近的诗歌形式，要使诗歌能深入战斗的最前线。他曾写过文章推荐过陶派诗，自己也采用着山歌的形式，随意自如地进行战斗。幽默尖锐的讽刺倾向也深入他的抒情诗中。1944 年新中国成立前夕，他的山歌一直活跃在民治运动的火线上，人们口边唱的是《马凡陀的山歌》，游行队伍的旗帜上写的也是《马凡陀的山歌》，有的剧社还把“山歌”联编成戏剧，有声有色地演出。“山歌”的影响渗透到城市最大的市民群众生活中，扩大了国统区诗歌的读者队伍。

诗人燃烧的政治热情和愤怒的情绪直接刺向黑暗的王国。他那么敏锐地抓住重大的政治斗争事件，迅速地战斗。头天报上的新闻第二天便出现在马凡陀的“山歌”里。第二次世界大战才宣告结束，诗人从美国合众国际社的一条消息里便预告了希特勒“帝国主义的梦”就要到头。当那些“抗战的急先锋”“建国的真英雄”飞机轮船来往于重庆上海，大肆“劫收”时，“山歌”为他们唱出了“大人物狂想曲”。而在国民党大要民主自由的把戏时，一篇“毛巾选举”道破了总统大选的秘密。五句“山歌”画出了国民党“还政于民”的一副“猫”相：“军阀时代水龙刀，/ 还政于民枪连炮，/ 镇压学生毒辣狠，/ 看见洋人一只猫，/ 妙呜妙呜，要要要。”

抗战胜利以后，国民党和平自由的伪善面目和腐朽、丑恶的社会现实本身就是最丰富的讽刺题材。“山歌”不局限在正面的揭露，更进一步地把创作的根须深入广大市民生活的最底层，眼光触及都市生活的各个方面。从现实生活中那些司空见惯、容易被忽略的，而又最容易激动一般市民的生活现象中概括出本质的东西，把市民阶层的悲哀、怨恨、不满、愤怒的情绪提高到政治斗争的高度。诗人饱满的政治热情，一触即发，许多看来是琐碎的生活事件，被诗人幽默的艺术才华组织到统一的斗争中来。事实上《马凡陀的山歌》题材非常广泛，半殖民地的中国社会的一切怪现状都是诗人嘲笑针砭的对象，从当局要求妓女穿制服，到无聊的报纸大肆宣扬的“乌骨瑞猪”；从蠢不可及的下层警察，到国民党政权的党国要人；从城市人民生活的苦难贫困，到反动政权的腐败糜烂……形形色色，光怪陆离，袁水拍熟练地运用笑的武器。有时，你为诗人机警痛快、淋漓尽致的嘲笑发出得意的笑声；有时，你为诗人幽默地画出一幅敌人的蠢态而捧腹大笑；有时，小市民阶层那些小悲戚、小不满和小安慰又让你无可奈何哭笑不得地笑起来。抨击的力量，在于揭露的力量。诗人把笑的矛头最后指向国民党统治的罪恶的黑心。

诗人的题材这样丰富，看不出苦心孤诣的构思，寻不到雕章凿句的痕迹。“四不像”中一连十几个否定句，说得那么随意自如：从“春天不像春天”说到“民主不像民主”“汉奸不像汉奸”“疯子不像疯子，人不像人”，最后冒出一句“什么东西，岂有此理！”，机智幽默，随意自如，旁敲侧击，嬉笑怒骂皆成文章，这就是袁水拍的艺术风格，也是他的战斗风格。在“四不像”里还有这样的句子：“宪章不像宪章 / 同盟国不像同盟国 / 战犯不像战犯 / 百姓倒像囚犯。”这突然出现的肯定句，是一个意外，然而是真理，这就显出了幽默的艺术力量。从罗列现象到格言式的概括，这是袁水拍常用的手法。在“东西南北古怪风”里列举了“北平开会，搞得稀烂”“南通血案青年倒霉”“西安新政，报馆关门”……最后出现了这样的诗句：“中华官国，/ 多灾多难，/ 大亨世纪，/ 万税！万税！”从这里我们可以看到袁水拍和臧克家在艺术上截然不同的面貌。

“袁水拍体”的形式，事实上并不全是“山歌”，这里有自由体、四言体、五言体、六言体、杂言体，有按照流行曲调填的词，还有韵脚响亮的儿歌。这里的“山歌”意思是“信口唱”“顺口溜”。这是袁水拍的艺术个性所决定的，在这个随意自如、嬉笑怒骂之间包含着严肃的政治课题。“山歌”的形象体系也同样表现作者独特的艺术个性。袁水拍把年糕、克宁奶粉、肥皂、黄泥浆、米蛀虫写到诗里来，把检举不肖房东的碰一鼻子灰的王小二，把查户口的朱警察、大发脾气的赵经理作为他的主角，在词汇的应用上，他把上海话“ 睏扁头”“拆烂污”“稀勿弄懂”“掼纱帽”和报上的新闻用语“头奖硬是在此，发财请早”“挤掉帽子者大有人在”，以至于英义的 Once upon a time，谦辞敬语“钧座”“伏祈”“窃查”等都安排到一定的场合去，有时还故意错乱这些词汇语句风格文字上的意义（如“公务员呈请涨价”），这样，就富有特征地表现了那个混乱的都市社会，构成了袁水拍所独有的语言艺术。

强烈的愤激情绪和高度的幽默机智的结合，严肃的政治课题和随意自如的嬉笑怒骂的结合，独特的形象体系和语言……作为这一切的统一就是《马凡陀山歌》尖锐的讽刺的战斗性。很多作品达到了政治性与艺术性的统一，像“民国卅（三十）五周年的回顾和民国卅六的展望”那样不露声色、揭露了反动统治腐朽本质的作品，在《马凡陀山歌》中实在是屡见不鲜，比之诗人的自由诗《沸腾的岁月》，无疑地在政治上与艺术上都要成熟许多。

《马凡陀山歌》强烈的战斗性一直保持到大陆解放。“解放山歌”中，诗人愤怒嘲讽的歌声变成对解放军期待的呼唤和胜利的颂扬，充满着轻松喜悦的色彩。

老诗人郭沫若这一时期也创作了一些战斗的诗篇，收在《蜩螗集》里。诗人的创作，主要是为了战斗的需要。诗人要求迅速明快准确地表现自己的思想和情绪，来不及注意形象的锤炼和语言的修饰，风格趋于散文化。他的诗正如他本人一样，鞭挞了黑暗的社会，由于他在诗坛和社会上举足轻重的地位，起了战斗号角的作用。

在广泛的群众斗争——特别是学生运动的背景下，朗诵诗运动更加活跃，诗歌充满了火辣辣的斗争气氛。朱自清认为这些诗有着“野火、火气、教训气”。诗中的抒情主人公是“我们”，是一个年轻的集体的形象。他们代表了广大年轻人，在控诉反动统治的罪恶，倾泻自己的愤怒。这些诗在斗争的高潮中产生，不仅能迅速直接地起鼓舞作用，而且往往直接地组织集体的感情和行动。这些诗往往是在斗争最尖锐的现场集体创作出来的，如《狗子小调》就是在特务的包围中写成的。大学生们有自己的刊物《诗号角》、自己的诗人。诗人们也为学生运动写作诗歌，邹荻帆的《跨过》就保留着这类作品。

随着人民解放军胜利的号角响彻长江南岸，在大进军的步伐声中，新的历史的帷幕灿烂地升起，我们伟大的祖国阔步跨进 1949 年金色的门槛，从此，迎着我们的是无穷无尽的灿烂的日子。正是：“草堆上落火星大火烧，/ 红旗一展穷人都红了！”

评光未然的《五月花》①

在我们年轻的诗歌爱好者中间，光未然的创作是颇不陌生的，有谁不会唱《黄河大合唱》雄浑豪壮的歌曲呢？熟悉新诗的人当然还会知道：他的创作活动从抗日救亡运动时期开始，至今已经二十多年了，但是在《五月花》问世之前，除了1944年在昆明用土纸印过一本《雷》以外，他没有出过其他诗集。这是由于他作为一个革命者，主要力量往往不在诗歌创作方面，特别是近年来，其力量主要放在文艺理论上；而且他为数不算太多的创作，往往又不通过书面发表，而是在集会上直接向群众朗诵，或者谱成歌曲在群众中传播。在群众的集会上，群众的队伍中，用自己激情的诗句向群众进行热烈的革命鼓动，这是光未然创作最显著的特点。

朗诵诗和歌词是直接面向群众、集体，直接面向群众的现实斗争的，因而特别要求关于政治斗争和群众运动的重大主题，要求明朗尖锐的战斗风格。光未然的诗作，正是一次又一次革命高潮的产物，洋溢着革命的激情。虽然这本诗集不是一本很厚的巨著，但其中却响彻着近二十年来革命洪流壮烈的鼓声和时代步伐震耳的轰鸣。

光未然的主要创作，都是伴随着革命高潮而出现的。在抗战初期是如此，在社会主义改造高潮时期是如此，在“大跃进”的1958年仍然是如此。读者可以通过《五月花》想象那“鲜花掩盖着志士的鲜血”的年代，以及“为了挽救这垂危的民族”所进行的艰苦斗争；可以从《黄河大合唱》中看到抗战期间在严重的民族危机下，人民的怒吼，也可以看到“端起了土枪洋枪，挥动着大刀长矛”的战斗场面。而从三首政治讽刺诗中又可以感受到，在国民党统治区的民主运动中，诗人高涨的政治热情和勇猛的战斗精神。读到诗人开国以后的作品，可以从《青年的骏马在飞奔》听到社会主义改造汹涌澎湃的浪潮的回响，从《春风在首都的上空欢呼》看到五亿农民走上了合作化道路的欢呼。诗人在“大跃进”年代

① 本文发表于《诗刊》1960年第11—12期。

的诗篇，深刻地反映了这个年代热火朝天的壮丽风貌，以及中国人民斗志昂扬、意气风发的精神状态。这里有东风压倒西风、红色卫星遨游太空的畅想，有《劳动大军开到十三陵》的响亮歌声，有三门峡上征服黄河的英雄战歌，有炮轰金门的雷霆般的轰响。其中《塞上行》三首和《三门峡大合唱》尤其值得注意。在《张北行》里，诗人歌唱雄姿英发的草原儿女："马上民兵意气豪，男兵英武女兵骁。一声号令风尘起，好似游龙戏浪涛。"

这是崭新的中国人的形象，是新生活、新世界真正的缔造者的英雄形象。诗人笔下的妇女的生活和精神面貌也带上了绚烂的英雄主义的色彩："张北女儿木兰花，马上飞腾如箭发；下马投入钢铁阵，火焰山里舞钢叉。"

读过《五月花》中各个革命历史时期的诗作，对于年老的和年壮的一代，可以唤醒他们的记忆；对于年轻的一代可以鼓舞他们前进。他们都可以从这里感受到钢铁的历史巨轮轰隆的节奏，可以受到各个革命历史年代战斗气氛、革命激情的浸染，从而更加奋发起来，为我们更远大的理想进行英勇顽强的斗争。

下面，我想主要谈谈他的两个大合唱。《黄河大合唱》，是诗人抗战时期有重要意义的代表作品。冼星海的天才使得组诗长上音乐的翅膀，在抗日战争时期风起云涌的群众斗争中，响遍了全国，成为中国现代音乐史上划时代的杰作。作为一组"带翅膀的诗"（当时人们这样称呼抗战歌曲），《黄河大合唱》之所以能如此为当时和以后甚至今天的人民群众所喜爱，首先是因为强烈地表达了中华民族反对日本帝国主义侵略的澎湃革命斗志，突出地表现了中国人民在严重民族危机下所进行的艰苦卓绝的战斗，以及对胜利的坚定信念。《黄河大合唱》一方面以革命现实主义的深沉基调，申述我们祖国的灾难和屈辱，赞美我国劳动人民固有的勤劳勇敢的美德；另一方面带有革命浪漫主义的激昂情绪，抒写了来自古老民族的底层的不可摧毁的力量，和乐观主义的精神。诗人以黄河来象征我们民族伟大坚强的性格，通过黄河上的船夫歌颂了我国劳动人民坚忍不拔、顽强、无畏的斗争意志，和无坚不摧的战斗气概。通过直接对黄河的歌颂，把我们民族光荣的历史和民族解放战争的神圣意义，用黄河奔腾咆哮的雄伟的形象，表现得淋漓尽致。在《黄河怨》中我们听到诗人以沉痛而愤怒的声调，一字一泪地控诉着我们民族的灾难，《河边对口曲》又以轻快的节奏，表现了我国普通老百姓热爱和平劳动，又富于革命精神的素质。而在《保卫黄河》和《怒吼吧，黄河》中，则以最壮丽的色彩，描绘了一幅全民抗战的历史画卷：

风在吼，
马在叫，
黄河在咆哮，
黄河在咆哮。

河西山岗万丈高，

河东河北高粱熟了。

万山丛中，

抗日英雄真不少！

青纱帐里，

游击健儿逞英豪！

……

这是何等惊心动魄的群众反帝革命斗争的场景呵！它所显示的是民族的奋起！是人民的抗战！是群众的呼声！是被压迫民族争取解放的战歌，也是法西斯帝国主义灭亡的丧歌。就这样，《黄河大合唱》在抗日民族革命战争的烽火中，成为时代精神嘹亮激越的军号。

《黄河大合唱》的成功，还在于诗人把慷慨激昂的时代精神、革命精神，用富于民族特色的形式表现出来。早在抗战初期，诗人在这方面的努力和取得的成效是难能可贵的。《黄河大合唱》歌词的节奏、诗行形式，基本上是在古典诗歌和民歌五七言诗行的基础上加工发展而创造的。

读过《五月花》，我们还可以看到，作者作为一个革命战士，随着革命的步伐，思想上不断地发展，日益成长，同时也可以看到，伴随着他为诗歌创作的民族化和群众化所作的不倦的努力，在艺术上也在不断地成长着。

在革命文学阵营中成长起来，光未然早期的作品的思想内容和艺术形式，就有鲜明的“大众化”的倾向，并带有民族特色。《黄河大合唱》是这样，长诗《屈原》也是这样，新中国成立以后，尤其是1958年以来的诗作，这种特点更为明显。在他早期的一部分创作中，我们还可以或多或少地看出一个革命知识分子思想上的脆弱性（这可以从 1944 年出版的《雷》中五首诗看出来。《五月花》中的《绿色的伊拉瓦底》也有某种反映）。而在新中国成立以来的创作中，这种现象就不存在了。这个事实反映了诗人思想不断无产阶级化的过程。开国以后诗人的创作沿着民族化、群众化的道路继续前进。他仍然写歌词和朗诵诗，也写些格律较严整的抒情诗，但写得更多的是以古典诗歌和民歌的传统五七言诗行为基础的新诗。《三门峡大合唱》可以说是他这个时期的代表作。《黄河大合唱》的创作精神在这里得以一脉相承，并在某些方面得以发扬光大。在这个大合唱里，又出现了黄河的形象，但是比起《黄河大合唱》所反映的时代来，这是崭新灿烂的时代了。在全诗中突显出移山造海的劳动场面，以及劳动者光照千古的豪壮风姿。《三门峡大合唱》是意气风发、斗志昂扬的新时代的写照，是对我们伟大事业的热情颂歌。在这个意义上说，它与《黄河大合唱》一样，都可以说是时代精神的号角。《三门峡大合唱》中的建设者，与《黄河大合唱》中我们民族的形象一样，都是来自现实，又高于现实，放射着革命浪漫主义的光彩。在《黄河英雄歌》中所出现的劳动者气吞宇宙、叱咤风云的气概是光彩照人的："机器排成钢铁阵，威武盖过日月光。铁手劈开三门峡；钢鞭击退黄河浪……"

劳动者这样的雄伟气概与《黄河大合唱》中船夫排除万难、坚忍不拔的精神遥相呼应，形成鲜明的对照。又由于《三门峡大合唱》写在明确了新诗必须在民歌和古典诗歌的基础上发展，认清了建立民族形式的具体途径以后，所以在民族化方面比《黄河大合唱》做得更自觉，并在古典诗歌和民歌的继承方面做了更多的探索。

《三门峡大合唱》保持和发展了《黄河大合唱》格调丰富多彩、节奏变化多样的优点：《龙虎斗》的雄浑，《三门峡战歌》的豪迈以及《晚风吹过三门峡》的轻松幽默……显示了大合唱歌词跌宕起伏、感情发展曲折多样的特点。从《三门峡大合唱》还可以看出，光未然近年创作中的语言和形象比早期丰富得多了。早期的语言形象主要是"在知识分子语言的基础上反复加工"的结果，"还力求同旧诗词、曲艺、民歌发生一些关系"，但是在1958年的创作中，我国古典诗歌和民歌的语言形象被大量汲取并赋予新时代的内容，一些地方显示了推陈出新的妙处，因而诗中的形象是大大地丰富了。

如果还要探究《五月花》的不足之处，那就是诗人所表现的群众斗争的面还不够广泛，一些自由体诗在艺术上还缺乏锤炼。

历史在前进，生活在沸腾，诗人也在飞奔，我们满怀信心地期待着诗人，写出更多更新更美更无愧于我们伟大时代的诗篇来。

从早期的《黄河大合唱》到最近的《三门峡大合唱》，光未然的全部创作是两个历史时代、两个革命阶段、两次深刻的群众革命斗争的反映。《五月花》，是诗人在革命斗争中面向人民的嘹亮战歌！是红色的花，革命的花！

颂歌的时代　时代的颂歌（1949—1957）

——《中国新诗发展史》第六章第一节[①]

一

1949年10月1日，北京天安门广场举行了庆祝中华人民共和国诞生的开国盛典。毛泽东同志亲自按动电钮，第一面五星红旗徐徐上升，一个崭新的历史时期就这样开始了。

从1918年至1949年，新诗走过了三十年道路。它伴随着新民主主义革命的胜利进入一个崭新的时期，揭开了崭新的一章。这就是新诗草创时期郭沫若在《凤凰涅槃》中热烈赞颂过的那个在烈火中新生的“美的中国”，这就是夏明翰、陈然等烈士在生命最后时刻，用鲜血谱写的诗篇中预言的那个理想的时代；这也是殷夫、陈辉等许多献身革命的诗人，在敌人的子弹打进胸膛时所思念的壮丽的未来。1949年7月3日全国第一次文代会召开时，来自解放区的艾青、田间、柯仲平、何其芳、李季、阮章竞、贺敬之、严辰、公木、张志民、毕革飞、鲁藜、戈壁舟等和长期在国统区坚持斗争的臧克家、冯至、袁水拍、徐迟、邹荻帆、沙鸥、吕剑以及来自香港的卞之琳和戴望舒等欢聚一堂，两支诗歌大军胜利会师了。许多活着的为新诗发展做出贡献的诗人，怀着无比兴奋的心情，目击了这一伟大的历史变化。郭沫若作为新中国政务院的副总理，站在天安门的城楼上，艾青、何其芳等则都在观礼台上，连说话和走路都很困难的科学诗的作者高士其，也在观礼台上露出了少有的笑容。许多诗人，包括用古典诗词形式写作的政治活动家、晚清“诗界革命”的追随者柳亚子，外国诗的翻译工作者屠岸等，都为这一历史的壮丽时刻献出了自己的歌声。几天以

① 本文写于1980年，大约在《新的美学原则在崛起》之前不久，经刘登翰修改，以谢冕、孙绍振、孙玉石、刘登翰、洪子诚、殷晋培署名发表在《当代文学研究丛刊》1982年9月第1期（中国社会科学出版社）。

后，何其芳打破了自1943年以来的沉默，在《我们最伟大的节日》中写道：

多少年代，多少中国人民
在长长的黑暗的夜晚一样的苦难里，
梦想着你，
在涂满了血的荆棘的路上，
寻找着你，
在监狱中或者在战场上
为你献出他们的生命的时候，
呼喊着你。

诗人以他所擅长的那种直抒胸臆的不押韵的自由体，描绘了开国大典的历史场景，回顾了中国革命的艰难历程，歌颂了毛泽东同志的历史功勋。也许，由于这一伟大的历史变化太深刻了，诗人们还沉浸于过分激动的欢乐中，还来不及进行更深刻的历史思索，对于胜利后曲折的道路，也缺乏清醒的认识。何其芳的这首诗和当时许多同样主题的诗作（如公木的《中华人民共和国颂歌》）一样，只记叙了历史的画面，不免显得浅淡。这样激动人心的场面和永铭史册的历史事变竟没有产生一首在思想上和艺术上与之相称的壮丽诗篇，这不能不是一个遗憾。[①]其原因在于，当时那种满足于文艺只直接配合时事的宣传，而忽视它在思想上的发现和艺术上的创造的倾向，已现端倪。诗歌艺术的胜利比人民革命的胜利要迟缓得多；而革命的胜利也如毛泽东同志指出的那样："万里长征才走完了第一步。"对于新诗来说，则更是如此，而且和胜利以后的共和国一样，面临着新的迂回和曲折。

刚刚诞生的新中国从天安门狂欢开始，就庄严地迈出了坚定的步伐。在很短的时间内取得了土地改革、抗美援朝和"三反""五反"的伟大胜利，迅速结束了国民经济的恢复时期。1953年，党中央公布了社会主义建设和社会主义革命同时并举的过渡时期总路线，并开始执行第一个五年计划。很快，国民经济有了飞速的发展，对农业、手工业和私营工商业社会主义改造的提前完成，全面确立了社会主义的生产关系。到了1957年春，党的工作重心，全国人民的注意力，都正从大规模的急风暴雨式的群众性阶级斗争转向经济建设上来。

这是新中国成立初期一个安定的、迅速发展的阶段。深刻的历史变化，不仅反映在人民的政治生活和经济建设上，也必然地反映到文学艺术领域里。新的生活给新诗带来了新的主题、新的抒情主人公形象和新的美学原则。特别是1956年党的"百花齐放、百家争鸣"

① 由于历史条件和思想的局限，本人明明知道胡风有载于《文艺报》的歌颂新中国的长诗《时间开始了》，卞之琳有登载于《中国青年》的《天安门四重奏》，均因受到过批判而略过不计。

方针的提出，诗人们有了较为广阔的自由创造的天地。从新中国成立初期到20世纪50年代中期，诗歌战线和经济战线一样，经历了恢复、发展和繁荣阶段。

首先是颂歌的兴起。在新诗发展的前三十年中，颂歌并未成为一个普遍的主题，甚至很难找到几首传世的作品。这是由于在那个历史年代，人民还在痛苦地寻求和艰难地斗争着，人民的解放事业也正在展开，时代对斗争作品的需求，远远超过了对喜庆的需求，表现人民痛苦的呼唤、觉醒的寻求和斗争的呐喊是那一时期诗歌的主流。但是，在共和国诞生之后，各族人民普遍产生了一种翻身感、解放感和民族自豪感；而革命胜利后，人民当家作主的建设，又使人们具有一种历史的使命感。对于时代、人民、祖国和领导我们进行艰苦卓绝斗争的党和领袖的颂歌，便适应历史的发展而开始大量出现了。王亚平出版了《第一支颂歌》可能具有一代诗风变化的象征意义。颂歌的艺术方法，作为一种新的美学原则普遍地流行并得到空前的发展。不论是英勇的劳动，还是忘我的斗争。不论是英雄的业绩，还是平凡的工作、学习，都以颂歌的特殊方法加以表现。以至于这个时期和20世纪60、70年代的大部分时间里，颂歌的美学原则几乎成了唯一的原则。

不过，20世纪50年代初期和中期的颂歌，主要是对于时代祖国及人民的歌颂，其中，自然也包含着对党和领袖的歌唱。但是，这种歌唱是和对于祖国的歌颂结合在一起的，对于领袖的歌颂，还没有发展到像1958年以后那样大量地普遍地对个人的颂扬，甚至像神一样来崇拜。从解放区带来的在歌曲中歌颂的对象也不仅仅是毛泽东同志一人，同时还有朱德和林彪。在这一时期，诗人们表达了人们进入历史新时期的欢欣鼓舞的感情，他们自觉地响应党的号召，走向新生活的各个领域，带来了对于新生的祖国和人民的热烈赞美的诗篇。他们到了土改斗争的第一线，唱出了《穷兄弟们站成队》（阮章竞）和《韩波砍柴》（冯至）那样撼人心扉的歌声；他们来到朝鲜前线，在“同一片云彩下”（严辰）和朝鲜战友并肩“驰过燃烧的村庄”（未央）；他们把传单“撒在”农村的“十字路口”（闻捷），歌颂社会主义集体化风驰电掣般的“五万万的行列”（楼适夷）；他们从西北的石油城和东北的汽车厂工地带来了大建设欢欣的声浪；他们在西南边陲的竹楼、村寨和东海耀眼的碧波、沙滩之旁，踩着战士的脚步巡逻……新中国成立初期，一系列重大的历史事件，都在诗人笔下得到了生动而多彩的描绘。

在这壮丽的颂歌声中，祖国和人民的形象发生了根本的变化。祖国已不是20世纪20年代闻一多所痛心疾首的那“一沟绝望的死水”，人民也不是20世纪30年代臧克家在《老马》中、艾青在《大堰河——我的保姆》中所写的那种忍辱负重、备受压迫的屈辱的形象，它和20世纪40年代田间在叙事短歌、李季在叙事长诗中所描绘的那种刚刚觉醒的农民形象也有很大的不同。占据20世纪50年代新诗中心的祖国和人民的形象，充满了英雄主义的豪情。发表于1950年的《和平的最强音》（石方禹），就是这类作品的杰出代表。这是中国新诗史上，第一首从广阔的世界历史背景上来描绘中国巨人形象的诗篇。诗人歌颂了只有人民的力量，才能保卫世界和平的主题，对于新生的祖国，解放了的人民，充满了自豪与自信：

祖国，我因你的名字
满身光彩，
因为，我是属于这样一个
不可战胜的民族。
假如我感到自己
有什么可以骄傲，
那是因为我生在
新中国的时代……

这和何其芳十年前在《夜歌》中的自我的悲歌，同时也是祖国的悲歌，是多么鲜明的对照呵！“我总是沉痛地记起我是一个中国人，我总是愤愤不平地忆起我是一个中国人。”这种历史的自豪感，在长诗中，常常以高度概括的语言做直接抒发：

我们是平凡的人
但我们是
不可侵犯的人，
因为我们的名字
就叫
人民。
……
我们并不向他们
乞求和平
而是命令他们
不许战争。

这里充分意识到自己力量的人民的形象，和新生的祖国的形象是统一的，它一反过去关于“东亚病夫”的种种诬蔑性的描绘，以全新的姿态屹立于世界各民族之林。比起过去各个历史时期那些反对帝国主义侵略的诗歌中的中国人的形象，这里的中国人民的形象，其精神力量要强大得多了。正是在这一点上，我们看到了历史的变化。

与《和平的最强音》同时蜚声新中国成立初期诗坛的另一首长诗《老张的手》（严阵），

从另一个历史角度塑造了翻身觉醒的人民的形象。

随着大规模的经济建设的展开，歌颂劳动和建设，成了20世纪50年代初期和中期新诗的又一个十分普遍的主题。田间在《祖国颂》（1954）中写道：“在辽阔的国土上，/是谁在摇动山石？/不是狂风，不是暴雨，/是劳动者的脚步。”在新诗传统的形象中，以“劳动者的脚步”作为摇撼大地的唯一的声音，这种感受只有在20世纪50年代才可能产生，它反映了一个时代的转变：不是痛苦的呻吟，不是战斗的枪声，而是劳动者的脚步声代表了时代的音响。

20世纪50年代诗歌的劳动主题，也有新的意义。在过去三十年的新诗中，对劳动的描绘是和人民遭受剥削和压迫联系在一起的。表现劳动，主要是表现人民遭受的奴役和对这种不幸的愤怒的控诉。因此，在劳动的歌声中，常常伴以沉重的节奏、悲郁的呼号、汗水和泪水的交流，这在前三十年的新诗中是常见的现象。20世纪40年代以后，开始出现了以清新愉快的劳动场景来抒发人民当家作主心情的诗篇，但它常常只是作为革命战争的一种背景，而未成为一个独立的、广泛的主题，而且小生产的劳动，在改造世界和改造人的心灵方面也不可能具有20世纪50年代开始的大规模经济建设的气魄。只有到了20世纪50年代，人民掌握了自己的命运，劳动的主题才获得全新的美学意义和美学价值。劳动，不再意味着奴役和剥削，而是创造自己幸福未来的一种自觉的行为。劳动颂歌的特点，和社会主义建设联系在一起，表现出阶级的自豪感和历史的使命感。因为，无产阶级不仅以破坏一个旧世界而自豪，而且为建立一个新世界而骄傲。因此，无论是对社会主义工业化的讴歌，还是对农业合作化后生产热潮的赞美，充满了社会理想和人生理想的劳动，都具有英雄主义的色彩和昂扬的乐观的基调。诗人们着力于表现劳动的美，创造出一个个崭新的美学境界，正是这种境界成为以后三十年诗歌创作的美学基础。

劳动的美首先表现为一种忘我创造美好未来的献身精神。以歌唱大工业建设引人注目的青年诗人邵燕祥这样描绘了一个青年建设者出发到远方工地时的心情：“在我将去的铁路线上，/还没有铁路的影子。/在我将去的矿井/还只是一片荒凉。”荒凉的自然条件在青年建设者心中唤起的不是退却，而是献身的热情，透过沙漠的荒原，诗人看到的不是黄沙和衰柳，而是新的花园般的城市。在战后的西方文学中，对未来的恐惧催生了一股虚无主义的文学潮流，面对高楼大厦，诗人的联想却是一片废墟。而新中国成立初期我们的社会主义文学却恰恰相反，面对由于战争和离乱而未经改造的荒芜的自然，诗人们看到它将成为一座花园。这表现了一个新生的民族掌握未来的自信心和驾驭生活航向的气概。因为艰苦，才需要我们贡献青春；生活将因此而更美好，人生也将因此而更有价值。这种美学观念在20世纪50年代初期的劳动与建设的诗篇中得到了充分的抒写，一直到20世纪60、70

年代，不少诗歌仍然继续在这种劳动颂歌的美学境界中进行创作。

劳动颂歌的另一个典型的、被许多诗人不断丰富的美学境界是：努力把今天的建设和革命理想、革命历史传统联系起来，从历史的和理想的联系上，来开掘劳动和建设的美。李季笔下的玉门油矿的新厂长，不是别人，是当年三边的老红军，他身上的伤疤和白发，概括了他从长征出发，经过漫长的战争走向建设的道路，也概括了他把当年为争取自由解放的献身热情化作今天为建设美好未来而忘我劳动的精神。另一位新人的一首备受赞赏的短诗，描绘了一个工厂领导者在黎明的窗前伏案而眠的情景："他睡得好像十分安详，/ 他那鼾声正轻轻地荡漾，/ 可是那在战场上拿惯手枪的手 / 却还放在那本《炼钢学》上。"（张明权《拂晓的灯光》）

李季在《厂长》中用纵的叙述方法概括反映出五十年来人民从战争走向建设的历史性的变化；在这里，诗坛新秀只通过一个典型的细节（拿枪的手放在《炼钢学》上）构成的一幅单纯的画面表现出来了。诗歌的艺术概括力大大提高了。许多诗人还不满足于这种历史联系的外部描绘，而致力于从精神上开拓今天的建设者的忘我劳动与革命先辈的英勇献身在思想境界上一脉相承的联系，新诗的想象也相应得到发展。超越时间，囊括历史和未来，把漫长的时间集中到短暂和有限的空间来，让先辈的革命精神化作今天建设者的动力。邵燕祥笔下的青年建设者在和亲爱的人到天安门前告别时，想起的是："如果刘胡兰活到今天，她跟你还是同年。/ 你要唱她没有唱完的歌，/ 你要走她没有走完的路。"

正是这种对革命传统的自觉继承和对未来的向往，使今天的艰苦劳动变得光辉和美妙。这个从 20 世纪 50 年代开始出现并一直延续到后来的劳动和建设的美学境界，构成了新中国成立三十年来新诗的一个传统的主题。郭小川在 20 世纪 60 年代获得很高声誉的诗集《甘蔗林——青纱帐》便是在这个传统的美学境界上丰富和发展的结果。

20 世纪 50 年代，对劳动的美的赞颂，还表现在把劳动不仅作为衡量人对新的祖国、新的社会态度的一种政治标准，而且作为评价人、评价生活的美学标准。谁劳动得好，谁的内心世界就美，谁就得到社会的尊重。这一点，在婚姻和爱情的题材中，表现得特别明显。在阮章竞的《漳河水》中，妇女独立的劳动地位，不但是建立新式婚姻制度的基础，而且是改造旧式畸形婚姻遗毒的必要条件。在闻捷的《天山牧歌》中，劳动已经不单纯是一种物质的价值标准，而是一种感情价值的标准。在著名的《苹果树下》一诗中，劳动和爱情统一为苹果树从开花到结果的形象。诗人幽默地揭示了：在夏天，当小伙子的感情超过了劳动的进程，即超过了爱情成熟的进程，是他受到姑娘冷落的原因；而到了秋天，当小伙子感情发展的进程落后于劳动的进程，又是姑娘痛苦的原因。把劳动和爱情结合起来，是 20 世纪 50 年代初期人们美学观念的一种进步。他摒弃了过去半封建半殖民地社会中对劳动者的歧视，建立在金钱和权势的基础上的婚姻已成为批判的对象。但是把劳动和爱情绝对地等同起来，甚至像某些诗中所公开宣称的那样“你要我嫁给你吗？你衣襟上还缺一枚奖章”，这也表现了当时人们对劳动生活和爱情生活的一种简单化的理解，这是郭小川当年就表示保留的。[①]这也是当时许多爱情诗公式化和概念化的原因。

就题材说，这一时期表现劳动和建设的诗篇中，反映社会主义工业化的，较之农业合作化的，吸引了更多的诗人。这是因为，刚刚开始的五年计划建设以工业化高潮为核心，吸引了全国人民的关切。表现工业建设的宏伟图景和豪壮心情更适合于表达当时的时代感。这是一片过去文学作品包括新诗创作极少涉猎的处女地。许多诗人，包括刚从朝鲜前线归来和唱惯了农村的歌者，都争相投入这片新诗处女地的开拓上。李季离开了南方，不是回到农村，而是在西北石油城建立了新的生活据点。阮章竞结束了他漳河小曲的清丽婉转的吟唱，转而在大漠风尘的背景上用雄浑的格调描绘塞上的钢铁大街，徐迟跟随勘察队行吟在西北风雪高原。冯至、公木都把歌声献给地下煤城和鞍山钢都。勘察队的帐篷和开山的炮声，工地灿如星汉的灯火，甚至那吐出浓烟的烟囱，都成了富有时代特色的流行的形象。1956 年作家出版社以《经济建设诗选》为题出版了诗集《建设的歌》，收有五十六位新老诗人的六十八首（组）诗作，不仅让我们看到了经济建设的颂歌有这么广泛的群众性，而且让我们看到，工人阶级以建设者的姿态出现在新诗中的历史发展阶段已经到来。这是新诗史上表现工人阶级自觉的英勇劳动的第一次丰厚的收获。相对说来，它使这一时期对农村的歌唱显得单薄和逊色。

大量新人的涌现，是 20 世纪 50 年代初期和中期诗歌战线的又一显著特点。首先是一批在解放区就开始积累创作，新中国成立后才走上诗坛的诗人如贺敬之、郭小川、蔡其矫等，此时，都发表了具有深刻而久远的影响的作品，他们虽比同时代的新人年龄略长，但却正处在三十几岁的鼎盛之年。他们起点较高，一开始思想和艺术就臻于成熟，是 20 世纪 50 年代及此后二十年诗坛的主将。其次是每一次生活重大的进展，随着一批新作的出现，都给诗坛上带来了一批新人。从抗美援朝的战火中，我们认识了李瑛、胡昭、未央、张永枚和歌唱保卫世界和平的石方禹；在进军大西南的行列和青藏公路、成渝铁路的工地上，我们结识了公刘、白桦、周良沛、高平、顾工、雁翼、梁上泉、傅仇、高缨；在农村合作化的歌者中有严阵、张天民、王老九；而工业建设的高潮更从自己的车间中培养了邵燕祥、李学鳌、温承训、福庚、郑成义、黄声孝等年轻的歌手；各兄弟民族也以自己色彩浓烈的文学素养哺育了自己的民族歌手，如饶阶巴桑（藏族）、汪承栋（土家族）、韦其麟（壮族）、包玉堂（仫佬族）等。直到 1956 年青年作家云集北京时，新诗战线上的新人队伍

① 据笔者在 1956 年听郭小川在北京大学演讲的记忆。

已经蔚为壮观了。他们和老一辈诗人一起，构成了此后二十余年诗歌战线的基本队伍。这是新中国成立以后，新诗史上一个既出作品，又出新秀，令乐观者预期着繁花满枝的时期。

二

20 世纪 50 年代出现的颂歌潮流，一方面体现了历史转折之后的时代的要求，另一方面也存在着明显的不足，臧克家在 1956 年《诗选・序言》里，就不满意诗人仅仅“用了歌颂的调子抒发自己的感情”，指出“只是从外表上歌颂他们的成就，是不够的，还应该把劳动人民克服困难的雄伟气魄和伟大力量写出来”。郭小川在 1956 年的一次讨论会上指出：“我们的诗如果不能反映生活中的矛盾冲突，只一味地喊伟大、伟大，也只能是表面地轻浮地‘歌颂’，只有表现了这种矛盾和冲突，歌颂才有力量。”[①]这些意见是中肯的，但并未引起反响，因为无论从思想上还是艺术上，对于这种不足还缺乏深入的分析。当时的诗人并非都无视或回避社会主义建设中严峻的斗争，郭小川的《向困难进军》，就是从消极方面提出问题而上升到积极的高度的，在这一点上，显出郭小川个性的锋芒。但是，对于战胜困难的乐观和自信，是 20 世纪 50 年代青年建设者的共同特征，诗人还没有能力去分析这种乐观和自信，在什么程度上是思想的坚定性，在什么程度上是不成熟的天真。后来的实践告诉我们，即使像郭小川那样只看到大自然和历史带给我们的困难，仍然不是彻底清醒的。要认识到社会主义建设的障碍主要还得在我们思想和体制中的某些环节上着眼，而这是需要付出相当的时间和痛苦的代价的。

事实上，当时潜伏着的矛盾已经初露端倪。1956 年至 1957 年初，在小说和特写中，已经有年轻的作家在检验我们生活中、思想中可能导致祸害的霉菌；而颂歌的作者，对于生活中顺利的、积极的方面是敏感的；对于有些消极的、落后的方面却是迟钝的。即使坦率如郭小川，尖锐如公刘，切实如李季，聪敏如邵燕祥，都没有充分意识到，被作协二次理事扩大会称为“时代的号角”（周扬的发言）的诗歌，至少在昙花一现的 1956 年百花齐放政策开放以前却没有出现像小说和特写那样去干预生活的作品。在颂歌占统治地位的年月中，好像有了一条不成文的法规：诗的任务就是赞美和歌颂，如果要有什么愤怒和谴责的话，那只能是外来的侵略者和内部暗藏的敌人。

这样不成文的法规正是 20 世纪 50 年代颂歌的美学原则：颂歌的情调只能是昂扬的，颂歌的形象只能是绚烂的，颂歌的起点只能是积极的，颂歌的终点只能是胜利的，颂歌的挫折只能是暂时的，颂歌的阴影只能是微小的。颂歌的美学，就这样被限制在一个固定的

① 《沸腾的生活和诗》，《文艺报》1956 年第 3 期。

领域中长期不得发展，颂歌的思想就这样停留在辉煌的表面和凯旋的模式中长期未见深化。颂歌的艺术方法有种有意地回避和漠视生活中和感情中消极方面，把一切尽往美好理想方面延伸的倾向，回避矛盾，成了普遍的潮流，就意味着它自动放弃了对生活进行严肃思考的权利。当一次又一次的节日和政治运动要求它配合时，颂歌的主题就变成现成的、先行的了。这一点在 1957 年反右派斗争以后，表现得尤为明显。颂歌中的天真和乐观，逐渐被盲目的美化所侵蚀。发展到了 1958 年以后，特别是“文化大革命”浩劫的十年，这种言辞的乐观和美化，就变成了对生活进行虚伪的粉饰和对领袖个人的神化。直到“四人帮”覆灭以后，经过两三年的思想解放，新诗才意识到颂歌的局限，认识到颂歌的职能不是新诗唯一的职能，重新开始了对于生活的严肃的思考和去学习颂歌以外的其他的艺术手法。

随着颂歌的普遍兴起和颂歌美学原则的确立，新诗的抒情手段比 20 世纪 30、40 年代有了很大的突破和变化。首先是在诗歌的抒情方法上，它一方面克服了 20 世纪 40 年代解放区诗歌那种完全回避自我，把诗人的自我感受和形象完全隐藏在对客观生活场景和人物的描绘后面的倾向，另一方面又摆脱了 20 世纪 30 年代乃至 20 世纪 20 年代某些作品中，诗人的自我形象和感情过于狭隘和琐屑的羁绊，许多诗人力求从“小我”出发，上升到时代的、阶级的、人民的“大我”。

这是经过一个曲折的过程的。20 世纪 50 年代初期，来自解放区和国统区的两支诗歌大军汇合，带来了新诗的两种传统在解放区的诗歌中，从 20 世纪 40 年代开始，刚刚来到根据地的诗人，在表现“新的世界，新的人物”时，面临着一个转移立脚点、改造世界观的问题，由于当时认识上的片面，把诗歌通过自我形象的抒发来反映客观生活的这种特殊的艺术手段统统当成“小资产阶级的自我表现”来批评。因此，在当时的诗歌中，产生了一种倾向，诗人们尽量地回避自我，致力于把自我和个性隐藏到人民解放战争的历史画卷和人民翻身的现实场景的背后去。这样，在解放区的诗歌运动中，直接描写客观对象的叙事诗成了主流，一些抒情诗也有单纯的叙事情节。20 世纪 20、30 年代流行的那种诗人内心独特感受的自我抒发和客观对象自我化、象征化的抒情手段，暂时受到了冷落。20 世纪 40 年代解放区的传统，对新中国成立初期诗歌创作有着相当的影响。因为在新的历史面前，诗人们同样面临着一个如何表现新人物、新世界和转移立足点的问题。当时，对某些感情“欠健康”的作品的批评，把诗歌的自我形象也当作“小资产阶级感情的自我表现”一起否定了。特别是颂歌的兴起，要求表达出时代的最高昂的音调。这种美学原则的确立，也使得那种通过抒写个人内心感情来反映客观生活的抒情手段难以施展，这样，活跃在 20 世纪 40 年代国统区的一批诗人如穆旦、杜运燮、王辛笛、曹辛之（杭育赫）、陈敬容、唐祈、唐湜、袁可嘉、郑敏等，连同他们所习惯的流行于 20 世纪 20、30 年代的抒情传统，都自动地沉默了。而解放区流行的那种通过单纯现实场景的描绘，具体人物的侧影和某些富有概括力的简单情节来表现诗人对生活的感受的方法，却颇为盛行。以至于 1956 年在作协的刊物《文艺学习》上，有人竟把“诗要有简单的情节”当作一条普遍的规律提出来，而熟悉 20 世纪 20、30 年代新诗艺术传统的人则感到不习惯，认为“许多抒情诗都是在叙事诗的基础上写出来的”（林庚）。

20 世纪 50 年代中期，一批新人登上诗坛，他们一方面继承着解放区诗歌对生活做现实性描绘的传统，另一方面，又不满足于这种传统的有限的艺术手段，而努力从生活出发，给予新的突破。特别是当时得到广泛介绍的苏联诗人马雅可夫斯基的鼓动家的呐喊，智利诗人聂鲁达的深沉内心独白和土耳其诗人希克梅特富于个性化的细腻的抒情，深深地影响着整个一代人的创作。他们力图在颂歌中把对客观生活的单纯的、多彩的描绘和诗人内心抒发结合起来。郭小川在《向困难进军》中用马雅可夫斯基式的坦率和无畏，揭示了自己曾经怎样在战争面前惊慌失措，然后变得无畏坚定，来启示青年公民勇敢地向困难进军。贺敬之的《放声歌唱》也或多或少地通过自己的感情的经历歌唱了革命的发展和壮大。特别是一批新人的作品，他们伴随着新的时代一起出现，来自火热生活的第一线，以新生活的主人而自豪，直接地抒发着自己对新时代的喜悦。在公刘的《在北方》、邵燕祥的《到远方去》等一些优秀诗作中，新人形象的塑造是和诗人自我形象的抒写分不开的。他们从抒写自己的“小我”出发，和时代的阶级的人民的“大我”融合起来，获得了诗歌抒情形象的典型意义。在诗歌的概括力和想象力上，20 世纪 50 年代的新人在想象力上也力图超过他们的前辈。他们既忠于对生活做现实性的描绘的传统，又不拘泥于生活具体的真实。同样是描写天安门前“五一”节的狂欢之夜，郭沫若的诗篇满足于现实描绘的具体性：四十六个国家的贵宾在观礼台上；而公刘则说“整个世界站在阳台上观看”。当李季在对人物英雄事迹和生活场景的描述中显示了白描的长处时，邵燕祥和李瑛则使用了大胆的想象的语言。比如白杨，在李季的笔下，只是西北油田具有地方色彩的风物，而在李瑛的诗中则可能是一位牺牲了的勘察队员的忠魂在守望撤退的沙海，这一切都显示了 20 世纪 50 年代中期的新诗，在艺术表现手法上对于 20 世纪 40 年代解放区诗歌传统的突破和提高。

但是，这种突破是有限度的，并且出现过反复。由于对于颂歌的片面化的理解，逐渐形成了一种狭隘的风气，诗人所表现的只能是最昂扬的、最积极的时代的精神，因此诗歌中的自我形象也只能是代表着时代的、阶级的、人民的“大我”的形象。稍有涉及诗人的“小我”，哪怕是与“大我”统一的“小我”便要当作不健康的情调而遭到排斥和批判。1954 年，何其芳在多年停止了歌唱以后，写了一首《回答》，慨叹自己身边落下了树叶一样多的日子，为什么结出的果实竟这样少？这种对于自己成绩的不满足，在实际生活中本来是思想上积极上进的表现，可是对于颂歌的昂扬的格调和绚烂的色彩来说，却是有点“异端”，习惯于颂歌的读者还不习惯于阅读从自我个性出发，来表现生活的作品，于是遭到了《人民文学》读者的责难：“我们不需要这样的‘回答’”。1956 年全国作协第二次理事（扩大）会议提出“诗人是时代的号角”，加深了这种对诗歌职能的片面化理解。实际上，它也助长了恩格斯早就批评过的那种满足于作时代精神的单纯传声筒的席勒化的倾向。在这一年出版的 1953—1955 年《诗选》的序言中，虽然声称抒情诗不可取消诗人自己的形象，但又规定这个自我形象必须像毛泽东同志在《纪念白求恩》中所说的那样，是一个“纯粹的人”“高尚的人”“脱离了低级趣味的人”，把政治上、道德上对一个共产主义者的普遍要求和在诗歌创作中进行典型化的特殊手段等同起来。当小说和戏剧在批判把典型当作一定的社会力量本质体现的庸俗社会学时，[①] 在诗歌领域里恰恰在推行这种粗糙的理论，用时代的、阶级的、民族的“大我”的共性，来否定和代替富于独特个性的诗人自我形象的创造。这种诗歌理论上的“左”倾教条主义，在 20 世纪 50 年代中期以后的文艺批评中相当盛行。1957 年春天，蔡其矫用大海的形象来歌颂斯大林的功绩，同时也以大海盲目的力量含蓄地影射了斯大林的错误，就首先遭到内部的挞伐。郭小川在《致大海》中，用大海的形象比喻革命的浪潮，以自我批判的笔调叙述了自己走向革命的过程中，曾经有过幼稚和徘徊，也遭到同样的批评。两年以后，他在《望星空》中，以自己在大自然壮丽的景象面前感到个人渺小的独特感受，来衬托人间建设的辉煌和人民创造力的伟大，更招来了严厉的批判。1957 年夏天以后所开展的那场反右斗争风暴，更使这种诗歌批评中打棍子的风气和捕风捉影的索隐派方式，占据了统治地位。把一株在风暴中不肯弯腰的白杨说成是对党的仇恨，把沙漠中繁殖儿女的仙人掌当成失去私有财产的地主等，这种蛮横无理的形而上学的影射批评学，以其荒谬的逻辑，威胁着诗人独特个性形象的创造和丰富的艺术想象力的驰骋。在这种情况下，从自我个性出发去探求生活内在的激流，往往不如舍弃自我，直接做生活本质的例证和时代精神的高音喇叭来得安全。追求艺术个性的抒发，往往不如满足于对劳动场景、英雄事迹的押韵的歌唱来得保险。20 世纪 50 年代中期开始恢复并发展了的诗歌创作中的自我形象又消失了；一些曾经有过成就的诗人富于个性的歌唱也停止了。20 世纪 50 年代中期曾经不断呼唤并开始露出端倪的诗坛上各种流派的竞赛，也中止了。事实上，在当时的空气下并不存在流派分化的条件，稍有与歌颂的艺术习惯不一致的表现，便有遭到责难的危险。不同诗人之间的风格差异不是越来越明显，而是趋于一致。随着一次又一次的政治运动（反胡风、反右派），一批又一批的诗人从诗坛上消失了，从鲁藜、牛汉、绿

① 这个观念是从苏联共产党第十九次代表大会上当时被认为是斯大林的接班人马林柯夫的报告中提出来的，在斯大林逝世后不久就受到了批判。

原、冀汸、罗洛、曾卓到艾青、公木、公刘、白桦、邵燕祥……唱颂歌的诗人，还没有来得及把颂歌唱完，就不得不去忍受对一个诗人来说难以忍受的冷酷和歧视。在颂歌中得不到承认的感情，在生活中以加倍的分量压在他们的心上。这自然是一种悲剧。但是一场历史的误会把他们送到底层，对于他们从生活的底层来体验和观察更深刻复杂的感情和历史事变，效果却并非是完全消极的。除了那些经不起摧折而夭折的人以外，他们之中的大多数都像种子埋进泥土里吸取生活的营养，等到二十年之后，新长征的号角遍地吹响时，他们重新唱出的歌声，终于突破了颂歌的局限便是十分自然的了。20 世纪 50 年代诚然是一个才华横溢的诗人灿如云汉的时代，但它在走向诗歌艺术的高潮时，并没有充分完成自己的历史使命，在对过去的那段历史从政治到艺术有了更彻底的认识以后的今天，这个使命才能继续地被 20 世纪 70、80 年代的诗人担负起来。

三

在诗歌形式上，20 世纪 50 年代初、中期和解放区诗歌有所不同。在“讲话”发表以后，大部分解放区诗人放弃原来所熟练掌握的自由诗形式，在民歌的基础上发展新诗，一部分诗人，经过一阵苦闷以后，力图在新诗的基础上吸收民歌的某些优长，改革、发展新诗。到了新中国成立以后，20 世纪 50 年代中期以前，普遍流行的是自由体或半自由体的四行一节的新诗。20 世纪 40 年代解放区的诗歌创作的成就集中表现在民歌体的叙事诗上，20 世纪 50 年代中期以前，诗歌创作的主要成就却集中在自由诗（如《和平最强音》）、半自由诗（如《在北方》）和楼梯诗（如《放声歌唱》《致青年公民》）上。许多在解放区运用民歌创作并取得了成就的诗人，如李季、阮章竞、张志民、贺敬之，不约而同地基本上放弃了民歌体，改用半自由体形式。20 世纪 40 年代民歌体受到重视，是对新诗过分地受西欧、北美诗歌影响的一种否定，这有其内在的必然性。但是，事情很快走过了头。对民歌的热情推崇，代替了科学的分析，对民歌的简单模仿，代替了突破和创造，又成为一种新的倾向。在民歌的有限传统形象领域和有限的想象领域中是很难充分表现社会主义的工农业建设和人与人之间复杂的关系的。为了表现比《王贵与李香香》复杂得多的生活，就不能拘守《王贵与李香香》的固定形式。这时，新诗在寻求表现时代的有效手段和民族风格的结合上，面临着新的课题。简单地袭用民歌形式，已为实践证明并不是一条能通过任何队伍的大路，从外国诗歌，主要是国际革命诗歌学习已经和向古典诗歌学习一起提了出来。李季在 1956 年总结了自己在诗歌艺术上的探索，说：“生活向前发展了。当我们还没来得及研究生活的这种变化时，我们的描写对象——广大人民群众的思想感情已经发生了根本的变化……这时你再用‘五谷里数不过豌豆圆，/人里头数不过咱俩可怜！/庄稼里数不过糜子光，/人里头数不过咱俩凄惶！’的调子来描绘这些正在成长的社会主义新型农民，那会是多么不协调啊！”[①] 那该怎么办呢？在李季看来，道路只有一条：在传统的古典诗歌和民歌风格的基础上（对我说来，特别是后者），根据新生活内容的要求和我国“五四”以来新诗创作的丰富经验（其中包括外国诗歌的经验），创造出一种既为群众喜闻乐见、又能准确地反映新生活内容的新形式。20 世纪 50 年代中期以前，新诗所要解决的正是传统的民族诗歌形式与新生活内容的矛盾，同时又要解决新诗的自由化、散文化倾向与民族传统的矛盾，这种矛盾是从自发的实践和自觉的理论两个方面去试图解决的。新中国成立之初，对于解放区诗歌过分因袭民歌的现成形式和想象习惯，新诗是有所突破的。很快，自由诗，甚至是不押韵的自由诗和扶梯诗占了优势。这从中国作家协会编选的 1953—1955 年的《诗选》中可以看出。在这本总结性的《诗选》中，不押韵的自由体诗占了一半左右，而那些押韵的四行一节的又多是半自由体，除了叙事诗以外，民歌体裁的作品十分少见。但是这样也引起了不满。1953 年就有过新诗形式问题的讨论。1954 年何其芳鉴于此，提出了建立现代格律诗的理论。他在 20 世纪 20 年代闻一多等新诗格律建设的基础上，认为新诗应该每行有大致相同的“顿”，每顿以词汇意义的独立和阅读时的自然停歇为标准。每顿的字数虽不一样（大致是三字二字或四字），但由于顿间的停息是一致的，可以构成一种格律。他还说，这也就是中国古典诗歌构成的格律的原则。例如：

浔阳——江头——夜送——客，
枫叶——荻花——秋瑟——瑟。

每句四顿，形成了匀称感。他还认为：闻一多的“方块诗”，所遵循的也是这样的“顿”的格律：

这是——一沟——绝望的——死水，
清风——吹不起——半点——漪沦。

这是一种有益的理论建设，自然也不免有偏颇。因为何其芳根据的明显不是中国古典诗歌构成格律的基本原则，而是硬搬西欧、北美一种格律诗的“音步”或“音尺”，用它来解释中国的古典诗，自然是很难自圆其说，因为中国诗、词、曲格律的构成，主要不取决于顿数相等，而在于诗行的调性相同。而调性主要取决于结尾的结构，如果是三字尾则为吟咏调性，若为双字尾，则为说白调性。如：“枫叶——荻花——秋瑟瑟”是吟咏调性；若改成“枫叶荻花——秋风瑟瑟”就变成了说白调性了，虽然，这两句诗都可以按何其芳的原则划分为四“顿”。正因为如此，我国古典诗歌中的古风、词、曲，以及明清民歌虽然诗

① 李季：《热爱生活，大胆创造》，《文艺学习》1956 年 3 月号。

句有时长短参差不齐，但由于收尾的一致，因而有调性一致的和谐。

除了何其芳以外，林庚也提出新诗应该建立一个“典型的诗行”，每行只遵循一个大致的“半逗律”，即可以把它分成两半，当中有一个间歇就成了。例如：

再告诉我——那一滴清泪，

是孔子——吊唁死麟的伤悲。

不管是何其芳的格律诗，还是林庚的半逗律，都没有引起诗人们的重视，在创作上没有什么人按照他们的理论去实践。但是，自由化和散文化的倾向毕竟是有所收敛了。在1956和1957年的《诗选》中，自由体就逐渐减少了。这只能说明：绝对自由化和绝对民歌化都经不起时间的考验。这时可做代表的是四行一节，每节字数不等，顿的数量也不等，但相差并不悬殊的形式，这种形式大致双行押韵，何其芳称之为“半自由体”。

总的说来，当时诗人对形式有追求的很少，但田间、闻捷例外。田间以六言为主，似乎力求双言和三言错综使用，但无规律，读来节奏往往混乱。闻捷经过一段探索，诗行稳定下来。他的形式大致是“半自由体”，每行像何其芳说的那样，有大致相同的“顿”数，但第二、三行往往比一、四行多一个“顿”，他同时回避行间词组在音节和词汇意义上的对称：

骆驼——难忘——流动的——沙山，

山鹰——酷爱着——苍郁的——松林，

哈萨克——牧人的——儿子——巴哈尔啊，

难道你——忍心——抛弃——巴里坤？

顿数的安排以大致统一而又略有变化为原则，闻捷显然是在追求在统一中求变化的格律，但似乎由于“顿”本身的字数变化没有规律，因而节奏感、和谐感还很不足。20世纪50年代中期，在形式上的创造是有限的。这是因为，人们忽略了对新诗想象力和概括力的丰富的追求，孤立地追求格律的缘故，诚如艾青后来所说：是诗产生了格律，而不是格律产生诗。当诗还不成熟时，格律是很难成熟的。

1957年，《诗刊》创刊，集中发表了毛泽东旧体诗词和给诗刊编辑部的信。毛泽东同志指出诗当然应以新诗为主体，旧诗可以写一些，但不宜在青年中提倡，因为它“束缚思想”。[①] 1956年，“百花齐放，百家争鸣”方针刚刚提出来不久，许多报刊开始刊登旧体诗词，郭沫若的日本记游诗，柳亚子的《左袒集》等，都受到了赞赏。一些新诗作者开始认真地从旧体诗词吸取营养，学习其锤炼字句的方法，对仗的概括力，散文化的倾向受到了抑制。“五四”以来一直视为两种对立的形式，第一次有了相通的某种渠道。这样，向民歌

---

① 毛泽东：《关于诗的一封信》，《诗刊》创刊号。

学习，向外国诗歌学习，向古典诗歌学习，力求在“五四”新诗的基础上进行创造，成为风气。我们已经经历了全盘西化、全盘民歌化的两个比较简单化的阶段，诗人们又进一步认识到“五四”新诗传统的重要和外国诗歌特别是国际革命诗歌的重要。1956 年臧克家编的《中国新诗选》出版，该书选录了从新诗草创直到 1949 年的作品。同时，《马雅可夫斯基小传》《聂鲁达评传》等纷纷出版。伊萨可夫斯基《论诗的秘密》、马雅可夫斯基的《怎样写诗》也得到翻译。在这种较为开放的风气下，新诗的理论也有很大的发展。20 世纪 50 年代初期和中期再版了陈亦门的《诗是什么》、何其芳的《关于写诗和读诗》、公木的《谈诗歌创作》、沙鸥的《谈诗》（第一、二集）、沈仁康的《抒情诗的构思》，这一方面是新诗创作经验的总结，同时又推动了新诗的发展。当时，新诗的理论和批评比较自由，诗人与诗人之间，诗人与评论家之间，读者与诗人之间都有一种纯洁的同志关系，时常有真诚的，甚至有些过分尖锐的书面和当面的批评。1956 年初，作家协会创作委员会诗歌组开会时，诗人艾青、臧克家、吕剑、力扬、郭小川就曾对诗歌创作展开面对面的争论，甚至面对面的批评。① 这种自由讨论的空气，无疑对诗歌创作有推动作用。

对于新诗创作有推动作用的还有一个不可忽视的因素，是兄弟民族诗歌的加入。一方面兄弟民族的诗人的作品不断涌现（包括已故的和新出现的），从纳·赛音朝克图、巴·布林贝赫，到黎·穆特里夫、韦其麟、包玉堂，都以他们独有的民族风格，给新诗增添了丰富的、奇异的、陌生的光彩。另一方面，大量兄弟民族的传统诗歌作品得到整理，从《阿诗玛》（彝族）到《格萨尔王传》（藏族），从《嘎达梅林》（蒙古族）到《张秀眉之歌》（苗族）等等，不但有文献价值，而且有艺术价值，所有这一切，都为新诗发展的丰厚土壤增加了肥力。兄弟民族的诗人从汉族诗歌中汲取了思想和艺术营养，汉族的诗人也从兄弟民族的诗歌中得到了启示。他们诗化的生活、风习、神话、故事，以及与此相联系的表现手法和想象途径，对于许多在边疆地区生活过的诗人都有明显的影响。在闻捷、田间、白桦、公刘的作品中，留下了不可磨灭的烙印。

① 《沸腾的生活和诗》，《文艺报》1956 年第 1 期。

李季的艺术道路①

一

毛泽东同志的《在延安文艺座谈会上的讲话》发表以后，在解放区，新诗的风貌发生了根本的变化。劳动农民、革命战士的形象和他们的感情、趣味第一次在新诗领域取得了应有的地位。20多年来，自由诗第一次退居次要地位，民歌体或以民歌为基础的新诗成为主要形式。这是一个思想上感情上朝气蓬勃、诗风上发生巨大变革的时期，也是形式上勇于革命而且取得了丰硕成果的时期。不管是新诗人还是“老”诗人（其实他们年龄并不老），都勇敢地去探索新的美学境界，找寻新的抒情格调、新的想象途径。标志着这样一个变革的最初的战略性胜利的信号，就是李季的《王贵与李香香》。

李季当时还是一个县级政府工作人员。像当时解放区许多青年文艺爱好者一样，他学习了“讲话”，并在实际斗争中经历了深刻的思想磨炼，改变了小资产阶级立场，走进了劳动人民生活和感情的深处，开始致力于大众文艺创作。在长诗写作以前，他曾经利用民间故事传说，采取群众口语，以章回体小说、说书等通俗文艺形式写过《卜掌村演义》《救命墙》和《老阴阳怒打虫郎爷》。在思想上、生活上、艺术上有了这些准备以后，他才根据一个流传得相当广泛的故事，创作出这部叙事长诗的。

他后来回忆说，他曾经像许多新诗的爱好者一样“瞧不起民歌”，他说，他认识到民歌动人的艺术力量，“不是由于在文艺理论学习上”，而是由于在斗争实践中看到了民歌的社会价值。他说：“在当时，我所读过的描述解放区人民生活的新文艺作品中，我还没有见过如此单纯易解而又深刻感人的东西。从此我对民歌产生了强烈的兴趣。”他开始利用业余时

① 1980年3月定稿，1981年6月稍作修改。发表于《文学评论》1982年第3期。

间收集民歌，一下子收集了三千多首陕北的“信天游”，在他面前展开了一个新的艺术境界，他当时激动的心情“是读任何作品所从未有过的”。[①]

《王贵与李香香》完成于 1945 年 12 月。发表后不久，中共中央宣传部长陆定一就在《解放日报》上撰文推崇。在国统区，郭沫若称它为人民翻身和文艺翻身的“响亮信号”，茅盾则更誉之为“这是一个卓越的创造，说它是民族形式的史诗，似乎也不过分”。

《王贵与李香香》以一对青年农民的恋爱曲折过程为线索，展开了 20 世纪 30 年代陕北土地革命血与火的斗争的历史画卷。爱情矛盾和阶级矛盾交相发展，上升为阶级的正面搏斗。武装斗争的初步胜利，使爱情得到了顺利发展。长诗显示了李季所特有的革命传奇风格，他不轻易地让他心爱的主人公得到大团圆的美满结局，而是把一时的顺利当作新的斗争的转折，从而在革命的曲折历程中经受了更严酷的考验。很显然，长诗反复强调的主题是革命成败对于爱情和幸福的决定性作用。正如王贵对李香香所说：“不是闹革命穷人翻不了身，不是闹革命咱俩也结不了婚。”在新诗史上，这是第一次把恋爱自由的实现和武装斗争的胜利艺术地结合了起来。正是因为这样，长诗的主题就不限于两个青年、一个村子的变化，而是反映了陕北土地革命的伟大历史潮流和农民走向自由解放、争取幸福生活的胜利道路。

表面上看来，男女主人公曲折的悲欢离合的传奇性情节和 20 世纪 30 年代革命加恋爱的作品有某种近似之处。但是，它却有全新的风貌。首先，这里的革命不是在想象中美化了的、像某位诗人所说的“戴着白手套”的那种抽象的、象征性的革命，更不是如鲁迅所讽刺的“哎呀，哎呀，我要死了”的那种病态化了的感情游戏。在这里，爱情是强烈而坚定的，不可动摇的，但却是从属于革命的，革命胜利是爱情胜利的先决条件，个人命运和武装斗争的成败是紧密地联结在一起的。

其次，这里的主人公也有苦难，其命运严酷的程度甚至比在《大堰河》和《老马》中所描写的更甚。但是，王贵即使被打得死去活来，李香香即使在失去自由、遭到囚禁、遭受逼婚的时刻，也没有新诗中常见的那种被摧残到精神麻木的表情，相反，李季善于在苦难的考验中显示人物精神美的光彩。在这里，新的美学原则是：描写苦难不是最高任务，而是为革命英雄主义的品格提供客观环境。这样的劳动者的苦难就不再是诗人同情、怜悯的对象，这样的英雄主义也没有戴上诗人所赋予的虚幻的光圈，而是实实在在，平凡而又崇高，质朴而又光彩的英雄本色。写苦难而没有被侮辱被损害的精神创伤，写英勇的气概而没有自发性、原始性乃至盲目性的狂热，这正是李季所开拓的新的美学境界，是一种新的美学原则的具体表现。李季在长诗里显然在追求创新，他在贯彻新的美学原则的过程中成功地舍弃了因循的惯性。

---

① 李季：《我是怎样学习民歌的》，《文艺报》1 卷 6 期。

长诗反复地抒写了王贵和李香香陷于绝境时的精神状态，他们并没有因此而绝望和哀叹，也没有消极地期待着救世主的降临，长诗着重刻画了他们在武装斗争的背景下威武不屈、坚贞不二的动人表现。他们胜利的信念不是来自天生的美德而是生活磨炼的结果。李季没有像20世纪30年代的某些作品那样，超越历史的环境，让他心爱的人物替作者做理性的说教，而是让人物自己很有分寸地按着环境所允许的限度行动，把作品的思想精神艺术地展示出来。

长诗中农民的解放和幸福的争得，主要不是依靠外来力量，而是从内部发展起来的。长诗对土地革命的描绘颇有独创性，对武装斗争从秘密到公开，从幼小到壮大的描绘也是值得称道的。长诗的抒情趣味，显然是受到《白毛女》的唱词的启示，但是，在新诗中，按照工农群众的生活趣味来塑造工农新人的创作原则，却应该说是在《王贵与李香香》中形成的。

忠贞的爱情也是男女主人公光辉形象的重要组成部分。这种打着鲜明的阶级烙印的爱情，在新诗中开拓了一种新的美学境界："烟锅锅点灯半炕炕明，酒盅盅量米不嫌哥哥穷。"在新诗中已经有过许多抒写爱情坚定不移的篇章，但是这里的爱情却是新诗里所不曾表现过的；这里的艺术表现方式也是新诗人所不敢想象的。它既不浪漫，也不神秘，好像不属于新诗已经习惯了的美学体系。这里的"烟锅"和"酒盅"，显示的是物质生活的贫乏，并不需要掩饰。这种朴素的诗情，自有一种朴素的表现方法。它的艺术细节不是取之于新诗现成的形象仓库，而是从产生这种感情的环境中提炼的。当然，作为诗，总是要通过想象加以美化的，不过这里美化的原则和想象的方式发生了变化："山丹丹开花红姣姣，香香人才长得好。"把姑娘比作花，这是很古老的手法了，但是这里的花，不是新诗从外国诗中借来的玫瑰，不是古典诗歌中常见的桃李或牡丹，却是陕北群众常见的山丹丹。对于陕北的农民和战士来说，生活中屡见不鲜的事物进入了艺术领域，自然在欣赏时会产生一种快慰的惊异，其程度当然要大大超过玫瑰或牡丹。而在李季，他正是要力避因袭新诗现成的形象，到主人公生活的环境中，用主人公的心灵去重新感受发现并摄取新的形象。例如，当李香香被囚禁时，她思念王贵的情景，诗人是这样写的："满天的云彩风吹乱，咱俩的婚姻叫人搅散。""阴洼子里糜子阳洼子里谷，哪里想起你哪里哭。"受难的妻子思念远离的丈夫，在诗中完全靠农村日常生活、大自然现象和跟农业生产劳动有关的事物：如风吹云彩、糜子、谷子等，来构成比兴形象。这一切在缺乏农村生活经验、对农民的感情缺乏了解的人那里是引不起兴趣的，但是，这些事物对于农民，却是与他们的命运密切相连的，这就构成一种崭新的诗的境界。"羊群走路靠头羊，陕北起了共产党。"把要歌颂的对象比作"头羊"，没有劳动者的感情，是无论如何也无法想象的，新的感情带来了新的美学标准。

《王贵与李香香》中的这种独创的艺术描写，正体现着李季美学的革新意图。在新诗中已经有了许多形容漂亮小伙子的美好词语，但李季在描写王贵苦难身世时却用了“羊羔落地咩咩叫”，在王贵与李香香谈情时，是“地头上沙柳绿蓁蓁”“马里头挑马四蹄银”。如果缺乏劳动群众的感情用“羊羔”“沙”“马”来形容年轻人是不可想象的，这正体现着劳动者的美学观念。当这些形象进入新诗以后，就以其新颖和特异，为新诗艺术的发展揭开了新的篇章。李季好像是第一个揭开了民歌的艺术宝库似的，他把这么多美妙的形象奉献给了新诗。

这部长诗还把一种与新诗的比喻不同的起兴手法带到了新诗中来。它好像有点粗疏，不像新诗那样逻辑联系紧密，但却很有表现力，相当自由，为想象的跳跃提供了方便。

长诗情节曲折，但李季回避过程的交代，在多数情况下是用人物的对白来暗示过程的推移，大量地省略了行动描写，加上人物独白和对白的生动自然，使这部长诗没有限于叙事，而是在叙事中渗透着抒情。在“五四”以来的叙事诗中，这部长诗达到了少有的抒情与叙事的统一。有时它也是得力于直接借用民间文学的传统手法来概括过程，把过程净化。如“头一枪惊醒坐起来，第二枪响时跳下炕”，又如“太阳偏西还有一口气，月亮上来照死尸”“一天哭三回，三天哭九转”，把过程的阶段用匀称的时间量来表示，对于劳动群众来说正是他们喜闻乐见的表达方式和想象方式。

五四时期在新诗中发生的美学变革主要是从外国诗歌借鉴的，“讲话”以后在新诗中发生的美学变革则是从民歌借鉴的。这说明任何美学变革的历史任务都是不能靠个人的才能去单独完成的，但是个人的才能却能把历史的精华集中起来。李季的才能在于他借助于民歌而没有停留在民歌的基础上。虽然他袭用了大量的民歌原句，表现了当时他对民歌艺术的消化尚嫌不足，正如五四时期郭沫若对惠特曼排比式呐喊消化不足一样。但是，他还是有创造的。他不同于当时许多学习民歌的新诗人之处，正是在于他没有照搬。他没有欣赏民歌中某些落后的东西。起初他感到民歌的某些方面“限制太大”，用他的说法叫作“定型”。后来，他看到了革命后的民歌在内容上和形式上“不断发展”的趋向，他才对民歌形式有了新的信心。[①] 李季热爱民歌，但并不爱它的“定型”，而是爱它的“不断发展”。在《王贵与李香香》中，我们可以看出来，李季刻意追求突破和发展。在内容上，李季总是力求把“信天游”的传统形象和革命斗争的时代风云结合起来，用传统的艺术色彩来描绘时代的画卷：如“千里的雷声万里的闪，陕北红了半边天”，刻画人物形象：如“羊肚子手巾缠头上，肩膀上背着无烟钢”。李季不但摒弃了民歌的落后成分，就是对其中的健康成分也立异革新。在形式上李季不满足于因袭，“信天游”一般都局限于在自然背景下描写劳动生活，而《王贵与李香香》却把曲折的传奇情节放在广阔的社会背景下展开。为此，他一方

① 李季：《我是怎样学习民歌的》，载《文艺报》1卷6期。

面充分发挥“信天游”两句之间想象的飞跃性，留下极大的空白，一方面又使各联之间保持一种灵活的联系，使之形成富有想象弹性的情节顺序。李季还采取了新诗分部、分章的结构方式来构成一部长篇叙事诗。在许多学习民歌的诗人中，李季之所以能达到这样高的艺术成就，重要原因之一，就是因为他既热爱民歌而又不拘泥于它的传统形式。

《王贵与李香香》的情节虽然曲折，但许多地方失之过简，因而历史环境的描绘显得薄弱；人物行动的刻画也逊于其独白和对白远甚。其结果是主要人物之间性格区别并不显著。但不管怎样，对《王贵与李香香》这样的内容来说，运用经过改造的“信天游”形式，还是适应的。这种适应是相对的，到了新中国成立以后，李季面临着更为广泛复杂的社会生活，面临着文化水平更高的读者，他又感到这种形式不适应了。他又要进行新的突破，向新的艺术天地进军了。

二

新中国成立以后，和艾青、田间等诗人所追求的用抒情形象来表现新的时代、新的生活不同，李季（还有阮章竞、张志民等）所探求的主要是从描绘具体的人物经历和具体的劳动场景出发，来反映社会主义建设和改造的新风貌。李季认为，离开了生活，“顶多也只能让读者去咀嚼一支雕刻得很精致的蜡烛”。[①] 在他的抒情诗中也往往带有单纯的情节，即使那些没有情节的抒情诗，也常常有现实的具体的而不是想象的场景描绘。属于这种风格的作品，动人的事迹多于奇妙的想象，不像“五四”以来的许多新诗那样，用大量的直接抒情塑造诗人的自我形象，揭示诗人的内心世界，它主要是描绘在改造客观世界的重大社会变革中的工农兵斗争经历。以《王贵与李香香》为代表的这种诗风从20世纪40年代到50年代曾经影响到整个新诗的发展，许多诗人的抒情诗增加了叙事的成分。群众化的感情和诗人的自我形象的统一，成了普遍的追求。虽然取得了这样的成就，发生了这样大的影响，但是李季并不满足。新中国成立之初，他仍然致力于突破。直到1956年他还说自己“经常处于痛苦的摸索过程中”。

从1950年到1953年，李季写了长篇叙事诗《菊花石》。长诗用南方民歌体写成。在章法上是五行一节，句法上比“信天游”更整齐，每行基本上是七言句。在比兴手法上，似乎并不比“信天游”丰富，但有“信天游”所没有的南方生活色彩。李季在作品中呈现了一种新颖的民歌风格，其中不少章节的语言是精彩的。例如：

春穿棉衣夏穿单，

① 李季：《热爱生活，大胆创造》，《文艺学习》1956年第3期。

秋凉没有夹衣衫，

寒风刺骨飘雪花，

手指冻僵泪冻干，

老天下雪不下棉。

《菊花石》的不足，首先是在主题思想上。李季用了很大的热情去歌颂老工匠刻石劳动技艺的高超，用石菊的艺术价值来体现劳动价值，并且还以它和剥削者的矛盾，来表现劳动者品质的高贵，唱出了一曲劳动创造的颂歌。石菊既然成了劳动艺术和劳动品格的象征，其重要性就被强调到高于经济价值和物质生活需要了："为它生来为它死，为它受罪为它穷""刻菊莫为几斗粮"。这样就使形象抽象化到了离开了生活现实的程度。老工匠的女儿荷花和徒弟聂虎来的爱情就是建立在这样的基础上的。甚至当革命形势高涨，聂虎来去参加革命，仍然把艺术（刻菊）和革命作了平等的分工。把献身艺术和献身革命等量齐观，这显然使作者感到根据不足，于是长诗又强调表现忠于刻石菊是对于革命领袖敬爱的表现（献给毛主席），同时突出了与要夺取石菊的白军的冲突。很明显，在《王贵与李香香》中成为风格特色的革命传奇色彩，在这里却失去了生活的基础，以致把生活的真实和艺术的真实一起失去了。虽然作者把斗争的背景放在大革命前后农民运动的风暴中，特别是"四一二"以后土地革命的烽火中，但是作品中石菊的形象的性质和工农武装割据的斗争没有必然联系，革命形势的发展也就不能和主人公的命运变化紧密地融合起来。作者把这个历史阶段的矛盾中心集中到对劳动艺术的忠诚上来显然是不够典型的，因而把石菊的刻成和革命胜利硬扯在一起作结局，自然是一种象征性的，概念化的。因为这不是对现实生活描绘的概括，而是作者对石菊威力和意义的主观夸大。

《菊花石》的失败说明，李季还没有找到属于他自己的新的主题，其根源是他对南方革命根据地的生活比较生疏。生活不足，便求助于象征，这与李季的艺术个性是不相融的，幸而此后李季没有再重蹈这个覆辙。

当时苦闷着李季的首先是跟上生活前进的步伐，他需要建立新的生活根据地，其次还有形式问题，他需要创造新的形式。他意识到"生活向前发展了"，"人民群众的感情已经发生了根本的变化……这时你再用'五谷里数不过豌豆圆，人里头数不过咱俩可怜'、'庄稼里数不过糜子光，人里头数不过咱俩凄惶'的调子来描述这些正在形成的新型农民，那会是多么不协调啊"。[①] 很显然，李季感到了以民歌为基础的形式，不足以充分表现新的生活，他致力于突破民歌的局限，这种局限包括内容的局限（基本上是反映农村生活的）和形式的局限（节奏的固定）以及形象的局限（传统的比兴方式和传统的形象），此外，还有

① 李季：《热爱生活，大胆创造》，《文艺学习》1952 年第 3 期。

章法的局限：例如，固定为两行一节或五行一节。这样，李季诗歌的主题、人物、语言和形式都起了很大的变化。他自己说："试图以民歌为基调，吸收更多的在生活中涌现出来，适宜于表现新生活的口语来写诗。在形式上也较多地采用了更易于表达复杂思想感情的四行体。"[①]虽然，他在这里说"以民歌为基调"，但是，读者却感到，在他后来的抒情诗中民歌的基调被新诗的基调取代了。

改变了一种诗行的形式，就意味着改变了一种对生活进行加工的特殊手段，放弃了一种形式，也就意味着放弃了一种已经稳定地达到了的艺术水平。同样，用另一种艺术形式写作就意味着要重新探索把生活素材提炼、净化为艺术形象的特殊规律。对诗人来说，实际上是要在生活素材面前重新确立诗和非诗的界限。

从 1950 年到 1953 年，李季处在探索新的主题和新的形式的过渡阶段。这种新旧交替的特点明显地表现在《短诗十七首》中。这本诗集中最为人称道的是《报信姑娘》，它从主题到人物，仍然是《王贵与李香香》的延续，只是形式变了。那个为了给游击队报信而牺牲了的姑娘，其精神和气质与李香香给游击队报信有许多相同之处。虽然她和李香香一样也有一个打游击的爱人，作为一个人物，她却没有李香香把革命和爱情交融在一起的丰富感情世界。这是一个未完成的形象的胚胎，我们后来在《五月端阳》中看到了她的发育和成长。在《报信姑娘》中，李季第一次采用了当时流行的比较自由的新诗的形式。

由于民歌中那种现成的表达方式不能直接用到新诗中来，《短诗十七首》中一些最动人的作品并不是以新诗的表现艺术取胜，而是以生活内容的生动取胜的。他在《光荣的姑娘》中这样写："不需要寻找华美的辞藻，来把她的形象渲染，她那英雄事迹本身，就是一首动人的诗篇。"显然，李季还没有在英雄事迹以外发现更多的诗情，正因为这样，他更依靠情节。他的抒情诗，这时往往带一定的情节性。离开了情节，他的诗作就显得平淡了。

李季在掌握新诗这种他并不熟悉的方式方面进展得很快。在他后来的诗作中开始出现溢满友谊的浅蓝色酒杯、满天飞翔的和平鸽，出现了风暴背景上的海燕、象征着革命的钟声等等。李季的联想和想象的天地突破了农业生产以及与之直接联系的大自然现象，他运用新诗的手法叙事，有时也达到了 20 世纪 50 年代初期新诗难得的精练。如写敌军侵入村庄：

一阵寂静紧接着就是一阵混乱，
皮鞭和刺刀的影子在每家的窗户上显现。
再接着是成百声令人心悸的惨叫，
到最后，笼罩着村子的依然是黑暗。

虽然，这样的语言有些不精练（如"紧接着""再接着""到最后"，是散文的逻辑顺

---

① 李季：《〈难忘的春天〉后记》，人民文学出版社 1959 年版。

序），但是，这种有层次地用较多的细节把握过程的特点，是和民歌那样单纯的概括方式有很大的不同的。不过，总的说来，诗的质量是远逊于《王贵与李香香》的。有些则是明显的粗糙，如写敌人的凶残："死得最惨的是那个老汉，身上总扎了一千个刺刀眼；另一个妇女，再过几天就要坐月子，强盗剖开了肚子，血流几尺远。"这好像不过是把素材做散文式的罗列。这时，李季执着于生活，往往忽略了艺术的净化。

这个时期李季在准备着一个突破，但真正的突破还是他到了玉门油矿，并且在那里建立了第二个生活根据地以后。当旧的生活敏感区和新的生活敏感区融合的时候，李季就概括出他自己的新主题，新人物，并且比较自如地掌握了新形式，他打破了他习惯的叙述情节的顺序，更进一步掌握了新诗的抒情方式。标志着这个突破的是他的《玉门诗抄》。

在 20 世纪 50 年代初期和中期，李季以豪迈的工业建设图景吸引了广大的诗歌爱好者。《玉门诗抄》的副题是"春风普度玉门关"，显然是和唐人的诗句"春风不度玉门关"做历史的对比。李季是最早把大西北荒凉的自然风貌和社会主义工业建设的英勇劳动结合起来的诗人。在他笔下，石油河在冰块下面"和砾石作着激烈的争辩"，石油工人"正把辽阔的戈壁划入市区"。李季善于把艰巨的劳动、荒凉的大自然与建设者的豪壮胸怀交织起来表现。在他笔下，那藐视困难的气概，创造生活的喜悦都极其鲜明地体现了 20 世纪 50 年代的时代精神。李季的这些作品尽管在艺术上还不能说是成熟的，但他却适应了 20 世纪 50 年代初期阶级斗争主题向大规模经济建设主题的转变的潮流。一种伟大时代的历史转折感渗透在他自称为"石油诗"的作品中。最明显的是《阳关大道》，虽然这里仍然是"三百里荒沙没有人烟"，但是，"沙漠上的牡丹"敦煌城却是一片繁荣景象：

党河大桥，
坐落在敦煌城南，
桥下是滚滚的流水，
桥上的大路，直通阳关。

阳关大道，
又平又宽。
车马拧成一条绳，
走路的人儿不断。

阳关内外，
黄沙满眼。

处处逢人皆亲人，

小店大店歌声满。

这首诗没有像李季的许多诗一样写人物，写情节，而是写了一个场景，生活的浓度、感情的深度、语言的精练，都达到了当时新诗的高水平。诗人不过写了一条路，却充满了生机勃勃的时代气息。荒漠的背景被繁忙的视觉和听觉形象淹没了。这里不再是“西出阳关无故人”的荒凉塞外了。这里着重写的是诗人对环境的感受，人与自然、人与人关系的改变引起的一种新鲜情绪。在写这一类生活的欢乐颂歌时，李季并没有回避沙漠的荒凉，李季像当时的许多新诗人一样，一方面热烈地唱着新生活的繁荣，一方面又并不回避生活中的不足。在《我们的油矿》中，李季笔下的新城的建设者就是这样：

没有必要对你隐瞒城市的缺点，

我们实在需要一个美丽的公园；

虽然我们每天可以看到壮丽的戈壁日出，

虽然我们每年可以看到六月天雪飞祁连。

《王贵与李香香》中的革命战士已经成为社会主义工业建设的领导人，他们对着报表拉计算尺，真像“摸着心爱的手枪”，他们“上车的动作”，多么像当年上马的姿势啊：

刀痕是长征时留下的，

抗日战争的纪念品留在肩膀上。

解放战争中丢了一个手指头，

这一脑袋的白发是转业以后的奖赏。

这时李季不再依靠情节来概括人物的漫长经历了，他不再用“小叙事诗”的形式写作抒情诗了。他从生活中提取了少量概括性很高的、有某种想象弹性的细节，集中到统一的主体形象上。在《旗》中，李季这样写勘探队员：

他们的双脚走遍了祁连山的每个山峰，

他们的汗水曾流进陕北的黄土层里。

歌声惊走了戈壁上的野马群，

欢笑驱走了处女地上的静寂。

这种以局部细节概括不同生活侧面的方法，在 20 世纪 50 年代初期乃至中期还是很新颖的。李季就是这样描绘了在大西北沙漠上创造新生活的建设尖兵，揭示了他们为创造新生活而甘愿忍受艰苦的高尚的精神境界。

对于如何在抒情诗中描绘英雄形象，李季所进行的探索是很有特色的，他力图正面表现先进人物感情的豪迈。他并没有像贺敬之和郭小川那样，也没有像公刘那样把自己的感受作为反映时代风貌的焦点，他也不像闻捷那样以一种牧歌情调来表现劳动和新生活的喜悦，在欢乐的场景中渗入诗人优美的情思。在李季的作品中，基本上没有诗人的自我形象，也较少以直接抒发诗人胸臆为主的篇章。他的语言不及白桦、雁翼、邵燕祥、流沙河那样多彩，他的想象常常是直线的，不像李瑛那样曲折，但是他却以他质朴的风格和深厚的生活内容，在20世纪50年代独树一帜，在表现生活的深度上所取得的成就弥补了在构思上平直的不足，他作品中所共有的那种生活的光华是当年许多风华正茂的诗人所不及的。如写戈壁滩地质队员饥渴的情景："人们连做梦都在摸着那早已干了三天的水壶。马呀，饿得回过头来咬自己的尾巴。"李季的人物是现实的人物，艺术细节也很少带着想象的奇妙色彩。他在描绘场景和人物方面迈开雄赳赳的步伐，但在想象的空间中他却缺乏灵巧的翅膀。李季的这种写实风格在20世纪50年代初期和中期对许多青年诗歌爱好者有过广泛的影响，他们的新诗往往过分重视生活现实图景的描绘，而在艺术想象方面显得拘谨。这正说明，在当时，人们对反映时代风貌和抒发诗人胸臆方面的理解还比较朴素。但是，从诗的艺术规律来说，是不能回避生活和想象的关系的，在这方面理解上的偏颇，不能不影响到诗人在艺术上的进展。

1954年李季还写了《生活之歌》，这虽然是一首叙事诗，但在叙事上并不成功。故事的主人公是才从中学毕业的赵明。新当石油工人，满怀激情幻想，后来克服了对"每天都是上班下班"的"厌烦"，在老工人尚师傅的带领下，取得了厂党委书记和苏联专家的支持，进行新的采油法试验，于是，他和他的保守的哥哥发生了矛盾。最后，由于新采油法获得了成功，赵明进一步明确地认识了创造性平凡劳动的不平凡的意义。长诗明显地受到当时在国内广泛流行的某些苏联作品的影响，对生活中严峻的矛盾，只是做了片段的侧面烘托，不论是赵明和他哥哥冲突的解决，还是赵明自己思想感情的变迁，都没有经过激烈曲折的斗争。李季似乎也无意去展开矛盾，只是用它作为一种线索来构成抒发感情的环境和气氛，而不是追求特定环境中性格逻辑的必然发展，因而人物是比较模糊的。长诗在当时却受到了欢迎。这是因为，它较早地表现了20世纪50年代青年献身祖国工业化的热情，写出了在艰巨劳动中创造生活的自豪。长诗还写到了建立在创造性劳动基础上的兄弟感情和爱情，展现了那些向困难进军的尖兵们美好的心灵世界，从他们对戈壁滩夜景的赞美，到他们的手风琴和舞会。在这里，困难（包括大自然的严酷和思想感情的冲突）都是轻而易举地得到解决的。这在某种程度上，是20世纪50年代青年，也是诗人自己思想的特点。正是因为这样，李季和当年许多诗人一样是以单纯的歌去反映那个时代的。

在他的笔下得到充分展示的是忘我的劳动热情。友谊的温暖和爱情的幸福、矛盾在自然而平静的发展中渐渐地消失了。20世纪50年代是颂歌的时代，新诗史上的这一章，也是充满颂歌的一章，这是由当时比较迅猛发展的经济建设和人民热情的普遍高涨决定的。但是热情而庄严的颂歌和揭示生活矛盾的战歌还没有很好地结合起来。这样，就影响了作品的思想深度，并显示了颂歌的局限。“我们的年纪，正是生命的春天，宽广的道路，展示在我们面前”，这是现实生活的主要方面，但是，这条道路并不是永远宽广而平坦的。到了1956年，短篇小说和报告文学开始大胆地、正面地揭示生活的矛盾了，并显示了生气勃勃的思想锋芒，但李季写于1956至1957年间的《西苑诗草》，仍然囿于颂歌的方法，他写下了这样的诗句：“飞吧，自由地飞吧，天上的白鸽，地上的姑娘。”这以后，李季还陆续写他的传统主题，1958年，出版了《玉门诗抄二集》，虽然其中不乏动人的诗情，如：“一顶铝盔就是最高的奖赏”等等，但是，往往流于现象的罗列，也就不像《玉门诗抄》那样广泛地得到年轻读者的爱好了。这是因为在1957年以后，我们国家的政治和经济生活都发生了曲折变化，甚至一度发生了严重的困难，这时单纯用颂歌的方法去表现生活就显得不足了，在有些诗中，李季所特有的生活情趣也淡薄了。而那些内容比较深厚的作品，却又常常和他本人以前的一些作品在形象上有些重复。我们隐隐感到李季的创作有些停滞。但是，诗人不但没有感到这种停滞，反而被一种空乏的政治热情掩盖了。这表现在“大跃进”期间，李季和闻捷在《甘肃日报》上为配合政治宣传而写的报头诗中，对于当时的浮夸风，李季是不可能有清醒的判别力的，因而对于他的诗脱离生活的危机，他也就不可能有客观的认识。但是李季终究是李季，当他不能对他尚未充分理解的生活做出新的概括时，他宁愿把主要精力放到自己心灵中已经熟透了的人物和生活中去，当他对新诗的形式不能进一步开拓新的天地时，他宁愿回到他所熟练地掌握了的民歌形式上去，并力求有所创造。这样，从1958年7月到1959年11月，就写出了他的《杨高传》三部曲。

三

《杨高传》是经过李季长期孕育的。诗人在陕北革命根据地工作时曾经听说过红小鬼的传奇故事，在解放战争期间又听过区委书记杨高的英勇事迹，而在1954年，在柴达木又遇到了成为地质勘测大队政治副大队长的杨高。[①]长诗的第一部《五月端阳》描写了孤儿杨高给财主拦羊，从事地下工作，投奔红军英勇作战的故事。杨高在危急之际得到牧羊人的帮助，披着老人故意丢下的老羊皮袄混在羊群中，躲过白军追捕，在端阳家得到巧妙的掩护，后来又发展为爱情线索，长诗中的这些情节连同许多细节都直接取之于原始素材。李季特别善于通过这样的情节赋予他笔下的革命和爱情以曲折的传奇色彩。

---

① 见李季：《戈壁旅伴》，上海文艺出版社1959年版，第56—74页。

长诗的第二部《当红军的哥哥回来了》，以抗日战争和解放战争为历史背景，写杨高受伤复员还乡，“骨折肉烂心不碎”，领导游击战争，但与崔端阳长期失散，崔端阳孤独地与以自己的舅父为代表的恶势力进行斗争，后来在风雪中与杨高见了面。像《王贵与李香香》一样，经历了曲折斗争的爱情随着革命步伐一起走向胜利之后，又经受了严酷的考验，二人在敌人刑场相见，威武不屈，崔端阳英勇就义。长诗的第三部《玉门儿女出征记》写杨高在解放战争胜利后复员参加玉门油矿建设。这个忘我的革命英雄虽然残废了，但仍然成为生产建设的先锋。他从一个战场上的勇士变成了一个向科技、向大自然进军的悍将。

杨高的形象无疑是王贵的形象、“石油诗”中的那个“厂长”的形象以及《向昆仑》中的主人公等形象的一个总结。杨高像王贵一样认识到个人的命运与革命成败的密切关系，个人的幸福离不开革命战争和建设事业的顺利发展。在参加革命之前，他经历了种种非人的磨难，从贫困和艰难中磨炼出来的奋不顾身的斗志是王贵与杨高的共同特点。被压迫者求生存的强烈愿望引导他们自发投奔革命队伍，为了求得解放，他们宁愿忍受痛苦的磨难，甚至做出最大的牺牲。杨高高于王贵之处在于他不仅仅是为本人的命运而奋斗的。为了改变祖国的落后面貌，他能够自觉地牺牲自己的一切，从个人的健康到忠实的爱情。最后，像《生活之歌》中所写的那样，随着革命和建设事业的顺利发展，为祖国带来光明前景，也就为个人带来了幸福。像在《王贵与李香香》中一样，李季在《杨高传》中仍然善于把革命的曲折和爱情的曲折交织起来，让阶级斗争形势成为个人命运转折的决定因素。在长诗的第一、二部中，李季往往以革命的失利来考验他对革命的坚定和对爱情的忠贞，使人物带上了传奇的绚烂光彩。在长诗的第三部，李季以生产斗争中的事故“井喷”磨炼他的英雄。但是，在李季笔下，情节的发展的触媒往往仅仅是由于客观形势的变动。因而，他常常求助于某种巧合（或者“巧错”）、某种偶然性导致人物命运的变化。有时又离开人物以孤立的章节去描写历史背景的特点。他很少像闻捷那样把个性的因素和环境的因素交织起来导致情节的复杂变化。《杨高传》在表现历史环境和人物个性上虽然占了很大的篇幅，但仍然是比较薄弱的，这在长诗的第三部《玉门儿女出征记》中表现得比较突出。当然，长诗的第三部的不足主要原因还是对社会主义建设时期的矛盾性质把握得不准确。虽然，诗人经常在顽强学习和英勇劳动中表现人物，而且往往把人物置于死亡的边缘上，给读者的印象仍然是英雄事迹的外在表现多于对英雄内心的独特展示。第三部开头一连几节，一千多行，除了生活场景的罗列和人物经历的说明以外，还没有展开贯穿全局的矛盾和冲突，老是在劳动和休息、工作与健康之间制造矛盾，这样，传奇的情节没有了，人物也模糊了。

长诗采取说唱的形式，以七言句和三三四的十言句交替出现，这是有利于叙事的形式。《杨高传》不像《王贵与李香香》那样袭用大量的“信天游”的比兴方式，而是广泛运用了赋的手法：

自己——想着——自己笑，

转眼——来到了——党委会旁，

下了——汽车——往里走，

不小心——撞在了——电线杆上。

为了解决大量叙事与抒情的矛盾，李季往往在人物命运紧急关头或在紧急关头之后，展开连续运用比兴手法的抒情。如果说杨高的形象主要是凭借动作性很强的情节来塑造的话，崔端阳的形象则主要是凭借大量的抒情独白。端阳的形象的特点与李香香一样，主要是通过她对爱情的忠贞表现她对革命的忠贞。虽然在一开始端阳是革命的感情多于爱情的吸引，但在革命的严酷考验过程中，爱情却显出了稀有的坚定。端阳的性格在长诗的第二部《当红军的哥哥回来了》中有比较充分的表现，特别是一连四节的“风雪夜端阳追杨高”，动作性和抒情性比较统一。而在《姑娘的心》中，虽然没有紧张的动作性，基本是抒情性的内心独白，但是，由于传统民歌的表现方法运用得自然、得体，也显得十分动人。如端阳在纺线时的心情：

妹妹好比一条蚕，

从心里吐丝线千丈万丈，

蚕丝也有吐尽时，

妹的心要比那蚕丝还长。

又细又白千万丈，

从三边一直拉到前方，

一头拴在妹心里，

那一头紧拴在你的心上。

但是总的说来，《杨高传》中这样精彩的抒情片段是不多的。长诗的叙事往往淹没了抒情。而那些说书人的插话，对于形成气氛，也是没有好处的。李季创作中生活与艺术的矛盾，在他 20 世纪 60 年代的诗作《向昆仑》（载《石油诗》第二集）、《海誓》《剑歌》和《李贡回来了》以及 20 世纪 70 年代的《石油大哥》中仍然没有得到解决。要把新诗在 20 世纪 40 年代达到的水平和“讲话”以后新诗的艺术成就结合起来，这样的历史任务不是李季一个人完成得了的。但李季已经向这个任务发动了攻坚，并且在开辟道路的斗争中取得突出的成绩了。

新起的一代诗人正在李季已经开辟的道路上走来，并且在纠正李季艺术上的偏颇。这就是以贺敬之、郭小川、闻捷、公刘、李瑛为代表的 20 世纪 50 年代诗坛新秀，他们将开拓出更为广阔的道路，创造出更高的成就。

阮章竞的艺术道路[1]

阮章竞的《漳河水》于1949年底完成。最初刊登在《太行文艺》上，后来又经作者多次删改，才成为目前这个样子。它在新诗的发展上是一个比较大的收获。在这以前，阮章竞主要是从事戏剧创作的，是解放区著名歌剧《赤叶河》的作者。诗人在太行山区漳河一带做过十几年的群众工作和文化工作。在此期间也有过诗歌创作，但是由于印刷条件的限制没有保存下来。目前集子中保存的最早的一首《牧羊儿》系1940年所作。这首诗有鲜明的民歌特色：

放羊儿过山坡，

青草儿，多又多。

掌柜的吃烙饼，

给我啃糠窝窝！

至于1947年写的《逆别》："鹅毛毛的大雪纷纷地下，上前线的新兵骑上马……"就显示出作者语言的概括和凝练了。这一首和下一首《盼喜报》虽然是抒情诗，但却包含着情节，显示了作为一个剧作家兼诗人的特点，这一特点后来在《漳河水》里得到充分的发展。他在《我怎样学习写作》(《文汇报》1951年11月28日)中说过："一定要有故事性，没有就不成为文艺作品。"这当然不是文艺的一般规律，而是作者的艺术追求。但是要把戏剧性的情节与诗的抒情和谐地统一起来并不是很容易的。复杂的情节往往迫使诗人忙于单纯叙事。阮章竞在解放区所写的第一首长诗《圈套》就没有解决这个问题。

《圈套》的故事写在反霸时期，地主阎王杨道怀利用女人做圈套陷害农会主席李万开，企图篡夺村政权。李万开立场坚定，但是经验不足，上了大当。而地主婆"母夜叉"却大闹起来：

① 本文发表于《福建师范大学学报》(哲学社会科学版)1979年第12期。

披头散发像个鬼，

扑了东头扑西角……

扑倒在地上捣胸膛，

装得真像个瘫蛤蟆！

后来村长的妻子识破了圈套，机智地逃出，搬来了民兵，救了村长。《圈套》的故事性很强，都以口语入诗，诗行基本上是说唱的七言体，有鲜明的群众文艺的特色。但是长诗陷于单纯叙事，缺乏抒情色彩，读来比较单调平淡。其次，以口语入诗，加工提炼不够，许多地方语言比较粗糙，给人一种“好像顺口溜出来的”感觉。把曲折的情节与抒情结合起来的问题到《漳河水》中才得到解决。

《漳河水》里写了三个妇女，在“毛毛小女不知道愁”的年龄，互相诉说着自己对幸福的爱情的向往：荷荷想配个“抓心丹”，苓苓想许个“如意郎”，紫金英想嫁个“好到头”。但是，由于封建包办婚姻，三个人的希望都落了空：“荷荷配了个‘半封建’，天天眼泪流满脸”；“苓苓许了个狠心郎，连打带骂捎上爹娘”；“紫金英嫁了个痨病汉，一年不到守空房”。长诗没有花多少篇幅抒写旧时代妇女的苦难，而是把着重点放在新中国成立以后她们争取新的生活幸福的曲折斗争上。荷荷代表先进的社会力量和富农离了婚，并且在互助组这一当时农村先进社会组织中与同组的积极分子结了婚。本来，导致长诗中妇女痛苦的直接原因是封建的意识形态，可是要战胜这个旧的意识形态却不能完全靠思想斗争。构成新式幸福婚姻的基础却是双方共同的劳动。当王三好为了来看荷荷，出工时绕了道，荷荷批评他：“瞧我绕了一个大弯，误了上地要丢模范。”

这就显示出了《漳河水》主题的时代特点——不但把双方独立劳动当成自由恋爱的前提，而且把劳动看得高于恋爱。这是新诗史上关于恋爱婚姻主题的一个划时代的标志。在新诗草创时期，爱情主题是针对着封建婚姻制度的。但是，当时只是着重表现妇女人格独立，个性解放，冲破封建礼教束缚，感情自由高于教条。而这种个性解放和婚姻自由怎样才能实现，在最激进的诗作中也没有解决。到了《王贵与李香香》出现的时候，爱情的幸福才和革命胜利结合在一起，为爱情幸福找到了政治基础。而《漳河水》则进一步为这种政治的一致找到了经济根源。“吃穿住行靠自己，妇女解放才能彻底。”荷荷的幸福的前提是双方具有共同的政治目标并进行平等的劳动，而且这种劳动已经不完全是分散的、以一家一户为生产单位的小农经济的劳动。为新诗的爱情主题提供了社会主义的最初信息，这还是第一次。阮章竞在《我怎样学习写作》(《文汇报》1951 年 11 月 28 日) 中说：“要善于研究人民的思想变化。”在《漳河水》中，突出表现了人民群众恋爱观的变化：

种谷要种“稀留稠”，

娶妻要娶个剪发头。

种玉茭要种“金皇后”，

嫁汉要嫁个政治够。

这里不再是五四时期那种感情高于封建教条的爱情诗了，而是与热爱劳动结合在一起的政治态度决定感情了。《漳河水》的作者以饱满的热情歌颂了农民感情深处的深刻变化。这种新兴的有鲜明理性原则的恋爱幸福观，不但在先进人物身上表现出来，而且在中间落后阶层逐步取得战胜封建婚姻制度余毒的胜利，这主要表现在苓苓和紫金英的命运的改变上。诗人以赵树理式的幽默，描绘了苓苓坚持生产劳动触犯她丈夫二老怪大男子主义的“老规程”时，二老怪的心理独白充满了喜剧的动作性，看得出来，剧作家的才华帮助阮章竞触及了二老怪心灵深处的个性逻辑：

寻根棍，找条绳，

半夜打老婆是老规程。

一根麻绳抛上梁，

吊住她头发才揍她娘！

数这玩意儿最利索，

二老怪是老手旧胳膊。

哎呀呀，不能够，

她娘早剪成短发头！

不能吊，寻棍捣，

只寻到麻秆和镢头。

麻秆打她当搔痒痒，

镢头一敲会死她娘！

敲死人命会吃官司，

不是坐牢就挨枪子！

不偿命，也不成，

没有老婆要打光棍！

花钱再娶犯法令，

自由谁敢上我家门！

不准打，也不敢骂，

动她根汗毛也犯法！

哎呀呀，老规程吃不开，

二老怪碰到了新朝代。

二老怪心理独白包含着喜剧冲突：他的“老规程”的彻底贯彻会导致丧失妻子和犯罪，这是完全违反他本身利益的。而“新朝代”的新风尚，妇女参加劳动，不光是“养孩儿抱蛋，洗衣裳做饭”，是符合二老怪利益的，可是他却接受不了。在这里显示出习惯势力和封建意识的荒谬。作者用轻喜剧的流利诗句，写了苓苓轻而易举战胜二老怪，并明确点出经济地位平等（土地所有权和劳动平等）保证了苓苓的胜利。这一对夫妻的斗争属于劳动人民家庭内部的矛盾，因而斗争的气氛是轻快的。苓苓调皮地蔑视二老怪，用简洁的白描手法勾勒出来：

嗤嗤两声钻进被窝。

露出半个头来轻轻说：

“二老怪，不用发呆，

你的老规程如今没人买！”

与苓苓争取幸福的过程的轻喜剧气氛相比，紫金英的命运则带着一定的悲剧色彩：丧失了丈夫的紫金英，追求幸福的感情向畸形发展，被人目为“浪女人、破鞋、花老婆”。她面临着不正常的感情问题：“看尽花开看花落，熬到五更炕头坐，风寒棉被薄。”还有实际的生活困难：“吃水劈柴泥墙角，桌坏椅倒要人拾掇，偏偏门又破。”先进人物荷荷带动紫金英参加互助组的生产劳动，取得经济自立的地位，然后再去战胜那“寄生草根缠树身”的感情，并且让紫金英给她旧日的相好当面指出，“不务营生作二流，给人指着脊梁笑”。不但把劳动作为爱情的基础，而且把劳动当作改造封建婚姻余毒的手段，这是《漳河水》的深刻之处。用独创的形式表现建立在共同劳动基础上的爱情的美好是当时阮章竞探索的中心。他在以土改为题材的组诗中，常把劳动和爱情结合起来，构成牧歌情调：

一面面突击队旗，

一朵一朵的云。

一阵一阵的镢头声，

山响石头惊。

……

一抹一抹的红巧云

照醉了绿杨柳。

一阵一阵的唱歌声，

哎呀呀

数我哥哥好。

他在 1951 年写的《婚礼进行曲》中的“劳动工分代首饰，美过镶边的金彩云”，也是力图表现农村中这方面的新的感情。他在这方面可以说是一个开拓者。而后来取得更大成就的却是闻捷。

《漳河水》在艺术上有较高的成就，主要表现在比较好地解决了叙事与抒情结合的问题，这得力于长诗的结构和语言。

长诗写三个妇女的命运，没有像《圈套》那样陷于过程的叙述。诗人总是不着痕迹地把情节过程压缩到最小限度，这也得力于戏剧的集中矛盾的结构方法。时间的过程从单一的空间中表现出来，矛盾集中凝聚在一个焦点上，形成了叙事诗中的抒情环境。例如三个妇女在旧社会的命运并没有分开来写，而是让她们在结婚前聚在漳河边倾吐心曲，结婚以后回娘家又到漳河边诉说苦难。这样曲折的情节就净化到只剩下两个场面，而这两个场景又不是用纯粹的描写来交代情节，而是让三个人以独白和对白的方式来诉说。这样的诉说自然带上浓郁的抒情色彩。而环境背景则集中到漳河的统一形象上去，除了漳河以外没有什么具体环境描写。漳河的形象和妇女的命运融合成一个统一的形象，在三个性格不同的妇女诉说他们悲苦命运时，漳河的形象就带着她们性格不同的特点。漳河的形象有时是客观的背景，有时是主观的感情的体现，有时是感情交流的对象，有时是这三者的综合：

声声泪山要碎！
问句漳河是谁造的罪？
桃花坞杨柳树，
漳河流水声呜呜！

这是妇女受压迫时漳河的形象，而当妇女获得解放时漳河的形象又是这样的：

漳河水，九十九道弯，
漳河流水唱得欢：
桃花坞，长青树，
两岸踏成康庄路。

万年的古牢冲坍了！
万年的铁笼砸碎了！
自由天飞自由鸟，
解放了的漳河永欢笑！

这个漳河的形象在故事情节进展中代替了一切背景，在场景的转换，在人物的对白中，反复出现，用漳河的统一形象把长诗中的大量的独白和对白式的抒情章节自然地贯串起来，这是《漳河水》的一大创造。这使得长诗中的叙述过程交代背景的诗句几乎少得不可再少，这样诗人就游刃有余地在这压缩了的情节中渗入浓郁的抒情。

长诗的成功还得力于诗人的语言功力。《漳河水》中引用了许多民间歌谣，作者自己就说明其中有“开花调”“刮夜鬼”“梧桐树”“荷包”“打寒虫”“大将”“一铺滩滩的绿杨柳”等形式（见《漳河水·小序》）。自然这主要是指其曲调形式，作为诗的语言则是经过诗人加工的。例如开头的《漳河小曲》：

漳河水，九十九道弯，

层层树，重重山。

层层绿树重重雾，

重重高山云断路。

这里用了一系列的重叠的词。用听觉的重叠来表现视觉上山和树的众多层次，显示从事过音乐工作的诗人对声音的敏感。

清晨天，云霞红艳艳。

艳艳红天掉在河里面，

漳水染成桃花片，

唱一道小曲过漳河沿。

这一节用视觉形象的鲜明色彩与前一节的淡墨山水对比，以天空的云雾倒影写出了水的透明，构成明朗欢快的调子，表现出一个长于丹青的诗人对色彩的敏感，善于用色彩抒情的特点。阮章竞不愧是个业余的国画家。

很显然，这还得力于诗人古典诗歌的特别是古风和民歌的修养。诗人在《群众对诗人的要求是什么》（《诗刊》1958年第8期）中说：“中国民歌和古典诗歌，由于中国语言的特性，有颜色，有音色。一些民歌和古典诗歌一读起来就觉得充满画意和音乐旋律。”上面的两节诗正是从“颜色”和“音色”两方面去表现诗人内心感受到的大自然的美妙的。而下面两行诗，则更有绝句那样提炼得很单纯的色彩和意境：“送出门，送出院，/梨树花开明月天。”

但是《漳河水》的语言的主要功力，还在于善于运用口语，把生动的农民口语提炼成诗，在大量的抒情独白中，人物的语言富有地方色彩和个性特色，比如写二老怪的内心独白：

猪不离圈，狗不离院，

母鸡不离个破篮片。

自由平等怎能行，

女人都“惯”坏成了精。

这里的语言有二老怪的生活经历和个性的特殊标志，把女人比作猪、狗、母鸡，既表现了他轻视妇女，又明显地带着农民生活环境的特点。而把妇女自由平等看成是由于“惯”坏而成了“精”，这样的糊涂观点和迷信概念加在一起，正是二老怪内心深处独特的性格逻辑。长诗用纯熟的北方农民口语写成，像“苗苗出土绿油油，瓜秧露芽肥展展，花不棱棱手艺巧…… 眼儿越看眉越高”，这样不着痕迹地把口语上升为诗的形象，是经过精心提炼的。作者在《我怎样学习写作》(《文汇报》1951 年 11 月 28 日）中说：“我是南方人，在这一点是很吃力的。因此，我要常关心群众的语言，什么样的情形，怎么样说，大体上都有规律的，都把它记下来。”“如现在产生在一些农民群众中的‘革命成功思想’，山西农民说：‘早晨一顿“金皇后”，中午一顿“一六九”，晚上一个“剪发头”，则满足了，没啥好干了。平原的农民说：‘三十亩地一头牛，老婆孩子热炕头’，也就满足了。”可见《漳河水》那些恰如其分地符合人物身份、当地环境特点的语言，经过作者多少苦心的锤炼啊！

口语的独白和对白特点是泼辣，例如二老怪的话：“‘老婆是墙上一层泥，你要死了我再娶！’‘放他娘狗屁’”。而作者的语言则往往有些典雅的书面语言，例如“风吹花飞落水面，紫金英倒尽心头怨”。此外，在必要的叙述语言中则多用白描手法，如写女孩子在一起谈自己对幸福爱情的向往：“低声拉话高声笑，好说个心事又好羞”。又如写媒婆相亲是“从脚看到天灵盖（而不是从头看到脚）”，都因为抓住了特点，而显得异常精炼。这样，《漳河水》的语言就既有统一的民歌风味，又显得很丰富多彩。

在节奏上基本是五七言体，但是并不拘泥。随着内容的变化节奏也有所变化。例如妇女诉苦时就采用《四大恨》的调子：“常阴天，森罗殿，/ 自从关进那砖门院，/ 苦胆拌黄连！”前两句六言、八言，最后一句五言，与习惯上长节奏句子在后相反，打破匀称，造成一种顿挫的感觉，很符合内容的特点。后来紫金英诉苦，媒人张老嫂挑唆，都是用这种节奏。而苓苓和二老怪的对话，富有喜剧性，则用长句在后的节奏：“苓苓捂嘴低声啐：出什么洋相讨厌鬼！”

《漳河水》的出现在 20 世纪 50 年代引起了广泛的好评，例如丁力在《谈阮章竞的叙事诗》中说：“《漳河水》有民歌和古典诗歌那样优美的意境，那种多样的表现方法。如比喻、夸张、衬托、对称等等。有民歌那样的朴素、自然，那样反复重叠的声调，容易传唱。有古典诗歌那样的精练、含蓄，那样的声韵铿锵朗朗上口。”(《诗刊》1959 年第 5 期）从《漳河水》中不但看到作者有民歌的而且看到有古典诗歌的素养，这是比其他评论《漳河水》的文章深刻的地方。但是，作者忽略了《漳河水》艺术性主要是得力于民歌，诗人有意识地从古典诗歌中吸取营养是后来的事。

写《漳河水》以后，阮章竞一度用自由体写政治抒情短诗，很显然，这并不是他的所长，以概括凝练的民歌语言取胜的诗人，写自由体显得很平庸。阮章竞没有停止前进，他又对新诗的艺术形式、节奏不断地进行新的探索。他 1955 年写的童话诗《金色的海螺》虽然仍旧是写劳动者的爱情，却并没有重复《漳河水》的民歌形式，而是采用当时流行的四行一节，每行音节数量相差不远的形式。后来当他把目光从农村转向工业战线，用抒情诗的形式去反映内蒙古草原的荒漠风光在伟大的社会主义建设中发生了历史性的变化时，他却主要用古典诗歌中古风歌行形式的豪迈风格和浓郁色彩。这样，他就为自己的艺术开拓了一个新的天地。这主要是指后来收在他的新中国成立十年诗选《迎春橘颂》中的组诗《新塞外行》（在诗集《虹霓集》中作《新塞上行》）和《乌兰察布》。从此，在诗人的心灵中就好像有两根弦：一根弦是民歌体的，像漳河流水那样奏出清新明丽的幸福和欢笑，一根弦是古风歌行体的，却是大漠风尘一样，奏着雄浑豪迈的制胜艰难险阻的战歌。

《新塞外行》（1957）和《乌兰察布》（1958—1959）都是反映包头钢铁基地建设的。很明显它在风格和情调上受盛唐边塞诗的传统的影响，特别是那些描绘草原往日荒凉景象的诗句：

晨霜重，雨如箭，
牧人袖手不扬鞭。
地阔天空骆驼瘦，
铜铃摇不响，
嘴鼻喷青烟。

这就不但有古典诗歌的形象的细节的精粹，而且有它的特有句法：“地阔天空骆驼瘦”，在七字一句的诗行中有三个主谓结构，使得形象的密度很大，语言十分精练。这样的句法，阮章竞的使用率是很高的，如：“岸坍岭崩坚冰碎”“弦管笙箫明月天”。但他并不满足于刻意仿古，他在《序歌》中开宗明义就对历代的诗人说：“让我重新改写，你们唱过的歌词。”他要歌唱的已经不是往古荒漠的悲歌，不是“冷冷清清的驼铃，送别破晓霜天残月”，而是新时代的“春风丽日”。《新塞外行》把构思中心放在新旧时代风光的对比上。诗人用形象密度很大的雄浑的格调着重把往日的荒凉和今日的繁荣加以对比。诗人所刻意追求的是在这古典格调中脱胎出来的新诗。他基本用五七言的诗句，来描绘这历史风貌的剧变：

古渡口，昭君坟，
人造湖水水如镜。
作伴不是昏昏月，
不是寒星和流萤，
而是繁灯千千万，
紫光不灭的钢铁城。

这里“不是寒星和流萤，而是繁灯千千万”，虽然仍为七言句，但由于连接虚词“不是……而是……”的运用则完全成了新诗的句法了。阮章竞的古风风格的诗中，不但有新诗的句法，而且有新诗的构思和想象，例如《蓝天碧野的大乐章》把电线和电线杆比作乐谱，把炉火映照的鸣鸟比作音符，把钻机比作管弦，把火车和钢轨比作竖琴，把开山炮比作大鼓，把吊车比作指挥。这样有系统的比喻合成一个总的比喻，把草原的建设比作蓝天碧野上的乐章在演奏。这就是到了20世纪60、70年代日益流行起来的一种追求形象的统一和完整的构思方法。这种构思方法需要比较强的想象力才能把分散的繁多的细节统一起来，成为单纯完整的形象。在当时（1957年）这种构思方法还刚刚产生。连阮章竞也并不是经常有意识地使用这一种方法。当时，新诗在反映工农业建设的伟大成就中，正经历着把20世纪40年代解放区的以叙事为主和国统区的以直接抒发为主二者统一起来，产生新的构思方法的过程。阮章竞当时的注意力显然过多地放在语言的凝练上，放在局部形象上，而对总体构思的完整则似乎着力不够，所以有些诗不乏叫人耳目一新的章节，但总体形象却较散漫，不够完整。其次阮章竞几乎总是把草原风光的历史变化总体过程作为抒写对象，不像李季那样从具体的人物和具体的场景来反映这伟大的变化。看来他是竭力回避在抒情诗中运用像他在叙事诗中那么熟练运用的情节因素和人物刻画，他的构思总是按照时间顺序把往昔与今朝风物的变化做对比。他也不像郭小川以边疆建设事业为题材，对读者做直接抒情，甚至剖析自己的内心。他的表现手段过分局限于描绘，缺乏直接抒情的笔墨。在学习古典诗歌方面，他又不像贺敬之那样运用律诗和绝句的对称的句法。他主要是运用古风的比较自由变化的句式，却忽略了节奏上的对称，因此常常使人读来有一种失去平衡的感觉。他的抒情诗在语言上虽有较高的成就，在其他方面却没有《漳河水》那样获得普遍的好评。后来在20世纪60年代他的抒情诗集《勘探者之歌》也同样没有突破他在20世纪50年代的局限。至于叙事诗《白云鄂博交响诗》没有达到《漳河水》那样的高度，则明显是因为诗人对内蒙古兄弟民族的生活并不像太行山区漳河一带的人民生活那样熟悉，诗中生活的不足表现是很明显的。

从泛神论到“泛我论”和“无我论”
——论《女神》的思想纲领①

一、批判偶像崇拜和批判自我

五四时期的思想解放运动是以批判传统的精神偶像，反对偶像崇拜的大无畏姿态出现的。青年郭沫若在《女神》中，向以偶像崇拜为中心的封建愚昧专制发起了凌厉的攻势。他不同于胡适那样反对抽象的“威权”，他所追求的是和旧世界决裂，和旧的偶像决裂，同时也要和旧的自我决裂，和旧的世界观决裂。所以在《凤凰涅槃》中，那个毁灭了旧世界的凤凰，同时也毁灭了旧的自我。在《女神之再生》中，那残缺不堪的旧世界的神像，不过是一堆无用的死尸（“哦，我们脚下到处是男性的残骸呀，把他们抬到壁龛之中做起神像来吧！”）。但是，在《女神》中，反对偶像崇拜的激情，却往往采取了拥护偶像崇拜的形式。在《我是个偶像崇拜者》中，他这样写：

我崇拜太阳，
崇拜山岳，
崇拜海洋；
我崇拜水，
崇拜火，
崇拜火山，
崇拜伟大的江河；
我崇拜生，

① 本文发表于《新文学论丛》1982年第3期。

崇拜死，

崇拜光明，

崇拜黑夜。

这里，诗人崇拜的不是神龛中的死尸（人格神、权威），而是非人格的大自然本身。这是因为郭沫若借用了泛神论的思想武器。一切思想解放运动，自然都是当时革命形势的必然反映，但是，从物质到观念、从生活到系统的思想，是一个伟大的飞跃，同时又是一个曲折的探索，人们往往不能完全靠直接经验完成这个飞跃。这期间还要有间接经验，和前人的思想素材。但是前人的思想素材又是前人的生活条件的逻辑概括，不可能完全符合当时的具体情势，因而批判地改造这些思想素材又成为不可忽略的历史任务。自然，人们在这样做时常常是不自觉的。正因为这样，泛神论在郭沫若的手中就发生了复杂的变化。

本来，在基督教神学中，世界的本体是神，上帝是世界的本源。这是一个超越了人和自然的人格化了的偶像。是神创造了人和自然。17 世纪荷兰的斯宾诺莎从话语上继承了“本体即神”的命题，但是，他的“神”，并不是创造了大自然的偶像，而是大自然本身这一实体。这样，他就提出了“神即自然”的反命题。所以马克思说过，他的哲学是属于唯物主义的。从这种唯物主义出发，郭沫若坚决否定了在现实世界以外存在偶像的可能：“地球，我的母亲！/我们都是空桑中生出的伊尹，/我不相信那缥缈的天上，/还有位什么父亲。”这就用形象说明了，现实生活本身就是最高的第一性的存在，在此之外没有更高的本源，根本不存在创造了生活和现实乐园的偶像。但是，郭沫若当年并不是一个哲学家，他用泛神论作武器，不是为了反对天上的神，而是为了反对人间的神。这一点可以在郭沫若 1922 年写的《孤竹国君之二子》中找到明确的答案。剧中人伯夷在一段抒情独白中对“偶像创造”进行了猛烈的批判。他认为“人间的偶像”是私有制出现以后，由“专擅的魔王”捏造出来的“人形的上帝”，暴君自称为“上帝的化身”“万民的父母”。正是这些专制魔王，把自己神化，才“制造出许多礼、许多条文”，要求人民“柔顺”“忠诚”“尊崇名分”和“牺牲”。他宣告这种“偶像创造”的流毒“比那洪水的毒威还要剧甚”。这样，郭沫若就把批判偶像崇拜的矛头，从政治上指向封建专制，从意识形态上指向封建礼教。他认为，这一切都是应该剥除的“虚伪的人皮”。诗人号召人类，只有“回到自然中来”，像原始人那样作为大自然的一员（“没有物我的区分，没有国族的界限”），才能没有争夺，没有私欲，实现真正的思想解放。这正是《地球，我的母亲！》中描写的那个理想的乐园，在那里，工人、农民、草木、蚯蚓都成为摆脱了暴力和私欲的、平等的、自由的兄弟。

很显然，郭沫若的理想境界，已经大大超过了泛神论的范畴。在这里实际上是卢梭的天赋人权的思想的形象化表现。卢梭认为，在文明社会（或“公民社会”）以前存在着一个没有政府、没有法律、没有权威的自然状态。生活在自然状态中的自然人，生而具有自由平等和追求幸福的权利。私有制的产生是不平等的根源，科学和艺术的发展则使道德败坏。他鼓吹“返于自然”。郭沫若在《地球，我的母亲！》中抒写的那个自我形象，正是卢梭的这种摆脱了封建权威和教条束缚的具体表现，是实现了“返于自然”的“自然人”的形象。这个“自然人”的形象，对于封建专制权威来说，是一个否定，对于郭沫若自己的旧思想来说，也是一个否定。五四运动以前，郭沫若曾因“民族的郁积”和“个人的郁积”不能解脱，逃避到泰戈尔的超现实的诗境中去，正是五四运动的号角唤醒了他，他兴奋若狂地看到了民族解放和个人解放的希望。后来他在《我作诗的经过》中描写了《地球，我的母亲！》的写作经过，其中特别强调了，当他灵感袭来时，他索性脱了“下駄”（日本木屐），“率性倒在路上”，想真切地和“地球，母亲”“亲昵”“拥抱”的情景。他还说“自己觉得好像是新生了一样”。郭沫若在这里，不仅是陶醉于卢梭的思想，而且几乎是在模仿卢梭。卢梭在1749年应第戎科学院征文，构思《科学和艺术的发展败坏了风俗还是净化了风俗》时，也是躺在地上，有一种新生的感觉，觉得自己“看到了另外一个世界”，“变成了另外一个人”。①

《女神》之所以是当时思想解放的战斗号角，首先就是因为它创造了这种摆脱封建教条、否定封建偶像和权威的叛逆形象。正因为这样，他不但崇拜大自然，而且还崇拜自我：“我崇拜偶像破坏者，崇拜我！ / 我又是个偶像破坏者！”

正是因为敢于破坏偶像崇拜，才值得崇拜，这里充分体现了青年郭沫若那种超越当时同辈青年的气魄。他甚至还乐观地唱出了彻底摧毁偶像崇拜的启蒙主义的凯歌：“一切的偶像都在我面前毁破，/ 破！破！破！我要把我的声带唱破！”

在《女神》中，动人心弦的不仅是这种胜利的欢呼，同时还有不得解脱的苦闷，以及自我厌弃。《女神》不同于当年其他新诗的显著特点之一就是它的自我批判色彩。把偶像批判和自我批判结合起来，正是《女神》表现“五四”时代精神的独特的光辉。一切真诚地投身于改造客观世界的人，都不能不自觉地改造自己，思想解放的欢歌和精神苦闷的悲吟是反复交织的。可以说，《女神》是诗人为否定旧我、旧观念而不安、苦闷、怀疑、绝望、挣扎、抗争、探求，为迎接新我、新观念而坐卧不宁、而兴奋若狂的心灵的坦率记录。在《凤凰涅槃》中，凤凰所烧毁的不但有“身外的一切”，而且还有“身内的一切”，亦即诗人自己。凤凰正是在这场彻底的烈火中得到永生的。闻一多早在1923年，就注意到这种双重否定的特点。他在《女神之时代精神》中指出：五四时代的青年，“他们厌这旧世界，也厌他们自己”“丹穴山上的香木不只烧毁了诗人的旧形体，而且连现时一切青年的形骸都毁掉

① 卢梭：《忏悔录》第八卷，黎星译，人民文学出版社1980年版，第216页。

了。”[①]而在那首很难为今天的青年理解的《天狗》中，诗人不但把现成的旧的“全宇宙”毁了，而且还把自我也毁了：“我剥我的皮，我食我的肉……我的我要爆了。”天狗和凤凰一样用否定旧我的肉体的形式来表现彻底砸烂精神枷锁的英勇气概，向旧世界决战和向旧的自我决战的欢乐和痛苦的交响构成了《女神》中许多奇特的时代旋律。在《太阳礼赞》中，一方面是针对客观世界的：“我恨不得，把我眼前的障碍一概铲平”；另一方面是针对主观世界的：“你不把我照得通明，我不回去！”在《浴海》中则更加突出否定旧我的重要，诗人宣告要“把有生以来的尘垢糟糠”“全盘洗掉”。在《炉中煤》中，强调了思想得到解放的欢乐：“我活埋在地下多年，到今朝才得重见天光。”而在《雪朝》中，这种获得精神解脱的欢乐则为“我的全身好像要化作光明流去”。

虽然，在《女神》中，诗人也写了《春蚕》那样歌颂为艺术而艺术的创作态度（蚕儿呀，我想你的诗，/ 终怕是出于无心，/ 终怕是出于自然流泻。/ 你在创造你的“艺术之宫”，/ 终怕是为了你自己）。但是，空前的民族觉醒运动赋予他豪迈的气魄，使他经常突破自己。在新诗草创时期，当新诗还是以知识分子的生活小品和对劳动人民的痛苦表示同情为主的时候，这个有时强调“自由地表现自己”（《湘累》）的诗人却为我国新诗提供了第一批带着空前思想威力的“政治抒情诗”。除了《胜利的死》《巨炮之教训》《女神之再生》和《棠棣之花》以外，最突出的要算《匪徒颂》了。郭沫若在这里把一切按传统观念看来无疑是“匪徒”的历史人物全部当作偶像来崇拜，他向这些“反抗王政”“开创邪宗”“离经叛道”“毁祖谤宗”“欺神灭像”“不受约束”“不安本分”，向这些偶像崇拜的公开的叛逆者，无条件地表示最高的赞美，用“万岁！万岁！万岁！”的口号，向他们发出热烈的欢呼。而自己也要对这些传统的“王政”“正宗”“经道”“神像”，进行英勇无畏的颠覆。

值得注意的是诗人的否定是毫无保留的，他反对的是“一切的一切”，在他面前倒下去的是“一切的偶像”，他要铲平障碍的方式是“一概”，他要洗掉的精神尘垢是“全盘”，他要净化的是“全身”，而他崇拜的偶像，是“一切政治革命”“一切学说革命”“一切文艺革命”“一切教育革命”的“匪徒”。《女神》反对偶像崇拜的诗歌之所以不是泛神论和卢梭的民主思想的抽象演绎，而是活生生的艺术形象，就在于，它的全部诗作都流注着这种敢于对偶像统治的世界宣布“否定一切”的叛逆的激情。这是个比鲁迅的《狂人日记》中的狂人更为自觉的思想战士，其批判的锋芒放出了如此夺目的异彩，在“五四”新诗中是罕见的。

这个否定了一切天上的和人间的偶像，冲破了一切精神罗网的自我形象，在诗人的思想和艺术境界中，居于很崇高的地位，他是被当作偶像、当作神来赞美的。在《梅花树下的醉歌》中，诗人这样写：“梅花呀，梅花呀！我赞美你！我赞美我自己，/ 我赞美这自我

① 闻一多：《闻一多诗文选集》，人民文学出版社 1955 年版，第 164—165 页。

表现的全宇宙的本体。”这也就是1921年郭沫若所说的：“泛神便是无神。一切的自然只是神的表现，我也是神的表现。我即是神，一切自然都是我的表现。”[①]

梅花作为大自然的一员，是不受任何人为的封建专制的教条束缚的，当人摆脱了这种束缚，便也像梅花一样自由地表现自己了。梅花是自然，是神；我也是自然，我也便是神了，也便成了能够以自我表现全宇宙的本体了。这里所写的和《地球，我的母亲！》中那样自然人享受着天赋的（大自然赋予的）权利是一致的。本体即神，个性获得解放了的自我，也就像神一样居于最高权威地位。所以在《孤竹君之二子》中，诗人借伯夷的口说道："假使有上帝，我们只要能够循着自己的本性，不为一切人为的桎梏奴隶的时候，那便什么人都是上帝了。”这里郭沫若的泛神论与斯宾诺莎的泛神论有了很大的区别：在斯宾诺莎那里，神是大自然；在郭沫若这里，神是不受人为的教条束缚的个性，泛神论成了泛我论、泛个性论，这是郭沫若的一大发明。《女神》正是披着泛神论的外衣，以天赋人权和个性解放为内容，向封建专制和愚昧发出了彻底的不妥协的挑战。

二、为从资产阶级传统观念中获得解放而探索

把个性自由强调到这样绝对的（神的）高度，在五四初期启蒙运动中，是激进的民主主义者不妥协的反封建精神的强烈表现。在这一点上，郭沫若使资产阶级右翼的代表胡适相形见绌。但是，个性解放毕竟是资产阶级反对封建束缚的思想武器，当工人阶级登上历史舞台以后，中国革命进入了新民主主义阶段，这种建立在个人主义思想基础上的个性解放，就会与无产阶级的集体主义发生矛盾及至对抗。在五四时期高呼个性自由的某些诗人，正是囿于这种资产阶级的传统观念，成了昙花一现的人物，有的甚至像胡适那样与革命发生冲突。但是郭沫若却没有走上这条历史的末路，反而以日益鲜明的社会主义倾向，投入无产阶级领导的革命队伍中。

郭沫若在向封建传统偶像作英勇冲击以后，并没有甘心忍受资产阶级传统观念的束缚，而是继续向资产阶级传统观念做出更英勇的冲击。这样，郭沫若的思想解放就带上了五四时期奇妙的历史特点，一方面兴奋地赞美资产阶级传统的思想；一方面又深深痛苦地怀疑、否定这思想本身。[②]

是新的时代把他推向了新的历史高度。当他追求政治民主和个性自由的时候，一开始

---

① 郭沫若：《文艺论集》，光华书局1925年版，第290页。今本《郭沫若文集》中之《文艺论集》删。

② 这样的观念，居然是我写了《新的美学原则在崛起》不久后非常认真地写出来的。这说明，当时在我的思想深处，毛泽东在《新民主主义论》中确立的“正统”的历史观还占着一定的优势。

就受到“十月革命”后在日本兴盛起来的左翼社会主义思潮的影响。他自己后来回忆说，当时占据他思想中心的是“个性发展”“自由”，但是，在意识的边缘上出现了马克思、列宁。[①]“十月革命”给他提供了一种比任何资产阶级革命更高的理想。在《巨炮之教训》中，诗人让列宁说了为“自由”“人道”“正义”而战，表明他对列宁的理解似乎没有超越旧民主主义传统观念的局限（在《女神》初版本中并没有1928年诗人加上去的“为阶级消灭而战”）。但是，诗人接着让列宁说道：“至高的理想只在农劳。”这里“农”是农民，“劳”是劳工，亦即工人。把最高理想放在工人农民身上，对于青年郭沫若来说是一件非同小可的事情：“他这霹雳的几声，把我从梦中惊醒了。”

这并不是诗家惯用的套语，而是诗人思想历程划阶段性的形象概括。这种“至高理想”的确把诗人以往一系列的“梦”惊醒了。从少年时代富国强兵的梦，到沉浸在泰戈尔那种超现实的诗境的梦。这一切不但可以从《女神》中的某些短章中得到消息，而且可以从作者自称是“夫子自道”的《湘累》中的屈原的形象上看到诗人饱受思想禁锢之苦的烙印。《湘累》中的屈原，被诗人处理成为一个从政治斗争中放逐出来，不得已才在艺术中“自由地表现自己”的形象。但是厌弃政治的恶浊，在超脱的艺术中并没有得到思想的解放，屈原批判了自己追求超现实的“绝妙的境地”“不过是一个梦罢了”。他不得不向旧我告别了：“破灭！破灭！我欢迎你！我欢迎你！”这自然也和《死的诱惑》《死》的那种把死当作“真正的解脱”的幻梦告别了。这个旧世界的叛逆者觉醒了，他不但在封建礼教、传统的精神麻醉状态中觉醒了过来，而且更重要的是他在政治上、在资产阶级的传统民主理想中觉醒了。他看到了时代最新的曙光。他敏锐地看到追求自由的“至高的理想”，已经不在西方资本主义世界。他在《胜利的死》中明确宣告，“自由之神”的化身死在英国监牢中了：“远远的西方太阳沉没了。”当他在《晨安》中，纵览五洲四海时，他那觉醒的视线，便不再把希望寄托在西方，而是转向东方，列宁领导下的俄罗斯在他眼中成了时代的“Pioneer（先驱）”了。

比起从封建专制中解放出来，这显然是一个更伟大的解放。

这一解放的伟大特点首先是在政治方面迅速表现出来（而在意识形态方面，将是很缓慢、很曲折的）。诗人在《棠棣之花》中，斥责了“高唱弭兵”，亦即主张“裁军”和“约法”来约束封建军阀和资产阶级改良派。而在《女神之再生》中，对资产阶级革命派也做了批判。当时国民党正奔走于各派军阀之间，这些军阀反复无常地争做统一天下的国家元首。郭沫若借一个牧童的口，说这些南北军阀不过是一群争食的“斗狗”。诗人的思想不是收拾旧民主主义革命的残局，而是在这以外另创造一个“新鲜的太阳”“美的中国”。诗人

① 郭沫若：《沫若文集》第七卷，人民文学出版社1958年版，第166页。

认为，如果不超越这旧的政治思想的境界，而去从事政治活动，就只能像他在《湘累》中所愤激地论断的那样，成为“送往迎来的娼妇”。而在《女神》出版后一年，郭沫若就在《哀时古调》中，直接批判了国民党一时联络曹锟，一时又联络张作霖的做法：“才闻专使拜曹公，又见三桂哭清廷。”[①]这里的“曹公”暗指曹锟，这里的“清廷”暗指关外张作霖的巢穴。一个激进的革命青年竟然能对“辛亥革命”的领导者进行这样的批判，自然是“十月革命”赋予他思想力量，在一定程度上是突破了资产阶级某些传统观念的表现。在《棠棣之花》中，最深刻的思想是揭示了“辛亥革命”军阀混战的根源在于私有制：“土地私有已经种下了永恒战争的根本，根本破坏了，只在枝叶上稍事剪除，怎么能够济事呢？”这样，郭沫若就从卢梭的私有制产生罪恶的思想过渡到政治上对社会主义、共产主义的向往了。他在《女神》的《序诗》中公然宣称“我是个无产阶级者”“我愿意成个共产主义者”。正是这一点上郭沫若和胡适分道扬镳了。一个停留在个性解放的基点上面向过去，怀念旧民主主义的黄昏；一个冲破了个性自由的局限，面向未来，向新时代的曙光奔去。

三、毁灭旧我，向列宁赋予的“至高的理想”前进

社会主义思想对郭沫若的影响，不但表现在政治方向上，而且渗透到意识形态的深处。这突出表现在，郭沫若没有把“至高的理想”仅仅理解为个人的自由解放，而是把这和工人农民的解放统一起来。他力图把披着泛神论外衣的个性主义和列宁赋予他的“至高的理想”结合起来。这样，被他当作神、当作偶像来崇拜的个性，就不像资本主义上升时期和自由贸易联系在一起的那种个性自由了，不像那种带着自由竞争、亦即自由吞并的特色的个性主义了，也没有社会达尔文主义弱肉强食的特点了。郭沫若的个性自由并不像资产阶级个性自由那样争取上升为人民的主宰，而是投身于工农，和工农大众同为大自然平等的儿子。

在《地球，我的母亲！》中，他把工人当作“全人类的普罗米修斯”，把农民当作“全人类的保姆”，和当时资产阶级“劳工神圣”的口号也有很大不同。在诗人笔下，工人农民上升到理想的高度，而诗人的自我却下降了。在《女神》的初版本中，这首诗中有后来被作者删去的一节诗，正是用自我的“不肖”来和工农对比的：“地球，我的母亲！/我想，除了这工农之外，/一切的人都是你不肖的儿孙，/我也是你不肖的儿孙。”

郭沫若的个性解放了的自我要经过再一次的否定才能和工农融合在一起。为了使自己的个性发展通向列宁赋予他的“至高的理想”，郭沫若不能不经常地把赞美自我和贬抑

---

① 郭沫若：《沫若文集》第七卷，人民文学出版社，第138页。

自我、崇拜自我和厌弃自我、发展自我和毁灭自我结合起来。列宁赋予他的“至高的理想”贯穿在整个《女神》时代郭沫若的思想发展过程中。这样，他的泛神论就不能不带上他“至高的理想”的色彩，受到他“至高的理想”的改造。在《辍了课的第一点钟里》，他把工人当作把他自己从“囚徒”生活中解放出来的“恩人”。而在《西湖纪游·雷峰塔下》，他描写自己回国后看见一个锄地的农民时的奇妙感受：“我想去跪在他面前，/叫他一声：‘我的爹！’/把他脚上的黄泥舔个干净！”

这可以说是具有崭新历史特点的个性解放主义者典型的肖像了。他在《地球，我的母亲！》中，已断然否决了天上还有位什么父亲，在这里却公然呼唤人间的农民是他的父亲；他早已宣布过一切的偶像在他面前毁灭了，可是在这里他却把工农当作偶像来崇拜。个性解放了的自我，曾被诗人当作神，具有至高无上的地位，在工农面前，却只能处于从属地位，真正处于神一样至高理想的境界中的却是工农。从这里我们可以看到郭沫若披着泛神论外衣的个性解放辉煌历史的特点：第一，当向专制和愚昧的偶像崇拜发动凌厉的攻势的时候，在砸烂精神枷锁的过程中，个性（自我）便是偶像，处于神一样的崇高地位；第二，从列宁赋予他的“至高的理想”来说，对于工人农民，个性（自我）又是应该毫不犹豫地放在从属地位上的。这时的自我只有自觉地贬抑、毁弃才能像凤凰那样，在烈火中达到以“常、乐、我、净”为特点的涅槃境界，亦即思想彻底解放的境界，与客观世界融洽和谐、与人民水乳交融的境界。《凤凰涅槃》中那个涅槃境界，便是这样一种理想的乐园。在这里，自我消失了，达到了无我的境地，但又无处不存在着，主观和客观、个人和人民达到了完满的和谐与统一：“我们便是‘他’，他们便是我。/我中也有你，你中也有我。”

这里的“我们便是‘他’”，“他”字上面的引号在《女神》的初版和1928年的《沫若诗集》中都是有的，后来的版本删去了。本来，加引号是把第三人称的“他”和第一、二人称的你、我区分开来。第一人称的“我”，在这里代表自我，也代表主观精神世界；第二人称的“你”，代表自我之外的其他人，也代表我之外的物质世界。郭沫若当年主张“一切物质皆有生命，无机物也是有生命的”，所以，客观的物质世界可以用有生命的人称代词来表示。从泛神论的哲学来说，除了人（我）和自然（你）之外，便没有别的实体，不存在任何超现实的第三人称的“他”。在基督教中，常常用“他”来代表上帝，所以这里的“他”要加上引号，这个“他”就是“神”的意思。在《凤凰涅槃》中，“我们便是‘他’”，就是大家都获得了个性解放，融合成为“他”，大家都成了神一样的最高存在，进入神一样的无限自由的境界了。在这里分不出你还是我，这就是下面所写的：“我便是你，你便是我”，也就是《梅花树下的醉歌》中所谓“还有什么你？还有什么我？”。这个无我的“我”，常常被郭沫若称为“大我”。但是，要达到这样无限自由的境界，是有条件的，那就是凤凰点燃的彻底批判旧世界和旧思想的烈火："火便是你。火便是我。火便是'他'。火便是火。"在这里什么都是相对的，只有火是绝对的。"火便是'他'"，处于最高地位的那个带引号的"他"（神），不是我，不是你，而是赵家楼上那一场烧毁旧世界的烈火。这时主观（我）和客观（你），便都熔化在革命的烈火中了，"火便是火"，除了火，什么都不存在。郭沫若从泛神论到泛我论到达无我论，最后走向与人民融合的个性解放理想，就是在这一场纯净芬芳的象征性的革命烈火中实现的。

这样的个性解放理想，究其性质来说，还没有从根本上超越资产阶级个人主义范畴，但是，其中包含着某种可贵的非个人主义因素。正因为这样，在许多以个性主义为起点的文学青年之中，是他最早喊出了"到民间去""到兵间去"的战斗口号，也是他最早在实际上投入革命大军。他并没满足于从封建枷锁中解放出来，又套上资产阶级传统观念的枷锁。相反，他成了最早力图从个人主义新枷锁中解放出来的一员文化战将。

但是，这是一个多么曲折的革命历程啊！在他真正投身于革命大军之前，在《女神》时期，他的这种思想解放还带着明显的空想性质。这主要是由于他当时还仅仅是在海外的大学图书馆中向往革命，还比较脱离国内的革命实际。一旦他回到了祖国，接触了现实，这位革命浪漫主义者，自然要产生苦闷。1921 年 4 月初，诗人一进入黄浦江口，看到了杨树浦为外国资本家掌握的工厂，在南京路上，看到仍然没有觉悟的同胞（这和他在诗中歌颂的"新生的祖国""新生的同胞"有多大的悬殊啊），苦闷便以郭沫若特有的方式爆发了："我从梦中惊醒了！ Disillusion 的悲哀哟！"

这是诗人在《女神》中第二次写到他从梦中醒来了。这种 Disillusion（幻灭）不仅仅是客观环境变化所致，而且也是主观思想内在矛盾激化的结果。在写作火葬旧世界、旧思想的颂歌《凤凰涅槃》的前后，诗人还写了《地球，我的母亲！》，在这首可以和《凤凰涅槃》一起称为《女神》的纲领性作品中，诗人向他"五四"以前超现实的，甚至是佛家的梦幻告别，发现了现实世界本身就是天赋的乐园，存在着天赋的人权。这无疑是一个觉醒，一个进步。但是，进入现实世界以后，寻求思想解放的过程却又是充满歧路的、彷徨的。在《地球，我的母亲！》中，郭沫若并不像《凤凰涅槃》中那样，用一场赵家楼上升起的革命烈火改造旧的世界和自我，而是以为"返于自然"、投入大自然的怀抱，便可以享受到天赋的自由、平等、幸福了。事实上，人权从来也不是天上掉下来的。离开了"至高的理想"的指引，离开了革命实践，不是批判、改造资产阶级思想家的思想素材，而是不顾新的历史条件和现实情况，照搬资产阶级上升时期思想武器，郭沫若辉煌的自我形象就暗淡了。在烈火中翱翔的凤凰离开了革命的烈火，就不能不掉到地上，成了他在《地球，我的母亲！》中津津乐道的爬行的蚯蚓了。

这就是《女神》的局限性，也是郭沫若式的泛神论和个性主义的消极因素的总暴露。郭沫若所理解的泛神论本身就存在着这种脱离现实的成分，他常常自发地将内心的道德观念的变革凌驾于社会变革之上。他认为泛神论把“宇宙万物认为是一个实在的整体之表现；人当体验这种本体，视万物为一体，摒弃私欲私念，以此养生则能恬静，以此为政则无争乱”[①]。这不是和诗人后来公然反对过的用宣传“裁兵”“约法”来说服拥有私兵的军阀的改良主义主张同是一种空想吗？

由此可见，对于《女神》时期的郭沫若的泛神论不能像楼栖那样不加具体分析地赞扬它是诗人“战斗力量的源泉”“培植爱国主义思想和革命民主主义思想的温床”，更不能笼统地赞美“泛神论的脉搏”“都是通向祖国的心脏，人民大众的胸怀”。[②]很明显，泛神论是资产阶级还比较幼稚时代的产物，资产阶级当时羽翼未丰，还不敢公然和封建制度对抗，只是用调和的方式进行羞羞答答的哲学革命。在这一点上，和资产阶级强盛时期发生了广泛影响的进化论恰恰相反。

进化论（我们指的是把生物进化规律社会化的进化论）的偏颇在于把物种之间的矛盾绝对地普遍化了，并以之代替了人类社会的矛盾的特殊性。以生物学的种族矛盾代替了人类社会的阶级矛盾。而泛神论的偏颇在于把人类社会退化到大自然中去，连人与自然的矛盾都抹杀了。泛神论的调和特点，决定了它既漠视人类社会的矛盾，也漠视大自然本身的矛盾，甚至还漠视了人的思维主体和客体的矛盾。所以爱因斯坦在论及斯宾诺莎时指出：在斯宾诺莎看来，区别物质与精神，“两者之间，哪一个是‘第一性’的问题是没意义的”[③]。这种方法论的局限在郭沫若的诗中是留下了深刻的烙印的。我们不但可以在《夜》中歌颂的“无差别的世界”看到，而且可以在凤凰的涅槃境界中那个主客观矛盾全部寂灭的状态中看到。到郭沫若面临现实矛盾又不同流合污时，他就时时流露出某种虚幻的“返于自然”的倾向，声言要走向“独善的大道”。这时，我们不但感到《女神》中那思想解放的战斗号角有点哑了，而且也隐隐感到：他后来在《星空》中那么多彷徨、苦闷、失望和孤独的情绪的源头正是从这里出发的。

---

① 郭沫若：《沫若文集》第七卷，人民文学出版社1958年版，第186页。

② 楼栖：《论郭沫若的诗》，上海文艺出版社1961年版，第20—24页。

③《爱因斯坦文集》第一卷，许良英、范岱年编译，商务印书馆1976年版，第528页。

漫谈诗的描绘①

一个诗歌作者，当他描绘客观世界时（而不是直接抒发内心世界时），要善于用诗的形象，而不是用抽象的概念去概括生活的特征。例如：春天来了，怎样才能有诗的形象呢？李白在长安时，他是这样写的："寒雪梅中尽，春风柳上归。"

在唐王朝的宫廷中，李白仿佛只看到两个生活细节：雪化了，不是在我们通常看到的大地上，而是在一个精选的细节——梅花中；春风回来了，不是在广阔的田野上，而是从发绿了的柳条上。是不是在梅花和柳条以外，就没有融雪和春风呢？当然不是。构成诗歌形象，并不要求穷尽一切生活细节。诗歌的概括性使它对细节的宽容度很小，它要求优选。

用优选的细节把看不见的概念变成看得见的形象，是诗歌描绘客观世界的基本方法之一。这就要求善于捕捉生活中的特征细节，或者说，善于排除大量的非特征细节。同样是岁月一年年过去，对过着帝王荒淫生活的李后主来说，"春花秋月何时了"中的"春花秋月"是富有概括力的。而对于一个在革命队伍中度过漫长戎马生涯的战士来说，"马背上，月落日出"才是富于概括力的。如果是一个在山区落户的知青，以上二者的细节都不符合他的生活特征，可能要写成"斗笠上，春风秋雨"才比较恰当。这些特征细节都是从非特征细节中优选出来的。诗与小说的细节丰富性不同，它是非常有限的。应该指出，任何事物的特征细节，都不是单一的，从不同角度看，有不同的特征细节。同样是漫长的部队生活，可以写"马蹄下，绿了几度青山"，也可以写"肩头上，朝霞夕照来去匆匆"。诗歌只能容纳少量的特征细节。在对众多特征细节进行优选时，思想内容是重要标准。钢铁工人在胜利欢歌中，用"一颗颗汗珠，披金挂彩"表达大干快上，而当他在哀悼伟大领袖和导师时，就用"汗水和泪水一同铸入钢锭"表达化悲痛为力量。

富有特征的、少量的、能恰当表现作品思想的生活细节，就是诗歌追求的典型细节。

① 本文发表于《福建师范大学学报》（哲学社会科学版）1978年第1期。

细节不是整体，但典型的细节能更好地表现整体。

善于优选典型的生活细节是诗歌作者的基本功，培养对于生活细节典型性的鉴别力是提高艺术表现能力的重要途径。不断探寻新的典型生活细节，能提高语言的感染力，避免一般化。如表现南昌起义在建军史上的作用，写道“南昌起义的烈火在战士帽徽上闪烁”，形象就很鲜明。如表现周总理忠心耿耿为革命，常常通宵达旦地工作着，写道“天安门上最后隐落的晨星看见，周总理办公室的灯光彻夜明亮”，给人的感受就深刻、强烈。因为帽徽和晨星，在这里显然是经过优选的典型的细节。

以上列举的典型细节都是视觉形象，但是典型细节也可以是听觉形象。在毛主席的《忆秦娥·娄山关》中，表现红军进攻娄山关时，就特意省略了许多视觉形象来突出听觉形象：“长空雁叫霜晨月”，除了月亮和霜以外，没有任何其他视觉形象，连红军进攻的行列都省略了。用雁叫烘托阵地上枪响之前的宁静后，接着用两个典型的听觉细节来概括红军的进攻，表现一场历史性战斗的壮烈情景：“马蹄声碎，喇叭声咽。”这就是这首词高度精练和意境深远的原因之一。马雅可夫斯基在他的长诗《好》中写道：“五月 / 对着我的耳朵歌唱。”5 月，在俄罗斯正是早春，诗人只选择了一个细节——耳朵，就强烈地表现了他对于十月革命最初几个春天的音响（包括大自然的和社会的）的奋发昂扬的感受。诗歌创作，不仅要运用视觉形象细节，而且要善于调度听觉形象细节，因为听觉形象在一定条件下和视觉形象一样不可缺少，要有充分的形象表现力就不能光满足于用眼睛，还要用耳朵。

除了运用视觉和听觉，还有同时运用嗅觉形象的。如李瑛同志的《雨》：“满山是野草的清香，/ 满山是发光的新绿，/ 满山是喧闹的小溪。”这样通过嗅觉、视觉和听觉把山区的雨的特点更充分地表现了出来，让读者不但能看到它的色彩，听到它的音响，而且闻到它特有的气味了。“遥知不是雪，为有暗香来”，也是兼用了视觉和嗅觉形象才充分写出了梅花的特点的。

事实上，人有五官，在生活面前，人的五官应该开放，不管是视觉、听觉、嗅觉，还是触觉、味觉，对于构成形象来说都是不可缺少的。描绘春天的到来，谢灵运用视觉形象可以写出“池塘生春草”（《登池上楼》）那样的佳句来，苏东坡用触觉形象可以写出“春江水暖鸭先知”（《惠崇春江晚景二首》）那样的名句来。当然触觉形象的细节也一样需要优选。我们写“雨点打在脸上”，虽然有触觉，但并不尖锐，因为细节不精。如果改成“冰凉的秋雨打在滚热的面颊”，就尖锐了。细节的可贵就在于这样的尖锐性，因为它更能激发读者的想象力。至于味觉形象的利用率，一般比较低，但适当地运用能使形象新颖。我们描写大寨式的花果山，写闻到花香果香，不妨同时写连风也是甜的，形象就可能清新生动得多。又如土地革命时期的红色歌谣：“要吃辣子不怕辣，要当红军不怕杀！”这里运用味觉形象起兴，既有时代特点又有地方色彩，它使人想起那辣子几乎是唯一的菜肴和那用辣子当盐的艰苦的岁月，还有那特别喜欢吃辣子的战士的家乡（湖南、江西）生活特点，以及他们面对时刻有牺牲危险的形势时那种坚定、刚毅、乐观的精神。

总的说来，当诗描绘外在世界时构成形象，大致离不开这五种途径。五官感受形象之所以如此重要，是因为客观世界作用于我们的感觉神经只能通过眼、耳、鼻、舌、身这五种官能感知。艺术形象和概念虽有共同的来源，但艺术形象又有不同的特点，它要用形象思维。我们有时形容人的嗓子好听，说“嗓子很甜”，从概念上讲，用味觉感受代替听觉是混乱的，但从艺术上来讲却是允许的。又如有名的宋祁的词“红杏枝头春意闹”，就是用听觉（闹）形象来代替了视觉形象，不但没有引起混乱，反而构成新颖独特的艺术效果。

这是因为诗歌和其他艺术形式（例如绘画和音乐）不同。诗歌所凭借的工具是语言。语言在人的大脑高级神经活动中属于第二信号系统，它的声音代表一定意义，反映一定事物是离开个别的事物具体的形象的。它不像绘画的色彩线条明暗，或者音乐的曲调旋律那样提供直接的视觉和听觉形象。在诗歌中描写的绘画和音乐作品，不管是杜甫笔下曹霸的马还是白居易笔下琵琶女演奏的曲调，都不能代替绘画和音乐作品本身。如果真的把白居易形容琵琶曲调的“嘈嘈”的“急雨”声，和“切切”的“私语”声，以及珍珠落在玉盘上的声音用录音机录下来，是一点也没有音乐的味道的。不管多高明的画家，要根据杜甫称赞一个年轻人的诗句“秋水为神玉为骨”所提供的视觉形象来为他画像，也是无能为力的。诗歌所提供的五官感知形象，只能作用于我们的想象，让我们想象到客观对象的美，而不能给我们提供直感的像音乐和绘画那样的形象。诗歌的形象不是直感的，而是想象的形象。和其他以语言为工具的文学形式一样，没有直感的感知性是它的局限性，但是有想象的相对自由又是它的优越性。在小说中，一般地说，不能光以一颗红帽徽就代替人民解放军战士，在诗歌中却是常用的手法。诗歌并不需要把解放军战士从帽徽、眼睛、领章，一直写到绑腿、草鞋，它往往在其中优选其一二就足够了。以语言为工具的诗歌的特点是能以它局部的典型细节激发我们的想象力，调动我们的生活记忆，对它加以补充，构成接近于完全（绝对完全是不可能的）、接近于一致（同读者完全一致也是不可能的）的生活图景。恩格斯说过，小说要求“细节的真实性”，当然是相对于非小说的文学形式而言的。诗、戏剧，属于非小说的范畴。在恩格斯那个时代，除了诗，许多戏剧是具有诗的第一人称内心独白和第二人称对白的特点的。恩格斯强调小说的细节真实，是把它当作与诗相区别的一个重要标志。诗的细节当然也要求真实，但是是一种想象的真实，而小说却是一种现实的真实。诗不像小说那样依赖于情节的连续性，相反，想象的跳跃性才是它的特点。它往往可以超越时间与空间的限制。不懂得诗歌形象的想象性，就不懂得诗的形象的本质。

给诗歌下定义可以讲出许多特点来，但是想象的真实性是它根本的特点。许多特点都是从这一点派生出来的。明朝人杨慎对诗发了许多议论，却不懂得这一点。他在《升庵诗话》中对杜牧的《江南春》“千里莺啼绿映红”提出质疑：“千里莺啼，谁人听得？千里绿映红，谁人见得？若作十里，则莺啼绿红之景、村郭、楼台、僧寺、酒旗皆在其中矣。”后来何文焕在《历代诗话考索》中反驳他：“即作十里，亦未必听得着，看得见。”何文焕反驳得很机智，但也还没有正面指出诗歌的想象可以突破时间和空间的限制。这并不是对前人的苛求。早在他之前，陆机的《文赋》就指出，文学作品的想象可以“观古今于须臾，抚四海于一瞬”。刘勰在《文心雕龙·神思》中承袭他的说法，说文学作品有“寂然凝虑，思接千载，悄焉动容，视通万里”的想象特点，自觉地掌握了诗的想象特点可以从诗的局限中获得较大的自由。李瑛同志在《战斗的城》中，这样写他来到曾被老沙皇侵略的瑷珲城：“我走着，我倾听，我寻找，/历史的风暴在我耳边呼啸，/我从泥土中拾起一片瓦砾，/像看见满城烈火仍在燃烧。”只有理解了诗歌的想象特点，才敢于这样不为时间和距离所拘束，用优选的细节（一片瓦砾和自己的耳朵）把历史的风暴和烈火化为直接可感知的视觉和听觉形象。懂得这个道理，可以让我们的想象力从非诗的习惯中解放出来。我们今天走进古田会议会址，可以突破时间和空间的限制，在想象中听到毛主席当年的讲话的声音，甚至可以听到墙上那自鸣钟发出当年的钟摆声，就是毛主席的讲话也不一定限于到会的一百多名代表才能听到，可以让千里万里之外的高山大岭一起来倾听。当我们来到广州农民运动讲习所抚摸当年的讲台，也可以感到那上面还留着毛主席的体温。同样，我们访问黄洋界哨口，也可以闻到当年的硝烟味。

严格地说，没有想象，就没真正的诗的形象。

由于诗歌五官感受形象具有较大的想象的自由性，当我们从生活中捕捉典型细节时，往往不一定拘泥于它固有的形态。艺术反映生活总是要经过重塑，把生活素材加以变化。艺术的真实和生活的真实总是相统一又相矛盾的。当我们把生活中的细节安排到诗中去时总是经过必要的（像画家们所说的那样）“变形”。原样照搬就没有艺术了。在现实生活中，山是静止的，虽然从大自然形成的历史过程来说，它也是运动的，但是这种运动是非五官所能直接感知的。可是毛主席却塑造了我们五官可以直接觉察到的运动着的大山形象：“山，倒海翻江卷巨澜。”毛主席把固定的大山高下起伏的特点，转化为同样是高下起伏，但是在不断发生位置移动的波浪的形象。通过这样的“变形”，用波澜壮阔的运动表现了伟大领袖的伟大胸怀，用俯视的角度表现他崇高的精神境界。变形，就是在想象中把现实按照思想和艺术结合的原则进行重塑。要重塑，就得掌握想象的规律，任何想象都不是胡思乱想。它总是与事物本身的特征有联系。它突出某一特征，同时又改变某一特征。任何变形都包含着变与不变两个方面。在毛主席笔下的大山形象中，不变的是高下起伏，变的是位置上下左右移动。客观事物的特征并不是单一的，就是同一特征也可以变成不同的形象，因为变形除了受客观事物的特点制约外，还受作者主观的思想和艺术风格制约。

同样是描写大山，李瑛的《高山哨所》写道："从什么时候起，/ 这大海停止了奔腾？/ 威严、雄伟、峥嵘，/ 凝成这险峻山峰？"作者首先肯定大山是静止的，但又强调它是猛烈运动的遗迹，大山在空间上是静止的，在时间上却是运动的。李瑛的想象力像刀子一样把互相矛盾的特性解剖开来，这样细致而曲折的想象力是李瑛许多诗作的长处。

想象是客观事物的特征和作者主观诗情汇合的桥梁。在大量的具有生活特征的细节中选择什么细节，选择了某一细节之后重塑出什么样的艺术形象，这取决于作者的思想。例如李瑛在《第一支渔歌》中这样写："春，从冰缝里溢出来了。"春天不是像李白理解的那样平平静静地从柳条上回来的，而是与封锁它的冰层做了胜利的斗争不可阻挡地漫溢出来的。在毛主席的《咏梅》中，春天的到来，则渗透着更深刻的思想："风雨送春归，飞雪迎春到。"春天来得多么不平凡啊！它和它的对立面——风雨和飞雪——斗争的结果，是二者转化为护送和迎接春天归来的使者。这里重塑的迎春形象，不仅仅是对自然现象的描绘，更是对当时反帝反修的政治形势的高度艺术概括。

由此可见，想象不过是给诗人重塑生活形象提供了自由的空间，至于重塑成什么样的形象、其价值如何还要取决于作者的世界观和思想高度，取决于他对生活理解的深度，同时也取决于他的艺术风格和表现力。

附录

《新诗发展概况》写作前后
——答洪子诚

问题一：《新诗发展概况》的编写是如何发起、组织的？由谁提出？怎样形成这六人组合？当时你们是大学生，对承担这一任务有什么看法？

1958年，我们1955级的学生利用暑假一个月，加上开学以后几个月的时间，编著成一部《红色中国文学史》。报章上赞扬性的报道，口气是很大的，北大中文系1955级，作为党所培养的一代新人，正在把资产阶级专家所把持的学术殿堂夺回来，就连一向似乎不以为意的苏联报刊也有了反应，虽然口气不太大，采取就事论事的姿态。我记得似乎是《消息报》（苏联一家很重要的报纸）上的消息，说这一成果是北京大学一批“年轻的学者”在短短几个月的时间里完成的。当时我的感觉是，苏联人礼貌性的赞扬，并不到位，我们崇高的称呼并不是“学者”，而是党所培养的“普通劳动者”。对于捧场已经习以为常。连自己和班上一些同学集体讨论的照片上了《中国青年报》，印象都淡薄了。印象里最深刻的是，从系里转到班级领导费振刚那里陈毅的来信。那信封就不太一样，外面套着国务院外交部的大信封，里面则是陈毅私人宣纸信封，以水印的梅花作底。陈毅毛笔书法，多用侧锋转中锋，颇为俊俏潇洒，没有一点元帅气。除此之外似乎还有康生的来信，康生是书法家，但他的信是不是用毛笔写的，信封什么样子，我却一点印象都没有了，只记得好像比陈毅的要长得多了。在一片喜气之中，迎来了新的战斗任务，乘胜前进，再接再厉编写《红色当代文学史》。虽然对此颇有争议，我记得在一次报告会上，林默涵的意见就有点煞风景：当代文学才八九年，写什么文学史。但是，在那以破除迷信、敢想敢干为荣的热潮中，就是林默涵这样的“左”派高官的权威，也打了折扣。到了学期末，《当代中国文学史》的写作已经摆开了阵势。

我被分配在诗歌组，而且当了组长，有一点受宠若惊的感觉。

在这以前，我虽然参加了《红色文学史》的写作，而且最后还和谢冕一起写了李白那一章，但是，最初，也就是在暑假初期，我是没有资格参与的。我在反右派期间，属于“中右”，也就是那种“差一口气”就沦为右派的。“右派”，是一个简称，全称是“资产阶级右派”，具体内涵是“反党，反社会主义”。要我这样一个“右派边缘”的人物去夺取资产阶级学者的学术殿堂，我自己都感到心虚。没有沦为右派，就谢天谢地了，能作为人民内部矛盾处理，已经是莫大的幸运，别的还能指望什么？暑假期间，有一个在农村去劳动的任务，我们几个比较右的分子，就在一个“左”派的带领下，去附近的农村劳动。但是，不久以后就被召回，参加了《红色文学史》的写作小组。虽然有一点名不正言不顺的感觉，甚至有时还有混入人民队伍之感，但是，我还是十分高兴地到“唐诗”这一组报到。各个章节都已经分配完了，只剩下最后一章“唐诗的世界影响”，就分给了我。我哪里有本钱来写这样的题目？好在，当时知识已经公有了，找到东语系和西语系的教授访问一番，把他们的说法和资料梳理、组合一下，写起来并不难。参加这样的集体学术研究，我有一种浪漫之感。热火朝天的阅读和写作，差不多每天都是开夜车，一连两个月，有同学寒假探亲归来，第一句话，就是“瘦了”。在这过程中，最开心的倒不是写作，而是逐渐把自己的“差一口气”的身份淡忘。我也被列入党所培养的新一代，而没有沦入人民的敌人之列。等到《红色文学史》最后定稿时，可能是李白那一章，原来的稿子不太理想，就让我和谢冕来重写。从此我就和谢冕结下了不解之缘。在这以前，谢冕属于年级里领导阶层，我则是一个小毛毛，对他有一点望而生畏。也许是由于写作李白的机缘，等到“当代文学史”进入操作阶段之时，也许就是谢冕，把我提到了诗歌组组长这样的位置上来。

不久以后谢冕通知我，《诗刊》社的徐迟和沙鸥来了，要我们编写一部新诗发展史。现在留在我的记忆中的是，他们二位来到我的宿舍，当时徐迟是副主编，沙鸥是党支部书记。他们的意思，《诗刊》有一个设想，编写一部中国新诗史，这样的任务，不能老是依赖专家，应该让我们年轻人自己上阵。他们曾经考虑过别的学校，最后还是确定北大中文系1955级的学生。时间很紧，我们自己也有编写《当代中国文学史》的任务，当场决定利用寒假期间来完成。当时的气氛很是热烈，我在《智者生命的质量——怀念徐迟》中曾经这样写过：

> 我是第一次面对这样的大人物，像小学生一样怀着虔诚的心情聆听他的教诲，但他并没有使我感到在他面前变得矮小。他留给我的印象倒不是他英俊的面庞，而是他谈吐间对于艺术的执着和忘情。记得他坐在我们双层床的下铺，忽然讲起了他所喜爱的荷马的史诗。我是读过他翻译的片段的。他激动起来了。说荷马描写一群大雁飞过天空的情景，不知不觉站了起来，不想头就碰在了双层床的上沿的横木上。他只是用手捂了一下头，既没有停顿，也没有皱眉。我们本想笑的，看到他若无其事，也就很有修养地装作什么也没有看见的样子。[①]

当时在场的似乎只有我和谢冕、孙玉石。任务这么急，三个人是不够的。于是分头去

① 此文原载《中华读书报》，后收入我的散文集《灵魂的喜剧》，辽宁大学出版社2000年版，第219—223页。

物色人马。谢冕提出1956级的刘登翰，可能是刘登翰提出了洪子诚。因为谢冕和我都不太了解洪子诚。我去找了1955级三班的钱文辉，他是无锡人，我们有时用吴语方言交谈，有些交往。但是，他拒绝了，说是寒假要回家。后来就找了殷晋培。这样六个人的班子就搭成了。当时谢冕、孙玉石、殷晋培和我是四年级，刘登翰、洪子诚是三年级，对写作新诗史这样的任务，将会面临什么困难，我几乎没有任何忧虑。当时的氛围就是“大跃进”，打破常规。资产阶级专家皓首穷经地积累资料，正是我要批判的。政治挂帅，把党的文艺方针贯穿到底，这就是我们的优势。敢想，敢干，就什么困难都能克服。这是官方的语言，也很难说不是我们的思想。这是因为，我们当时对于历史使命有一种新的自信。

问题二：在1958年前后，编写事实上是中国新诗简史性质的论著的动机是什么？

就我们这几个人来说，几乎是没有想到过有什么自己明确的动机。《诗刊》当然有他们的动机。北大中文系1955级《红色文学史》鼓动起来一股青年大学生写史的热潮。北师大中文系的学生也在写《中国文学史》，复旦大学中文系学生在编写《中国现代文学史》，而北京师院的中文系同学也在编写一本《中国文学史》，似乎是把我们的缩写一番。我们提出的学术纲领是，把颠倒的文学史重新颠倒过来，劳动人民是历史的主人，民间文学、劳动人民的文学应该成为中国文学史的主流，而封建文人，本质上是地主阶级的，他们的文学，只能是支流。当时茅盾在《夜读偶记》中照搬了苏联文学理论“现实主义和反现实主义斗争”，其实这个理论，是从列宁的哲学理论演绎出来的。列宁断言，贯穿整个哲学史的，是唯心主义和唯物主义的斗争史。连茅盾都是教条主义的硬性演绎，我们就更教条，也更加自信。把民间文学和现实主义挂上钩，而文人的文学，则严酷地根据直接反映现实社会矛盾的程度加以甄别。自以为一个新的学术高潮，将由我们这一代人来创造。《诗刊》在这种热潮中，自然也不能做“观潮派”，他们也有他们的使命感。显然，徐迟和沙鸥代表着编辑部的一种决策，要在新诗的历史论述上，开创一个新局面。一来表现他们对于这股热潮的支持，二来也想按照新的观念来为中国新诗许多问题作一个定位。他们表现出来的积极性和热情，甚使我们感动。要知道，像他们这样的大刊物，在一般情况下，我们是可望而不可即的，如今居然登门约稿，这不仅仅是礼贤下士能够概括的。

当时中国的中文系大学生比比皆是，为什么他们选择了我们？可能是北大的名声。据何其芳在给我们做报告时称：面对这么多大学生带着这样极端的观念，对文学历史做无情的阶级分析，他是非常忧虑的。当时他已经风闻，王维已经被当成反现实主义的代表。他当然无可奈何。他关注的是对陶渊明的评价，同样是地主阶级的知识分子，如果他也被否定了，何其芳说，那他无论如何是不能接受的。令他欣喜的是，在我们的《红色文学史》中，陶渊明没有被简单地否定。而北师大学生写的文学史，陶渊明则是被否定了的。也许正是这一点使得《诗刊》人士看中了我们：虽然勇猛，还不算凶暴。

就我个人来说，进入大学中文系，一直比较喜欢文学创作，尤其是诗歌，并不想专心致志于学术研究。在参与《红色文学史》写作之前，我甚至还没有发表过一篇具有理论色彩的评论文章。在写作《红色文学史》的初稿时，我的文字受到诗歌的影响，想象比较跳跃。据友人告诉我，当时审阅我稿件的陈素琰同学（后来的谢冕夫人）说，孙绍振的稿子，好多句子都连不起来。但是，经过两三个月的磨炼，我居然被遴选和著名的才子谢冕一起为《红色文学史》写作相当重要的李白那一章。这说明我的句子已经开始连贯起来了。在进入当代文学史组以后，我又研读李季、阮章竞、田间等人新中国成立以后的诗作，写了些稿子，似乎并不太难。这也给了我充分的自信。同时，也想借此机会，练一下笔，试探一下自己的潜能，说不定自己在这方面也有一些可以发展的余地。

问题三：请回忆一下当时编写的具体情况。集体性的科研在当时是一种方向，在编写过程中，如何搜集、阅读资料？如何分工、如何统一思想观点？《诗刊》的负责人在编写中起到什么作用？

集体性的科研，在当时不仅仅是一种方向，而且是一种荣誉。投入集体研究，把研究成果奉献给人民，是集体主义精神，而坚持个人研究，则是纯粹为了个人的名利，和资产阶级专家无异，这是新中国青年所不屑为的。就在我们年级，有一个同学，进校门不久，就立志于现代汉语的成语字典，到了 1958 年，已经收集了相当丰富的资料。当时他们班上策划集体编写现代汉语成语词典，他拒绝参加，虽然班上并没有组织对他的批判，但是，在精神上，他长期陷于孤立。

我们的稿子在《诗刊》上陆续刊载以后，就不断收到稿费，大约是每期 120 元，这在当时是一个不小的数目。当时的伙食费，每个月是 12 元 5 角，这相当于 10 个月的伙食费。我们马上就上交到系里。但不久以后，就被退回了。说这不是系里规定的任务，是你们自己利用寒假期间研究所得，应该属于你们自己。我记得，当时就平均分配了，每人大概是 20 元。谢冕还领着我们到一个小饭馆里吃了一顿饭，很普通的，其中一个菜是苦瓜，我从来没有吃过，也不觉得好吃，但谢冕却说，好得很。谢冕还说了一些话，大意是得了稿费，得了就得了，没有什么可怕，但不要有个人名利思想，等等。

集体搜集资料、阅读资料，这并没有什么困难。当时习惯于集体生活，一切都遵循着集体主义的精神，时刻警惕着个人主义，特别是个人名利思想的侵蚀。至于思想观念，当然要统一，但是，这也没有什么障碍。因为在进入研究之前，我们都还只是现代中国诗歌的热情的读者，虽然个性和爱好各有不同，尤其是阅读趣味，差异是很大的。但是，并没有形成非常明确的系统的观念。要统一观念，在政治思想层面，没有多大障碍。何况当时，正在进行对“资产阶级专家”王瑶的现代文学史的批判昭示了真理，那就是，中国现代史，是党所领导的向社会主义方向前进的历史，中国现代文学史，则是在党的领导下的社会主义因素逐步强大、终于进入社会主义的历史。抓住了这条红线，就抓住了新诗史的命脉。再加上敢想敢干的精神，就无往而不胜。

我们这样乐观，还由于自信。和资产阶级专家相比，我们有先天的优势，受过系统的马列理论训练，具有党领导文学的信念。在进入现代文学史研究以前，我就钻研过周扬、邵荃麟等的党内理论权威的文章。他们十分明确地指出，早在五四新文学运动中，社会主义的因素已经十分清晰。我们正在学习的现代文学史课程，又由当时还是研究生的严家炎先生发掘了不少左联以及以前党的早期理论家的资料。所有这一切，我们都深信不疑。现代新诗的社会主义方向和党从思想到组织上的直接领导，这是一条不断自觉、不断深化的红线，这一点，在我们编写过程中，几乎是没有发生过争议。

而《诗刊》编辑部，好像十分信任我们，几乎没有正面提出过任何思想上或者政治上的要求。这可能是当时舆论早形成的一种定式，就是青年人意气风发、斗志昂扬，早已走在了前面；老一辈的人士，只有紧跟的份，最多也就是为我们服务。例如，把作家协会、北京图书馆的新诗集尽可能地借来，再加上我们从北大图书馆借来的，一下子摆满了两张木板床。一切交由我们自己去决定。他们除了春节来作例行的慰问以外，就没有再管我们。

而我们似乎也没有进行过多少次讨论，就进行了分工。

这种分工，今天想来，完全带有随意的性质。本来，我对五四时期的新诗，有过比较多的关注，还读过一些《新青年》《新潮》等等的刊物，对郭沫若《女神》，早就读得比较熟。但是，在具体分工的时候，居然让我负责 1942 年到 1949 年那一段。其实，我对那一段一直比较狐疑，尤其是对于李季的《王贵与李香香》，还有张志民的《死不着》，我从来就不能克制对它们的怀疑。为什么要把这一段分配给我？尤其是在朋友们相当和谐的氛围中，我为什么也没有提出异议？也许是由于考虑到这是集体科研，强调个人兴趣是可羞的。当我写到这里的时候，我想到了还有一个重要的考虑，在我当时的潜意识里涌动。这正是我在下面要细述的。

问题四：“反右”之后，似乎对现代文学史已经确立了基本的叙述方法和评价标准。你们都是爱好诗歌的，这种标准与你们原先的爱好、评价是否相符？如果出现冲突，如何解决？如何确定《概况》的体例，确定描述范围，确定诗人所属的“路线”，如何分配比例？

就个人艺术趣味来说，我可以说和 1942 年以后的解放区文艺是格格不入的，尤其是诗歌。我时常感到解放区的诗歌，根本就没有什么诗味。我的艺术趣味是在高中时代形成的，1952 年，我考入高中。因为在上海《青年报》上发表了一首小诗，得了八元稿费，买了一本诗集，是何其芳的《夜歌和白天的歌》。那种心灵精致而细腻的情调，唤醒了我许多记忆，让我发现了自己心灵中许多精彩的东西。那种用平凡语言表现温润的情致的手法，令我醉心。关于这一点，我在 2005 年 3 月 2 日答《新京报》记者问时这样说：

> 我看到新华书店处理新中国成立以前的旧书。其中有一套胡风编辑的《七月诗丛》，只缺一本艾青的《向太阳》。我买下这套书，很快便爱不释手。我知道，上边有人对新诗不满，号召以民歌形式创作。可看过《七月诗丛》，我却对当时最红的民歌体，如李季的《王贵与李香香》等等的诗歌看不下去了。一进北大，我很快就参加了诗社。大一时，我读了马雅可夫斯基。后来又陆续读了叶赛宁、聂鲁达、洛尔伽，读得如痴如醉。有一阵，每天早上起来，都念一首聂鲁达。《让那伐木者醒来》《致斯大林格勒的情歌》，许多段落我都背得上。后来在俄语课上，又读到了普希金的诗《致恰达耶夫》，那轻轻重重轻轻的格律，令人着迷，比之译文要精彩多了。至今我仍然能用俄语背诵《致恰达耶夫》和莱蒙托夫的《哥萨克摇篮曲》。马雅可夫斯基的诗歌，我也能用俄语背诵一些片段。马氏早期是未来主义的代表人物，聂鲁达早期是象征主义。那时我在自学英语，读了一些西方浪漫主义诗人，如雪莱的诗，特别是被何其芳称为"坏脾气的爵士拜伦"的诗，他的"恨我的，我报之以微笑；爱我的，我报之以叹息"，格言式的深邃，令人心悸。他们的感情是那么自由，那么多样，想象那么奇特，我读得心醉神迷，这才是真正的诗呀。我的心灵打开了一扇通向众多艺术流派的窗子。和这些比起来，《王贵和李香香》在艺术上是太狭隘，太陈腐了。顺着这条线，我又读了阿拉贡、艾吕雅等法国左翼诗人的作品，他们的诗给我的震动更大。他们身上有强烈的反叛意识。在一次班会上，我公开说，大学生应该有叛逆精神，在共青团小组内遭到批判。北大的一切都使我感到像何其芳在《夜歌》中所写的那样：白天有太好太好的阳光，夜晚有太好太好的月亮，整个心灵就像一面打开的窗子，思想像众多的云，乱纷纷地飞来。可是这样开放的窗子却难以让李季的信天游，包括他新中国成立以后红极一时的"石油诗"进入。①

1957 年，我差一点成了反党反社会主义的右派分子，也就是差一点成为人民的敌人，这使我处在精神危机之中长达一年左右，常常不能摆脱痛不欲生的感觉，我不能不痛切地反思。我自认是热爱社会主义而且是热爱共产党的，我不能忍受自己成为人民的敌人。可是我也不能不承认，我的思想，老是和党不一致，我的艺术趣味也往往和党所提倡的方向迎头相撞。在诗歌领域，我不能接受李季、张志民，在小说家中，我根本瞧不起赵树理，私下以为，拿他和肖洛霍夫比，简直是家畜比大象。我本来是以大学生的叛逆性格而自

① 孙绍振：《答〈新京报〉记者》，《新京报》2005 年 3 月 2 日。

豪的，但处在右派边缘的恐怖日子，却使我彻底地对自己失去了信心。看来，我必须从根本上改造自己资产阶级的本质了。自己的艺术趣味之所以与劳动人民格格不入，肯定是剥削阶级的世界观在作怪。既然党在反右运动中挽救了我，我还有什么理由不洗心革面、彻底改造自己呢？我把重新理解评价“讲话”以后产生的新诗，作为自己思想改造、趣味改造的一个良好的机遇。在这前后，周扬在北大中文系做过几次讲座，他的学识，他的翩翩风度，他的高谈雄辩，都使我对他有好感。他的文章，特别是他为“大跃进”民歌《红旗歌谣》写的《序言》，让我不能不接受他对民歌的高度评价。他的一系列文章都反复强调，“讲话”以后的诗歌是一个历史性的发展，在这以前，诗歌领域充其量只是小资产阶级、资产阶级思想情感的表现，劳动人民是上不了台面的。只有在“讲话”以后，在以李季为代表的新诗人出现了以后，劳动人民的声容笑貌才在艺术领域占据了主流地位。我几乎是强迫自己认同这些观念，把李季为代表的诗风，当作“五四”新诗的一次蜕变，在艺术上是一个新的突破，开一代诗风的丰碑。

问题五：你们当时集中在一起，住在什么地方？吃饭等日常生活怎样解决？

这一点回忆起来特别有趣。当我们决定在寒假去中国作家协会宿舍和平里的一个小套间的时候，马上就产生一个很现实的问题，那里并没有食堂。我们必须自己解决伙食问题。我们除了在北大食堂吃饭以外，还没有在任何其他伙食单位吃过饭。有时在街上小店里吃一顿，也不要粮票。虽然从 1958 年以后，除北京以外，全国其他城市在饭店里吃饭是要付粮票的。考虑到经济条件，不可能每天都到饭店里吃。就决定自己开伙。自己买粮食，得有粮票。不知道是怎么考虑的，居然叫我这样一个马大哈式的人物去大饭厅办公室退粮票。这并不费什么事，按两个星期的定量，给了九十斤粮票。那是全国粮票，一斤一张，九十斤就是九十张。崭新的，印刷精美，像邮票那样，中间有刺孔相连的。到和平里，附近的粮店，人家不卖，要有户口本。和平里宿舍里，我们不认识任何人。只有住在楼上的邹荻帆，对我们表示关心。邹先生当时并不在《诗刊》，好像在《译文》编辑部。我们很想向邹先生家借户口本，但是又有顾虑，怕我们买了，人家的定量被占用，现在已经记不得当时是不是向邹先生借过，可能是马马虎虎借了，买了一两斤米，把北京那种带着烟筒通向室外的炉子好歹生着了，熬了一点稀饭，混了一个晚上。第二天却发现有人头痛（好像是殷晋培），再一看，炉子已经灭了。后来邹先生，或者是邹太太过来看了，说是烟筒堵住了。很危险，头疼是煤气中毒。我们一吓，就不敢再自己做饭了。怎么办？谢冕决定，到外面小店里吃。不过一天三顿太浪费了，决定一天吃两顿。记得那是北京胡同里边最不起眼的小馆子。十四天的伙食费，也不知是从哪里来的，是从北大食堂里退来的，还是谢冕想办法从什么地方凑来的？我一点不记得了。寒假结束以后，任务也基本完成，就回校了。留在印象里最为鲜明的是，我们第一次乘坐了出租车。每公里二角五分。九十斤粮票没有用上，也没有注意，就放在我的箱子里。到了1960年，严酷的饥饿袭击着我们。不管到哪里都要有粮票。人们不是斤斤计较，而是两两计较地克服着吃饱的冲动，粮票变得珍贵了，这时我想起了大概是放箱子里的九十斤粮票，悄悄地去寻找，可是连影子都没有。为此我悲伤了好几天。

问题六：《诗刊》曾组织对《概况》初稿的讨论，都有谁参加？提了哪些意见？为什么《概况》在《诗刊》没有全部登完，发生了什么事情，据说原来要出版单行本的？

《诗刊》组织讨论是在王府井的作家协会的会议室里，除了我们几个人和徐迟、沙鸥以外，有《诗刊》编辑部的丁力，还有一个，老在做笔记，可能是尹一之。邀请出席的人士，有臧克家、郭小川、楼适夷。臧氏身体不好，来得晚，说是只能讲半个小时，而且要提前离开。所述大都是他自己的事，他的第一本诗集《烙印》是如何出版的，闻一多出了多少钱，等等。他比较关注对自己的评价，时不时把自己和艾青比较。当时艾青已经被打成右派，当然，没有人提出异议，也没有什么人表现出墙倒众人推的情绪。但是，臧氏在我心里却留下了不舒服的感觉。说起艾青，又介绍了一些他早年以“莪伽”为笔名写的一些现代派的诗等等。给我印象最深的是郭小川，他可谓是坦率之至。好像是谈到不能光是从思想评价诗作的价值，不能忽略艺术成就。他扯到了毛泽东诗词上去，说我们当然对毛主席有深厚的感情，但是，也不能说毛泽东诗词每一首都同样的好。毛主席自己说旧诗束缚思想，又说自己长于长短句。郭小川的意思我完全能理解，那就是毛主席不长于律诗。他这种讲法，最对我的胃口。

会上楼适夷先生讲了一些左联时期的具体情况，特别是蒋光慈，这个左翼浪漫诗人，弄到最后，连他是不是还是共产党员，都有点模糊。楼适夷、徐迟和郭小川的发言风格，和臧克家的风格不同，他们明明是当事人，但绝口不提自己。

稿子交到《诗刊》，发表了几章以后，我记得还有一两次接触。是在《诗刊》编辑部。那时阮章竞，不知从什么时候调到《诗刊》了。初次见面，觉得长相颇为潇洒，不像延安来的，也不像他的诗那么土气。阮章竞和我握了手，寒暄之时，客气得很。

在纪念徐迟逝世的文章中，我曾经回忆到在《诗刊》的小规模叙谈：

> 我们这几个年轻人的稿子，几乎都是经过他修改的。现在想来，我们那时的稿子，不经过修改，是不可能发表的。我记得凡是写到他的地方，他都给删去了。那时，我们都很年轻，除了孙玉石、刘登翰的字写得比较工整以外，其他的几个，尤其是我，向来就是以笔走龙蛇为特点的。而且懒得抄写，涂涂改改，勾来勾去，想来他是不胜其苦。当然对于我们的书法他不可能欣赏，但也不正面责怪我们，只是似乎很随意地

提起茅公（茅盾）的稿子，大都是工细的小楷，每页只要有三个左右的错字，就要撕掉重写。我们不知道谢冕听了有什么特别的感觉，反正我是感到脸上有点热辣辣的。

当时，我们和《诗刊》的关系，是比较平等的。《诗刊》可能是比较欣赏我们。因为不久以后，他们就约请我们写一些评论。谢冕、我、刘登翰都成为他们的作者。当《诗刊》登载了郭小川的长诗《深深的山谷》和《白雪的赞歌》以后，殷晋培写了一篇批判的文章，在《诗刊》很快登载了出来。殷晋培后来告诉我，他有一次到《诗刊》去，正好有一个人坐在编辑部，有人介绍说，这是小川同志。殷晋培说，当时不禁脸上热辣辣的。①

在《诗刊》上连载了三四章以后，突然不再刊登了。据徐迟说，要拿去出版单行本。其中的原因，我们并不知情。后来过了几个月吧，稿子被天津百花文艺出版社退了回来。退稿信寄到《诗刊》，据徐迟说，说得很刻薄，意思是除了几处章节比较有艺术感觉以外，都不太行。为什么要中止刊载，则没有人提起。我们也没有询问，在当时，为自己的稿件出面争论是可耻的。直到粉碎“四人帮”以后，我和刘登翰参加了以徐迟为副团长的作家代表团访问大庆时，他才说，当时是一个和他同辈的人士，因为有些敏感的问题，突然“不敢”了。很可惜，我当时没有听清这个人的名字，也没有细问。

问题七：“文革”结束后，你们是否想过继续《概况》的修订、出版工作呢？后来为什么没有做下去？

1978年底，我和刘登翰参加了中国作家协会恢复后的第一次活动，到大庆和鞍山去访问。其时徐迟是这个访问团的副团长。我们有不少接触。回到北京以后，可能就是徐迟提出，要我们把《新诗发展概况》加以修改出版。当时大家的感觉是，在这改革开放的时代，我们的一些基本观念已经发生变化，稍加修改已经不符合我们的学术追求和水准，决定重起炉灶。开始都比较乐观，还做了章节分工。谢冕那时已经是个大名人，又是个大忙人。可能考虑到我比较清闲，决定写好以后，由我统稿。我倒是很认真地开始了工作。不久以后，我和刘登翰完成了新中国成立以后的第一章《颂歌的时代　时代的颂歌（1949—1957）》，孙玉石完成了他担任的章节，发表在山西大学的学报上。我还着手写其他一些章节，福建师大资料有限，记得曾经要求洪子诚把《新月诗选》的序言抄来。当时没有复印机，老实的洪子诚，居然替我抄了。但是，其他人都没有按时完成任务，一催再催，遥遥无期。这时，我们逐渐感到，今非昔比，我们都有了自己许多非完成不可的任务，不可能像当年那样短期完成写作历史著作的任务了。我们对自己的作品，有了新的标准，不想草

① 孙绍振：《智者生命的质量》，原载《中华读书报》，后收入《灵魂的喜剧》，辽宁大学出版社2000年版，第219—223页。

草写作，文字风格也逐渐形成，好像不太可能把这么多风格的文字组成一个统一的整体。大家不约而同地松懈下来，到后来就不再提起了。这时候，我就把那一万多字的《颂歌的时代　时代的颂歌（1949—1957）》拿到张炯主编的《当代文学研究丛刊》，以我们六个人的名义发表了出来。

我们的思想发生了变化，但是，主要是外部的、表面的，集中在最迫切的政治观念上。其实就是政治观念，变化也还是比较有限的。就是徐迟，在他轰动一时的《哥德巴赫猜想》中，也还是肯定“文化大革命”的。内心的观念，特别是过去时代深深烙在心头的艺术教条，仍然处于不可动摇的位置。一来，是时间紧迫，还没有来得及调整；二来，还没有弄清在新的形势下，还要寻找为官方认可话语的安全系数。最根本的原因，则是艺术观念总是落后于政治观念的变革。因而我独立修改李季和阮章竞那些部分时，基本上延续了1959年的思路。大约是1979年，我把《阮章竞的艺术道路》修改出来，以个人的名义发表在《福建师大学报》上。写出《李季的艺术道路》时，已经是1979年底了。正好《厦门大学学报》的负责人许怀中先生向我约稿，我就寄给了他。但是，拖延了差不多一年，到1980年底还没有发出来。据说《厦门大学学报》有了新的发稿原则，就是一律不发外稿。许怀中先生不好意思退稿，就把它转到《文学评论》去。这已经是1981年了，正好李季因饮酒意外逝世。《文学评论》如获至宝，就发了出来。1980年，正是我的艺术思想发生重大变化的一年。这一年，我参加了中国当代文学研究会在南宁和桂林召开的第一届诗歌理论讨论会。在会上，我本来不准备发言。因为直到那时，我还对理论抱着怀疑的态度，写理论文章并不太努力。直到会议快结束时，张炯要求我“放一炮”，我没有多大兴趣。但他和谢冕都坚持。我就提出一个条件，把我的发言安排到最后，也就是下午四点半。我讲不好，也没有大碍；讲好了，给人家一个美好的记忆。没有想到，一到现场，我才讲了几句，讽刺了那些对朦胧诗持批判态度的人士，会场就分裂为反对和支持的两派，一派鼓掌，一派吹胡子瞪眼。我是一个喜欢演说的现场效果的人，心头觉得很爽，就即兴把郁积于心的郁闷发泄了出来。我觉得已经找到了自己的话语，完全可以自由地表现自己的思想。我的发言，得到《光明日报》一位资深编辑的赏识，他在约请了谢冕为文之后，又约我为文。谢冕写出了那旷世名文《在新的崛起面前》，我写了《诗和“小我”》。这无疑是小试牛刀。历史发展有时缓慢异常，几十年，人的思想似乎没有变化，可是有时却变化很快，几个月以后，《新的美学原则在崛起》发表了，我身不由已地成为朦胧诗黑旋风式的悍将了，而且遭受到围攻了。而这时《李季的艺术道路》却发表了出来。有人（厦门大学庄钟庆先生）以为是我因为受了批判，连忙以这篇文章来向官方表示妥协。其实这是时间差造成的误会。

问题八：《概况》的编写，对你们后来的学术工作产生什么影响？它与你在20世纪80

年代以后的诗歌观念和研究工作产生怎样的关联？你现在是如何评价、看待这一事件的？

《概况》的编写，是我生平第一次运用理论语言来表述学术观念。虽然不是自己的观念，但是，也多多少少让自己体验到某种论点得到哪怕是并不十分准确的表述的愉快。这就产生了一个问题，从根本上来说，《概况》的写作，是在一种错误的思潮裹挟下的一次草率性的学术盲动。但是，就是这个错误的学术盲动却锻炼了我们。这不仅颇具反讽意义，而且隐含着人才成长的普遍规律。写到这里，我想起了诗人梁小斌的一段话："我必须承认，'四人帮'的那些理论也在哺育我，它也变成阳光，晒黑了我的皮肤。"[①]

他的这个说法，是有道理的。也许我们当时吸收的思想资源，都是有毒的，但是，我们中毒并不太深，因为我们机体中本来就有抗毒的因子，尤其是在艺术趣味方面，有着顽强的免疫性。文章的写作和发表并没有终止我们的思考。相反，至少使我发生了思想和艺术趣味的分裂，一方面是正统的理论观念，一方面对在理论上加以肯定的作品的艺术品位嗤之以鼻。在长期反复的阅读过程中，我的艺术趣味，颇有一点胡风所说的"主观战斗精神"，并不为自己宣扬的理论完全同化。在一般情况下，我对这种二元化的状态无能为力，只好听之任之，但是，一旦获得了某种公众的拥戴感觉，我的思考力就进入最亢奋的高潮。就是这种思考力，把我的艺术趣味转化为理论的观念，成为自己原本所秉持的观念的对立面，最终成为这些观念的凶猛杀手。也许这就是鲁迅所说的，从旧垒里杀出来的反戈一击，比之从外部攻击更具颠覆性。平心而论，在《概况》中，我所执笔的部分，自我歪曲和自我阐明，是交织着的。然而，其中有些论述，毕竟是自己心血的凝结。我指的是关于《马凡陀山歌》的部分。就我现在的记忆，我根本没有花心思去寻找《马凡陀山歌》有过什么样的历史文献性的评论。我在读初中的时候，在上海郊区朱家角，购得新中国成立前出版的《马凡陀山歌》和新中国成立后出版的《解放山歌》。由于马凡陀所讽刺的现实，大都是1947年、1948年上海一带的政治社会生活。我那时已经懂事，有所共鸣。又加上马凡陀所用的形式，是苏南地区比较流行的，出于某种乡土感情，我对之不但读得很熟，而且有许多妙悟式的感受。在写作中，对于马凡陀山歌的艺术，我不用依傍权威的现成话语，为艺术直觉找到比较准确的概括，似乎并不太困难。我记得百花文艺出版社的退稿信中，也肯定了《马凡陀山歌》的艺术分析。那些分析，尽管今天看来幼稚，但是直接从作品的感悟出发形成的。我第一次感到了内在的直觉投胎为理性的语言的那种欢畅。这一点一直留在我心中，在以后的学术研究中，成了我追求的境界。那就是，不完全靠理论的演绎，因为演绎的大前提是别人的。从自己的直觉出发，进行归纳，直接概括成观点，形成自己的第一大前提，更令人爽快。前人评论语言的梳理和转述太多，反而可能阻塞自己的自由思考。

---

① 梁小斌：《青年诗人谈诗》，《福建文艺》1980年12月。

多年以后，我才知道，用比较夸张的话来说，这就是思想上“原创性”的追求。我的《新的美学原则在崛起》的开头一段，就是这样无所依傍，如入无人之境，凭着直觉，横冲直撞的。谢冕后来从发表出来的文章看到这一段，说，光是这一段，那些“左”派就受不了，就不要说后面的了。

> 崛起的青年对于我们传统的美学观念常常表现出一种不驯服的姿态。他们不屑于做时代精神的号筒，也不屑于表现自我感情世界以外的丰功伟绩。他们甚至于回避去写那些我们习惯了的人物的经历、英勇的斗争和忘我的劳动场景。

这样的话语方式，其特点就是不像在写作学术论文，不是首先寻求前人经典作为依据，问题不一定是从文献和经典中来，也可能是从历史潮流深处中去做第一手的概括。这样的文风，在我后来的《炮轰高考》《炮轰四六级英语考试体制》中一以贯之。这既是我的优点，也是我的缺点。缺点是学术资源不足，但我并不认为学术就是知识谱系，如果真的非有知识谱系不可，那也并不一定就是书面的，有时就在身边的感觉世界中，关键是你要有能量做原创性的抽象，使观念衍生，形成系统。

每逢我回忆起当年在和平里的日子，都是含着微笑的。历史证明，这一次学术盲动，并没有让我们成为极“左”思潮的文化杀手，相反，我们却几乎都成为思想和学术解放的壮士。但是，我也意识到当年我勉强接受的观念，冥冥中也变成某种力量，在后来的岁月中制约着我们。最明显的一点，我们和没有接受过那种僵化教条的新一代存在着巨大的差异。到了20世纪90年代以后，我们这一代的学者，对于后现代的许多观念，都表现出某种不理解，一般都采取回避的态度，而像我这样直率的人物，却坦然对之加以批判。我尊重我的直觉，但我的直觉又何尝没有受到我们当年所受到教育的潜在的价值观念的歪曲？我甚至感到，我身上的一切局限性都与那个时候的观念有关。梁小斌所说，“四人帮”的理论，也化为阳光晒黑了他的皮肤。黑皮肤是健康的表征，同时也可能埋伏下皮肤癌的危险。我不知道历史会如何批判我。但我相信，作为一个文化现象，这是一个复杂的函数方程，要解这个方程，需要一个历史的过程。夏虫不可以语冰，也许我们这一代人是没有希望看到它最后的解答了。

第三辑　新诗评论

新诗百年：未完成的中西诗艺转基因工程

——兼论中国古典诗学话语的激活和建构

一

新诗粉碎了旧诗的镣铐，取代古典诗歌成为诗坛的正统，迫使古典诗歌退居二线，在中国千年诗歌史上创造了横空出世的自由诗形式。一个世纪以来，经历了尝试、突进，分化、颠覆、危机、建构的曲折历程，思潮的大起大落，流派的迅猛翻新，语言情感的嬗变，风格诡异的衍化，其辉煌、其惊险在中国诗歌史上堪称空前绝后。仅仅百年工夫，其诗艺建构跨越了西方诗歌两三百年的历史，吸收了西方古典主义、浪漫主义、现代主义流派的诸多营养，俨然自成一家，自立于世界诗歌之林。如今其作者群体，少说不下百万，每年出版（包括自费）的新诗集，其数量可以毫无保留地说非举世任何国度可比，堪称世界诗歌史上的奇伟景观。但是，与如此浩大声势的诗歌阵营相比，读者的接受却相形见绌。公然宣言给二百大洋也不看者有之，对之敬鬼神而远者有之，纸质媒体视之为发行毒药拒绝刊载者更有之。与此现象相对，则是被宣判死刑的旧体诗词不但不曾死而不僵，相反显示了顽强的生命力，“五四”以来，从文化巨擘，如鲁迅、周作人、郭沫若、郁达夫、柳亚子、赵朴初、聂绀弩，到政治家，如毛泽东、陈毅、朱德，周恩来都有名作传世，如今专门刊载古典诗词刊物和网站，仍然拥有数量庞大的忠实的作者和读者，他们毫不怀疑古典诗词的艺术优越于新诗，公然对新诗取藐视态度。更令新诗忠臣尴尬的是，在新诗开创期曾经取得重大成就的大家如郭沫若、臧克家，到了晚年放弃了新诗，以写作古典诗歌为务。大师级学者如王国维、钱锺书等以古典诗词酬答几成定则，若以新诗交往，如胡适致梅光迪，则带上打油的色彩。更有甚者，革命者临刑不惧，慷慨赋诗，几乎毫无例外地取古典诗歌明志，最有名者莫过于为夏明翰的“砍头不要紧，只要主义真，杀了夏明翰，还有后来人”。殷夫改编自裴多菲的诗“生命诚可贵，爱情价更高。若为自由故，两者可抛”，鲁迅为文引用，如今中学生皆能出口成诵。甚至当年还是热血志士的汪精卫被捕的口占之作“引刀成一快，不负少年头”，至今脍炙人口。古典诗歌如此高贵的文化功能，是新诗所不可想象的。

本来新诗的建构取法于西方自由诗，严峻的问题还不仅在实践上，而且在理论上，从五四新文化运动一开始，完全废除古文，全凭口语白话，能不能成诗，就有质疑，胡适新诗的“尝试”就是为了回答这种质疑。但是，在漫长的实践中，每过一个时期，这种质疑之声，就如幽灵一样重现。其影响最大者为新诗不应该追随欧美现代自由诗歌模式，而应该在中国民歌和古典诗歌的基础上发展。此等封闭性，推倒重来的“理论”曾经雄霸一时，为历史实践所证伪。朦胧诗开创了新的美学原则时代，取得空前的发展以后，但是，对于新诗，甚至朦胧诗，后新潮诗，后现代诗，以追随西方前卫潮流的诗歌的合法性的质疑仍然如影随形。令人惊叹的是，发出这种质疑的，并不是一般无名小卒，或蹒顸官僚，而是写出过像《金黄的稻束》的经典诗作，学贯中西的郑敏教授。她在《新诗百年探索与后新诗潮》中[①]，认为新诗并未成熟：“尚在一个未定型，没有找到自己造型的阶段”，也就是尚处在草创阶段。就是开一代诗风的朦胧诗，在她看来，能够留传后世的，也只有为数不多的几首经典，“卑鄙是卑鄙者的通行证，高尚是高尚者的墓志铭”堪称雄杰，但是，从那以后，不但后无来者，而且北岛本人“也似乎没有再写出这样真诚深刻的诗句”。相反，诗坛上盲目追随欧美前卫诗歌流派则充斥了五花八门的“语言垃圾”和“精神垃圾”。

郑敏先生对“五四”以来新诗的巨大成就，取基本否定的态度，其偏颇是显而易见的，然而，如果不拘泥于其论断，究其宏观的历史回顾和前瞻，对中国新诗更高的期许而言，却不能不说其中有合理的、深邃的内核。从理论根源上说，郑敏此论应该与在西方后现代主义文艺走向极端，激发出以英国克拉克为代表的古典现代主义思潮息息相通。

四年后，郑敏又在《中国新诗八十年反思》中指出中国新诗从一开始，就全盘否写古代汉语和古典诗歌，对欧美此起彼伏的流派疲惫地追踪表示质疑。从理论上说，“以消灭传统为新生的前提是幼稚和不明智的”，因为在语言文化中“有着民族灵魂的基因”“切除其文学语言，只留下口语时，我们日后的汉语语言危机就已经注定了”。[②]此文对新诗的批判有所缓和，不否认这里有历史的必然，成就不可低估。的确，如今站在百年历史的制高点

① 郑敏：《新诗百年探索与后新诗潮》，《文学评论》1998年第4期。以下所引郑敏出自此文者，不再一一注明。

② 郑敏：《中国新诗八十年反思》，《文学评论》2002年第5期。

上，宏观地回顾，可以说没有对西方诗歌的开放和追踪，就没有新诗，但是，学习西方的目的并不在亦步亦趋地以当欧美诗歌的跟班而自得，诗人的使命在于创造出不同于欧美诗歌的中国诗派。为此就要对西方诗歌流派、风格、精神和艺术基因逻辑和历史的发展的密码有深刻的分析、批判，不能浮躁地“食洋不化”，挟洋自重，一味以占据西方话语先机，拿着鸡毛当令箭。要改变这种状态，就要对中国古典诗歌的艺术基因有深刻的揭示，自觉地将中西诗艺作转基因式的整合，在此基础上建立中国自己的诗歌理论，与欧美诗歌、诗论平等地对话争鸣。然而，郑敏却不能不指出：“新诗在40年代不过是学西方的舞步，50年代学苏联的舞步，如今又转而学西方当代的舞步，这些学习都是必要的，但今天诗歌圈里有一种困惑，究竟什么是中国新诗自己的特色？难道中国新诗就没有任何可以向几千年古典汉语诗歌借鉴之处吗？”百年历史证明，有意无意地藐视中国古典诗艺，导致了中国新诗的艺术生命的反复扭曲，使郑敏觉得“前途堪忧”。

这一点不仅仅是中国新诗的现象，而且是中国文化界普遍的问题。享誉中西的大师余英时先生说：

> 中国学人跟着西方调子起舞，就是坠入魔道……今天中读中国书最怕的是把西方的观念来穿凿附会，其结果是非驴非马……20世纪以来，中国学人有关中国学术的著作，其最有价值的都是最少以西方观念作比附的……中国知识界似乎还没有完全摆脱殖民地心态，一切以西方的观念为最后依据。甚至“反西方”的思想也还是来自西方……特别是这十几年来，只要西方思想界稍有风吹草动，（主要还是从美国转版的），便有一批中国知识分子，兴风作浪一番，而且用之于中国书的解读上面，这不是中西会通，而是随着外国调子起，像被人牵着线的傀儡一样。

也许余英时先生“非驴非马”“殖民地心态”“傀儡”之语，比较尖锐了一些，但是，在世纪文化反思上，却不能不说出于相当严肃的精神，从先生高远的历史视野中，人们不能不更加痛切地感到郑敏对中国新诗的前途的忧深愤广。

郑敏文章最警策之处在于，破天荒地将学习欧美和继承中国古典诗歌何者为“本”、何者为“末”提高到新诗的生死存亡的高度：

> 21世纪中国新诗的能否存活就看我们能否意识到自身传统的复活与进入现代，与吸收外来因素之间的本末关系。没有传统何谈创新？没有传统作为立身之地，创新只能是全盘西化。中国当代新诗一个首要的、关系到自身存亡的任务就是重新寻找自己的诗歌传统，激活它的心跳，挖掘出它久被尘封的泉眼。

不管你对郑敏先生这样的论说有多少保留，甚至根本反对，但是，不能不为她把学习欧美为“末”，继承古典诗歌传统为“本”的理论清醒所震撼。郑敏先生认为“自身传统的复活”，是建构中国式的新诗现代性艺术首要任务，从而提出中国新诗面临着对中国古典诗歌补课的任务：“在继续借鉴西方的情况下，着重补上古典诗歌及其文史哲文化的课。这是一条艰苦的道路，但如再不固本，而只顾在喧嚣中搬弄西方诗歌的表象，则中国新诗的前途堪忧。”

郑敏指出，补上这堂中国诗歌和文化课，带着“固本”的性质（“固本培元”是我国古老的哲学思想。元，本，是根本，元神，是主体根本的生理和精神）。只有这样，中国新诗才能摆脱被动，扭转食洋不化的积弊，艺术上开创真正属于中国的新诗的生命。

怀着一种盛世危言的睿智，她指出危机在于：“当代新诗不但没有了自己汉文化诗歌的传统，而且也失去了对那个传统的记忆和感情。”“现代及后现代的当代社会使得世界村的居民们多少进入了一个复杂的感性智性世界，诗歌也相应在寻找与之相当的艺术形式。主要是诗歌语言、内在结构、外在形态。”言简意赅，抓住了新诗艺术生命的命门。第一是语言，第二是内在结构，第三是外在形态。郑敏先生只是提出问题，来不及从理论上全面展开阐释。并未引起有识者严肃思考，二十年过去了，当此新诗百年之祭，我想，应该是有条件，也有必要作严肃的反思了。

二

郑敏的深邃，不仅在于，她所说的，而且在于她没有说的，或者没有明确，只是笼统说的。在我看来，一个世纪随着欧美起舞，不断地步人后尘，第一个原因在于完全丧失了理论的主体自觉，心甘情愿地被西方理论牵着鼻子走。殊不知西方理论是西方文化传统和现状的产物，其经验和思维模式（基础）乃是西方的，对东方，对于汉语诗艺的传统，西方理论家在学术资源上是阙如的，但作为理论却以绝对普遍的形态出现，经验的有限性和理论的无限性，是人类理性思维宿命性的悖论。西方理论并不例外，但是，强势文化天然的权威性，掩盖了其片面性，傲然以放之四海而皆准的普适性出现，造成了一种西方理论的不可挑战性的错觉，恶化了国人潜意识中的自卑和文化传统的不自信，就是西方一些粗浅的理论，比之我国传统诗歌理论相比幼稚得多的理论，也能让国人迷信多年。哪怕是纠正一个常识性的谬误，也可能被当作惊世骇俗的狂言。

必须明确，中西诗艺建立在两种不同的语言基础上，中国诗艺属于汉藏语系，西方诗艺属于印欧语系。二者栖居着不同的诗意的基因，建构中国新诗的诗艺不能废除中国诗艺基因，以西方基因取而代之，正常的实践应该是输入对西方诗艺基因，激活中国传统诗艺基因，以之为主体对西方基因进行选择转入中国诗艺之中，使之成为优于中西的新诗艺。

中国新诗的“新”，就“新”在这种转基因式的“新”。今天国人对新诗百年的回顾与前瞻，从根本意义上，就应该在这个高度上进行。

郑敏对这一点似乎并不十分明确，但她的功绩，为国人清算百年迷误提供了一个框架。

她把“外在形式”放在最后，其实，外在形式的变革联系着母语诗艺基因密码的变革。古典诗歌的外在句式、章法被当为镣铐打破，带来郭沫若所说的“绝对的自由”的思想解放的狂欢之后，不过几年，打破镣铐的闯将，以新月派为核心，却在致力于创造新的格律。为什么呢？第一，对母语的精神基因不加分析，难免有生命力被废弃，无生命的被当作新生命；第二，欧美语言的基因铺天盖地地转入，在这过程中，难免泥沙难辨，鱼龙混杂，在一个历史阶段中，其文化优势造成的教条主义，不但不能激活，相反窒息中国传统诗艺，从历史实践的过程性观之，可能是必要的代价。

就格律诗而言，其理论根据是英诗的 feet（有时译为“音步”，有时译为“音尺”），从莎士比亚到雪莱，每行有相等的、轻音和重音交替的音步（轻重、重轻，或轻轻重、重重轻）。

格律诗的倡导者大都是欧美留学归来的，精通英语，但是，并未洞察音步的奥秘。他们将轻重交替的音步转化为每行音节大致相等。这不是制造新的镣铐吗？但是，闻一多义正词严地宣称，诗歌就是要“戴着镣铐跳舞”，而且写出了每行音节相等“豆腐干”体的经典之作《死水》。但是，这对于双音节为主的现代汉语来说，缺乏必要的灵活性，闻一多自己也无以为继。如此这般的极端碰了壁，事情走向了反面。20 世纪 40 年代，李季式的民歌体，挟带着革命胜利的形势，引起了一片欢呼，但是，其单调的节奏，不是创造了新的，而是倒退到旧的。到了 20 世纪 50 年代，李季不能不公然表示无以为继了：“生活向前发展了……人民群众的感情已经发生了根本的变化……这时你再用‘五谷里数不过豌豆圆，人里头数不过咱俩可怜’、‘庄稼里数不过糜子光，人里头数不过咱俩凄惶’的调子来描述这些正在形成的新型农民，那会是多么不协调啊。”[①] 既然因袭旧的不行了，20 世纪 50 年代中期创造新任务又一次提上日程。何其芳中提出建构“现代格律诗”。他继承了 20 世纪 30 年代的音步说，不过把音步改为“顿”，提出每行不一定要有相等的音节（字），而应该有相等的“顿”，“每顿所占有的时间大致相等”。他不无鲁莽地对中国古典诗歌进行分析，提出七言是四顿，五言诗是三顿：

人生——不相——见

动如——参与——商。

今夕——复何——夕，

① 李季：《热爱生活，大胆创造》，《文艺学习》1952 年第 3 期。

共此——灯烛——光。[1]

现代格律诗一方面向自由诗妥协，诗行的音节可以不等，另一方面又坚持要有相等的"顿"。这个"顿"的学说源自"五四"以来许多学者，从胡适到梁宗岱都认为我国古典诗歌节奏的"基础"都在诗行停顿的数量的统一。[2]但是，这是对中国古典诗歌韵律基因的歪曲。就音乐性而言，规律性的停顿，只能构成单调的节拍（如四分之三、四分之二），并不能构成旋律，旋律是在节拍之间音长和音高上的变化。西方 feet（音步）的基因是以轻音重音对立统一为单位的，如果按此规律分析中国古典近体诗，当以平仄对立为单位，也就是说，不能以两个平声或两个仄声为单位，而应该以平仄交替为单位。如，杜甫的"风急天高猿啸哀"，不应该像何其芳那样分为"风急——天高——猿啸——哀"，而是"风急天高（仄仄平平）——猿啸哀（仄仄平）"，如果按西方的音步，或按"顿"来说，不是四顿，而是两顿。而这后面的三言（一顿）是不可分割的，恰恰是中国古典近体诗歌节奏的生命。而何其芳划分七言诗行的四顿，将三言结构分成了两顿：

浔阳——江头——夜送——客，

枫叶——荻花——秋瑟——瑟；

① 《何其芳选集》第二卷，四川人民出版社 1979 年版，第 142 页。

② 这个说法最初出自胡适，他在《谈新诗》（《星期评论》双十纪念号，1919 年 10 月）中强调音节的"自然"，他读"节"就是诗句里面的顿挫的段落。旧体诗五七言诗句两个字为"一节"，比如"红绽——雨肥——梅"（两节半）、"江间——波浪——兼天——涌"（三节半）、"王郎——酒酣——拔剑——斫地——歌——莫哀"（五节半）、"我生——不识——柏梁——建章——之——宫殿"（五节半）、"又——不及——身在——荥阳——京索——间"（四节外两个破节）、"终——不似——一朵——钗头——颤袅——向人——欹侧"（六节半）。

胡适这个分析是中国诗歌史上第一次对诗歌节奏的分析，并且提出了音和节的区别，音不等于节，开创之功不可没。他似乎抓住了中国古典诗歌和民歌的节奏的某些特点，以一组双音构成一个"节"。但是，用这个基本由双音构成的"节"来解释中国古典诗歌和民歌的复杂现象，显然不够用，于是，胡适就在世界诗歌史上，第一次提出了"半节"和"破节"。虽然对于这两个破天荒的概念，他并没有做出界定，但是从其上下文来看，"半节"和"破节"是音节的统一划分与某些词汇意义发生矛盾时的一种变通。半节，都是一些实词，从词汇意义上不能构成双音结构，若硬性构成双音结构，就要影响词汇意义的完整和清晰。如："红绽——雨肥——梅"（两节半）、"江间——波浪——兼天——涌"（两节半）。先把两个音组大体有规律地划分为一个"节"，剩下的一个单音，就算它是"半节"，并不影响词汇意义的清晰。这就是说，词汇意义和语法结构是对应的，平行的，不发生冲突。但是，如果按照这个划分方法，面对"王郎酒酣拔剑斫地歌莫哀""我生不识柏梁建章之宫殿"就得这样划分："王郎——酒酣——拔剑——斫地——歌莫——哀""我生——不识——柏梁——建章——之宫——殿"。这样"歌莫——哀"和"之宫——殿"，在语法上就不成话了。于是胡适成全语法结构，把"歌"和"之"单独当作"半节"，变成"歌——莫哀"和"之——宫殿"。可见，这个"半节"，是为了成全词汇意义的。但是，这些毕竟都还是实词，遇到虚词，如副词，胡适就另行命名为"破节"："又——不及——身在——荥阳——京索——间"（四节外两个破节）。但是，像下面这个诗句："终——不似——一朵——钗头——颤袅——向人——欹侧"（六节半）中的"终"字，是个副词，照理应该算是破节了，然而，胡适却把它当成是"半节"。这说明胡适当时，不能很系统、自洽地分析中国古典诗歌中的复杂现象，遇到的主要困难是词汇意义与节奏的矛盾。从理论上说，音节或者节奏只有达到稳定化才能称得上格律，而且要稳定到与词汇意义发生矛盾时，意义也要服从固定的节奏。

主人——下马——客在——船，

举酒——欲饮——无管——弦。[①]

七言诗节奏的特点，并不是每行四顿，而是其最后的三言结构，这三言结构决定了古典诗歌的调性，我们把它叫作吟咏调性。只要在这个三言结构中加上一个字，变成四言，调性就发生了质的变化：

浔阳——江头——月夜——送客，

枫叶——荻花——秋风——瑟瑟；

主人——下马——迁客——在船，

举酒——欲饮——恨无——管弦。

句尾的三言变成了四言（六言、八言同），就变成了另一种调性，我们称它为说白的调性。同样是四顿，却是两种完全对立的调子。由此可见从英语诗歌转化来的“顿”的划分遮蔽了五七言诗行节奏的性质。这种理论在这么单纯的七言诗面前已经显得如此软弱，对词、曲、民歌等丰富的诗行形式更是无能为力了。何其芳宣布：词除少数上下阕对称的以外，“它的节奏根本无规律可循”，就是那些上下阕对称的词，“从它的一半来看，好像节奏和押韵都没有规律”，[②]这当然是站不住脚的。找不到规律，找不到基因，怎么可以宣布基因不存在呢？

中国古典诗歌节奏的基因，从诗经、楚辞到汉魏、唐宋诗词，其实，只有两种节奏，一种是诗经式的四言的说白调性，一种是古、近体诗的三言尾的吟咏调性。这种调性深刻地表现了汉语的音韵美。这也就是成语、百家姓之所以为四言，三字经（还有供孩子描红的字帖：上大人，孔乙已）之所以为三言的原因。词曲以及一部分民歌每行并没有相同的“顿”，因为有三言和四言结尾，故有相当的节奏感。按郑敏的说法，要讲格律，汉语当是“本”，“顿”的理论歪曲了汉语音韵的基因，又误读了英诗的节奏规律，在实践方面破产几乎是宿命的。以何其芳刻意为之的诗作为例：

我——听见了——迷人的——歌声，

它那样——快活——那样——年轻，

就像——我们——年轻的——共和国，

在歌唱——它的——不朽的——青春。

这里每行四顿，完全符合现代格律诗的理论，在四行中出现了七个三言结构，（除去结尾用轻音字“的”还有四个）平均每行一个以上，比七言诗行所要求的每行一个三言结构

① 《何其芳文集》第二卷，人 民文学出版社 1983 年版，第 8 页。

② 《诗刊》编辑部编：《新诗歌的发展问题》第三集，作家出版社 1959 年版，第 254 页。

还多。语言的音乐节奏却大大不如古典诗歌和民歌。其次，为什么写了这么多三言结构作者却并没有感到束缚，反认为五七言诗行的三言结构是一种束缚？这是因为古典诗歌和民歌诗行中三言结构与四言结构的组合是严格有序的。五、七、九言诗行吟咏调性产生于三言结构收尾的固定性，四、六、八言诗行的说白调性产生于四言结构（或二言结构）收尾的固定性，结构的稳定决定了功能的稳定。而在何其芳这里，三言和四言（二言性质相同）的排列却是随意的。三言结构无规律地出现在行首、行中和行末，因而丧失了传统的吟咏调性，二言（四言相同）结构杂乱地出现在行首行中和行末，因而丧失了说白调性。这样任意地安排，实际上是离开了汉语节奏的基础，诗歌节奏的形式是离不开音组结构在统一中的变化的，这种形式之所以不理想，正是由于缺乏统一感，仍然像散文那样从一种结构自由地转换到另一种结构上去，缺乏音组结构的稳定的格律性。

现代格律诗近乎无疾而终，原因就在于以西方诗歌为模式的盲目性：不但误读了英语诗歌音步，而且歪曲了中国古典诗歌节奏的基本规律。

这种盲目性不但表现在理论和实践的寂寞上，而且表现诗坛的宏观图景的混乱上。就在现代格律诗在理论上由于何其芳的地位，被奉为理论圭臬之时，中国诗坛上享有最高权威的诗人是贺敬之和郭小川，他们的诗作完全不讲格律，词组以阶梯形式任意高高低低地排列。这种形式的合法性来自被苏联方面奉为“最有天才”的诗人马雅可夫斯基。但是，贺郭二人均不懂俄语，他们不可能知道马雅可夫斯基其实每一句诗大致是四个重音。[①]为了朗诵的效果，他把一句分成几行做高低错落的排列。

中国新诗在形式上的盲目性达到这种程度，简直可以借用陈亦门（阿垅）在《诗与现实》中所说的“诗的无政府主义”来形容。其混乱是至今还没有得到清算的。

在20世纪20、30年代，被鲁迅称赞为最有才华的诗人冯至，曾经写出西欧当代诗歌已经告别了的《十四行诗》，虽然在当时取得了相当的成就，但是，其中根本看不到一丝一毫他深刻研究过的杜甫的诗艺的影子。这样的实践，从理论上说是荒谬的，既然中国古典诗歌的格律形式是镣铐，欧美古典格律诗歌，难道就不是镣铐吗？十四行诗从意大利到英国、德国均有发展，冯至把它拿到中国，有什么发展呢？德语名词有四个格，汉语没有，冯至是如果不能处理这样的矛盾，是不是会带来一定的局限？至今没有一个理论家对之做起码的理论回答，甚至连这样的问题都没有提出。随着时间的推移，溢美的调子越唱越高，这就造成了直到20世纪末还不乏更加盲目的追随者。十四行诗在西方也没落了，硬搬到中国来，却成了不朽的经典。

此等咄咄怪事，国人居然见怪不怪，原因很简单，对西方诗歌从形式到理论缺乏必要

① 懂俄语的同人，只消翻阅马雅可夫斯基的长诗《列宁》的第一页就明白了。

的具体分析，五四时期批判精神在这里出现了偏瘫：对内是彻底的、大无畏的，对外却是自卑的、怯懦的。追踪西方诗歌流派为“本”，奉为圣明，毫无西方文论所崇尚的批判精神，把继承古典诗歌诗艺基因为“末”，全盘引进的结果不是激活了中国传统的诗艺话语，而是使中国诗艺许多精华处于窒息状态。相当发达的中国现代诗论，至今几乎没有中国话语范畴，中国诗论家数典忘祖成了新常态。

按余英时先生的说法推论，中国诗坛完全成了西方诗论的话语殖民地。西方理论上的霸权越来越强，创作上的混乱必然愈演愈烈。

这一笔糊涂账一直延续到了21世纪，在某些颇有才华，影响相当大的前卫诗人那里发展到极致。郑敏在《中国新诗八十年反思》中，特别指出“新诗向世界诗歌的学习，也未能正常，一些表面的模仿往往失其精髓，夸大其皮毛。如反抒情、都市化、平庸化、反诗语、泛散文化等等，都在‘先锋’的旗帜下不容分说地成为当然的当代诗学标记”[①]。更有甚者，跨文本写作，以瓦解一切诗形式规范为务，把诗不当诗来写，甚至以“反诗”为旗号，干脆写成散文，彻底颠覆新的外在形式。其合法性何来？西人已为之，捷足追随者遂享优越，无条件地以西方前卫艺术为先导。走得最远的，还不是诗歌，而是造型艺术，具象变为抽象，画就是不画，将“现成物”当成艺术品，杜尚把小便池当作艺术题名“泉”参加展览，居然也引起了世界性的轰动。艺术就是不断探索革新，这也许是不可颠覆的规律，但是，第一，探索就是冒险，不管多么前卫的探索，都注定要付出重大代价，大量的垃圾被淘汰是必然的，对于个人来说，把制造垃圾当作创新也是难以避免的。第二，全盘照搬，必然是水土不服。把欧美的前卫艺术移植到中国来，让它成为中国的品种，必须用最大的努力把异域的文化基因剥离，使之适应中国的历史传统基因，要完成这项“转基因”的工程，没有中国诗学、文化深厚的基础是不可想象的。事实上，郑敏指出：一些以西方后现代诗歌为标榜的前卫诗人“并未系统研究西方诗歌的来龙去脉”，“在中国的‘后现代派诗歌’”“和西方的‘后现代’派诗歌间有一个最本质的区别”：在于中国的停留在反宏大主题，个人日常平庸的琐事上，而西方诗歌中，“最敏感的问题却多半是人类历史和今天所展现的困惑、矛盾有关，及诗人对它反思的情感上所受的冲击”，“目的是小中见大，平庸中见崇高”。[②]而中国前卫诗人大多对此却基本无知。

郑敏先生期望建构融通古今中外的、具有本民族特色的新诗，是个系统工程。她可能认为难度最小的是她放在第三位的“外在形态”，实践却无情地证明，这个难度不是孤立的，是和前两位的内在结构和母语基因联系在一起的。从20世纪20年代直到如今，近

① 郑敏：《中国新诗八十年反思》，《文学评论》2002年第5期。

② 郑敏：《中国新诗八十年反思》，《文学评论》2002年第5期。

一百年的时间，耗费了几代人的生命，按郑敏的准则衡量，可以说是收效甚微。和小说、戏剧不同，在诗歌领域里，关于诗歌形式阵发性的、大规模的争论屡见不鲜，不论是 20 世纪 50 年代末年的关于民歌的争论，还是 20 世纪 90 年代，为知识分子写作和民间立场写作而打起架来，都无济于事，因为双方者同样缺乏中国古典诗歌和文化基因的彻底理解。从这个意义上说，要改变这样一再发生的聋子的对话，关键不在于外在的形式格律，而是郑敏所说的对中国诗歌文化的补课。

三

郑敏提出中国新诗艺术的宏观前景的第二个目标是“内在结构”，这种内在结构相对于外在形式的格律，乃是情感的内在节奏，这一点中国古典诗歌是很重视的，而这一点由于语言的关系，正是西方诗论所缺乏的，可以说是失语的。依赖西方诗论的中国诗论，在这方面就显得空洞。其实，人家没有的，我们是有的，对西方无所依赖，正是自我激活的良机

“五四”早期完全打乱了诗歌的节奏，当戴望舒的《雨巷》一发表，叶圣陶就兴奋地称其“开辟了新诗节奏的新纪元”。叶圣陶指的是外部节奏，但古典诗歌修养甚深的戴望舒却并不受宠若惊，发表了相反的意见：“诗的韵律不在字的抑扬顿挫上，而在诗的情绪的抑扬顿挫上。”[①] 接着他还用了一个法语词 nuance 来概括这情绪的起伏，原文的意思是微妙的变化。古典诗歌修养甚高的戴望舒在这一点上和我国古典文论是相当一致的。我国古典诗歌理论，相当重视这种内在的情绪脉络，这是因为我国古典诗歌的句法决定的，

古典诗歌以近体诗为代表，句法和散文不同：大体是单句独立，句间的关系是留在空白中的。这大致可分三种。第一种是单句意思完足，两句之间时空上的连续关系是隐含着的，如“春城无处不飞花，寒食东风御柳斜”（韩翃《寒食》），不但句间连续关系是隐含着的，而且连视觉主体都省略了，把尽可能大的想象的空间，留给读者。第二种是对仗关系，如杜甫的《春日忆李白》的第三联：“渭北春天树，江东日暮云。”一个在黄河之北的树，一个在长江之南的云，空间距离之遥，感觉主体之异，在散文中是要交代清楚的，由于对称，二者结构显得很紧密，读者想象的空间很大，暗示性的约束性也很强，思绪的概括力也很广。第三种如杜牧《山行》的最后一联：“停车坐爱枫林晚，霜叶红于二月花。”逻辑因果，主客关系，都清清楚楚地交代，叫作流水句；如果词语对仗的话，如杜甫的《闻官军收河南河北》最后一联，“即从巴峡穿巫峡，便下襄阳向洛阳”，这在近体诗中是很特殊

① 戴望舒：《诗论零札》，原载《现代》1932 年 2 卷 1 期。

的，名之为流水对。

三种形态中，不管是哪一种，其单句基本具有独立性，而欧美格律由于直接抒情，思想容量比较大，往往很少以单句成行，屡见不鲜的是，一句长达数行（这叫作“跨行”），如莎士比亚笔下的哈姆雷特的那著名的独白：

To be，or not to be：that is the question：

Whether it's nobler in the mind to suffer

the slings and arrows of outrageous fortune，

or to take arms against a sea of troubles，

and by opposing end them。（To die，to sleep）

按朱生豪先生的翻译，这是一个很长的复合句：“生存还是毁灭，这是一个值得考虑的问题；默然忍受命运暴虐的毒箭，或是挺身反抗人世无涯的苦难，通过斗争把它们扫个干净，这两种行为，哪一种更加高尚？”

在汉语中，是多个相对独立的句子，但是，在英语原文里是一个复合的长句，一连五行，行间语法上的从属关系，名词代词在数，动词在时态语态上保持高度统一。在逻辑上的因果也以连接词、关系代词严格地结合。就语法和逻辑推导方面说，西方的格律诗和散文是很接近的。从中国古典诗歌的精思和炼字来说，这是多么散文啊。比之中国古典诗歌来说多么不精炼啊，但是，因为是西方的经典，就是完美无缺的。胡适就不止一次地，理直气壮地提出“作诗如作文”。但是，这是和中国古典诗艺传统（骚本和古风歌行稍有例外）是矛盾的。胡适的这种思想，就不但影响了他所领导的几个青年诗人，而且影响了后来的成就更大的诗人，造成了中国新诗长期的散文化的潮流，其极致乃是艾青在《诗论》中干脆就提出了诗的“散文美”：“天才的散文家，常是韵文的意识的破坏者。”[①] 这可能有它的片面的合理性，但是，天才是不世出的，这并不适合广大诗人群体。混淆了诗和散文的矛盾，放弃了对古典诗艺精炼传统，现代诗歌的语言的松散和芜杂被视为理所当然。

古典诗歌单句独立，句中意象并列，句间逻辑关系悬浮，并没有影响到情感的展开和深化，相反，强化了其深度和弹性。因为意象单句并列，只是其表层，并非诗艺生命所在，其生动全在深层蕴藏着情感的脉络。这种情绪的内在的联系我把它叫作意脉，或者情意脉、情志脉。

古典诗论中，对于情感脉络有许多精致的论述，首先是立意，王夫之说：“无论诗歌与长行文字，俱以意为主。意犹帅也。无帅之兵，谓之乌合……烟云泉石，花鸟苔林，金铺锦帐，寓意则灵。”[②] 元人杨载《诗法家数》提出这意之所以能“烟云泉石，花鸟苔林”，原

① 艾青：《诗论》，人民文学出版社 1982 年版，第 153 页。

② 王夫之：《姜斋诗话》卷下，丁福保辑《清诗话》上册，上海古籍出版社 1978 年版，第 8 页。

因乃在其间有“文脉”：“凡作古诗，体格、句法俱要苍古，且先立大意，铺叙既定，然后下笔，则文脉贯通，意无断续，整然可观。”[①]

中国古典诗歌仅凭并列的意象、平行的诗句，省略连接词，就能在逻辑空白中做到“文脉贯通”“意无断续”。欧美诗歌的完整复杂的句法在中国诗歌中完全是累赘，杨载强调说，为诗最忌“敷衍露骨”，把“文脉”（情脉、意脉）诉诸表层，更是大忌。[②]宋人范温在《潜溪诗眼》中说：“古人律诗，亦是一片文章，语或似无伦次，而意若贯珠……今人不求意趣关纽，但以相似语言为贯穿，以停稳笔画为端直，岂不浅近也哉。”[③]在表层上让意象群落“似无伦次”，但是其深层情感脉络却“意若贯珠”，一旦用明确的“语言为贯穿”，就“浅近”了。元人陆辅之《词旨》说到作词也一样：“制词须布置停匀，血脉贯穿。过片不可断曲意，如常山之蛇，救首救尾。”[④]

表层的语无伦次，潜在的意脉贯穿，精练了语言，提高了艺术的品位，用语言把意脉直接说出来，降低了艺术品位。这一点和欧美古典诗歌的直接抒情是对立的。对于这一点的漠视，乃是新诗在百年散文化的不能根本上解决的病根。散文固然可以构成诗美，但是放纵散文化，也可能导致情志直接见诸表层，肤浅而烦冗，“作诗如作文”，毫无难度，粗制滥造乃成风气。20世纪30年代中国诗歌会的蒲风提出“诗的斯塔哈诺夫运动”（斯塔哈诺夫乃当时苏联的劳动模范），公然把批量生产当作创作原则，1958年强制全民写诗运动，当时已成为笑谈，但是，郭小川、贺敬之式的概念化的政策图解长诗，却成为经典的“双璧”，其潜在影响直到20世纪80年代还未清除，被徐敬亚贬之为“清水白菜汤”者比比皆是。直到近年，散文化散到堪称卑格者，居然被称为“丽华体”。中国当代诗人和理论家，几乎没有什么去钻研古典诗歌的精思、炼字之道。一些海外华人学者，论赞中国古典诗歌，也习惯于用什么时空观、小儿科的意象叠加之类套语，鲜有触及西方文论未涉及的精练之道。安禄山叛变，攻破潼关，明皇仓皇率贵妃等出逃。在《资治通鉴》上，叙述其过程达数百字，而《长恨歌》只两句“渔阳鼙鼓动地来，惊破霓裳羽衣曲”，个中诗艺之奥妙，岂是为文所能涵盖。

四

郑敏提出的新诗的问题，更重要的是，放在第一位的是语言。

---

① 杨载：《诗法家数》，张健编著《元代诗法校考》，北京大学出版社2001年版，第21页。

② 杨载：《诗法家数》，张健编著《元代诗法校考》，北京大学出版社2001年版，第34页。

③ 范温：《潜溪诗眼》，郭绍虞辑《宋诗话辑佚》上册，中华书局1980年版，第318—319页。

④ 陆辅之：《词旨》上，唐圭璋编《词话丛编》第一册，中华书局1986年版，第303页。按：此则又见清吴景旭《历代诗话》卷四十一，中华书局1958年版，第506页。

在接受一种西方诗论的时候，毫无批判意识，不加分析，囫囵吞枣，对其历史的合法性和内在矛盾，走向反面的前景，不但毫无反思，连与古典理论核对一下都不屑。无条件地将之当作放之四海而皆准的大前提。对于西方理论和实践盲目尊崇，其结果乃是对中国传统诗艺的精华遮蔽。

胡适的“八不主义”和他的《谈新诗》，明显是受了美国文化和意象派的影响，[①]但是，他对意象派的历史性探索和走向衰亡的必然毫无洞察。他连中国的“情动于衷”“诗缘情”和英语诗歌中影响很大的“强烈的感情的自然流露”都没有提及。这是因为，胡适并未深思，意象派乃是西方浪漫主义诗歌放任强烈感情流泻，导致滥情的必然结果。

和中国古典诗歌寓情于景物、人物和事物不同，欧美浪漫主义的抒情主要是直接抒发。这固然有思想容量较大的优长，但是，也有思想压倒形象的概念化的局限。马克思批评席勒把作品当成“时代精神的单纯号筒”，歌德批判拜伦的许多诗几乎是“被扣压的议会发言”。到了后浪漫主义惠特曼时期抒情毫无节制，许多地方已经成为滥情，诗歌已成思想和感情的“喷射器”，庞德等乃从中国古典诗歌的五官可感的意象叠加中得到启示，将情感寄托在意象中。庞德给意象下的定义是“在一刹那的时间里表现出一个理智和情绪复合物的东西。”[②]受到意象派影响的胡适，在《谈新诗》中却没有真正领悟意象派的真谛。说来说去，就是“细致的观察”“写实的描画”，结语是“诗是要用具体的做法，不可用抽象的说法。凡是好诗，都是具体的，越偏向具体的，越有诗意”，使“读者脑子里发生一种——或许多种——明显逼人的影像。这便是诗的具体性”。[③]胡适最根本的错误在于，把诗歌语言孤立起来，而且限于视觉和听觉的感官印象。在庞德那里，意象还隐含的“理智和情绪”。胡适这个错误犯得太大了，不带感情的语言，不但不能成为诗歌的语言，甚至也不能构成

---

① 胡适编选：《中国新文学大系 · 建设理论集》，上海良友图书印刷公司 1935 年版，第 34 页。胡适受到意象派的影响可以从他的日记中得到确证。《胡适日记》载“印象派诗人（按：英语 imagism，今译为“意象派”）六原则”：1. 用最普通的词，但必须是最确切的词；不用近乎确切的词，也不用纯粹修饰性的词。2. 创造新韵律，并将其作为新的表达方式，不照搬旧韵律，因为那只是旧模式的反映。我们不坚执“自由体”为诗歌写作的唯一方法，我们之所以力倡它，是因为它代表了自由的原则。我们相信诗人的个性在自由体诗中比在传统格律诗中得到了更好的表达。就诗歌而言，一种新的节奏就意味着一种新的思想。3. 允许绝对自由地选择诗的主题。4. 给出一种印象（因其得名“印象派”）。我们不是画家，但我们相信诗应表现出准确的个性，而非模糊的共性，不管其用词是多么的华丽，声音是多么的响亮。5. 创作出确切、明朗、具体的，而不是模糊和不明朗的东西。6. 最后，我们大多数人都认为浓缩是诗的核心。见《胡适日记全编 2（1915—1917）》，曹伯言整理，安徽教育出版社 2001 年版，第 522 页。

② 彼德 · 琼斯：《意象派诗选》，裘小龙译，漓江出版社 1986 年版，第 5 页、第 10 页。庞德并不绝对地反对情感，只是坚持第一，情感不能直接抒情，第二，情感和智性浑然一体。故他在《严肃的艺术家》中对于诗与散文的区别这样说：“在诗里，是理智受到了某种东西的感动。在散文里，是理智找到了它要观察的东西。”见杨匡汉、刘福春编《现代西方诗论》，花城出版社 1988 年版，第 54 页—55 页。

③ 胡适编选：《中国新文学大系 · 建设理论集》，上海良友图书印刷公司 1935 年版，第 308 页。

现代散文的语言。胡适连中国古典诗论中源远流长的情景交融之论都忘记了。从宋朝周弼开始，后世范晞文、谢榛、王夫之、吴乔、黄生等均有丰富的论述，最后为王国维总结为“一切景语皆情语”。

脱离了古典诗艺的新诗一任散文化泛滥，到了1926年，穆木天在《谈诗》中则直截了当认为“中国的新诗的运动，胡适是最大的罪人。胡适说，作诗须得如作文，那是他的大错，所以他的影响给中国造成一种prose in verse一派的东西。他的韵文的思想穿上了韵文的衣裳。结果产出了如‘红的花/黄的花/多么好看呀’一类不伦不类的东西。”[①]话虽得绝对化了一些，但从诗学意义上，并不绝对冤枉。

当时北京的杂志《诗》上，虽然有介绍意象派的文章，但是并没有对意象派有过严肃的分析。庞德的意象观念包含着悖论：一方面力主表现情感（当然反对放纵情感），甚至强调“情感创造意象”，情感是动态的，可一方面又唯取瞬间的图画，静态的呈现，这样的矛盾注定了意象派迅速走向反面。即使庞德的《地铁车站》被西方诗界赞为“伟大的诗章”，[②]也只是昙花一现，其思想和艺术上如此狭隘，作为流派也就缺乏持久的生命力。不过是两三年后，也就是1914年，庞德就深感这种静态意象与情感运动的矛盾，乃与坚持静态意象的艾米·罗威尔分道扬镳，另立“旋涡”派（Vorticism）。庞德的“旋涡”论，乃是对静态意象派的反拨。他坦陈早期印象派拘泥于静态意象的偏颇，意象应该是动态的，是“一个放射性的节点或束，一个漩涡，成群地快速地涌入涌出和穿过它”，[③]旋涡主义的理论核心是意象的流动性，而不再是展现静态的图像。意象派到1917年走向衰亡，成为世界诗歌史上最短命的诗歌流派。

历史给中国新诗开了一个小小的玩笑，1917年，胡适向中国输入意象派的时候，意象派在美国已经没落了。响应胡适的具体做法的北京诗坛，虽然有陈独秀、鲁迅、周作人、李大钊等权威打边鼓支持，也就不能不日趋寂寞。这时在上海《时事新报》上，身在东京的郭沫若却异军突起，以浪漫主义的狂飙突进的姿态开一代诗风。他的纲领不是意象，而是抒情，他说，“诗的本职专在抒情”，“以‘自然流露’的上乘”。[④]这个本职在抒情，与中国古典诗歌的“言志”“缘情”是息息相通的。“自然流露”则是英国浪漫主义诗人华兹华斯《抒情歌谣集》序言中所说的“一切的好诗都是强烈的情感的自然流泻”。但是，郭沫若

① 穆木天：《谈诗——寄郭沫若的一封信》，王永生主编《中国现代文论选》第一册，贵州人民出版社1982年版，第81页。

② *In a Station of the Metro* 原文如下：“The apparition of these faces in the crowd; Petals on a wet, black bough.”郑敏译作：“这些面庞从人群中涌现，湿漉漉的黑树干上花瓣朵朵。”

③ Caudier-Brzeska：*A Menoir*，New York New Directions 1972，p92.

④ 郭沫若、宗白华、田汉：《三叶集》，上海亚东书局1921年版，第45—46页。

把它简单化了。“自然流露”中的“自然”，原文有点自发（spontaneous）的意味。郭沫若接受了情感的自发倾泻，却忽略了华兹华斯还强调了强烈的情感不仅是从回忆中聚集的（It takes its origin from emotion recollected in tranquility），而且是在“审思”（contemplation）中产生，又是在“审思”中消退（disappears）下去的。华兹华斯还有一个很重要的补充：好诗应该是“in good sense”，用曹葆华的译法就是“合情合理”的。更准确的说法，是有良好的、不流于表面的感受力的、有着西方人的情智交融的意味。浪漫派在西方已经没落，而在中国却因为郭沫若而崛起，开一代诗风，奠定了新诗最初的艺术基础。但是，英国浪漫主义的强烈感情的自然流露（流泻），从诗艺上来说，免不了一泻无余。郭沫若《女神》那些被称为暴躁凌厉、狂飚突进的经典诗作中就隐藏着一种危机，那就是直线式上升的呐喊，这心情呼喊不加控制的后果，就为郭沫若后来宣言自己不要做诗人，而宁愿做“标语人”“口号人”埋下了种子。

强烈感情的自然流泻的诗潮在20世纪20、30年代的中国诗坛横绝一时，造成了一览无余的大白话，其原因就是西方文论缺乏这方面的理论防范。这是他们的弱项，而中国诗论强调的表层意象逻辑空白和深层意脉的贯通，恰恰是强项。

郑敏先生所说的诗歌的“内在结构”，具体地说，就是情感的“内在结构”，其特点是什么呢？西方诗论也不是完全空白，至少对于情与感的关系，从莎士比亚到赫斯里特都有所论述，直到19世纪，雪莱（1792—1822）在《为诗一辩》才明确说出“诗使他触及的一切变形”。在这一点上，中国古典诗论觉悟得更早：吴乔在《答万季野诗问》中有过天才的发现。他不像雪莱那样孤立地概括诗歌语言的特点，而是在诗歌与散文的对比中进行分析：

> 又问：“诗与文之辨？”答曰：“二者意岂有异？唯是体制辞语不同耳。意喻之米，文喻之炊而为饭，诗喻之酿而为酒；饭不变米形，酒形质尽变；啖饭则饱，可以养生，可以尽年，为人事之正道；饮酒则醉，忧者以乐，喜者以悲，有不知其所以然者。”[①]

情思如米，文将之炊而为饭，诗则将之酿而为酒。饭不变米形，酒“形质俱变”。吴乔（1611—1695）比雪莱早了一个多世纪，理论更深邃，雪莱觉察到了变形，吴乔则更进一步揭示了变质。明明是我国古典诗论优胜之处，但是，在西方诗论话语的殖民地上，是没有中国的话语权的。有的只是华兹华斯、雪莱、庞德明显浅薄的话语。

从诗歌的内在结构来说，更为深层的是情本身的特点，中国古典诗歌不但有丰富的经典，而且有西方所没有的极其精深的理论。

西方诗论，从亚里士多德到华兹华斯，都是将诗与哲学比较，亚里士多德在《诗学》中说，诗与历史不同，历史讲的是个别的事情，而诗讲的是普遍的事情，因而诗更接近于

---

① 王夫之等撰：《清诗话》，上海古籍出版社1978年版，第27页。

哲学，故往往向哲理方面升华，而中国诗歌则突出情一感之交融。西方诗歌直接抒情之作，如雪莱《西风颂》，则更是把高潮放在最后的格言上："假如冬天来了，春天还会远吗？"（If winter comes，can spring be far behind？）而中国古典诗歌则强调情景交融，把不着一字，尽得风流的意境放在最高的品位。粗浅地说，西方诗歌追求的是情理交融，而中国诗歌则以情景、情事交融，最高境界是意境。

中国诗话最珍贵的是，对情与理的矛盾做出了理论性的论断。

情与理的矛盾是中国诗论的核心命题，理与情，理与趣，史家论赞与诗家咏史之别，一直是中国古典诗论的焦点，从南宋严羽的"非关理也"[①]到清沈德潜（1673—1769）的"议论须带情韵以行"[②]，还脱不了感性色彩。17世纪，中国古典诗话在理论上取得突破。清初文学家贺贻孙《诗筏》提出"妙在荒唐无理"，[③]贺裳（1681年前后在世）和吴乔(1611—1695) 提出"无理而妙""痴而入妙"。[④]方贞观在《辍锻录》亦持此说。沈雄（1688年前后在世）在《古今词话·词评下卷》又指出："词家所谓无理而入妙，非深于情者不辨。"[⑤]从无理转化为妙诗的条件就是情感，比之陆机《文赋》中所谓"诗缘情而绮靡"[⑥]、严羽"诗有别趣，非关理也"的陈说是一个大大的飞跃。吴乔《围炉诗话》在引贺裳语时还发挥说："其无理而妙者……但是于理多一曲折耳。"[⑦]与西方重理相对，中国诗歌重情，但是，中国诗论并不僵化，而是揭示了情与理，理性逻辑与情感逻辑的矛盾转化的条件："于理多一曲折。"

为了说明问题，举一个近乎小儿科的例子：李白的乐府古题《静夜思》："床前明月光，疑是地上霜。举头望明月，低头是故乡。"如此浅白的语言而能流传千年，原因就在"于理多一曲折"。第一二句是接床前月光之"疑"，是月光还是霜光？不能确定。故有第三句举头望明月，目的是确定其为月，抑或为霜。按理性的逻辑贯穿到底，则第四句可能是：原来都是霜。但是，第四句是：低头思故乡，表明理性的逻辑思维中断了，一看到月亮，潜意识里的乡愁被触动了，理性为情感所转换。这一"曲折"，就使原本的理性逻辑变成了审美抒情。《静夜思》之所以不朽，就在于从理性看来是逻辑中断，是无理的，而从其"曲折"看来，则正是抒情的神髓。

---

① 严羽：《沧浪诗话·诗辨》，人民文学出版社1983年版，第26页。

② 沈德潜：《说诗晬语》卷下，《清诗话》，上海古籍出版社1978年版，第553页。

③ 郭绍虞编选：《清诗话续编》第一册，上海古籍出版社，1983年12月版，第191页。

④ 贺裳：《载酒园诗话》卷一，郭绍虞编选《清诗话续编》，上海古籍出版社1983年版，第209页、第225页；吴乔：《围炉诗话》卷一，同上第477—478页。

⑤ 唐圭璋编：《词话丛编》，中华书局1986年版，第1044页。

⑥ 张少康集释：《文赋集释》，上海古籍出版社1984年版，第71页。

⑦ 吴乔：《围炉诗话》卷一，郭绍虞编选《清诗话续编》，上海古籍出版社1983年版，第478页。

这样富贵的理论遗产，明明是西方所无，长期以来却被我们严重地忽略了，原因是这种潜隐的情感，被西方诗论的强烈感情自然流泻遮蔽了。正是由于对于情与理多一曲折的不自觉，在对古典诗歌分行上，出现了麻木的怪异。本来从情感的转换、曲折来看，这四句诗，按西方十四行诗的分节（三个四行一节加一个两行，或两个四行加两个三行。每节之间空一行）原则，则《静夜思》应该是两节：前两句是一节，空一行，后两句另为一节。同样，孟浩然的《春晓》不应该是不分节的四行：

春眠不觉晓，
处处闻啼鸟。
夜来风雨声，
花落知多少！

四个并列的句子，给人的感觉是情感的结构是直线的。但是，前两句写的是当前愉悦，后两句则反之，由愉悦转换为回忆的感伤：耳边春鸟的鸣啭是如此美好，但回忆中不但春天的风雨来得艰难，而且由于花的凋零，去得又是那样迅速。不难看出惜春主题的意脉就在这转折之中。在古典抒情诗歌中，情的特点并不是静止的，而是动态的。诗大序有“情动于衷”的理论。这在汉语构词中明显的提示，如动情、动心、激动、感动、触动。故经典的如果按情感的内涵来说，这四句，就不该以外部形式的并列掩盖内在情感结构的转折。应该是分为两节：

春眠不觉晓，
处处闻啼鸟。

夜来风雨声，
花落知多少！

中国古典诗歌不但在实践上达到了这样的水准，而且到了17世纪在理论上有了明确的认识。情动于衷，情是动的，是有起承转合的，明人杨载在《诗家法数》中这样说：

绝句之法要婉曲回环，删芜就简，句绝而意不绝，多以第三句为主，而第四句发之，有实接有虚接，承接之间，开与合相关，正与反相依，顺与逆相应，一呼一应，宫商自谐。大抵起承二句固难，然不过平直叙起为佳，从容承之为是，至如婉转变化工夫全在第三句，若于此转变得好，则第四句如顺流之舟矣。[①]

杨载强调的第三句相对于前面两句，是一种“转变”的关系，这种“转变”，不是断裂，而是“婉转”的“变化”，不是直接连续，其中有虚与实，虚就是不直接连续。如王

① 何文焕编：《历代诗话》下，中华书局2006年版，第732页。

昌龄《出塞》前面两句是“秦时明月汉时关，万里长征人未还”，都是实接，逻辑上没有空白。到了第三句，“但使龙城飞将在”，就不是实接，而是虚接，不是接着写边塞，而发起议论来，但是，仍然有潜在的连续性的：明月引发思乡，回不了家，有了李广就不一样了。外景不接，但内情接上了，这就是虚接。与之类似的，“黄河远上白云间，一片孤城万仞山。羌笛何须怨杨柳，春风不度玉门关。”从孤城万仞，到羌笛杨柳之曲，当中省略了许多，不完全连续，是景观的跳跃，这是放得“开”，但，在景观的跳跃中有情绪的虚接，不从实处接景，而从想象虚处接情。在杨载这叫作“合”：“开与合相关”，听到杨柳之曲，想到在玉门关外，而春风不至，乃无家乡之青柳。 此景象之大开，情绪又大合也。“葡萄美酒夜光杯，欲饮琵琶马上催，醉卧沙场君莫笑，古来征战几人回。”前两句是陈述，第三句，是否定，第四句是感叹。语气的变化，所表现的是情绪的突转。本来是饮酒为乐，不顾军乐频催。不接之以乐，而接之以就是未来是死眼前也要喝个痛快，则为杨载所谓“反接”。而反接之妙并不为悲，而为更乐之由，此为反中有正之妙接也。

按此原则贯彻到底，则律诗当如此分章：如《登高》是前四后四：

风急天高猿啸哀，渚清沙白鸟飞回。

无边落木萧萧下，不尽长江滚滚来。

万里悲秋常作客，百年多病独登台。

艰难苦恨繁霜鬓，潦倒新停浊酒杯。

前四句情感悲郁而豪壮的，自然的和心理的空间感是博大的，而后四句则转折为个人的悲凉，心理空间突然变得狭小。这就是杜甫自己说的“沉郁顿挫”，清浦起龙《读杜心解》说它“阔狭顿异”，异就在前四句阔，后四句狭。把前后四句分开中间空一行，才能突出情感动态。当然，律诗并不是只有这样一种情绪转折模式，李白的《登金陵凤凰台》则应该是这样：

凤凰台上凤凰游，凤去台空江自流。

吴宫花草埋幽径，晋代衣冠成古丘。

三山半落青天外，二水中分白鹭洲。

总为浮云能蔽日，长安不见使人愁。

此诗凡三转，首联，是从即景空间转向时间，颔联和颈联则是二转，从即景转向历史感叹和自然景观，尾联则是三转，从历史转向现实中的自我情绪的郁闷。

以上分行均为偶行，20 世纪 50 年代新诗大都取四行一节。鲜有取奇行者，但是，西方诗歌罕见对仗，故十四行，三行一节，亦为重要模式。其三联句结构有特殊的非对称功能，中国诗人，似乎对之忽略。其实，古典诗词中并非绝对无三联句，词牌《浣溪沙》就是。在新诗中，对三行一节极其罕见，只有余光中对其特殊功能有所领悟，故在《等你，在雨中》中，大量运用三联句，成为中国新诗中一种孤独的景观。

五

吸收西方理论，不仅仅是为了吸收，而且是为了发现、发展中国的诗学。当然，中国古典诗论像西方诗论一样并不完美，“情动于衷”的“动”，动到“不知手之舞之，足之蹈之”的程度，与西方的“强烈情感的自然流泻”在情感强烈上一脉相通，但是拘于此说，则难以洞见其以偏概全。中国古典诗歌中感情并不强烈的诗歌，大量成为神品，中国的意境的根本精神，就是将情感内在化，含蓄化，甚至淡化。最杰出的就是陶渊明，他不但淡化情感，甚至追求一种“无动于衷”的境界。如《饮酒》其五：

结庐在人境，而无车马喧。
问君何能尔？心远地自偏。
采菊东篱下，悠然见南山。
山气日夕佳，飞鸟相与还。
此中有真意，欲辨已忘言。

更加以“无动于衷”取胜的则以柳宗元的《江雪》为代表：

千山鸟飞绝，万径人踪灭。
孤舟蓑笠翁，独钓寒江雪。

其实，在中国浪漫主义新诗中，固然有郭沫若《凤凰涅槃》、闻一多《发现》(我来了，我喊一声，迸着血泪……)那样火山爆发的经典，但是，更经得起时代考验，仍然为当代青年读者普遍爱好的却是徐志摩的《再别康桥》，表现的不是《这是一个懦怯的世界》那样狂放的激情，而是含蓄的、潇洒的温情。在西方，也有表现布莱克的纯真的童心的。最为经典的是里尔克的《秋日》。诗的意韵在夏日过去，秋日来临。诗人要表现的秋日是一种相当完美的境界。因为秋天的果实中，储存着“最后的甘甜”，也就是无以复加了。读懂了这一点，才可能理解下面的：“谁这时没有房屋，就不必建筑。”这意味着，一切足够了，就是没有地方住也不必操心去建造。“谁这时孤独，就永远孤独”，就是孤独也不需要劳神改变，也就是不需要热闹，孤独带来的是宁静，在宁静中，想做什么，就做什么，安于平凡，甚至平淡，也不在乎有无意义。读书、写信，而且是长信，随意自如就好。不难理解，诗人表现的是独自一人体验着心灵的安宁，完全以自我恬淡为满足。但是，不管是西方诗论还是我国诗论，都被“情动于衷”“强烈的情感自然流泻”遮蔽了。没有一个理论从不强烈的感情中概括出温情、闲情，甚至无情，“无动于衷”等的诗艺密码来。

六

由于军事、政治上长期屈辱，导致文化自卑，新诗百年来对西方强势文化完全是一种饥不择食的态度，没有起码的批判的自觉。有时，一些明显浅薄的语言理论，也会被当作金钥匙。最突出的就是俄国形式主义者的“陌生化”。这个范畴俄语的原文是 остранение，英语译成 defamiliarization。其实也可以翻译为“奇特化”。意思是日常生活使人们对事物由于习惯、“自动化”而失去了感觉，而文学就是要赋予事物以新鲜的感觉。什克洛夫斯基（1893—1984）这种理论是明显是片面的，别林斯基（1811—1848）早就有过著名的命题“熟悉的陌生人”，陌生化不是绝对的，而是与熟悉处于对立的统一体中的。很明显，并不是一切陌生化的词语都有诗意，只有熟悉的陌生化才有诗意。“二月春风似剪刀”和“二月春风似菜刀”，同样是陌生化的，但是前者是诗意的，后者却相反。原因于前者在前面一句“不知细叶谁裁出”中，埋伏下了一个“裁”字，“裁剪”在汉语中是天然的、自动化、熟悉化的联想，而“菜剪”则不成话，同样“红杏枝头春意闹”，是诗意的，李渔在《闲情偶寄》提出红杏枝头春意“斗”、春意“打”则不但不成诗，而且不成话。

要破译诗艺的基因密码，光凭简陋的陌生化注定是不得其门而入的。其实，只要有起码的批判精神，将之与苏东坡的“反常合道”[①]对照一下，就不难看出其肤浅、片面了。苏东坡（1037—1101）的这个命题，是从对柳宗元的《渔翁》中提出来的，“渔翁夜傍西岩宿，晓汲清湘燃楚竹”。为什么要突出渔翁夜间宿在山崖边上？他的生活所需，取之于山水，暗示的是和大自然融为一体。“燃楚竹”与“汲清湘”对仗，更加显示其环境的整体和人的统一依存的生存状态。“烟销日出不见人，欸乃一声山水绿。”这一句，颇负盛名，可以说是千古绝唱。苏东坡评曰：“以奇趣为宗，以反常合道为趣。”这话很有道理，但是，并未细说究竟如何“反常”，又如何“合道”？“烟销日出不见人”，人就在烟雾之中，看不见了是正常，“烟销”了，又加上“日出”，更应该看得出，然而看不出。把读者带进一种刹那间两个层次的感知“反常”转换之中。第一层次的“反常”，点燃楚竹，烟雾使人和

① 释惠洪：《冷斋夜话》卷五，《宋元笔记小说大观》第二册，上海古籍出版社2001年版，第2195页。又见吴乔《围炉诗话》卷一。

自然统一，烟雾散去了，人却不见了；第二层次的“反常”：在面对视觉空白之际，“欸乃一声山水绿”，传来了听觉的“欸乃”，突然从视觉转变成了听觉。这就带来视听转换的微妙感悟，声音是人造成的，应该是有人了吧，但只有人造成的声音的效果，却还是“不见人”。第三层次的“反常”是循着声音看去，却仍然是“不见人”，只有一片“山水绿”的开阔的空镜头。连续三个层次的“反常”，不是太不合逻辑了吗？然而，所有这一切，却又是“合道”的。“烟销日出不见人”，和“欸乃一声山水绿”，结合在一起，突出的，首先是渔人的轻捷，悠然而逝，转瞬之间，就隐没在青山绿水之中。“山水绿”，留下的是一片色彩单纯的景观，也暗示是观察者面对空白镜头的神往。不是没有人，而是人远去了。正如“山回路转不见君，雪上空留马行处”“孤帆远影碧空尽，唯见长江天际流”一样，空白越大，画外视觉持续的时间越长。三个层次的“反常”，正是三个层次的“合道”。这个“道”不是一般的道理，而是视听交替和画外视角的效果，这种手法，在唐诗中运用得是很普遍的（如钱起《省试湘灵鼓瑟》：曲终人不见，江上数峰青）。所以，这个“道”是渔人飘然而来，飘然而去，有“岩上无心云相逐”为之注解，这个“无心”之道，就是天人合一之“道”，前面的三个层次的反常，都合乎这个“无心”之道。

到了晚年，什克洛夫斯基看到片面强调陌生化，导致流派更迭过速，产生了先锋派文学中的各种弊端。他承认自己犯了错误。他说自己的остранение（陌生化），少写了一个н，多一个н的词остранный（奇怪的），原意包含了童话中既奇怪又明朗的意味，而少了一个н的остранение，就有点神经过敏，一味地摆脱、躲开。确切的陌生化应该是多一个н的остраннение，而在这个词里就没有少了一个н的остранение那样混乱了。[①]不过，最彻底的反思是在20世纪70、80年代，他反复强调说：“放弃艺术中的情结，或是艺术中的思想意识，我们也就放弃了对形式的认识，放弃了认识的目的，放弃了通过感受去触摸世界的途径。”“艺术的静止性，它的独立自主性，是我，维克多·史克洛夫斯基的错误。”“我曾说过，艺术是超于情绪之外的，艺术中没有爱，艺术是纯形式，这是错误的。”

在后现代的思潮的大旗下，陌生化推进了西方文论的语言游戏，诗言志的庄严性完全被颠覆，在反讽旨意的掩盖下，人格被消解，个人精神的单人牢房成为时尚，种种光怪陆离的诗作层出不穷。据陈仲义先生归纳，至少有：戏拟、拼贴、博议、乖离、拆解、借代（顶替）、日记等等。此外，还有表格等等不一而足。[②]

当然所有这一切都是实验，也许是一些诗人的背水之战，他们力图在传统经典之外，

① 原文出自什克洛夫斯基《散文理论》（百花文艺出版社1994年版），此处的阐释参考了苍耳《陌生化理论新探》的解释，中国戏剧出版社2011年版，第34—35页。

② 陈仲义：《扇形的展开》第十五章，浙江文艺出版社2000年版。此文原载《中西诗歌》，2003年第2期。

寻找新的语言，其勇气不能不令人惊叹。诗歌从来都是语言艺术的先锋，但是，这样的探索，不是揭示了母语的新的基因，而是对母语的野蛮践踏，这种践踏的合法性，不是来自诗，而是来自西方先锋诗歌所谓能指与所指的游戏。

当然，中国古典诗歌也有游戏之作，不过显示的是对语言把握的高度技巧，如苏轼、秦观等都著名的回文诗，可以顺着读，也可以倒过来读，如苏轼：

酡颜玉碗捧纤纤，乱点余花唾碧衫。

歌咽水云凝静院，梦惊松雪落空岩。

倒过来读：

岩空落雪松惊梦，院静凝云水咽歌。

衫碧唾花余点乱，纤纤捧碗玉颜酡。

虽然是游戏，但二者都是相当水平的诗，表现了对汉语词法、句法独立性的天才驾驭。这是印欧语系名词因性数格，动词随时态语态而变化所不可想象的。俄语光是名词就有六格，形容词因名词的性和格亦有六种变化。故语言的陌生化，产生于俄国有相当的必然性。

俄国形式主义文论中最要害的是，把诗仅仅当作语言，说得最明确的是日尔蒙斯基："诗的材料不是形象，不是激情，而是词。"[①]雅可布森说得更坚决："诗歌性表现在哪里呢？表现在词使人感觉到词，而不是所指之对象的表示者，或者情绪的发作。"[②]全盘接受这种学说，可能被认为对传统的诗的抒情论的突破，何况还有德里达对康德的审美价值论的批判，将这种线性思维奉为天书，盲目地追随，就看不出德里达的强词夺理。

很明显，陌生化就其理论来说，是比较粗疏的。将复杂的诗学，仅仅归结为语词一个因素来解释，这样的线性思维的幼稚性，不难一望而知，只要和传统的诗论发展核对一下也应该一目了然。中国诗论早已已经从单纯的诗缘情，发展到白居易《致元九书》"根情、苗言、华声、实义"。叶燮在《原诗·内篇下》中则云："幽渺以为理，想象以为事，惝恍以为情，方为理至事至情至之语。"我国在诗学上提出三分法，一是理，二是事，三是情。三者是分离的，唯一可以将之统一起来的，是一个新的范畴"想象"，正是这种"想象"的"事"把"幽渺""惝恍"的（朦胧的），不可感知的"情"变得生动。情与事的矛盾，情与理的矛盾，是要通过"想象"的途径来统一的。

什克洛夫斯基的谬误还在于隐含着悖论，它反对从心理角度来分析文学，但是，它的感觉陌生，感觉新异，感觉延长，本身就是属于心理功能。其次，"陌生化"，或者"奇特

① 日尔蒙斯基：《诗学的任务》，《俄国形式主义文论选》，方珊等译，生活·读书·新知三联书店1989年版，第83页。

② 参见《美学文艺学方法论》下卷，文化艺术出版社1987年版，第530—531页。

化”，被表述为“恢复对生活的感觉，为了感觉到事物，为了使石头变成石头”，但是，感觉是人的感觉，人的感觉是离不开人的心理、人的情志的。而情志的渗入，越是贴近主体的心灵，就越不可接近原生的客观性，诗之所以要想象，不是要与世界缩短距离，而是要扩大与世界的距离。故雪莱在《云雀颂》中，不说云雀，而是说，你从不是飞禽，而是“欢乐的精灵”：“Hail to thee，blithe Spirit！ Bird thou never wert。”

正如关汉卿在《单刀会》中让关公看那滔滔的江水：“（带云）这也不是江水，（唱）二十年流不尽的英雄血！”不是江水，比之是江水，不是鸟禽，比之是鸟禽更有诗意，如果是回到客体，云雀就云雀，江水就是江水，就不成其为诗了。这就是清代诗话家吴乔所说的“形质俱变”。以扩大与客观的事物的距离来缩短与心灵的距离。故普希金歌颂大海时，并没有让大海回归大海，而是把它变异为“自由的元素”，这种变异是普遍的规律，而且是因人而异的，与客体拉开了距离，陌生化才可能是无限的。什克洛夫斯基的软肋就在这里。为了回避情感，留下了显而易见的漏洞。

他举月亮为例，说它本来有“测量器”等的意义，自动化却使之丧失了。这种表述很幼稚，就是恢复到“测量器”的感知上也并不就是诗，就算恢复了“月亮就是月亮”的感知，那也肯定不是诗（审美），而可能是科学的理性的真，例如，月亮是地球的卫星；也可能是实用的善，又如石头是建筑材料。这样的恢复一点诗意也没有。

什克洛夫斯基在另一篇文章说，不仅是为了恢复对象的感知，而且是要抛弃事物对自动化了的“旧名字”，用比喻赋予对象以“新名字”，“使我们耳目为之一新”。①

但是，这种“新名字”的说法不但与他所回到事物本身（使石头成为石头），缩短与世界的距离相矛盾，而且很狭隘，诗意并不存在单个的词语的修辞之中，而是存在于整体的呼应和互补中。这样的说法与中国古典诗艺是相悖的，除了运用典故（望舒）以外，一般并不给予月亮以新名字，甚至也不依赖比喻，而千古流传的杰作比比皆是。

月亮早在《诗经》就是姣好的意象，“月出皎兮，佼人僚兮”（《诗经·国风·陈风·月出》），以月光临照天宇清净显示感情的纯洁。经过了千百年的审美积淀，在曹操的《短歌行》中，“明明如月，何时可掇？忧从中来，不可断绝”，是以月的无边透明，美化忧愁的无限。陶潜的“晨兴理荒秽，带月荷锄归”，以月光临照写诗人之悠然。谢灵运的“明月照积雪，朔风劲且哀”，写月光之透明与雪色之洁白融为一体，让朔风劲吹其间，长驱直入，从质上，为这个纯净的宇宙定性为“哀”，从量上，显示充满天地的悲凉。到了唐代月亮意象符号演进为思乡的亲情，具备了公共性，诗人的才华并不表现在给月亮以新的命名。

① 什克洛夫斯基：《故事和小说的结构》，托多罗夫编、方珊等译《俄国形式主义文论选》，生活·读书·新知三联书店1989年，第19页。

李白并没有废除月亮这个旧名字，也没有用比喻来为月亮做新的命名，而是就在这个旧名字上突破了其公共意象的单一性，展开了情感冲击下的多样性。李白赋予月亮以自己的生命，改变了它作为观赏对象的潜在成规，月亮和李白不可羁勒的情感一样运动起来，静态的联想机制被突破了，随着李白的情感而变幻万千。当友人远谪边地，月光就化为他的友情对之形影不离地追随（我寄愁心与明月，随风直到夜郎西）。月亮可以带上他孤高的气质（万里浮云卷碧山，青天中道流孤月），也可以成为豪情的载体在功成名后时供他赏玩（一振高名满帝都，归时还弄峨眉月）。金樽对月意味着及时享受生命的欢乐（人生得意须尽欢，莫使金樽空对月）。对月可歌可赋，无月亦可起兴（独漉水中泥，水浊不见月。不见月尚可，水深行人没）。抱琴弄月，可借无弦之琴进入陶渊明的境界（抱琴时弄月，取意任无弦）。“明月出天山，苍茫云海间”中的月带着苍凉而悲壮的色调，“长安一片月，万户捣衣声，秋风吹不尽，总是玉关情”，思妇闺房的幽怨弥漫在万里长空之中，幽怨就变得浩大。对于李白来说，月不但可以“待”（浩歌待明月，曲尽已忘情），而且可以“邀”，视之为自己孤独中的朋友（举杯邀明月，对影成三人），还可以当作有生命的对象来“问”的（青天有月来几时，我今停杯一问之）。但是这并不仅仅限于屈原式的对神话经典的质疑（白兔捣药秋复春，嫦娥孤栖与谁邻），而且是对生命苦短的传统母题的反思和突破。不但可以咏歌之，“弄”（弹奏）之，甚至可以“揽”之（“欲上青天揽明月”），使之交织着“逸”兴和“壮”思。月亮的名字还是旧的，并没有变化，其诗意却千古不朽。

从理论上说，我国古典诗论的诗酒文饭、无理而妙，比陌生化深邃多了，可是就在什克洛夫斯基对陌生化几乎已经宣布了它的死刑以后，直到21世纪初，我国仍然有上数以千计的论文和著作以陌生化为无保留的大前提做完全盲目的演绎，而专论诗酒文饭、无理而妙者寥寥无几。纵观历史，不难发现，饥不择食的引进激活我国古典诗艺基因者屈指可数，将之遮蔽、淹没者比比皆是。

七

我国诗人的想象受到西方文论窒息太多了，但是，毕竟那些肤浅而片面的理论只能蒙蔽一般诗人，对于真正有才华的，有深厚古典文学修养的诗人来说，误导是有限的。

郑敏显然是不忍目睹为西方激进现代派挟持的中国新诗的困境，也许还受到英国肯尼斯·克拉克“古典现代派”的鼓舞，行文之间，可能是多少有点情绪化，几乎完全忽略了从“五四”新诗草创开始，即使在古典诗歌被宣判死刑的百年历程中，中国古典诗艺仍然未被西方诗歌话语霸权所完全扼杀，在新诗的许多经典性的杰作中仍然是活跃的。似乎是意识到了这一点，郑敏在四年后在《中国新诗八十年反思》中举出的俞平伯的《凄然》等有限的几首有中国古典诗歌的韵味，但是，应该说，是比较稚拙的。

其实，中国古典诗艺基因是十分强大的。百年来，每一西方流派的引进，中国古典诗艺都或多或少地渗透其间，当浪漫主义如急风暴雨般涌进时，最有才华的诗人仍然情不自禁地将浪漫的激情与中国古典意象结合起来，闻一多仅在《祈祷》一首诗中就用了尧舜、荆轲聂政、神农黄帝、九苞凤凰、孔子吊麟、庄周、淳于髡、东方朔等典故，成系统地反击了胡适所反对的用典的教条。最值得称道的是，郭沫若还创造了新时代的典故：凤凰涅槃。这本来是郭沫若的个人话语，可在百年的实践中，却成了全民话语。原因在于其思想和文化内涵多种元素化合。这个形象来自古埃及的不死鸟 phoenix 五百年集香木而复活的传说。郭沫若将之译为“凤凰”，然而 phoenix 是没有性别的。“涅槃”则是来自印度佛家学说，含有圆寂、寂灭之意，并无烈火永生的意味。涅槃最后达到常、乐、我、净的最高境界，被郭沫若融汇为一种主客物我无差别的净界，表现荷兰斯宾诺莎泛神论的哲学。凤凰涅槃的意象将亚洲的佛学、非洲的传说、欧洲的哲学和中国的神话融为一体，既表现了五四时期在毁灭旧世界、旧自我，创造新世界、新自我的狂风突进的精神，又具备了在烈火中永生的普遍象征性，从这个意义说，郭沫若的“凤凰涅槃”比之胡适更接近于庞德的意象中渗透着智性和情绪的定义。受象征派影响的戴望舒，有深厚的古典诗歌修养，在他的《雨巷》中，则将中国古典的意境与法国象征派的通感结合得天衣无缝，他写爱情，用的是中国古典诗艺中的缠绵，代替了拜伦的狂热。至于受西方现代派影响最深的卞之琳，虽然曾经照葫芦画瓢写过晦涩的《距离的组织》：“想独上高楼读一遍《罗马衰亡史》/ 忽有罗马灭亡星出现在报上。”但其晦涩使绝大多数资深诗人学者都莫名其妙，后来他自己解释说，意思是，有几千光年外的陨星之光到达地球。用中国古典诗艺的“无理而妙”为准则，这样的诗，真是无理而不妙。但是，他也写出了《断章》中“你站在桥上看风景 / 看风景人在楼上看你 / 明月装饰了你的窗子”这样蕴含着古典意味的情境。

应该承认，将中国古典诗艺的传统基因现代化，百年来，在很大程度上是在下意识地进行着，但是，随着后现代解构主义带来的混乱严重化，中国古典诗歌可谓被弃如敝履。但是物极必反，否极泰来，许多沉溺、神往于拼贴、戏拟等文字游戏的诗人开始了向传统回归，将古典诗艺和现代派诗艺结合起来，成为新的挑战。在许多杰出的诗人那里，开始走向自觉。这一切被郑敏忽略了。

曾经为覃子豪痛斥的余光中，致力于古典意象的复活，表现其系列文化乡愁。余光中先生在《月光光》中，表现故土的乡愁，写出了“恐月症”（由于不得回归本土，而见到月亮就感到恐惧）和“恋月狂”（但是又对月亮怀着疯狂的爱恋）。把中国的圆月的“恐”和西方月神的“狂”（lunatic）凝聚在月的意象上。在俄语里面的月亮（луна）和英语月亮同源（luna）都是源自罗马神话，是月亮女神的名字。她看到一个美少年就爱上了，为了不让这个少年变老，就让他长睡不醒。每逢她经过就给他一个吻。这是有点疯狂的，故其形容词和名词 lunatic 就是“疯狂”的意思（莎士比亚在《仲夏夜之梦》中就把 lunatic（疯子）和诗人、情人并举）。但是，光是恢复了疯狂的意思，还不一定成为诗，余光中把它和中国的圆月象征着团圆结合起来，以两个自动化的联想构成一个陌生化的意象，中西诗艺互相激活，创造了中西交融的话语。

就是写过《石室之死亡》那样欧化得令读者头痛的洛夫也写出了《边界望乡》。在超现实主义的构思渗入古典意象，把邦国乡愁和超现实主义的手法水乳交融地结合起来。《边界望乡》成了经典之作。落马洲是香港最靠近大陆的地方，1949 年，国民党残部流落落马洲，成为一个特殊群落，后来成了遥望大陆的景点。诗人一开头就取落马洲地名的联想引出传统的“勒马四顾”，接着“望远镜中扩大数十倍的乡愁”是超现实的，而“一座远山迎面飞来”显然是暗用王安石“两山排闼送青来”的典故。而在自己为乡愁而感到病了的原因则是因为禁止越界的石碑，“凋残的杜鹃”“咯血”，用了古典诗歌中“杜鹃啼血”的典故，《西厢记》中，张生“绿杨声里听杜宇（即杜鹃），一声声道：不如归去”。而“咯血”则为现代医学的术语，这就把乡愁心理的痛变成了生理的病，病因全在潜意识里杜鹃一声声“不如归去”中。从古典转向现代，在错综的语义中转化。洛夫花了很大的力气对古典诗意进行当代转化，力求在多重情志的错综交叉和叠加中构成一种奇崛、陌生而自然的风格。洛夫就这样，将是中国古典意蕴与西方当代观念转化的。

在追求西方诗艺与中国古典诗艺在潜在层次中的密合方面，郑愁予表现得更为明显。他的《错误》写女性情思孤独的等待和落空，与古典诗歌的思妇主题一脉相承：“打江南走过”，其意象与温庭筠的《望江南》相近，“江南”“东风”“柳絮”“青石的街道”“春帷”属于江南传统意象，但是又有对传统闺怨的现代突破。

传统的《望江南》是女士倚楼而眺望江帆，而“三月的春帷不揭”，女主人公不是在倚楼眺望，而是把窗户关起来，窗帘也不拉开。“过尽千帆皆不是”，失望了不知多少次，“斜晖脉脉水悠悠”，望得夕阳无情地暗淡下去，江水（时间）忍心白白流去。但是，郑愁予笔下的等待，则是根本不望了。春天节候则是“东风不来，三月的柳絮不飞”。传统之女性闺怨，尽写春色之美，而《错误》反其道而行之，尽写春色之无。可以说是“反春色”。这是抒情主人公的心灵景观。诗人接着说，“你底心如小小的寂寞的城”，整个的心都封闭了。对春天的美景就没有感受了。暗示等疲倦了，干脆就不等了。

从这里，可以看出两点，第一，其情感对客体景观想象之自由度极大地超越于古典诗歌；第二，对古典思妇母题的突破。

传统的闺怨属于女性的独白，而在《错误》里，却是男性对女性的告白。他不是江南游子或者荡子，而是一个策马而来的骑士。这里马蹄意象的功能，是很现代的。第一，江南水乡，行旅以舟船为主，鲜有骑马驰过小城石街者。第二，它对全诗的意脉有着严密的关锁功能，为最后写马蹄达达留下了伏笔，使全诗走向高潮意脉顺畅自洽。第三，诗人写骑士，只写马蹄声，以打破女士寂寞之心城，其形象并未在女士眼前出现，只是以“马蹄”之声，令处于孤寂中之女士蓦然惊喜。这就提示了女士紧闭的窗，下垂的窗帷，仅仅是视觉的封闭，而听觉却分外警觉，在无望中未能抑制渺茫的希望。更精彩的是，马蹄声的定性：“我达达的马蹄是美丽的错误。”“达达”强调寂静中马蹄声响效果，效果不是物理的，而是心理的，说明听觉的敏感精致，而继之以“错误”，提示听觉在这短暂的时间里的迅起速落暂，意脉从兴奋到失落，诗人只写了一句，并无夸饰。“我不是归人，是个过客……”更为奇崛，催马而来的不是丈夫，于现实而言，是无价值，就情感的悸动而言，越是“错误”，越是有审美价值。更精彩的还在于，陌生“过客”，与女士毫无关系，何从洞悉窗帷垂落的闺中期待之殷？何能道出悲与喜瞬间微妙交替之情？自称不是“归人”，但策马而过的军人姿态，却是女主人公心目中丈夫的形象：不是“归人”，显系欲归而尚未能归之人。

诗共九行，最鲜活的生命在最后两句。古典诗中“过尽千帆皆不是，斜晖脉脉水悠悠”写女性的失落，是持续性的。而此诗前七行是失落、寂寞、无声的持续，而后两行则是从意外的兴奋到瞬间的失落，最后有省略号，则又回到为持续性的失落。

为了这两句，用七句做了铺垫。首先是从大自然环境上渲染，三月无春，其次从居住环境上想象，窗户封闭。再次，从心理上说，感知封闭，凝聚为一种无声的寂寞的城。最后，最重要的是，青石街道上达达的马蹄之声，打破了封闭的寂寞。其精妙在于，不但是情绪起伏转换，而且是从视觉到听觉的转换。

诗中还有值得注意的西方诗歌的元素。

这就是这种对于声音效果贯穿首尾的构思。中国古典诗歌比较长于视觉景观，故情景交融历来成为共识，梅尧臣所说“状难写之景如在目前，含不尽之意见于言外”，反复为诗话词话家所称引。本诗以听觉代替视觉作为贯穿全诗意脉走向高潮，似有法国象征派五官交响的痕迹。

诗中的修辞，也有中国古典诗歌中罕见的。古典诗歌强调比兴，多如朱熹所言，“以彼物喻此物”，以物比物，从具象到具象，间或以物比情，从具象表抽象，已属出格，如“自在飞花轻似梦，无边丝雨细如愁”，然其潜在的成规乃是以大自然之景象比情，主客关联自然天成，情景交融，图景完整，故能称妙。而“你底心如小小的寂寞的城”，以人工建筑比心，二者之间的联想中介只在封闭性上，这在汉语古典诗学修辞中极其罕见，而在欧美诗歌则不鲜见。“美丽的错误”这样的修辞，也为古典诗歌中少有。“错误”在汉语中为负面意涵，在诗人主体乃痛，可以做负面抒情，如陆游《钗头凤》：“东风恶，欢情薄，一怀愁绪，几年离索，错、错、错。”“美丽”则系褒义，二者直接相连，要达到和谐相当困难，然而在欧美却是属于修辞格中的矛盾修辞法（paradox）。徐志摩的《莎扬娜拉》中“甜蜜的忧愁”颇为人称道，其实来自雪莱《西风颂》中之“sweet though in sadness”。只有具有相当欧美文学修养的人士在这方面才能得心应手。“美丽的错误”，遂为表现为情感和修辞双重的精致的美，为这首诗的不朽增加了亮点。

郑敏的文章颇多偏颇，除了其他原因以外，跟她长于欧美诗歌，对中国古典诗歌修养不够系统，不够深厚有关，如在《中国新诗八十年反思》中论述对仗的概括功能时，举杜甫《梦李白》之“魂来枫林青，魂返关塞黑”为例，其实这是一首五言古诗，两个“魂”在对称的主语位置上，“魂来枫林青”五个平声，显然并不是对仗句。尽管有这样的硬伤，她的文章在唤醒国人恢复文化诗学的基因的自觉和自信的功绩，将会得到历史的肯定。关系文章的局限性还表现在仅仅唤醒恢复古典文化传统基因，而未进一步提出，要达到这一目的，必须对百年来如潮水般涌入的西方诗潮、诗论，对照着中国传统诗歌、诗论，进行分析批判。从而建构起独立于世界诗歌之林，无愧于唐诗、宋词的光荣的后裔的中国诗歌。

也许，为成熟的新诗艺术加冕，还需要一百年。

从《行吟的树》说到散文诗的独立宣言

十多年前若雨写《行吟的树》，目的并不是为了发表，而是像美国意象派诗人罗威尔（Amy Lowell）那样完全是自我倾诉，想象中的读者只有一个，和生命对白。在寂静的黑夜中，尘世的喧嚣隐去，超越芸芸众生，进入神性的殿堂。抒情而又超越了抒情，借着敦煌飞天神女的飘带，悲剧结晶为大智慧，灵性乃升华为格言，进入梵我一如的境界，如同李叔同临终所书“悲欣交集”，参透生与死、爱与苦的大限。

感谢萧风先生征得作者同意将之奉献给读者。我想，首先是为了向热爱散文诗的读者展示散文诗的另一番新天，走向散文诗高度的另一种途径。诗情转化为格言，情感和哲理交融，需要多么深邃的智慧，才能在密度和深度上向散文诗的新大陆远航。其次，由此在理论上提出一个严肃的课题：散文诗和散文的关系问题。

在理论上把散文诗仅仅当作散文的分支，显然是作茧自缚。须知中国现代散文为周作人在1921年的《美文》中规定为“叙事与抒情”之后，陷入公安派的狭隘“小品”庭苑，散文诗如从属于散文，则为小品之小品。中国当代散文从20世纪90年代以来，摆脱了两度文体危机。周作人的抒情小品已经被突破，甜蜜蜜的抒情已经被谥为滥情，散文的思想境界大开，恢复了先秦以来的大品的恢宏传统，达到了历史性的新高度。在理论上也确立了从审美交融到审智的范畴。诗歌从20世纪80年代以来，已经有了朦胧派、后新潮、后现代等的流派更迭，其精神无不在超越抒情，放逐抒情，向审智升华。而散文的抒情惯性，却依然故我。将散文诗从属于散文，几成共识，导致当代散文诗不论外部视野的广度，还是心灵探索的深度，比之散文，比之诗歌，都显得相形见绌。鲁迅《野草》中那样的无情地自我解剖，生命与死亡，战斗和毁灭，人心黑暗的和孤独的战斗，激情和绝望的冲突，九十多年前已经开拓出来的沃土，都在安分守己的散文家笔下荒芜了。思想的单薄，哲理的匮乏，导致散文诗的贫血。

拥有散文诗的文体危机感的有识之士，无疑应该理直气壮发表散文诗的独立宣告。它不是散文的仆从，它是自己的主人。这并不值得骇世惊俗。在西方，至少在英语的百科全书中，根本就没有散文的条目，散文只是一种表现手段，是从《圣经》《罗马衰亡史》到《物种起源》共用的手段。而散文诗（prose poem）却有独立的条目，是独立的文学文体，有经典文本和作家。当代散文诗人和理论家对此根本问题的漠视，造成散文诗文体意识的阙如。散文诗创作一直动摇于散文与诗之间，还不是最为严重的问题，更为严重的是，散文诗落伍于散文半个多世纪来的历史性蜕变，也落伍于诗歌的纷纭的流派更新。

艺术的生命在于更新，如《礼记》所言："苟日新，日日新，又日新。"拒绝更新意味着艺术的死亡，故诗人还有画家不惜疯狂地更新，以争取前卫的制高点，而当代散文却惰性地随波逐流，殊不知失去更新意识，散文诗最好的下场只能是永远奄奄一息。

散文诗应该竖起自己冷峻的、哲理的矛头，审智的，甚至审丑的大旗，直视惨淡的人生，正视内心的撒旦和神性搏斗。只有这样，才能打破封闭，摆脱边缘，有望向文坛中心奉献出横空出世的大作。

这里涉及散文和诗歌、散文诗的区别问题，这个问题相当复杂。此种体裁，本非中国所固有，亦非西方文学的传统形式。不止一部的英语百科全书，都对之做了相当含混的表述。例如说它是介于散文与诗之间的，一脚踩在散文，一脚踩在诗中，好像是黑色幽默立足于悲剧与喜剧之间一样。一般认定其乃是 19 世纪 80 年代法国象征派诗歌反抗学院派的严酷的格律的产物，以波德莱尔、兰波和爱伦·坡著作为代表。不过，他们只是在格律上反叛、形式上不分行，在内涵上并没有离开诗歌（一般以波德莱尔的《醉》为代表）。后来流传到世界各国，从德国的里尔克、卡夫卡到俄国的屠格涅夫；广义的，甚至把安徒生，美国的惠特曼、斯泰因，拉丁美洲的聂鲁达、伯尔赫斯乃至后现代的金斯伯格都包括了进去，显然是扩大化了。不同民族、不同个性的作家都把这种形式加以驯化使之带上自己民族的、个人的特点。但是西方的百科全书，还是意识到散文诗的哲理特征。比如维基百科就认为它是"散文的叙事与客观表述真理的期望和依赖"。有道辞典也认为散文诗是"文字精美的、有着内在韵律的、哲思的散文"。中国五四时期的散文诗，受了得了诺贝尔奖的、更倾向于哲理的印度泰戈尔的影响。本来西方的传统理论，从亚里士多德到华兹华斯就一直强调诗的概括性与哲学的接近，虽然西方的百科全书无视泰戈尔散文诗的存在，这并不妨碍泰戈尔的散文诗在"五四"前后影响了中国的散文诗。1915 年陈独秀在《青年杂志》（《新青年》前身）发表了他翻译的《赞歌四首》，以其爱的哲学（"童心、母爱、信爱"）影响了冰心和郭沫若，使五四时期的散文诗兴盛一时。泰戈尔对散文诗的贡献就是把淡雅的语言哲理化。不过他的哲理是一种带宗教色彩的和谐、爱的哲理，其精彩处往往成为格言。如“上帝对人说道：‘我医治你，所以要伤害你；我爱你，所以要惩罚你。’”“生命因为付出了爱，而更为富足。”“你看不见你的真相，你所看见的是你的影子。”在鲁迅写作散文之前不久，泰戈尔于1924年曾应孙中山之邀来华访问，引起极大轰动，故从某种意义上鲁迅的散文诗在哲理化方面多少受到一定的影响。但是，鲁迅的散文诗中的哲理却和泰戈尔相反，不是追求宗教式的光明的和谐，而是充满了对人生、对自我的无情的、严酷的解剖，对人心黑暗的正视和孤独的战斗的坚持。鲁迅创造了一种中国式的散文诗风格。

可惜的是，当前散文诗作者拥有空前之盛大群体，然依附散文小品者甚多，满足于“小园香径独徘徊”者不乏其人，故有出息的作家当有散文诗独立之历史任务舍我其谁的自信。

附：

湖州散文诗学盛会贺词

此番湖州散文诗学盛会，本人因为学生隆重祝寿，不能抽身躬逢，深表歉意。除歉意以外，还有一种失去大发狂论机遇的遗憾。近百年来，窃以为散文诗命运坎坷，遭遇不公。自“五四”以来即被目为散文之附庸，散文诗作为独立的文体一向被怀疑，最悲惨者乃是某大家贬之为“非驴非马”之文体。其实，在世界文学史上，在世界文学理论上，散文诗比之散文，更具正统文体之尊位。在英语国家的百科全书中，从维基百科，到大英百科，甚至美国哥伦比亚百科全书，并没有单列的散文条目，相反，散文诗倒是赫然与史诗等并列。与散文诗能够并称的只有随笔，然而随笔在西方乃是主智之文体，并不追求诗意。散文在英语国家中不能独立成体，故英国散文研究权威王佐良先生在《英国散文的流变》中说，散文的外延就包括了《圣经》、吉朋的《罗马史》、达尔文的《物种起源》，连《简·爱》中的风景描写、萧伯纳戏剧中的台词都算是散文。① 散文在英语中只是一种表现方法，可用之于多种文体，在俄语中散文的外延则囊括了除了诗歌以外所有的文章；在德语中，散文气息是贬义的。而散文诗则不同，不但有独立之文体，而且有波德莱尔、屠格涅夫和鲁迅的经典。

对散文诗来说，当务之急，乃是破除散文诗理论和实践中潜在的自卑感、小家子气，理直气壮地发表散文诗之“独立宣言”。在此基础上，结合中国的历史传统，建构中国独特

① 王佐良：《英国散文的流变》，商务印书馆1994年版。

的散文诗学术范畴。在此基础上进行宏观的历史和微观的个案研究。此等大任，实为旷世之功。吾虽垂垂老矣，然尚能日餐一升，“崛起”之志未竟，“炮轰”之气未短，冀尚可追随谢冕大帅效李逵、许褚之勇也。

孙绍振谨白于2013年6月7日午时三刻于榕城

“凤凰涅槃”：一个经典话语丰富内涵的建构历程[1]

21世纪以来新诗与20世纪90年代，在倾向上似有较大之不同，一是陈仲义先生所说，拘守于“单人精神牢房”[2]之潮流稍退，遂有民生之关注，郑小琼之获得称誉，可为标志。再则，盲目追逐西方后现代诗风之乱象似失去风头，语言走向平实，以日常口语表现深邃哲思，生命体验之概括力取得甚大之进展与突破。此皆可喜可贺者，非本文所欲言。本人所欲详释者，乃非近虑，而系远忧。在大繁荣之中之语言质量之退化，长此以往，诗将不诗。其主要问题乃是满足于大白话。大白话固然有大白话之优长，如仅仅为一流派之风格，无可厚非（如唐诗中有王梵志），然举国皆大白话，无古典传统意象，亦无西方语文之转基因，纯粹单品种传承，实有种性退化之隐患。人自为语，如泻水置平地，各自东西南北流，与语言为社会交流符号之性质与功能相牴牾。连北岛也在第一届中坤国际诗歌奖的获奖感言中认为：“四十年后的今天，汉语诗歌再度危机四伏。由于商业化与体制化合围的铜墙铁壁，由于全球化导致地方性差异的消失，由于新媒体所带来的新洗脑方式，汉语在解放的狂欢中耗尽能量而走向衰竭。”北岛的说法，指的是新时期以前词与物的关系的固定化，导致诗的生命力危机，“四十年后的今天，汉语诗歌再度危机四伏。……词与物，和当年的困境刚好相反，出现严重的脱节 词若游魂，无物可指可托，聚散离合，成为自生自灭的泡沫和无土繁殖的花草。诗歌与世界无关，与人类的苦难经验无关，因而失去命名的功能及精神向度。这甚至比四十年前的危机更可怕。”[3]每一个诗人，都追求为物做第一次命名，但是，诗歌语言乃历史文化反复运用之载体，第一次命名若脱离潜在的历史文化积淀，为读者一次性遗忘乃必然结局。对读者的藐视和刁难必然导致命名覆灭的悲剧。最成功的第

① 本文发表于《中国现代文学丛刊》2014年第5期。

② 陈仲义：《诗写的个人化与相对主义》，《东南学术》1999年第2期。

③ 北岛：《汉语在解放的狂欢中耗尽能量》，《东方早报》2009年11月13日。

一次命名，则多以（世界性的）历史文化为基因，终成为广大群体反复无穷运用之话语。明于此，则不当以为最少数读者写作为满足，当力求从个人话语转化为群体话语，甚至成为全民话语增量。诗歌的话语问题，非从概念到概念的演绎，当从历史的过程中寻求路径。

本文仅以“凤凰涅槃”一语之第一次命名为例对此做细胞形态之解剖，以明此理。

遥想五四初期胡适斥文言为死文字，倡言作诗如作文，话怎样说，文即怎样写。实乃拾美国意象派之牙慧。胡适日记载“印象派诗人（按：英语 Imagism，今译为‘意象派’）六原则”：

> 1. 用最普通的词，但必须是最确切的词；不用近乎确切的词，也不用纯粹修饰性的词。
>
> 2. 创造新韵律，并将其作为新的表达方式，不照搬旧韵律，因为那只是旧模式的反映。我们不坚执“自由体”为诗歌写作的唯一方法，我们之所以力倡它，是因为它代表了自由的原则。我们相信诗人的个性在自由体诗中比在传统格律诗中得到了更好的表达。就诗歌而言，一种新的节奏就意味着一种新的思想。
>
> 3. 允许绝对自由地选择诗的主题。
>
> 4. 给出一种印象（因其得名“印象派”）。我们不是画家，但我们相信诗应表现出准确的个性，而非模糊的共性，不管其用词是多么的华丽，声音是多么的响亮。
>
> 5. 创作出确切、明朗、具体的，而不是模糊和不明朗的东西。
>
> 6. 最后，我们大多数人都认为浓缩是诗的核心。①

但是，此意象派之宣言实为其最肤浅者，胡适拘于此六原则之宣言，对于意象派的理解，并不全面。其实，意象派之精髓乃在意象之可感性之深度与精度。其第四条：“给出一种印象（因其得名‘印象派’）。我们不是画家，但我们相信诗应表现出准确的个性，而非模糊的共性，不管其用词是多么的华丽，声音是多么的响亮。”其语颇为朦胧、矛盾。一方面说，给出印象（意象），另一方面又说，不是画家，也就是说，不依靠可视之象。然五官可感之象，百分之八十以上为视觉所观，所余百分之十五以下为听、嗅、味、触。然观意象派代表人物之作品大抵依视觉意象，且总结出“意象叠加”（或并列）之学说，故其特别欣赏杜审言之“云霞出海曙，梅柳渡江春”，将之译为：

> 云和霞
> 向大海
> ——黎明

---

① 胡适：《胡适日记全编 2：1915—1917》，曹伯言整理，安徽教育出版社 2001 年版，第 521—522 页。

梅和柳

渡过江

——春

意象派大师庞德给“意象”下的定义是“在一刹那的时间里表现出一个理智和情绪复合物的东西”[①]。复合物在英语里是complex，有些人不赞成把这翻译成“复合物”，而翻译成带上弗洛伊德心理学意义的“情结”，也不无道理。正因为是情绪和智慧的焦点，“最普通的词”才不是大白话，才有庞德《地铁车站》（*In a Station of the Metro*）之经典：“The apparition of these faces in the crowd；Petals on a wet，black bough。”

这首诗写巴黎地铁车站人流的印象，由于全部用了视觉意象并列的手法，在面容与花瓣、树枝之间排斥构成句子必要的动词和介词，仅以可视名词并列。为了显示对传统的维多利亚诗风的烦琐的不屑，诗人把原诗从三十行，删节成十四个词，被认为是“意象派最精髓的”作品。意象派六原则宣言，求“准确的个性，而非模糊的共性”，仅仅依赖“最普通的词”，既不符合意象派大师们的创作实践（其中apparition，就不是最普通的词，而是非常文雅的词语），又不符合意象派大师更为深思熟虑的意象定义。胡适的失误乃是由于，只知意象派之“用最普通的词”，而不知其乃是对于浪漫主义抒情的反拨。其“最普通的词”，乃是对浪漫主义的用词“华丽”和“响亮”的超越，实际上是对浪漫抒情境界以外的智性开拓。

胡适不明于此，只执着于“最普通的词”，也就是白话，可谓取其糟粕，而弃其精华，新诗初期之失败乃在满足于大白话。后来穆木天在《谈诗》中认为：“中国的新诗的运动，胡适是最大的罪人。胡适说：作诗须得如作文，那是他的大错，所以他的影响给中国造成一种prose in verse一派的东西。他的韵文的思想穿上了韵文的衣裳。结果产出了如‘红的花/黄的花/多么好看呀’一类不伦不类的东西。”[②]

胡适不自觉地抛弃了抒情，又不讲究意象的complex，没有情感与智慧之凝聚，在他领导下之新诗，全凭大白话，被他的朋友讥为“叫花子唱莲花落”。

中国新诗在艺术上得以成立之功，不能不推身在日本东京帝国大学医学部的学生郭沫若。他可能是对胡适的大白话理论一无所知，只是觉得，在他影响下的所谓新诗人，实在

① 彼德·琼斯：《意象派诗选》，裘小龙译，漓江出版社1986年版，第5页、第10页。庞德并不绝对地反对情感，只是坚持：第一，情感不能直接抒情；第二，情感和智性浑然一体。故他在《严肃的艺术家》中对于诗与散文的区别这样说：“在诗里，是理智受到了某种东西的感动。在散文里，是理智找到了它要观察的东西。”见杨匡汉、刘福春编《现代西方诗论》，花城出版社1988年版，第54—55页。

② 穆木天：《谈诗——寄郭沫若的一封信》，王永生主编《中国现代文论选》第一册，贵州人民出版社1982年版，第81页。

还在“吃奶”。他把浪漫主义的华彩意象和激情、想象甚至智性带到了中国。虽然他后来的浪漫变成了滥情，但是在早期，他的历史性的功勋不可磨灭。他最好的诗歌大抵由华彩的意象构成，其最深邃最丰富者经得起时间汰洗，成为经典意象和话语，具有不朽价值，甚至超越诗歌成为书面语言，日常口语，乃诗歌之大胜利，大成就。非满足于大白话者可以望其项背。

《女神》中《凤凰涅槃》之凤凰无疑是第一次命名，然而其世界性的文化积淀却具世界性文化之深度。该诗前有引言曰：

天方国古有神名“菲尼克司”（Phoenix），满五百岁后，集香木自焚，复从死灰中更生，鲜美异常，不再死。

按此鸟殆即中国所谓凤凰：雄为凤，雌为凰。《孔演图》云：“凤凰火精，生丹穴。”

《广雅》云：雄鸣曰即即，雌鸣曰足足。

构成凤凰涅槃之第一要素 Phoenix，乃古埃及之不死鸟，五百年集香木自焚。与中国之凤凰风马牛不相及。

其第二要素乃涅槃。在佛教经典中，作为一个核心范畴，原文来自梵语 nirvana，又作泥洹、泥曰、涅槃那、涅隶槃那、抳缚南、匿缚喃，意译作灭、寂灭、灭度、寂、无生，与择灭、离系、解脱等词同义。或作般涅槃（般，为梵语 pari 之音译，有完全之义，意译作圆寂）、大般涅槃（大，即殊胜之意。又作大圆寂），为佛教终极之实践目的，故表佛教之特征而列为法印之一，称“涅槃寂静”（佛教以外之教派虽亦有涅槃之说，然与佛教者迥异）。《大藏经》中，涅槃为常用词，并不像郭沫若在诗歌表现得那样浪漫，并没有在烈火中永生的意蕴，更没有“凤凰涅槃”最后一节那种狂欢。其含义原来指吹灭，或寂灭之状态；转指燃烧烦恼之火灭尽，完成悟智（即菩提）之境地。此乃超越生死（迷界）之悟界，为佛教终极之实践目的，表示佛教之特征而列为法印之一，称“涅槃寂静”。故 1982 年版《郭沫若全集》文学编第 1 卷，《凤凰涅槃》之注解亦曰：“涅槃，梵语，nirvana 之音译，意即圆寂，指佛教徒长修炼达到的圆满境界。后用以称僧人之死，具有返本归真之意。”①

其第三要素，乃吾国之凤凰。古埃及之 Phoenix，无性别之分，迥异于吾国传统之凤凰有阴阳性之别。而郭氏则有凤歌与凰歌，其中有屈原“招魂”式的四面八方追索构成的凤与凰之“和鸣”。

其第四要素乃是泛神论。《凤凰涅槃》最后之“更生”欢歌：“一切的一，更生了。一的一切，更生了。”这里的“一”，是世界的统一性，这里的“一切”是世界的多样性。在

① 《郭沫若全集》文学编第一卷，人民文学出版社 1982 年版，第 52 页。

这统一而多样的世界中，达到了人与人、人与自然的和谐。“我们便是他，他们便是我。我中也有你，你中也有我”，此等话语于一般青年读者殊难理解，实为斯宾诺莎“本体即神，神即自然”之境界。周扬于 20 世纪 40 年代曲解曰：“我你他之合一，为诗人与人民大众之结合。”郭氏于 1959 年曾答《文学知识》编者曰：乃泛神论之影响，实乃泛神境界。“神从何来？”在“他”。1927 年，以前之《女神》版本“他”皆有引号（“他们”，则没有）。在英语圣经《创世纪》中“他”乃指上帝。中国《圣经》译本有“神”本与“上帝”本之别。原文皆为英语 he（俄语《圣经》亦为 он）。

我们光明啊！

我们光明啊！

一切的一，光明啊！

一的一切，光明啊！

光明便是你，光明便是我！

光明便是他，光明便是火！

火便是你，火便是我！

火便是“他”，火便是火！

早期版本之《女神》中之“他”皆有引号，[①]郭沫若于1924年读河上肇之著作，始有社会主义之思想。1927 年参加八一南昌起义失败以后遭国民党政府通缉，本意去苏联，因病未果。隐于上海创造社居所，将引号删节。这一删，原本特指神的“他”，变成了泛指的第三人称的人。

不死鸟出于埃及，凤凰出于中土，涅槃出于印度，而泛神论出于欧洲（荷兰），为基督教哲学之一派。胡适新诗倡言不用典，而郭氏则将来自非洲、欧洲、亚洲之神话、中国哲学宗教之话语四者融为一体，加以重构，创造出凤凰涅槃之新典，其学养与才华无愧于一时之杰。

从表面上看，四者之中以涅槃为核心将其余三者结合。然涅槃乃情令欲之寂灭，似不相容，其所以能统一者，缘于郭沫若消解了涅槃之寂灭，以浪漫主义火山爆发式之激情，一以贯之。且以欢唱、光明、华美、芬芳、热诚、挚爱、欢乐、和谐、生动、自由、雄浑、悠久圆融于客观的“一切的一”，主观的“我”统一于“他”（神），实际上泛神论转化为个性解放之泛我论，然而又不脱广义之涅槃：其“悠久”，为涅槃四德之“常”，“欢唱”为四德之“乐”，“我”乃四德之“我”，“和谐”则为四德之“净”，此乃佛学之最高境界。人生本无常，人生本苦，人生本无我，人生不净，经修行达涅槃，乃有常乐我净之境，乃不生

① 《凤凰涅槃》附录，《郭沫若全集》文学编第一卷，人民文学出版社 1982 年版，第 46—52 页。

不灭，消却喜怒哀乐痴嗔之境，而更生、永生之意乃郭氏之引申，而永生之果，在以“火”为升华之因：

芬芳便是你，芬芳便是我。

芬芳便是“他”，芬芳便是火。

火便是你。

火便是我。

火便是“他”。

火便是火。

翱翔！翱翔！

欢唱！欢唱！[①]

“涅槃”四德因浪漫之激情之“火”，使哲学、宗教和诗境圆融一体，乃创造出火中凤凰复活永生之不朽意象。

《凤凰涅槃》的成功，并不如他自己所回忆的那样轻松，灵感一来，连纸都来不及摆正，就完成了一首经典性的创作。相反，是经过了多次的话语探索，在想象中反复地否定之否定，从初感到定型，从旧诗到新诗，前后经历了四年以上的时间。

其最初之意念，可以追溯到 1916 年，他由于“民族的郁积，个人的郁积”（国家没有出路，自己又陷入了双重婚姻的困境），不时有一种自杀的动机。这种情绪在他当年写的五首古体诗中直接地流露了出来。其中之一是这样的：

出门寻死去，孤月流中天。

寒风冷我魂，孽恨摧吾肝。

茫茫何所之，一步再三叹。

画虎今不成，刍狗天地间。

偷生实所苦，决死复何难。

痴心念家国，忍复就人寰。

归来入门首，吾爱泪汍澜。

过了一年，1917 年，他在另一首五言古诗中又写道：

有国等于零，日见干戈扰。

有家归未得，亲病年已老。

有爱早摧残，已成无巢鸟。

有子才一龄，鞠育伤怀抱。

---

① 《凤凰涅槃》附录，《郭沫若全集》文学编第一卷，第 48 页。

有生不足乐，常望早死好。

万恨催肺肝，泪流达宵晓。

悠悠我心忧，万死终难了。①

这两首诗，其情感的真实性是无可置疑的，但是，这样拘于古典形式的诗作，从艺术上来说，是相当平庸的。“五四”以后，如果纯粹是语言工具问题，他只要把它用白话翻译出来就行了。在1918年，他的确重新处理了这个主题，不过他并不像当年在他看来“还在吃奶”的新诗人那样，有什么话，就说什么话，话怎么说，就怎么说。他把这个自杀——死亡的主题推向假定的想象境界。这首诗叫作《死的诱惑》，收在后来出版的《女神》里：

我有一把小刀，倚在窗边向我笑。

她向我笑道：沫若，你别用心焦

你快来亲我的嘴儿，

我好替你除却许多烦恼。

这无疑符合他自己当年主张的诗乃“强烈感情的自然流泻”，至少是在想象上，把死亡变成亲嘴，是独创的。但这样的大白话，在艺术上仍然不见有多出色，情感倒反不如古体的深沉了。直到五四运动发生了以后，郭沫若觉得旧的祖国和旧的自我，一起被赵家楼上那场大火烧毁灭了，新的祖国和新的自我才同时诞生了。1921年1月18日，他在给宗白华的信中，这种情绪涌现了出来：“我现在很想如phoenix一样，采些香木，把我现有的形骸毁了去，唱着哀哀切切的挽歌把它烧毁了去，从那冷了的灰里再生一个‘我’来！可是我怕终竟是个幻想罢了。”②

过了两天，郭沫若就写成了作为五四时期狂飙突进的时代精神象征的《凤凰涅槃》。诗人的想象经历漫长的岁月才从现实的真中解放出来，进入了一个完全假定的艺术境界，古埃及的神话和中国传统的形象结合起来，构成一个在烈火中复活的、永生的翱翔的凤凰。现实的、粗糙的“寻死”，原生的悲观情绪，进入了一种想象的、神话的虚幻境界，发生了性质的变异。在这个想象的境界中，不但形象，而且是逻辑也发生了超越现实的变异。自觉地毁灭旧我，导致了新我的、永恒的复活。五言古诗中寻死的痛苦（在“自由与责任之间”的痛苦）到了《死的诱惑》中，变成了欢乐。而在凤凰的形象中，变成了从痛苦到欢乐的转化。自觉地毁灭了旧我，与毁灭旧世界统一了起来。痛苦地否定了旧的自我、旧的现实，转化为新的自我、新的现实和谐结合，从而产生了永恒的欢乐，达到了现实与自我矛盾的永恒的统一。这不但是想象的解放，而且是思想的解放、情感的浪漫飞跃，是第一

① 以上两诗均见《三叶集》，上海亚东图书馆1920年版，第9—10页。

② 《三叶集》，上海亚东图书馆1920年版，第11页。

次话语命名的胜利。

从 1916 年的五言古诗，到《凤凰涅槃》的意象构成，把三大洲的神话、哲学、宗教和浪漫主义的激情和想象融为一体，所经历的不仅仅是情感的、生命的解放，而且是语言的、意象的建构。其间的艰难历程岂是一般大白话的直陈所能望其项背？

胡适的诗论早在五四时期，就为郭沫若所突破了，然而，纵观今日之诸多诗作，胡适之大白话诗观似仍阴魂不散，故自 20 世纪 90 年代以降，鲜有如凤凰涅槃之个人化意象为全民语言乃至日常口语者。

如果说个人胚胎的发育，为人类进化的缩影，那么凤凰涅槃的建构过程是不是也具有新诗话语的发育的胚胎学意义呢？

沈泽宜：在历史和诗神的祭坛上[①]

读诗有多种心态，有的诗可以躺在床上读，有的诗却要正襟危坐。读艺术精品，为了享受独自吟咏的陶醉；读当代新潮，旨在追求智性的苦涩。然而，读沈泽宜的诗，却要有别一番心境。

表面上看，这是一个人，一个20世纪50年代的北大人，从青春到迟暮的心灵自传，然而，他的重要性，恰恰在于，不是单独一个人，他的生命卷入历史的旋涡，承载着一代人生命的沉浮。年轻的时候，他把生命交给了诗，以诗为生命，每一首诗，都是生命的记录，在那浪漫主义席卷天下的年代，足以令人羡慕，也足以令他自豪；如今，展示在眼前的卷帙虽然其物理重量并不要求超大的砝码，然而其历史的深长意味，肯定超越了他年轻时代的期许。震撼着读者心灵的，不仅仅是以诗为生命的天真痴迷，而且是以生命为诗的沉郁顿挫。不论是意象华彩的还是语言淡定的，都散发着从生命的炼狱中蒸腾上来的血腥和恐怖，当然还有悲壮的、凄美的磨砺，这种悲剧性灾难和自我救赎，属于历史，也属于民族的记忆。然而，幸而不幸，沉入记忆，却可能变得抽象，变得缥缈。从这个意义上说，从这里发出的声音才不可等闲视之：它具有在时光隧道里回荡，余音不灭的启示性。有时，它让你不知不觉地忘记了诗，直面心灵的历史。历史的心灵，既惊心动魄又坦荡豁达，历史和现实的距离既遥远又邻近。

可以用很多标准来衡量诗，最根本的准则，无疑是在苦难中的精神涅槃，这里的每一行诗，是生命换来的，生命无价，诗也变得相应的昂贵。几十年的生命，铸就了一场刻骨铭心的、最深意义上的悲剧，一个个意象群落都渗透着悲剧感。命运是如此的不公，居然选择了他这样一个人，来承受施虐者的凶残，明明他的躯体并不十分强壮，明明他的心灵

① 此文为我与谢冕合作，发表于《诗探索》2009年第2辑。

又是那样浪漫而脆弱，为什么要选择他背上这样的十字架？历史是不会回答的；但是，正因为他童话般的天真，精神酷刑才显得更加惨烈。悲痛、悲哀、悲凉、悲郁、悲悯、悲凄正因此而转化为荡气回肠的悲壮，心灵的血泪史，构成了跨越世纪的震撼力。从这个意义上说，与其仅仅把它当作诗，不如当作历史祭坛上的牺牲。

写到这里，我们想起鲁迅为殷夫《孩儿塔》序中的话："这《孩儿塔》的出世并非要和现在一般的诗人争一日之长，是有别一种意义在。这是东方的微光，是林中的响箭，是冬末的萌芽，是进军的第一步，是对于前驱者的爱的大纛，也是对于摧残者的憎的丰碑，一切所谓圆熟简练，静穆幽远之作，都无须来做比方，因为这诗属于别一世界。"

打开沈泽宜的诗集，最受关注莫过于那首在 1957 年 5 月 19 日北大民主墙上的《是时候了》，这是历史的永恒的宣言啊。但是，他却把它放在了附录里。也许，他青年时代的唯美主义至今阴魂不散，认为这样强烈的政治抒情，与诗意不完全相容吧。然而，事隔 52 年，当年阅读的心潮仍然排闼而来：

是时候了，
年轻人
放开嗓子唱！
把我们的（痛苦）和爱情
一齐都泻到纸上！
不要背地里不平，
背地里愤慨，
背地里忧伤。
心中的甜、酸、苦、辣
都抖出来
见见天光。
让批评和指责
急雨般落到头上，
……

北大大饭厅前墙上，墨汁未干的第一印象，只是痛快，记忆深处还有为朦胧的意念找到铿锵明快的语言而奔走相告。但是随着形势的转折，在批判会场上，《是时候了》被引申为大逆不道的鼓动叛乱的纲领。诡秘的历史把它改编为历史的名言，内涵向正反两面增值。不回到历史语境，很难体悟到其中与时俱增的浩茫和丰厚。

但是，不能忘记了它是诗。从当年的诗学话语来说，这里抒情主人公的形象是如此富有青春的冲击力；语言甚至充满了错位的反讽。“是时候了”，本来是被斯大林称为苏联“最有天才的诗人”马雅可夫斯基的红色经典长诗《列宁》开头的第一句，这个回避动词的名词谓语句，以突兀的气势，使对领袖的崇拜带上了鼓动家的自豪，而沈泽宜的自豪却不是来自颂歌，而是来自冲击压抑的痛快淋漓。

从这个意义上说，阅读沈泽宜，绝对不能忘记他是一个诗人，他的生命的重要性不能完全放在历史的祭坛上，而应该放在诗神的天平上。

他很早就以身许诗，乳名“新新”，有意与“星”谐音，对于光明的向往，实际上是唯美的追求，这一点，似乎与生俱来。后来的经历证明，过早如此许身，是单纯得有点傻气的。迷信浪漫和善良，使他早期的诗，有过多的孩子气的童心，对于浪漫诗学的执拗，注定了他不但在现实中，而且在诗学上，道路曲折坎坷。哪怕厄运当头，躯体和思想均遭流放和苦役，在诗歌中，仍然沉溺在某种空灵的幻美中，浪漫的星光照不透四周的遭遇，相对于严酷的苦难，在一个很长的时期，浪漫，对于他的诗歌是一重透明的罗网。

从这里，不难看到他的矛盾。虽然，他在《自白》中说：“我把最真实最隐秘的内心独语留给了诗，它百分之百地真实，诚实。”他还引用北岛说：“‘一生中我曾多次撒谎／却未曾违背／一个儿时的诺言／为了这／那和孩子的心不相容的世界／就再没有饶恕过我’，我也大抵如此，我的散文作品中有礼貌语言和不得已的妥协。”其实，他还是太浪漫了，太天真了，诗不能完全靠诚实，它还是一种精致的想象，一种幻境的自由，诚实只是道德的要素，如果不是在想象中把真诚和自由结合起来，是没有艺术的震撼力的。当然，诗人的本能迫使他在真实和诗学的假定之间寻求平衡，在创作实践中，他不能不和自己这种天真单纯的诗学搏斗。《映山红》就有点风骨了，毕竟是生命的记录。在那个年代，映山红以它的地域名“山丹丹”早已垄断了象征红色革命的精神专利，居然被想象成“当你一旦怒放，就吹响反抗的最强音／为奋斗者壮威，给寂寞者鼓勇／把团团热气向久经践踏的人们吹送”。在探索感觉和语言的历程中，这样的诗句，与其说是不够深邃，不如说是情感和理念在想象中还不够和谐。想象之所以重要，还因为思想只有在本体和喻体精密交接的点上，才能获得自由。换一个角度说，他早期的诗，最缺乏的，不一定是艺术的想象力，而是在想象中让深化的思想和意象达成天衣无缝的和谐。但从《映山红》开始，对于善和美的无条件依赖，唯美的浪漫，似乎开始出现了裂痕。请看他的笔记：“泰戈尔说：‘人类的历史在很有耐心地等待着被侮辱者的胜利。’我说：‘被侮辱者呵，在你自由之后，忙着去把别人侮辱？’”

对于人心险恶的感知，冲破了他的浪漫的心理惯性。把善和恶、美和丑的搏斗收入心境。恶的主题，在他的诗中出现，这就有了难能可贵的深邃。但是，要把这样的思想和形象水乳交融地结合起来，可能还要等待。至少要等到《动物园又到了批珍禽异兽》：

感伤主义诗人呻吟道，不对！

谁说野兽没有感情？

它正想念山林想得心碎。

野兽伸了个懒腰，仿佛说

我原本无家可归。

此诗是写于 1976 年 11 月某日，地点是某下水道工地。处于劳役之中，他的心灵不但反抗现实，而且反抗他的浪漫。他的艺术出现了新契机。值得注意的是：情绪是平静的，不再是浪漫主义者所夸耀的那种“强烈的感情的自然流泻”；语言也不是华彩的，而是朴素的，诗人似乎成功地抑制了夸张的心理定式，追求到某种扫却铅华的境界。这就是我们所期待的冷峻的思想与朴素的话语的统一。记住，这一年他 42 岁（他生于 1933 年），从十几岁，就立志献身于诗的诗人，耗费二十多年的生命，才找到了自己的语言，找到了自己。

未来，似乎应该从今天开始。

那么多恶和丑，一直是浪漫视觉的盲点，如今激发着他才思的居然有“卑鄙”和“杀机”。他的诗学境界开始两极扩张，哪怕是在散花的天女身边：“散花天女襟袖间洒落的不是繁衍和幸福 / 而是骇人听闻的卑鄙，毛骨悚然的杀机！”唯美的诗人，终于学会了写丑，语言中的浮华逐渐为严峻的精练所代替：虽然速度远远落在血泪和苦难之后，但是，毕竟，他的艺术在挺进。请看他凭吊圆明园的诗句：

美，零零碎碎地躺了一地

任你去想象，勾勒

无例外地将每一幅画稿

每一页诗笺

都涂上凄清的颜色

美是“破碎”的，色调是“凄清”的。当然，这并不是他心灵的全部，生命是丰富的，在厄运的重压下，不但有痛苦和煎熬，而且有爱情。可爱并不是甜蜜的，而是苦涩的。这个在强暴面前时时做出受难者大无畏姿态的诗人，在爱情面前却是柔弱的、胆怯的，让我们来重温《邂逅》：

你缩拢了肩膀

依靠在我胸口

发香和体热一阵阵晕眩

树那样站着，我不敢低头吻你

留下了一生的遗憾

在这里，是不是可以说，唯美和浪漫找到了一个新的变奏，特别在他的十四行诗，在爱情的母题中，他的情绪由于节制而显得深刻：

两滴雨要在太空相遇

多么难。所以它们在我们的伞上

如此兴奋地交谈。而我们呢？

——在伞下面躲着

20世纪80年代中期，无疑是沈泽宜诗歌探索的高潮，正是思想成熟、扬弃了浪漫、追求智性风格的时期。如果前期他的拿手好戏是激情的话，此时，他常常表现出前期绝对要回避的冷峻，以及对情绪的控制，迎来哲思的深邃。在艺术上，转向不事张扬的哲思。如《听说》："以后的故事都将从江边开始 / 既然有一个说谎的夜晚 / 就会有一个诚实的白日。"

在勇猛开拓的历程中，情绪的从容，成为他新阶段的标志，很显然，他的蜕变并不轻松。他知道，在诗神的祭坛上，要提高自己的阶位，需要提炼多元的话语。有时，他不能不冒着邯郸学步的风险，把拿手的抒情哲思的和谐隐藏起来，代之以不和谐的反讽。如：

诗人以诗稿擦皮鞋

烟灰掉进眼中

怎么揉也揉不出去

一个孩子把被系住的蜻蜓

放归蓝天

诗人见了，号啕大哭

而在《夜游》中，他驾驭的话语，其扭断逻辑的脖子的气魄，完全可以与后新潮诗人并驾齐驱：

我早想沿街卖唱了

你总不在

风一路殷勤关照

奇迹尚未发生

最好别哭

也别想笑

倚栏杆准会坏事

漂走最后一个码头

凭一个简单的信号搭桥

要是遇雪受阻

真不知
我来看你还是
你来看我为好

甚至出现了北岛式的诡异的反逻辑的哲思。如，他笔下的“小虫子”：“绕着树干爬了半圈 / 我的头发就全白了。”

再走向冷峻，就是煞浪漫激情的风景，他的语言库存受到了严峻的挑战，所幸，在非激情的语言积累上，他很快显示了足够的丰富。作为一个从20世纪50年代过来的诗人，他除了令人惊羡之外，在艺术上不但有足够的勇气攀登不息，而且有足够的才智追上新诗艺术前卫。但是，从根本上说，驾驭这样的话语，他并不如那些新潮诗人游刃有余。他的拿手好戏似乎不在这里，他的活跃的情绪，在这样的话语中得到的表现，远远还不能达到自如的程度。但是，这是一个过渡，没有它，他就不能从浪漫的硬壳中挣脱出来。可喜的是，沈泽宜的灵气使得他驾驭它，又不拘守于它。

当他把浪漫与冷酷，传统与现代结合起来，达到水乳交融的状态时，他的话语显然是高度精致了，既保持他年轻时期的佻达，又有世纪末的沉着，在浪漫中渗透着惊心动魄的冷酷，他的《感觉》可谓这方面的代表：

而天是蓝的
草丛中阳光涌动
热烈而惆怅的气息
自麦地传来
大地如梦 生命
简单得像一声呼哨
从这头到那头
迅速传向田野的空旷与辽阔
你站立不动
分不清那种感觉
是热爱还是忧伤

——1995年夏

细心的读者可以从中感到某些后新潮的警策和深沉，这表明他的诗艺进入一个新的境界，虽然，历史已经不会让他充当中华诗国的前卫。在经历了那么多灾难以后，在付出了青春的、中年的代价以后，在追随了这么多流派之后，他的心境和诗境都走向了真正的成熟。尤其是表现抚摸着晚年的创伤之时，他在对故乡的、对城市的观照和默默欣赏中，创造了一种平静、悠闲、深沉的风格：

闲来无事，眺望灯火
怎样被积木般的城市点燃
如此神奇，如此灿烂。于是
便原谅了它的浮躁，说谎
和铺天盖地的广告

在一群伙伴中，我不过是
一名打弹珠的少年，如今
像一株被冬天掠夺一空的桑树
高举风中的双臂，张开十指
为永远的家园祈祷平安

这里，不但情绪净化了，而且语言也净化了，二者似乎都进入了一种常乐我净的涅槃境界。不管早期浪漫的、还是中期新潮话语中那种烟火之气消逝了，所谓大音希声，大象无形者，此之谓也。当然，他的生命是丰富的，在得到昭雪的日子里，他又找回了孩子气的天真：“那么，让废墟留给落日吧！ / 轻轻地说声再见 / 我们还有许多事要做。”

当然，这种孩子气的天真，已经不同于20世纪50年代，更多的是从灾难中解脱后的坦荡、自信和庄重。在情思的深厚和语言的淡定的张力中构成意境，以言外之意大大超越言内之意而富于智慧的启示性，令人想到“不著一字、尽得风流”的赞语。当然，他出色的作品，远不止这些。也许，十四行爱情组诗《西塞娜》更加珠圆玉润。那里有他的自然流泻，他的用不着考虑后新潮的追逐，不回避情感和语言流露出古典的和谐，人与诗达到高度的统一，没有遮掩，没有躲闪，只有优雅的含蓄。以下这个片段是很具象征意义的：

一条鱼被拦腰剁去一截
只剩下了一头一尾
那条鱼就是我，西塞娜
总也游不进寻常天气

头依然向往崇高和美丽
尾却一再把它嘲弄、讥讽
强行焊接事实上不可能
没法跳跃也没法游动

头依然觉得年轻，渴望奇迹
尾等待退出，早已衰老疲惫
所有理想都成了泡影
所有心事都已成死灰
只有你，西塞娜，能把它重新合拢
如同合拢生与死，春与冬

他坦然呈示自己的矛盾：头颅和躯体分离，理想追求“崇高”“美丽”，而现实却成了无奈的“死灰”，这是他生命的严峻解剖，从另一个意义上，也是他诗的历程的总结。他的耕耘，是由他自主决定的，然而，说到收获，却并不由己。当他写出震撼历史的篇章时，作为诗，是幼稚的；当他诗艺成熟，却并不在诗史的最前沿。这是沈泽宜一个人的特殊命运吗？也许不是，这是许多诗人的命运，把生命许给诗的人，大多是轻率的、冒险的，并没有意识到这是风险极大的生命的赌博。如愿以偿的，往往是少数幸运儿，而且是由于偶然，由于上帝的青睐，意外发现自己的名字写进了诗歌史上辉煌的标题之中。

历史不会忘记他
——纪念沈泽宜

沈泽宜过世的消息，我是从网络得知的。我和他应该说是比较亲近的朋友，年前，我到湖州师院讲座，还是他点评的。那时，他虽然身罹癌症，开刀数次，讲话还是给人中气十足之感。他何时病危了，逝世了，居然没有人通知我，起初有点接受不了，有点悲哀，不久，就释然了。他没有亲人。他的父母亲早就仙逝，妹妹似乎也命运坎坷，早就先他而去。1957年他被错划为“极右”，受到的惩罚已经够悲惨。更悲惨的是，后来名义上结束了劳动教养的摧残，回到家乡成为无业人员，不得不以拖板车为生多年。生理和心灵所受的磨难，想象起来，有不寒而栗之感。

他出身富贵人家，在20世纪50年代，那政治上浪漫空想的年代，他小名“新新”，与“星”同音，充满了对于光明的向往和信念。进入北大之际，朝气蓬勃，他开始把生命奉献给了诗。唯美的追求似乎与生俱来。他给我的第一印象是，站在舞台上朗诵“青春万岁”之类的诗歌。北京大学生合唱团演出，他似乎是领唱，白衬衫，白长裤，英俊潇洒。令我最神往的是他身处《红楼》编委会那个圈子。这个刊物是1957年创立的学生文艺刊物。这里有谢冕、张炯等当时全校公认的才子，林昭那时在新闻专业，作品和影响只能达到那个圈子的边缘。

1955年我初进北大，还未脱中学生的青涩，全部本钱是中学时代在上海《青年报》发表的几则稚拙的诗和散文，对他这样的风流人物，我心向往之，但只能远而望之。接下来就在1957年5月19日，在学生大饭厅前突然出现的那首震动神州大地的诗作——《是时候了(一)》了。

是时候了，

　　年轻人

　　　　放开嗓子唱！

把我们的
痛苦
和爱情
一齐都
泻到纸上。
不要
背地里不平
背地星愤慨
背地里忧伤，
心中的甜、酸、苦、辣
都抖出来
见见天光！
即使批评和指责
急雨般
落到头上

……
我的诗
是一支火炬，
它烧毁一切
人世的
藩篱。
它的光芒
无法遮拦
因为
它的火种
来自——
“五四”！！！

大字报墨汁未干，书法谈不上水平，但墨汁淋漓。我感到自己朦胧的意念找到铿锵明快的语言表达出来的痛快，不久就沉浸在奔走相告的氛围之中。兴奋的日子不到二十天，就乌云压顶了。我们亲耳听过一个政治局委员在一次大会上，以反右胜利者的雄姿反诘：

北大那个学生不是说“是时候”了吗？不过是为资产阶级殉葬的纸人纸马而已。吊诡的是在“文革”浩劫期间，我亲眼看到这位高级领导被红卫兵反绑着双手，戴着高帽示众。现在看来，历史把这位领导的语言改编为铭言，内涵向正反两面增值。不回到历史语境，很难体悟到其中与时俱增的浩茫和丰厚。

但是，这位领导，甚至后世的许多读者，都忘记了这是诗。从当年的诗学话语来说，这里抒情主人公的形象是如此富有青春的冲击力，语言充满了错位的反讽。“是时候了”，本来是苏联“最有才能的诗人”马雅可夫斯基的，是他的红色经典长诗《列宁》开头的第一句。这个回避动词的名词谓语句，以突兀的气势，对领袖的崇拜带上了鼓动家的自豪，而沈泽宜的自豪却不是来自颂歌，相反，是长期压抑释放的干脆果断。

谁也没有想到，这首诗很快被引申为大逆不道的，鼓动思想叛乱的纲领，而今天读起来，则成为划时代的历史宣言。一个“文革”都没有经历过的青年读后告诉我，他无法抑制心灵深处的震撼：“真是想不到，你们当年就这么精彩地冲锋在思想解放的前沿。”

从那以后，沈泽宜的厄运就开始了，在上千人的大会上，我看到他被批判的身影。当然也只能远而望之，但是和此前的远而望之不同，不是神往，而是内心充满了恐惧。原因是我自己也处于右派边缘状态，随时都可能被划入“反党反社会主义”者之列另册。幸而我们班上的党支部书记费振刚和团支部书记阎国忠，出身劳动人民家庭，有着中国劳动者传统的淳朴和忠厚；还有同室的刘俊田——虽然我骂他是不懂民主的“大笨蛋”，甚至说过：“如果社会主义只讲物质生活的提高不讲民主，不是成了动物园主义了吗？”虽然他是争取入党的积极分子，我当时最怕他揭发我这样的“反动言论”，但是在批判处分我的团支部会议上，他为我保密。直到21世纪初，我得到普列汉诺夫的一套语录，其中一句有同样的意思，我发给了他。他阅后，回信：“这不是某人当年的反动言论吗？真是英雄所见略同。”就在他们的保护下，我最终逃过一劫，而且在毕业以后，还留在北大中文系。但一年以后，终于时势不容，被流放到还在草席棚中上课的华侨大学。在长达二十多年的时间里，我和同学都很少写信，以免留下白纸黑字，片言只语，遭遇飞来横祸。沈泽宜的影子，就淡出在记忆的边缘了。

直到20世纪80年代中期，他忽然出现在我福州的家里。那时，我的《新的美学原则在崛起》受到全国性的两度大批判，刚刚获得解脱。他五十开外，形容有点憔悴，和当年那个风流才子，一身挺拔的白衬衫、白西裤当然不可同日而语。但是，还在写诗，一谈起诗的解放，立马就眉飞色舞，他甚至提出去厦门拜访舒婷，要我介绍。我当时的感觉，那是小青年干的事，吾辈岂能赶这个热闹？我送他一本洛夫编的《台湾现代新诗大系》，那时，要得到台湾的书，是很不容易的，是一个学生从香港带给我的（连谢冕都对我拥有这本诗集而羡慕不已）。他欣喜若狂，也就忘了去访问舒婷的事。

他虽然老了一些，但是似乎比我还单纯。

他在浙江湖州师院教书，我们断断续续有些来往。他的湖州的学生或者粉丝，打着他的招牌来拜访我，我自然细问他的情况。他还在写诗，有些和女孩子的浪漫的片段，只是一直没有结婚。后来收到他的诗集，十四行诗，还有《诗经》研究。

以后一段时间，我们失去了联系。

直到我看到张元勋回忆录《北大·一九五七》时。我读后的感觉很复杂，后来我把它写成文字：

北京大学1957年5月、6月间的“反右”运动，这几年引起了海内外历史学界广泛兴趣，成为学术研究之重大课题。然论者大多并非亲历者，所据文献资源多有不确。所幸，近年来当事者发表大量回忆文章，提供可观资源。亲历者回忆，比之早已形诸文献者，具有活历史的价值，尤为可喜、可爱、可珍、可贵。本人作为亲历者，阅读当年北大学生的理论权威和精神领袖谭天荣同学、陈奉孝同学等诸君文，重温从炼狱中觉醒、沉沦而又升华的精神历程，不胜唏嘘，当然，就回忆的系统而言，应以张元勋同学之《北大·一九五七》为最。张著无疑不乏相当的历史厚重感。

但是，张元勋的著作有许多令人遗憾的地方。我在同一篇文章中说：

五十多年的时间距离加上记忆的筛选，有所差错，在所难免。但是，无可讳言者，张著某些陈述，与事实相去较远，如对当年精神领袖谭天荣之肆意贬抑，又如对战友沈泽宜的歪曲，还有对“浪淘沙”当事人的偏狭的攻讦，凡此种种，莫不旨在抬高自己的历史地位。如此明目张胆，不仅有违我国史学“实录”精神，而且有悖传统文德。连北大一向以厚道著称的洪子诚教授也在给我的信中说：“张元勋的回忆录，确实问题很大。这样对待历史态度实不可取。”

他把那张点燃1957年火炬的《是时候了》说成是自己一人所作，而据我当时的记忆，应该是沈泽宜先写，遇到张元勋，张看了之后，表示同意，也写了一首，接在后面，贴了出去。沈泽宜的名字是在前面的。而张元勋在他的回忆里，却把它说成是自己一个人的作品，沈泽宜看到后签了个名。《南方周末》在一篇报道中沿用了张的说法，引起了当年同为右派，而且知情的王书瑶的抗议。《南方周末》给王书瑶回信说，张元勋说当时把沈泽宜的名字排到前面，是因为后面的纸没有地方了，只好让沈泽宜的名字签在前面。该报编辑还说因为无法找到沈泽宜，听信了张元勋一个人的说法。

本来签名在前在后是小事，但是，联系到张元勋回忆中对沈泽宜多有攻击，就隐含着许多原则问题了。

“反右”运动距今已五六十年，当年风华正茂的热血青年，如今多半垂垂老矣。为抢救史料，让后来者免偏听之暗，享兼听之明，2003年，我建议沈泽宜撰写他的“北大·一九五七”。恰巧他早就有此意。他的回忆录于2006年完成。不幸的是，其时他被诊断为癌症，在进行手术之前，将电子文档发送到我的邮箱，并有一信曰：“后果未可知，一切交托你了。”也就是说出版事宜等，都要由我来完成。阅读之余，心情之沉重至今记忆犹新。表面上是友人的嘱托，实际上无异于是一份“遗嘱”。

他错过了青春年华，错过了壮年、中年许多机缘，这让他的诗中没有妻子儿女，只有错失了的爱情。到了古稀之年，只有一个保姆照顾，他和保姆相约，过世以后，他以唯一的财产一所房子相赠。

他在邮件上赠给我的却是一份最后的无条件的信任，一份沉重的历史的责任。

当时我天真地以为最佳选择是与张元勋的著作在同一出版社付梓，既为学术公平，也为昭示历史公正。

托钱理群询于张著主编章诒和，然而，数百天杳无音信。后闻章氏有云，沈泽宜此书文采不佳。我哑然失笑。沈氏数十年将生命奉献于诗，其十四行诗在诗界评价甚高，郜积意博士（按德国人的习惯，他在名片上的头衔应该是“博士、博士后”。他先在北师大，后在复旦大学读过文艺理论、历史学博士，又是北大古典文献博士后）就认为中国当代十四行诗者，泽宜之作当为佼佼者。可以想象，其语言功底远甚于章诒和女士那些记叙性，以材料取胜的、文字上良莠不齐的回忆文章。

其时，泽宜高寿七十有六，手术预后不详，时不待人，我中夜忧心。

我没有与时间赛跑的雄心和能耐，幸香港出版界有“福建帮”，经刘登翰多方奔走，几经曲折，终得孙立川之慧眼，登翰与我共同出资，香港天行健图书公司慨允。他的回忆录终获出版。不过孙立川将书名改为“北大，五·一九——学生右派是‘怎样炼成的’”。此时已是2010年。

天可怜见，泽宜四年前手术成功。

收到出版社从深圳发来的二百本书，我用快递先奉他几本。想象他拿到此书的心情，我心头那份沉重变成了轻松。但是，他却告诉我，已经没有精力将一百多本分别邮寄了。登翰也只要了四五本。历史留给我最后的任务就是挑选适当的人选分别寄送。我留下了二十几本。我深知这是历史文献，时间越久，生命越是鲜活。果然不久以后，就有不少相识和不相识的人士索书。泽宜告诉我，一个哈佛大学专事研究这段历史的博士给他来信，说她对照了张元勋和他对1957年的回忆，觉得还是他写得实在，比较客观。

我想，泽宜作为一个历史人物，自然有许多缺点，历史会对之有公正的判决，但其前提是历史真相的全面性。不管怎么样，历史不会忘记他。

余光中的五种乡愁①

余光中这个诗人跟福建有特殊的情缘。其实呢，这个人他生在南京，抗战期间到了重庆，长期的生活环境并不是在福建。他跟福建真正有关系的是两点：第一，大约在 1948 至 1949 年期间，他原来考取了金陵大学的外文系，后来转学到厦门大学的外文系，念了一年就转到台湾去了。他自己说，因为逃避战争所以到了台湾。实际上是解放大军眼看要打到福建了，他就离开了福建。这点我们可以理解，他当时的政治立场跟现在一些读者想象的不太一样，他是站在国民党的立场上的。第二个跟福建有关系的，就是他的祖籍是福建永春，他也经常称自己是闽南人，福建人和他有种乡亲的亲缘关系。实际上他离开了福建以后，长期生活在中国台港和美国。政治上又很隔膜，但是他对祖国大陆的怀念，也就是乡愁却是非常深厚的。

他是 1928 年出生的，1958 年到了美国，他就开始有了乡愁。由于大陆跟台湾的对峙，他的乡愁有一种沉重的分量。他写过很多的诗集，主题相当广泛，但是，他在福建乃至全国读者心目当中基本上是一个乡愁诗人。这当然不算全面。仅仅说他是乡愁诗人，好像不全面，但是也还能触及特点，他在读者中影响最大的，就是乡愁诗。

他的乡愁诗从 1958 年也就是三十岁左右写起，一直写到现在已经将近八十岁了，写了五十年。至今还没有写完。他曾经在一个地方演讲，有一个记者对他的印象是这样的："鹤发童颜，吐属清雅，雍容平和。"谈吐非常雅致，不管碰到什么事，都是雍容大度，平心静气。不会那么容易激动，白发和鲜嫩的脸色对比，有点道骨仙风，超凡脱俗，像仙人一样。这个记者还说他"彬彬有礼"，非常谦逊，正是学者之典范。我们这个福建同乡为什么头发不染黑呢？他曾经借用西方大诗人艾略特的话说"老得好漂亮"，他漂亮在哪里呢？

在我看来，不仅仅在他的仙风道骨、鹤发童颜，不仅仅是他的外表，而且在他内心。

① 根据福建教育电视台的屏幕提示整理。

他最能引起我们共鸣的，是他的乡愁的诗和乡愁的散文。他笔下的乡愁，至少有六种，是比较突出的。说他是一个乡愁诗人虽然不全面，但是最突出他的特点。他最著名的乡愁诗是温家宝总理都曾经引用过的《乡愁》。

这首诗被选进了中学的语文课本，可以说家喻户晓，红遍了大江南北长城内外。乡愁是余光中的核心母题，说中国一代的青少年都是在他的乡愁诗的熏陶下长大的，好像并不为过。余光中的名字就跟这首诗紧密联系在一起。在很长一段时间里，中国有好多地区、有好多城市举行余光中诗歌朗诵会、讨论会，都是以乡愁为主，都离不开这首诗。2002年余光中七十五岁，在大陆就有两个省市举行余光中的诗歌朗诵会和讨论会，一个是我们福建，那是一个很宏大的活动，余光中先是在福州，然后到了泉州。江苏省的常州市差不多和我们同时也举行了余光中的诗歌讨论会。常州跟他有什么关系呢？因为余光中的太太是常州人，他小时候在南京长大，他在常州得到爱情。我今年就收到一个邀请，明年在徐州市要进行余光中的诗歌朗诵会和讨论会，规模就更大了，不仅仅是大陆的学者、大陆的朗诵家，还有香港的、台湾的许多的诗人和学者都要来聆听余光中诗歌的朗诵，提交研究余光中的学术论文。在大陆有一大批余光中诗歌的热爱者，可以说是“余迷”。“余光中热”，不仅仅表现在诗歌的朗诵上，而且表现在余光中作品的出版上。我就买过两次余光中文集，还没买全。最近山东省一个出版社，出版了余光中的七本文集，又有一个天津的百花文艺出版社，出了余光中文集整整九本。除此以外还有许多盗版的，余光中文集的发行量，现在都没办法细细加以统计，没有一个余光中文集，把《乡愁》这首诗遗忘了的。那么我们来欣赏下这首诗。

小时候

乡愁是一枚小小的邮票

这句话就很精彩 为什么呢？我们通常不是这样讲的，乡愁是一种情感，怎么是一张邮票呢？通常我们这样讲：一张小小的邮票寄托着我的乡愁。那么“乡愁是一张小小的邮票”好在哪里呢？第一，这个意象就非常富于感性，乡愁是看不见、摸不着的，邮票，就可感了。第二，它非常集中，把整个乡愁就凝聚在一张邮票上。如果死心眼，就要问了，除了邮票，就没有乡愁啦。那么信封呢？信封，不说也行，有了邮票，就足以想象信封了。邮票比之信封更有特点，更有想象的启发性，更美，更有感情的分量，这就叫作意象。意象的第一性质，就是它的特征的可感性和凝练性：

我在这头

母亲在那头

意思是说最为亲密的母亲不能直接相见。邮票的运用是人不能相见的结果。这个邮票意象，就不仅仅是邮票了，而且蕴含着痛苦的情感。这就是意象的第二个性质，那就是凝聚着诗人的特殊的情感。这里，已经暗示着大陆和台湾的暌隔了。

长大后
乡愁是一张窄窄的船票
我在这头
新娘在那头

邮票隔离的是亲情，而船票这个意象，隔离的是爱情。船票这个意象，和邮票一样是很精练的，一个小小的细节而已，而其感情的内涵却是很深厚的。船票跟邮票，由于在结构上是对称的，就把两个本来非常普通、非常单纯的意象的内涵，结构性地深化了。这里暗示的是，人都长大了，乡愁的暌隔却日益沉重。到第三段就进了一步了：

后来啊
乡愁是一方矮矮的坟墓
我在外头
母亲在里头

这一段就是全诗的核心了，前面说小小的邮票虽然有阻隔，但是还能通信，甚至将来还有希望和母亲、新娘团聚。而一个小小的坟墓，这个意象，就把邮票和船票的忧愁化为不可挽回的悲剧了。而诗句的平行结构的延伸，仅仅因为增加了一个意象而使感情进入了沉重的高潮。这是亲情和爱情的悲剧，个人命运的悲剧，已经到了顶点。但是更为严峻的是：

而现在
乡愁是一湾浅浅的海峡
我在这头
大陆在那头

由于“海峡”这个意象的切入，用地理的概念，导入政治的形势，个人的亲情、爱情的痛苦转化为民族的悲剧。原因在哪里呢？“一湾浅浅的海峡”，读的时候，不要忘了“浅浅的”三个字。付出感情的代价这么大，两岸距离和海浪的深度却并不大，地理行程和风险也并不严重，但是付出一辈子的生命，两代人的精神的沉重的代价却没能解决这样简单的问题。

这首诗的情感非常深厚，表现的是民族的悲剧，但是意象非常单纯，就是四个：邮票、船票、坟墓、海峡。意象平衡地在各自对称的位置上，但是，其间的联系很是有机，从词语的性质来说，就是四个名词。抒情诗往往讲究感情的强烈，因而形容词往往相当夸张，可是这里却用了四个名词承担起了抒情的任务，这是很有气魄的。当然，并非绝对没有形容词，可是非常简单，只有四个，就是：窄窄的、小小的、矮矮的、浅浅的。表面上，一点夸张的色彩都没有。但是，内在的矛盾却是明显的。虽然邮票、船票、坟墓、海峡，都是小小的、窄窄的、矮矮的、浅浅的，照理说，渡过去应该是轻易的，但是，时间的漫长却暗示了其难度的巨大。难度和轻易的对比，是这首诗明显的特点。

更有特点的是，这个对比所依仗的结构却是平行的，四个章节之间，几乎是没有变化的，每节的结句均重复“这头”“那头”，这在抒情诗歌中常用的手法叫作“复沓”。一连复沓了四次，为什么不显得单调？排比中内涵递进性深化：平静的叙述中有逐渐严峻的危机，甚至到了“坟墓”（母亲死了，不可挽回），构成强烈震撼。虽然章节的结构没有变化，但是其意念，却在层层递进。从邮票、船票到坟墓再到海峡，情感的变化和不变的结构构成张力，其中的意味就增长了，一代人的生命的渴望，从青春到壮年经历了漫长的时间，却眼看着不能实现。这里所谓回乡的渴望，实际是统一的渴望。

余光中的“乡愁”诗并不是从这首开始，当然也不是从这首就结束了，广大的读者、青少年往往只知道这首诗。这首诗实际上写得比较早，是在1972年，那时大陆正处在“文化大革命”的浩劫的、混乱的年代，而余光中这个时候正在美国，他是1958年到美国去读学位的。到美国以后更加感到一种乡愁，他曾经说过：“你到了美国，你就是中国，所有中国的痛苦，所有中国的耻辱都贴在你的脸上。”他非常强烈地感到一种跟祖国大陆的以及跟中国文化的疏离感，同时也是亲切感。

他说，在这种情况下，“旧大陆”回不去，“旧大陆”指的是什么啊？是祖国大陆，“新大陆”也不是他自己的家。“新大陆”是什么？是美洲大陆，用的是哥伦布的语言。那么在这种情况下，余光中不止一次写他的乡愁。

让我们来欣赏余光中的第二种乡愁。

这一首跟福建还有点关系。2002年我们请余光中先生到福建，举行他的诗歌朗诵会。本来电视台在录像，主持人已经宣布了：我们请余光中先生来朗诵他的杰作《乡愁》。余光中却说，现在我上了台，你主持人，管不了我了，我希望来朗诵另外一首，叫《民歌》。他要求底下的听众：你们跟我一起朗诵。当时我就感到很奇怪。你的诗在你的手里，我们怎么朗诵呢？然而，他就开始读了，是这样的：

传说北方有一首民歌
只有黄河的肺活量能歌唱
从青海到黄海
　　风　也听见

沙　也听见

他说：这么复杂的诗你们没法跟我朗诵，我只要求你们当我念到“风”的时候，你们念“也听见”，当我念到“沙”的时候，你们念“也听见”就够了。这首诗下面还有三节。他全部念给我们听，我们立刻心领神会。

如果黄河冻成了冰河
还有长江最最母性的鼻音
从高原到平原
　　鱼　也听见
　　龙　也听见

如果长江冻成了冰河
还有我，还有我的红海在呼啸
从早潮到晚潮
　　醒　也听见
　　梦　也听见

有一天我的血水也结冰
还有你的血他的血在合唱
从A型到O型
　　哭　也听见
　　笑　也听见

——1971年

当他朗诵到“鱼”的时候，我们就大声嚷“也听见”，他朗诵到“龙”的时候，我们就在底下喊“也听见”。这样台上台下形成了一个非常浓烈的心领神会的氛围，效果也就蛮强烈的了。下面这一节说“如果长江也冻成了冰河／还有我，还有我的红海在呼啸／从早潮到晚潮”，他一发出“醒”，底下一大片人讲“也听见”，他发出“梦”，底下一大片人喊起来“也听见”。大家越喊越起劲，整个会场的氛围达到了高潮。

他的思路是这样层层递进的：黄河结冰了，有长江的声音；长江结冰了还有什么？我心里的红海、鲜红的血液的声音，可是有一天我心里的血水也结冰了怎么办？那不是死了吗，就没有乡愁的民歌了？他的诗说：“还有你的血他的血在合唱”，那么你们都有鲜血，只要活着的人、只要内心有热血的人，从“A型到O型”都是一样。A型到O型这样的语言很少进入诗歌，这是科学语言，余光中把它第一次带到诗歌里来，“哭 也听见 / 笑 也听见”不管是欢乐还是悲哀，不管你是醒着还是睡着，都有一样的怀念祖国大陆的乡愁的声音。不管整个世界变成冰河，只要你心里有血，你总是不能忘记这首民歌，这首怀念故土的乡愁的民歌。其实这首诗的成就，并不亚于《乡愁》。一个北京《新京报》的记者说，听到“风　也听见”“沙　也听见”“鱼　也听见”“龙　也听见”“醒　也听见”“梦　也听见”“哭　也听见”“笑　也听见”这些句子，令他禁不住感动得要落下泪来了。

这是一首非常成功、非常精彩的诗，可能是最适合集体朗诵的、最震撼人心的，但是由于种种的偶然性，使得《乡愁》在大陆的读者心目当中好像是唯一的乡愁似的。其实，我们目前看到，余光中的乡愁是多种多样的。他所用的手法跟前面的那首《乡愁》同样是对称的复沓的结构，不断地反复，在反复中有变化，从最初的风和沙也听得见，到后来的鱼和龙也听得见，再到后来的醒着和梦着也听得见，到最后的哭着笑着也听得见，感情不断地提升，而且语言的节奏、句法结构没有变化，意义却在不断地变化、不断地升华，这就造成一种战栗、一种绷紧的感觉，情绪的层次，作螺旋式的上升。

余光中的乡愁艺术，不是那么容易就能充分理解的。要真正理解，找一个人来对比一下可能是很有必要的。席慕蓉有一首诗也是讲乡愁的，席慕蓉的乡愁跟余光中的乡愁是有一些区别。席慕蓉比较年轻，文化背景跟余光中也不一样，她是一个蒙古族人，不像余光中是个学者。余光中是台湾大学外文系毕业的，到美国获得了艺术学的博士学位。难能可贵的是他没有学外文的人的局限，他对中国古典文化的熟谙，使得他的文化底蕴比席慕蓉深厚。席慕蓉的诗中的乡愁是什么样子呢？她说：“乡愁的歌 是一支清远的笛。”这个笛子的声音是又清又远。很清晰但是又很遥远，为什么呢？她的故乡在内蒙古，因此显得非常遥远。“总在有月亮的晚上响起。”有月亮的晚上光线是比较透明，有一种视野辽阔的感觉。月亮是乡愁的象征，这是古典诗歌的传统意象。“故乡的面貌 却是一种模糊的怅望。”席慕蓉比较年轻，她对故乡的怀念是以朦胧为特点的，是非常优美的，有某种淡淡的惆怅。“仿佛雾里的挥手别离 / 别离后 / 乡愁是一棵没有年轮的树 / 永不老去。”为什么叫一棵没有年轮的树呢？树有年轮，一年一年地长大。乡愁，像树不断地长大，但是没有年轮。这个暗喻非常漂亮。本来越长越有时间的感觉，可是这里却是太长了，长到了没有了时间的感觉。可是没有感觉，却挡不住乡愁不断地生长。可以看到席慕蓉的乡愁，是比较秀气的，或者比较婉约的，是一种淡淡的失落感，而余光中是深沉深厚的悲剧感，很明显他们是两种风格。

余光中写这两首以后三年左右，1974 年，他又写了一首诗叫《乡愁四韵》。这可以说是余光中的第三种乡愁了。

给我一瓢长江水啊长江水
　　酒一样的长江水
　　醉酒的滋味
　　是乡愁的滋味
给我一瓢长江水啊长江水

给我一张海棠红啊海棠红
　　血一样的海棠红
　　沸血的烧痛
　　是乡愁的烧痛
给我一张海棠红啊海棠红

给我一片雪花白啊雪花白
　　信一样的雪花白
　　家信的等待
　　是乡愁的等待
给我一片雪花白啊雪花白

给我一朵腊梅香啊腊梅香
　　母亲一样的腊梅香
　　母亲的芬芳
　　是乡土的芬芳
给我一朵腊梅香啊腊梅香

把乡愁和长江水联系起来，和席慕蓉明显不一样，一开头气魄就比较宏大，因为他本来是长江边生长，是南京人嘛。为什么叫“海棠红”，原来我们中国的地图，不像现在一样是一个雄鸡，而是像一片秋海棠的叶子。为什么？在抗战以前，外蒙古是中国的一个部分，故中国地图形如秋海棠的叶子。说“给我一张海棠红啊海棠红”，就是完整的祖国领土的意思。下面说，“家信的等待 / 是乡愁的等待”。为什么？因为在台湾是见不到雪的，把雪和家信联系起来，“家书抵万金”也是难以等到的意思。“醉酒的味道 / 是乡愁的滋味”“沸血的烧痛 / 是乡愁的烧痛”，这里的手法，是把乡愁这个本来没有感性的情结，转化为多种感觉。“海棠红”和“腊梅香”则是从色彩和气味上加以渲染。

可以明显地感觉到他跟席慕蓉有区别。首先是文化的区别，他比席慕蓉更有历史广度和深度；其次，是他的感觉手段比较丰富，醉酒的感觉，沸血的感觉，腊梅的香味，海棠的红艳，显然更有立体感。正是因为这样，所以余光中在大陆的风行，除了其他的原因（例如他的散文的影响）以外，诗歌的艺术质量是主要原因。

余光中自己曾经在一个地方说过，这个《乡愁四韵》被一个歌唱家罗大佑，改编成了一首歌曲，蛮好听的。为什么这首诗歌能改编成歌曲呢？可能是这首诗有一种民歌的风味吧。

余光中乡愁诗我们已经介绍了三种。这三种都是比较容易读懂的。但不要以为，余光中的乡愁都是这样好懂的。我们读得来的，往往是在艺术上比较传统的，比较浪漫的，但是余光中并不完全是个传统诗人，他在台湾是十大现代派诗人之一。作为现代派诗人，他还有他非常现代的一面，也就是非常不好懂的一面。

他在 1964 年，写过一首《月光光》。月光在中国的传统诗文里面跟思乡联系在一起。“床前明月光，疑似地上霜。举头望明月，低头思故乡”“月亮弯弯照九州，几家欢乐几家愁”，都跟家乡、亲人不能团聚的思念有关。月光都是美好的，而这一首诗中，月光却是“冰过的砒霜”，为什么？第一，突破古典的传统的联想，进行艺术思维的创新。第二，他的创新也有联想根据。砒霜，令人联想起苦啊、冷啊的一种战栗。月亮使他想到了故乡，但不能够回去，因而感到月光是苦味的。“月如砒”，苦得有毒。这个毒的感觉。不但是比较现代，而且也比较深刻了。思乡的情感是有毒的，为什么？因为太苦了。这还不够，他又加上一句，“落在谁的伤口上”，这么苦、这么冷、这么毒，还在伤口上，由此可见痛苦有多深。“恐月症和恋月狂”，恐月症，就是因为思念故乡不能归去，时间太长，以致看到月亮都害怕了，严重到成了一种病了，这种病叫作“恐月症”，而“恋月狂”又是什么意思？看见月亮就想故乡，想得非常痛苦，还是恋恋不舍地看月亮，毕竟月亮让人想到故乡，哪怕痛苦，不管它，哪怕恋得都发狂，也恋得痛快。

一方面，用了月亮的传统的、中国古典诗歌的联想；另一方面，又用了现代派的联想，这种联想的特点就是非常曲折，跳跃性很大。比如说月亮是砒霜，砒霜落在心灵的伤口上。从痛苦的望月，到望月之痛，如毒药落在伤口。这样的曲折，包含着两个拐弯。第二个曲折，从恐月症和恋月狂，包含着对立。最害怕见到，对它又是非常依恋；依恋和害怕，都成了病症。

我也忙了一整夜，把月光掬在掌，注在瓶

分析化学的成分

分析回忆，分析悲伤

恐月症和恋月狂，月光光

分析是科学的语言，但这里分析的对象却是抓不住、摸不着的回忆和悲伤。这是很陌生化但又很合情感逻辑的。因为月光而想到了故乡，因为不能回到故乡，所以分析月光的科学成分，就分析出了心理的矛盾：恋月、恐月。正是因为矛盾，不但表现出怀念之深，而且表现出怀念之痛。在深沉的痛苦中，更为沉重的是无奈。

这就是余光中的第四种乡愁。

这类的乡愁，一般的读者读起来，不像读前面的那三首那么舒服，有点困难，有点痛苦，你摸清楚他的联想的跳跃性和大跨度，慢慢就会觉得挺有意思的，挺创新的，挺冒险，联想的新天地挺精彩的。

余光中的乡愁母题，可谓多姿多彩，风神各异，以上所说，还不是全貌，至少还有一首诗《当我死时》，其中的乡愁，是别开生面的。

当我死时，葬我，在长江与黄河之间
枕我的头颅，白发盖着黑土
在中国，最美最母亲的国度
我便坦然睡去，睡整张大陆
听两侧，安魂曲起自长江，黄河
两管永生的音乐，滔滔，朝东
这是最纵容最宽阔的床
让一颗心满足地睡去，满足地想
从前，一个中国的青年曾经
在冰冻的密西根向西瞭望
想望透黑夜看中国的黎明
用十七年未餍中国的眼睛
饕餮地图，从西湖到太湖
到多鹧鸪的重庆，代替回乡

要真正有效地分析这首诗，有一对矛盾必须抓住，这就是：死亡和满足。

死亡本来是痛苦的，但是在余光中这里却变成了一种满足。条件是什么呢？是安葬的地方。只要安葬“在长江与黄河之间”。从逻辑上，强调了死亡并不可怕，可怕的是不能安葬在长江与黄河之间。这是为什么呢？因为，作者不能回到故乡（后面有交代，十七年不能回乡）。活着的时候，不能回乡，只指望死后的安葬，诗章的最后出现了“代替回乡”，就是点了题。

诗人是中国人，却不能回到故土，造成了如此的遗憾。这种遗憾是生的痛苦，但是，只要能够死后安葬在祖国大陆，痛苦就消解了。

如果直接写安葬在大陆，不是很简单吗？或者写成安葬在辽阔的祖国大陆，不是也可以吗？但这样就不能给读者以感染。这里只写了祖国大陆的两条河之间。对于祖国大陆来说，显然是不全面的。但是，这不全面的长江和黄河比之全面的祖国大陆要生动，因为这是两个有特点的细节。细节因为有特点，就能触发读者广泛的记忆和联想，不但其间的广袤的土地，而且黄河和长江相联系的历史文化传统都会参与进来。

这是这首诗的情感动人的第一个层次。

如果就写到这里为止，也不是不可以，但是，未免仍嫌单薄，不够深厚。接着诗人进一步表现因为安葬在这两条河之间，不但痛苦消解了，而且是转化为一种幸福的美感。这种美感，不是直接说出来的，而是由长江、黄河衍生出来的系列的意象表现出来的。先是把长江黄河之间的大陆转化为“最宽阔的床”，死也就自然地转化为“睡”。再是把黄河和长江的涛声，转化为音乐安魂曲。这样的美，不但是意象的美，而且是想象的美。而想象的美又以联想的自然为基础。

这里的想象是这样奇特，难得的是联想又是这样自然。

首先，大陆和眠床，本来是不好联想的，但是，凭着“最宽阔”三个字，联想就自然了。黄河和长江的波涛之声也可能是咆哮的噪音，但是，诗人把它转化为“安魂曲”，是双重和谐的：由安眠和安葬联想到安魂；两侧、两管，联想到平衡安宁。

其次是把睡表现为不是一般的安睡，而是“满足地睡”。不仅是“满足地睡”，而且是“满足地想”。其实，就暗示着，死并不是死，而是活着，在满足地想，在享受。借助这个“满足地想”衍生开去。阐释为什么“满足”？因为他曾经从遥远的空间距离（美洲大陆）瞭望过，而且在漫长的时间中，思念过这片土地，这一句写得特别精致：“用十七年未餍中国的眼睛 / 饕餮地图……代替回乡。”翻译成白话，就是回不了故土，只好长时间地翻阅地图来过瘾。如果这样说，就不成其为诗了。余光中用了西方现代诗歌的一种复杂的修辞技巧，用味觉的大吃大喝、食而不厌，来形容视觉的贪婪。想象的奇特在于，联想比较曲折，和一般的日常联想异趣。虽然是西方现代诗歌的手法，但文字“饕餮”却是中国古典传统诗文意蕴十足的，这就构成了一种内在的对峙中的和谐。

读者不难领会这首诗的很强的政治意味，诗人借助怀乡，表达了祖国大陆和台湾统一的热望。这种期盼长达十七年（这首诗写于 1966 年），要用散文来说，可以说是千言万语，可以写的实在太多太多，如果一味倾泻，可能流于肤浅，甚至芜杂。诗人在这里，把十七年的期盼，集中在死亡的焦点上，哪怕是死了，只要能安葬于祖国大陆，思念之苦就转化为安眠之乐，其他的一切都可以略而不计了。

这是诗歌构思立意时常用的一种集中到一个焦点、强调到极端的手法。

在我国古典诗话中，这种手法叫作“精思”。

不是“归人”，更是归人
——读郑愁予《错误》

我打江南走过
那等在季节里的容颜如莲花的开落
东风不来，三月的柳絮不飞
你底心如小小的寂寞的城
恰若青石的街道向晚
跫音不响，三月的春帷不揭
你底心是小小的窗扉紧掩
我达达的马蹄是美丽的错误
我不是归人，是个过客……

郑愁予生于20世纪30年代，活跃于50年代以降，是个现代诗人，但是，这首诗从主题到语言风格，却充满了古典气息。这是一望而知的。他这首早期之作，为什么不但能成为他脍炙人口的代表作，而且成为现代诗的杰出的经典？这就要读懂这首诗的艺术。而要真正读懂一个经典文本，仅仅读现成的作品可能是难免被动的，很难洞察艺术的真谛。海德格尔说：“作品的被创作存在只有在创作过程中才能为我们所把握。在这一事实的强迫下，我们不得不深入领会艺术家的活动，以便达到艺术作品的本源。完全根据作品自身来描述作品的存在，这种做法业已证明是行不通的。”[①]而要进入作品“创作过程”，是困难的，因为绝大多数作家呈现给读者的不是过程，而是结果。难得的是，关于这首诗作者有过

① 马丁·海德格尔：《艺术作品的本源》，《海德格尔选集》(上)，上海三联出版社1996年版，第297页。

陈述。

1985年8月30日，郑愁予在台北耕莘文教院演讲，亲自解说《错误》一诗的写作背景。在抗战的时候，他和母亲跟随担任国民政府军官的父亲到前线去，因为战地不断转移，他们也不断迁居，从江南到江北，又从江北到江南，郑愁予的母亲每天都盼望着父亲的归来，也许倚门，也许倚窗。这个生活中体悟最深的情境，后来便成为《错误》一诗的摹写对象。①

读者不难看出，如果把这一切可谓刻骨铭心的生活记忆照本宣科地写下来，是不可能成为诗的。要把生活变成不朽的艺术，要经历许多艰难曲折，诗人的才华要受严峻的考验。首先是超越生活的原生形态，让它进入诗的境界。诗人的选择是多元的。例如，可以驾轻就熟地按现代诗的种种套路来写作，在特定的题材中，他还可以选择民歌体的话语。但是，对于这个题材，他却选择了把现代战争时期的母亲的思念放在古典诗歌闺怨的母题来展示，进行艺术的探索。

许多论者不约而同地认为其出于中国传统之思妇诗。这个传统很深厚，从诗经时代就有“自伯之东，首如飞蓬，岂无膏沐，谁适为容？”（《卫风·伯兮》）；《古诗十九首》中则有“荡子行不归，空床难独守”。前者所思在军旅，虽然思苦而无怨；后者所待为游学（荡），怨极而愤。此怨与青青河草，郁郁园柳之相融，乃有青春难留（柳）之哀，而“盈盈楼上女”之句，则有闺中之意，为“闺怨”母题之萌芽。其怨之由，一为军旅，二为远游，游学游商皆有之。此类诗作，大抵直抒胸臆，天真明快。营造意象，情怀隐于意境者鲜见。此后，宫体滋蔓，意象趋繁，形胜于情，失之堆砌。至唐乃文情并茂，佳作如云，风貌各异，虽宫怨（如“玉颜不及寒鸦色，犹带昭阳日影来”）亦有上乘之作。金昌绪之“打起黄莺儿，莫教枝上啼。啼时惊妾梦，不得到辽西”，为后世诗话家激赏，被视为“标准”，甚至赞为“古人作诗规模作在此矣”②。王昌龄之《闺怨》（“闺中少妇不知愁，春日凝妆上翠楼。 忽见陌头杨柳色，悔教夫婿觅封侯”）深得绝句瞬间情绪转换之妙，此种闺怨佳作，往往与少女怀春，惜春（春华易逝）有关。诗风如梅尧臣所言“状难写之景如在目前；含不尽之意见于言外”，均以营造视觉意象群落为务。至晚唐温庭筠《望江南》似成闺怨母题之典式：“梳洗罢，独倚望江楼。过尽千帆皆不是，斜晖脉脉水悠悠。肠断白蘋洲。”情绪焦点为期待之落空，背景则是江南。故其江帆乃难写之景，而不尽之意乃在江楼独望千帆之失落。

从这个意义说，郑愁予《错误》似乎与之一脉相承，具体表现：第一，女性情思意脉

① 据台湾康熹版高中国文课本教师手册。

② 陈一琴：《聚讼诗话词话》，上海三联书店2012年版，第415页。

为孤独的等待和落空；第二，点明“打江南走过”，故其意象与《望江南》相近者良多，如“江南”“东风”“柳絮”“青石的街道”“春帷”，此等意象在中原或华北春夏之间，亦非罕见，但是，从历史积淀来说，已属于江南传统文化意象。尤其是“青石的街道”，为北方城镇所无，为江南城镇所特有，从意象来说，乃诗人之新创。此意象比之东风、柳絮、春帷来，重要性大得多。没有这个青石街道，诗之情绪高潮，最精彩的警句就没有了着落。

《错误》之意象群落虽与古典闺怨相似甚多，但是，其主题、形象和风格明显有对传统闺怨的重大突破。

传统的《望江南》是女士倚楼而眺望江帆，而这里，“三月的春帷不揭”，女主人公不是在倚楼眺望，而是把窗户关起来，窗帘也不拉开。“过尽千帆皆不是”，失望了不知多少次，“斜晖脉脉水悠悠”，眼睛还是在望，望得夕阳无情地暗淡下去，江水（时间）忍心白白流去。但是，郑愁予笔下的等待，则是根本不望了。春天节候则是“东风不来，三月的柳絮不飞”。在贺知章的诗里，就是在北方，也是“二月春风似剪刀”了，都三月了，本该柳絮飘飞，在李白诗里“三春三月忆三巴”，三月已经是季春，而到“杨花落尽子规啼”，该是布谷声声了。然而此时竟还没有东风（春天）的信息。从这里可以看出传统之女性闺怨，尽写春色之美，而《错误》反其道而行之，尽写春色之无。可以说是“反春色”。这仅仅是迟到的大自然的景象吗？更大的可能是抒情主人公的心灵景观。诗人接着说，“你底心如小小的寂寞的城”，整个的心都封闭了。正是因为心寂寞而封闭，所以对春天的美景就没有感受了。暗示等疲倦了，干脆就不等了。

从这里，可以看出，现代诗即使基本袭用传统闺怨主题和意象群落，它仍然不是古典诗歌，主要表现为，其情感对客体景观之自由度极大地超越于古典诗歌。自由到可以把春色写为反春色，正是因为这样，读者不难感到诗的现代性。

这首诗的生命之强大在于对古典母题的突破。

传统的闺怨作者是男性，却是女性第一人称的自白。而在《错误》里，却不是女性的自白，而是男性第一人称对女性（第二人称的“你”）的告白。这个男性不是江南游子或者荡子，而是一个军人，一个策马而来的骑士。这里有个意象的功能，可能是许多读者潜意识里感觉到而在意识层里忽略了的，这就是马蹄。第一，这个意象极富创造性，须知江南水乡，行旅以舟船为主，鲜有骑马驰过小城石街者。第二，它对全诗的意脉有着严密的关锁功能，为最后写马蹄达达留下了伏笔，使全诗走向高潮，意脉顺畅自洽。第三，诗人写骑士，只写马蹄声，以打破女士寂寞之心城，其形象并未在女士眼前出现，只是以“马蹄”之声，令处于孤寂中之女士蓦然惊喜。

这就提示了，女士紧闭的窗，下垂的窗帷，仅仅是视觉的封闭，而听觉却分外警觉，心灵在无望中未能抑制渺茫的希望。更精彩的是，马蹄声的定性：“我达达的马蹄是美丽的错误。”

“达达”强调寂静中马蹄声响效果，效果不是物理的，而是心理的，说明听觉的敏捷精致，而继之以“错误”，提示听觉在这短暂的时间里的迅起速落，意脉从兴奋到失落，诗人只写了一句，并无夸饰。最后一句“我不是归人，是个过客……”，更为奇崛，催马而来的不是丈夫，于现实而言，是无价值，就情感的悸动而言，则有价值，越是“错误”，越是容易被忽略，越是有价值，这种价值属性为审美价值。更精彩的还有两点，第一，陌生“过客”，与女士毫无关系，何从洞悉窗帷垂落的闺中期待之殷？何能道出悲与喜瞬间微妙交替之情？第二，自称不是“归人”，但策马而过的军人姿态，却是女主人公心目中丈夫的形象：

不是“归人”，显系欲归而尚未能归之人。

诗共八行，最鲜活的生命在最后两句。古典诗中“过尽千帆皆不是，斜晖脉脉水悠悠”写女性的失落，是持续性的。而此诗前六行是失落、寂寞、无声的持续，而后两行则是从意外的兴奋到瞬间的失落，最后有号，则又回到持续性的失落。

为了这两句，用六句做了铺垫。首先是从大自然环境上渲染，三月无春；其次从居住环境上想象，窗户封闭；再次从心理上说，感知封闭，凝聚为一种无声的寂寞的城；最后，最重要的是，青石街道上达达的马蹄之声，打破了封闭的寂寞。其精妙在于，不但是情绪起伏转换，而且是从视觉到听觉的转换。

诗中还有值得注意的非中国古典诗歌的元素。

这就是对于声音效果反差贯穿首尾的构思。中国古典诗歌比较长于视觉景观，故情景交融历来成为共识，梅尧臣所说“状难写之景如在目前，含不尽之意见于言外”反复为诗话词话家所称引。本诗以听觉代替视觉，贯穿全诗意脉走向高潮，似有法国象征派五官交响的痕迹。

诗中的修辞，也有中国古典诗歌中罕见的。古典诗歌强调比兴，多如朱熹所言，“以彼物喻此物”，以物比物，从具象到具象，间或以物比情，从具象表抽象，已属出格，如“自在飞花轻似梦，无边丝雨细如愁”，然其潜在的成规乃是以大自然之景象比情，主客关联自然天成，情景交融，图景完整，故能称妙。而“你底心如小小的寂寞的城”“你底心是小小的窗扉紧掩”以人工建筑比心，二者之间的联想中介只在封闭性上，是抽象的，这在汉语古典诗学修辞中极其罕见，而在欧美诗歌则不鲜见。最后的“美丽的错误”这样的修辞，也为汉语古典诗歌中少有。“错误”在汉语中，为负面意涵，如陆游《钗头凤》：“东风恶，欢情薄，一怀愁绪，几年离索，错、错、错。”“美丽”则系褒义，二者直接相连，要达到和谐相当困难，然而在欧美却是属于修辞格中的矛盾修辞法（paradox），徐志摩的《莎扬娜拉》中“甜蜜的忧愁”颇为人称道，其实来自雪莱《西风颂》中之“sweet though in sadness”。只有具有相当欧美文学修养的人士才能在这方面得心应手。美丽的错误，遂表现为情感和修辞双重的精致的美，为这首诗的不朽增加了亮点。

综上所述，郑愁予把母亲在抗战期间倚门望父归来的记忆，转化为现代诗，经历了精致的创造过程，至少可以分析为以下几个层次：其一，将记忆纳入古典江南意象；其二，以现代性的想象把春色转化为反春色；其三，营造了女士的无声的心境（寂寞之城）；其四，独创了青石街道；其五，以江南所罕见的马蹄达达的听觉效果为贯穿首尾意脉的高潮，提示女士心理在瞬间从兴奋到失落；其六，赋予“不是归人”的“过客”以欲归尚未能归之人之内涵；其七，“美丽错误”，运用了矛盾修辞法，不但是情感意脉的，而且是语言精致的双重亮点。

等待的从容和纷纭的思绪

——读余光中《等你，在雨中》

《等你，在雨中》和《错误》一样，同样是写爱情，写等待的。《错误》写女性等待男性，在失落中，误以为落实，复又落空，以情之动态（起伏）和古典意象动人，而《等你，在雨中》全诗只写等待，顺利等到，其中并无失落之痛，亦不强调相见之欢。其动人在核心意象之多元辐射。且看第一节：

等你，在雨中，在造虹的雨中
蝉声沉落，蛙声升起
一池的红莲如红焰，在雨中

这里主旨在等待之美化，有三点值得注意：第一，在雨中，雨是“造虹的”，是为等待的环境之美。这一笔仅限于修辞，算不得特别精彩。第二，等待的时间是漫长的，从蝉声渐消到蛙声四起，是从傍晚到夜色降临。第三，更重要的是“在雨中”。本来雨是容易引起焦虑的，但是，余光中却用雨来强化等待之美。第四，这种美化，不能光靠雨，而主要靠雨中的“红莲”，颜色“如红焰”。雨是冷色调的，而红莲是暖色调的。等待，由于雨中的红莲，改变了焦虑，居然是你来不来都一样，这很奇，有点不近人情。为什么？因为：

每朵莲都像你
尤其隔着黄昏，隔着这样的细雨

因为每一朵莲花像你，特别是在黄昏细雨中。这里的情感逻辑是：等你来，因为你是美的，你不来，因为红莲和你一样美，所以你来不来都一样美。写爱的焦虑，往往习惯于浪漫的激情，如华兹华斯所说“强烈的感情的自然流泻”，然而这里却转化为从容、淡定、宁静，这也是浪漫，是浪漫的柔情、温情，这是余光中此诗最不可忽略的特点。这首诗写在1962年，诗人34岁，到了1980年，他在《莲的联想》新版序中说当时他还是讲师：

> 一放暑假，嘶蝉鸣蛙，午后雨的音乐，月光的故事，缓如爬藤的时间，美好的一切一切，都归我所有了。凉风摇翠的树影下，一整个芬芳的上午，从从容容，吐丝一般把纤纤心思倾吐在三联句折来叠去的韵里，真有那样的不迫。一整个烧霞的黄昏，被一首歌所追逐，不得休息，那旋律打在心上，又像是安慰，又像是难忍。一整个出神的夏天，被一朵清艳的莲影所祟，欲挣无力。

现实中和写作中的心灵是激荡的："一整个出神的夏天，被一朵清艳的莲影所祟""又像是安慰，又像是难忍""欲挣无力"。但是，在诗中呈现的只是升华的一种境界："从从容容"，笃定"不迫"，"来和不来都一样"。这一切凝聚在红莲的核心意象上。这个意象本来很难说是余光中的创造。但是，余光中却觉得这是他的发明。的确，余光中不止一次地用莲的意象来表现爱情，他早期就有诗集叫《莲的联想》《莲恋莲》，不过有时是红莲，有时是白莲。《回旋曲》就把恋人的形象凝聚于白莲："立你在雨中，立你在波上／倒影翩翩，成一朵白莲／在水中央""仍梦见采莲，最美的一朵／最远的一朵，莫可奈何／你是那莲／你是那莲，仍立在雨里，仍立在雾里／仍是恁近，恁远，奇幻的莲"。对"莲"的意象，他有非同凡响的追求，至少在这个时期，是他为数不多的"中心意象"。在《莲恋莲》的代序中，他这样说：

> 对于一位诗人，发现一个新意象，等于伽利略的天文望远镜中，泛起一闪尚待命名的光辉。一位诗人，一生也只追求几个中心的意象而已。塞尚的苹果是冷的，梵高的向日葵是热的，我的莲既冷且热。宛在水中央，莲在清凉的琉璃中擎一支炽烈的红焰，不远不近，若即若离，宛在梦中央。莲有许多小名，许多美得凄楚的联想。对我而言，莲的小名应为水仙，水生的花没有比它更为飘逸，更富灵气的了。一花一世界，没有什么花比莲更自成世界的了。

他说他的"莲既冷且热"，也就是内在的热情和外在的淡定的统一，就这样的意涵来说，这的确是他的发明。在中国古典诗歌中，莲的形象，早已存在。乐府古诗《西洲曲》中就有："开门郎不至，出门采红莲。采莲南塘秋，莲花过人头。低头弄莲子，莲子清如水。置莲怀袖中，莲心彻底红。忆郎郎不至，仰首望飞鸿。""莲"谐音"怜"，怜就是爱。"莲子"就是恋人。如此这般地把莲花与女性的美和爱联系起来的杰作颇多，王昌龄《采莲曲》："荷叶罗裙一色裁，芙蓉向脸两边开。乱入池中看不见，闻歌始觉有人来。"莲花之美成为女性的情感和肌肤之美载体。而余光中之所以敢于把莲当作自己的发明，除了以莲为形象的诗作比较多以外，还因为他赋予莲这个意象以现代的、他个人的哲理性的，用我的话来说，是审智的内涵：

永恒，刹那，刹那，永恒

等你，在时间之外

在时间之内，等你，在刹那，在永恒

余光中的语言是很讲究精练的，但是，“永恒，刹那，刹那，永恒”，却在一再重复，且为双重的重复，第一重是时间的永恒就是刹那，刹那就是永恒。这是矛盾的：从现实来说等待是刹那，是短暂的，然而等待之美，从情感的审美价值而言，则是永恒的。第二重矛盾是，“在时间之外”，是说超越现实的时间，“在时间之内”，还是在现实的世界当中，人还是人。所有这一切，都在表现爱之情的极端，正是浪漫的表现，然而，不仅仅是浪漫的情感，而且有矛盾的统一，哲理则以宁静的、不强烈的语言表述。哲理要完整地表达出来，就可能太理性，太严密，太冗长，就不成为诗了，因而余光中在这一节，和上一节不同，不再用完整的句式，而是用名词（永恒、刹那）和介词结构（在时间内，在时间外）并列，把其中的哲理逻辑留在空白中，启发读者去想象，同时用“永恒，刹那，刹那，永恒”的错综和反复，来强化时间上的短促，在意涵上是纵深的节奏感。余光中重视节奏，甚至认为节奏就是抒情的一个部分，原因就在这里。在他笔下的莲的美当然不是散文式的，不是形而下的漂亮，而是美学意义上的，更不能忽略的是他不但把莲的意象美学化，而且把它形而上学化，把莲与哲理甚至宗教联系起来：

对我而言，莲是美、爱和神的综合象征。

他解释说，一方面，莲是东方的女性的美，另一方面，莲的美又带着东方的神性。

由于水生，它令人联想巫峡和洛水，联想华清池的“芙蓉如面”，联想来自水而终隐于水的西子。青钱千张，香浮波上，嗅之如无，忽焉如有，恍兮惚兮，令人神移，正是东方女孩的含蓄。至于宗教，则莲即是佟。莲经，莲台，莲邦，莲宗，何一非莲？艺术、爱情、宗教，到了顶点，实在只是一种境界，今乃皆备于莲的一身……莲为神座。如来垂目合十，结跏趺坐在莲花之上。观世音自在飘莲渡海，而往普陀。道家的何仙姑，据说也手持开心莲花。

红莲的形象名副其实是他的，因为他赋予古典的莲的审美意象以哲理，把形而下和形而上结合了起来，使审美向审智升华。当然说到莲的意象的宗教意味，也许他写作这些诗的时候，还太年轻，才三十多岁，又太痴迷，太过理想化，太过超现实，在艺术上没有能够完成。从根本上来说，所谓如来垂目合十、观音渡海，从佛家道家的学说，与恋爱痴情是矛盾的。面对这样的矛盾他还缺乏曹雪芹那样前无古人的魅力、才气和学养，故不管在理念上多么形而上，作为抒情诗，他还是要回到爱的感性世界中来。

如果你的手在我的手里，此刻

如果你的清芬

在我的鼻孔，我会说，小情人

这就不是佛家视人生的七情六欲为梦幻泡影，勘破男痴女爱乃妄执无明了，他不能不把超越时空的抽象的爱还原为现实的人，从而享受感官的（手的触觉、鼻的嗅觉）生命。但是，仅仅停留在这样的感官，也可能不是美的最高层次，或者说，不纯粹是诗的境界，而是形而下的。请看在散文《听听那冷雨》的最后有这样的抒写：

跟女友共一把雨伞，该是一种美丽的合作吧。最好是初恋，有点兴奋，更有点不好意思，若即若离之间，雨不妨下大一点。真正初恋，恐怕是兴奋得不需要伞的，手牵手在雨中狂奔而去，把年轻的长发的肌肤交给漫天的淋淋漓漓，然后向对方的唇上颊上尝凉凉甜甜的雨水。不过那要非常年轻且激情，同时，也只能发生在法国的新潮片里吧。

这样的感官浪漫（向对方的唇上颊上尝凉凉甜甜的雨水），在余光中的散文中是有保留的。在诗里，余光中可能要更超脱一点，从现实的人超脱，向何处去呢？向古典的诗境：

诺，这只手应该采莲，在吴宫

这只手应该

摇一柄桂桨，在木兰舟中

“桂桨”“兰舟”这样的诗化想象，不仅仅是物的贵重，而且是身份的高雅，令人想到梁元帝的《采莲赋》：“妖童媛女，荡舟心许。鹢首徐回，兼传羽杯。”李白《子夜四时歌·夏歌》：“镜湖三百里，菡萏发荷花。五月西施采，人看隘若耶。”则采莲之手为美女西施之手。“桂桨”，典出屈原《湘君》：“桂櫂兮兰枻，斲冰兮积雪”；苏轼《前赤壁赋》：“桂棹兮兰桨，击空明兮溯流光”；还有《楚辞》：“朝搴阰之木兰兮，夕揽洲之宿莽”。此时，正是余光中的新古典主义时期（1961—1963）：从《莲的联想》以来，余光中一直力图以古典的华贵来表现浪漫的情感。但是，当他写他爱的等待的时候，毕竟不在古典时代，而在城市现代化方兴未艾的时期，故他不能不提醒自己，意象变为现代的“科学馆”和“瑞士表”：

一颗星悬在科学馆的飞檐

耳坠子一般地悬着

瑞士表说都七点了。忽然你走来

余光中的等待与郑愁予的不同，郑愁予强调时间的延续，把等待的失落的过程延续性地拉开，而余光中则把等待的焦虑，压缩到毫不在意的程度，“瑞士表说都七点了”，暗示着看表的心情，一个“都”字，把焦虑正要带出来，紧接着就是“你来了”，这就将之淡化到几乎等于零。这就是余光中所追求的“从从容容”。从情感来说是浪漫而从容。从意象来说，是古典与现代城市意象的结合，最后是压倒一切的古典的美的大幅度的铺展：

步雨后的红莲，翩翩，你走来
像一首小令
从一则爱情的典故里你走来
从姜白石的词里，有韵地，你走来

从意脉来说，又回到核心“红莲”上，不过这时的红莲的古典性，不是像前面那样：池塘、细雨、蝉声、蛙声、黄昏，皆是日常五官可感的意象，而是用“小令”“姜白石的词”“爱情的典故”，其特点是，五官不可直接感知，但是，却更富于诗意。受过美国新批评熏陶的余光中善于用暗喻，更善于以非感官统觉性质的话语比喻感官意象。这里的精彩就在于对古典意象功能自动化的联想使红莲意象带上了古典诗的韵味，从从容容的等待和翩翩而来相契合，等者从容，来者也从容，而且翩翩。余光中在《莲的联想》的“后记”中说“有深厚‘古典’背景的‘现代’，和受过‘现代’洗礼的‘古典’一样，往往加倍地繁富而具有弹性。”“在风格上，它的感情甚且是浪漫的，但是却约束在古典的清远和均衡之中。”从这里，读者想来不能不同意，莲的意象的确是余光中早期的一大创造。

综观全诗，心理的节奏是从容的，意象核心是单纯的，然而派生的意象群落和意脉却是丰富的。从雨中的红莲，从蝉声到蛙声的起落，表现时间的延续；从“来不来都一样”到“刹那、永恒”的对立统一；从情感到哲理，古典美中饱和着现代美，显性有层次的跳跃，隐性有脉脉贯通。语言也一样，诗中有白话，书面性质的白话（如，每朵莲都像你/尤其隔着黄昏），有时还夹杂着口语性质的大白话，如“来不来都一样”“诺，这只手应该采莲”。在《莲的联想》的后记中，他把这叫作“文白的相互浮雕”。余光中自己说自己这类诗“把纤纤心思倾吐在三联句折来叠去的韵里”，这里的“三联句”，讲的是分节，应该是从西欧十四行诗中来的。十四行诗，和中国近体诗四行一组不一样，可以是四行一组，也可以是三行一组。三行一组，就是“三联句”①。余光中在《莲的联想》后记中，把四行一组叫作双轨句法，把三行一组叫作单轨句法。二者是并用的。中国旅法雕刻家熊秉明先生以笔名“江萌”作《关于余光中的“三联句”》，对之做过阐释。双轨句法在中国古典近体诗中，利于对仗，而单轨句法则不同：“律诗的对仗是静态的，两句的关系是力与反力的相持。这‘三联句’的第一个特点是它的流动性：这里的力是同向的，顺向的，一波激起一

① 其实在中国古典诗歌中，三联句也是有的，如《浣溪沙》。代表作如（宋）晏殊：“一曲新词酒一杯，去年天气旧亭台。夕阳西下几时回？　无可奈何花落去，似曾相识燕归来。小园香径独徘徊。”

波，向前推进。”[1]他具体说：“看你的唇，/看你的眼睛/把下午看成永恒。”前两句要等第三句的出现才有了完全的意义，较深的意义。第三句虽也只是“看”却不是平列的第三条“看”。它从“唇”，从“眼睛”跳到新的层次，转向无形，走入时间，超越时间。

这个说法是有道理的。余光中的三联句往往不以空间和时间的连续性展开，甚至不仅仅是呈现空间和时间的跳跃性，而是在具象和抽象，感性和理念之间突然性地跳跃（从眼睛、唇到永恒）。但是，这样的穿插，并不限于三联句，而是贯穿于三联句与三联句之间。最明显的是第二节，本来写的是你来不来都一样，尤其在这红莲细雨中。接下来，并不按时间空间连续性，而是突然跳跃到哲理上去，“永恒，刹那，刹那，永恒”“在时间之外/在时间之内”。接下来，又离开了哲理，一下子回到感性上，“如果你的手在我的手里，此刻/如果你的清芬/在我的鼻孔”。这里的跳跃是从形而上的哲思到形而下的肌肤。接下去是从现代人的手跳到“吴宫”“桂桨”“兰舟”，则是从现实的肌肤之亲，转向古典宫廷。再下去又从古典宫廷跳到现代化的“科学馆”“瑞士表”。他自己说：“对我而言，莲是美、爱、和神的综合象征。”跳跃其实就是在爱、美、神性，也就是感官、理性、形而上和形而下之间上下穿行。故其句、节间显性的中断往往为隐性价值的连续性所弥补。正是因为这样，他的句节往往出奇制胜，用他自己的话来说，步步莲花，奇句、奇意、奇思于暗转中出没。

① 原载《欧洲杂志》季刊第6期（五十五年冬季号）。

读艾青《跳水》

从十米高台

陶醉于下面的湛蓝

在跳板与水面之间

描绘出从容的曲线

让青春去激起

一片雪白的赞叹

这样的小诗，一共才六行，四十二个字，所有的词语都是普通的、常用的，似乎没有用什么修辞手段，却给人以精致之感。

论者称赞其提供了一幅精巧的富有色彩的画面，当然不错，但并不令人满足。问题在于以画为诗是许多诗的共性，这首诗的独特生命是什么，用了什么艺术技巧。解读的任务乃是从其表面看来没有技巧的技巧来。

而要做到这一点，有一个最基本的原则，那就是，不仅看诗中这样写，更重要的是，要揭示出它没有那样写。

有一个方法，叫作“还原”。

诗的题目是“跳水”，这是一项运动，如果就把它当作跳水运动来写，在游泳池里，特别是在比赛场合，屡见不鲜，一点诗意也没有。它之所以成为精致的诗，就在于，诗人没有把它当作一项体育运动来写。

“从十米跳台 / 陶醉于下面的湛蓝。”十米跳台是相当高的，对运动员来说，是高难度的，失误率比较大，挑战性应该很强，可以想象是很惊险的，跳水前的刹那甚至难免有些紧张的，多少有点奋力一搏的意味。但是，诗人没有这样写，面对这样惊险的挑战，心里却享受着“陶醉”，而台下也不是水，而是一片“湛蓝”。蓝是水的色彩，是其视觉感知的一部分，但是却概括为水的整体的性质，而“湛蓝”，隐含着透明纯净。正因为这样，跳水惊险才转化为精神的“陶醉”。

“在跳板与水面之间 / 描绘出从容的曲线。”还原到跳水运动：按物理学原理，离开了跳台，就是躯体成为凌空的自由落体，但是，并不完全是直线的自由落体，而是有起跳向上、向前的合力，然后才是向下过程，但是最后阶段，不能超越地以引力自由落体的规律，其加速度是 9.8 m/s^2。也就是向下的速度越来越快，运动员除了自己的躯体姿态，在下落阶段只有一秒钟左右的瞬间，越来越无法控制，越来越不自由。但诗人却不但说下落得“从容”，而且竟是“描绘”。这似乎不是在运动，而是进行自由的艺术的创造。不可控的下坠加速度与自由艺术之间的反差性递增，可能导致联想的断裂，意味着读者可信性递减。

成为潜在的悬念的转化得力于在最后两行的处理：“让青春去激起 / 一片雪白的赞叹。”物理的惊险转化为青春的生命力的“赞叹”。落入水中的声响，和雪白的浪花，提供了充分的联想基础，关键是“激起”贯通水花、青春与赞叹，这个“激起”，既是水花的激溅，又是内心的激动，可能断裂的联想不着痕迹的地猝然遇合，读者乃获得语言的艺术的享受。这里的“青春”具有点睛之效。本来诗的形象，是把情志抽象性转化为具体的可感性。而这里的手法却相反，用抽象的“青春”来概括前述的感性意象。因为是青春的，生命才能在和地心引力的搏斗中获得从容的自由。这里的“赞叹”不属于浪花，而是“青春”生命的赞歌。

全诗写的是跳水，其艺术效果超越了跳水本身，关键在以情感的性质转换了物理的性质。这首诗性质是抒情的，其感性意象群落构成了画面。艾青年青时在法国学习绘画，虽然没有成为大画家，但是他在把画的饱和视觉转化为语言的声音符号时，进行了高度的概括，把丰富的画面简化为由单纯的湛蓝和曲线构图，而这样的单纯正是诗歌语言符号的单纯性的优长。

读白灵《风筝》

扶摇直上，小小的希望能悬得多高呢

长长一生莫非这样一场游戏吧

细细一线，却想与整座天空拔河

上去，再上去，都快看不见了

沿着河堤，我开始拉着天空奔跑

解读这样的诗，和前文的《跳水》一样，不能执着于看诗人这样写，而要力争看出他没有那样写。这体现着认识一切事物的起码规律，任何一个肯定判断，就意味着对相反方面的否定。当我们说这是黑的，同时意味着它不是白的。当我们说，这是诗的时候，那就是说它不是散文。

解读《跳水》就遵循着这样的原则。从方法论上说，叫作是“还原”，把跳水还原为一项体育运动。将诗中“跳水”和体育项目的跳水加以比较，找出差异和矛盾，从而进行分析。对于白灵这首《风筝》，却不用费工夫去“还原”。因为诗人以“放风筝”为题写过一篇散文。将二者比较一下，不难看出，同样是放风筝，散文可以不这样写，也挺动人的。

这就是说，解读作品时，文体意识是可以说某种入门。

白灵的《放风筝》散文中的细节很关键：三层小楼的看台，和自家看台没有隔墙，至少一二十米远，把风筝放起来，要来回跑好几回，拖鞋在楼板上趴跶趴跶响，像马达迅快地加速；风筝上天了，锅盖大的风筝缩小像茶杯盖，甚至只剩铜板大了。

在散文中，这些细节是必须交代清楚的，否则在看台上放风筝，读者是不可思议的。而在诗中这一切省略了：“扶摇直上。”没有地点，没有时间，没有条件（看台、风、奔跑）风筝就飞起来，而且借李白写大鹏的“扶摇”（大鹏一日从风起，扶摇直上九万里）来形容。在散文里，放风筝是由大变小的物体，而在诗里则不是，而是“小小的希望”。在散文里，风筝是孩子一次游戏，而在诗里，不是一时的游戏，而是“长长一生”。风筝由小小的希望，升华为人长长的一生的人生观。当然，在散文中的游戏也有比游戏更多的思绪，但要写出曲折的过程。“慢慢地感觉手中的线愈来愈沉，似乎拉住的不只是风筝本身，还包括了风、气流和天空，好像与我‘拔河’的已不是风筝，而是整座茫茫的天空之海。”

但是在诗里，却反过来说，这“长长一生”又是“一场游戏”。游戏与长长一生的矛盾是如此深邃，又是如此直截了当。但是，并非没有理由：“细细一线，却想与整座天空拔河。”“细细一线”，强度是有限的，是极端微弱的，而整个天空的力量无限的，细细与无限的矛盾，在散文是现实的，坦然承认自己“无法理解的未知，而且来不及思索”。但是在诗里，则没有这样的困惑：“上去，再上去，都快看不见了/沿着河堤，我开始拉着天空奔跑。”

这似乎没有答案，其实，答案很深邃。人生就是这样，虽然只是如细线的生命，还是坚持着拉着天空奔跑。这个悖论中，有着哲理性的人生观。人是渺小的，大自然是伟大的，相去悬殊，但是怀着向上、再向上的希望的人，还是以长长的一生与大自然做宿命抗衡——“拉着天空奔跑”。似乎是不自量力，不可能改变力量的对比，注定不可能获得胜利，从这个意义上说，只是“游戏”。即使如此，还是坚持积极地奔跑，像风筝那样，向上，再向上。人的长长一生的价值就在这里，此刻的放风筝，已不仅是放风筝，而是对生命向上、再向上的追求的坚定；从诗的审美价值来说，游戏就不再是简单的游戏，而是面对人与自然、渺小与伟大矛盾时，不懈的坚持。

除了还原以外，这里还运用得上另外一种方法，那就是比较，主要是同类，同体裁的比较。以《风筝》与艾青的《跳水》相比，艾青的诗是抒情的，性质上是浪漫的，而《风筝》在浪漫的抒情背后蕴含着深邃的哲理。二者同样是现代人写的诗，之所以有这样巨大的差异，原因在于在流派上，艾青的《跳水》大体可以说是以抒情为主的浪漫派风格，而《风筝》更接近于以智性取向为主的现代派性质。

可见，仅仅具备诗与散文与诗文体的不同规范的自觉，还是不够的，要读出诗的艺术独创来，还要有不同流派的自觉。

洛夫冷峻的乡愁

余光中的乡愁，已经是别出心裁了，可是在艺术上似乎并未达到登峰造极的程度。山外有山，天外有天，同样属于乡愁母题，洛夫《边界望乡》可谓是另辟新天。与余光中的诗相比，这首诗有更为深邃的智性，也更具有艺术话语的创新性。

说着说着
我们就到了落马洲

雾正升起，我们在茫然中勒马四顾
手掌开始生汗
望远镜中扩大数十倍的乡愁
乱如风中的散发
当距离调整到令人心跳的程度
一座远山迎面飞来
把我撞成了
严重的内伤

病了病了
病得像山坡上那丛凋残的杜鹃
只剩下唯一的一朵
蹲在那块“禁止越界”的告示牌后面
咯血。而这时
一只白鹭从水田中惊起

飞越深圳
又猛然折了回来

而这时，鹧鸪以火发音
那冒烟的啼声
一句句
穿透异地三月的春寒
我被烧得双目尽赤，血脉贲张
你却竖起外衣的领子，回头问我
冷，还是
不冷？

惊蛰之后是春分
清明时节该不远了
我居然也听懂了广东的乡音
当雨水把莽莽大地
译成青色的语言
喏！你说，福田村再过去就是水围
故国的泥土，伸手可及
但我抓回来的仍是一掌冷雾

落马洲是香港最靠近大陆的地方①，是遥望大陆的景点。作为台湾诗人，洛夫很期盼大陆和台湾统一。他没有像余光中那样抒情，而是采取抑制抒情的方法，用智性覆盖情感，冷峻地表现内心的激动。

诗人一点也不浪漫，“说着说着／我们就到了落马洲”，好像很随便的样子，与下面手中的汗水（出冷汗，紧张）形成反差，茫然“勒马四顾”，是以落马洲为谐音，暗示这与军旅有关，当然，他并没有骑马。“望远镜扩大数十倍的乡愁／乱如风中的散发”，这是洛夫式的语言，把望远镜的物理特点转移到心理效果（乡愁）上，又把心理上的乡愁的特点（非常乱）和外在的头发结合起来。这些都是与渴望祖国统一的理念水乳交融的。“当距离调整到令人心跳的程度”，这是通常的语义，但“一座远山迎面飞来／把我撞成了／严重的内伤”，可以说是超现实主义的手法。这与古典诗歌中王安石的“两山排闼送青来”不同，

① 1949年，国民党有支部队打了败仗，没地方去，就留在落马洲，后来成为一个特殊群落。

因为王安石仅仅是写景，而这里却是写内心的痛苦。山会飞过来，妙就妙在：第一，强调望远镜的特殊功能；第二，有对乡土的苦恋，一看就心灵震动，本来是心灵飞过去，却写山飞过来，更突出了可望而不可即的痛苦；第三，撞成内伤是无声的痛苦，只有自己才明白。这里所用的语言大多是现代语言，一部分是科学语言，如“望远镜”“扩大”“内伤”等，也有古典语言，如“勒马四顾”。

洛夫花了很大的力气对古典诗意进行当代转化，力求在多重情志的错综交叉和叠加中构成一种奇崛、陌生而自然流畅的风格。远处，只有一朵“凋残的杜鹃”（特别点明在“禁止越界”的牌子下）“咯血”。古典诗歌中本来有“杜鹃啼血”的典故，但这里翻新为“咯血”。“啼血”是古典的诗意，《西厢记》中，张生“绿杨影里听杜宇（即杜鹃），一声声道：不如归去”。而“咯血”则为现代医学的术语。这就把感情的痛变成了生理的病，病因全在潜意识里的、潜藏在杜鹃一声声的“不如归去”中。这可能是洛夫式的词法，特点是从古典转向现代，在错综的语义中转化；在章法上，潜藏语义在暗示中呼应暗示，形成若隐若现的链接。“咯血”和前面的“病了，病了”呼应，而接着下来的鹧鸪的啼声，在古汉语诗歌的典故中有“行不得也，哥哥”的意蕴，与“不如归去”呼应。

当然，洛夫不满足于照搬古典的意蕴，他的目标是古典意蕴的当代转化。接下来写：

鹧鸪以火发音
那冒烟的啼声
一句句
穿透异地三月的春寒
我被烧得双目尽赤，血脉贲张

杜鹃啼血，鹧鸪思归（《别雅》：鹧鸪，张华注《禽经》说其鸣声似“行不得也哥哥”），是符合古典诗意的，但鹧鸪以火来发音，这样粗犷的语言与怨而不怒、哀而不伤的古典优雅情调是有点冲突的。而“火”“血脉贲张”，从语义上来说，是现代诗歌甚至是浪漫主义诗歌的常见意象。与古典的呼应链接是潜隐的不同，洛夫话语的当代性是在语言的表层。这一点，在接下来的诗句中，就越来越明显。明明是被这种情感冲击得“双目尽赤，血脉贲张”了，但身边的朋友却问“冷还是不冷”。从语义上讲，这没有什么内在蕴含，完全是日常语言，散文意味，潜隐链断裂，但从章法上讲，这是一种反差，一种张力，益发突出了“内伤”隐痛之深，不足为外人道也。

当雨水把莽莽大地
译成青色的语言
喏！你说，福田村再过去就是水围

故国的泥土，伸手可及

但我抓回来的仍是一掌冷雾

这里就完全是现代语言了，有诗歌的成分。雨水让大地发青，被洛夫说成是“译成青色的语言”，这种想象风格，不属于传统的、古典的，而是来自西方的诗歌语言。大地返青，被当成“语言”，是把感性的色彩变成抽象的“语言”，充满了智性的内涵（平平常常的雨对洛夫诉说了什么？只能从上下文中去体悟他的故土之思了）。尤其见功力的是“译”字，这是只有懂得外语的人才能具备的智慧，这是只有文化水平很高的人才能表达出的诗意。洛夫的话语转换、诗意想象和联想是比较曲折的，但接下来却是平平常常的日常口语，不但来了一个口语虚词“喏”，而且“福田村再过去就是水围”近于现象罗列。这不像前面那样寻求古典诗意潜在的链接和呼应，而是在表层突出它和现代日常的（散文的）语言上的反差。所以，它仍然让人感到其中有一种章法上的张力。到了最后，诗人又来了一句诗性语言：

故国的泥土，伸手可及

但我抓回来的仍是一掌冷雾

为什么说这是诗性语言呢？因为这完全是想象的、虚拟的，可以理解而不能坐实。不可忽略的是，抓回来的一把冷雾与前面的手掌生汗形成呼应。链接和张力，构成章法上绵密的肌理。

从艺术创造的角度来说，洛夫和余光中相比，余光中倾向于审美情感，洛夫则倾向于审智。虽然余光中也有审智的成分，而洛夫也不乏审美之作。但审智比起审美来，更富于才智的挑战性，更需要超越和颠覆现成话语的才能。这种挑战，不仅是对内心，而且是对语言。洛夫的语言成分是丰富的，古典诗语的现代转化，现代诗语与古典诗意在潜在层次中的密合，现代日常口语和古典诗歌语言、现代诗歌语言在表层语义反差和呼应中的统一。其反差之大，其密合之严，都为现代汉诗开拓了一片崭新的想象的天地。当然余光中也不是完全缺乏这三种成分，但在反差的程度上，在呼应的精密上，应该说是略逊一筹的。但洛夫的想象和联想的途径太曲折了。我们这里所举的还是比较明朗的，如果读他的《石室之死亡》，那是名副其实的晦涩，可能绝大多数人读了会觉得一头雾水。

洛夫《爱的辩证》

中国古典诗论说，“情动于衷而形于言”(《诗大序》)，“诗缘情”(文赋)，西方古典浪漫主义诗论说“一切好诗都是强烈的感情自然流露”(华兹华斯)，如果不加分析，就可能以为只要把情感记忆照本宣科地写下来，就成了诗的艺术。其实，把心灵生活变成艺术，要经历多重艰难曲折，首先，超越情感的原生形态，获得诗的语言，进入诗的境界，诗人面临着多元的选择。

当其命笔，万途竞萌，云蒸霞蔚，诗家构思，万取一收。良莠分野，运用之妙，在别出心裁。正面出之，有扛鼎之重，侧面着笔，制胜出奇。异性缠绵，或聚焦于别离之片刻(如柳永《雨霖霖·寒蝉凄切》)，或凝神于等待之持续(如郑愁予《错误》)。千年以降，以愁、以怨、以悲、以忧为美而为经典者汗牛充栋。而余光中《等你，在雨中》等待却毫无痛苦，情感不是在时间之内，而是在时间之外。等待的“刹那”就是“永恒”。对爱情有绝对信心：“你来不来都一样。”以幸福为美，情感绝对化，乃是浪漫的特点。雨不是凄风苦雨，而是“造虹的雨”，红莲不是“芙蓉向脸两边开”(王昌龄《采莲曲》)，那种外在的意象，而是女主人公之美之载体，一系列意象之华美，显然为中国古典美的继承。

不论在古典还是现代爱情诗艺中，如此以幸福为美者极其罕见，以悲怨、苦愁为美者乃爱情诗之母题。此等愁怨悲苦之美，在心理学上似有根据，据研究刺激大脑痛苦皮层之能量较之欢乐能量为高。此实验似乎与中国传统有息息相通之处。其最为极端者，乃是《庄子·盗跖》所载：“尾生与女子期于梁下，女子不来，水至不去，抱梁柱而死。”如此等待之悲凄与余光中先生的等待之幸福，显然背道而驰，然而于情感绝对化之浪漫，又与余光中之等待中刹那就是永恒，又息息相通。

而洛夫先似乎对《庄子》中尾生的痴情心向往之，乃以一首二式诗赋之。

式一：我在水中等你

水深及膝

淹腹

一寸寸漫至喉咙

浮在河面上的两只眼睛

仍炯炯然

望向一条青石小径

两耳倾听裙带抚过蓟草的窸窣

以现场性过程展开，着重在水与人体关系的渐变：及膝，淹腹，漫至喉咙、眼睛，字面上是水渐渐上升到躯体的高度，隐含着等待的时间从一开始（及膝）就超长，接着是超长延续，暗示生命危机的递增。诗意并不仅仅在危机的递增，而在主角等待心态的淡定。不但没有焦虑，没有恐惧，当然也没有逃离的动机。更精彩的是，水已经升到快要没顶了，“眼睛仍炯炯然”，视觉凝聚于小径，听觉奇特地听到了对方裙带抚过蓟草的微妙的声音。对生命的危险无感，对恋人衣裾掠草细微声的听觉，形成了反差，显示着爱情的浪漫到对生死完全不在感觉之内的程度。

当然，死亡的威胁是不可回避的，没有如果，只有后果，死亡是必然的，本该是生命的结束，就是时间的终点。然而，在洛夫笔下，死亡：“胀大的体内”却并不是腐烂，“日日／月月”，“千百次升降”的是“石柱上苍苔”，这是提示时间久远。石柱暗示自己的手臂，“长满了牡蛎”。而头发“在激流中盘绕如一窝水蛇”，这令人联想到海藻。显而易见，即使生命死亡，也不是爱情的终点，苍苔、牡蛎仍然是它不变的、永恒的证明。

从这一点来说，洛夫笔下的浪漫的爱情是超越时间的，这和余光中的“刹那”就是“永恒”在思想上是一致的。但是，从艺术上来说，从美学上来说，却是相反的，余光中是抒情具古典性质，故所有意象都是美的，红莲，造虹的雨，嗅觉的“清芬”，其小手当握“吴宫”“桂桨”（桂桨出自屈原《湘君》“桂棹兮兰枻”，苏轼《赤壁赋》“桂棹兮兰桨，击空明兮溯流光。渺渺兮予怀，望美人兮天一方”），而“吴宫”则是贵族的。也许因为爱人范我存是苏州人吧。爱人走来姿态，用参差的排比：“像一首小令”，是轻盈的，“从一则爱情的典故”，是经典性的传诵的，“从姜白石的词里”，“有韵地”走来。因为姜白石作为词人，精通韵律，能够作曲的，故其诗意，加上了音乐的韵味。余光中的浪漫带着浓烈的古典文彩和情彩。而洛夫从浪漫的精神上来说，并不亚于余光中。即使死亡，也要“紧抱桥墩”。

但是，从艺术上来看，风格是完全不同的。

余光中的情感是温暖的，平静的，形象是雅致的，高贵的，古典色彩极浓的。

而洛夫除了“对方裙带抚过蓟草”的声音稍稍传统以外，所用的意象，都是白话，不求高雅，“膝”“腹”“喉咙”都无任何美化形容，回避躯体糜烂，只说“胀大的体内”，以石柱喻白骨，隐去肉体腐败，“灰烬”，意为不可挽回。但是如此严酷的后果，然似不动声色，就是情感的高潮，也是：

水来

我在水中等你

火来

我在灰烬中等你

如此激情的直白，既无古典诗化之意象，更无典故。全为日常白话。这样浪漫的诗情，用这样平白散文的语言，正是现代新诗的创造。五四新文学运动初期，白话可为小说、散文，毫无争议，但是，白话能否为诗，却是一大问题，故胡适有诗集曰《尝试集》，历史证明，白话不但可以为诗，而且白话新诗为现代汉语艺术的一大创造，一大历史性胜利。当然白话新诗同化功能是如此强大，以致可以将古典语言融入，化合。余光中于现代与古典化合中取得成就，而洛夫于此则更多以白话语言获得突破。

二者相得益彰。也许从一般读者来说，余光中更具亲切感，而从艺术创造来说，洛夫的冷峻，直白，为古典诗歌所罕见，因而更有新异的冲击力。

洛夫的胜利不仅于此，而且更重要的乃是对古典式的浪漫母题的反思。

这个母题早已经典化了，李白就有“常存抱柱信，岂上望夫台”（《长干行》，望夫台，乃女子望夫不归而成石），以致形成稳定的典故；苏轼《南歌子》有“蓝桥何处觅云英？只有多情流水、伴人行”，甚至以之翻译好莱坞影片为《魂断蓝桥》。但是，对于这样传统的美学，现代诗人早有不满，舒婷对望夫成石的典故就“煽动新的背叛”：“与其在悬崖上展览千年/不如在爱人肩头痛哭一晚。”洛夫自述，如果满足于这种古典的趣味，如第一式“我在水中等你”的最后一节，“紧抱桥墩/我在千寻之下等你/水来/我在水中等你/火来/我在灰烬中等你”这样的抒情，“目前对我而言，写这种诗已不能满足我的创作欲。”他说：

当第一式“我在水中等你”完成后，突然发觉这种表达方式过于通俗，甚至有点滥情，我的诗一向不止于此，而且也感到言不由衷，或意犹未尽，总觉得有加以补充，使其更形完整，更具深度，使感性的情节化为知性的理念之必要。于是我又开始构思第二式“我在桥下等你”。①

古典抒情之美，并不是唯一的，相反的方面，是不是也有可能发展出现代性的诗意来呢？舒婷是站在女性立场上反叛的，而洛夫则站在男性立场上反思。虽然期待对方在风狂

① 洛夫：《一首辩证的诗——谈〈爱的辩证〉创作过程》，《诗人季刊》1984年第18期。

雨骤中赴约，共享小伞，落实如云彩一样美好，“叮当”作响的誓言。但是，河水暴涨，逐渐及腰，还没有到嘴唇，而等待者，却不淡定，而是有了惊呼，有了“怯意”，有了“寒冷”的感觉，感到“孤独而空虚”。断定对方“是不会来了”，因而以古典爱情的绝对，超越时间空间的“在天愿为比翼鸟”，“黯然拔下”“愿为比翼”那不朽的羽毛，“然后登岸而去”。

洛夫让这个保全生命的人，说了一句大实话：“非我无情 / 只怪水比你来得更快。”

这样的反思，是不是太煞风景了，是不是太不浪漫，是不是反诗呢？但是，洛夫不仅以他的魄力，而且以他的才气，拓开了另一番诗意。爱情并不一定要为一时的错位而丧失，保全生命，并不意味着一定要放弃爱情。恰恰相反，保全了生命，未来的爱情才有保障。

洛夫把情感至上和生命至上直接放在读者面前，并不是故作惊人之语，而是有着明确的美学追求的。他在自述说道：“本来尾生的故事，在《庄子・盗跖篇》，就并不是肯定的，而是否定的：盗跖举伯夷、叔齐、鲍焦、申徒狄、介子推、尾生等六位贤士作为例子，来批判世人为虚名浮利而任意轻生之不当。”[①]故庄子说：“此六子者，无异于磔犬流豕操瓢而乞者，皆离名轻死，不念本养寿命者也。”“尾生溺死，信之患也。”[②]

他追求的是，让审美情感带上智性，更切实地从现代人生价值，反思生命和情感的关系。这当然是有风险的。第一，智性与感情二者是一正一反，相互对立的。从价值上来说，情感超越实用，从逻辑上来说，情感是绝对化的，而智性则抑制情感，则求全面，至少是正面和反面。第二，但是，对立并不是分裂，而是处于统一体中，这就叫做辩证关系。洛夫的魄力和才气，乃是透过“正反合”的辩证方法来展示现代性的爱情。但是，作为诗遇到最大的难度是“以思想写诗，或所谓‘寓理于情’，是形（而）上”的，是抽象的。洛夫的才华在于，就将抽象和具象二者取得了平衡。从每一式来看是充满了感性意象的，意脉是情感贯穿的，而从二者对立内涵又统一在对称的结构中。故洛夫自己说：“诗情的发展是感性的，而架构却是知性的。”“等于提出一正一反两个选择题。”“至于是否有一个‘合’，有一个肯定而完整的答案，则非作者所计了。”[③]洛夫还说：“我在这首诗中既没有赞许什么，也没有批判什么，只是提供了两种可能的情景，由读者自己去选择。”诗发表后，反应空前热烈，“一个有趣的统计是：女性读者都喜欢第一式，男性读者则都喜欢第二式，但其中一位女性读者说：‘我愿天下旳男人都像尾生一样对待我，第一式很美、很迷人，不过如果我是男人，我也会选择第二式。’”[④]。

其实，二者是在对立中统一的。就是在第二式中，遇洪水而避难者，最后还是执着于

---

① 洛夫：《一首辩证的诗——谈〈爱的辩证〉创作过程》，《诗人季刊》1984 年第 18 期。

② 《庄子》，方勇译注，中华书局 2010 年版，第 509 页。

③ 洛夫：《一首辩证的诗——谈〈爱的辩证〉创作过程》，《诗人季刊》1984 年第 18 期。

④ 洛夫：《一首辩证的诗——谈〈爱的辩证〉创作过程》，《诗人季刊》1984 年第 18 期。

爱情的胜利："一束玫瑰被浪卷走 / 总有一天会漂到你的手中。"离开与不离开二者是对立的，但是，不管离不开还是不离开，爱情是统一的。统一不是概念，而是意象，玫瑰即使被浪卷走，最后还是会漂流到对方的手中。其实，不用多高的哲学修养，不用老庄中去找，只要稍稍注意一下汉语用词，就不难理解。中国人天生懂得辩证法。汉语的构词法，真还和黑格尔哲学异曲同工。我们把一切事物通通叫作"东西"，一个东，一个西，二者相反相成，一切事物由相互对立的成分构成统一体。"买卖"，也就是买进和卖出的对立统一。天地、矛盾、春秋、夫妻、老小、乾坤、日月等等，内在的矛盾是相互联系的，不可分割的，才是统一的。这个现象早就引起了方以智（1611—1671）的注意，因此于 1652 年撰写一本书叫作《东西均》。在书中提出"合二而一"："交也者，合二而一也"，"尽天地古今皆二也，两间无不交，则无不二而一也"。把情人叫作冤家，也属于这个范畴。

这不是两首诗，而是一首合二而一的诗，二者是不可分割的，后者的选择是富于智性的，但是并不像他一些超现实主义的诗歌那样抽象的，而是充满了感情的。从美学原则上说，表现了现代性智性与古典情感至上的倾向的高度张力。从他个人的艺术追求来说，标志着在超现实主义和现实之间找到了平衡。在中国诗歌从审美与审智交融的进程中，他做出了成功的探索。正是因为这样，洛夫"被誉为中国最杰出和最具震撼力的诗人""世界华语诗坛泰斗"，当之无愧，实至名归。

附：

《一首辩证的诗——谈〈爱的辩证〉创作过程》节录

洛夫

这首诗的灵感来得非常偶然，诗发展成目前这个样子，实非我始料所及。闲时我最喜欢读《庄子》，有一天信手翻到《杂篇・盗跖》，读到"尾生与女子期于梁下，女子不来，水至不去，抱梁柱而死"之句时，心情大为激动。人之生与死，是多么庄严的事，这类事件最容易打动我的诗心，也是我诗中最常见的主题。可是，当时我的激动可说是非理性的，只是直觉到这种"春蚕到死丝方尽，蜡炬成灰泪始干"的殉情精神之伟大。其实，《庄子》这个故事并非爱情寓言，也不是讨论殉情问题，而只是因此，这首诗与庄子的思想完全无关，我只是借用尾生这个故事，将原本男主角为'守信而死'（这种殉死完全是非理性的，难怪庄子要批判），经改编并赋予一个浪漫的爱情故事架构，而转化为一殉情事件，这就是我情动而意生的最初构想。为读者提供一种莫名其妙的凄恻之美也不错，我当时这么想。但当第一式"我在水中等你"完成后，突然发觉这种表达方式过于通俗，甚至有点滥情，我的诗一向不止于此，而且也感到言不由衷，或意犹未尽，总觉得有加以补充，使其更形完整，更具深度，使感性的情节化为知性的理念之必要。于是我又开始构思第二式“我在桥下等你”。

第二式是根据原有的故事来设想情节，最后发展成一个与第一式截然不同的结局。这其中的转化颇费周折，我心中虽有一个概念，但要使它铺展为一首动人的情诗，而在结构上又须斟酌情节发展的层次，使能一步步展现出男主角由情感的热到理性的冷，并获得一个与第一式相反，却又合理的结局，这就不是仅靠抒情手法所能奏功的。

第一式我写得很快，从起兴到完成初稿花了一个多小时，主要是因为有这个故事作为酝酿的范围，写来不致漫无边际，设想情节和经营意象也有线索可循。但构想第二式时，却在脑中萦回了千百遍，几乎花了一个下午才告完成，难处就在如何在同一个故事的基础上，塑造不同的背景意象，以表现男主角的心理变化过程——由痴痴的等候，到河水暴涨，汹涌到脚，及腰，浸入惊呼的嘴，而面临即将溺毙的威胁，及到知道那女子已不可能赴约，乃毅然决然选择了“活下去”一途，最后他说：

所谓在天愿为比翼鸟

我黯然拔下一根白色的羽毛

然后登岸而去

非我无情

只怪水比你来得更快

这意思就是说：我们爱的誓言仍然有效，我拔下一根白色的羽毛以证明我对你爱得贞洁，我不是不爱你，只是大水无情，现实逼人，实在抱歉。说完后他将一束原本送给她的玫瑰扔向水中，玫瑰被浪卷去，他在岸上还痴痴地希望这束花会漂到她的手中。你能说他无情吗？

这就是我在第二式中采用的手法，一种现代戏剧反高潮的手法——使得第一式中那种“天长地久有尽时，此恨绵绵无绝期”的，痴迷的、悱恻缠绵的、非理性的爱情观，在第二式中突然转换为那种“非我无情，只怪水比你来得更快”的，现实的、理性的、反讽的现代爱情观。

就作者的立场而言，我在这首诗中既没有赞许什么，也没有批判什么，只是提供了两种可能的情景，由读者自己去选择。这首诗发表后，反应空前热烈，我接到不少读者的来信和朋友的电话，一个有趣的统计是：女性读者都喜欢第一式，男性读者则都喜欢第二式，但其中一位女性读者说：“我愿天下的男人都像尾生一样对待我，第一式很美、很迷人，不过如果我是男人，我也会选择第二式。”

化悠然的凄迷为寂寞的幸福
——读古月《巡花筑梦》

二十多年前，1994年，我曾为古月诗中女性的缠绵而执着的古典情思而感动。当时台湾（还有香港）诗坛正追踪西方后现代诗歌，挟着席卷之势，笼罩着大陆。最初，在我看来，这很正常，文学的生命就是不断革新、探索，不仅仅是诗歌，而且是艺术，特别是造型艺术，这是规律。诗歌和绘画往往是革新的前卫。我在1981年写的《新的美学原则在崛起》中说过，探索者往往须有“亵渎”传统的勇气，就是泥沙俱下，鱼龙混杂也是可以容忍的。但是，这一次的后新诗潮却使我感到不安，某种以先锋自诩的作品，带着颠覆艺术本身的性质，在西方画就是不画，以现成物（如瓷小便器）代替艺术创作的思潮影响下，诗坛不但反浪漫，而且以“反诗”为务。其旗号纷纭，多至百种，竞相抢占欧美前卫诗歌前沿，以超现实主义为宗旨，反传统为荣。舒婷早就因为其古典美，被宣判为pass了。其风头之盛，对于持怀疑态度如我等，构成一种强大的威慑。恰在此时，出身台湾现代派《创世纪》的古月的诗作使我惊异，她没有追随同人的超现实主义，怡然、坦然地展示她的古典美的浪漫，总是把爱情放在缠绵悲凄的回味中，把传统的温婉和现代的坦荡结合起来。有时她相当自由地展示华兹华斯式强烈的感情，把感情放在极端（“燃烧”“冷冻”“深渊”“喜极而泣”）中煎熬，甚至不回避某些生理的刺激性的语言，表现女性陶醉于男性的“野性”“汗沁的记忆”，甚至“兽性”引发的“微妙的战栗”。

我欣赏古月不仅出于直觉，而且出于自觉的理论考量。后新潮颠覆传统，一味追求陌生，怪异化，对于阅读接受来说，固然有新异的冲击力，或者离心力，如果没有传统的向心力的约束，是可能在审美切线上一去不复返，坠入虚空。她的坚持难能可贵，但是，出于新诗未来的希冀，我对她怀着不无严苛的保留。以我当时的水平来看，她远远还没有达到成熟的和谐。有些单一意象为核心的作品，还不无芜杂，意象群落还没有达到有机和谐。

她对当代女性探索得最深刻的地方，并不是她在艺术上最成熟的地方，而她在艺术上最动人的作品，还不能达称得上历史的突破。

出于对大陆新诗对西方后现代疲惫追踪的失望，我暂时离开新诗评论。我不参与争鸣，出于起码的哲学信念，理论是不能证明理论的，判别艺术成败最严峻的裁判是历史实践。我把研究中心转向了幽默、散文的智性，悉心对西方前卫的文学虚无主义理论作批判性的审视。为了把批判放在坚实的基础上，我把精力集中在中国古典诗歌、小说、散文的文本分析和中国式的理论建构上。在差不多十几年的时期里，我放弃了对现代新诗的关注。后来情况多少有所好转，当年的战友又几乎是强制性地把我拉回了新诗领域里来，参与种种活动。在这期间，我几次和古月相遇，知道她仍然献身诗歌。由于研究领域扩大，文事纷繁，被动为文债驱迫，竟然没有机会和她探讨诗艺。

此番迫于李大洲先生严令，不能不阅读她的近作，特别是2016年出版的《巡花筑梦》，细读了两三首之后，就感到不能以往日消闲心态，而是要集中时间认真研读。一来，她的作品从艺术上，超越了当年的局限，走向成熟；二来，白灵先生的序言中一些基本观念，多少令我困惑。例如，白灵先生以商禽先生之言为前提论断古月是“女性诗人中少有的有宇宙眼光的作家”，她不只是“注视与身体有关的美丽”，与“‘情感’有关的‘哀愁’”，“她的注视还扩及‘天地宇宙’并以之回应自身，尤其对‘时间感’的敏锐最有特性”，“使她能与天地宇宙有了对话”，从而感到了“不可见的宇宙的规则”。白灵先生的结论是古月最重要的主题是“以有常之天地运行与无常之人间纠葛、粘结，不断作辩证质问和对话”。如此哲学化的论述与我阅读古月诗歌的审美愉悦风马牛不相及。这就迫使我不得不反思，究竟是我太缺乏形而上学的思辨能耐，还是白灵先生拘于古月出身于《创世纪》，竭力以《创世纪》的超现实的理性对其进行温柔的化装。

不过，这种困惑，并不太持久，白灵先生的所举诗例似与论点龃龉。古月诗曰：“我的眼睛因望你而/炙伤/仍投以千万遍的/暗恋。你是随时间变形的/沙漏吗？”这里写的是“暗恋”的不变，忧心对象随时而变。又如，古月诗曰，“时间是支变调的老歌，在半透明的薄暮里，捕捉不住一枚蚊蝶”。意为人情随时变幻，捕捉不住蚊蝶，意味着平凡而美好，展示的是，一方恋情的执着不变，而对方则如沙漏一样不断在变。时间变化和恋情的执着不变，形成张力，并未涉及天地运行的“有常”，有常的（“千万遍不变”），仅仅是恋情的落空是永恒的，却是美好的（“变调的老歌”）。时间的流逝是恋情不变的载体，这里不是和天地对话，而是心灵默默的自白。至于说古月感到“不可见的宇宙的规则”，则是太离谱了。要知道，“宇宙的规则”，从托勒密的地心说，到哥白尼的日心说，再到牛顿的万有引力，人类最伟大的智者，历数千年至今仍然尚未得以全窥。当代科学指出，就是牛顿的万有引力，也还不足以维持宇宙星辰的运转，其间当有某种当前还不可感知的“暗物质”在起作用。

对白灵先生如此咬文嚼字，并非有意吹毛求疵，而是因为从这里我感到一种并非个别的倾向，那就是阅读中国诗，不是从中国语言艺术的特点出发，而是从欧美某种理论出发，对中国诗歌进行某种强制性阐释。

西方文学理论在20世纪有所谓语言转化，纯粹用语言来解读一切文学作品。首先，这样的线性思维不管有多少合理之处，但并不适合中国语言艺术，尤其不适合古月诗歌随时可见的中国古典式意蕴。在欧美语言中时间是词法形态变化的关键因素，汉语的时间是以词汇形式表示的。其次，欧美诗歌理论，从亚里士多德到华兹华斯，都一以贯之地认为诗是概括的，比之讲个别人和事的历史更接近哲学。而中国诗歌传统是诗言志，诗缘情，情动于衷而形于言。基本上是以情志为纲的。古月的诗，有非常浑厚的古典诗歌基因，其生命全在抒情言志传统的发扬与革新。离开了这个基本特点，以欧美的哲理性的时间哲学对进行阐释，则难免给人以缘木求鱼之感。

其实，时间是抽象的，本身没有内容，只是一切事物，从宇宙、社会到人情运动的共同载体，在古月的诗中，无形的时间，由她的情志性质而具有了感性的形色音味，把古月的诗作中具象的心理内涵抽掉，纯粹以时间这样贫困的概念解读，无异于抽掉了诗的生命。白灵先生举《巡花与筑梦》中的《戏梦人生》为例：“一段情，在戏台上发酵 / 人一生的苦短 / 不若台上的游梦长。”白灵先生说，写的是情和时间不能复制，其实，是概念的拘泥，这里的人生的“短”和戏台上游梦的“长”，并不是时间，而是情感，短和长的对立，并不是“有常之天地运行与无常之人间”，也不是“不可见的宇宙的规则”，而是哪怕是一段情，一刹那，在现实人生中，是短暂的，而在艺术中，则是永恒的。长短情感之苦转化为艺术的永恒。至于说白灵先生所引《飞去的小鸟》：“美丽的情节，如同 / 美丽的梦，/ 只有瞬间，没有以后。”这本来很简单，说的是美好的情感哪怕是一刹那，其实比超越现实的梦（舞台）更可贵。“只有瞬间，没有以后”，说的是，不可重复，而舞台情节好像是不断重复的，但是，不及生命瞬间弥足珍贵。

用欧美哲学的抽象来解读不但不符合古月的文本，而且直接违背古月坦诚的自白：“而我，犹自沉溺于唯美中。”（《阳光与岛屿》）在很大程度上，她的“唯美”，得力于她善于驾驭时间。在她的诗里，时间不是自然的时间，而是因情感可以压缩的，也是可以延展的，其现在时和过去时是可以转化的。

之所以要压缩，旨在把漫长的生命体验聚焦在无声的有限的意象中群落中。当她回到故土，在古朴的建筑里，她的感觉是：

在庭院的落叶的脉络里

蕴藏着母亲、外婆的春天

以致衰老的屋子不全然破旧

因为在镜花水月中

照见我额际的白发

呈现一种岁月悠然的凄美

漫长的时间被精致地容纳在平凡的院落，逝去的是外婆、母亲，三代人的生命（漫长的时间），而现实的感知则是眼前四个意象：春天和落叶，衰老的屋子没有破旧，而自己却照见了“额际的白发”。生命苦短的沧桑感是凄然的，但是，又是美的。因为这里有深邃的亲情的悼念，又有“岁月悠然”的淡定。美得凄凉，凄凉得美。

如此雍容的意境的营造，得力于古月把这种凄凉放在无声的寂静中，在没有动作，不受干扰的宁静中默默体悟，这就是她的“沉溺”，这种“沉溺”，是她的美学品位，或者用中国古典诗论的传统话语说，就是“意境”。她的《寂寞是一种享受》是她诗美追求的纲领。她说“享受寂寞的时候／就是一种浪漫”。浪漫在哪里呢？因为有“幻想”，“只要拥抱幻想／都是浪漫”。幻想什么呢？“一条无岸的河”“要有阴影的衬托”，是很仕女的，优雅的，但是，如果光是这样，就可能过分单纯，甚至单调了。古月执着于古典美的同时，并没有忘记，对古典美的突破，那就是，把婉约和现代人的激情结合起来。她宁静的情感，并不完全宁静，而是一条“无岸的”，随时“会泛滥”的河，甚至是“歇斯的里”的，这就是说很强烈的，这种强烈，不是空洞的，而是有内涵的：“有爱，有欲及渴望”。把情与欲结合起来，而且赋予歇斯底里的强度，就超越古典了，她还特别点出“有更强烈的自我意识”的。这就不完全是抒情审美，而且是有着审智的底蕴的。这一切很重要，“一旦被忽略、遗忘／拥塞的心智／也会枯竭”。只是这种情与欲的统一，是自由的，甚至是可以“出轨”的。但是，这种现代性的狂野的情欲，和在寂寞中独自享受的古典优雅会合，两极之间的对立统一在无声的“沉溺”中，正是这种“沉溺”，超越了她早期的诗作，她达到了和谐，可以说是成熟了。

古月长于把情感的伤痛美化，得力于对时间的转化，最拿手的是她总是和“哀怨”“苦涩”“悲伤”拉开时间的距离，放到记忆中，变成一种“回甘”。她说“‘记忆’是‘复调’／如键盘／可反复交错地重返，弹奏出不同曲风”。有了时间的距离，年轻时的“悲伤”就能化为“歌”：“像是在别人的故事里／流自己的眼泪。”现实的痛苦就这样，离开了自己，升华为回味的美，正如她自己所说：“回想起／伤痛的心／也是一种美丽。”

古月把现实转化为回忆，令人想起中外大诗人驾驭时间的法门。王昌龄的《出塞》（之二），“城头铁鼓声犹震，匣里金刀血未干”，把血腥的厮杀置于回味中，一如王翰放在醉卧沙场预想之中，都因为拉开时间距离，而超越实用价值（如死亡、伤痛），进入审美的想象境界，让情感获得自由。这是唐代诗人惯用的法门。李商隐不直接写与亲友不得相见的无奈，而是写来日相见的共享回忆，“何当共剪西窗烛，共话巴山夜雨时”。李商隐的回忆是有声的，而杜甫则不然，他在安史之乱，被俘时并不正面写对妻子苦念，也是写预想到未来的回忆的幸福，“何时倚虚幌，双照泪痕干”。相比起来，杜甫的无言带泪的共享，胜于李商隐的有声交谈。在这一点上，中外诗艺似乎心有灵犀。普希金在《假如生活欺骗了你》中这样说：“不要悲伤，那过去了的一切就会成为亲切的怀恋。”细心的读者不难理解古月的《记忆的曲调》，为什么总是带着回忆性质，即使是写到母亲的生命垂危（听到你羸弱的呼吸／和时间拔河）的悲伤，也以回忆结束：

沉溺于儿时的月光

黄昏后坐在门槛等候

等待温暖的怀抱

是幸福，也是乡愁的忧伤

在古月这里，不但把悼亡写得美，而且把忧伤化为“幸福”。回忆总是宁静的，“幸福”总是无声的、寂寞的。在《花火》中，她说诗的花朵，总是“开在幽微的秘境／寂寞是养分”诗意只有在秘密、寂寞中才有开放的可能。而这种意境能把“被蚕食的青春”转化为“幸福”。

关键在这种转化，不是径情直遂的，而是在宁静，寂寞中，幽微地浮动着，起伏着，似乎是漫不经心地在纷繁的意象群落中，让意脉不着痕迹地转化。故此类有诗作，以心灵层次的丰富见长：如在《醉蝶花》中就有四个层次，先是等待花开，让“神伤”的心情转化为“豁然”，再是柔美、朦胧变为“飞向火焰”的“狂野”，接着又是“心已醉”的“伫停”，进入“梦中”“续缘”。

意脉在层次转化中绵密地起伏，间以某种跳跃，空白调动读者的想象的参与，从结构上看，则有疏密相间的好处。过密，可能浓得化不开，济之以疏，空白不难用言外之意的来填充，以《夜雨》为例，第一节说的是，夜雨“扰乱了”以笔守夜的诗人。第二节，“每一次宁静的停顿，是另一次思绪的哽咽”，这就补充了第一节的“扰乱”，“扰乱”了什么呢？“宁静”。而且这种宁静的内涵，是“思念”，而且是本该是“不辍的”，扰乱就导致“绵延着无奈的牵萦”。这两节的思绪就在断续之间得以深化。最后一节：

曾以为生死同孕

在倏忽变换的视域中

怵然相遇

才恍然铭刻的心也能忘记

这里的“曾以为生死同孕 / 在倏忽变换的视域中”，就时间顺序的空白而言，比之中国古典诗歌要大得多，明显是欧美现代诗歌中常用的手法，但是，还是受到上下文的制约的（特别是下文的“怵然相遇”），读者略加思索，难度并不太大。说的是本以为生死不相忘，但是“怵然相遇”，才知道居然“铭刻的心也能忘记”。相忘由于相见才唤醒，这是偶然的，瞬间的，却又是心灵的深邃规律性的发现，在字面上没有直接表现，内涵上却用了庄子梦蝶的典故，带上一点人生似梦非梦的质疑。从感性到哲学理性的意味，这样的逻辑跳跃是比较大的，但是，毕竟有中国古代经典为基础，就不像后现代那种令读者惶惑的逻辑断裂，甚至塌方。她在诗中流露出来，自己只是“欲说还休”，在语言上，欲断还续。她自觉地追求着某种疏密相间的效果，将欧美现代诗艺中的扭断逻辑的脖子，转化为中国的诗艺的意脉断续交织。在这方面，她的追求达到了精致的程度。

她的精致不仅仅是意象密度的和情志的起伏的精致，而且是语言的精致，细心的读者不难感到她对古典雅言的娴熟驾驭。诸如情愫、怵然、蝉嘶、万籁、花径、水湄、幽谷、墨韵、谧语、谨见、恋绻，可谓信手拈来。这充满古典意韵的语言和不时出现的西方现代诗歌的修辞（如，“星与星敲着钟声哭泣”“箫声，把长夜拉得更长”）虽然是异质的，但却能水乳交融。在章法上，她把中国古典的单行足意的短句和欧美诗歌中的复合句“跨行”（没有像欧美诗歌那样跨节）结合起来，保持了不着痕迹的逻辑统一。

古月的精致是诗艺的精致，论者往往忽略诗本身，泥于苏轼的“诗中有画、画中有诗说”，拘于其夫李锡奇的画家身份，辛郁乃称古月的诗“给出了画绘画的美感，与李锡奇的画作相辅相成”。其实，苏轼之说，其片面性明人张岱早已指出，诗中之画，画中之诗，不一定并美。德人莱辛曾以《拉奥孔》专门论诗与画之矛盾。具体分析起来，诗与画，同为艺术，虽有相通之处，由于凭借的工具不同，规律亦有不可忽略的差异。画为视觉瞬间艺术，限于空间，而诗为时间艺术，具有过程性。且语言不限于视觉，集全感官乃至抽象思维，皆为画所不能及。须文蔚《巡花筑梦 · 序》举之《余香》，所写就是“一条经历时光的恋绻”，这种时间的过程性，是静止的画无能为力的。当然，古月此类诗作，皆有可感之意象群落，均有画意，但是，其诗中之画，妙在不是静画，而是“动画”，如《谧语》：“随着日光的移动 / 一颗心像系不住的风筝 / 只想跟着云云流浪”。其诗中之画，不仅是视觉之画，而且有嗅觉，仅观其以《香气》《余香》为题，就不难知其诗中之画乃有嗅觉之画。《暮春》中之写回乡的欣喜：“渴望着神秘的相会 / 推开剥落门扉的嘎吱声 / 是放下一世孤寂的 / 欣然的叹息。”这是听觉之画。《你坐过的椅子》：“你坐过的椅子上 / 感到余留的体温。”这是触觉之画。这一切都足以显示诗作为语言艺术的优越，但是，有必要说明的是，李锡奇的有也有古月不及之处。虽然画限于视觉，但是，是直观的，确定的，而诗中之画，却不是直观的，而是想象的，是不确定的。特别李锡奇的画乃是现代派，以理念见长的，这是古月的古典式审美情致所不能及的。从这个意义上说，与其用诗画同一说解读古月的诗，不如用诗画矛盾说来揭示。

她自称是个唯美的诗人。美在哪里呢？美在一种特殊的浪漫，但是，回避着西方从莎孛以来的强烈感情，而是沉溺于内心的深沉体验，美在哀伤，美在憔悴，美在不美满爱情，美在虚幻的“筑梦”。她的美学原则是，第一，把这一切负面的感情，转化为享受，第二，这种享受的特点是秘密的，独享的。这不是无缘由的。连友人的死亡，都很美：“缘起，缘灭 / 那哭过、痛过 / 哀喜忧乐的日子 / 都是爱过的痕迹”。因为“有爱的痕迹”，死亡才变得那样飘逸如“归帆”，有如“梦里”的“江水回荡”，似音乐的“休止符”。

古月宣称自己不但是唯美的，而且是“沉溺”于唯美的（《阳光岛屿》）。这种“沉溺”营造了她独特的审美境界，取得了相当高的纯艺术的成就。不可否认，古月的这种“沉溺”，也带来了局限，那就是拘守于单人的、古典的精神寓所，一直在这个狭小的寓所里“巡花筑梦”，二三十年来，这个纯艺术的寓所越来越精致，对大千世界来说，是不是小了一点，封闭了一点？一直“沉溺”其间的古月，居然凝固到给自己写情书的程度（《给自己写的一封情书》）。这是不是自恋到不可解脱？是不是自囚于某种精神的金丝笼呢？当然，古月似乎也感到了这一点，因而在《巡花筑梦》中出现了《诗魂》这样的作品，写屈原的“忧国哀民”，将“常愁诉诸成‘离骚’”“心在默默滴血”。更突出的是《华夏悲悯》。面对“华夏儿女的辛酸”，“族群撕裂”，“怀着强烈的忧患意识”，站在历史的制高点上，从汉盛唐强的俯视华夏近百年历史悲剧，唯有发扬永恒的历史文化，祝愿悲剧及早成为“过眼烟云”。思想境界大开大合，气魄如此宏大，完全超出了单人的、寂寞的象牙之塔。从艺术风貌来说，几乎不用意象，完全是近于古风歌行的直接抒发，这是古月的另外一种境界，但是，还处于尝试阶段，要达到艺术上的成熟，读者还要有相当的耐心。

点评田荔琴的诗

按：“五四”以来，评论新诗全面概括的规格已经固定，固然可能有理论上的优势，但往往有蹈空的流行病。试以传统诗话的具体点评方式，点评田荔琴的诗，窃以为也许可免大而化之之弊。

巴音布鲁克落日

当汹涌的绿川隐去
天空越发肃穆
村庄和道路不再拉扯人的视线
理想与爱情变成了尊贵的影像

在混沌的血海中，王位一退再退
直到分裂出九个图腾
发出肆无忌惮的声响

是的，旭升和落日
都是人的一生

祭奠时有人歌唱，有人暗自流泪
有人在漫漫长夜里，梦想着
东山再起

孙绍振点评：第一印象是语言有质量：以人的精神话语定义自然景观，用西方文论的话来说是能指与所指的变幻；用我的话来说就是不同范畴的语义的错位。这种技巧她用得得心应手，保证了语言的质量。但是，诗并不仅仅是语言修辞问题，修辞是从属于一个句子，而诗是一系列句子之间的关系。句子的中心是意象，一系列句子有一系列的意象群落，意象群落显性的，有中断，但是在隐性处，意脉相连。

第二印象，意象群落运动，以日落为主导意象。

第三印象，从静止的落日，视觉看到的是不可见的时间：蒙古历史王位的衰退、族群的分裂、九个图腾……提示了这是文化深度到原始的根源。但诗并没有仅仅停留在历史上，而是延伸到现实，是人的悲哀和欢乐、人的野心（东山再起）所构成的“人的一生”，这其中的概括力太强大了，落日的主导意象，都只为提供一个视觉联想的基础。

整首诗时间跨度很大，在充分饱和的意象基础上，大幅度地跳跃到人的心灵、民族的文化、人性、野心等，用一个“梦”字，暗示这样的野心只是空想的悲剧。

最后的主题句，是在意象的充分积累、情志饱和的基础上激发起来的，这和一些流行的当代新潮诗人不太一样。

百花巷

百花巷里没有花
有的只是春天的躁动
和仿古的错觉
片场已成殇

我只是观光的过客
在转角言欢自然
纵使一步三回头
也丈量不出情爱的宽窄

但寻一个出口
令回想到此为止
把过去还给历史
让今天记住现在

孙绍振点评：整首诗不停留在感知上，其深刻性在于突出了矛盾：百花巷没有花，是假古董、煞风景；观光者不过是过客，有些遗憾，但是自我释然了。多愁善感不值得留恋，迅速上升为格言。格言式的诗句，似乎漫不经心地浮现，其实是苦心经营和提炼过的。在另一首诗中，她有直言：“我在一些词汇中上下求索。”此处格言，作为亮点及诗眼，放在最后、前面或当中，就浪费了。值得称赞的是，即使是可以称为诗眼的思想的焦点，所用的语言也是大白话：“把过去还给历史 / 让今天记住现在”，用的都是日常的、普通的词汇，并没有西方文论所说的什么陌生化，这正是诗语成熟的标志。诗中，这样的警策佳句比比皆是。全诗读完，不是对假古董的嘲弄，也不是自命清高，而是平平淡淡放下，超然、坦然；作者有意营造的心境，风格是不浪漫也不虚无，是要实实在在活在当下。

布勒雪山

布勒山的雪
白过了天上的云
云层上一定也有人
在扮演着我们的虚像

雪依旧下着，下在脚步
无法丈量的远方
需要借助于滑板
一个跪伏的人
才能抵达雪的内心
——哦，纯白的眼泪在飞

多像这人世间，被哭透的季节
先是一点点积累
再一寸寸融化
最后，又一遍遍重来

孙绍振点评：这是另外一种风格，比较现实的，甚至说是形而下的，好在有相当丰满的感知和意象，和比较明朗的意脉。诗中对英雄有向往，但是，不现实，也显得淡定。其意脉的特点是，善于让情绪在延伸中突然跳跃，末了或哲理升华，或复归平静。

柴达木盆地观胡杨林

母岩裸露，山体雄踞

一支金黄色的队伍
护卫在游人两侧
窥测南方的面孔与方言
有几次，红柳曾冲入镜头
但随即便被拂去
这西北的天地，让大小、悲欢
与朱白，都各具声带
唯独没有足够的辽阔
可以一语道破死生：因生者
一千年不死，也因死者
一千年不倒，更因倒者
一千年不朽

这流水般的去日哦
光明却一直在等人
经历了百千万次苦难
我看见断臂折腰
犹有血泪在枯干的身躯里奔流

在别人的镜头里
我也亭亭玉立，迎风摇曳
金灿灿的胡杨叶别在发际
唯有这鲜活
才能致敬那无穷的轮回

孙绍振点评：历史的变迁和世事的沧桑，聚焦于胡杨，孕育出精彩的格言。“可以一语道破死生：因生者/一千年不死，也因死者/一千年不倒，更因倒者/一千年不朽”，诗情诗思在两种反差中得到凝聚：第一，历史之宏大，以一枝胡杨别在自己的发际（亭亭玉立），而历史的沧桑，则化为自我生命的美丽；第二，以诗而言，结构上的对比、感性和抽象的融合，构成了诗的深邃。

大核与小核

又到七月，台风来袭
沉甸甸的枝头
挤出红色的泪痣
我不再因为价廉而窃喜
但亢奋
每有憧憬

红并非成色的标准
个头也只是假象
皮衣粗糙更不是问题
还有甜美、苦涩、平庸和酸腐
都没有固化的面孔

只有一口咬下
才确定是否肉多核小
才能咀嚼出甘甜
或酸涩
吐出来的人生
总有不太圆满的遗憾

大核与小核
究竟谁更煽情
犹如忠贞和孕育
谁更堪于缅怀

孙绍振点评：总是借助事物或现象生发出了智性和感性交融的语言亮点。诗的关键还是贴切，要找到客观对象、现象，和情感、事理之间的切线，然后向主观生命的深度体悟转进。整首诗哲理明快也深邃，但是章法上，意脉的递进明快，比之前几首少些曲折。

达令港

达令，今夜又见到了你
楼房依然簇拥楼房
港湾牵绊着港湾
我逆着光影行走，一圈又一圈
将记忆的缆绳，捆上了从前的码头

那时鸽子信步草坪
偶尔也立在船艄张望
海鸥的军队吹着集结号
浪花像沦陷的战友
伸出双手，抓不住撤退的海堤
上不了岸

这一次我不为别的
随身携带一箱可以虚掷的时光
我知道它远不能把你买断
但可以依偎，甚至碰撞

所以达令，你不要进入梦乡
今夜的星光通宵达旦

孙绍振点评：有些漂亮的语言，从西方文论来说，属于暗喻，但又不是一般的暗喻，而是曲喻——喻体和本体是远距离取譬。故联想多于逻辑上的曲折和留白，难得的是流畅，故常能有精彩、智慧的语言，令人耳目一新。如写回忆，“随身携带一箱可以虚掷的时光/我知道它远不能把你买断/但可以依偎，甚至碰撞”；美中不足的是，“记忆的缆绳”，稍显婉转不足。

跌落的报春兰

在春天
诸事要给绽放让路

凡心需为绽放除尘

而你压低身姿
静卧于泥土之上
只用目光寻我

那是一滴刚刚滴落的清泉
坦然，并安详地
我看到一枚灵魂的归来

于是，我与自己做了和解

孙绍振点评：从报春兰的低卧出发，联系到清泉，得出与自己和解的结论，在联想上尚欠婉转。最后与自己和解的格言虽好，但是失去了感知的衍生的基础，思想与感知不能完全自洽。然最后一句，颇为警策，似可句摘。

冬天的猫

冬天的猫在等着春天
春天不知道
它趴在门槛上
身后的门像邮筒
来不及吐出几何的邮戳

太阳拖着绵软的尾巴
尾巴看不见
墙壁坚硬，道路慵懒
时钟清脆的响声
敲打行人长短的身影

孙绍振点评：这是另外一种风格，不追求唯美，带着反抒情的意味，以联想的跳跃性，甚至有意断裂见长。结构上，也不追求有机、自洽，整首都在反讽懒洋洋的人世。

这是当前颇为流行的一种写法，不但反抒情，而且反逻辑，以碎片化为务。这种写法是 20 世纪乃至 21 世纪西方和中国一部分前卫诗人的探索，目前颇有争议。成败如何，留给历史去裁判吧。

肚皮舞

手握兰花
有蝴蝶经停
小铃铛从脚踝踢到腰际

风摆婆娑
摇曳红晕
欲望随两胯直线紧提

但热辣一往情深的策随
没能改变淡然依旧的面容
我怎样也看不透你裸露的肚皮

孙绍振点评：读这样的诗，要费些脑筋，这是写欲望与外表的矛盾吗？还是写欲望的诱惑和遮蔽，或者坦然的困惑？不同的读者可能有不同的感受。

就我个人的趣味来说，我偏爱那些读起来比较省心的诗。当然，诗人有权利不让你省心。当代的大诗人，如北岛等的诗越来越不让人省心了；就是汤养宗的诗，我也要反复读几遍，才能有所体悟，还不知道是不是误读。

不管怎样，艺术就是探索，但是艺术的探索，就是灵魂的冒险，而生命只有一次。

恩顶

玉米像果蔬中的伟人
生姜守着田畦的海拔
还有桂花，喜欢从上方抛洒
带芳香的口号。南瓜用尽全力
将灯笼挂在顶端
它们都以为高处就是高度

我想我就不要站着了
不妨坐下来。站得太高

离云太近，怕看不见自己

不妨屈身在玉米的影子里
让一棵白菜目睹我摘下南瓜
或让一只南瓜陪自己半坐半蹲
成熟的事物
懂得如何回到低处

天那么蓝
你笑得那么自然
朋友一下子多了起来
一株开满花的灌木
长着绿色的孤独

孙绍振点评：面对世界，全不取高姿态，浑然、淡然、怡然处之。这一首找到了更为精准的意象，当平常的庄稼被反讽，自己则在旁观中顿悟，“不妨坐下来。站得太高 / 离云太近，怕看不见自己”。“成熟的事物 / 懂得如何回到低处”，其实是自己回到了生活的低处，于是才有了团聚的欢欣；如果写到这里就结束，就可能俗气，最后两句“一株开满花的灌木 / 长着绿色的孤独”，从反面用“孤独”反衬“开满花”，好懂。然而“灌木”这一意象，是不是太含蓄了，是为了艺术上更上一层吗？这又让我不能省心了。

庚子岁末忆

又一度寒潮来袭，唤醒死生的记忆
当闽江的水位降低，重新露出
寂寞的沙洲，只有风一眼认出我们
身子骨乏力，像老旧的福船
受到侵扰的肺，如锈迹附着仪盘
理想奄奄一息，未来仓皇逃窜
时间之水撞击着防风坝

从一个冬天，走到另一个冬天
这漫长的行旅步步惊心

却又一如既往。四周是野兽蹲伏
它们环视，它们围猎，它们吞噬
用埋在草以下的血与痛的教训
猎杀人类的健康
活着已不能令人庆幸

只有月光自带抗体
无论阴晴圆缺
它不食人间烟火
用自动清零的光
盘点着每一个黎明与子夜

这不是一个值得庆祝的岁末
甚至也还不属于陈年旧事
新年的钟声即将敲响
我们围坐在密封的烛光中，
继续传递一记哨声的余音
我们用被废弃的三百六十四天
祈祷，而剩下的则用来喝酒
写诗，那些带着消毒水味道的词
已被隔离，是否仍能完整传达
一句迟到的问候

嘿！你在那里，一切安好

孙绍振点评：这是写给一个人的，也是写给一个时代的。岁末引来的不是欢庆，而是无限悲凉的记忆，所有的岁月，似乎都是冬天：从一个冬天到另一个冬天，这是多么深刻的精神概括。更令人惊心的是“活着已不能令人庆幸”，但作者并不因此而颓废，同时也没有自我安慰，她更习惯于带着一点自我解嘲，“用被废弃的三百六十四天 / 祈祷，而剩下的则用来喝酒”。沉迷悲痛，或浪漫欢欣，都是俗套，平静地向过去发出问候，不摆脱就没有自我。待所有的俗套消解了，从心理上说，就找到了自己，包括为庸碌的日常生活或是为潜意识所蒙蔽的自己，这是不容易的。找到了，若才气不够，也免不了被现成的、强势的、纷至沓来的现成套话所淹没，这是常见的；可贵的是，她为自己找到了自己的、不同于任何人的话语，更是不容易。别看就这么十几二十行，也把她折腾了不下三十年。

观闽江游轮

未曾坐过游轮
却常在岸上观望

江水泛溪而下，调动
所有能量，用
最优美的弧线
簇拥每一艘游船

我能看见眼睛看不到的乘客
我能听闻耳朵听不着的声音
但我数不清有多少心思在仓里叠加
也没有一个人来把我召唤

并非同船共渡
就需要一起登船

孙绍振点评：这首开头就好，“未曾坐过游轮 / 却常在岸上观望”，一下子观望就有了超越个体的、普遍的概括意味。最后也好，“并非同船共渡 / 就需要一起登船”，话说得曲里拐弯，需要反复思考才明白其中的哲理。

作者总是选择单个的、具体的、固定的可感知对象作为载体，让思绪自由超越，看到看不见的，听到听不见的，想到不受时空局限的，让意象的内涵，用作者的话说，得到了“叠加”。我想诗应该是渐次丰满、膨胀，最后上升为高度概括性的哲理：概括性是普遍的，意象的载体却是个别的。可贵在于，哲理是深刻的，而表达哲理的语言却是大白话——把大白话写成深刻的哲理，这是硬功夫。

后黄碉楼

以军人的姿势站立
向风雨的方向敬礼

烈日，是你亲手送出的
一枚子弹

向前，向后，向左
也向右
从不曾开口
更不会歌唱
只忠实于形体上的隐喻
相比于圆孔中
滚动的敌意，方形的天地
更令人心生安定

这是你固执爱着的家园呵
光束编织的草头黄
被赐予每一位族人
每一个院落
每一片红色的六角砖

而我只是一介游人
拖着那一口四目井
彷徨在你的眼底
始终不能走进你的胸膛里

现在，你说吧
你看到了什么
碉楼是大地的一种执念
我亦以执念，自成
另一座碉楼

孙绍振点评：若没有最后两句“我亦以执念，自成/另一座碉楼”，这首诗就没有深度了。这得益于意脉的突然反转，前面积累了那么多的意象，那么多的机灵语言，都是叠加的，到了这里，突然反转，从物到我。这种警策，有深意，更好在戛然而止；如果再阐释几句，就坏了。

琥珀

你说女人像琥珀
我的关注才刚刚开始
红珀、蓝珀、花珀
灯光、太阳照不出烟容
手里抚不到体温和心跳
送到鼻翼下，才发觉
温度从指尖浸透心脏
有淡定的香

月黑风高的日子
我可以厮守月亮
它佩挂在胸前
唤醒心中远古的森林
如果有一天
你骑马经过树下
被我一滴泪击中
是否也会变成琥珀

孙绍振点评：这样的诗风，透露了作者心灵深处还藏着20世纪80年代的浪漫。好就好在赋予个别的琥珀以丰富的色调，赋予它以“心跳”，有了这一点，就有了爱情载体的功能，在经历了“厮守月亮”、“滴泪击中”、对方“变成琥珀”之后，琥珀就质变为爱情之美的不朽了，丰富而又深邃。

喀什古街的挂毯

它们自屋顶垂向地面
又从室内溢出门外
方形、圆形、菱形
也许只有稳定的三角形
缺席，世界才找到了

无限变化的可能

变出草院、森林与湖泊
老虎、牛羊与孩童
一座小木屋逃出城市
也挣脱了那里的风花雪月
和春夏秋冬

风，撩起维吾尔族妈妈的头巾
雪悄悄落在牧羊人身上
一对很年轻的情侣在接吻
脚下未知名的花草
突然都打开了心中
无边的爱意

透过那温柔的流苏
我坐在对面
品尝着原味的羊肉炖罐
我的胃里装下了整个草原
就像冬不拉装下了
这世上所有的声音

谁的心里还没有装饰
还渴望被装饰
就可以被装饰

孙绍振点评：这种即景的诗要写好是很难的，弄不好就会变成俗套，变成宣传性的旅游诗。好在作者有思想，总能把可感的对象当作情感的载体，还捎带出一点深思。“还渴望被装饰／就可以被装饰”，救活了这首诗。就整体质量来说，这一点太单薄了些，在作者所有的诗中，不是第一流的。

荔枝树

是谁把你种在了我的眼里
星海浩瀚
月光照见你的真身
一个和我共度良辰的人

那次台风袭来
我在你的尊严前战栗
一片落叶，就是一面旗帜，皮开肉绽的皮衣
就是一块玉碎的铠甲，弹奏着金属的荣耀

而此刻，窗外的你从不说话
天空蔚蓝
我在一些词汇中上下求索
像鸟儿一样呢喃
希望有一天能被比作你
坚韧、隐忍、才华横溢

孙绍振点评：诗人总追求语不惊人死不休，诗人总是不可能永远语不惊人。这首诗，只有几句有点惊人，如“窗外的你从不说话”，但是，整首质量平平，关键是最后在作者最擅长的卒章显志时，格言凝聚力不足，有些强弩之末。

邻居

天边有一抹淡淡的斜阳
稍纵即逝，欲升还沉
窗前还是那簇茶花
已然没有从前艳丽

我无端地想起了你
曾经那样固执而虔诚
但最终选择搬迁离去

仿佛弃暗投明

那该是一条特殊的路线
从迁徙中找回平静
愿从前不要再折回
愿芥蒂也消去踪影

孙绍振点评：作者善于写格言，格言是普遍的，有因果的，但这里写的是偶然，而且无端。虽然如此，也有普遍性：芥蒂消逝，过去不要折回。整首诗淡而有味。淡者，都从平淡起，从一根还是两根白发，从并不艳丽的山茶花，慢慢积累起意味。依着这个套路，作者所写大致不失水平。

LUM 路上的雨

三点三公里很长吗
雨可以这么澎湃

夜里雾蒙蒙的低语
没有唤来璀璨的黎明
骄阳不再
脚面上踩着千军万马
被撕碎的天空
重新用流淌，在地表连成一片

不能拿刀剪断
若是泪，就用衣袖抹了
笔直的路上只写着高低
让人踩着泥泞
想起叮咛

如果还是晴天
我会快速离开，说拜拜
但现在我想在雨中驻足，叩窗

希望有人开门

说 come in

孙绍振点评：这是作者的另一条路子，不以开朗的格言取胜，而是含蓄的人情。并不太浪漫的人情，泥泞路上回忆起叮咛。表面上是平静、安详的告别，但是又期待最后“希望有人开门 / 说 come in”，意脉还是稍稍反转，显得余韵未尽；不像格言诗那样一览无余，不以思想震撼为务。因此，这首诗可能属于意境一类。作者似乎有两套笔墨，这一套弥足珍贵。

落叶看上去很美

无论树梢或枝末

无非是一个去处

只有距离的不同

但哪里是远，何处又是近

如此沉默，如此相似

神圣，神秘，神奇

飘落，覆盖，延伸

树有没有为舍离而心生烦恼

只有不再因风而颤动

方可以称之为成熟

那遍地的金黄

可是风声的止宿

孙绍振点评：这首诗还是以意象为情思的载体，不断积累，酝酿着思想，把落叶和树叶远近明显的差异化为零距离，以赞叹其神圣。落叶之美，美在成熟，因为生命不再为风和外物所干扰。把脱离生命写得这样宁静，这样美（遍地黄金），以至心不为外物所动，获得了归宿，就是自由吧？也许这就是成熟。整首诗令我想到了禅宗。当然，作者可能并没有这样想。

写这样的主题是很难的，只取一个意象“落叶”，平平静静，意脉曲曲折折，思绪层层积累，不大肆张扬，深沉的思想，平白的语言，返璞归真，从诗艺来说，应该说是成熟的。

陆庄河

陆庄河，天空及其倒影
像一对手掌
掬起清冽的菩萨心肠

桥亭用不断跨越的方式
表达对河道的敬意

榕树捻断了胡须
在千百年的苦吟中
炼出新的词句

时光手无寸铁，却无比锋利
一对石狮
以褪色的纹理惺惺相惜

孙绍振点评：这首也是意境诗，但是，并不完全是古典的不着一字尽得风流，而是现代性的，每一景观都不是象外之象，而是借象而思，总有人世经验的观照。诗中的四种景观分立，最好的是写榕树的“榕树捻断了胡须 / 在千百年的苦吟中 / 炼出新的词句”；最不好的是石狮，意味不够隽永，联想有点粗糙。

陆庄巷

小巷斑驳
行人躲着灯色
像躲避废旧的家书

在夜的信封里，榕树递出须线
把无数长着皱纹的脸
缝成了河面。一位老母亲

被河水经过，就变成了神祇

理发椅沉默

数不清的从前剃去青丝

孙绍振点评：通篇都是叙事，甚至有点素描的性质，写世事沧桑，内在的情致好像还未来得及统一和深化。作者好像觉得意境已经构成，意在言外，读者可以体悟了；但作为读者，感觉作者提供的意象不够，意境的结构功能尚未完成。

南江滨，北江滨

当相望成为必须

此岸向彼岸致意

目光缓缓流淌而过

面对面层层打开自己

春水涟漪，每一眼都有惊喜

有时候的感觉像分离

千帆驶过，碧浪穿破江心

桥墩模糊，天空挂满泪水

河流刻不容缓

带走了彼此的青春容颜

只留下诗人的呼吸

有时候又好像相依偎

共同豢养闽江

一起仰望星空

互相照应的霓虹灯

在飘浮的盛世

安放纯净的心灵

南和北，我和你

看起来触手可及

孙绍振点评：离开了大自然，写现代化的城市中心，这是一个挑战；虽有无限的潜在量，但难度很大，作者讨巧，不屑写外在的惊天巨变，只将巨变转化为自我的内心。“面对面层层打开自己”，说是“层层打开”，却没有作者写得比较好的诗那样有意象的层层积累、纷至沓来的思想火花，以及语断意连的意脉相关。但读到最后，“南和北，我和你 / 看起来触手可及”，终于使得一些夹生的感觉和意象统一了起来。

秋分，我们去绥溪吧

秋分，我们相约去绥溪
外地的朋友坐船头
她说：“你们绥溪不瘦啊！”
这时传来，风过荔林的声音

早已过了挂红的季节
绶带缠锦衣
在另一种古老的解释里
孤独也略显欢畅

船儿就这样穿过了延寿桥
仿佛完成一次仪式
在秋天的取景框里
桥洞减去千帆等于斜阳

你修去照片上的皱纹
而我随手剪切掉
方圆的楼盘。有了留白
船儿才有掉头的可能

时有路人从岸上经过
嘴里还叼着三两小曲
音符像烟灰抖落水面
满眼都是烫伤的光阴

风继续拢起发皱的波浪

多少年过去了，我们端详着对方

半秋的样子。所幸水纹依然如裙裾

波光依然宠幸我们如少女

孙绍振点评：面对现代城市文明对大自然和记忆的破坏，最时髦的是，发出一种愤世的批判，好像现代化一无是处。但作者既不感伤，也不愤激，没有回避环境的牺牲，同时也欣慰于进步，概括出“满眼都是烫伤的光阴”，这样漂亮的诗句，极富时代感。“波光依然宠幸我们如少女”，肯定了现代化不是倒退，而是进步。

作者很少抒情，一旦抒情，懂得回避滥情，也不取激情，而是温情；光是温情也可能平淡有思想，柔情就更有风骨了。

萩芦枇杷

叫卖声越来越早了

这说明连最早的水果

都早熟了：它们于秋冬开花

春夏结果

像风一样穿过四季

把这个难过的年份

过了

或许是以早为贵

有人将它们摆上供台

而我会在年里串门时

往朋友家提去早春的消息

也会在探望长辈时

谈及化痰平喘

会有一些挺过霜冻煎熬的果子

躲进玻璃瓶里

守住甜冽和温润

成为岁月最好的代言

这隔着玻璃被看见的甜

让这一年，和那一年

没有区别

孙绍振点评：抒情若泥于华兹华斯所说的强烈的感情流泻，当代诗人早已厌倦了。这首诗，基本上是叙事。一般叙事，往往着眼于特别的、不一般的事，而作者的匠心，则是写平淡的、琐碎的、没有什么特别的事。最后一句提醒“让这一年，和那一年 / 没有区别”，“没有区别”居然也能被发现，这本身也是诗。

伤口

当我描述伤口

我不用忘却这种字眼

因为别人不会记得

当我用盐水清洗伤口

我会独自检查心灵

努力地把痂看熟

要是你也知道我受了伤

请不要猜疑，不必靠近

你的目光

会是一帖药力过重的慰藉

孙绍振点评：把伤口变成心灵交流，又不能作为交流的焦点，诗眼在：关切的目光变成了“过重的慰藉”。这个“过重”，和前面的“孤独感”对称，诗在结构上大于了要素之和，意味溢出语言以外。

寿山球

我和你说

我没有妈妈了

有也只是用来怀念的

情愿也罢，不甘也罢

她不像我的青春远去这样理所当然

爸爸还在我的家乡

女人走时他候在外场

活在从前的数落中无处可逃

脸上除了皱纹就是皱褶

唯一的表情是没有表情

一切已变成她生活过的遗迹

只有掌心把玩的那对寿山球

时而握紧，时而松开

十遍，二十、三五六十

直至一百遍，犹如一道生活了一百年

孙绍振点评：整首诗只有十四五行，语言也都是日常的，但一些句子很震撼，如“我没有妈妈了 / 有也只是用来怀念的”“（父亲）脸上除了皱纹就是皱褶 / 唯一的表情是没有表情”。这些让我想起自己的父母，特别是他们那一代人和悲剧性的人生。作者用平静的语调说互联网，这样深邃的内涵却不激动，或是有意抑制激动，倒令人记住了一辈子。至于那个寿山球，哪怕强调了再强调，也显得不重要了。

唐人街

照吗？相机问

街口的牌坊下

灯笼拉出疲软的问号

天空像正蓝旗的图腾，一串红辣椒

体内血气激荡，正经过针灸馆和武术馆

在骨折的往事里，风穿进了旗袍

安慰那些输掉了国籍的人

看你，漂洋过海

习惯了季风与空中

看不惯街边细长的伪榕树

榕树梢上的天空

天空下佛祖的面相，笔直的
一眼见底的道路

不了，如果在这时留影，就会变成一种补丁
这一次我没有任何拍照的冲动

孙绍振点评：作者的追求就是不随便激动，即便激动，也是用不激动的姿态来表达，更不要说“冲动”了。在这里，作者显示的是，到了西方的唐人街，没有世俗人等的照相的“冲动”，因为在唐人街生活，意味着“输掉了国籍”。这是一个站在历史转折点上的中国人的自尊、自信，很容易夸张的，但是，作者的平静更有内涵。下面我们会看到，她只有在妈祖像前才会有照相的念头。

小雪

离深秋越发远
是下雪的时候
台历上的眼珠，只捕捉
一场场雨，和失落

南方的夏荫、春花以及秋月
都有你喜爱的柔婉与风情
冬雨却一茬冷似一茬
无为而又寂寞

一定有什么在蓄势待发
比如现在的我

孙绍振点评：思绪小巧，构思玲珑。最后的“一定有什么在蓄势待发/比如现在的我”，照亮了前面略嫌平淡的诗句，使整个诗意升值了。这个路子，作者驾轻就熟。

游潮州古城

广济桥搁浅在四月的薄阳里
韩江一半是古，一半是今
断墙欲言又止

镜头杂乱无章
所经之世在街巷中穿行

翻看时间的渔网
哪一个朝代越过了城墙
三轮车满载游人
做着各种顽劣的表情
像漏网之鱼冲出城门

孙绍振点评：前一节写古城历史，语言很有智慧，“韩江一半是古，一半是今／断墙欲言又止”，这是很严肃的，也很有诗意；后一节似乎不想再这样写下去了，有意反讽。整体上不求有机统一，也是一种探索。

又见曲院风荷

这一次，借着宣纸豢养青涩
冰肌玉骨浮出水面，小小的犄角
正在退化。摇曳风中的小妖
高起绿得发颤的心

这一次，善本经书中的禅定
被水漂洗出滚滚红尘
残叶弯腰，不止等岁月降临
也将芳心，一点点推向了尘世

孙绍振点评：这是一首题画诗。从画中看到的是，鲜艳的美和必然到来的残败，二者是对立的；古典的无心、无欲的“禅定”，还是向尘世献出了芳心。我不知道我读懂了没有。也许诗无达诂，我不必想是不是读懂这样的问题。

与妈祖雕像合影

迎面你走向我，高大威仪
脚步不疾不徐
日头下，当我卸妆般
卸下俗世的语言

才终于读懂，你那来自古代的沉默
像极了我的娘亲
以臂弯为天穹，把大海哄睡

千年间，人们把你当作菩萨
双手合十匍匐在地
而我只知你亦是姑娘
和女儿，我们都有惺惺相惜的悲悯

此时并无疾风骤雨
然而你站得那么高
云淡风轻的，是自己的生死
波澜汹涌的，却是万家的喜悲
那掠过五湖四海的守望
令我按下快门，任由突如其来的战栗
从地平线上升起

一个人的神性，不就是头顶神灵
在你眼皮底下，小小的我
有被祝福的满足

孙绍振点评：这个到了欧美唐人街都不屑照相的人，到了家乡的女神面前却要照相了。妈祖的形象是如此高大，像战士，“高大威仪”，而且超越时空，“来自古代”，是神吗？不，是人，是姑娘。但不是一般的姑娘，而是神性中带着母性。这种人性和神性的对立，作为情思，也许够得上有特点了。如果仅仅满足于这一层次，就免不了单薄了；好在最后，又递进了一层，自己变得渺小，也感到“被祝福的满足”。作者总是用那么多的篇幅蓄势，再把亮点放在最后一节，在我的印象中，作者有两种写作模式：一种是突然顿悟，给读者以醒目的格言；一种是恬淡地渐悟，给读者心灵温婉的沉思。

与一朵花对视

与一朵花对视
是因为它的美丽

有时，也因为它即将凋谢
或充满褶皱的花瓣、雨滴
以及阳光的照射
更多来自蜂蝶的引领

与一朵花对视
我选择逃离短兵相接
谁多看谁一眼
谁就会被刺伤、枯萎

我害怕眼睛凋零，妒忌生成骨朵
消费它无辜的绽放
去描绘莫名其妙的心情
无论歌颂、供养还是蹂躏

更不允许把自己
比喻成一朵花，说什么
你美丽的时候，我风华正茂
你凋谢的时候，我容颜已老

孙绍振点评：作者的诗，有时好在奇崛的用语，但是并非整首都是这样；有时是发人猛醒的格言。并不是每首都有相应的意象积累，有时格言来得太突兀。这一首好在意象群落丰富，意脉曲折有致，最后得出女性人生奇特而相当有深度的总结——“更不允许把自己 / 比喻成一朵花，说什么 / 你美丽的时候，我风华正茂 / 你凋谢的时候，我容颜已老”。她的追求的诗境是既不激情，也不感伤。意象饱和而且意脉曲折，整体变幻有致，她喜欢默默地自我陶醉。

在北京

没有想过会有这样一种陌生
异地相逢却不相认
不能挽你
穿过所有的人群离去

把世界简编成一个办事处
把办事处浓缩成两个人
因为你不肯
我也不能

甚至不能
在同一个城市的深更
通过有线或无线的话筒
从容地多说几声
那种别人听不懂的话
我们永远也不告诉他们

而如果我病了
你肯吗
肯不肯做一回私人医生
别人不肯的我肯
别人不能的你能

孙绍振点评：年轻时代的回忆，陌生感发生在曾经熟悉的人之间，要想恢复到过去，已经没有希望了。那过了的一切，变成亲切的怀恋，这正是普希金所说的浪漫。但是，她总结这样的生命体验，她喜欢太浪漫的浪漫。

在生活中这是隐私啊，而把它写成诗，关键是浪漫种子一直没有离开。只要动了这根弦，就不难有精彩的思绪相和了。但是，整体又不太激情，而是很平静地流淌。

“别人不肯的我肯 / 别人不能的你能”，这是语言的陌生化所不能解释的。这里的语言是平白的散文式语言，但是情感的逻辑，无条件的、绝对的，是诗的，也是浪漫的，而且浪漫得很平静。

在 D2331 上

站台已无苦等之人
只有开山、凿石和铺轨的痕迹
整列车厢都在说话
没听见孤单

所有的景物都在后退
甚至隧道寂寞的巷口
车窗飞速变幻的过往
山水哑然失声成地图

由东向东南，在倒带的列车上
我戴着墨镜望前方
前方一次次报站
哪里是我要到达的地方

孙绍振点评：在高铁车厢里，那么多人，却在孤独地任情想象，似乎有些茫然：生命的目标是什么？这是一个哲学家至今都没有能够有效回答的问题。诗人可以想，想就是诗，不求回答。回答了，就要激情，而她是回避激情的，似乎怕弄不好，成了散文。

再见，city

叹息、咳嗽，还有哈欠
耳边风穿过三维
一座座高楼竖起的立领
遮住童年的背影，和
微不足道的理想

在喧嚣的地方也还有几扇窗
张望着低矮的村庄
像偷窥，又像挑衅
抑或不屑一顾的轻视
但所有目光里的锋芒，都将被天空温柔地包容

孙绍振点评：和童年的故乡告别，一点也不浪漫，一点也不滥情。成为诗的是，作为成功者，对一切喧嚣和过去的事物，包括“不屑一顾的轻视”，都采取了“包容”。这种温情，好就好在它的复杂。

在咖啡

在咖啡是不在家的日子

锅碗瓢盆离灶台很远
和书籍很近，无缘无故的逗留
比起尘世的其他表情更亲

在咖啡是从人群中消失的日子
在热闹中躲藏，也不远离光明
和陌生人互望一眼彼此相似
看熟悉的身影在门窗外走来走去

在咖啡是饮啜心情的日子
哭点很低，笑窝极浅
一千杯单品调制出一万种情愫
烘焙足够温暖，研磨可能的爱情

孙绍振点评：写的是一个特殊的咖啡馆，不完全是休闲，而仍然是休闲。语言质量挺高，主要是每一句，都有比较深邃的内涵。都很有深度，原因在于语言的内在张力，漫不经心地隐藏着一系列的矛盾：1. 离家务远，离书本近；2. 在热闹中躲藏；3. 陌生人相似；4. 最精彩的是，哭点低笑窝浅；5. 烘焙、研磨和温暖的爱情。这一切都说明悠然自得，但是意脉不是直线的，也有稍稍激动的时候。警策的是，“哭点很低，笑窝极浅”。在咖啡馆的悠闲中，居然有丰富到“一万种”的情愫在产生，同时又有温暖的爱情的回味。零零碎碎、散散漫漫的思绪，性质是对立的，参差地、不着痕迹地关联起来，给人以着手成春的惊异。

什么事也没有发生，内心却发生了这么多事：没有无聊的感觉，却有爱情的可能。思想丰富，情感丰富，想象丰富，这个业余写诗的人，有成为诗人的本钱。

出了趟远门，事实上是到了南半球，从祖国的秋天到异国的春天。春天失而复得，春天是别人的，没有什么特别，不过是季节对调而已。作者总是在诗歌中回避激动，可能激动妨碍深沉；还是对自己说：“回去吧”。如果到此为止，意味可能就浅了。关键是回去“拂动正在冬眠的春意”。使命隐隐在心，如果夸张起来，就不是自己了，自己的能耐只是“拂动”而已。

原来前面的一切，仅仅是为了反衬后面的主题：回去，回家，去负起唤醒春意的责任。

现代意识和古典的意境
——论范方的现代诗追求[①]

在中年诗人中，范方以他的后劲见长。虽然早在20世纪五六十年代就开始创作了，可是并没有写出水平来。到1980年前后，舒婷、北岛等一批年轻诗人“崛起”了。在他们升上新诗史天宇之前，有一个小小的油印刊物叫《今天》[②]，预告了他们涌进文坛的势态，范方成了《今天》热烈的忠诚的读者。这颇引起过朋友们的怀疑和哂笑，年纪这么大把了还赶这份热闹。但是，赶热闹是赶不长的，范方却坚持下来了，不管在热火朝天之际，还是在风雨飘摇之日，他忠诚探索自己的艺术道路。1986年花城出版社为他出了诗集《还魂草》，他的探索终于得到了报偿，只要仔细读这本薄薄的诗集，你就不能不承认，他虽然最初属于舒婷的追随者的行列，但是有些方面是各有千秋甚至是超越了舒婷的。

一

20世纪30年代，当年轻的戴望舒登上了诗坛时，在很长一段时期中，他是被当作“现代派”的，幸亏他后来在抗日战争和解放战争中表现积极，因而现代文学史上一般不把这顶帽子给他戴死。其实认真说起来，不论用西方的标准，还是用20世纪80年代的中国标准，在政治思想和社会人生观念上，戴望舒离现代派还相当遥远，在艺术上，至多也不过擦着一点边，说得更明确一点，他不过是把内在情绪化为外部感觉。不像浪漫主义诗歌那样过分依赖于情感的直接倾泻，对各种感觉的别致分解和别出心裁的组合成了戴望舒的一大特点。例如他的《二月》：“春天已在野菊的头上逡巡着了。”这无非是把不可见的春天化

① 本文发表于《当代文艺探索》1987年第5期。

② 舒婷曾在这个刊物上写小说，写诗。

为一种可见的视觉；“于是原野将听倦了谎话的交换”，无非是在想象中强化听觉；而“不载重的无邪的小草，将醉着温暖的皓体的甜香”，无非是触觉、嗅觉和味觉的组合。光凭这一点就把戴望舒归入现代派之列，是有点牵强的。如果拿范方一首同样题材的诗来比较，就可看出范方的现代味道浓多了：

冷和热，红与黑

在同一页日历上

奇异的重叠

有花、有绿叶

有熏风、有冰雪

这还都是视感觉和触感觉的分解、组合和交叉，光这样还显不出范方的特点，接下去：

昨天与今天

何处去寻找它的山界

这就是二月

从感觉世界突然抽身一步跨入抽象的思维的世界，（昨天和今天，过去和现在，顺利和坎坷，等等）这才是现代诗，特别是20世纪的西方现代诗，包括台湾现代派的拿手好戏，这在他们叫作智性的沉思。范方显然有意识地在这方面力求出奇制胜。这种方法往往用在形象层次的深化上，成为整个形象的核心，不仅是感性的支点，而且是思想的支点。在这个支点上，有感觉与思维结合，形而下和形而上统一，这在同一首诗中不仅得到强化的表现，而且得到反复的表现：“锣鼓的喧腾/管弦的鸣奏/都在尽情地表达/早春欢跃。”但是：

只有九天冲下的阳光

此刻正倚着长城

思考得更多些

这，就是二月

范方是很现代的，他似乎力图回避浪漫的姿态，华彩的热情。在舒婷诗中那些常见的浪漫主义热情，那么多的梦和眼泪，在范方的诗中是没有多大地位的。这不是因为范方年纪大些看不起那些女孩气十足的东西，而是因为舒婷的全部天赋、全部才华都集中在她的抒情上，先天的敏感和后天的多情都使她不费劲地在抒情上取得成就。她写出了那么多我们天天感到却说不出来的平凡的、不起眼的、被颂歌和战歌遗忘了的情感；她把这些情感揭示了出来，并为之找到了深刻的说明；她美化了这些情感，以优美的旋律和璀璨的色彩，使我们的感官和心灵震惊。长期以来那些习惯于撰写颂歌和战歌的诗人，他们的外部感觉，特别是对于豪迈的旋律、壮丽的色彩的感觉被训练得过分圆熟了，这种圆熟形成了潮流，以致变成一种心理定式，其特点就是在逆境、困境乃至否定性的情感面前以同一种藐视的目光和战斗精神的英雄姿态做出反应。舒婷的出现标志着这种心理定式作为一个历史现象的结束。早在十年浩劫之中她那些诗篇之所以被传抄、被在婚礼上诵读，其原因主要在于它帮助读者寻找到了那一个由于冷落而失落了的真正的自我，她把人们感而不觉的更丰富更精致的情感还给了人们。在她的诗篇中，她那比较豪迈的情感，也由于与这些平凡的悲郁、孤寂融合在一起，形成一个有机的结构，因而显出奇妙的功能。她以她那雍容的姿态和华贵的情彩，使人们感到流行诗歌内部感受力和语言表达力之不足。人们的感情在享受了一阵被说明和被唤醒的喜悦之后就不能不追随她去发现情感的新大陆、开拓情感的处女地了。但在舒婷的追随者当中并没有产过杰出的诗人。齐白石有言“学我者生，似我者死”，又一次得到应验。

范方最初给人的印象似乎也是跟着舒婷跑的，但是后来的事实证明，这种印象并不准确。范方的追求和舒婷的自然有根本的共同性，这就是真实地、诚恳地阐明人的内心，用人的内心结构去反映外部社会环境，但是范方不同于舒婷的地方主要在于：他不把力量集中在情感的抒发上，相反，他十分明显地把力量放在情感的抑制上。在舒婷那里一切都浸着浓度达百分之百的情感：她的花是会唱歌的，她的枫叶是会叹息的，她的灯光、渔火都成了友情和爱情的激活剂，而且激活的量是那样大。有时，她就用浪漫主义者常用的方法痛快淋漓地倾诉；有时，她也似乎有点警惕这种倾诉是过于古典了，因而又有所节制。然而这种节制仅限于外部表现，她遇到心灵痛楚时，她说，她已学会了不再哭泣；她还说，即使心灵有一重海洋，可流出来的只有两颗泪珠。外部流露的虽然少，但对她内心的情感，仍然是浪漫地夸耀。她的心理素质从根本上来说属于多情之列，情感的内在丰富又与外部的简略之间形成结构，功能就更大了。舒婷的大部分诗，总的说来，仍然属于浪漫主义的古典美的范畴。

范方就不同了，他的原则是：外在的动作、感觉节制也可，不节制也可，关键是内部的情感节制，有时简直是有点企图或者妄图跨越情感这个层次，直接到达思维的深层结构。在他的诗中写到那么多悲剧色彩的社会变动和人生遭际，但是他没有海洋一样的眼泪，即使偶然不能免俗无心落下一点露珠式的眼泪，也不像舒婷那样炫耀内部情感的豪富。他常常炫耀的是“没有眼泪的泪，没有歌声的歌”，在他的笔下也有花，可是这些花很少像舒婷的那样会唱出美丽的歌、发出美丽的叹息来，他的花在经受苦难以后，不是以多情为特征，而是以深思为特征。不能说范方心灵世界没有一点浪漫主义，但可以说很少。夕阳斜照长城上，用浪漫主义的眼睛和心灵去感受，眼泪可能会流下一堆，血液可能会沸成千度，神经可能会痉挛，可范方跟这种 19 世纪式的、单纯的、舒婷式的天真无缘，他的全部创作原则凝聚在我们前面引用的一句诗中："思考得更多些。"

在舒婷，外部感觉激活的是内部浩瀚的情感；在范方，外部感觉激活的是内部的智性的沉思。也许范方觉得感情在人的心灵结构中并不属于最深的层次，最深的层次应该是思维；也许，范方觉得情感已由舒婷还给世人了，自己再走这条路，很难有什么出息了，于是他选择了一条更艰难的道路，那就是外部感觉的收敛和内部情思的深化。

在他的诗中，给人以惊心动魄之感的往往是那些突如其来的思维跃进。范方很少直接写人生的经历，他往往通过咏物来发掘心灵深处的蕴藏。当然有时范方也有一些浪漫的情感，也采用一些浪漫的想象，写得也比较成功。例如《一刻》：

我们握手，当警灯
刀也似的从身旁劈过
而歌在心唱着
……
我们握手，当语言

已不能使用的时候
而花在手心里开着
……

应该说用这样的手法写得这样成功是不可多得的，但这好像不是范方，歌在手心里唱，花在手心里开，这种想象好像是从舒婷们那里批发来的，范方要是尽写这样的诗，光会用这样甜蜜蜜的语言，就不是范方了。情感太外溢，对于范方有点不利，想象太华彩，也不很符合他的追求，他不满足于此，在《北来》中他终于找回了他的自我，恢复了他的本色：

披一肩冷雨，我从北地而来
那边枯枝倒在雪上，我只给你
带来两袖风声

你问我二月的音容，我只用手指
在你伸出的掌上，轻轻，轻轻
划一道弯弯曲曲的方向

写的同样是在逆境中无声的、心照不宣的希望，但是有很大的不同，外部的感觉和想象被抑制了，而内部的纵深层次却深化了，这里不但有春天的"信念"，而且有通向胜利的道路的曲折性的理解。在掌上划一道弯弯曲曲的方向，表面上不如花在手里开、歌在手中唱来得美，但就其感情的内敛和智性的深化来说，是更美的，更有创造性的，更富当代性的。

二

在范方的诗中客观对象不是再现对象，而是内在情智的载体，激活的质量取决于内心深度。为达到不一般的内心深度，范方经常用一种反向联想，不管是美丽的花，还是动人的景，不论是春天的欢乐，还是知心的友人，他都很少做正面的相似、相近或直线因果联想。当他做正面的顺向的联想时，往往不大成功，例如那首《红叶的感觉》，从红叶想到自己成了金秋的一树红叶，“树中崛起火的山系，树外激荡血的河谱”，就很平淡。他擅长的是反向联想，把诗的构思的焦点放在正面的感觉和反面的思维之间，在纵深方向上形成一种张力，让感觉和思维在强大的对立面之间深化。他写茶，不像一般人顺向联想到芬芳的质地和动人的友情，他从采茶女的小曲反向逆行联想到制茶的过程，“炒、揉、风”和冲茶的“百度开水的冲泡”。他写白蔷薇不是纯洁的爱情的象征，他想到的是“错误的年代”的“错误的枪声”。面对逆境，他联想到希望，而从“冬日”的一盏孤灯他想到是对未来觑起的一只眼睛。而在顺境中，他往往煞风景地往倒霉的方向联想。香港诗人巴桐说他“总是以醉眼诠释清醒，以苦涩去通照芬芳”。即使在旅游中见到的钟乳石面前，对那些美丽的传说，他也持调侃的态度，他想到的是“二氧化碳的刀斧”，风和浪都“践踏”过“威严”。

他的这种反向的联想是自外而内的，由外部生活信息刺激，唤起内心深处的情智，不管在多么横逆的外部环境中，他都没有消沉、没有表现软弱。但是，他也很少表现英雄主义的夸饰，有时范方也禁不住华彩的情感的诱惑，写一些英雄主义的豪情，但这些浪漫的情乐都因没有深沉的智性做后盾，而显得浅薄甚至俗气。最明显的莫过于《民间石雕》了。在一番客观描绘之后一下子就升华为：“出征的壮士 / 仗义的豪侠 / 纵使悲歌 / 也多为慷慨。”本来这就满可以戛然而止了，可他一时忘了抑制浪漫的激情，又加上了三行多余的说明：“一页页血泪文字 / 填补了人生 / 多少空间。”这种败笔在范方的作品中是很少有的，但是不是偶然的。在这里运用的仍然是反向联想，但是与范方那些最成功的诗篇相比，这种反向的联想不是由外部向内心、向纵深层次深入，而是平面的。范方最拿手的是从外部刺激通过反向联想引起他作历史的反思。他写得最深刻的时候往往是外部刺激触动了他内心的历史隐痛，从而引起感知、思维的层次深化和连锁反应的时候。从“还魂草”想起“流血的伤口”“忍痛重新播种”，从“石林”想到“一树树耸起的沉默 / 一种可怕的等待”，从“鹰”想到“震耳欲聋的死寂”，从“看云”想到“彼此坚持着 / 某种的，等待”，从烈日下曝晒的块茎的切片，想到“菜刀／一定是很锋利的”，这一切既有客观物的特征，又有主观情智的特征。最可贵的是这种主观的情智，是有历史的深度的，是对那刚刚结束不久的民族灾难的痛苦的反思，这里动人的不但是内敛的情感而且是溶解在其间的历史的智慧；正是这种情智的交融使范方的沉思达到一种历史的深度和反思的深度。他的《向日葵》可以作为代表这种深度的力作：“做疯狂的游戏之后／热血耗尽／瞳眸触千古冰凉。”

对于向日葵的感受，不论远在杜甫（“葵藿倾太阳，物性固难夺”），还是近在十年浩劫之中，都只是在某种颂歌的坚定的倾向性中获得审美价值肯定。这自然是一种历史的价值取向，然而在新的历史时期由于深刻的历史反思，那种不变的颂歌的倾向性不能再加以无条件的肯定了。于是同样的对象所激起的不再是浪漫的绝对的依恋和追随，而是对主体的批判，于是便有了“疯狂游戏”和“热血耗尽”的激发。时代变化了：“日头已陨落／双臂伸展为地平线也抱不住。”这是不以任何人主观意志为转移的必然，然而纯粹理性虽然深刻，但毕竟不是诗，诗强调的是它与情感的矛盾和纠结：“左脸是泪滴／右脸是隐痛。”

这不但是对于社会变革的反映，而且是民族心理文化的剖析。在咬紧牙关的严峻和期待中有一个时期民族心理的肖像，这幅肖像与十年浩劫中乃至十七年的颂歌中的肖像的差异是何等的悬殊啊。其中有一点特别值得提起，那就是范方在诗中很少单纯写享受生活的甜蜜，他表面上既爱快感，也爱痛感：所谓“甜蜜也成花纹，苦楚也成花纹”，事实上他更欣赏更执着地玩味那苦楚，特别是无声的，默默的痛楚。从这里我们可以看到范方的沉思如何渗透着时代的甜味和苦味。

范方很注意处理智性的深化和节制的情感之间的关系，有时在个别篇章中，他偶有不慎让情感稍稍外溢就写出一些浅淡的平面的篇章，有时又过分节制了情感，一味依赖意象的组合，未免失之拘泥，不但抑制了情感的外溢，而且抑制了思维的深化。在那些写得最好的篇章中，范方表现出某种精致的列夫·托尔斯泰十分强调的艺术家的“分寸感”，这种分寸感，表现为一种临界状态，在情将溢出，与理的深化的关节点上，恰如《乐章》的结尾所揭示的：“谁都在急切呼唤黎明／而黎明尚未杀出黑暗。”

可以说，这是一种欲变未变的、危若累卵的状态，是到达顶点之前，而不是情感极端的强烈的顶点。关于这一点，莱辛在《拉奥孔》第三章“艺术家为什么要避免描绘激情顶点的顷刻？”中做过说明：

> 最能产生效果的只能是可以让想象自由活动的那一顷刻了。我们愈看下去，就一定在它里面愈能想出更多的东西来。我们在它里面愈能想出更多的东西来，也就一定愈相信自己看到了这些东西。在一种激情的整个过程里，最不能显出这种好处的莫过于它的

顶点。到了顶点就到了止境，眼睛就不能朝更远的地方去看，想象就被捆住翅膀。[①]

范方总是小心地不让他的情感越过顶点，不让情感爆发起来。他像一些淡化情节的小说家一样，淡化着他的情感，力求不让情感浪漫地向极端强化。他似乎热爱一种超脱的风格、从容的姿态。虽然在意象上，他有时不得不运用强化乃至极化的效果。但在直接抒情时，他就软了下来，以一种刚柔相济的风姿出现。在《腊梅》中，他起先想到“在冰崖上试着锋芒”，又想到“飘着幽香的曙色”，意象分明是在两极之间，但是情感却是冲淡的：“阵亡与凯旋 / 也浓烈，也温婉，也淡雅。”

在《高寒答友》中，先是强调环境中严峻因素“朔风”“严寒”“苦涩”，然而那象征友谊的“梅花”，并不是像传统的诗艺中那样强化考验的严峻（千里冰霜或悬崖百丈），也不是直接与坚信未来（春风杨柳、莺歌燕舞）相联系，而是没有什么强度的：“还差些儿风。还差些儿雨。”这种程度上的淡化，代表着一种对浪漫主义的超越，表明诗歌对人的内心世界更大的广度、更多层次的逼近。这种调微的功夫是很精致的，范方比舒婷更有志于在这里吟味。

三

浪漫主义的强化直抒如果有一千条好处，那么它有一条坏处，那就是给读者想象留下的余地较少。而现代派诗歌的情感内敛，如果也有一千条坏处，但它有一条好处，那就是给读者的想象留下了前所未有的空间。浪漫主义激化情感本身是充满了诡奇的想象的，但是它把联想的层次都演绎出来了，因而读者的想象空间被堵塞了。现代派的想象也许并不及浪漫主义的富丽，但是它的联想的层次是断续的，它不但需要读者去做情感的补充，而且要求读者去做智性的阐释和破译。当然，有时也未免走过头，弄得人如堕五里雾中，好像遇到一道无解的方程式。但总的说来范方并没有走向那种令人苦闷的极端，这是因为他虽然十分重视智性的深化，但并不完全依赖智性，也十分强调情感的内敛，同时非常注意用变化万千的感觉来补充。

这种变异的感觉只有在智性深化的背景上才能得到充分的解释。如《向日葵》中那种感觉的大幅度变异：“瞳眸触千古冰凉。”这种冰凉的感觉，不但是变异了的，而且是层次跳跃性的。本来阳光和葵花只能产生热感，在这里，变成冰凉而且触目皆是，则是在热情挥霍耗尽之后走向反面的结果。这种因果既是反向联想的作用，又是在对立统一矛盾转化规律作用下的思维。二者猝然遇合不但使变异了的感觉“陌生化”了，而且使思维层次在对立

① 莱辛：《拉奥孔》，朱光凯译，人民文学出版社 2009 年版，第 16 页。

面的作用下深化了。《落叶树》也是这样："就这样站在那里／听风从头顶走过／听雪潮雪下／将裸露的手臂／伸向高空／一如铁的雕塑。"这是范方惯用的手法，以静止的无声的造型写出内心的激动。但是光有这一手，很难不单调，很难永远顺利地使思维深化。除此之外，范方还有一手就是，感觉的变异，感觉的层次跳跃。上面那一节写与寒潮的对抗，下面如果不在感觉上来点新异的花样，就太平淡了。范方把全部功力用在最后两句上，他说这棵落叶树："以惊人的忍耐／测量　寒天的硬度。"本来寒冷与硬度不属同一感觉范畴，但是范方大胆地把无形的寒变为有形的硬，从寒到硬的变异过程当中越过了一个无形到有形的层次，直接把寒度变成了硬度，这就提供了一个强化的结果，逼近思维从更高的层次探求智性的原因。

这样范方就避免了智性可能导致的概念化，他的智性是与变异了的感觉联系在一起的，是由奇异的层次跨越的感觉来提示的，因而它不但不抽象而且是充满强烈的感性。他善于从感觉的层次直接跨入智性的层次，当中省略了一个情感的层次。每当以浪漫主义的观照要激动起来进行滔滔滚滚的诉说时，范方往往代之以缄默，他宁愿以感觉、层次跳跃的感觉，把感情关闭起来，也不愿把感情倾泻出来。不论在历史的悲剧还是生活的正剧面前，他常常着力经营一种有深度的无言、无声的境界。这在他那专门写中国古代杰出人物文物的诗辑《历史的回声》中显得比较突出，如陶渊明："一卷书页 一园菊花 一身酒后悠然／东篱下是黄昏足够的语言。"用无声的图画代替有声的语言，这是范方的一种追求。而楚霸王的自杀："拔剑长啸兮／喉管向西天／吐出／悲凉的残照。"如果是吐出鲜血，感情可能就强化，激化乃至极化出声音和语言来了，把鲜血的红色、鲜血淋漓的感觉转移为夕阳的红色，实际上是用悲凉的感觉，淡化了悲愤的情感，把本来可能爆发为外部强烈语言和大幅度动作的激情收敛起来，使之沉浸在残照的感觉之中。在这一点上范方和北岛是走着同样的路子，北岛悼念遇罗克烈士的诗用同样的感觉超越了现实的悲剧："星星似的弹孔 将流出血红色的黎明。"

四

但是范方毕竟和北岛有不同的个性。他运用这种尖端的现代派手法时，十分警惕它过分脱离我们民族的美学传统。因而他时常反对一提现代诗总是要否定传统，他反复强调现代乃至当代的观念与中国古典的意境相结合的重要。他说："未来的现代诗，空间是中国乡土的关怀，时间是中国文化的认同，唯有广博的中国文化冶炼，才能掀起今日更为灿烂的现代诗潮。"正是出于这种追求，在这本薄薄的小册子中写了那么多的古诗意境，甚至袭用了那么多的古代诗歌语言，有些诗从词语和意象来说可以说是充满了古色古香的韵味，有些诗如《满江红》简直是岳飞的《满江红》的翻版，不过用的是现代诗的想象、跃动的意象和变幻的节律。同样，《读赤壁》不过是把苏东坡的《念奴娇·赤壁怀古》的形象和意境放在现代的“时间坐标上”，《静夜思》则是李白的同一题目的诗的现代化阐释：

把窗外的月光一瓢一瓢泼在墙上
静听墙上
水声如潮

把床前的鞋子摆来摆去摆成船
月在床前
人在潮头

诗意完全是李白的，李白的诗是古典的实写，但在这里，同样的诗意却用现代派诗歌的想象，其特点是感觉变异，主要是感觉功能的变异，而且中间有层次的跳跃。第一句是把月光变成水，然而没有点明，这个层次给跳过去了，但水的功能却没有跳过去，它留在月光上，于是月光便可以用瓢来舀了，而真正的水是不能贴在墙上的，这个也跳了过去；于是墙上有了如潮的水声，是月光而且在墙上，却发出只有在地平面上才可能有的水声。这种功能是想象的几个层次的分解、跳跃和推演。这么复杂的感觉功能变异的想象结构是中国古典诗歌所少有的，但是又是从中国古典诗歌最典型的诗句中演化出来的。当然，有时演化不够，变成了对古典意境的袭用，好像宋代人所谓的“脱胎换骨”，实际上过分拘泥于原意，变成了脱胎而不换骨，不能说范方完全没有这样的情况，有时确也给人从根本上未脱出前人窠臼的印象。原因恐怕是，他往往满足于在想象的结构上挖空心思变化，而在情感的结构上则变化不足，以古代人的情感覆盖现代人的情感，总是有点捉襟见肘。如《剪》：

谁将水上的绿意
剪成两岸波涌的青草
谁将枝头的呢喃
剪成诗句

当太阳
把东风
磨成剪刀

通篇全是意译贺知章的“不知细叶谁裁出，二月春风似剪刀”。把春风催生绿叶的功能变异成剪刀的功能，这是贺知章这两句诗的生命所在。范方据此又做了些演绎，不能说没有智慧，但不过是同一想象途径——功能变异的重复和强化，满足于这样一个小窍门的演化，反而使他忘了现代人和古代人对待大自然感受的巨大差异。在这些写得挺智慧、但不一定很出色的诗章中，我们只看到一种意向，那就是刻意从中国古典诗歌中吸取想象的精华。范方采取了一种很原始的方法，几乎是像小学生临帖那样，对那些古典诗意进行意译。有时，他侧重于技巧领悟，有时则侧重于民族心理文化的认同，每当他过分执着于继承甚至达到惟妙惟肖的程度，他就给人一种迷恋骸骨的印象。诗集《还魂草》中有《望乡人》一辑全是写海外游子或台湾同胞怀恋大陆之情的，由于所写的诗人并不十分熟悉，因而剩下的选择只有两个，一个是把概念套上诗的感觉，这就不可避免地给人以空乏之感；一个是尽情地做古典诗意的现代演化。正因为这样，这一辑中，现代生活与古典意境之间的矛盾最突出，只有很少数诗篇达到了某种程度的结合。

当范方写到自己深切体验过的情感时，就不这样依赖古典意境的演化了。现代人的情感，不论广度还是深度都大大超过了古人，纯用古人的表现方式是不够的。正因为这样，范方花在诗的现代化上的精力主要是扩大缪斯的思维空间和丰富形象的纵深层次结构。他的特点不在于把这些空间的广袤和层次的纵深结构全部展现出来，他不像古典诗人乃至 20 世纪 50 年代某些诗人集中选择一个视角，即使层次有深入或思维有升华，也集中在一个视角上。范方不甘于这样单纯。他的诗往往很短，短到很少超过一页，也就是很少超过十六行，然而这短小的篇幅又容纳那么大的知觉的、情感的和思维的容量，渗透着现实的反映和历史的反思，交织着主体的和客体的特征。这得力于我们前面指出的那种层次的跃迁，亦即只提供开头与结果的层次，把中间层次大幅度地虚掉，不仅仅运用感觉时是如此，在思维的焦点上则更是如此。此外，他有意识地回避单视角地连续地从一个方位切入客体的特征。不论是马雅可夫斯基的诗还是 20 世纪 50 年代的中国诗歌，常常是这样的，即使在结尾升华时，也还在开端空间视角的或者逻辑的延长线上。像情节性小说的环环紧扣一样，20 世纪 50 年代颂歌的视角空间也是层层递进。现代小说打破了小说情节的环环紧扣，现代诗也打破诗歌的层层递进，代之视角程序的断续性和多方位的自由转移。

我们以范方的《早霜》为例。“真猛，风从窗外窜入 / 把一室灯光 / 打翻在地。”这里写的是风的运动特征变成光的功能。“地上匍匐的那人 / 拱起的脊背 / 如山。”这是写光的效果、有光才有影子，然而没有顺着原来的视角和联想程序，突然从另外一角度上把投在地上的影子变成匍匐着的人，而且把他的影子抬高（视角降低）到像山一样。如果说，这里虽然层次有跳跃、视角有转移，总还是在视觉范畴之内，接着，本来很薄弱的程序的连续性被抛在一边，完全换了一种观照的方向：“灯光是拾不起的，/ 在子夜 / 已冷成满地早霜。”这来得很突然，原因是“拾不起”的丢开了，已经产生了风、灯光、影子之间逻辑因果，对同一对象提出了另一种因果，自然是想象的因果（灯光一旦打翻在地就不可能拾起，因而变成了满地早霜）。这从逻辑上另起炉灶。同时空间也自然地扩展了，从室内变成了“满地”，当然这两条因果线，从逻辑上来说是没有联系，好像是有点“自由化”，但从直觉上来说又是很统一的，从室内灯的光想到室外的霜的反光，完全符合联想相似相近的规律。接下去：“早霜 / 在哭。”从霜到哭，当中省略了由冷、由白色联想到悲，由悲又从无声变为有声的哭，这么多层次，同时也由直觉的角度转入情感的价值取向，这是这首诗的诗眼，是形象的核心，不能轻轻一笔带过，要适当做些强化：“哭在 / 山下。”这里用的空间延伸的办法，在结束处造成一种非结束感，以期在读者心中留下更长的印象。

这样的诗有充分的现代性，主要是这样快速的思维程序的断裂与连续，这种多方位的观照和转移，比较方便于表现现代人那种复杂的、躁动不安的心灵。但是对照着范方的追求传统的宣言读这样的诗，就不难发现一个矛盾，在他写得最有生气的最有创造的诗里，读者很难感到他在宣言中追求的民族文化的认同和中国古典诗歌的意境。这是一个很有趣的问题，当他有意识地追随古典诗意时，他往往由于拘谨而忘掉了他现代人的内心生活的多层次、多方位的丰富性，而当他放开手写他的现代人的内心世界时，往往又离得古典意境相当遥远。当然，读者千万不要以为范方的那些宣言是胡吹，相信他的宣言也绝不会上当。忠厚的范方如有一千条缺失，其中最大的一条就是不会挂羊头。这个矛盾之所以产生，原因其实很简单，那就是他选择的目标——把现代人的心灵结构与古典诗的意境结合起来——是一个非常艰巨的历史任务。也许范方终其一生远不能完成这个任务，也许我们这一代人也只能提出这个任务，并在开始阶段留下歪歪斜斜的脚步，留待我们的子孙去评判和纠正。

在文化突围中宁静地审智
——论麦城的诗①

麦城常常有一种情不自禁的冲动：用儿童的视角，来观察、体验人生。不少诗的题目，就是儿童式的：《给万鹏妹妹》《给乖乖》《为小吴丹而作》；就是一些不以儿童为主人公的诗作，也时有“安徒生头脑里的火苗”，在《桌子上的内心活动》和《真想》中许多意象和观念，令人想起孩子气的境界。他20世纪80年代中期的作品，甚至有一点天真烂漫。在《想象》中，他向往的境界是：“像一条鱼／优美地死在一个人的心里。”如果他真是一个抒情的、浪漫的诗人，这并不奇怪，但是他在诗中是不动感情的，可以说是一个以“无情”为特长的诗人。浪漫、天真，是不深刻的，在《直觉场》中，他已经意识到了这一切的“无用”。因而，即使在表现他对于儿童心灵的神往的时候，他也是并不以情感，而以一种深邃的智性取胜。儿童的纯洁和天真不过是一种精神的、自然的底色，为了和现实中心灵扭曲相对照，由此而派生出对于现成的观念的质疑，提高了诗的内在反差的强度。

他的诗常常有种童话色彩，这令人不由自主地想起顾城，那个被幻想和海内外评论家宠坏了的孩子。

但是，麦城和顾城是两个城，麦城不是童话之城。

麦城比顾城更强调现实的荒谬、人与人之间的隔膜和敌意，他痛切地感到无所不在的精神扭曲，从四面八方压缩他的精神空间。人性的异化和偏见形成一股不可抑制的恶性循环，迫使他不停地挣扎。而顾城，至少在他的诗里，是比较天真的，看不到随处可能出现的恶毒的陷阱。如果顾城看到一个人把手放在裤袋里，不会感到危险和阴谋，而麦城却不止一次地写到手从裤袋里拿出来变成匕首。在《一滴钻石里的泪，降在了大连》中，是这样的：“她把我揣在裤兜里的手／很好地拿了出来／她说，手长期揣在兜里／容易变成匕首。”

① 本文发表于《当代作家评论》2001年第1期。

在《困惑里接待生活》中出现类似的意象逻辑："在另一种门的门后，/你把已经松开一年多的手/再次握成凶器。"

一方面向往童话的纯净，一方面又怀着警惕和戒备，这就使得他的精神既宽松又紧张。但是，他仍然时常有一种浪漫的神往，"有一个被婴儿的心复印好的天空/天空下有很多人在走/他们的口袋里没有匕首"。在这样的世界中，他愿意"交出自己/连同两只藏在衣袖里的能把快乐放回生活原处的手臂"。

手的任务本来是把快乐放回原处的，但是，现实却相反，所以，从根本上说，他是不浪漫的。作为一个现代主义诗人，他对于情感是非常吝啬的；即使正面涉及了感情，他也习惯于无动于衷。他瞧不起抒情，"激动"在他的诗中，是一个贬义词，常常是被嘲笑的，他甚至有点恶毒地把"激动"说成是"按计划"的，"悲哀"是"定做的"，悲伤是"过期的"，笑容是被"派出"来的，友谊是"正式批下来的"，快乐是"颁发"的，而且是煞风景地"带着伤上场"的。透过情感的虚假，他对于整个精神领域的虚假有了深刻的洞察："假树像真树一样/在秋天里大量伤感"，对此，他既嘲弄着又为之忍受折磨。

读者就从这里体验到了他的清醒的严峻和严峻的清醒。

他的严峻使他对一切天经地义的现象都要拉开距离去客观、冷酷地凝视，即使在不能不感到自己时刻和阴谋相处的时候（"与阴谋相处/你又成了我们的门/门，或许就是阴谋"），他的语调也是宁静的，即使有了深邃的洞察的时候，他也保持着一种不动声色的姿态。

严酷和冷峻与他的天真、浪漫的童话话语组合在一起，就构成了他诗中的第一种张力。

对于读者来说，这是一种深沉而又清新的心理冲击。他所冲击的，不是情感，而是内心智慧。也许在他看来，情感不但没有深度，而且还可能干扰智慧的深度，他的任务是冷峻地从日常话语中揭示出深邃的内涵，对现成的话语加以颠覆和重构。他所苦心孤诣地审视的，是智慧的深层奥秘。

他的诗也许不属于审美的，而属于审智的范畴。

余秋雨在《〈麦城诗集〉序》中所欣赏的麦城，恰恰是麦城接近余秋雨的那些成分，那就是严酷和苦难——坚定——崇高——永恒，但是，麦城作为一个诗人，还有比之散文家更加个人化的一面。首先是，不可解脱的心灵困惑，精神的不自由——被歪曲——与之对抗而又无奈——无奈到自嘲的程度；其次是，他作为诗人，他必须为个人的性灵寻找比之散文更为奇诡的个人话语。如，他从镜子深处"知道该怎样制服脸上的忧伤/该如何从左向右或从右向左/布置笑容"，这和20世纪80年代在《旧情绪》里所写的属于同一母题，"不得不把笑容/时刻揣在兜里/一有机会就戴在脸上"。他20世纪90年代的诗作，和他

20 世纪 80 年代的诗作，有许多不同，但是在观念上和话语上是一脉相承的。他痛切地表现着这种“自我异化”以及对“自我异化”的妥协，好像有点宿命的悲哀。

但是他和北岛那样绝望的紧张的对抗不同，和王小波的轻松的“佯庸”也不同，他相当真切地进行着自我批判。这个特点常常被评论家们忽略了，恰恰在这里，他表现出了他的由清醒到孤独的过程。

越是清醒和孤独，就越是免不了面对沉重的困惑。他面对孤独，却不紧张，这是因为他的自嘲，自我放松，“用橡皮把自己一行一行地擦去”，然后，“从一棵高大的树上，沉重地滑落”。好像是承认失败了，却不动声色，保持着宁静，既不悲观，也不乐观，而是达观。虽然，其中也有无可奈何的成分，但是，他没有趋向黑色幽默，更没有变得恶毒。他不像某些前卫诗人那样把生活看得很烂、很虚无。他不戏弄生活，他的平静也许可以趋向通脱，但是通脱可能变成麻木，他更为执着的是追索。这就出现了他的第二母题，那就是“还原”。

这是阐释学意味的“还原”。为了“去蔽”而“还原”，这也是诗学上的还原，还原到儿童意象——心灵的本真。孩子的感觉本来是最不受现成观念的束缚的，最适合于将传统观念“悬搁”起来，自由地“还原”到原生状态。他追索的宗旨是对先于个体“设计出的”（哲学上叫“预设”）观念，发出质疑：“从偏见里出来 / 获得海洋。”

在排除偏见的话语的同时，他对传统文化语境的围困进行突围，创造着一种诗化的话语，他不能忍受把偏见当作自我存在的家园，不能把麻木当作快乐。在他最成功的作品中，他挑战、质疑和反抗，不限于哲学意义上的成见，而且还有经验意义上的人性的扭曲，还原到本初的人性去。同时，也追求平常的、群体话语转化为他个人的。在《原来》中，他这样写道：

什么时候
挎上原来的那只原来的小筐
到最原来的地方
捡回最原来的事情
按原来的动作
原来的想法
还原出原来的意思
让这一切一切
触及原来
到原来那里去

反复强调“原来”，反复到不怕重复的程度。从哲学上来说，是还原，但是从诗学来说，却是他个人话语的创造。这里的“小筐”“原来”，已经带上了他个人的诗学的和哲学的意味。在他停止了诗歌的写作十年以后，他重新开始了诗的追求，《碎》可以说是他话语突围和创造的一种象征。对于现成话语的突围是如此艰难，现成的一切即使像旧纸一样撕碎了，可是这仍然存在。文化的束缚，旧的成规，是难以消解的，撕“碎”本身就是不可能的，值得怀疑的。虽然从哲学上来说，是徒劳的，但是从诗学上来说，他时而取得胜利。使日常话语带上哲学的概括和诗学的深邃，是他的拿手好戏。

他说他是一个“穷孩子”，他以“穷”而自豪，正是在自豪里他转移——解构了传统的“穷”——物质上的内涵，赋予了精神上的价值。这种方法的反复运用，使得他能轻松地把日常话语转化为哲理性格言：

是的，我是穷孩子

一个穷得像一株不弯曲的树

穷得非常正确的孩子

一个穷得像一张没有污点的白纸

穷得非常干净的孩子

这里包含着日常感性话语（穷、正确、干净）的解构、转化，同时也包含着对于理性话语的重构，穷孩子，穷得正确、穷得干净，在概念上的错位和反差是如此自由，语义的转化和升华异常自然，应该说，这是他哲理的胜利，也是艺术的胜利。用这样的方法进行语义的重构并不是他的发明，但是难得的是他做得轻松，当格言式的概括出现的时候，不像一些不够谨慎的诗人那样，以晦涩为荣，他常常以明快为特点。

他的智慧是深刻的，但是他的出发点却是感性的，他从个别的感性平面激发出普遍的深刻概括，他以多少有点诡异的逻辑冲击着思维模式化、自动化的预期，他的冲击是如此突然又如此自然，总是在令人困惑之后，又使人享受到心智光明。这得力于他善于运用同一词语的二重语义错位，在这种错位中，他的逻辑是时而突兀，时而委婉，荒谬中有警策。就在这时而豁然开朗，时而迷离恍惚的思绪中，在逻辑的断裂和层递中，语义的凝聚扩散、转化和生成中，他似乎在做着文字的游戏，和读者捉着逻辑的迷藏。同时深邃的格言以一种神龙现首不现尾的形式迫使读者，不管是疏懒的还是耐心思辨的，进入他预留的逻辑空白。

他给读者制造索解的难度，又不折磨读者过甚。他比较善良，稍有修养而且有耐心的读者在困惑之后，不难发现他天真的单纯和晦涩的深邃猝然遇合，从而获得顿悟的喜悦。在陌生的亲切感中，享受到经验的唤醒和智慧的领悟。

他的诗无疑充满了形而上的思索，但是这并不意味他对于现实绝对超脱。

在20世纪90年代大部分诗歌中，政治意识形态显然不在艺术的主流位置，日常主义成为风尚，麦城却有时对于宏大主题发生兴趣。虽然，早在 1987 年，他就宣布过“根本没有伟大的必要”，但是，在他的某些诗行里，时常出现现实的讽喻。例如，“鸟儿的奇迹被绑在窗前的一棵树上”。在恢复写作以后，偶尔也涉及政治现实，像《力量——献给乖乖》就企图概括中国现代和当代的历史，这本来是相当吃力不讨好的。虽然诗写得有气魄，隐喻也有深邃之处，但是还是比较生硬，似乎力不从心，有一点概念图解的味道。但是，有时他也能成功，这就是《现代枪手“阿多”——和英雄谈谈》。宏大的叙事，并不用宏大的场景，而是用日常的话语——这是他诗作中的又一种张力。对自命为文化英雄阿多的质疑，实际上是对于传统的英雄观念的解构和反讽，同时又是自我批判。通过这种质疑和批判，他揭示了我们民族文化心灵的、哲学理念的历史性沦丧：

当然，谁也不知道
阿多的早年孤独和现有的不幸
使一个国家的哲学
跪在另一个国家非哲学的观念里
失声痛哭的故事
包括他持枪私自闯入
我守不住你的野心以前
托人定做的三种悲哀

有批评家说他放松，有的又说他还是紧张，二者都在他的诗里交替出现。不过从他所追求的艺术效果来说，他力戒张扬，用日常平淡的语调来展开非常严肃的主题。连反讽都追求自然、自由、自如，不着痕迹。该明朗的时候直截了当，该晦涩的时候弄一点玄虚，该深沉的时候不妨皱紧眉头，该单纯的时候就像小女孩。在他写得最好的诗中，他用丰富的智慧掩盖他复杂的情绪。这无疑有利于他创造诡秘而深刻的话语：“爱情一走出巷子就下落不明”，眼睛变成“保密局的圈套”，“真理和思念合伙塌方”，“倒退向古代的碑文和当代的非非主义”。通过这些话语，他不想射击“混蛋的制度”，而是射击人，人的异化，他既是射击者，又是被射击者。不过他的诡秘是表面的，从深层来说他是明快的，尤其是他的话语上升为某种深刻的命题的时候他就显出明快的本色，如“自己提枪反抗自己”。

如果不过分吹毛求疵，似乎可以说，在《碎》中，粉碎“旧”的努力，是他的艺术纲领的话，而反抗成规，反抗自我，则是他的思想纲领。麦城的诗往往因为这两个方面的结合而达到一种哲理的高度，这除了得力于他的现代哲学修养以外，主要原因是在艺术构思上他常常不由自主地进入某种寓言式的结构。正是这种寓言式的构思，使得他即使涉及最为形而下的意象，也能有形而上的内涵。比如《跟随北风生活》：

椅子是北方的一个木匠

在汉朝砍下了一棵大树

反复利用明朝的空闲时间

和对大明皇帝的恐惧

打制而成的

……

他总共打造了两把椅子

一把放在被皇帝用旧的野心里，

另一把则放在词典里

椅子确实是木头的

但我越来越怀疑它不是木头的

“椅子”的意象是如此单纯，但又如此丰富；既是物质的，又是精神的话语；既是政治的，又是文化的；既是高雅的，又是民俗的。“放在字典里”——僵化的传统已经成了一种不言而喻的准则，一个无所不在的包围圈。深刻的历史概括和话语的重构融合在一起，使得日常用具成为寓言的象征，普通话语成了哲理的概括。

他所经营的“还原 ”境界，从现实的角度观之，肯定包含着悖论。完全脱离“预设”的观念，追求绝对的个体话语自由，可能走向反面——失去最起码的自由。没有追求可能是腐败，而有了追求又可能免不了失败。可贵的是，他仍然不懈地追求。余秋雨在《麦城诗集》的《序》中聪明地阐释了麦城的意象，他把“麦城”的传统观念转换为现代意味，“对抗失败、接纳失败、安顿失败，然后，它成了失败的终点和起点”，这种西西弗斯式的循环努力，西方哲学大师们设想出来的境界，是不是乌托邦，不是他所考虑的。像一切真正的诗人一样，他追求的不是现实性，他只问耕耘不问收获，孔夫子的知其不可为而为之，追求过程就是目的——当代文学与古典哲人的生命竟属于同一棵树。

正是因为这样，他对于现实批判，时常用反讽的姿态，但是，他不是一个批判家，他只能用自嘲的方法、反讽的策略，利于收敛锋芒，保持温文尔雅的深刻。就是幽默，也不是心灵的共享，会心的微笑，而是一种冷峻的无奈，一种冷面幽默，一种美国人所说的“干幽默”，幽默到抽空情感，表情漠然的程度。在他的每一首诗里，几乎都可以找出反讽的句式，反讽的话语来。《跟随北风生活》是他恢复诗歌创作以后的比较杰出的作品，集中统一的意象和难得的历史深度结合得天衣无缝。语义的升华和扩展，暗喻和象征的交融，都堪称和谐。其中反讽色彩话语的鲜明，最容易被感受：

听词典里最细的光芒说

由于观念占线

下午四点三十五分的真理

未能打进我的生存状态

比我决心崇拜你的速度

快了四分钟

比北风给我带来的某种不安

晚了五步

看来他对这种方法有一点偏爱，在另一首诗里，他用同样的方法突出了测不准的情感和数字之间的冲突：

我就是在这样的情形下

动用摄氏零度以下的目光

看见了蹲在礁石下面

准备迈进城里的外国风暴

这风暴距黑夜只有六公里

距从我内心罚下场的爱情

还有三个多小时

当他清醒的时候，他是自信的、放松的，就是在他深沉、困惑的时候，也由于反讽而远离张扬。他不但为困惑而痛苦，而且为困惑而自得，他把清醒和困惑都当作一种美，一种生存的自觉，一种人生达到自觉境界的体验和玩味。他困惑，但是他不玩深沉，在这种情况下，他的反讽比较隐蔽："多想给痛苦安上嘴唇／让它说出凶手的长相／然后，再陪你慢慢地疼。"目的不是为了把凶手抓住，而是体验痛感。这是无可奈何的反讽。当然，反讽并不是他的专利，但是，他的反讽避免了油滑，这是因为他的反讽中充满了智慧。智性的渗入使得他的诗达到了审美、审智的交融。

他的反讽的特点表现在语言上，他善于把当代话语作为反讽性转化。诸如："每片雪片都在减肥""观念占线""世界陆续停电""阳光打印出脸上的表情""电视打来古代的长途电话""给西方现代思想／打过无数次传呼""景色可以放在诗里／景色无法托运""雪不咳嗽地下着"。他的习惯是让通常语义和具体语境中的语义发生错位，导致荒谬，又一脉贯通，这就构成了对于固定化的语义的突围，同时又是对于潜在的受压抑的经验的唤醒，新的语义就在这里受孕、投胎，困惑和幽默的顿悟共生，难度的挑战和获得智慧之间达到豁然贯通。

他善于从语义的不和谐中创造和谐，使优美的语义与严峻的语义在冲突中交融：“你从一滴优秀的泪水 / 掰出了两种忧伤。”形容词“优秀的”和“泪水”结合在一起，显出了他的独异，但是还不能充分显示他的才气。他的匠心往往在动词上，而不太重视名词和形容词，在他笔下，动词的潜在量比较大，它不但涉及动词本身，而且还引动了宾语和主语语义的错位，这样它的联想和浮动的幅度和维度就立体化了，在《必须》中：

有些东西必须熟练地放在地上

比如回家的路

又比如每天派出寻找

在中文里毒死父亲早期眼泪的那句

成语的脚印

和上交给母亲的身影

在这里“毒死”“放在”和“上交”都因为动作对象（宾语）的特殊搭配而显出超出常规的深刻的内涵。诗中格言式的深邃在很大程度上，是依靠了对于一个最平淡的词——“放在”的内涵的重构。“放在”梦里的，是再次乘坐外婆的歌谣，“放在”花园里的，是碑文和伟人的内心活动，“放在”石头里的，是用锤子从石头里拿回来的天堂里的声音（暗示神的雕像）。动词与宾语的诡异的结合，使得他轻松地获得一种错位的效果。一种迷离而警策的风格，日常话语在他笔下常常漫不经心地上升为格言：

有些东西必须放在皮箱里

比如手段

有些东西必须放在杯子里

比如快要流不动的河流

和已经不流的友谊

他回避平面地展开他的主题和意象，他总是力图对意象进行纵横交错的切入而毫不顾忌不同范畴的冲突，在表层语法上的冲突和深层语义中的和谐正是他在话语创造上的追求。他的某些成熟的诗说明，他已经有了一种可以称之为麦城式的话语，在他自己的领域中，他有时能达到得心应手的程度：

她就美学地哭了

哭声准时从四川起飞

哭声途经哲学、艺术、道德

以及圣经泄露的善良的地点

他勇敢地把不同范畴如此自由地加以错位的安排，才使话语的概括力达到了如此的广度和深度。

当然，他中断了十年的诗歌创作，目前正处在恢复期，有些方面无疑是有所发展的，但是有些地方又尚未完全恢复。经过十年的企业家生涯，他的心灵肯定有变化，然而在他的诗中，表现出来的还不成比例。他的语言和诗歌的模式并没有太大的改变，旧的模式对他来说是一种方便的台阶，同时又是一种透明的牢笼。他从日常主义中解脱出来，走向了形而上的境界，但是形而上学之网，却漏掉了太多充满生命的经验。谢有顺在大连的讨论会上批评他追求内心的缓解变成了内心的封闭。我想如果能够深入到内心更实在、更经验化的层面，把经验和智慧充分结合起来，也许更为深邃，更为精彩。

当代诗歌越来越厌弃了情感，走向了智性，但是智性的抽象对于诗歌来说，总不是一种理想的境界，把一般读者置于一种受苦受难的境地，也不符合人道主义精神。如何让更深厚的经验成为诗歌的血肉之躯，这是中国诗歌，同时也是世界诗歌的一大难题。

好在麦城还不完全脱离读者，他的艺术情绪乃至比较统一单纯的构思，与浪漫和古典的传统并没有完全断绝联系。正是因为这样，他对于许多和现代、后现代诗风有隔膜的读者有相当的亲和力。在人生的价值取向上，他似乎不想太放任自己；然而在语言上，有时他却禁不住要任性地狂欢一番，这时，他为他的痛快淋漓，就付出了代价。他不由自主地疏离了一些本来可以亲近的读者。在他过于错综的语义变幻中，搅乱了读者的期待视野，一般读者很难跟得上他的神思飞越。艺术当然要领导读者做灵魂的和话语的探险，但是探险者也要做出牺牲的思想准备。艺术的探险，也包括对读者的期待视野的探险，如果过分激进，就可能产生和读者为敌的危险，绝对和读者为敌就有可能变成和艺术为敌，导致两败俱伤的危险。

当代中国最为流行的诗学观念无疑来自西方，拒绝开放是愚昧的，但是被动照抄也是愚昧的，如何把形而上学的追求和形而下的经验结合起来，把读者的期待视野和艺术家的不倦突破结合起来：这是西方人还没有解决的难题。美国诗人也为诗与群众的脱离而苦恼，各种各样的朗诵，甚至是化妆的朗诵，就是一种尝试。但是，在当代，诗毕竟主要是用来读的，而不是用来听的。谁有真正的艺术魄力，谁就不能回避解决当代诗歌与读者互相征服的历史任务。

在古典美和当代美的冲突中悠游

——阅读秦岭雪[①]

秦岭雪作为一个香港诗人，得力于他对中国古典诗境的痴迷。这有点令人惊异。原因在于，生活在现代化国际大都市香港，无论从生活方式，还是文化氛围，都有利于他不由自主地进入西方现代后现代的语境，但是，他的诗境追求却恰恰相反，那些最富灵气的诗篇，充满了中国古典诗艺的氛围。当然，不是那种生硬的、幼稚的模仿，更不是那种表面的装点，他已经能够做到把古典的诗情渗透到当代的审美诗情之中。这里既有意象的传承，也有意境上的血缘，读者不难从中领略到盛唐气象的浑然，宋词的倩影丰姿。不管是寒山寺的意象，还是《琵琶行》的情怀，不论是李白的天马行空，还是苏东坡豁达的豪情，都与他诗情息息相通。甚至古典诗歌中的统一而变幻、起承转合的结构模式，都被他自如轻松地驾驭着。并不需要多少专门的阅读经验，就可以感到，秦岭雪古典诗歌的美学熏陶相当丰富：有以狂放为美的，也有宁静为美的，更有潇洒为美的。在他全部作品中，显示出一种雄心，甚至可以说是一种野心，那就是把金戈铁马的大气磅礴和红巾翠袖的婉约熔为一炉。这样的追求是不是有点冒险？他的素质，是不是能够担负起这样的重担？应该说，本钱是有的。除了他的学养以外，他的气质给了足够的底气。他作为人，就是豪爽的英雄气概和浪子的多情种子并存。

从他显然是耗费精力的《苏东坡》组诗不难看出，他没有单纯从豪放风格的角度去理解苏东坡，他的理想是寓豪放于婉约之中：

赤壁之下，箫声吹破月色

如泣如诉，余音袅袅

① 本文发表于《香港文学》2002 年，2009 年 2 月 17 日修改。

恰有孤鹤横江而过

恍如羽衣仙人醉舞江皋

他所选择的“赤壁”不是东坡词《念奴娇·赤壁怀古》中的“乱石穿空，惊涛拍岸”，一眼望尽千古英雄人物大起大落的壮阔的历史视野，而是苏氏散文《前赤壁赋》中，白露横江，水光接天，宇宙无限，人生有限，洞箫声中的感慨。他诗歌中的豪情与温情，二者不平衡。清淡抒写有胜于浓烈铺排之势。这可能是他心理素质的宿命，他的豪放不羁，好作英雄语，他的柔情婉转，则更为风姿绰约。这样的情志，都带有某种精英性质，但是，令人惊奇的是，这种精英趣味，并不完全贵族化，相反，时时流露出某种程度的平民姿态：“独坐破漏的官屋/屈指数着北船运米到来的日子。”这是一些评论家忽略了的深邃矛盾。这个身处国际大都市，痴迷于古典诗歌书法的现代绅士，笔端不时流露出某种精神贵族自尊，却在同时，又坦然宣告自身世俗的平民心态。难得的是，这种心态，并不完全停留在柴米油盐上，而是把寻常民俗诗化。在组诗《望乡》中有《小楼》：

临街的小楼

三十年后

还透着酒香

呼啸而来啊

五魁首啊，八匹马啊

脱掉皱巴巴的外衣

一脚踏上板凳

霎时天地间

只有五指

在这样赌酒猜拳的乡土风情中，读者看不到浸沉在苏东坡那种金戈铁马、红巾翠袖诗情中的诗人秦岭雪，浮现在读者面前的是另外一个人，这个以罔顾礼法自夸的家伙，不是闽南汉子李大洲吗？不能不承认，这是他心灵中的另一种境界。每当他写到乡土风景，这种情致，就要漫溢出来。当然，某些读者可能为其中的散文性质而感到遗憾，而另一些读者却可能更喜欢绅士难得的率真。幸而，他在一般情况下，没有忘记让它带上宋词韵味，如写到家乡的木偶戏：

锣鼓

敲破了天庭

这天晚上

我梦见

断桥残雪

杏花春雨

正是由于把民俗古典诗化了，读者往往被他骗过了，没有看出猜拳赌酒的蛮性，和古典才子、现代绅士的二重风貌。

毋庸置疑，生活中的李大洲和艺术中的秦岭雪，是统一的，然而，文如其人，是一句遮蔽性被忽略了的成语。文不如其人，同样有一定道理。在诗歌中的秦岭雪，其个性是精致地艺术化了的。他飞扬的文采、情彩和神采，是长期古典诗歌中修炼的结果。事物的不平衡是绝对的，全面完美是不可能的。在我看来，他放任豪情的时候，往往不及他收敛情绪的时候，我敢大胆地说，他的艺术个性，豪放的不及宁静的，宁静的不及潇洒的。这就是为什么，从纯艺术来说，他最好的诗作，并不是那些气魄宏大诗篇，而是另外一些，那就是被古剑先生称之为“现代绝句”的那些堪称精品的短章。他写得最好的诗章，往往是那些表层是狂放的，但是深层是温文的。对于古典情境的营造，他宁静的陶醉比他的豪放更为精致。不可否认，他的豪放诗作中，有许多精彩的诗句，可是更经得起欣赏的是他那些不可句摘的意境浑然的作品。而在这些诗作中，他总是以一种沉凝的心态动人。当他的艺术个性控制得比较到位的时候，他就写出了“现代绝句”的精品，如《在舞会上》《王羲之兰亭序》《颜真卿祭侄季明文稿》《弘一上人》《苏堤》《李挚故居》。其中《苏堤》堪称典型：

千里来寻桂花香

灯也晕黄

月也晕黄

山影幢幢

湖光蒙蒙

秋凉只在细雨中

六桥依依

风重霜浓

桃花陌上再相逢

这诗句可真不愧为当代绝句了，这里有传统的湖光山色的意象，迷蒙烟雨的情调，有情景交融的浑然一体，特别是最后一句“桃花陌上再相逢”，显示出绝句起承转合的有机。

在结尾处，画面突然转折，从画面外，突然进入的神韵。当然，在秦岭雪的心灵中，这样的作品，还比较平面，最有立体感的是那些有更微妙的曲折和突兀的穿插的篇章，如《颜真卿祭侄季明文稿》，在古典色调的描绘中构成出入自由的奇趣：

须发贲张咬碎牙齿

宽袍大袖

遮住日月光辉

老泪纵横如屋漏痕

忍痛细读墙上历史

猝然落月照耀的屋梁

掷下一颗年轻的头颅

这最后两句的突兀转折，带着智性的冲击性，显然是活用了绝句三四句句法转换的结构。这在他成功的诗作中屡见不鲜。在《弘一上人》中，最后一章，则是从大幅度的画境转入智性的深化："阐释这生命之谜 / 以薄薄袈裟剃度 / 茶花怨侣 / 以坚实果实 / 诠释 / 花谢花飞"；突然从思维的多方动作，转入宁静的画境："目迷五色的彩虹 / 终究还原于 / 一泓翡翠。"

作为一个现代诗人，光是有古典的修养显然是不够的，这可能造成危机；显然，他早已意识到这一点。一些评论家，就是因为忽略了他将古典意象和话语融入当代情思的努力，而未能完全读懂他的艺术追求。试以《寒山寺》开头为例："为了不朽的诗 / 钟还醒着。"这个"醒"字，就是在古典诗人想象轨迹之外的。本来，悠扬的钟声，是古典的情调，不管出世感多么深沉，时间感多么悠远，不外出于在场的视觉和听觉，而"醒"着，则是出于不在场的，拉开了时代的距离。醒着，还带着现代派诗歌的智性，以割断逻辑的连贯性为特点，把这种智性的跳跃性嫁接在古典的相近、相似联想的意象上。驾驭着这样的功夫，就使得香港居民、古典诗迷李大洲，提升为现代诗人秦岭雪了。类似的情况，比比皆是，从唐朝的桑树想到绿色的火焰，同样是脱离现场的，超越了古典的、现代的感知，正是因为有了这样的本钱，他的当代情思并未因执着于古典诗情而窒息，融入当代世界前卫的诗歌联想和想象，展示思想和智慧，在他似乎已经驾轻就熟。以《回首》为例："多年以前那一声狼嚎 / 锯白了今宵月色。"辜健先生说，这个"锯"从狼嚎而来，狼齿如锯，当年恐惧犹在。今宵的月色仿佛也给当年的狼齿锯得惨白。辜健先生由此而想到洛夫的《金龙禅诗》，认为有异曲同工之妙，这绝对是一大发现："羊齿植物 / 沿着白色的石阶 / 一路嚼了下去。"

洛夫属于现代派，乃至后现代的诗歌流派，与秦岭雪的古典诗本来是两个流派。难能可贵的是，秦岭雪诗作中流露出洛夫式的智慧，在许多场合居然把两个流派的手法结合得如此不着痕迹。这样惊险的结合并不是个别的。在《黄河》中，他说黄河“瘦如渠沟”，艰难地“咽”下了李太白的“半截”诗篇；他写《落叶》，居然会“铿然”而且在“六月的阳光中”。“满是虫口的伤痕／无言地冷对花丛。”这种远距离的联想和突兀的思想跨越，是以冷峻，甚至无情为特点的，恰恰和古典诗歌的强烈感情的流露是冲突的。然而他在许多诗作中，把两者统一起来，通过精致的联想过渡，神不知鬼不觉地潜入了当代诗歌艺术。

当然他也有一些诗歌，是完全超越了中国古典诗艺的。如写世界杯足球赛的《挂网》：

轻轻地　轻轻地
柔情一触
野性和疯狂
就这样兜进怀里
这是男人的全部期待
刹那的潇洒
刻下永恒的记忆
即便有
种种诡秘
也凝结胜利光辉
让
全世界
提在
胸间
里也叹息
外也叹息

这可以充分说明，在秦岭雪的心中，有着两根弦，一根是中国古典的，一根是西方当代的。当这两根弦各自孤立存在的时候，并不见得有多精彩，然而当他把这两根弦不着痕迹地交响起来的时候，就显出了他的大气。

他本质上是个才子，当他过分拘泥于古典，对才子气不加羁勒的时候，在艺术上就隐隐约约有一种浪子的影子，而当他把当代西方诗歌的深思、冷峻和古典抒情结合起来的时候，浪子就升华为睿智的诗人。

悬浮的意象和深情的梦幻
——读叶玉琳诗集《大地的女儿》[①]

福建青年女诗人叶玉琳的诗集《大地的女儿》非常荣幸地入选中国作协中华文学基金会“二十一世纪文学之星”丛书。在这部丛书中，诗歌一年才出一本到两本。作者必须是四十岁以下，没有出版过集子的。评选时，作者的名字被隐去，来自各方面的评委，经过三次无记名投票，决出幸运者以后，才能知道作者的名字。

一个诗人的成长要耗费多少年工夫，没有严格的统计，写了几十年，而仍然平平庸庸的大有人在，叶玉琳却多少有点幸运，她的成长得到了福建省作家协会的特别关注。至今她的成长过程历历在目。

七八年前吧，一个朋友从福建霞浦县带来了十多张油印的诗页，印得很粗糙，但读完之后，令我想起了1979年底，初读舒婷，也同样是油印的薄薄的诗页。虽然它不像舒婷的诗那样成熟而且深刻，但是，却有一种即将冒出来的新人那样的独特。这个名字很陌生的女作者，好像是已经摸到了自己的脉搏，正在试着用自己的声音对自己讲话。我觉得这个女孩子没有经过多少曲折和反复，没有在模仿和盲从中过分的耽溺，更没有歪曲自己，就找到了自己的声音、自己的情感和风格。只有禀赋特别好，而且特别幸运的人才这么早、这么顺利地形成自己的特殊风格。

我以为命运是对她特别青睐的，比起那些终其一生用自己的舌头唱着流行的、权威的，从根本上来说，是别人的歌的“诗人”来说，她生命的花季是提前到达的。令我非常欣慰的是，我在她还没有发表过作品的时候，曾经为她写信推荐作品，后来，在福建省黄长咸文学奖的评委会上，我又曾经对她的作品不无夸张地赞赏。再后来，我就一次又一次地看到她的作品获奖了。当有人说她是“获奖专业户”时，我感到分外欣慰。叶玉琳出现在舒

① 本文发表于《南方文坛》1998年第4期。

婷之后，舒婷的影响是若隐若现的。在这本诗集中，不时冒出来舒婷式的诗句，是不足为奇的。但是她没有去模仿舒婷。当叶玉琳创作力勃发的时候，正是中国诗坛后新潮时期，“现代诗歌大展”，不下一百种旗号闹得沸沸扬扬。她多少在句法的断裂上，在逻辑的跳跃上，受到一些熏染，但是她太忠于她的自我了，因而，她不可能去赶那份时髦。

从最初到今天，她的诗都充满了一个少女的热情。洋溢着少女的爱情的梦幻和对于生活的如痴如醉的迷恋，而这种迷恋，是以一种纯真的独白，在自己的内心娓娓地倾泻的。在她的情绪中，不乏古典的意象和华美的色彩，但是她的表现形式，却又是充满现代逻辑断裂的。这种古典和现代情调的结合就使得她的诗作在热爱现代诗和传统诗的读者中都受到了欢迎。拿她和前几年被媒体炒作得轰轰烈烈的汪国真比，不知要超出多少个档次。对于那些不习惯现代诗跳跃的逻辑的读者来说，她的诗纷纭的意象是有吸引力的。反正诗是可以凭着直觉来感受的。像写到江南的一组，她的联想虽是如此纷纭地跳跃，但又不难找到其间的联想的若断若续的线索：水包装——鱼——贝母——含苞——丝竹——芦苇——油纸伞——岸柳的乱发，这一切都是江南水乡联系在一起的动物和植物的特性中演化出来的，其间梦幻一样的过渡是可以意会的。她并不像某些新潮诗人那样过分放任自己的意象做无规则的跳跃。她显然是不让它们过分地纷乱，就是在这样纷繁的感觉和思绪中，她享受着少女生命的体验。她那纷至沓来的意象群，比之舒婷更为悬浮，但又不像后现代诗人那样多元，那样紊乱，那样没有任何连贯的头绪。叶玉琳看来颇为谨慎地把握着意象在情绪上的缥缈的过渡。有时即使有一些中断，但是总体的情绪还是统一的。意象忙碌的运动不过是她诗歌形象的表层世界，她的诗之所以没有流于肤浅，是由于她在表层意象以下，电光石火一样地表现出少女的生命体验。读者在应接着她那有点叫人眼花缭乱的意象之时，既很自然又不无突兀地接受着她思绪的深化，领悟着她那多少带着传统浪漫主义色彩的人生概括，享受着共鸣。1994 年的得奖作品《大地的女儿·四季婚礼之四》，在梦幻的冬天的羽毛（雪花）意象群之后，她从记忆深处提炼出来：

多少欢乐去向不明

我的心因疼痛而苏醒

害怕看你一眼

叶玉琳是很少离开意象群落将内心的概括加以直接抒发的，她总是习惯于在意象达到一定的鲜活度和饱和点的时候，将内在生命体验直接激发出来。这就使叶玉琳较之同在霞浦的汤养宗更能为一般读者所接受，汤养宗式的苦涩而有深度是叶玉琳所不及的，叶玉琳的亲切也是汤养宗所不及的。

当然叶玉琳并不肤浅，她的内心激发的深度颇有可观之处。有些刻骨铭心的感触、深邃的洞察是一些在其他方面比她更成熟的作者所缺乏的。如《西行列车》中：

已经有了第一个梦

还会有第二个梦，第三个梦

自那遥远晴川腾空而出

而在《花贝》中则有这样的诗句：

他的目标唯有一个

杀死你，然后悔恨

在这些格言式诗句中，表现出她人生的体验的警策，这种警策恰是少女梦幻式的深度。从中可以看出，叶玉琳的诗虽然带着人生美妙的憧憬，但已不像她早期那样单纯限于对美的礼赞。有时她也不能不对痛苦的复杂的心灵底层投去一瞥。

就这一本诗集而言，蕴含三个人生母题：第一是怀念，第二是等待，第三是梦幻。不管是什么样的内心和外在的感触，叶玉琳都习惯地沉浸在天真纯洁的忧愁的情绪之中，并且将之推到一定的空间和时间的距离以外。这样似乎有利于她更自由地联想，心灵开拓达到更大的广度和深度。但是不管是广度还是深度，都是虚拟的、梦幻式的。这给了叶玉琳自由，但是也使她付出了代价。她不善于面对现实的严峻，或者说严峻的现实很难为她的艺术个性同化。但如果因此粗暴地要求她回答现实的挑战，那也是糊涂虫。我们是不是可以设想：倘若叶玉琳的个性更开放一点，具有更强的同化力，那她就不但能在自己的传统母题之内得心应手地大做文章，而且能在自己驾轻就熟的母题以外，创造出更为多彩的风格来。这也许并不一定是苛求。

从冷峻到审智的宁静
——读伊路

在冷峻中表现激情，在激情中作深邃的思索，是伊路的才华的突出表现。

在现代派和后现代派的强大冲击下，一切诗的基本规范弄得有点颠倒的时候，激情和严肃的深思都被忽略，肤浅和喧哗被冒充为时髦的先锋，在这样的潮流面前，伊路保持了她难得的清醒。

她有着不亚于一般追随现代派诗风的同辈人的丰富意象，但是她并没有陷入一些现代派诗人的任性，不管她的想象多么纷纭、纷繁、突兀、变幻莫测，她似乎都坚持让想象大体集中在一个意象的焦点上。她那放射性的非单向度的想象，往往能在同一个意象的性状中衍生出不同的想象的导向，这就使得她的表达力显得丰富而深邃。即使写最为平淡的事情也有她自己的想象方式。她善于从对象选择一个看来平淡的属性，撇开一切其他属性，仅以此一属性作为前提，层层推演，做连锁性的展开。如写康乃馨就单从瓣缘的锯齿出发，做独特的演化。她把它当作女性“生命的利器”，全诗就是从这个锯齿的属性中引导出“温馨的名字掩盖的血性”。正是因为所有的阐释都仅仅是从锯齿的属性出发，而且是排斥了一切其他属性，她的诗思才是单纯而丰富，亲切而又深邃的。她从红玫瑰的颜色联想到这是一种“疼痛的幸福”，这样的联想线索，表现了她排除和推演的魄力。她排斥了除了红色以外的一切属性，独立地把红色分为两种对立的性质，第一是象征幸福的花的颜色，第二是象征痛苦的血的颜色，妙在把这二者统一起来以后，就从现成文化陈规的联想机制中脱颖而出，向一些俗套告别。（至少在这首诗里，要坚决告别，不能让任何现成的联想进入这个临时独立的想象王国的边界。）不了解这一点，就不可能了解她为什么写大自然的干旱，她回避了通常人的感觉惯例，特地以水为主体去想象：“泉流挣扎够不着金铃花的咽喉。”写环境破坏的后果：“降落的树叶 / 碰疼了坚硬的石头 / 石头以沉默代替哭泣。”这些都无疑得力于她从精细的角度作独特的想象的阐释。超越了事物的整体的现成的性状，才能赋予这独立起来的属性以崭新的逻辑活力。这就使得她所创造的意象具有了警策的意味。

在这方面到了可以说得心应手的程度，她就有了相当广泛的适应性，在发挥得最好的时候，即使在某些新闻性的题材中也能出奇制胜。因而也就相当轻松地调动着读者的感觉，让读者摸得到、看得到，甚至闻得着她的情绪的量感和质感，激昂和沉静，思绪的起伏和深潜。在《悲哀的大神》中，她居然以海的意象写了十三首诗而显不出重复。这不仅仅是由于她善于转换感知角度，而且是因为她将大自然的意象和属性加以自由地，而不是平面的组合，并且和她的自我心灵的深度立体地组合起来。在她的诗中，大自然的意象总是和自我的情致以及独特的智性逻辑的跨越交织在一起的。她在沉醉于大自然的意象中时，并没有流于表面的滑行，总是和对于自我的生存状态的思考，包括怀疑、质询，乃至自我的批判结合起来。如她在面对大雪时，不是停留在细节的描绘上，她说："是谁的葬礼如此盛大 / 有一种死亡光芒万丈。"从这里可以看出她的心灵囊括力度是如何轻松地超越了现实的被动描述。她在听潮时，不把自我限制在听觉之中，而是把听觉作为一种自审的激发点："我憎恨自己 / 这样平静地欣赏厮杀 / 欣赏亿万只威武的雄狮 / 庄严失败。"

她的成功处不仅在于她的意象丰富，而且在于她善于超越意象，借助一个选定的意象的属性作她自由的、个性化的情感逻辑的推演。在她对于任何一种属性做独特的阐释时，总是不由自主地导向情感和智慧的升华。在大自然面前，她时而感到鼓舞、时而感到惶惑，时而发出质疑，时而感叹生命的渺小和悲哀。这时她往往激发出一些很有感性而又很有智性深度的句子，如：她从海的浪花，自然地联想到这是一种"狂笑着的爱"。应该说在中国现代诗中，能做这样的想象，并不见得是绝无仅有，但是她由此进一步用她特有的想象逻辑推演出：这"却是宇宙永难弥合的伤 / 永难模糊的界 / 像横在各个路口的刀 / 各个方向的谎言"。这样把客体的特征和主体的体验交融起来的想象方法，多少可以令读者体验到她的概括是如何呕心沥血地逃避平庸的。

她的诗作最动人的地方不在于单纯地表达了她对生活的感受，而是相当有机地把自己的感觉、情感、智性的思考自然地组合在意象的多重属性的组合之中。每当把这三者自如地结合起来的时候，她就写出了她最好的诗作。这些诗作有一个共同的特点，那就是不是单纯地表达某一种感情或者感觉，也不是单纯表达某一种智慧，而是让这三者有一种立体感，有一种动感，起伏、深化、断续、升华，自由而自然，富于感觉的弹性，又有沉思的、理性的深沉。我要以我特别喜爱的《残墙》为例说明这一点。首先，伊路对于残墙的特征的捕捉就很有女性诗人难得有的犀利：因为失去了其余三面而像一面巨刃，这是从外形上看残墙的特征，接下来如果再从外形上看，就不合伊路的追求了。她笔锋一转，从它另一个侧面，也就是从功能来看，这堵墙的肯定性的特点走向了它的反面：一贯起保护作用的墙现在变成了危险。然后又转向外部形状的一个特征，不过这时，转向了细节的描绘，而不是直接的概括："从被撞出的洞口 / 看见的不是家具 / 而是云朵。"在伊路看来，如果再描绘就又陷入平面了。这时她转而写残墙在幻觉中的视觉效果，然后从幻觉（从天空开始摇晃）走向智性的概括："它环顾四周的废墟 / 知道独立的代价 / 现在它失去所有的责任和意义 / 只为自己站立。"在这里，令读者感动的不但是对于残墙的冷峻的观察，而且在于她从选定的特征出发，机警地赋予了这堵残墙以自己的人生哲理的精华。人生独立的代价在于：人老是不由自主地不是为自己活着，老是情不自禁地为了别人而活着。最后诗人不再描绘也不再停留在智性的概括上，而是直接发出了赞叹："哪怕只有十分之一秒 / 也是它的永恒。"这本来已经是相当深邃了，但是她还是觉得层次不够丰富。像是尾声似的，她又做了一个对比："在残墙倒下去的地方 / 人们欢呼着跑过。"这就增加了一层讽世的意义。这里的写实的描述、主体的概括、哲理的升华、生活的讽喻，多层次地组合在一起，形成一个有机的整体，就特别经得起欣赏。像这样的作品并非个别。这里不过是举例而已。

所有这一切不过是为了说明，在她的诗作中，情感和智性当然是很动人的，但是从艺术方法来说，它们对于现实意象的依附性却是很强的。正是因为这样，她虽然是一个不乏现代感的诗人，但是从根本上来说，她却还有和传统相衔接的一面。这表现在虽然她的情感相当丰厚，但是她很少把情感做直接的抒发，偶尔抒发也常常是在意象达到相当饱和的时候，做一种比较简洁的激发，如她先描写海浪"从地球背后翻越而来"，意象有了一定的力度以后，才直接抒发说："失态的波浪啊 / 危险的爱 / 离死亡只有一步。"甚至到了后来发出："我何时当了情感的乞丐。"

这里的功力全从一个选定的属性——"失态"出发，而且由此毫不犹豫地引向自己心灵的库存。她诗思的力度就是从这里来的。内行的读者可以看出，她所擅长的不仅仅是女性所得天独厚的情感和感性，而且得力于她时时以智性的概括来深化她的感性。虽然在感觉、情绪、智性的组合中，她最强的自然是感性，她的诗情的核心也是以情感为主体的，但是，她并不经常是从感觉走向正面表达情感，有时则是从感觉越过情感的直接抒发走向智性的概括。因而读者不难在她的诗作中看到一些类似哲理性的句子，例如，"真正的悲剧没有帷幕"。这些概括的好处是常常在感觉十分饱和的地方，以突然爆发、戛然而止的形式出现，如她说水："可以变成任何形状而没有形状。"又如："刀刃组成的穷字啊 / 割断憧憬的细芽。"在她比较成功的作品中，都是把自己的机智和某种洞察放在某一特定的焦点上，达到了也许可以用情理交融来形容的一种境界。

她的情理交融的成功，往往是因为她善于节制，她的智慧，有时是哲思，不免带着冷峻的色彩，似乎和她那总是掩饰不住的多少带一点浪漫的情绪会产生一些矛盾，然而全靠她的分寸感，使得她那相当强烈的情感常常隐没在智性以下。总的说来，丰富而多变的感觉是她最大的本钱，智性概括并不是她最大的长处，但每当她的丰富感觉能够和受到节制的智性相结合，并且成功地把它隐没在智性以下的时候，她就写出了最好的作品。当然她也不是永远都是成功的，当她过分依赖于感觉，她的诗往往就失去了深度，反过来，当她过分着急地表现自己的理性思考，她的意象不管多么丰富，一旦趋于平面的滑行，就失去立体的纵深的层次。一般说来，她以大自然为题材的作品都有比较深沉的思索，而写到社会人生的题材时，有个别作品多少有一点单薄，但是一组写希望工程的作品是令人欣慰的例外。作为一个关注她的进展的读者，我完全有理由相信她对比较复杂的人生和社会的把握的力度在她这样严谨的追求中会不断得到提高。

从冷峻到宁静，从形而上到草根
——伊路的两个侧面[①]

几年前，我曾经评论过伊路的诗，我的论断是：在冷峻中表现激情，在激情中做深邃的沉思，是伊路的才华的突出表现。在现代派和后现代派艺术潮流凶猛冲击下，伊路保持了难得的清醒——她善于从一个对象选择某个看来平淡的属性，做连锁性的展开，显示她警策的发现。写康乃馨就单从叶缘的锯齿出发，把它当作女性“生命的利器”，引申出“这个温馨的名字所掩盖的血性”，从红玫瑰的颜色联想到“疼痛的幸福”。写环境破坏的后果：“降落的树叶 / 碰疼了坚硬的石头 / 石头以沉默代替哭泣。”她在面对大雪时说：“是谁的葬礼如此盛大 / 有一种死亡光芒万丈。”在听潮时，把听觉作为一种自审的激发点：“我憎恨自己 / 这样平静地欣赏厮杀 / 欣赏亿万只威武的雄狮 / 庄严失败。”她对于残墙的特征的捕捉，对于女性诗人来说，难得犀利：起保护作用的墙变成了危险，“它环顾四周的废墟 / 知道独立的代价 / 现在它失去所有的责任和意义 / 只为自己站立”“在残墙倒下去的地方，人们欢呼着跑过”。这就增加了一层讽世的意义。读者不难发现，在她的诗作中常常有一些类似哲理性的句子：“真正的悲剧没有帷幕。”这些概括的好处是常常在感觉十分饱和的地方，以突然爆发、戛然而止的形式出现，在感觉、情绪、智性的交融中，她最强的自然是感性，她的诗情的核心也是以情感为主体的。她的智性，是建立在激情的基础上的。

不过，这是过去的伊路了。

如今放在我面前的几首她自选的代表作，却呈现出另外一个伊路。

她的激情，她突然冒出来的智性的冲击，变得稀罕了。

她似乎变得宁静了，不那么剑拔弩张了。

---

① 本文原题为《从冷峻到宁静——另外一个伊路》，发表于《福建文学》2002年第2期，2011年2月18日再次修改。

但是，却并没有丧失深度，不过这种深度，不是以前期作品中那种可以句摘的警策的语句为特点，而是渗透在整个诗作中的一种意味，相当深沉，而又圆通，妙不在句，而在句之间。

就句子而言，她并不追求诗化的警策，倒是显示出一种口语的朴素。这早在她2000年的一些诗作中，就表现出来了，例如她的《随时都会大笑起来》几乎没有任何刻意的诗化的痕迹，“那残墙上的旧镜子，照出了一个捡破烂的老妇人”。她似乎对于悲惨的命运不但无动于衷，倒仿佛随时都会大笑起来。人生的荒诞，人间的冷漠，是震撼人心的，但是字面上是平静的。

这是一种更为自然、更为深邃的境界。

比之她早期多少有点刻意为之的诗境来说，肯定是一种突破。在最为平淡的感觉中，全面渗透着深邃的意味。读她的《新世纪第一天的太阳》，这种感觉更为明显。妈妈临走时，留下一床羽绒被，叮嘱她要晒一下。她就在2001年的第一天，晒了。她像前期那样，用了一些夸张和效果，例如想起妈妈的嘱咐是“整个天地间向我大吼一声”，晒了被子，就感到“光明的殿宇空前地富有”。光是从这一点来看，和她前期的作风没有多大的区别，但是，这并不是她概括的焦点，而是陪衬。她真正的哲理性的概括比之前期要平静得多：“我感到生命的遗憾不是死亡 / 而是没有把一个人做足。”她的哲理不像前期那样鲜明了，而是有点宁静致远，似乎没有烟火之气了。

这使得她的诗更经得起欣赏。

这是因为她变得更有思想。当然，她的独特的思想离不开她的感觉，但是，她的感觉常常是相当平淡，没有了奇特之感，她几乎从来不对惊人的事变发出什么特别的话语，她偏爱对琐碎的、不起眼的事物，诱导出某种宁静的感觉来。没有什么惊人之语，也没有多少强化的效果，但是就是在这些日常化的感觉后面，她的思绪却无形地无声地深化了。像《车过平潭岛》，几乎全是现象的罗列，渔村、泥泞的村路、山下的木麻黄、石屋，不但没有什么特别引人之处，而且似乎她个人也对之没有特别的情感。也许在有些诗人看来，可能是诗家大忌。可是就是在这种没有关联之处，她默默体验到她自己的思绪和这小渔村杂乱的现象一样：是“被如此地纵容”。《从窗口可以看到的工地》更是这样，她所看到的是有些煞风景的现象——脚手架上只有几条裤衩，但引发的思绪却是相当悠远：等到封顶，民工们盖好许多（别人）的家，清扫干净的是（自家）囤积在墙角的愁闷，而卡车装走的则是“最近的往事”。她的感觉由于思想的深沉而获得了生命，感觉在她笔下，似乎到了信手拈来，不加选择的程度：不管是什么样的现象，她都可以从中倾听到自己灵魂深层的悸动。这种深层的默想，表面上是无声无息的，但是，却常常有发人猛省的冲击力。她总是很自由地在别人看来是无关紧要的现象中感到琐碎的生活与自己生命的深刻联系。像《看不见的限制》，从平凡的街路，她感到了每条街的尽头都有一条通向墓园的小路，个人的生命既通向繁华路口，也通向墓园的凄凉的白花，这就是生命的限制，但她没有把这当作悲剧而大动感情，而是作为哲理来独自享受。

在她笔下，有的只是生命的体验，她早已不在乎美或者丑，不管是美丽的小鸟的歌唱，还是旷野的牛尾巴，她的感官都不着意于欣赏，她超越了美和丑的表层，而以现象学的“还原”，使之达到某种宁静的初始状态。从小鸟和牛的自发动作中，她可能发现生命的自然律动。她把对于生命的每一种体验，都当作审智的追求。

她的思绪的深化往往有两个极端，一是不管什么看来平淡之极的现象，都与她的内在的情感和思绪遥遥相对，息息相通；二是不管多么与她无关的东西，都有一种自在的意义，有时甚至给人一种禅宗的感觉。前者令人想起王国维的“有我之境”，后者令人想起王氏的“无我之境”。无我之境，更使我感到惊异。有一首叫作《早春》的诗，可惜她没有选在这一组诗中，但我却以为应该介绍给《福建文学》的读者：

忽然发现整个旷野唯一在动的是
四只牛的尾巴
庄重如凝着的风暴
一撩一拨都似叮咛

牛低沉的头仿佛和身后的尾巴无关
牛也仿佛与自己无关
被它啃进的青草是否和肠胃无关
四条拂天拍地的尾巴间
多了一只翻山越谷的蝴蝶
这蝴蝶也仿佛与它自己无关

这种“无关”的禅意，或者是康德式的自在的世界，其哲理是深邃的，而文字又如此平易。内行的读者可以欣赏，外行的读者也可以从中感到一点缥缈的思绪。也许，可以这样断言，她已经超越了过去那种凭借生动的感觉升华到哲理的写作的层次，达到了一种把深邃的智性上升到更为自然的审智的高度。

当然，这种禅意的写作，她只是尝试，并没有把生命全部奉献的野心。我想，严酷的现实和她的平民心态，还有诗歌的责任意识，都不允许她在禅宗的境界中流连忘返。她的心，她的感知，她的语言，只能从现实中获得灵气，她最关切的，还是底层的命运，特别是那些司空见惯了的、麻木了的艰难，像《运货车》那样破旧，那样寒酸，尤其是在过铁道口的时候和小汽车相比，但是它“饱含隐忍的耐心”，“只为了能够前进，能坚持到目的地”。这令我想起“颂歌”这样久违了的字眼，但，这不是廉价的，不是奉命的演绎，而是从琐碎的、单调的、不乏苦难的生活体验中提炼出来的。这是一种草根式的颂歌，虽然渗透着无奈。但是，无奈中有坚韧。当然，这只是她近作的一个侧面。另一个侧面似乎更不可忽略，应该以《用了两个海》为代表。在我看来，对于理解伊路来说，这可能是她的诗的纲领，也是她生命的纲领。不从根本上读懂这首诗，可能就读不懂伊路。在这里，一方面，她“是形而上的”——“ 似乎只允许眼睛和心灵行走”，“每一根线条”都“要整个天地共破译”。从这个意义上说，她本可不食人间烟火，从哲学的宝座，俯视芸芸众生。但是，另一方面，她是形而下的，明确宣示她是“世俗的、有点浑浊”，“像忙碌的大叔大婶”。对这样的生命，她总是怀着“心里的祝福”，但是更有个性的是，她是那样卑谦，甚至觉得自己“没有资格说出来”。从这里，可以看到作为一个女性诗人令人心灵颤动的刚柔相济的深邃。从近三十年福建诗歌乃至中国诗歌所走过的道路来看，伊路的艺术生命，艺术感染力，经住了历史的严峻考验。她诗如其人，长期低调、沉着、冷艳，拒绝张扬，连参加她所热爱的诗歌的会议，都选择不为人注目的地方。对于某些时髦的潮流，她守身如玉，对于来自西方走马灯式的旗号，她在漠然中表现出一种心里有数的宁静，除了忠于她所认定的艺术，忠于她自己，她似乎有点什么也不在乎。不惜把三十多年的美好青春奉献给诗歌，这个代价是不是太大了？但是，熟悉她的读者，热爱她的读者，和她一起，从上升的梯度，回顾来路，应该和她一起发出欣慰的微笑。

在审俗和审熟中从容审美
——读老铁的诗[①]

老铁所写昆山，在我生命史上的意义非同小可。从1952年到1955年，我在江苏省昆山中学高中部度过精神发育期，那里的街巷河湾，留下了我青春的脚印。老铁诗中的西塘街、半山桥、奥灶馆、亭林公园系列意象群落越过时光的隧道，引发我当年心律的回响。

老铁和我息息相通的，还有某种浪漫情怀。像《在华顶做一朵安静的杜鹃》那种面对江南农村的日常景象，“看一些翅膀飞翔舒心和忧愁”，“除了幸福还是幸福”。“舒心”和“忧愁”一样幸福，显示了他的审美情趣，并不为家乡经济突飞猛进的实用价值所限。但是，单纯审美诗作，和《澳门邮票》《如果长春是一部电影》等组诗加一起，他的才气并没有得到充分的发挥。沉浸在美好风物和前景的歌颂中，强烈感情流泻，智性思考难以渗透。这是以陌生化题材写作常常遇到的矛盾，从诗学上来说，有一个激情的控制的问题，光凭语言技巧，他并没有充分控制住感情。但是，在家乡的，非陌生性题材中，他似乎找到了自己。家乡的风物太熟悉了，没有新异的感觉，很难以感官的陌生化取巧，恰恰相反，日常所见，习以为常，诗意不能由新鲜感构成，就不得不对司空见惯的感觉做纵深拓展。

作为把生命奉献给诗歌近二十年的诗人，很幸运的是，他没有在陌生事物上放任审美感情，而是在熟悉的人事中有所抑制。他的专注的神思集中在昆山似新又旧的地域文化上。在朝夕相处的景观背后发现诗意，是他的拿手好戏。《热爱柴王弄》，“天天进去，天天出来”，找到了自己对家乡的“爱”，诠释了自己独特的“爱”。他从那些传统诗学来说，在缺乏诗意的嘈杂、混乱的世俗生活中，在家乡人大吃大喝的姿态中，发现了“小雅拌点大俗”的诗意。这不是古典的美化的意象，而是现代城市的世俗生活的美，在《时家园流水式风闻》中，端的是“流水式”的，纷纭万象，应接不暇，错杂纷繁，集中到一个乱字上，就在这种

① 本文发表于《扬子江评论》2009年第5期。

“乱”中，他找到了城市的诗意，发现了“意义”。他显然在追求世俗风味中，展现时代风情。

从这个意义上讲，他的诗中有一种“审俗”“审熟”的倾向。

有时，他不追求抒情，以叙述为务。当热情受到叙述的约束，同时得到提炼，得到升华，浮泛之气，就化为切实。在他写得最为完美的诗中，有种自在感和自得感，这些就构成了他以从容为基调的抒情，那些写得比较从容的作品胜过那些写得比较激情的。

在许多诗中，他回避廉价的激动，刻意营造一种漫不经心的悠然。在悠然中，他着意聚焦内心的思绪，抓住那种“擦肩而过的一刹那”：不管是否是熟人，不管是瞬时动态的“大大咧咧”，或者可见的一个眼神、一个笑容，还是不可见的瞬时的心态，某种心神的潜在触动；这一切，对生活没有产生任何影响，没有留下什么印象，频频流失到无意识中去。他却致力于从潜意识中唤醒，加以审情、审感、审视、审思，审之又审，发现其诗学的价值。这样，为世俗熟知的瞬时潜在触动定型，就成了他写得最具特色的诗歌的风格。这种风格可以命名为无声无形的自审。如《面孔》：

在街上 总有一个人向我打招呼
我实在想不起他是谁
他的笑容像我的一个敌手
目光没有任何特征
常规的面孔有如我记忆中
一片已经飘落或将要飘落的树叶

过后 我使劲摇晃着
那棵记忆的大树
辨认着所有飘扬的叶片

把它们反复想象成
一张善良而又现实的面孔
后来 竟把所有陌生的树叶
都当成了那张面孔

下次 倘若再遇见他
我一定先向他打招呼
把礼貌放在包装过的目光里

用精心准备的一枚树叶作标签

再别上一朵笑容 向他致意

让他也想不起来我是谁

对于非激动心情的默默审视，构成某种默审情调，他偏爱在这种默默的审视中，发现美，发现意味深长的心灵感触。即使在城市景象美不胜收之时，即使让往日的恋人突然出现的瞬间，他也没有激动，居然以“估计已经不太美丽”作结。其动人之处，在于默默潜入深度审思的心情，不受干扰，既没有激动，也没有失落，宁静一以贯之。从这里，显出了风格的自觉。才气和功力就在这种对于情感的控制而收获的精致之中。貌似形而下的罗列，意不在炫耀家乡的景观，而是在表现这种景观里生活的人的心态的默默的自如、自由。

对纷纭万象，对芸芸众生，常取其平凡、日常姿态的瞬时姿态，从中看出非瞬时的“意义”，这个意义就是时代的意义。昆山时代变迁，生存质量提升的享受，成为无意识，诗人却有意把它唤醒，但是并未明白揭示只是点到为止。

他最好的抒情，之所以不显得肤浅，超越滥情，而是带着几分深沉，原因是在这背后，有他的智性，他的沉思。正是这些，使得他的抒情，不但以自如、自得见长，而且还有一点反讽，反讽比之抒情无疑要多一分思考的智性。他并不一味从富裕阶层的眼光看城市的美好，有时，也把目光投向煞风景一面，如《花园村》：

花园村，无花园

村前一条小河

违章建筑列队朝阳，倚靠着

百十亩抛荒地

然而，就在这种没有花园的花园村，他看到了另外一种美：“花园村民风淳朴 / 走门串户 / 是道风景。”

一条路供所有人行走

偶有摩托掠过

桂花在后座不哼小曲

当然，他并不满足于这样牧歌式的情调，他并不漠视城市的问题，他笔下有环境污染，贫富分化，他也写乞丐、擦鞋童。这时，情调中就有了更多的智性，目光就变得严峻起来，如《捡垃圾的人》：

捡垃圾的人　把城里人的

陋习　隐私和奢侈放在筐里

分门别类　还原美好愿望

把人们对他们的

鄙夷　怜悯和防范折叠起来

作为废物利用

捡垃圾的人都是聪明人

城里人把钱变成垃圾

他们把垃圾变成钱

他们是城市的一个鼠标

在大街小巷游来游去

冷不防就点出城市的尴尬

捡垃圾的人　恨不能

把整座城市背回家去

研究城里人怎样制造垃圾

在语言上，他似乎偏爱陈述，而远离排比和直接抒情，他的叙述有时有铺排之嫌，不够精练，但并不烦琐，这与熟练地驾驭“错位”技巧有关，具象与抽象的错位和语义的错位，可谓得心应手。他写城市的交通阻塞：

汽车和人群在散步

目光匍匐在黑压压的头顶

喇叭的跨栏动作

不时被秒针绊倒

等待和前进

形影不离

这里的汽车“散步”、目光“匍匐”、喇叭“跨栏”、秒针“绊倒”，等待和前进的“形影不离”，都属于语义的错位修辞。这样大的密度，不是纯粹玩弄技巧，而是为了表现在紧张的纷纭的现实纷乱中，抑制情绪介入，保持审视的沉静。表面上无奈，内心却是含笑欣赏：

中国人民和世界人民

在昆山，在江南一座小城

在一条称作人民的路上

自己跟自己过不去

这种现代化的无奈，被说成是“自己跟自己过不去”，有点像徐志摩把忧愁说成是甜蜜的忧愁，“过不去”，透露出甜蜜的潜在感觉。内涵相当丰富，既有自豪，也有自嘲，似乎可以说是热情浪漫和冷峻深思结合。当然，如果允许我更加苛刻吹求的话，就艺术的和谐和成熟来说，这样的语言，还没有达到不着一字，尽得风流的纯度，多少有一点刻意的痕迹，真正能把冷峻与热情浪漫结合起来，达到水乳交融的和谐的，我以为当以《寒冷的子夜》为代表。“冷峻、深邃”，而又和谐，不着痕迹，意境浑然，丝毫没有着意刻画和升华的痕迹。

冬夜子时。等待
冻僵在时针上
一阵风，踩着秒针奔跑起来
令夜颤栗不已
想象遥远的早晨，飞行的温暖

疯狂扑来
而寒冷拥抱着寂静
激情交媾，坚硬了时间的栅栏
静悄悄的空间，一支烟
孤独地燃烧着黑
整座城市，犹如巨大的履带
盘绕在齿轮上
沉重滚动

要说自如自在自由，这才是达到了自如自在自由的境界呢。没有什么心灵以外的东西在提醒诗人需要照应，有的只是诗人感到的那种彻骨的寒冷中对温暖的期待，现状是那么严峻，情致却很沉着，情绪是那么紧张，然而又那么从容；意象和话语有许多技巧，然而和谐倒似乎没有技巧，激情也有，孤独也有，然而没有剑拔弩张，也不回避沉重和艰难的感觉，可谓达到丰富、深邃、警策、沉着的统一的境界。说句老实话，这是诗思和语言高度融合的诗的境界，看似妙手自得，对于许多诗人来说，可遇而不可求，进入这样的境界，偶然的幸运多于必然的追求。老铁其他的诗，与之相比，不管有多么明显的优长，在境界的浑然上，难免有粗糙之处。

当然，我这里所描述的，是老铁自己的世界，在老铁世界以外，诗歌流派纷纭，可以用瞬息万变来形容。要突破自己，更上一层楼，老铁可真要铁下心来吃许多苦头。

寻找哈雷

早在20世纪70年代后期，哈雷还是大学生的时候，他就在致力于诗的写作。不过那只是一种试验，想来花了他不少力气，但是，我却记不清其中任何一句了，留在我记忆中的只是一些相当长的句子和相当沉重的节奏，似乎还有那时候很流行的贺敬之、郭小川式的对仗。

像当时许多执着于文学的青年一样，哈雷只能在他们所能直接接触到的权威诗人的阴影下训练自己的语言和想象，虽然今天的实践证明，那样的训练与其说是拓展他的想象力，还不如说是把他潜在的想象力束缚在最流行的程式上，他们苦心孤诣所编织出来的往往是一个虚假的自我，这本是一种痛苦，但在当时，我和他感觉到的却是痛快，毕竟他有一些超越于庸俗生活之上的浪漫的感觉。

但是，后来这种狭隘规范却成为他走向创造的沉重负担。

他本来是很有才气的，但在20世纪80年代初期并没有进入福建省诗歌创作的前卫。现在看来，他那时的缺点是对于流行规范的免疫力不足。许多文学青年由于掌握了某种流行规范而获得了进入诗的疆界的入场券，但是那些创造力不足的人却因免疫力不足把自己的潜在创造力全都牺牲在诗的界碑上。

好在哈雷并没有花多少时间就从僵化的模式中挣脱出来。大约是1983年前正是舒婷红得发紫的时候，他那时还在宁德工作，每逢见到我，都以一种十分投入的语言和表情说起上海的“城市诗”，他随口背出的一些句子，如“一九八三・中国门牌”，在奶油一样流动的大街上“和太阳撞个满怀”之类，我感到那里似乎有马雅可夫斯基未来派的粗豪，在当时，整个青年一代都在反豪迈、反雄伟，他的这种兴奋也颇使我兴奋。同时，他的诗歌已进入了创造的阶段。令我高兴的是，他并没有沿着历史的惯性去追随当时红得发紫的舒婷与北岛。

在这本小册子中，一些“城市诗”和一些言情状物的诗，就是那一个时期的成绩。

在印象中，其中最不同凡响的应该是那首《天桥·路·我们》。我至今仍然记得第一次听他朗诵这首诗的惊异，而且全场惊异。

那大约是1986年，在蔡其矫诗作的讨论会上，除了福建省的一些诗人之外，还有来自北京的一些客人，几乎所有的听者都记住了其中的一句“女人是个好东西”，并且还为此而争论一番。

而我却感到，就整个作品来看，哈雷的构思十分严肃，而且结构完整，意识和潜意识的对应也有张力。通篇写筑路工人缺乏爱情的心灵，在感到有姑娘走过天桥时，回头看了他一眼而引起的心灵骚乱，但这不限于原始的冲动，通篇充满了美的升华。结句“哦，世界之美人生之美青春之美孤独之美”，甚为警策。这种感觉完全是哈雷自己的。

我为哈雷找到了感官刺激与理性升华之间的桥梁而高兴。

敏感的读者在这本册子的城市诗中，可以看到哈雷如何通过对城市的感觉，找到了他自己。

许多20世纪70年代开始诗歌创作的青年诗人，走的是一条十分荒谬的路，他们中的大多数因为牺牲了自我而找到了一个虚假的自我，但是从此以后，他们却不能不经历了十倍的艰难去重新发现真正的自我，一辈子用自己舌头唱着别人的歌，这样的悲剧至今没有结束。

哈雷在城市诗中找到了自己，今天我们看他的《城市领带》《创造音乐》《电报公主》还有耳目一新之感。那纷繁的城市色彩，喧嚣的滔滔不绝的音响，那粗糙的，甚至错乱的节奏，在此背景上出现了对一条领带的感觉是很有意味的，诗的形式好像被粉碎了，但其中仍然有多样的统一。

从这里出发，哈雷本是可以开拓出许多完全属于他自己的感觉和意味的疆地，但是哈雷本有一颗太不安分的心。他也写爱情诗，不同于城市爱情，而是带着浪漫色彩的爱情，有一些相当精致，可达到此类诗的上乘水平，如《黄山所思》《单叶草》等诗，尤其是第五辑《涛声上的玫瑰》。

在这里出现的是另外一个哈雷。

这里的爱情显然有古典美。

美在把情感价值升华到永恒的境地，但是又不完全像古典诗情那样超凡脱俗，那样贵族气，在这里有许多现代人的感官效应，有古典诗所不能表现的感觉和情意。像《你的秋天》中：

一整个秋天我什么都没做

除了爱你

除了看心头那只鸟扑棱棱地飞翔

看马儿吃草，在无羁的风后

梳理你零散的笑声

这种如痴如醉、让爱情的感觉淹没一切的感受是古典的，但这里纷繁的、无逻辑顺序和空间时间结构的意象又是充满现代色彩的，在这些诗中哈雷发挥了他的才气，创造出了属于他自己的世界。他的爱情诗中的绝大部分文字到意象都是优雅的，而这优雅的形象和在城市中出现的哈雷形成了强烈的反差，在那里的哈雷是粗豪的、狂躁的，沉醉在眼花缭乱、五光十色的城市风景中充满派头的时髦青年，本来是比哈雷更加哈雷。

然而，哈雷似乎对二者都不十分留恋，在追求优雅的同时他对自由联想的现代派诗风又着迷了一番，好像没有费多大力气，又把现代派的诗玩得十分像那么回事了，他把这类诗叫作“世纪末的独白”。不过我在其中读不到什么绝望的、没有未来、对生活的怀疑，其中最强烈的倒是对生命情爱有滋有味的享受、辨析和玩味，即使是感官的刺激吧，也被想象得那么优雅那么美好，甚至有一点浪漫色彩。而其中一些思绪，在根本上就是浪漫的，如《逝去》中的：

感到自己是女人的那一刻是柔软的

柔软的令人有了伤感

令人感到河滩上摇曳的芦白

这哪里是什么现代派？虽然，在形式上哈雷把语句、意象、思绪的连贯性切断了，也可以说把理性逻辑脖子拧断了，意绪本身自由组合，造成浮动之感，可仍然有把情感的价值看得永恒的浪漫倾向。

哈雷并不是真正的浪漫，也不是现代派，在浪漫时，他的诗风有一点浪荡，在浪荡时他又有一点优雅，甚至有一点古典的宁静和矜持。

正是在这三者之间，哈雷在找寻他自己的灵魂深处最强的音响。如果他坚持不懈地探索下去，在形式上和自我心灵上孜孜不倦，他也许会给诗坛提供一个崭新的角色，像北岛的愤世、舒婷的忧伤一样深深印在读者记忆中。但是他心眼太活，除了诗以外，他还把自己奉献给了报告文学、散文、小说和社会活动，于是他的感官得到充分的发展，而他的心灵却像一面被打破了的镜子，属于诗的就只是其中二三面碎片而已。这对于诗可以说是不幸的，但对哈雷这个人却未必。

也许人的生命本就不该全都属于诗，尤其是在今天这种社会潮流中，立志把一切奉献给诗的人，弄到最后很可能就没有什么可奉献的了。

归根到底，比着生命本身的全面发展，诗并不是最重要的。

雄浑与温情的交响
——评徐南鹏诗集《城市桃花》

在徐南鹏的心灵中好像有两根弦，一根是比较雄浑的，充满了政治激情和社会人生的豪迈情怀；另一根则是比较温情的、宁静的，渗透着对于大自然和人生意味的沉吟。前一种风格展示的是一个群体的情感的色彩强烈的赞颂；而后一种风格，表现的则是相当个人化的心灵的触角的探索。个人的心灵探索和社会关怀相当统一。

第一组诗就引起了我的惊异，这么强烈的社会政治热情，这么丰富的群体的鼓动性的话语，这在中国诗坛上好像是久违了。这里有对邓小平功勋的赞颂，有对革命圣地的仰望，还有面对台湾海峡的深思。所有这一切都曾经是新诗写熟了的主题。但是，正是由于写熟了，多少年来不知不觉就写腻了、写滥了。徐南鹏在这一点上，是有点冒险的。这个险是否值得，取决于诗人在艺术上是否有足够的创新的才气。可喜的是，他没有在冒险的过程中全军覆没。他既没有沉溺在那些写俗了的群体话语中，也没有窒息在个人话语中挣扎不出。在他发挥得最好的地方，他的时代主题和个人体验水乳交融。他总是用深邃的个人感受来表达时代的、民族的情思。歌颂邓小平，当然是一个时代的主题，但是他并不缺乏个人化的感觉：

我隐约听到薄冰破开的脆响
冒着泡沫的海潮喧哗着
……
让珠穆朗玛　换上
更新　更高　更洁净的冠戴

时代的主题有个人的感觉，可以避免概念化的危险，但是光凭这个也可能空泛无力，问题在于个人感觉的质量，好在他的感觉中带着深沉。写邓小平逝世场景，他的感觉的深度足以表现主题的庄严：

天空屏住呼吸

风扶着骤然倾斜的春天

广场抬着　沉重的哀乐。缓缓漫溢

这就有了群体感觉的广度，而且有了历史的深度；这样的感觉就不轻飘了。正是因为这样，他往往能把一些政治性、新闻性很强（如香港回归）的题材在他感情的熔炉里提炼为诗的形象。如果这样的作品是出自一个老年甚至是中年诗人之手，我并不会感到奇怪，但是，这的确出自一个才度过了 20 多个春秋的诗人之手，这就不能不使我刮目相看了……

许多有才气的诗人，尽管在大自然面前有充分自由的感觉，可是一到了他所朝夕与共的现代城市生活面前，感觉就瘫痪了。虽然他们在生活中与现代城市的物质文明休戚与共，但是一到了诗中，他们就不由自主地追赶西方诗人，满足于吃力地学舌。大自然的美已经有数不清的大师的范式现成地摆在那里了。缺乏真正创造力的作者往往在工业文明的现实面前，失去感觉的自由，只有气质难得的诗人才能在那些看来是机械的、冰冷的、与诗的想象为敌的工业设施面前保持想象的出奇制胜。要把自己的感觉在时代的水平上发挥出来，不是一件轻而易举的事。除了思想魄力之外，在艺术上还要有足够的能量克服对现实自发的拘泥，才能在他人的想象无能为力的地方展开自由的想象。他的想象中结合着独特的感觉和深沉的思想，不但征服了社会政治性的题材，而且征服了现代城市生活现象。但是和热情结合在一起的思想，是很难真正地深刻的。要让思想深刻起来，就不能不冷隽，而冷隽又是和激情相矛盾的，如果要徐南鹏放弃激情，那无疑是要让他在艺术上破产，但是要让他的激情有深度，除了提议他节制激情以外，似乎别无选择。应该指出的是，在冷隽中抒发激情，是现代美学的一大课题，全世界的艺术家都在这方面做出探索。值得欣慰的是，不管是在朦胧诗的早期还是 20 世纪 90 年代的诗人中，在这方面已经取得了很可观的成绩。如果我说这些作品对徐南鹏绝对有参考价值大概是没有太大争议的。

灵秀与冷峻
——评杨匡满的《今天没有空难》[①]

杨匡满的诗集《今天没有空难》获首届鲁迅文学奖，这对于他三十多年来的探索可以说是一个总结，也是他自己精神高度和艺术成绩的一个制高点。这为回顾他三十年来心灵和艺术的道路，提供了方便。

为他的诗集作序的莫文征说他的道路在“传统与现代之间”，这是不错的。综观他的诗作，从他的想象方式中不难看出现代派诗歌的影响。他常常喜欢在诗行与诗行之间留下逻辑的空白，以悬浮的意象，召唤读者的想象和经验。《听到了犬吠》的开头就是：

听到了犬吠
一只大鸟盘旋得格外优美

他留下逻辑空白的时候，并不过分。虽然想象空间很大，逻辑的自由度也高，但是在情调上，在潜在的联想上，还是有着朦胧的限制。当然，有时，在他的笔下，出现一些好像是不合逻辑的话，但是并没有像一些极端的诗人那样在做着“扭断逻辑的脖子”的游戏。他这样写车祸：

母亲为儿子绣掌纹的时候
有那么一次小小的失误
岁月的河流轻轻淹没了
一个深藏不露的沟壑

切碎了的、距离遥远的意象板块组合起来的似乎是无理的意象群落，所表现的恰恰是他对于车祸的理解，这种带着现代西方诗歌色彩的句法，并不使人迷惑。意象板块（或者群落）的自由组合方式比之传统的方式其好处是更为随意，只是自由与理解的难度成正比，

① 本文发表于《光明日报》1998 年 12 月 3 日。

它对读者的要求更高，选择更为严格。这在20世纪60年代就开始了艺术创作的一代诗人中，是比较难能可贵的。

就总体来说，匡满不是一个现代派，他对于现代诗歌的种种花样明显持比较慎重的态度，因而他的想象在他所驾驭的时空和逻辑中飞翔时，常常在怪诞、狂放、无理的境界面前，忍住了诱惑，表现出一个中年诗人特有的持重。偶尔，给敏感的读者以悬崖勒马的感觉。

他自称站在传统与现代之间，其实，他的基本立场，他的基本意象组合原则仍然脱不了传统的人生价值和艺术价值规范。最雄辩的证据就是，几乎在他所有的诗作中，细心的读者都可以感觉得到一种不由自主的浪漫。

构成这种浪漫的美有两个方面的要素。

第一个方面是贯彻始终的精神是美化的原则。在他的笔下很少有煞风景的场面，更没有丑恶的情绪（除非是像《围观者》那样严正的批判）。不管是荒凉的大漠，还是没有生命的沙原，他都以一种审美的眼睛去欣赏，调动全部才思从中发现被忽略了的美。对于有修养的读者，光有这样的追求，也许还不能满足，因为这还不能显示出他特别的创造。但是，更为细心的读者，在他的感觉和意象中不难发现他独特的气质。如在《从莫高窟回望敦煌》中：

日光如暴雨倾泻
冲塌了
箭楼城堞
唯有因为美丽而颤栗不已的丝绸
唯有敦煌
大漠炎阳荫庇的敦煌

他处理的是一个被历代诗人处理过千百次的题材，苍凉之美早已构成强大的传统，构成了想象的透明的罗网，而他却以纤秀的“颤栗不已的丝绸”覆盖了上去（这与他童年在江南水乡的熏陶有关吗？）。这固然使得他失去了北方汉子的豪气，但是也表现了他灵秀的内在气质。

也许，我可以这样说，他的气质就是外在的豪迈和内在的灵秀的二重复合。他的灵秀之气，常常与宁静氛围联系在一起。他对于宁静的美的向往不仅限于大自然的描绘（它本来就是宁静的），值得注意的是，即使到了超出人生发生混乱的时刻，甚至灾难中，他仍然把宁静当作一种美好的境界来沉吟：“离异者因悲惨而美丽”（《寡居者》）；“失败者的女儿总是十分美丽”（《沉思者》）。不管外部世界出现了什么样的狂乱，他都把内心的宁静当作一种美的境界来营造。不管是煞风景的事，还是平淡的事，都充满了回味的情趣。而且这种情趣又往往升华为他所特有的宁静。如车祸这样的事，先是被表现为一种偶然的混乱，“破碎的车轮抛向死亡”，最后也是归于宁静：

有几只善良的小鸟
跌落在软绵绵的谷堆
它们舐净爪上的血痕
复又小心翼翼地起飞

以一幅平静的美妙的图画代替悲惨的狂呼，这在匡满的构思中，属于上乘。从这里透露了匡满的一种不由自主的追求，一种漫不经心的流露：他的气质使他常常在宁静的回味中现出功力。

最令他醉心的是宁静的、不是那么剑拔弩张的美。

他总是习惯于从感觉中体验到某种哲理。

从这里我们看到了匡满诗人气质的第二个方面。处在这个方面的中心的是：他的智性的概括力。在他的才智发挥得最好的诗中，奇妙的感觉中往往闪耀着智慧的火花。例如：

大自然静静地追悔往事
人类因沉思而变成天使（《沉思者》）

唯其宽广才见深邃
唯其深邃才见宽广（《黑龙江》）

生命和死亡同样不可穷尽（《从莫高窟回望敦煌》）

等待是垂钓者的格言
等待是一种历史的狡黠（《垂钓者》）

他浪漫的美好的感觉和睿智的哲理性话语结合成为一种艺术张力；格言式的警句，和宁静的沉思交融起来，使得他的平静的美学境界表现出一种深度。更可贵的是，这种哲理的概括不是某种西方哲学的图解，而是从形而下的人生体验中直接提炼出来的思想晶体。把他这两方面的才能结合得最为和谐的是他的组诗《寡居者》。在这组可以称之为力作的诗中，他显示了成熟的风格，那就是在精神的折磨中，从平静走向冷峻。冷峻使得他气质中的浪漫激情受到了抑制，这本来可能导致枯涩，但是白描式的细节又令冷峻变得浑厚。宁静的美化和冷峻的沉思相结合使得他的思绪升华。在这里他开创了属于他自己的、独立的主题。

“离异者因悲惨而美丽”。在这里，他的宁静比之任何其他诗作中更具有深度。

属于灵魂的创伤

没有天使能替你抚平

都还得靠自己去舔

平常的话语和惊心动魄的感情形成一种张力。难得的是叙述得如此冷静，也许正是由于冷静，他才写得出真正达到格言水准的诗句。他的冷峻使得他超越于个人的恩怨，宽恕把他的精神提高到纯净境界。他的整个诗作的最高境界就是在对人的感觉、人的表层的美的感知中寻求潜在的阐释。在这种境界中他时而轻松，时而显得紧张，就在这种感觉的发现和阐明中他体验着自己的善良，审视着自身的深邃，追求着人生的价值，享受着人生的美好。

正是在这样的境界中，他塑造了自我的形象，让读者进入了他的灵魂。

他显然对于自己并不是很满意，然而又不是很不满意，也许对于他的诗也是这样，就是苛刻的读者也很难从他的诗行中找到比较明显的败笔，从语言到意象，从感觉到沉思，他的睿智和想象，他对节奏和情绪的控制都表现得纯熟。

但是，这种没有毛病本身就是一种毛病。

有一个不可忽视的现象是，他的天地似乎并不能使所有的读者满足，虽然他的外部世界是广阔的，但是考虑到他三十年以上的追求，他的精神的色彩，他灵魂的广度和他外部视觉世界相比就显得缺乏一种丰富性。他在他所驾驭的范围内，他的想象在自己的轨道上已经驾轻就熟，而对他想象以外的世界已经有点慵懒了。熟练的技巧使得他的情绪和想象都受到了束缚。他的人生格言式的概括是深刻的，但是，毕竟限于现实的形而下的阐明，要想在这里找到一点形而上的意味，就不能不忍受遗憾了。我的意思是：他说自己是站在传统与现代之间的，但是实际上他并没有站在中间，而是站在二者之间更接近传统的这一面。现在可能要做些微调，找到传统与现代等距离的中点上来。在这个诗与哲学的关系发生调整的时代，匡满不能过分满足于自己没有追随把诗作为哲学的奴婢的潮流，如果能够把现实感觉的阐释和形而上的超越结合起来，让自己拉起驾驭哲学的缰绳，说不定能给诗坛一个震动，也许匡满会变为我们时代的重要诗人。在我看来，他虽然有不少毛病，但是对诗坛有冲击力，弄得议论纷纷，比什么缺点都没有的诗人强。

如果匡满早有这样的野心，我想他绝对比现在这个样子要精彩得多。

《鼓浪屿之歌》歌词评析 ①

美丽的厦门，呼唤一首美丽的市歌。美丽的市歌却不会从天而降。放眼望去，偌大中国，许多城市都盼望一首自己的市歌，却往往不能如愿。广告天下，许以重金，征集来的市歌，其词曲往往难以写出自己这座城市的风神气质，得不到市民的认可。中国不少城市征集过市歌，但迄今为止，好像还没有成功的先例。

所幸厦门，有一首《鼓浪屿之波》，它的台胞思乡的主题，与厦门市歌原本风马牛不相及，却因其旋律优美动听，流传多年后，在厦门已深入人心，脍炙人口，成为厦门的音乐标识，于是，也几乎成了厦门市歌的不二之选。用其旋律，另填新词，也成为许多厦门人的共识。

倚声填词，推陈出新，亦非易事。诗人毛翰为填此词，数易其稿，从最初的“尽量少改”，到最后的“彻底重填”，连题目也改为《鼓浪屿之歌》，其中的曲折艰辛可想而知。皇天不负苦心人，当 2010 年 9 月，由郑小瑛教授指挥，厦门爱乐乐团暨合唱团首度演唱的新版《鼓浪屿之歌》，受到热烈欢迎，就不足为奇了。试看其词：

鼓浪屿白鹭飞翔，浪漫写在天上。
鼓浪屿鼓动青春来，青春啊一路歌唱。
日光岩上眺望，长虹飞跨海浪。
天有情，海有爱，我们拥有你美丽的厦门港。

母亲城碧波荡漾，海岸几度沧桑。
母亲城广厦千万间，凤凰花门前开放。
皓月园中徜徉，两岸华灯初上。

① 本文发表于《厦门日报》2010 年 11 月 29 日。

天有情，海有爱，我们拥有你美丽的厦门港。

鼓浪屿琴声悠扬，日夜在海天回荡。

有多少人间失落的梦，都在这里珍藏。

珍藏点点星光，珍藏鸟语花香。

天有情，海有爱，我们拥有你美丽的厦门港。

毛翰说：“《鼓浪屿之歌》的主旨为厦门之恋。第一段从自然景象落笔，写鼓浪屿的风情和魅力。第二段转向社会生活画卷，写整个厦门。第三段回到鼓浪屿，回到自然与人生的咏叹。”由台胞思乡，到厦门之恋，歌词已焕然一新。

第一段，开头即不同凡响。白鹭为厦门市鸟，一行白鹭上青天，把“浪漫写在天上”，可谓神来之笔，厦门这座城市的美丽和浪漫因而跃然纸上。“鼓浪屿鼓动青春来”的“鼓动”，由鼓浪屿之“鼓”字生发而来，把鼓浪屿的风情和魅力，把鼓浪屿与外部世界（包括自然和人类社会）的关系，一下子就给写活了，充满动感了。

第二段由点及面，视野延伸到整个厦门。“母亲城”一词亲切而得体，市民称自己的城市为“母亲城”，就像国民称自己的国家为“祖国”（Motherland）一样。以“海岸几度沧桑”写出这座城市的历史感，更以“广厦千万间，凤凰花门前开放”抒写这座城市的今天和明天。“厦”“门”二字嵌在句中，自然天成。化用杜甫诗句“安得广厦千万间”，也算是现代中国人对于历史的回应和承诺。

这两段中，“长虹飞跨海浪”化用“长虹卧波”的成语典故，既是实指厦门岛与大陆之间的一座座大桥，也暗喻厦门与金门，与台湾，乃至世界的桥梁联系。“两岸华灯初上”指鹭江两岸的入夜景色，兼指厦金两岸的和平景象，暗喻台海两岸和平统一的前景。意象的设置相当得体。

新词之于旧词，唯一袭用的一句是关于日光岩。“登上日光岩眺望”改为“日光岩上眺望”，句子更有弹性，意象更为灵动，既可理解为游人在岩上眺望，也可理解为日光在岩上眺望。与之相应，后面“皓月园中徜徉”一句，既可理解为游人在园中漫步，也可理解为皓月在园中漫步。历史上，郑成功曾在鼓浪屿训练水师，收复台湾，皓月园就是为纪念其英雄业绩而建，今人于皓月园中看两岸华灯，自是意味深长。

歌词第三段，回到鼓浪屿，回到这座音乐小岛。海天怀抱，悠扬的琴声中，“有多少人间失落的梦，都在这里珍藏”，这分明又是妙句。鼓浪屿，如海上仙山，尘外仙境，中外游客慕名而来，从红尘中来，从俗世中来，从名缰利锁的羁绊中来，面对鼓浪屿的静谧和安详，超然与天真，人们会恍然悟到许多真谛，关于生命的本真与异化，关于灵魂的失落与回归……

“天有情，海有爱，我们拥有你……”这一句在篇中一咏三叹，“天”“地”“人”的意象结构隐含其中，自是难得的佳句。而全篇三段，从“日光岩”到“皓月园”，再到“点点星光”，竟然还隐含“日”“月”“星”的意象结构。《三字经》云：“三才者，天地人。三光者，日月星。”天地人、日月星的意象结构，在一首歌词中纵横交织，不由你不感叹，作者构思之缜密，用心之良苦。

作为华侨大学文学院教授，“诗与歌词的理论与创作”方向的硕士生导师，毛翰的诗歌论著颇丰。关于歌词创作论，就有四十多篇文章连载于中国音协主办的《词刊》，结集为《歌词创作的原理和方法》一书出版。同时，他还坚持着自己的诗和歌词的创作，《鼓浪屿之歌》就是其厚积薄发的一次成功尝试。

福建诗坛的希望
——阅读闽东诗人群

在商品大潮泛滥的时候，通俗文艺以其不可阻挡的声势占领了文坛，严肃文学几乎被挤到了边缘，诗被挤得最惨，而今报刊上给予诗的篇幅可以说是自有新文学以来最少的。20 世纪七八十年代的福建，曾经以诗领风气之先，目前已经没有任何优势。然而，在闽东却活跃着一群年轻的诗人，他们默默地耕耘，居然在福建拓开了一片诗国的净土。其诗人之集中，诗风之繁荣，在福建乃至全国都引起行家的瞩目。最先冒出来的自然是汤养宗，他以他那冷峻的生活透视和深厚思绪，表现着家乡的人物和风物，在 20 世纪 80 年代引起了诗人公刘的激赏。但是他并不满足，这几年他的诗风逐渐从形而下的现实的刻画，转向形而上的沉思，显然是受了当代中国前卫诗潮的重大影响。中国现代诗早已从现实的刻画、形象的描绘、情感的抒写转向了哲学的沉思，从社会学的价值转向了生命哲学的价值。因而这几年汤养宗的诗风越来越深沉了，选在这里的几首，以《蝙蝠》最易理解。在这里完全是一种新的联想机制，外部的感觉不是通向情感，而是通向更为深广的概括。蝙蝠所引起的只是诗人“从飞到飞，没有方向”的生命的沉重以及自由之感和一闪而过的欢悦之感。而《纸片》则更为概括，虽然它没有太多具象的成分，但是它给我们的联想的导向却是隐约可寻的：那也许是对于忙忙碌碌的辛劳不但没有正面的意义，相反却在破坏着生命的价值的思考。汤养宗的深刻之处在于他揭示了期待这种现实的结束，但却无力去兑现。现代诗总是习惯于从个体的人出发，因而纯粹个人的哲思总是与焦虑和困惑分不开的。

从艺术方法来说游刃的《梦想之年》、黄飞的《一只皮球》、王世平的《猩猩》、杜星的《孤掌》，大抵和汤养宗属于同一追求。这自然有其好处，那就是有比较深邃的思想。像游刃在《梦想之年》中通过并不单纯的意象的交错和断裂，不时迸发出梦想的珍贵，然而又是可望而不可即的：“会飞的鸟不会梦想，顽石却尝尽梦想之苦。”虽然如此，诗人仍然

“爱怜美（和真）”，即使这种美是“歪曲”的，而且走向了反面，从而也就“怜爱了伪装”。愿望总是走向反面：“因采药而生病，伐木造船却又使河水干涸。”这种悖谬总是让诗人感到痛苦不可排解。比起其他的作者来说游刃无疑有一点优势，那就是他的感觉相当丰富，而且意象纷纭，虽然不及汤养宗老练，但是却有汤养宗的来去自由。汤养宗显然比其他作者深刻、隽永，时有不着痕迹的神来之笔，自由而轻松地进入某种深邃的境界。自然，要能达到这种境界，非一朝一夕之功。杜星、黄飞、王世平有时也能进入，但是常常并不能轻松地进入这种境地。毋庸讳言的是，汤养宗这几年的作品多多少少也有一点晦涩。这是由于他还不能使形而上的追求和自由的意象达到充分的和谐。一个诗人的成熟不是件容易的事，在这方面，内行的读者要有充分的耐心。

以叶玉琳和谢宜兴为代表的另一群诗人的风格和汤养宗、游刃大不相同，叶玉琳的诗句虽然也以纷纭的意象见长，但是她似乎不追求哲理的沉思，她的长处是纷至沓来的热情。这种情绪显然有女性的敏感和细致，但是较之一般女性作者又多了一点深度。她善于在面对任何一个客观对象时，都把对象的性状化解为多侧面的情绪的激发，因而在闽东诗人群中她也许是最有浪漫主义的某种痕迹的。这几年来，她的成绩早已为同行所公认，她当前的任务显然是突破。这是一个相当严峻的课题，因为她的思绪已经多方面得到了表现，如果没有更为新颖的思绪就可能陷入重复。至于谢宜兴以写实见长的诗作，刻画的力度和情感的自由都有可观之处，因而这几年他得到比较广泛的欣赏。

福建失去诗坛前锋地位已经有近十年了，在这世纪交替之际，我们把希望和期待寄托在闽东诗人群体中，但愿他们在未来的创作中，把我们的诗歌带到更高的心灵和艺术的世界。

2000年新诗大联展①

先锋诗歌被为商业化所困扰的报刊视为发行毒药，诗歌的版面在许多文学刊物上，已经压缩到几乎接近于零的程度，2000年3月的《上海文学》和长春的《作家》，居然拿出十多页的版面来为中国先锋诗人提供亮相的空间，实在是令人振奋。

两家联手，声势浩大，重要的先锋诗人都亮相了，但不知道为什么没有西川。这里不但有朦胧诗早期的诗人北岛、杨炼、多多，而且还有稍后的宋琳。对于他们的诗作，国内的读者多少有点久违了。不过从他们发表的新作来看，仍然不改其固有的作风；从日常、平淡、琐碎的感受出发，在反戏剧化的宁静中，追求智性的深度。

北岛仍然是深邃的、尖利的，突如其来的哲理（“直到谷粒入仓／这思想不属于谁”），有着惊心动魄的效果，似乎更加沉醉于某种程度的晦涩之中。是长期脱离汉语语境，还是对于战士的疏远呢？想来会引发读者的思考。与之相反的是宋琳，同样是旅居欧洲大陆，平常的感觉，不改其深沉，甚至有点浪漫的余绪，却多了一点明朗。一直坚守在诗国的于坚，仍然奢华地挥洒他的感觉，醉心于日常感性话语的阐释；在故意罗列的纷繁的琐事中，充满了煞风景的反讽。

从平常的感性中寻求纵深的洞察，正是20世纪90年代先锋诗人们的共同倾向。当然，很少人去重复北岛式的突如其来和惊心动魄。太精致的话语不是新一代诗人的追求，比之精心修饰，他们更倾向于从朴素的粗糙中去蔽。

这在翟永明的诗中也可以看出来。她的笔下甚至出现了“国营企业的烂账”“邻国的经济萧瑟”“小姐们趋时的妆容／睡倒在一个‘贱’字上”。几乎所有的诗人都同样是逃避戏剧性的，但是越是日常的，就越难以深入。这是大家所面临的难度。

当然，诗人比之小说家更有出奇制胜的特点。脱离诗歌探索，下海十年的麦城却给人

① 本文发表于《当代作家评论》2000年第3期。

一种好样的感觉。他似乎相当轻松地从冷峻的反讽，上升到格言的高度。他的《必须》充满了反语，又几乎都是格言。这是连圈子外的读者读起来也都不需要太费事的。但是就是麦城的诗作，也有着巨大的阅读的难度。《上海文学》特地配发了雷鸥的长达六页的阐释麦城的诗歌的文章。

这无异于一种警示：就是像麦城那些并不特别晦涩的诗作，也还充满阐释的歧义。看来先锋诗人与大众的阅读的隔膜，这样一种矛盾，是否能够有所缓和，还不能抱乐观的态度。

第四辑　新诗序

序安琪《奔跑的栅栏》[1]

读安琪的诗，像在做梦，这一点也不是夸张。

在这商品大潮冲击一切的时代，敏感的文学青年面临着多种选择，不管是投入商潮，还是保持在海岸观潮，都很难摆脱商潮的直接或者间接的影响。就是诗歌虽然作为艾青所说的“文学中的文学”，也很难不带上商品的烙印。不管诗人多么强调自己如何超越实用价值，但是在一点上，却不能不是完全相同的：渴望自己的作品到达读者手中，并且能够得到读者的欣赏。因而不管他们自以为清高是多么珍贵，他们在进行灵魂的冒险，挖空心思地在不可重复的形式中追寻，都不能不考虑书商的脸色。在这种时候，有谁能像马雅可夫斯基那样公然宣布“给流俗的趣味一记响亮的耳光”，那实在是要有一点勇气的。

安琪就是有这样的勇气的人。她迥异于流俗的趣味的诗歌创作，就是对于商品价值的一种反抗，一种拒绝。在这种反抗和拒绝中，她享受到生命的自由。也许她的这种反抗需要顽强地忍受孤独，也许还要付出青春的代价，甚至连青春的代价都是不够的，难能可贵的是，她坚持她的拒绝和反抗。

她奉行的不是对传统的诗歌美学原则的追随，而是对于传统的诗歌美学的反叛。不管是中国古典的意境还是西方古典的激情，都成为她拒绝的目标。她显然是属于受了现代诗歌乃至后现代诗歌影响的年轻的一代。在呕心沥血的语言解构和重新建构中，她所追求的是某种感觉的自由和纷繁。为了这种感觉的高度自由，她不惜牺牲了讨人喜欢的传统的感觉的思绪的连续，因为那只能导致感觉的单一和平面。

中西古典诗歌在发展到最高潮，取得最大成就时，单一感觉的直线延伸，妨碍了它向新制高点迈进。情感和意趣，乃至思想都习惯于单薄的、平面的、全程的延展，不留下更多的逻辑和意象的空白。这不仅有碍于意象的丰厚，而且与人的内心的原生的自然的状态

① 本文发表于《诗刊》1998 年 8 月号。

相去甚远，再加之，古典诗歌人为的刻意经营，在追求创新的诗人来看，并不是显得十分的自然，因而属于新一代的诗人的安琪，自然而然地以她的全部诗作来表现对于传统诗歌的刻意经营，感觉和思绪单一的、直线发展的拒绝。

就这样，安琪这样一个柔弱女孩子，在艺术上，竟以一个西方海盗式的冒险家的姿态出现。在最初，关心她的读者不免为她捏了一把汗，担心她在艺术上全军覆没。但是她这几年的创作表明，她创造了一种自由的感觉的多重组合，并且在这种组合中，时而潜入她思绪的深层，时而显示出智慧的闪光，这一切给了关心她的读者以莫大的安慰。她的感觉有一个恒定的特点，那就是多向度地，辐射式地，似乎是不规则地展示着。在避免平面滑行的同时，又总是和某种更加深邃的概括的意绪交织在一起。随便举一个例子，如《陨石》的第一节：

这凝聚的光！有形状
有不出声的笑与哭
这击打黑夜的激情冷艳
一下子冲进我的深渊

从光和形状出发，但是并没有沿着可视的感觉作古典的滑行，而是蕴含着听觉（虽然是无声）的态势，同时又不停留在感觉的平面，而是潜入到情绪（如：激情冷艳，冲进深渊），在跟着而来的下面的诗行中，又跨越到“孤独”“沉静”“热爱”的情感之中。这一首诗，在她的作品中，并不是特别优秀的。但是足以显示她的追求和所达到的水平。

安琪在发挥得比较好的时候，常常不停留在感觉与情绪的表层。在丰富的感觉纷至沓来之时，她对生命和生活的感悟和体验，就以一种更为集中的形式凝聚起来，有时竟达到一种抒情的境界。虽然不像传统的抒情那样有比较清晰的连续性，但是却有相当的统一性，这样，读者就可以从中感到某种与传统的连接。比如，组诗《内在的语言》就有这样的优点。我这里举其中的一首《高贵》的开头为例：

我不能想象一颗高贵的心灵是如何破碎的
如果我的手不能接住那枚玫瑰的晨露
如果我的眸子不能照亮高天飞翔的水
我将不再对着灵魂的飘逸祈求安宁

各自独立的诗句，既有现代诗歌的超越性和逻辑空白，又有传统诗歌的内在凝聚力。这样的风格也许是安琪所追求的境界之一，其动人之处在于情绪和氛围的浓郁和浑厚。当然还有一些比这更为清晰的，如《快乐》中有这样的开头：

要用一年的好天气，一生的好心情

才能催开一朵花，一朵叫作快乐的花

庭中采摘的人，请把灰尘、波浪和马匹

放进我的筐里

安琪的成功之处不仅仅限于这种在作品中堪称明快的风格，有时，她还能在纷纭的感觉和思绪中，迸发出智慧的闪光。在看似无序的、多侧面的、多多少少有点凌乱的感觉组合中，突然迸发出一些堪称深刻的生活的哲思。就这一点说，安琪并不缺乏思想，只是她往往非常节约她的深思，也许正因为这样，她的诗中，常常有某种感觉潜入不足的现象。这也许是由于她的感觉还提炼不够，内在的张力还不够强大。有时还纷纭过甚。从某些方面来说，叶玉琳的热情比她更为显露，汤养宗比她有更深刻的哲理。虽然某些方面，她的感觉和情致的自由也有汤养宗和叶玉琳所不及的地方，但是，在放任感觉方面，她显然付出了不菲的代价。读者至少可以在《红苹果》《银针》一类的作品中看到这样的迹象。在这些作品中，她是过分迷恋于感觉的纷繁了。

打破了旧的艺术秩序以后，总是免不了有点过度的兴奋。

我不知道安琪是不是意识到这种过度的自由的感觉给她的艺术带来了损失，但是我却看到在她后来的作品中，显示令人鼓舞的对于感觉和思绪的节制。我是从她《遥望西部》为代表的作品中看到这种可喜的动向的。也许这只是她多种风格追求的一种，并不一定是对于另一种风格的否定。如果是这样的话，我也衷心希望她在更多的作品中，适当节制她过分发达而多多少少有点纷乱的感觉。如果一定要我说在安琪的诗中，哪一种类型是我最喜欢的，我要说，像《遥望西部》那样的诗作尤其是其中的《蓝天》：

它盖住了我们，那么蓝的天

所有的念头来不及闪过

所有南方的人

在这一瞬间突然变得沉默

这是梦幻的西藏带给我们的

第一份礼物

三百米内我听不到自己的心跳

我屏住呼吸，除此

我有过的欲望都是虚渺

那么蓝的西藏

天，空出全部纯净和神圣

连影子也显得多余

我们又能想些什么？遥远的地平线

遥远的南方嘈杂

我们静静走开。这遥远的西藏

远不是我们能够承受的

虽然严格推敲起来，最后的一节，由于作者过分节制，追求平静中的隽永，回避外露的激动，显得平淡了一些，但就整体而言，是提炼得很干净的，各个部分之间堪称和谐。也许在这里我们看到了安琪在艺术上开阔的前景。但是，当我这样说的时候，并没有十分的自信，也许，这样的诗，在安琪看来，在她的艺术突围中，是一种倒退呢？我不想下结论，只是静静等待着历史的宣判。

序王宜振的儿童诗[①]

虽然这几年，我很少关注儿童诗歌，但是，在读了王宜振先生几首儿童诗以后，真切地感到，这是个有出息的艺术家。他的诗，用字字珠玑来形容可能是夸张了一些，但是，形象的密度和比喻的精度，语言的灵性，尤其那种想象，常常有出奇制胜的效果，几乎每一首都有令我惊异的地方。

写儿童诗，模拟孩子的稚气和天真的想象，这当然是一种基本功，没有这种基本功，进不了儿童的心灵境界，那可能叫“伪儿童诗”。我在主编初中语文课本的时候，对许多儿童诗很是挑剔，但对他的儿童诗却一见钟情。可惜由于体例的关系，一般诗人只能入选一首，就是大诗人艾青也只能一首。我就挑选了他的一首《初春》，和同样是写春天的杜甫的《春夜喜雨》、杜牧的《江南春》、宋祁的《玉楼春》、辛弃疾的《鹧鸪天》、韩愈的《初春小雨》以及艾青的《春》构成一组。 这并不是说王宜振的诗作，已经和这些大诗人达到同样的历史价值，而是为了给孩子和老师提供一种现成的、同类的可比性，历史的可比性，艺术想象的可比性，以便他们在比较中体悟到艺术想象和话语的发展和变化。

我还特别为王宜振的诗写了一个解读。为了充分说明问题我把对他的解读提供给读者。

我先指出古代诗人的春天的一个共同的特点，那就是大自然的美好和情致的美好。现代诗人艾青突破了这个模式，在他的想象中，春天的花不一定是和美好的景色联系在一起的，他有意把它和恐怖的屠场、死亡的墓窟相关联。也就是说，春天，既可以和美的桃花，也可以和不美的东西联系起来，这就为诗歌艺术想象开拓了新的途径。所有的这些诗人抒写的都是成人的春天，而王宜振的春天，是儿童的春天。从某些方面看，作者着力描写的大抵是春天景色，从毛毛雨到新芽，从蛙鸣到风筝，还有蝴蝶、蜜蜂、蝌蚪等。这些春天的景象，在以春为题的诗歌中，可能是老生常谈了；但是读这首诗时，我们并不觉得陈旧，

① 本文发表于《文艺报》《中国儿童文学》等刊物。

相反有一种强烈的清新感。这种清新感不一定来自那些春天的崭新景象，更多是来自对春天景象的一种崭新的感觉。这种感觉究竟新在哪里呢？且看诗歌本身：

春天的毛毛雨

洗得小树发亮

一些新芽，像鸟嘴

啄得小树发痒

作者所关注的春天景象，不同寻常：和古典诗人不同，和当代诗人也不同。是不是都有一种“小小”的感觉？雨是小小的、毛毛的，树是小小的，新芽当然也是小小的，就是比喻的喻体，像鸟嘴，当然也是小小的。这些小小的景象，是不是有一种小小的眼光在背后？小树被雨洗得发亮，而新芽则被啄得发痒。这个“痒”字，本来很普通，可是用在这里，却很精彩：鸟的嘴巴会把小树啄得发痒，这样幼小的感觉，轻轻的感觉，是不是只有小孩子才有？

这首诗的特点，就集中在幼小的、孩子的感觉之中。抓住这个小小的，幼稚的感觉，才能抓住这首诗的想象的出发点。

从这幼小的“痒”的感觉开始，发展下去，逐渐透露一系列的孩子气的感觉：

泥土里拱出的两片新叶

说是浅绿，更是鹅黄

像两只闪闪烁烁的眼睛

望着新鲜的世界痴痴畅想

叶子的颜色是美的，这是大人也有的感觉，但是把新叶当成闪闪烁烁的眼睛，则不像是大人特有的想象。下面的一句就更让人感觉到，这不仅是孩子的感觉，而且有孩子气的感情，除了孩子，谁会觉得这个世界“新鲜”？大人早已习惯了，早就没有新鲜的感觉了，就是偶尔有一点，也不会对着它“痴痴”地想。“痴痴”这两个字，可是很传神，幼稚的心灵，对一切都感到新鲜，因为新鲜，才好奇，知识又不多，想象认真入迷，却是孩子气的。痴痴，写出了一片天真烂漫。改成近义词，“呆呆”的，不行，改成“傻傻”的，也不行。

下面就更有孩子的特点了，抛石子，当然是孩子才会干的，但是，最出色的还是想象石子“会变成一只蝴蝶展翅飞翔”。这就不但是天真烂漫，而且有点调皮了。这里的联想是很讲究的，石子抛出去，运动的弧线和蝴蝶的飞翔，是相近相似的，至于掀开书页都能听到蜜蜂在歌唱，有点勉强罢，为了补救，作者加上四个字“侧耳倾听”，反正是别人听不见，自己听到什么都可以。这一切都令人感到孩子的心目中的春天的一切，是快乐的、无拘无束的。

下面的一节，仍然是孩子气的想象：蝌蚪像美人的雀斑，蛙鸣像吟诗。这时，读者已经不知不觉地被作者从视觉的美，带进了听觉的美的境界了。

从这里，可以看到想象的导向是美化，一切都是美好的，但又是孩子气的天真的。

孩子气的想象的特点，除了上面所提到的以外，还有一个特点，就是相当单纯，不复杂。

下面这两节，诗意深化了，春天在心上荡漾，风筝驮着阳光，孩子的特点淡化了，但仍然比较单纯，最后一节，采一片树叶，做成叶笛，表达内心的欢乐。这是一般人都能写得出的，但是下面这一句，则是神来之笔："把春天吹得摇摇晃晃。"究竟是春天摇摇晃晃，还是作者自己陶醉得摇摇晃晃呢？事实上春天不可能摇摇晃晃的，作者显然有点醉了。最后一句，回家"抖出一地春的芳香"，则是从嗅觉上把这种陶醉感加以渲染。

但是，光是模拟儿童天真的想象，并不一定能够保证儿童诗在艺术上有创造力。艺术家的任务，是在不断地更新，不断地突破，不断地冲击那种表面的和隐蔽的成规。从他的诗作中可以看出，他不仅熟练地驾驭着传统儿童诗的想象，而且得心应手，表现了诗人的成熟。但是，更为可贵的是，他常常又在突破传统，把一些现代派的想象与传统的儿童诗想象结合起来。二者之间的矛盾被他消解得水乳交融。这样，他的儿童诗就具有了一种称得上是现代艺术的东西。他的《春天很大又很小》中有这样的句子：

春天到底有多大
问问那棵树，也许会知道
大树说：春天是一只大鸟
一棵树只是它的一根羽毛

这里显然突破了古典的想象融入了现代诗歌的想象。古典诗歌的想象变形，没有这么大的幅度。传统的想象，属于浪漫型的"近取譬"，以生活的近距离感性取胜，而现代派的想象则以"远取譬"见长，在生活和情绪的感性中有深层的理念，因而联想不但遥远而且曲折。

乡下的父亲
跟我睡在一起
夜深人静，父亲的骨节在舒展
从骨节里蹦出一片蛙声

从骨节到蛙声联想的距离，是跳跃过了一系列联想环节的。这是需要读者去补充的。同样的例子，是关于母亲的：

母亲抓一把风拧着

拧出一首民歌

母亲抓一把土捏着

捏出一首民歌

这些联想，具有突破性，对于少年读者的想象既是一种挑战，又是一种开拓。值得珍惜的是，在远距离想象的探险、曲折的联想和想象方面，王宜振有勇气；更值得欣慰的是，他的探索的联想渠道，又是十分精致的。正是因为这样，他的儿童诗，就经得起欣赏，经得起时间的考验。

王宜振目前写得好的诗，大都是充满了农村乡土的情调的。我相信，几十年以后，我们国家农业人口也像西方各国那样，只剩下百分之几，成为公民中的少数，那时候王宜振的诗歌，其生命力仍然不会衰退，今天读王宜振的诗歌的孩子们，仍然会为他想象的新异而受到感动。正如我们今天读古典的诗歌那样。

艺术上有创造和突破的作品，是能够跨越时代的。

序庄伟杰诗集《从家园来到家园去》

一位美国教授曾经送给我一本诗集，是来自世界各地的美国新移民写的。题目是*Unsettled*，这位教授问我，能够猜得出 unsettled 是什么意思吗？我说，可能是：躯体是安置下来了，可是心灵却没有（settled physically，unsettled psychologically）。他点头称是。

眼前的这本诗集是移民到澳大利亚的诗人庄伟杰先生的作品，所写的主题与美国移民是一样的。但是，从根本上来说，极不相同。美国那本诗集，写的是新移民在美国社会生活中遇到歧视，或者虽无歧视，却陷入深沉的文化困境。而庄先生这本却没有直接写到多少异国社会生活的遭遇和故事，他所展示的是在异国土地上所体验到的心灵彷徨和痛苦，强烈地表现了知识分子脱离本民族文化之根以后的精神挣扎。

庄先生是泉州人，于 20 世纪 90 年代初前往澳大利亚，当时正是出国大潮汹涌澎湃的时候，出国本身成了目的，欧美、日本、澳大利亚，几乎来不及选择。对于出国以后的精神动荡，谁也没有思想准备。不久以后，就有大量的留学生文学出现了。以电视剧《北京人在纽约》为代表，包括各种各样的小说，除了麻木的、市侩气息、暴发户心态很明显的《曼哈顿的中国女人》以外，总的倾向是在失落了精神家园之后，重新寻找精神家园。正是因为这样，留学生文学已经成为汉语文学一道不可忽视的景观。由于当代大众文学风靡一时，这些作品大抵均以叙事文学或者戏剧文学形式出现。也许是形式本身的限制，直接展示内在的精神搏斗比较少见。正是因为这样，庄先生却以诗的形式系统地展示海外学子的心灵的苦难历程，就不能不令人刮目相看了。

出国以前，他受到过浪漫的、现代的诗歌流派的熏陶，出国以后，视野更为开阔，西方现代派诗歌对他的冲击当然更为强烈。正是因为这样，他能够在更广阔的精神领域，以更为丰富的现代诗歌的艺术手法来深化他重构精神家园的主题。

虽然在每章的标题上玩了一点小花样，每一章均以“作品 x x 号”为顺序，令人想起抽象派的绘画，无标题音乐。但是，他早年所受到的浪漫主义和现实主义的熏陶并没有完全消解，无标题的序号后面，还是出现了标题。这就暗示了艺术上的特点：那就是一方面冲破了传统诗歌艺术的束缚，一方面又难免流露出对浪漫情怀的留恋。

他的野心是相当大的，尝试用心灵阐释的方式对留学生精神苦难作史诗式的概括。从书名中就可以看出——“从家园来到家园去”，也就是从故国的精神境界中走出来，在更高的层次上又向故土文化回归。

最初，他还有一点“弄潮儿”的自豪，但却负载着“精神的异乡客”的沉重，用他自己的话来说，“本想在袋鼠爬行的地带风光 / 却无法忘怀牡丹国里的殷红”。难得的是他没有用浪漫的夸张，用直接抒情来表现这种苦闷，对于文化失落的困惑他表现得相当沉静，“故土已渐行渐远 / 怀旧成为一种难喻的慰藉”。

忧思狼烟般滚滚而来
指头燃着一支孤独
我将所有的痛苦所有的伤痛
统统地掷进 灵魂的伤口
洞开的深渊

从“一支燃着的孤独”，可以看出他的意象精练和联想的精致。庄伟杰用了最大的力量，调动了他所掌握的所有的艺术手段，来表现失落精神家园的孤独和痛苦。这种痛苦不但是现实的，而且有历史的深度（连陶渊明和禅宗都在他联想领域之内）。文化失落的痛苦，不但是个人的自我体认的痛苦，而且是民族的痛苦。痛苦由于孤独而变得格外迷惘：

没有谁能读懂我
没有谁读不懂我
不设防的人生
有形或无形
透明或朦胧

最悲哀的是
读不懂自己

读者不难发现，他多多少少还保留着一些青春时期的浪漫。这种浪漫从艺术上来说，可能对他是一种束缚。但几乎所有精彩的句子，都不是用某种带着浪漫激情的风格写出来的。或者也许可以说，他的浪漫情怀只是他整个诗作的变奏，只有在与相当冷峻的智性深思的背景融合时，才有艺术的价值。每当他忘记了节制，他的浪漫情怀就显得缺乏深沉的力度。他最为精彩的东西，不是激情，而是来自激情的反面——冷峻。值得庆幸的是，哪怕是最深沉的痛苦，他也不渲染，不夸张，拒绝浪漫的大呼小叫。他习惯于沉默，在无声中深化对于文化家园的追寻。当他说读不懂自己的时候，表现的是孤独。他的孤独，不能公然坦露，却要戴上某种掩饰："只能戴上面具 / 在相互凝视中装饰自己 / 心灵无奈被空濛的寂寞蚕食。"

在孤独中忍受寂寞，咀嚼寂寞，解剖寂寞，阐释寂寞，甚至可以说是在欣赏寂寞。在一种异质文化土壤中，寻求寄托，是一个相当曲折的历程。文化孤独和寂寞，是一种沉重的精神负担，然而，在表现文化失落的沉重方面，他可能是独具匠心的，文化剥离之痛几乎等于是死亡，"活着的死者，血已凝固 / 死去的活者 / 六弦如瀑 / 复活是一个致命的话题 / 正被风暴搅动"。更为深邃的是："自己是自己的深渊 / 自己是自己的造就。"

在庄伟杰先生写得最好的时候，常常不着痕迹地进入一种他所热爱的悖论式的深刻："世人皆醉我独醒 / 世人皆醒我独醉。""置身今天又远离今天 / 亲近家园又远离家园。"有时则是相反，好像不是二律背反，而是同语反复："天堂就是天堂 / 人间就是人间。""行吟是一种方式 / 寂寞也是一种方式。"有时则是更为丰富的背反句式："以一种肯定的方式 / 以一种否定的方式 / 以一种新奇的方式 / 以一种复活的方式 / 一如太空的气息 / 风情万种玄之又玄。"难能可贵的是他不但在寻找着自己，而且也有意识地寻找着自己的话语："办公室是用来办公的场所 / 自己是用来孤芳自赏的风景。"

他之所以能获得某种自由，主要是由于他在相当程度上挣脱了他年轻时代的浪漫情怀，进入一种冷峻，有时可以看出似乎是一种北岛式的冷峻，甚至是北岛式的句法："生活——原是有过的东西的简单重复""一切诞生于零 / 一切又都归宿于零"。当然，他并不是北岛的模仿者，他有他自己的独特思绪，常常情不自禁地把孤独当成一种美来欣赏，而且在表现这种美的时候，并不缺乏意象：

山有山的高度

海有海的壮阔

在子夜的背影上

我是唯一的飞鸟

横——空——翱——翔

在这里，他显示了相当成熟的表现力，他得心应手地把意象和抽象的概括结合起来，超越了情感之后，他冷峻地把意象升华为一种带着哲理意味的象征。在这里，他常常不由自主地与自己的浪漫的倾向做不懈的搏斗，一种找寻智性话语的努力贯穿在他整个诗作之中。当他取得成功的时候，读者发现，成功往往是与无声的、沉默的智性是分不开的：

仰望满天的星星

欲取一份美丽

风雪却挡住视线

希冀的双手 定格

在空中 再一次失落

“定格”——多么好的姿态，多么好的意象，比之语言的宣泄有着更为丰富的内涵，他宁愿以一种无声的雕塑美来代替语言的洪流。即使有语言，他所追求的也是语言的深层以下的奥秘：“在我们居住的大都市里 / 流浪者已把这里的语言 / 当成是自己的方言。”这样丰厚的话语内涵，就是在比较成熟的诗人那里，也是不可多得的。这得益于他的冷峻，他已经冷峻到把反常的事情当成了正常。虽然在英语语境中，英语却成了方言，汉语仍然是他的心灵语言。

一个人静静地

站在都市的十字街头

与历史构成一种特殊的角度

风声雨声脚步声交响混合

沉重与使命在体内嘎嘎作响

庄伟杰先生在艺术上最为成功的地方就在于他能够比较自然地超越抒情的浪漫，把他的深思化为审智的沉思。“都市的十字街头”“与历史构成特殊的角度”，既有空间的人文特点，又有时间的纵深感，这就把内在的沉痛从纵横两个方面立体化了。正是因为这样，当读者读到：“我行我素　我在我思 / 像一尊路标　站成美的风景。”或者：“我把孤独唱成支族歌。”读者不能不感到某种深邃的震动。

一个人独自与一杯茶一盏灯对视

这便是属于自己的最佳节日

在表象的掩盖下戴上假面具

在无人知晓时独白　凄美地开花

这样的语言，不但有感性的象征（路标、一杯茶、一盏灯、面具），而且有审智的概括，他最为成功的语言就是这种审美与审智平衡的语言。在这样的语言中，有着比较深邃的思绪。和以情感人的古典诗艺有所不同，现代诗艺追求的是以智启人的境界。在这一点上，庄伟杰先生，我想是十分自觉的，但是有时，又似乎并不是十分得心应手的。正是因为这样，有时候，他才对于一些避开轻浅的情感的直接抒发，显得有点不够果断。

我这样说，并没有十分的把握，如果是说到了点子上，我将十分愉快，如果没有，得到诗歌忠臣们的指正，我也将十分愉快。

序王炳根《少女万岁——蔡其矫传》

蔡其矫八十开外，满头华发，谈笑风生，仍然不改五十年前的风貌。

作为一个青年诗人，蔡其矫出现在20世纪50年代的新中国诗坛，是很有一点不凡的。他来自解放区，是个三八式的老革命，很像是经过“脱胎换骨”改造过了的知识分子了。但是，他的诗却没有一点老革命的姿态，他不像他的战友们那样擅长用民歌体写作，在情调上，也没有很明显的工农兵趣味，更不追求农村口语。他的风格在很大程度上保持着知识分子的情调；在这一点上，更像是来自国统区的诗人。他我行我素地用精致的西方和俄罗斯诗歌的意象写作，最特别的是，在他的诗里时不时地流露出某种个人话语，而不是当时主流意识形态的集体主义的话语。那时从国统区来的诗人正忙不迭地摆脱自由诗的知识分子情调，而蔡其矫却堂而皇之地显示一种旁若无人的姿态。

这使他的诗，在当时独树一帜，但是，在主流意识形态话语笼罩下，并未很快引人注目。

当然，蔡其矫仍属颂歌的流派，主题离不开歌颂革命，歌颂“大写的人”，也就是集体的抒情主人公，在字面上，也回避直接表现自我，但是，在字里行间，他那个人的而不完全是集体的情绪和话语，总是压抑不住地流露出来。这在当时诗人作品中是很少见的，不但在贺敬之、郭小川、李季、艾青、田间的诗作中少见，就是在后起之秀张永枚、梁上泉、李瑛的笔下，也是极其稀罕的。只有胡风派诗人鲁藜、罗洛、曾卓，当然也包括胡风自己的诗作，才影影绰绰地看出处于革命狂热之中，知识分子在心灵的自留地上的舞蹈。

当大家都以献身于革命为荣的时候，蔡其矫却以献身艺术为荣。他主动申请调离共产党的情报机构，放弃了前景可观的仕途，就是为了诗歌。也许，他不过把当时被誉为“炸弹和旗帜”的诗歌当作个体生命和集体事业的“公共租界”。他当然没有胡风他们那些思想系统，他似乎觉得当一个诗人，在诗歌领域里作灵魂的冒险，把诗写得出色，此生足矣。

蔡其矫没有倚仗从老解放区带来的领导关系的想法，这样就决定了他的独立性，他不属于任何集团，蔡其矫是一个独行侠。事实上，在新兴意识形态的系统里，他也被当成一个特殊的例外。

周扬在当时的文化官员中，艺术修养和水准属于最高的一类，不但意识形态高度警觉，而且具有相当的艺术品位。他读了蔡其矫新编成的诗集手稿以后，立刻感觉到：艺术性不错，但是战斗性不强。所幸，他没有用对待艾青那样苛刻的眼光去审视这个青年。

在20世纪50年代，对于人民作家不但有道德的要求，而且在情感上的要求也是很严格的。在诗歌中的知识分子情调哪怕是一点点流露，也是不安全的。何其芳写过一首《回答》，仅仅是因为表露了自己四十多岁了，还没有做出多少成绩而暗自伤怀，就引起了报刊上读者在来信中说："我们不需要这样的回答。"

在这种情况下，令人奇怪的是，蔡其矫却比较安全，至少20世纪50年代初期和中期是这样。

也许是因为蔡其矫名声不够大，他的许多非集体主义情感没有引起读者的挑剔。但是，这并不能掩盖他和当时的主流意识形态有一种潜在的格格不入。他只是一个独行侠，不像何其芳那样有理论，也不像胡风他们那样有一种流派的倾向，也许就是这种独行侠的风格把周扬麻痹了，也许周扬小觑了他，没有充分估计到他在艺术上潜在的发展势头。

日理万机的周扬，没有来得及注意到，他在华彩语言掩盖下的追求个人自由和人的价值和尊严的苗头。

20世纪50年代中期和后期的历史表明，周扬对于属于丁玲文学讲习所的人是比较苛刻的，但是，对于蔡其矫，却表现了很少有的大度，即使蔡其矫以大海来比喻斯大林，说他既孕育财富的宝藏，也可能无情吞没水手，制造悲剧。这样的思想，在当时本是可以用来上纲上线到政治问题上的，但是，据说他只是在内部吃了一点批评了事。

可能是因为他太年轻影响也不大，周扬觉得不用过分地注意。

从蔡其矫这方面来说，在情报机关工作的经历使他对过于热门的政治话题和过于亲密的人事关系，都保持一定距离。

正因为此，蔡其矫在政治上算是比较安全的。

在20世纪50年代出现的新诗人中，他没有像公刘那样先是大红大紫，突然在反右中变得灰头土脑的遭遇。他不是很红，但是，也不是很受冷遇。他的确没有暴得大名，也没有在一夜之间，弄得破帽遮颜。就是在1957年那样的大风暴中，他也可以说是相对平安，这可能是当时有才华的诗人很罕见的。

但是，他并不安分，用毛泽东的话来说，他的灵魂深处有一个王国，这个不属于“无产阶级”“人民大众”的王国总是顽强地做自我表现。哪怕是在疯狂的革命热潮中，他的语言，总有一些令主流意识形态怀疑的东西，如，“太阳万岁，少女万岁”，这里的少女的内涵，是没有任何阶级性的，而太阳，这个伟大领袖和伟大的党的专用意象，一旦和少女结合在一起，当然也就不可能与当时所谓的伟大事业有关了。

到了1958年，诗坛上“左”倾已经达到了人人写颂歌的程度。恰恰在这个时候，他那一肚子不合时宜的情绪，却冒了出来，写了离经叛道的《雾中汉水》和《川江号子》。有谁能想象，在毛泽东笔下，中国正是“春风杨柳万千条，六亿神州尽舜尧”的时代，一个个都“意气风发，斗志昂扬”，报刊上充满“跑步进入共产主义”的欢呼和颂歌，举国上下，都兴奋得头脑发昏，他却为这个民族唱出了悲歌。作为长江规划委员会的宣传部部长，他为汉江上的纤夫艰难的、原始的体力劳动而感到痛苦，就是面对那照耀在汉江上的早晨的霞光，他也没有感到社会主义的光华；那一向君临万方的红日，不但失去了指挥若定、改天换地的豪情，相反：

不忍心看这痛苦的跋涉，
用雾巾遮住颜脸，
向汉江上洒下斑斑血泪。

而在《川江号子》中，他声言：

宁做沥血歌唱的鸟，
不做沉默无声的鱼。

他当然受到了批评，但并没有陷入灭顶之灾，现在回想起来，这可能在当时是很少见的一个例外。

他自己呢，似乎对之无所谓，这还是得力于他那种我行我素的性格。他和20世纪50年代几乎所有的诗人最大的不一样，就是把忠于自我感觉放在一切权威的观念之上。这不仅仅表现在于直面现实的勇敢上，而且在于他坚守一种特殊的价值观的无畏上。在20世纪60年代初期，正是空前的极“左”风潮方兴未艾的时候，他却写出了《波浪啊》这样的诗章，把和个人的自由相对立的力量，称之为“强权”。就是概括性很高的波浪的意象也很难掩盖他与主流意识形态的不可调和的冲突，他对波浪这样阐释：

是因为你厌恶灾难吗？
是因为你憎恨强权吗？
我英勇的、自由的心啊，
谁敢在你上面建立他的统治？

他和集体主义的冲突更加暴露了，或者说他是更加放肆了。

这个头发有点卷曲、可能有点阿拉伯血统的闽南诗人，气质的确不同寻常。即使在歌颂着社会主义建设的成就的时候，他的个人话语，也不能不说是惊世骇俗的。在激情洋溢地赞美厦门跨海大堤的颂歌中，他对于飞溅的浪花的观察和内心深层体验似乎是漫不经心地猝然遇合，神来之笔就这样诞生了：

为了一次快乐的亲吻，

不惜跌得粉身碎骨。

了解蔡其矫的读者，想必能把这句话孤立起来，作为他生命的格言，惊叹于一个真正的诗人的坦诚，但是，在那种把婚外恋当作“搞腐化”的年代，不免也要产生狐疑，要为他捏一把汗。

这并不是杞人忧天，年轻的诗歌爱好者们注意到，他们所崇拜的诗人周围的异性像走马灯一样地旋转。他虽然并没有粉身碎骨，但是，付出了极为惨痛的代价。所幸，即使在失去公民自由的时候，他也没有放弃诗歌，当然也没有从异性的旋涡中急流勇退。

改革开放以后，艾青问他，为异性付出这样大的代价[①]，是不是后悔？

他说，不后悔。

我想艾青这样问，并不是一种随意的关切。这里有近半个世纪的精神变迁。[②]当然，如果是艾青自己回答，他是不会像蔡其矫这样直率的，但是，我想艾青不可能不在内心赞叹：真是硬汉子。

他不但不后悔，而到了晚年，还把这一切火一样地公开了出来。

王炳根先生写了一本《少女万岁——蔡其矫传》，承蒙炳根先生慷慨，给我以先睹为快的殊荣。这本书，在我看来，相当大的一部分就是蔡其矫的自白。

这是一个在极“左”年代的独行侠的内心奥秘的揭示，也是一个为了女性牺牲了世俗荣誉、甘心忍受磨难的记录。

作为一种文献，作为一种心理文本，对于后世，这无疑是珍贵的。

读着这本书的原稿，我不禁惊叹，居然有这样的人，有这样多元的异性情缘。这反正是我所不能到达的境界。

我不仅仅惊叹，而且也有狐疑。

炳根先生，在这本书中，把他异性的关系具体地、直接地和他的一首首诗歌创作联系在一起，和每一个女性的关系，都不能不因为诗而美化。

---

① 指他因为“破坏军婚”而入狱。

② 艾青也曾经在20世纪50年代中期因为婚外情被判刑，不过是“监外执行”。

诗和诗人的生涯中与每一个异性的遇合，能够这样和诗画等号吗？

一个人心灵中的每一种色调都能这样明亮而辉煌吗？

付出了如此高昂的代价，有没有苦难？为了获得女性的美，是不是也牺牲过人的尊严？如果有苦难，是不是还可以升华一下呢？难道就没有伤害过什么人吗？如果是我，在晚年回顾往事的时候，我多少会有所忏悔。

忏悔是庄严的。它能使人从肉欲的世界上升到精神的殿堂。

我更为担忧的是。这本书里涉及的许多女性还在这个世界上享受人生，她们的眼睛也许会投向这本书的某页。读到有关的情节的时候（虽然名字已经作了适当的处理）会有什么感觉？事实是不是准确？性质会不会歪曲？隐私会不会遭到侵犯？

我想，本书的读者，只要是比较细心的，至少有一部分会和我有同样的隐忧，当然也有可能有一部分会嘲笑我冬烘。

但愿我的忧虑是多余的，但愿这本书不要给任何付出过代价的女性再带来内心的或者是目前还想不周全的伤害。

在人的价值和尊严面前，最高的法庭是良心。

如果有上帝，上帝就是我们自己的良心，而在良心面前，我们都是有罪的。

我把这个意思写成文章以后，请王炳根先生送蔡老审阅，我本惴惴，不想，蔡老曰：“我忠于自己对生活和异性的原则，没有什么可以忏悔的。”

序陈仲义《现代诗创作探微》

陈仲义有一个很奇怪的特点使我很惊讶，那就是他在公众场合中的沉默。有好几次会议，我注意到他一个人坐在后排，持续两三天一言不发，哪怕会上争论得热火朝天，他也不会卷入，我在会后曾问他为什么这么沉得住气，他仍然不说一句话，只是笑笑。

然而，我知道他是有思想的、有思考力的。这种想法在读到他一些论文以后，就更强烈了。在诗歌理论界，有一种不平衡的现象常常使我陷入沉思，有些人明明思想贫乏，可是在某些会议上却高谈雄辩，甚至语惊四座；但是他们的文章常有批量生产的特点，重复着读者早已理解并不需要多加阐述的东西。另一些人虽不甚善于辞令，明明提出许多独创的甚至是系统的观念，却长期不为世人所知。

这使我对于所谓“名声”，常常持一种虚无的看法。

1991 年 7 月，美国加州大学东方文学系的杜国清教授来访，和我谈起国内诗歌评论界的熟人，我向他介绍了仲义。我说，这个人埋头苦干，甘于寂寞，很有深度，在某些方面，他比我和谢冕强。[①]杜国清教授大吃一惊，以为我是开玩笑。我告诉他，像我和谢冕这一代的诗论，有一个根本的局限，那就是从现代诗以外的角度去评价现代诗，虽然我们也对现代诗的许多方面，由衷地做出肯定的评价，但是在许多方面，由于我们的经历和教养与现代诗人有相当的距离，我们是不可能完全理解的。而陈仲义则不同，他不是站在现代诗之外去观察现代诗，他的理论生命完全在从现代诗之内去感受现代的肌理和脉搏。

正是因为这样，他的理论从构架到逻辑，从范畴到系统都与我们的不同。任何一个读者并不需要多大的耐心，只要翻一翻这本《现代诗创作探微》的目录，稍稍认真地琢磨章节以下的论点的提要，就不难发现它全新的“置身于现代诗生命中”的理论特征。比如说，

① 我原来的稿子上是“在许多方面”，在这次收入集子时，陈仲义改成了“某些方面”，并在页边上特地注明“请一定修正”，我只好从命了。

在通常的诗歌理论中，自然也分析到诗的心理感受方式，尤其是它的感知方式，甚至还联系到直觉，但是都还没有细致到把感觉作为一个独立范畴和直觉联系起来加以系统的分析和阐述。我们说到直觉时常有一种模糊性，而仲义的直觉这一节则是这样的：

直觉：系统感觉的“尖锋”

“瞬间心灵的一瞥”——直击力——穿透力——彻悟力

而联觉的这一节是这样的：

联觉：“全天候”感觉视野

古典通感——现代“交感”——通感的基础条件 ——二级通感——多级通感

把心理学上的概念直接放到诗学中来是会变得贫乏的，陈仲义不像某些“诗论家”那样，把诗歌作品当作心理学的例证，而是直接分析诗歌创作的第一手材料，并在此基础上重新阐述心理学的概念，这样就使这些概念具有诗学的特殊性，这就是陈仲义形成自己理论的基本方法，正因为这样，他的基本概念具有结实的原创性。这样也许是许多诗论家的愿望，但是成功者不多，这是因为他们逻辑归纳的基本功不过硬。直接从感性材料进行逻辑的抽象并非易事。许多学究式的论文只能在原始材料面前做简单的分类，然后就踏步不前了。他们缺乏将丰富的经验材料上升为系统观念的能力。

自然，这样的学者之所以陷入如此的困境，还由于他们理论观念的陈旧。当他们发现经验材料与他们的狭隘观念不相容时，不是调整他们不符合事实的大前提，而是阉割某些事实，这样做的结果是他们的大前提变得更加苍白。一切已知的“真理”，也包括一切的大前提，都不可能是完善的，正因为这样，真理发展的方式常常是对已知大前提的调整，或者说得哲学化一些，是批判，或者用时髦的话来说，就是颠覆。

最有力的批判方法是以事实来批判，然而这需要高度的抽象力，缺乏这样强大的抽象力的人，最方便的方法就是引进新的大前提，这就是前一阵西方各式各样文学理论、文化学说风行一时的原因。但是新引进的大前提仍然需要与系统的经验材料相结合（用仲义的话来说：整合）。由于一切大前提都有其片面性，所以它与我们已知的经验材料就不可能天衣无缝地融合，恰恰相反，二者肯定要经过一个互相摩擦，互相调节的过程，不能指望这个过程很短暂，这是一个历史的过程，也许没有一代两代人的努力是不够的。

如果我们独立的抽象力比较强大，就能较快地看出新的大前提与经验材料之间的裂缝，正是在这裂缝上，才有建立起我们自己的独创的大前提的可能。

很可惜，这样的大思想家、大理论家，在目前还如凤毛麟角。因为这除了需要强大的逻辑的演绎能力以外，还特别需要非同凡响的直接从经验材料进行全面归纳的能力。

具有这种归纳能力的人，往往有独创性，而且不是一般的创造性，而是一种第一手的创造性，也许我可以把它叫作“原创性”。

具有这种“原创性”的人所提出一些独创的观点，与那种纯靠演绎法得出的“独创观念”不同之处在于，它是更独立的，它较少依附性，除了依附于事实以外，很少依附于未经批判的大前提。

在我看来，仲义的智能结构的特点是偏重于第一手感性材料的归纳，因而在章节以下的细目——论点提要中，充满了他第一次提供给诗坛的观点，我们上面引用的“古典通感”与“现代‘交感’”，“二级通感”与“多级通感”就是典型例子。他的新鲜的、富于启示性的论点在本书中可说令人目不暇接。自然，仲义也不纯粹长于归纳，同时也长于分析和综合，他对新引进的文化学和文学理论一直持分析态度，并且努力把它们整合在自己的系统中。

他曾对我说，我的理论太偏重于苏珊·朗格的“情感与形式”，对情感以外的东西注意得太少。我自己也意识到这一点，但我想，在对于情感分析尚未过瘾时，我还不着急去把情感以外的东西作为我的理论核心和逻辑起点。这次我读到他这本书，非常高兴地看到他的理论构架中：情感——思辨——智性——悟性，已经各有各的位置和内涵，由此，我不能不承认他的视野比我广阔，他所建立的范畴也比我丰富。

我本想把这一切都细致地讲给杜国清教授听，但是，非常可惜的是时间不允许。不过，我向他预言了仲义的这本书，他欣然地说：那我就等着拜读吧。

现在这本书的清样已放在我的案头了。我又翻阅了一下，我深深相信，我并没有过分夸大这本书的成绩。

至于仲义这本书有没有不足之处呢？这似乎不成问题，世界上有什么书，从孔夫子的到康德的，是没有毛病的呢？不过在这序言的短短的篇幅中，似乎来不及做彻底的叙述了。而且，任何一种新颖的理论的缺点，往往要在它问世之后，在与更广泛的经验材料相摩擦的过程中才能更充分，更有深度地暴露出来，因而对于陈仲义的大前提和有系统的论点，自然都需要批判。

一切有价值的理论都要经受历史的批判，反过来说，凡能为历史发展所批判的理论都是有价值的。我相信仲义的理论除了他成功的一面以外，该有历史批判的价值，正因为这样，我不准备匆匆忙忙地批判他的不足，而把这个任务留给未来，留给下个世纪更为清澈更为睿智的目光。

序俞兆平《诗美解悟》

我和兆平结识始在1974年，那时正是十年浩劫的后期，“文革”初期那种狂热的激情消退了，人们开始意识到某种幻灭的悲哀。然而人与人之间的戒备还是相当森严，在本单位连嘲笑一下交白卷的“英雄”都是危险的。大学文科普遍处于变相停课状态。当时最流行的办法是所谓“开门办学”，“以战斗任务组织教学”。但是这也给我们提供了到远离本单位的地方去发牢骚、交朋友的机会。有一次我带着几十个学生到福建沿海一个县城，准备到海岛上去采写一些“民兵斗争故事”。在那精神饥馑的年代，难得碰上一个可以放心地谈天说地的朋友，享受一下倾吐郁积于心间情感的愉快。兆平于“文革”初期大学毕业，分配在该县一个中学任教。我们一见面就惊喜地发现在交谈中对方是一个可以在智慧和思考能力水平上相当的对手。当时我们都还处在沉醉于诗的那种年纪，在没有任何诗意的现实中，编织着欺骗自己的梦幻。但我们对文学的追求还有清醒的一面，我记得我们第一次见面是在他的那间小得进门以后腿就不敢多动的斗室里，我们谈得最多的是文学。我比他年长几岁，未免有点倚老卖老，对当时文坛上最显赫的作品坦然地藐视起来，而且还引用马雅可夫斯基的“给庸俗的社会趣味一记响亮的耳光”的名言。我至今还记得兆平当时又兴奋又为我的这种直言快语而担心的神色。

在“文革”中，我曾经因我所工作的华侨大学解散，下放到闽南山区一个县里去蹲点“宣传毛泽东思想”，事实上过着类似“五七干校”的生活，后来也曾奉调到县城一个中学去教英语。使我惊异的是在中学教师中有那么多在多才多艺上远远超过我们这些长期在大学的人；只是由于工作的重复性和环境的闭塞，他们的才智并没有得到充分的发挥。在与兆平谈话以后，我更加坚定了我的观感。

粉碎“四人帮”以后，不久我得知兆平准备投考厦门大学中文系郑朝宗和许怀中两位教授的研究生，当时，我还有点怀疑，他是否能在众多的竞争者中获胜。后来事实证明，我低估了他。

这以后，由于我们的兴趣都转入了文艺理论，出差、会议、文学评奖等，提供了许多长谈的机会。由于在不少问题上看法一致或接近，有一次在鼓浪屿的一个宾馆中我们差不多谈了一夜。

这几年，特别是1985年以后，我非常高兴地注意到兆平长期以来的积累，已越过一个临界点，而进入创造期。我先后读了他的专著——《闻一多美学思想论稿》中的许多重要章节，特别是眼前这本《诗美解悟》，我深深感到兆平在追求创造性的道路上步伐是坚实的，从方法到观念他都以严谨、求实取胜。

1985年林兴宅运用系统方法研究阿Q取得成绩以后，在文艺理论界掀起了一个方法论的热潮。在一个极短的时间内给人造成了一种错觉，似乎是只要运用了系统方法就一定能创新。我和兆平一方面对自己朋友的成就感到欣喜，但是，对学术上的“暴发”持比较冷峻的看法。兴宅的成就并不在于系统论，而在于此前已经有了的马克思主义传统方法，主要是辩证法和基本逻辑方法的坚实基础。列宁说马克思主义的活的灵魂在于具体地分析具体情况，而兴宅的具体分析的功力在他关于鲁迅的《离婚》和李国文的《月蚀》的论文中早就表现得相当精彩了。传统的方法是基本方法的基础，也是一切新方法的基础，离开了传统的方法，一切新方法都是虚弱的。有鉴于此，在方法论讨论中我写了一篇《从基本概念和基本方法的科学化开始》，发表在《诗刊》1985年第12期上。

兆平和我深感在新方法引进的过程中，赶风潮是无济于事的。一下子引进了或者是“发现”了那么多的新概念、新术语，对于学术的发展并不具有实质性的意义。具有决定性的是这些概念内涵的丰富和深化，外延的明确和稳定。从马克思研究《资本论》方法论看来，关键是丰富其内涵的规定性，也就是所谓“从抽象上升为具体”。只有在实践过程中不断积累、深化其内涵，它才会变得具体起来，概念的科学化过程就是概念的具体化过程。不论社会科学史还是自然科学史都是如此。比如，氧化的概念，起初拉瓦锡做的那个著名实验只限于燃烧过程中与氧的化合；后来扩展为就是没有燃烧现象，例如呼吸、漂白、光合作用，都是氧化；再后来广义氧化的概念发展为凡金属与非金属化合，金属失去外层电子，非金属获得外层电子，即使与氧无关，也叫氧化。类似这种基本概念动态的确定化、具体化是自然科学发展的前提。如果氧化的概念长期停留在燃烧的直观水平上，就不可能在分子水平上阐明氧化的本质。文学科学的概念本来就比自然科学更带直观性，尤其是中国的古典文论，所谓“道”，所谓“气”，从来就没有一个人能在确定的内涵上严密地加以应用。恩格斯在给哈格纳斯的信中所讲的现实主义概念本来是很具体的，可一旦用来分析中国古典诗歌，概念的内涵就变得模糊了。因为在中国古典诗歌的抒情诗中根本不存在细节的真实性和典型性格。“五四”以后，我们引进了一系列文艺学概念体系，在内涵的具体问题上，我们本来就欠下了一笔不大不小的债，更何况一下子引进了那么多自然科学和横断科学的概念。这些科学概念在它们原来的位置上，本来是很具体的，一旦把它们引入文艺美学，就变得很抽象了。研究文艺理论或美学的人都要讲到美与丑，关于美的内涵已经有人写了许多文章，做了许多规定，可关于丑的概念呢？研究得似乎很少，以至于直到今日，在大多学人笔下，丑作为一个基本概念，仍然带有直观的贫困性。每到为概念做精确定性时，兆平的长处就显出来了，还在《化丑为美的艺术途径》（载《当代文艺探索》1987年4期）中有极其精彩的表现。诗的概念定性问题如美的定性一般是动态的，非恒定的，至今未能有完美的描述，但阶段性的定性却又是理论研究所急需的。兆平不畏困难，提出如下见解：

> 诗是诗人从社会生活中获得的个体经验，通过语言符号的创造而升华的、具有超越意义的一种社会性产物，一种自足的精神审美现象。（《纯诗与诗的价值取向》）

这在他为中国社会科学院牵头编纂的《美学百科全书》而撰写的“诗歌美”条目中亦有精细的论析。得当与否，读者心会。见仁见智，既然莫衷一是；为轩为轾，亦复各有春秋。又如，诗的审美意象的概念，在国内诗歌理论界也是众说纷纭，兆平做出这样的界定：

> 它是一种潜含着理性、情感的心理表象，它同时应外化并巩固在显象词语上，并有机地组合在特定的、具有美学意义的诗的整体语境之中。（《诗的审美意象》）

这真是所谓别开生面的见地了，这种见解的形成显然得力于他在概念辨析上的精致的功力。

当然，兆平取得如此的成绩，并不完全由于基本科学方法的严谨，同时还由于他的知识结构。可以看得出来，在他当研究生时，除了德国古典美学及西方当代美学之外，郑朝宗先生指导他钻研钱锺书先生的《管锥编》《谈艺录》，也大大地开阔了他的学术眼界。在兆平的著作中有许多神来之笔，其思维材料往往来自他读《管锥编》而有心得之处。当然钱锺书《管锥编》给予他的不仅是广博的思维材料，而且也有强大的分析能力，正是有了这样的训练，兆平才能厚积而薄发，在这几年中，取得如此令人瞩目的成绩。写到这里，我不禁羡慕起兆平来了，我想，如果我在兆平这个年纪，如果也和兆平一样得到郑朝宗先生的指点，那我今天的水平肯定要高得多，不至于至今为文还有点毛毛糙糙了。

序《诗歌哈雷》①

2010年最后的那几天，福州举办了一场诗歌盛会。“哈雷伊路诗歌研讨会暨‘诗与城市精神’座谈会”，省内省外来了不少诗人评论家，谢冕也来了。谢冕是诗坛总司令，我是“铁牛”，跟着“宋大哥”一路向前。据说这次会议光论文就提交了三十多篇，成果丰硕！这样的诗歌盛会，在1986年蔡其矫先生的诗歌研究会上见过，时间过去二十几年，福州再次举行这样的盛会，实在是件高兴事。

而今，出版社将相关对哈雷的评论和哈雷近来的诗作汇编成集，见证福建诗歌这一段的盛事，应该说在如今略显寂寞的诗坛，也算是做了件好事。哈雷是我的学生，他诗歌创作时间跨度有三十年，这三十年，中国变化太大了，折射到一个诗人的心灵的语言，犹如清明上河图，闪烁光艳，是华彩的浓墨，也是沧桑的写照。现在他的诗歌升华到一个高度，成为福州“诗歌城”里一个代表性诗人，我也为他祝贺。

有一种不由自主的印象，好像哈雷最好的诗歌总是与异性有关。20世纪80年代中期，在一次蔡其矫的诗歌朗诵会上，一群幼儿师范的女学生朗读他的组诗，最为震撼的是其中一首：骄阳暴晒，民工往脚手架上抬石头，气喘如牛，汗流浃背，突然一妙龄女子飘然而过，民工们乃驻足凝眸，不觉周身通泰，不知春来何方，猝然顿悟，“女人是个好东西”。此后成为传诵一时的名句。这以后十多年，哈雷福星高照，步步高升，诗意也随之升华，经粉丝们传到我耳朵里的名句是：“一整个秋天，除了爱你，我什么都没有做。”但是，仅此并不能说明哈雷诗艺的勇猛精进。那种可以作为他标志的青春的骚动和自炫、落拓不羁的坦然，和对于“规范”孩子气的冒犯和戏谑，逐渐淡化，他变得沉稳了，不是追求惊世骇俗的惊人之语，而是在平常自然心态中开发诗意。他似乎刻意在漫不经心地抓住容易被忽略的情意。正是因为这样，他超越了初期的华丽激情，代之以渗透在平淡中的微妙的

① 此文原名为《心灵新干线上寻找苍茫的风景——序〈诗歌哈雷〉》，收入《诗歌哈雷》。

温情，但是，这并不意味着轻浅，相反，从平淡中显现出来的深沉却更加动人。如《那天早上》：

你散发着清香来到我面前
地远了，天近了
季节一下变得丰满了
我找到了
一只鸟停靠的位置
对你说：这里
树长高了
……
你撑开紧握黄叶的手
对我说：过了正月
该理发了

这首诗，并不是哈雷近作最为成熟的，至少在语言上，还有可以删节的东西，但是这里出现一个新的哈雷。如果说，他早期的爱情诗是浪花的冲击的话，如今则是全方位的渗透。不是没有“疼痛”，不是没有“呻吟”，但是一切感受中都渗透着幸福感，哪怕是“该理发了”这样非诗的日常话语，却流露出彼此的心心相印，毫不夸张，深意尽在。显然，在他的领域里，他走向了更成熟的标志是：不再满足于情趣，而是刻意追求某种反思的智趣，有时凝聚起某种哲理。哪怕是在一些旅游和即景之作中，他也能从现场即景的空间，神思飞跃，让情趣和理趣交融，如《玉玺山》：

这座起伏的山头，最后变成一摊月色
静静躺着，不知还能沉睡多久
没有海能高出沙岸，岛屿
却像坚韧的头颅高出了臂膀
最终切成一个个思想方块
附近，钢梁的手臂
力拔于强风和低云的码头上
汽笛拉响了世纪的嘱托
而这时的落日像暴君的脸
在浪袭之后迅速逃离
遮蔽的天空下

遗落的玉玺

不知经历过多少个世纪的尘烟

最终被浪涛冲洗成一块

纹络生动的石头

如果是早期，他会满足于把山形容为玉质的玺，而且为之大为激动，然而如今，他变得从容。关键在于，固定在空间上的山和浪花，转化为时间的想象中，构成一种因果关系：浪花转化为石头的原因，变成了“钢梁”和“汽笛”，承继了“世纪的嘱托”，现代化的工业文明和传统的自然观念猝然遇合，自然奇观和工业文明融为一体，这就是他的“思想的方块”，也是他的艺术技巧。正是这样，本来善于瞬间顿悟的他，因为时间的自由驾驭，概括力提升了。哈雷变得不但多情，而且有自己的思想了。在他笔下，工业文明和大自然是和谐的，而且还表现在相反的方面。他和一些追求前卫的诗人不太一样，他不像他们一面疯狂地追求物质生活的高档，一面做出对于城市物质文明的厌恶。他没有那种对西方新潮观念捷足先登的自得，相反，他是真真实实地活在自己的感觉中。他尊重城市文明，怀念乡村的自然。正如王珂所说，“他不是那种为了写诗而牺牲人生快乐，特别是都市生活情趣的诗人，所以他活得很‘滋润’，让人感觉他很‘阳光’，很年轻。他更不是那种因为写诗就与现代社会疏离，以自己与现代都市文明格格不入，甚至人格分裂为荣的现代都市诗人。尽管他会思考我们这个时代为何出现‘病态人格’，他自己却人格健全、心理健康。从他的身上，可以强烈地感受到现代都市文人的两大修养风度——古代文人的‘温柔敦厚’和现代文人的‘文质彬彬’”。本来限于对异性的恋情，变成了对城市和乡村的风情。当然，他的深刻就在于，不仅有单纯的统一，而且也不回避矛盾。这一点，在 2011 年春天的诗歌讨论会上，为我精神兄长谢冕先生洞察了。他说他身居闹市，享受着现代物质文明却“对城市怀有某种警惕，甚至表现出某种倦意：城市是一个喧闹而拥挤的鸟巢，炫目而刺耳的灯光是它的体温，它‘孵化出生命’，也孵化出一个‘无度的世界’”。

翻开这本诗集，对于细心的读者，最强的观感莫过于他前后期的诗风大相径庭，其间的反差，令人刮目相看。他本是以浪漫抒情见长，如今却更多运用“叙述”。有人指出他的“叙述”，“更多的是通过现实的一种突发关系，揭示关系背后的永恒美感，与当下的后现代叙述方式同型而异质”。哈雷对个体与人生、对自然与社会的感受与领悟已随其升华为一种与往日大相径庭的境界。

异性再也不是他透视的焦点。他的精神视野变得辽阔，他的境界变为如《清明上河图》式的长卷，以自然包围着的城市为核心，展示心灵纵横交错网络。他的画卷，不但有西方油画的焦点透视，而且有中国传统的散点透视。他的价值核心，是审美情感中的批判性反思。这就是说，哈雷为自己诗歌设置了新的高度，同时也是难度。当然，哈雷的节奏仍然充满青春跳跶的生气。但是，他在诗艺上，可以说是长大了，他的创作态度变得严肃，他对诗显现了罕见的忠诚，甚至有某种苦吟的痕迹，如他的《搬动》所说：

我搬得动一块巨石

却搬不动一个词

如托举不住的夕阳

在黄昏到来时

深入湖底

我搬得动自己

却搬不动跟随的影子

这样的句子，将成为哈雷为诗歌艺术献身的格言，我们可以举出“该理发了”等为例，这样诗句的美学高度，不但是哈雷，而且是一些同风格的诗人轻易不能够达到的。但是，正因为难能，因而可贵。在他的诗中，青年时代的铅华似乎并未完全脱尽，这却并不妨碍他的情趣、理趣相得益彰。青春的梦呓消退了，在他的心灵新干线上，居然出现了苍茫的美。思想含量控制着感情宣泄，他甚至想跟着里尔克去流浪，用另一种生命观念去写诗。谢有顺说他在诗歌中建造着某种意义上的精神天堂。这样，就产生了王珂所说的“感动”与“唯美”的矛盾，哈雷采用了“和解”而非“对抗”的策略去化解，已有所成，但，当年的文采仍然在他的智趣面前，留下一条长长的黑影，要让情彩与智趣，冷峻与激情比翼齐飞，仍然是哈雷此生的课题。

序马永波《九叶诗派与西方现代主义》[①]

永波的博士论文，即将出版，嘱我为序，尊重和期待不言而喻。活到这份为人写序的年纪，本以为草草翻阅，不难率意为文。西方象征派对中国早期诗歌的影响，是新诗研究的热门课题，我自己在《新诗的第一个十年》中就有过正面的论述。但是，越读越不敢随意命笔。因为，学术信息是如此密集，绝对不是一般现代文学博士论文可比。不少信息，在我的涉猎之外。

据我的经验，当前中国大学文科的博士论文，大致可以分为两种类型。多数是在读博士两三年期间，全力以赴，在学术资源上和见解上，差强人意；写法堪称中规中矩，没有太明显的毛病，但是也没有多少不可多得的智慧。这样的论文成千上万，水平的差异自然不小，上等者并非多数，等而下之者，以占领学术前沿话语，照搬西方“大概念”为务，最为不济的，观念和资源均贫乏，言之虽然有序，但却无物，有学术垃圾之嫌。另一类，则相反，对西方“大概念”“小概念”的来龙去脉，对其内在矛盾、错位，有精深的梳理，不回避其历史的和文化的局限，以切实的分析警世，在其和中国文化的碰撞和矛盾的检视中，显示出过人的才智，做出批判和修正。这样的论文虽然在数量上比较少，但是在质量上，却昭示着中国文论的前景和希望。读这样的论文，不但有开拓眼界之功，且有冲击心智之效。

永波的论文无疑属于后者。

这篇论文不仅仅是三年博士在读期间的成果，而且是长期爱好，至少是数十年的生命的积累。

论文中最吸引我的倒并不一定是他不时出现的才智的闪光，警策的话语，更多的是，

① 此文原题为《思想意识的相似和诗学本体的创造性背离——马永波对九叶诗派与西方现代主义的洞察》。

他对西方现代派，特别是象征派（前后期）的学术资源的精细掌握。和一般新诗的研究相比，永波得天独厚的优长，乃是他既有诗人的微妙体验，又兼翻译家对西方诗歌和诗学的领悟。20 世纪 80 年代以来，他不惜投入青春生命，做英美现当代文学的翻译与研究，以数十部著作，填补了英美后现代诗学研究空白。在直接把握西方诗学的基础上，他的论述，尤其是对经典诗人如波德莱尔、叶芝、马拉美、艾略特、奥登的阐释，对他们诗学核心话语，如“音乐高于一切”“诗是一种方程，是一种解决对等——平衡时所使用的方程”“感受的人”（the man who suffers）和“创造的心灵”（the mind which creates）的不同的阐释，绝非那些仅凭二手材料的论者可比。例如，他对象征派“契合”（correspondences）的分析，就并不仅仅把它当作一种修辞，一种感性层次的现象，而是从纵深的超验层次，做出深邃的揭示：

在契合意义上使用象征，使得象征不再是一种修辞手段，一种隐喻和寓言，而是具有了本体的地位。

“契合”有联觉的（水平的）契合与超验的（垂直）契合。在理论上，作为有形世界与无形世界中介的超验的契合，其重要性要远远大于联觉的契合。对于“契合”，一般有三个不同层次的理解。

第一种是“水平对应面”的契合，即在相同平面上从一种物质感觉到另一种物质感觉的运动。例如，在听觉、味觉和视觉之间就存在隐秘的关联。在上文所引述的《契合》一诗中，波德莱尔不仅认识到香气可以是腐朽、丰富和得意扬扬的，而且也认为“颜色，芳香与声音相呼应”，芳香具有与孩子柔嫩的肌肤、笛音的温柔婉转或草地绿油油的颜色相同的性质。这种感觉的转移过程，不同感官之间的对应和相互交感，通常被称为联觉（synaesthesia）或通感。正是经由“通感”，事物紧紧地联系在一起，世间万物是普遍交互应和的。

第二种层次的理解是“垂直对应面”的契合。这包括由事物及其所引起的感官层面到人的精神世界的运动，从视觉和味觉到它们所唤起的思想或感情的运动，也就是人的精神世界与外在世界的交互感应。

第三种层次的契合是感性及精神世界与超验世界的契合，这是波德莱尔契合论中最重要的部分，也是象征主义诗学“超验本体论”的关键所在。在《再论埃德加·爱伦·坡》一文中，波德莱尔说：“对于美得令人赞叹的、永生不死的本能使我们把人间及人间诸事看作是上天的一览，看作是上天的应和。人生所揭示出来的对于彼岸的一切永不满足的渴望最生动地证明了我们的不朽。”

在诸多论者那里“契合”——“象征”，作为一个基本范畴，往往局限于感性的“水平对应面”层次上，能把垂直对应面揭示出来，就可说是见地颇新了，当永波把阐释推向“超验性”的象征层次，就涉及了中西文化差异的临界点了。难得的是，朱光潜先生的论述似乎是被信手拈来：

> 诗人对自然的热爱有三个不同的层次。“最粗浅的是‘感官主义’，爱微风以其凉爽，爱花以其气香色美，爱鸟声泉水声以其对于听官愉快，爱青山碧水以其对于视官愉快……诗人对于自然爱好的第二种起于情趣的默契欣合。‘相看两不厌，惟有敬亭山’……这是多数中国诗人对于自然的态度。第三种是泛神主义，把大自然全体看作神灵的表现，在其中看出不可思议的妙谛，觉到超于人而时时在支配人的力量。……这是多数西方诗人对于自然的态度，中国诗人很少有达到这种境界的。”①

永波进而指出，西方诗人面对自然时力求参透造化机运的彻悟，窥见神秘的巨大力量，而中国诗人多安于与自然的默契，停留在见山仅仅是山，见水仅仅是水的阶段。这种自然观自然消解了象征主义契合论的超验维度，而与其人事象征这个层次取齐。

凭着这样坚实的学术积累，他对20世纪40年代前后中国现代主义诗歌在形而上这个关节点的突破和局限的分析当然就游刃有余了。他的选题属于诗学，但是，行文中却借助比较文化的宏观视野。正是因为这样，他对于在后期象征派影响下的九叶诗歌的矛盾有着特别深邃的洞察。一方面，他们颇为执着地表现出“纯诗”的追求的倾向，毫不隐讳地藐视流行的“念经的偶像与顶着骷髅的圣人”，“无聊的卑怯的迎合与大言不惭的纸花”；甚至把空洞的口号称之为“阉割过的雄鸡在啼着不成腔的高调”。但是，透过这似乎浮躁的语言，永波把诗学现象不但和文化传统，而且和时代联系了起来，就看出了西方超验的形而上诗学到中国不能不发生变异的根本缘由了——20世纪40年代国难当头的民族危亡境地和中国深厚的文化传统对西方形而上的制约：“过于发达的实践理性决定着中国诗人对西方现代诗学理念的接受，任何外来文化在经过中国文化传统积习、时代需求、诗人个人的思想情感的过滤和转化后，都会染上独特的民族色彩。”“他们接受法国象征主义诗学观念的影响时，做了某些具有本质属性的剥离或过滤处理，在接受中又根据时代情绪的导向进行了自己的创造性背离。因此，这些影响常常显现出思想意识上的相似性，而诗学本体方面却不具有质的同一性。”正是在这个意义上，他用饱满的热情展示了九叶诗派的艺术成就。这一切都大大深化了他对九叶诗派普遍存在的“二元性探索”，亦即“身心分裂所导致的人的本质的两重性探索”。当然，他并没有把复杂的历史简单化，相反，他连奥登这样一个单独的诗人的影响，都没有忽略。但这一切并没有干扰他的思路，他对九叶诗派在实践理性和形而上“走出人生”的超越性之间痛苦地“寻求平衡”，在行文逻辑上，可以说是一以

① 朱光潜：《诗的境界——情趣与意象》，《诗论》，北京出版社2005年版，第89—90页。

贯之：

在主观世界向客观世界外化，和客观世界向内心世界归化的双向运动中，也就是人与世界在语言内部的相遇中，一个更为真实的世界得以在人与日常机械化、大众化、平均化的世界之间揭开了帷幕。唐湜说道："当生活的真实由渐变或量变而高扬或深沉地转向了突变或质变时，一种现实的突破或新的现实的创造，一种更大更深的真实就形成了一种可感的剔透的风格。"[①]这种讲求"更深真实"的重返"生活世界"，避免了诗歌在触及当下现实时丧失必要的透视距离，是艺术与生活之间的一种平衡。

分析在永波那里不但是在单一方向上，彻底的，而且可以说是连类不穷的。同样在中西文化差异之中，在不同历史时期，九叶诗派与20世纪30年代受西方象征派影响的前驱不同，由此他揭示出了袁可嘉所说的"象征、现实、玄学的新的综合"的历史价值。"象征作为连接具体与抽象的中介正好位于现实与玄学的两极之间"，象征与玄学的结合，造就了九叶诗人将感性与理性平衡的艺术特质，就有了和20世纪30年代象征派和浪漫感伤性藕断丝连划时代的差异。正是从这里出发，他用极其简洁的语言，点出了"九叶诗人能够站在历史的高度去看待这个风云变幻的时代"的高度。这也正是20世纪30年代象征派前驱所未能达到的境界。尽管到了这样的思想深度，永波也没有忽略其诗学本体的物质，指出其"通过结构性的象征、玄学化的智性以及'客观对应物'对现实诸相做出史诗化的阐释，丰富和发展了象征诗艺。"永波最值得称赞的是，不但在理念上，有辨析毫厘的精致，而且在诗学的微妙差异上，表现出高度的敏感和对现象做一手命名的才能，在此基础上，往往能够有跨文化的理论高度：

九叶诗人对法国象征主义诗歌艺术本体特征的关注与借鉴，是具有极其强烈的理论自觉的，他们接受法国象征主义诗学观念的影响时，做了某些具有本质属性的剥离或过滤处理，在接受中又根据时代情绪的导向进行了自己的创造性背离。因此，这些影响常常显现出思想意识上的相似性，而诗学本体方面却不具有质的同一性。

难能可贵的是，他不像一些读者那样热衷于回护本民族传统的弱点，相反，在充分比较之后，他对我们民族诗学传统的弱点，不是一笔带过，而是正面直陈：

正是这一点决定了他们不可能完全认同于法国象征主义诗歌的诗学观念。后者的立足点是对人的生命本质的追问，形而上层次的思考较多。而中国现代主义诗人较少从哲学意义上反思人的存在本身，或上帝隐退后灵魂无所依傍的恐惧，更没有完整的宗教精神以为拯救的支撑。他们的痛苦是现实中失去了精神归属的迷茫，是想改变什么而不能的沮丧的忧伤，是从恶浊尘嚣中抽身而退后离群的落寞。既然这些林林总总

① 唐湜：《论风格》，《新意度集》，生活·读书·新知三联书店1990年版。

的痛苦、失落、孤寂很少是由形而上的关怀与追问所致，就不是与生俱来的，也不会相伴终身。一旦现实的天气好转，沮丧得发芽的自我就会重新蓬勃起来，心灵的晦暗就会如墙角的潮湿慢慢自动消散。正是因为中国现代诗人的精神困境多是现实原因所引发的肉身的绝望，他们尽管对某些西方象征主义诗人极为推崇和仿效，却一直没有达到像波德莱尔、艾略特、瓦雷里、里尔克那样伟大的绝对。切近人事及社会的自我思考固然可贵，但也难免落入现实的圈套，过于发达的实践理性弱化了对宇宙、人生本质做深刻洞察的意识和动力。朱光潜先生曾鞭辟入里地分析了“中国诗人何以在爱情中只能见到爱情，在自然中只能见到自然，而不能有深一层的彻悟”的原因，那就是“哲学思想的平易和宗教情操的淡薄”。[①]因此，中国诗歌在神韵微妙方面见长，但在深广伟大方面，往往远不及西方诗歌。

这样的话语，不但是真知灼见，而且堪称大义凛然，无疑得力于诗人和诗学两个方面的强有力的支撑，可以说在思辨和艺术，在形而上和形而下两个方面都堪称精致的结合。

当然，九叶诗派，是一个相当复杂的流派，不同的读者，不同的时代，从不同的角度解读，都可能有远近高低各不同的效果。但是，永波的阐释，却可能并不是过眼烟云，毕竟读者中心并不是绝对的，不能不受到文本中心的制约。阅读的对象，并非是读者，而是文本，这是常识，也是理论。读者一代又一代地死亡，而经典却是不朽的，不管是哪一代的读者的主体性多么强大，仍然不能离开解读不尽的经典之谜。固然一千个读者就有一千个哈姆雷特，但是，一千个哈姆雷特毕竟还是哈姆雷特，就是让林黛玉去读，至多也只能是带上林黛玉的人生悲悯，让孙悟空去读至多也不过加上一点追求真经的艰难，哈姆雷特还是哈姆雷特。“To be，or not to be：that is the question”和林黛玉与孙悟空的精神世界距离相当遥远。因而，学术研究并不是为了表现自我，而是为了作探索经典的向导，对于九叶诗派的研究也是这样。永波的论文之所以值得称道，并不仅仅因为表现了他的学养和智慧，而且还因为比之一般大而化之的解读，提示了通向九叶诗歌艺术奥秘的指南，也许，会有后来的读者，在掩卷沉思之时，享受到豁然开朗的喜悦。

① 朱光潜：《中西诗在情趣上的比较》，《诗论》，生活·读书·新知三联书店1984年版，第76页。

序吴淑平《真挚人生》

人生有许多欢乐，也有许多苦恼。有了一点名声的人，苦恼更多，写序就是一种。

几乎每一个求序者都有充分的理由。

而我也有充分的理由拒绝：太忙！没时间写，更没时间读。

然而，这一次，我还是被吴淑平的诗打动了。

我没有见过他，他也没事先给我来信，然而就寄来了一大包原稿，我一看这么厚，就倒抽了一口冷气。

他自然不知道我正忙着出国去讲课，到美国一所大学的英语系去讲中国现代新诗，只剩下两个星期了，材料还没有看完，讲稿也还没有写。

无奈，只好先翻翻再说，如果读得下去，就写一点感想，读不下去就算了。

看得出来，这是一个对诗十分虔诚的青年。笔调有些清新，许多地方还显得不俗。

自然，他写得最好的是一些恋歌。

像历史上常见的那样，那些最动人的章句，都是属于痛苦的，总是在遥远的距离中的思恋，在梦幻中的玩味，辨析自己的感情和感觉，反反复复地去体验，去欣赏，去美化，去赞叹，不知疲倦。

这显然是一个单纯的青年人的心态。在艺术上属于浪漫主义的抒情。

虽然，在一些先锋诗人看来，浪漫主义的抒情已经不时髦了，但是在吴淑平这里却十分清新、十分真挚、十分天真，读来颇有动人之处。

由于真挚，他往往能从平淡中出奇："既然世界充满爱 / 我为什么没有收到她的来信。"（《夏日之梦》）这里的"出奇"，是一种逻辑的出奇，以一种出奇的逻辑，表达一种强烈的情感，是浪漫主义者的常用手法，它的好处是不在文字上作态，而在情绪上下功夫。文字是平淡的，逻辑却是奇特的，情感的效果却是强烈的。

当然，吴淑平并不是在一切情况下都能如此，有时候则没有这样精彩，那是由于提炼不足之故。但有时却比这更精彩，更深刻。

比如《望夫石》一开头就是："等待/已使视线失去了意义。"这就有些警策了，这两句诗中凝聚的情感体验显然深广得多。再看《我是行星，你是恒星》这首：

……

我把自己追成行星

把你追成恒星

以后所有的日子

我总是在忽远忽近的轨道上

旅行着旷世的寂寞

只要把脸向着你

心，立刻明朗

就这样绕下去吧

为了在雨季靠近你

我愿意

绕成数不尽的传说

绕成千古不变的真理

在这里有科学原理和诗的幻觉的结合，有具象与抽象的矛盾和统一（张力），说实在的，这些手法已非浪漫主义所能包容，这说明，吴淑平在艺术视野上是比较开阔的，如果再用功一些，再刻苦一些，他本是可以避免浪漫主义直接抒情的。

看来，在吴淑平正常发挥的时候，他的语言是挺耐读的，这主要得益于他时时转换的视角和不拘一格的语义错位。不过吴淑平写得最好的还是这样的句子："路虽然还是在脚下/有时却无选择的余地。"（《漂泊》）"你渐渐老了/老成一支瘦瘦的粉笔。"（《教师》）这些句子的好处，不但在于语言，而且在于体验的深刻，甚至可以说，有思想深度。

总的说来，吴淑平写爱情比他写教师更好。至于福建的风土人情，他写得不太多，但像《客家葬礼》这样的散文诗是不错的，其中有些喜剧性的幽默是挺出色的。

我想，吴淑平追求了这么多年，有了这么一些成绩，目前应该总结一下，看准自己的长处，也弄清自己的短处，才能更自觉地培养自己。我写这个序，不过是帮他自己去总结的一个引子罢了。

序蔡天温《另一种美丽》[1]

生活真是不可思议，往往要出一些叫你想象力跟不上趟的事。本来在我的印象中，凡是商品权威极高的地方，诗的权威就极低。年轻的时候所读的康德的美学经典也告诉我，诗的审美价值与商品的实用价值是对抗的。因而在那些落后的甚至原始的地区部落诗是那么普及，在社会生活中是那么重要，而在经济发达的大都会，诗则变得十分孱弱。

我一向以这种眼光看新近在经济上崛起的石狮。我想，在霞浦那种地方出个把叶玉琳是顺理成章的，因为那里的人情还没有完全为商品拜物教所扭曲。然而，令我意外的是，在晋江，居然有一大批的年轻人，不是投身于商品大潮大显身手，而是在人欲横流的包围中开拓着，坚守着一片净土。

这就是我读蔡天温这本诗集时的第一个印象。因为他忠于诗，忠于他选择的坚定性，我肃然起敬。

自然，蔡天温还年轻，在诗国的领域里，他属于新来者，新来者有新来者的稚嫩，但也有新来者的锐气和新异。在他那些写得最好的诗中，我看到了独创，甚至有点惊异。

我把蔡天温的诗分成三类。一类是咏物言志的，一类是直接书写闽南社会风情的，一类是表现、剖析、发现他自身心灵的奥秘的。三类诗中自然有其较好的很美的篇章。蔡天温在诗中表现得乐观、开朗，有时，还有某些豪情。在写他家乡在改革开放中的变化时，他时时流露出一种由衷的自豪，这种自豪，甚至使我想起20世纪50年代的那种单纯和明净的心灵。我喜欢像《我们，海的儿子》中这样的句子：

路在船底延伸

一程跋涉

一程希冀

① 原文以《蔡天温诗集序》为题，发表于《海内外文学家企业家报》1993年11月30日。

从海的深处举起

两个金色的大字

——富裕

本来这有点我们习惯了的那种大而空的豪言壮语的味道，但由于作者的真诚和率直，我感到只是石狮人的自信，开放地区人民特有的对告别贫困的自信。在《兄弟，我们出发》中一开头就有某种英雄主义的情调：

兄弟，我们出发

别忘了多带点勇气

我们固执地背起行旅

用眼睛代替勉励

走出灼烫的惊愕，灼烫的异议

这种风格，这种气魄，在年轻一代中似乎是久违了，蔡天温居然选择这种响亮的基调，实在是有勇气，也有魄力的。

但这在情绪上带一点鼓动性的佳作，并不是他最好的作品，虽然在数量上并不太少。在我看来写得最好的恰恰是在情调上并不那样昂扬，也不是那种有朗诵色彩的诗，而是一些以自我体验、自我的玩味为特色的诗作。其中最好的一首，叫作《另一种美丽》，在这首诗中，作者在自己平淡的，甚至平庸的日常生活中发现了美，这种美不同于前面那种色彩浓烈情感激昂的面向群众的美，它是一种恬静的、情趣温暖的、发现自我的美。应该说对这种美的发现和表现，需要更多的才情，要知道，从“随心所欲翻阅桌子上的书本”“填写一份份普普通通的履历”“随意抽一支烟”“呷一口茶”中发现超越世俗价值的意义，是不容易的（弄不好会退化为散文）。这需要更加强大的审美情趣。还有一首写抽烟的《无题》，作者居然在百无聊赖“狠狠捏灭烟蒂”之际，发现了一种具有煞风景的意味的情绪，并把它写进诗里。

这说明，蔡天温有了某种独立性，他已经能无所依傍地，概括自己体验到的飘忽的情绪，用诗的形式把它控制住，以自己私有的方式表现出来。

在我看来，有了这种能力，才能说会写诗了。

一般的初学写作者免不了在最初阶段借用别人的（权威的或者流行的）感觉和语言来试图表达自己，若用久了，如果走不出来，就可能扼杀了自己。其结果是写了许多年诗，都是二手货，一辈子感觉不到自己了，自我感觉瘫痪了，这样的悲剧比比皆是。

在蔡天温这么多诗作中，如果只有这一类的作品，我还不敢断言他前途如何，有了这两重，我想再加上充分珍惜这里流露出来的灵气，加以发展，持之以恒，也许，他会在未来的某一天，有一个大突破。

至于蔡天温其他的诗，自然也有不错的，光是“等待”，就写了两首，而且不相雷同，说明他已经掌握了不少技巧，一次用不完再来一次。他写家乡社会风物的诗，如《垃圾车的孩子》《这片土地》，都是很完整，而且和谐的。最可贵的是，他显示了一种直接从生活的刺激中，从自己的感觉情感和精神的思索中提炼主题的能力。有了这种能力就可以把诗写下去，而不至于浪费生命了。如果练习多年，仍然缺乏这种能力，在我看来，就可以考虑到商品大潮中去下海了。

自然，蔡天温还比较嫩，值得称道的作品还不太多，也有些作品，语言比较粗糙，虽然有某种思想的深度，但是仍然达不到较高的水平，大都是托物言志的，由于所取事物多具象征性，从感觉向智性的思考，途径太直，因而有单调之感。诗自然是要单纯的，取一物以集中意象为中外古今诗人所常用。但蔡天温对物之特征概括过于简单，缺乏丰富的感觉变幻，难免给人一种作茧自缚之感，当然，咏物诗中亦有佳作，如《荒树》，不可一概而论。

序毛翰《中国周边国家汉诗概览》[1]

翻阅《中国周边国家汉诗概览》，不禁为之惊叹，倘若没有毛翰先生从浩如烟海的历史典籍中，发微探幽，系统地精选出朝鲜、越南、日本以及琉球的汉诗大系，我怎么可能在短时间里饱览这灿若星汉的千年艺术画廊。就连一般中国人也望而生畏的古汉语、文言文，竟被异域诗人如此得心应手地驱遣，那跨语言、跨文化的鸿沟，竟是这样被轻松而优雅地越过。不能不承认，这是一大精神奇观，一大文化奇观，又是一大艺术奇观。

一部人类文明的发展史，从美学角度看，实质上也是一部“按照美的规律”塑造民族审美心态的历史。诗词正是审视和塑造自我的历史长河中最动人心魄的涛声。而这涛声，不是孤鸣，而是交响。这塑造，既是本民族文化传统的独立自主的升华，又是外来文化精髓的交媾和同化。只有那能够体现民族文化传承和时代风貌，吐纳本土精神和外来文化的作品，其审美积淀，才具有不朽的生命力。一切的诗歌天才都不仅仅由于个人禀赋，而且也得益于本国、外国诗性文化的滋养。在当今世界，全球化的潮流日渐汹涌，跨文化研究正在为学术界掀起别开生面的视界。但是，学术界的浮躁一直是可虑的现象。以引进西方新潮文论的结论为满足，以抢过理论的前卫大旗为荣，以领先话语制高点为务，时髦的喧嚣有时甚至淹没了学术的苦心孤诣。早在20世纪80年代中期，就有“新名词大轰炸”之嘲，后来又有“新术语超市”之讥，直到20世纪初，此等华而不实的现象仍然此起彼落，给人以滔滔者天下之感。有志者虽怀不眠之忧，亦徒有无力正乾坤之叹。毛翰先生面对此等现象，并未作狮子吼，而是以习惯性的无声的微笑，不求闻达，积多年之辛劳，乃成《中国周边国家汉诗概览》之书，作为对于这一潮流的回答。

本书以东亚四邻的汉诗发展史为线，以断代为面，以名家名作为点，力图展现中国周

① 此文原题为《跨文化研究的扛鼎之作——毛翰〈中国周边国家汉诗概览〉序》。

边国家汉诗发展的多元的、不可重复的历史。这种跨民族文化的现象，在人类文化史上，并不是一种畸形的例外，只要回顾拉丁文学在欧洲早期的跨国流行，就不难发现，此乃特殊历史时期的带有规律性的现象。正是在这个意义上，毛翰的工作显出了比较文学、跨文化的深刻意义。

从朝鲜、越南、日本、琉球的汉诗上溯，探寻中国古典诗歌与邻国汉诗的文化的共时性和共通性，找到这个逻辑起点以后，毛翰先生接着从两个方面入手：一是中国诗歌及诗学的流播，二是邻国汉诗的审美流变。面对各国汉诗与中国古典诗歌的源远流长的吸纳、仿效及交流的复杂历史，毛翰显示出真正的学术勇气，他并没有仓促拿出惊世骇俗的断言，而是系统地积累、梳理学术资源。做这样的工作，其烦琐、其艰辛，往往不为外人所知，但是，其学术功力和毅力却不可小觑。急功近利的人士，是不甘心把冷板凳坐这么多年的。做这样的基础性工作，令人想起齐威王所谓“不飞则已，一飞冲天；不鸣则已，一鸣惊人”的精神。但是，一飞冲天谈何容易，每一飞腾，都要付出多少辛劳，才能把读者带到那遥远的古代文化语境中去。

在《朝鲜汉诗概览》一章中，毛翰指出：“朝鲜的汉诗，最早可以追溯到箕子在朝鲜立国后，回到故国之所作。”《史记・宋微子世家》记载，“箕子从朝鲜归来，朝见周天子，经过商朝故都，见宫室被毁，夷为农田，遍生庄稼，不禁伤怀，于是作《麦秀》之歌、《箜篌引》、《黄鸟歌》等为四言诗”，沿用着中国《诗经》的体式（黄鸟意象亦屡见于《诗经》）。其后则与中国一样，流行“五言诗、七言诗”。其《日本汉诗概览》一章指出：“日本汉诗诞生于天智天皇时代，是中国古诗流播海外衍生出来的一大支脉，根据其兴起、承续、鼎盛、衰落的历程，也不妨把日本汉诗史分为四个时期，分别以‘春耕’‘夏耘’‘秋收’‘冬藏’名之。”其《越南汉诗概览》一章指出：“越南汉诗的出现却相当晚。或许，曾经出现的诗篇，没能保存下来，随着岁月一起散佚了。”“今天我们能见到的最早的一首越南人作的诗，是廖有方《题旅榇》：‘嗟君没世委空囊，几度劳心翰墨场。半面为君申一恸，不知何处是家乡！’载于《全唐诗》。”其《琉球汉诗概览》一章指出：“想琉球蕞尔小国，其面积和人口不过相当于中国的一个普通县份，竟有这么多诗人骚客，一次册封，与清朝使臣唱酬，竟会涌现这么多风雅醇正的诗篇，真让人刮目相看！”可贵的不仅仅是片段的资料，而是其系统性。只有系统化了，才能发现传承的内在的逻辑，或远，或近，或兴，或衰，邻国的汉诗与中国古典诗歌，都存在薪尽火传的内在联系。朝鲜汉诗一篇的结语中引用李氏朝鲜国王宣祖李昖的一段话很有趣：“设使以外国言之，中国父母也，我国与日本同是外国也，如子也。以言其父母之于子，则我国孝子也，日本贼子也。”如果不从大汉族主义的角度去理解，这样的话语可以帮助我们进入时光的隧道，真切感受当年的文化气场。

本书以史为脉络，以论为纽结，用历史与逻辑相一致的方法，真切地再现了朝鲜、越南、日本、琉球汉诗的兴起、承续、鼎盛、衰落的历史轨迹和动态结构，抚古今于须臾，寓千载于一瞬，各国汉诗的纷繁变幻的历史景观尽收眼底。尤其可贵的是，毛翰先生能以历史家的眼光站在当代的高度审视古典文献，同时又十分珍惜各国汉诗中的独特风貌，显示了历史主义与当代思维相结合的睿智。以越南汉诗的研究为例，毛翰先生按编年史的方式展现了越南汉诗的宏伟画卷后指出："从宗藩关系的角度看去，越南汉诗不过两大倾向：即对于宗主国的离心或向心。表现离心倾向的作品，是争战、分裂和对抗的产物，是其民族独立意识的结果，以李常杰《南国山河》和邓容《感怀》为代表，作品尽管很少，却颇有分量和杀伤力。表现出向心倾向的作品，是中华文化的强大魅力与亲和力的产物，是文化认同感以及历代南迁者的民族认同感的结晶，大概可以胡季犛《答北人问安南风俗》、范汝翼《题新学馆》、冯克宽《答朝鲜使臣李晬光》、邓陈琨《征妇吟曲》，以及潘佩珠《哀越南》为代表，以篇目计，占了越南汉诗的绝大部分，其情思韵致与中国诗歌水乳交融，往往见不出什么差异。"跟随毛翰先生，以诗读史，以史出论，在诗、史、论三者结合中，游走于龙蛇之门，穿梭于历史硝烟，不难发现，诸如此类的历史洞见比比皆是。

个体在社会环境中所显示出来的独特的审美创造力，是推动审美心态发展的直接契机，往往孕育出最有生命力、最有价值的审美实践的结晶。毛翰先生通过典范作家与典范作品，突显邻国各个时代的汉诗的最高艺术成就。所选近千首诗，都是特定的社会背景、特定的心理感情和特别的艺术境界的凝结升华。再加上毛翰先生深刻地阐明其优美的韵律、绚丽多彩的语言，读者不难享受到身临其境的审美感知。

特别有趣的是本书的十二篇附录：崔致远的《檄黄巢书》、李承休的《帝王韵纪》、申炅的《再造藩邦志》(节录)、姜公辅的《对直言极谏策》、陈国峻的《谕诸裨将檄文》、莫挺之的《玉井莲赋》、张汉超的《白藤江赋》、阮肩的《平吴大诰》、邓陈琨的《征妇吟曲》、佚名的《怀风藻·序》、大桥若水的《本朝三字经》和向德宏的《上李鸿章请愿书》，均堪称汉文化的奇葩。尽管作者身份不同，诗赋文章等形式不同，风格各异，但无一例外表现出周边四邻与中国政治、经济、文化曾经有过的一体化的联系。例如：崔致远十二岁由新罗来长安读书，十八岁考中进士，出任宣州溧水（今属南京）县尉，后遭逢黄巢之乱，应召入淮南节度使高骈幕下，写下《檄黄巢书》。陈国峻，越南陈朝宗室，抗元名将，其《谕诸裨将檄文》，一口气举出中国历史上一系列忠臣义举，鼓舞其麾下将士保家卫国的斗志。向德宏，琉球王国紫巾官，琉球末代国王尚泰的妹婿。1876 年 12 月受其国王密遣，前往中国请求救援。1879 年日本强灭琉球国，向德宏两次上书李鸿章，1885 年三上其书。十一篇附录，均表现出宏富的文化魅力，既有其本国特色，又表现出中华传统审美文化的人生境界追求、理想人格建构等特点，与中国传统诗文风格相近，形式相类。事实上，当我们侧耳倾听邻国诗人在历史深处的低吟高唱时，眼前浮现的还是剪不开、斩不断的跨民族跨地域的相互联系的东亚文化之网。

当我们欣赏毛翰先生为我们所展现的各国绚丽的汉诗时，不能不关注各国汉诗的历史命运，不能不关切曾经血脉相连的各国文化传统在当今时代的走向，这也就是毛翰《中国周边国家汉诗概览》一书所著目的。毛翰先生在书中指出：朝鲜自“1945 年以后，半岛南北不约而同地停用汉字，汉诗遂成明日黄花。在箕子故国，在昔日的‘小中华’，存在了两三千年，繁荣了一千多年的汉诗，对于只识谚文不习汉字的现代朝韩人，已经无异于‘外国文学’了”。对越南而言，自“十七世纪欧洲传教士到来，又创造出一种记录越南方言的罗马拼音文字，并逐渐流行开来，构成对汉字的另一种挑战。由于法国殖民主义当局的刻意排斥和 1919 年科举制度的最后废除，汉字汉诗在越南逐渐式微。至 1945 年越南民主共和国成立，胡志明宣布全面推行罗马拼音文字教育，汉字遭废止，汉诗亦退出历史舞台，只残存于华人社区。对于现代越南，这意味着去中国化，意味着强化其国家的独立自主，也意味着自断其两千余年来的历史文化血脉。”毛翰先生还指出：“一千多年的日本汉诗，从奈良时代前后的兴起，五山时代的成长，江户时代的繁荣，到明治维新后的再度繁荣后的渐行寥落。”这是历史的困惑，这是现实的悲哀。在本篇结语中，毛翰先生的一段引文颇为耐人寻味：“日本学者加藤彻 2006 年 2 月出版的《汉文的修养——什么创造了日本文化》一书指出：在日本，有的人认为，汉文只不过是外国语，汉字只不过是中国人创造的外来的文字，所以应当加以排斥。那么，大米也只不过是从中国大陆传来的农作物，所以我们提倡不吃大米怎么样？大米之外，从酱汤、茶到大萝卜这些标准的‘日本食品’都是从中国大陆传来的。那么，在日本搞一个不喝酱汤、不饮茶、不吃大萝卜的运动怎么样？而朝鲜半岛和越南排斥掉了汉字汉文，又得到了什么呢？”

20 世纪是中国社会大转变的世纪，是中国文化大转变的世纪，也是世界文化大交汇的世纪。历史的遗产值得珍视。朝鲜、越南、日本、琉球汉诗曾有过艰难而辉煌的历程，把其中优秀的、至今仍有强大生命力的东西，用现代眼光加以审视，把它们融入现代美学体系的结构之中，是今人的责任。但是，要这样做的前提，就是收集资料，系统地、全面地占有资源。这是一项扛鼎的工作，不是一般大而化之地搬用西方文论那么热闹，那么容易引人喝彩。毛翰做了这样的选择，为异国汉诗的跨文化研究甘当拓荒者。对于正当壮年，学术研究正面临着可观前景的毛翰来说，甘于寂寞的精神，实在是难能可贵，又功德无量。

作为诗人兼诗歌评论家的毛翰先生在撰写《中国周边国家汉诗概览》一书时，融进了他本人极深的情感，在进入特定的邻国汉诗审美情境之后，他以独具情韵的眼光来观赏与晤对，他不只是用眼，更是用心来观察、来写作。从他的文字中，可以品味他的诗人情怀，品味他对历史的感伤和愤懑。毛翰先生在《日本汉诗概览》一章的结语中深沉回顾：“当中国《诗经》已位居六经之首，风雅遍布神州，以至于‘不学诗，无以言’之时，孤悬海外的日本还处在蛮荒蒙昧之中；当中国诗歌进入盛唐登峰造极之时，日本诗歌才牙牙学语，临帖描红。但日本又是一个极善于学习和借鉴的民族，一个幸运的民族。‘礼乐传来启我民，当年最重入唐人。’从徐福、鉴真，到朱舜水，一代一代的华人东渡，不断地给这个民族注入新的文化血液。屈原、陶渊明、王维、李白、杜甫、白居易、苏轼……华夏中国诗人辈出，是日本取之不尽的偶像和法帖。”面对如今的文化断裂，中华传统文化面临挑战的现实，他在《朝鲜汉诗概览》一章的结语中直抒胸臆：“我们该有的，只是复兴中华的责任，再造盛世的使命。毕竟，只有在中华文化辉煌的时代，才有人仰慕中华、‘愿生中国’、‘梦至京师’，只有在中华民族强盛的时代，才见‘用夏变夷，未闻变于夷者也’，才有人僭称中华。”赤子之心，拳拳之情跃然纸上。

细读到此，谁能不为毛翰先生的情怀感动，为他在理性思考中的激情所振奋！历史也许已经过去，但情理交融的思索却永远不会休息，思想者永远只能在思想的痛苦中享受欢欣。眼下福州正是酷暑，受毛翰先生热情所感染，作此序。

序《第三届中学生校园诗会诗稿》

诗在中国传统文化中的地位，和世界各国相比，可能是最为突出的。没有哪一个国家会像春秋战国时代，经典诗歌被广泛运用，孔夫子强调“不学诗无以言”，不是太夸张的，先秦游说之士、外交使者就常借《诗经》中的语句强化自己的可靠性和亲和性。没有一个国家在很长一个时期里，会把写作诗歌作为选拔人才的标准。更没有一个国家，除了文人名士，上至皇帝（包括昏君）、文臣（包括奸臣）、武将（包括失败投降者）、革命志士（包括后来变成汉奸的）、大家闺秀，乃至军阀、名妓均能遵循严谨的格律写出中规中矩的诗词。也没有一个国家在小说中杂了这么多的诗词歌赋，甚至有一部在文学史上很有地位的小说干脆冠以“词话”之名。这实在是世界文学史上的一大奇观，堪称世界非物质文化一大遗产。在这个商品大潮冲击一切传统精神的时代，在西方，诗歌尤其是古典的浪漫主义的抒情诗歌，不但在课本上，而且在课外阅读中，也是十分边缘的。就是在大学里，罗曼蒂克已经同义于书呆，一场莎士比亚的诗歌朗诵，甚至是穿了古代的服装，听众也往往只有十来个。在后现代思潮君临解构真善美的西方，完全可以毫不夸张地说，这不是一个诗的时代，而是一个散文的时代。至于说让中学生用莎士比亚的五步抑扬格或者用意大利的彼特拉克体写十四行诗，那简直可以说是痴人说梦。但是，托中国诗学传统丰厚的福，这种天方夜谭，在中国却是司空见惯。虽然诗歌写作被排斥于高考作文之外，这本《第三届中学生校园诗会诗稿》可以说是中华诗国圣火不熄雄辩的证明。居然有这么多青少年会把古典诗词格律玩弄于股掌之中，《沁园春・即席歌赠友颂琴》写得可以说是中规中矩，运用古代汉语，驾驭古典词律，典故被不着痕迹地激活，表现传统文人的豪情，足以表现作者非同小可的语言才华。如果说，这一首和现代生活的联系还不够鲜明的话，那么《听琴贺诞十六韵》就完全是现实生活的激发了。朋友弹琴庆祝十六岁生日，作者以诗贺之。能将古典文采和现代日常生活结合，不但更需要勇气，而且更需要才气。作者所采用的形式是古风，这表面上比写词更自由，但是，因为没有现成严密的规格可循，其实更难。要在自由的章法和固定的句法中，写出情感流畅的旋律，当有更洒脱的情致和控制语言的能力。如果允许吹求，则作者情感意脉自首至尾皆慷慨高昂，若能高低错节，宫商起伏，意脉跳跃，率性如李白之《宣州谢朓楼饯别校书叔云》而似续若断，则可百尺竿头，更上一层。至于《颂少年一百韵》之可贵表现在对于五言古风的情绪的把握。少年稚嫩与古风浑朴颇能交融。五言古风，看似与七言同，然其高古，不尚激情，每以温情从容取胜。此君驾驭古人雅语至一百韵，已颇惊人，更令人刮目者，得五古之淡定，作者显然对五言有别于七言与长短句成竹在胸。当然，这一切毕竟是拟古之作，虚拟自我，古人情感与语言与当代之自我与心态当然有矛盾，可贵的是，作者皆能在严格的束缚中，表现出某种文化情操。令人想起闻一多所谓戴着镣铐跳舞，能跳到如此水准，堪称才俊。

毕竟古典格律束缚甚酷，故要看出更本真之性情，当阅读其现代新诗。从集体朗诵诗中我们可以看到更多现实生活的体验，如“军训时灼人的骄阳 / 稚嫩的脸上满是倔强 ”写出从生理到心理的发育，“黑格尔的辩证法理性加冕 / 达伽马的航海线纵横四方 ”则是心智的成长。

比起古典诗歌来说，新诗更贴近当代学子之心灵。一般说，此集中新诗比之古典诗作，自然得多，清新得多，活泼得多。以当代华美的语言抒写心事，爱情、友谊，均可插上自由的翅膀。“有条路注定要一个人走 / 有条路铺满曙光 / 这条路——叫青春”。也有“为无法找到曾经见过的青空而深深叹息 / 一直用自由代替任性活到现在”青春的感觉，丰富多彩，想象自由，不可羁勒，然而，放任自由，可能造成散漫。此诗集中之佳作之可贵，在于对新诗的基本范式有相当的把握：想象集中在单纯的意象焦点，以之为核心，其他意象皆从此衍生，故统一而丰富。斯可谓已登诗道之堂矣。此类主题最单纯者当以《如果你还在》为代表。想象集中在树，以之为核心意象，鸟、花、歌皆从此衍生，故单纯而丰富，斯可谓已登诗道之堂矣。更可贵者，诗集中境界最高者，似乎不满足于抒情，而在追求更深沉的人生体验，带着哲理而不失感性：“我是行了千年的旅人，路在脚下路通往归程”，“住在叫作‘自由’的笼中只要你在就好，在这个天空中我已不再需要翅膀”，不难看出，虽然青春年少，但是，对生命和青春却是有思考的，甚至并不回避未来面临的艰难甚至恐惧，有时提炼出些老练的格言式的句子，超越了青少年的有限的人生经验。正是这种对抒情审美的突破，才使诗作与当代世界和我国诗作“审智”的潮流不谋而合。

诗集的精神聚焦于审美和审智交融，其中之佳作，均超过一般新诗爱好者之水准，风格迥异，亦颇可观。《我以为》只写一刹那的顿悟，而《青春组诗》旨在对青春作超越时空的概括。《选择荒凉》最后却发现：“这片曾经荒凉的土地 / 已经不再荒凉！”

从中，不但看到青春的诗，而且看到诗的青春。这里没有挣扎于题海的无奈，没有八股套话，商品拜物教的喧嚣，随波逐流的沉沦都被超越，这是一方精神的净土，有的只是超越了庸俗的自由，而且，还有对于诗的形式和语言的推敲和苦心孤诣的追求。要说这些作者以诗为生命可能还是不准确的，应该说，是他们以生命为诗。就为文之水准而言，把这样的作品放到世界中、学生中去观察，也许我们在散文的哲理性方面略逊一筹，但是，在诗歌的想象和情志方面，似乎不但比美国，而且比欧洲的中学生，显出领先优势。

序刘国柱《精选客家山歌三百首》

当刘国柱先生把《精选客家山歌三百首》的打印稿放在我的面前的时候，我禁不住有点惊异，在这当代诗歌进入了现代、后现代的历史时刻，居然还有这么一个人，用心收集遥远时代的情调的民歌，实在是令人敬佩的。

中国新诗已用了八十多年的时间，走完了欧美诗歌两百年的路程，从浪漫派到象征派，从现代派到后现代。从反映民生疾苦，到表现自我，从代工农兵立言，到反文化、反语言“非非”派，西方有的花样，中国都已经玩过。至于玩得怎么样，达到了什么样的水平，什么时候才能结束疲惫的追踪，让自己发明一点名堂，也让西方人惊异一番，可能不是我们这一代人能够看到的。但是，有一点是可以肯定的，就是中国新诗搞得轰轰烈烈，至今还有一部分人不能接受，或者敬而远之。古典诗歌和民歌，虽然有许多缺点，但是，完全拒绝的毕竟比较少。毛泽东在世的时候就曾愤言：“给我二百大洋，也不念新诗。”当然，愤言只表现情绪，并不一定准确地反映他的政策。1956 年，“百花齐放”的时候，他突然想起了已经沉寂多年的“五四”“湖畔诗人”汪静之，使得这个诗人又活跃了好些年头。从根本上来说，毛泽东是古典诗人，对于民歌也情有独钟，甚至提出“新诗要在民歌和古典诗歌的基础上发展”。这就等于把新诗推倒重来，这当然是行不通的。所以，一到改革开放，新诗重新崛起的时候，“在民歌和古典诗歌基础上发展”之说，就被抛在了一边。这对于古典诗歌本身来说，并没有多大的影响，它的权威性和艺术成就是任何权威所不能否定的。民歌就不同了，长期以来，可以说是受到了冷落。

这在我看来是一种短视。

民歌不但是一种艺术，而且更重要的是一种文化；年代越是久远，就越是升值。其中肯定有一些文化和艺术的化石，有待我们去发现。

刘国柱先生所收集的《精选客家山歌三百首》，就是一个很好的证明。

表面上看，这些客家情歌所表现的生活，离我们时代相去是太遥远了。但是，作为文化，恰恰是越是遥远越是值得珍视。在我看来，几乎每一首都是一个历史的文本，像一段历史的切片一样，让读者非常感性地触摸到那远远逝去了的心灵的年轮。

当代读者可能禁不住惊异这些诗歌中的小农经济时代的精神奇观。在客家聚居地，传统观念很强，男女双方感情直接交流的限制是不言而喻的，既没有书信，又没有电话，就是隐秘的表白也可能酿成大祸。令人惊叹的是：一方面谈情说爱，受了那么严酷的限制，连正眼看一看都不敢；另一方面，又那么放任情感冲动，表达爱情又是那么出格。

这是因为，客家山歌在社会生活中，不仅仅是一种艺术，一种文化，而且是一种社交手段，尤其是在爱情生活中，其功能具有隐秘和公开化的两重性。因为是唱歌，可以解释为艺术的虚构，因而有隐秘性；但是，又因为是面对面的唱和，对方也可以理解为真情直露。作为娱乐的手段和传情的渠道，是合二为一的。正因为此，客家山歌和其他地区的山歌有一个主题几乎是共同的。那就是夸耀山歌的力量："唱得鸭毛沉河底，唱到石子浮起来。"借助艺术的虚拟，把无心的调笑和有意的调情水乳交融地结合起来。这是一种掩护的策略，也是一种进攻的手段。所谓"百般计谋都用过，不如山歌来开头"。

也许，多年以后的人类文化学家对于山歌在社交和爱情生活中的社会功能会感到震惊。

（女方）上山捡柴不用刀，下河挑水不用瓢；阿妹不用人介绍，唱支山歌来架桥。

（男方）竹篙打水浪飞飞，我俩恋情不用煤；不用猪羊不用酒，唱支山歌带妹回。

联系到中国农村传统力量的强大，读者们会不会疑惑，这是不是有点空想，有点过分浪漫了？不然，山歌在客家社会生活中的作用是不能用今天的眼光去推论的：

三月茶花朵朵开，三姐唱歌不爱财。哪个唱歌唱赢我，不用花轿我自来。

这当然有想象和夸张，但是，由于文化生活的特殊性，山歌本来是一种表达，同时又升华为一种人的价值，爱情的准则，这是一种才能，成为爱的根据，这种价值和准则和世俗的钱财是对立的。这是客家生活和情感的一种特殊现象。毫无疑问，这个现象不仅是值得文学家，而且是值得民俗学家、人类文化学家注意的。

当然，从艺术上来说，至今仍然能够感动我们的，还是那些直接表现爱情本身的，尤其是那些苦苦追求表情达意，试探沟通，历程艰难曲折的山歌：

山歌好唱口难开，李子好食树难栽；白米好食田难做，溪鱼好食网难开。

这可能是许多地区民歌共同的话语，只在词句上有些差异（如"樱桃好吃树难栽，心里有话口难开"），但是下面这首就无疑是客家山歌的艺术珍品了：

急水撑船难上滩，初学连郎甚艰难；心头好比擂战鼓，面上好比火烧山。

难得的是这样天真烂漫，这样朴素地表现了内心搏斗，既是紧张，又是兴奋，应该说是很精致的。

传统的农业社会中，男女双方要达到沟通所冒的风险是很大的。这种主题在山歌中占有相当大的比例。一来是因为社会环境的限制，二来是人与人之间的沟通还有个自尊心和自我保护的问题，把爱情的幸福表现为内心的隐秘的幸福和痛苦的折磨，这样的母题，在全国各地的民歌中已经是屡见不鲜了。但是，把幸福的痛苦，痛苦的幸福，表现为一种内心的小喜剧则更富于情趣：

阿妹做水过田塍，后面跟来一个人；心想同郎讲句话，假丢银簪倒转寻。

哥莳田来妹送秧，田哥哥，实在忙；又要回头看老妹，又要横行对直行。

甚至有：

因为恋妹急到狂，看到山鸡当凤凰。

当然被调笑的对象不仅仅是男性，也有女性被调笑的：

南门一出八角亭，风流妹子假正经。

喜剧风格的山歌比之一般的抒情山歌，往往更为动人，因为这里爱情有了一点调情的成分。感情就多样了，也就多彩了。

这不仅是因为感情本身的丰富，而且因为山歌作为一种交际手段，什么样的态度，都应该齐备。挑逗的、戏弄的，当然占了大部分，讽刺的、坚决拒绝的，当然也不可避免。山歌是信口唱的，其中必然有一定的套路：单就拒绝而言，也有坚决的、委婉的、半推半就的、似拒实就的，当然也有断情的、错信媒人悔恨的，更有表现寡妇孤独的。所有这一切都显示了艺术上的双重性，一方面是一定的主题有一定的套路，另一方面，在套路中，又有一定的创造性。

总体来说，客家山歌是比较委婉的，五言节奏比较严整，不像一些北方山歌，如爬山歌、信天游、花儿与少年，常常打破五言统一节奏，可能更活泼一些。在感情上，地处南方的客家山区，人的性格也与北方有些差别。

拿客家山歌和陕北民歌相比，同样是小喜剧形式的情歌，陕北民歌中的名句：

妈妈打你不成材，露水地里穿花鞋。

内蒙古一带的爬山歌的经典之作是：

一听哥哥崖畔上唱，手拿笤帚不扫炕。

在喜剧色调方面，可以说是异曲同工。不过北方更为自由，更不受拘束一点，在有些作品中，北方的特点是更“野”一点：

红萝卜胳膊水萝卜腿，小妹子嘴巴梨儿味。

这就明显比较粗犷，南方传统文化往往比较含蓄，客家山歌就更多一点秀气的美。但是客家山歌常见的羞涩母题，并不意味着情感的淡漠，相反不管多么羞涩，情感的不可束缚，是显而易见的，有时羞涩还变成劝诱，鼓励小伙子主动进攻：

世上只有船靠岸，唔曾见过岸靠船。

这还是比较委婉的，一旦女方摆脱等待的传统，就从劝诱，变成了鼓励，鼓励到了一定火候，就变成了激励，这往往产生了情歌的杰作：

一树杨梅半树红，你做男人胆要雄；只有男人先开口，女人开口脸会红。

这就带着女性的勇敢了。至于更为英勇的：

哥莫惊来哥莫愁，哥系送官妹出头；只有杀人犯死罪，哪有恋妹会杀头。

这和北方情歌中的“杀头好比风吹帽，坐牢好比坐花园”相比，从情感的强度上，就很难区分出南方民歌和北方民歌了。

调笑、调情、鼓励、激励，当然是一种欢乐的情调，但是，情歌中很大一部分并不是欢乐，而是痛苦，最大的痛苦不是外来的压力，而是情感的不稳定：

天上星多月唔明，塘里鱼多水唔清；河里船多难起桨，妹子心多乱了情。

就是真正的爱情，不但有心照不宣的喜悦，而且也有两心不能沟通的痛苦，爱情的热烈常常是不平衡的，得不到回报，或者回报的程度不足，都可能发生猜疑，甚至发生情变：

大鼓唔敢打两边，行船唔敢两头牵；言语唔敢两面讲，妹子唔敢两头恋。

到了这个份上，南方的情歌就似乎和北方一样直率了。不过还是和北方不同，南方在语言上，不仅曲折一些，像这一首，还用了那么多的比喻。既是形象的必要，又是委婉的修辞。

这种秀气，不但表现在内心的细致，而且表现在比兴手段的地方色彩上。北方有北方的风物，南方有南方的草木。北方的如：“山丹丹花开红姣姣，妹妹人材长得好。”或者：“干妹子好来实在是好，走起来好像是‘水上漂’。”水上漂是一个妓女的名字。而南方的则是：“崖今看妹真唔差，容貌赛过牡丹花；人才盖过十八省，言语当过嫩细茶。”用“嫩细茶”来比喻女孩子的轻言慢语，无论如何是北方民歌不可能的。

我之所以花这么多篇幅来引用北方民歌来比较，其目的不过是显示客家山歌那种温厚的文化风格，和我们老祖宗分析《诗经》“乐而不淫，哀而不伤”的风格一脉相承，正是这风格使得客家山歌具有不可忽略的文化“活化石”的价值。

第五辑　经典文本微观分析

中国文学的特殊性并不包含在西方理论的现成体系中①

20世纪一波又一波地从西方引进了大量的文艺和文化的理论，成就绝对不可低估，但是有一个缺点，就是很少有相当水平的理论家，用西方的理论成功地分析中国的经典文本。特别欠缺的是单个经典文本的微观分析，这就产生了两个后果，一是，西方的理论的可信度没有得到论证，其中必然存在的缺点和不足，也就很难被真正发现，因而我们的理论也就很难有超越西方的突破。二是，造成了理论突飞猛进，而文本分析水准则处于十分落伍的状态。本来，理论除了为理论而理论的价值以外，对于读者来说，更重要的是阐释文本，特别是微观分析的有效性。应该说，这个问题在20世纪五六十年代，是很受关注的，只是，20世纪50年代苏联式的理论本身的狭隘性，使得举国的努力，遭到一次又一次的挫折。到了20世纪80年代，新一轮的西方文论的引进，声势浩大。由于流派更迭过速，宏观上尚且未能达于自洽，微观的阐释和分析，又未能为之提供坚实的基础。以至于前卫理论日新月异，尖兵已经到达西方文论的前哨，而文本分析，却处于无效状态，就连20世纪80年代红极一时的审美价值论的层次都未曾到达，何况20世纪90年代的话语学说。在大学讲堂普遍如此，在中学语文课堂上，陈旧的机械唯物主义和狭隘的社会功利主义仍然占有优势。

任何西方文论，要和中国的经典文本磨合，才能生根开花。这个磨合，首先，从根本上来说，是很“烦琐”的，几乎对每一个经典文本的阐释，都有一个不轻松的过程。其次，有出息的评论家，应该从成功和失败的经验中，总结出一系列的具体的，甚至可操作的方法来，构成一种新的学科，也许可以叫作“文本解读方法论”。从这个意义上来说“名作欣

① 本文为专门为本辑创作的引言。题目为编者所加。

赏”“文本细读”目前还处在一种相当幼稚的阶段。这是一个永难穷尽的课题，是一个需要一代以上人去努力完成的历史任务。

当前在培养学术研究人才方面，最为流行的做法，就是把生命的最大部分用来阅读大量的西方和中国文论，然后，以中国的经典文本，作为其例证。这样的方法，在长期的实践中，已经暴露出问题。无条件地把西方文论，当作放之四海而皆准的、天经地义的大前提，中国的经典文本的价值，全在西方文论的价值范围以内，就不能不造成两方面的缺失。第一，遮蔽了西方文论的局限和疏漏；第二，遮蔽了中国经典文本与西方文论不相一致的特殊性。大量的博士生、硕士生、本科生，把精力集中在抢占话语霸权的制高点，满足于照搬西方文论话语、范畴、术语的炫耀，不管新名词轰炸到什么程度，面对中国的经典文本，也只能看到西方人已经看到的亮点，而对西方人视而不见的盲点，则熟视无睹。积重之所以难返，就是因为，冰冻三尺，非一日之寒，学者们共享着一种预设、宏观的理论演绎，能够全面更新、揭示中国文学的一切奥秘。事实上，西方的理论中，虽然可能有些与中国文学相通的普遍的规律，但是，并不包含中国文学特殊的规律。有出息的中国文学理论家的任务，是在参照西方理论的同时，揭示出中国的特殊性。即使在运用西方具有普遍性的理论的时候，也要明确，中国的特殊性并不包含在西方理论的现成体系之中，中国人要自己去分析、自己去衍生、自己去颠覆、自己去发现。正等于水果理论，并不包含苹果的特殊性，但是，可能有利于苹果的特殊味道的发现，也可能造成盲目的乐观，把水果当成苹果的全部属性。中国的特殊性，是要我们自己去分析出来的。显然不可能一蹴而就，可能需要一代以上的人才的努力。我们要做的，就是具体问题具体分析。和引进新潮的西方理论系统相比，这样的工作不是一揽子的，而是大量的个案分析，有点类似于手工业式的、草根的工作。如果这一点没有太错，那么，我们的研究生、本科生，是不是应该做某种调整：西方文论的阅读不该占据我们绝大部分的精力，文本细读、文本分析是不是也应该占有相当的生命？与其一味把精力花在流派纷纭的西方文论的梳理上，不如读通一两家，然后把精力放在经典文本的分析上。既然我们已经有了那么多的学子，以梳理西方理论为务，那么是不是也应该有同样多的学子，以分析、细读经典文本为务？

正是出于这样的考虑，我才在最近几年，分析了近五百篇的文学文本，分别收入于《名作细读》《孙绍振如是解读作品》《演说经典之美》和其他一些即将出版的著作中。下面的文章，都是新诗经典的分析，是从上述著作中挑选出来的。

《再别康桥》：无声的独享[①]

21世纪初《再别康桥》入选中学语文课本。这给中学语文教育界，出了一个难题：流行的机械反映论和狭隘的社会功利论在这个文本中遭到挑战。网站上纷纷讨论如何分析这首现代新诗史的名作。扰攘一番之后，居然是计无所出，最后竟是这样的意见占据了上风：还是让学生在朗诵中去体悟诗中的情致罢。这说明，目前一些大而化之的所谓赏析文章，在这个经典文本面前是失败的。

正是在这种形势下，《名作欣赏》2003年第10期上发表了三篇关于《再别康桥》的评论文章，每一篇都旨在从机械反映论和狭隘的社会功利主义中突破，力求从诗人心理方面寻求有效阐释。但是，在我看来，许多方面，尤其是观念和方法论方面，并没有根本的改善。

长期以来，我们的文本细读之所以水平不高，除了机械唯物主义的美学观念和狭隘功利论的局限以外，在方法论上同样是落伍的。口头上都在喊：具体分析，可是一到具体文本，却还是印象和感想泛滥。所谓分析本来就是针对文本统一的对象，揭出其与外部的矛盾和差异，而传统的社会学批评方法却习惯于寻求形象和表现对象之间的统一性，这一期《名作欣赏》上的文章，也没有根本的觉悟。

任何统一只能是现象，而且还可能是表层的现象，而深刻的奥秘，则肯定在统一性之下的深层。如果满足于统一性，就只能在表面上滑行，就等于放弃了分析。而要进入作品深层，加以分析，就要从天衣无缝的作品中，找出差异，揭示出矛盾，从而提出问题来。提不出问题，就不能摆脱被动的追随。不能提出问题，也就不能摆脱被动。被动则无话可说，而文章又非写不可，就产生一种很不好的文风：就是把肤浅的赞叹当成分析。这在所谓"诗歌赏析"中，尤为严重。大量所谓赏析文章，有效的分析非常稀缺，无效信息被空

① 本文发表于《名作鉴赏》。

洞的赞叹华丽词语所掩盖。号称赏析其实是赏而不析，满足于把经典的诗歌翻译成散文再加上任意性的拔高。有一位作者，在分析《再别康桥》时这样说：“这首诗以自我形象入诗，以挥手与康桥作别起笔，直接道出对康桥款款情意。”这里，所有的信息都是原作中显而易见的，读者一望而知，这样的分析，是信息的重复，明显是无效的。接下去：“‘轻轻的我走了’（不是我轻轻的走了），极具情境的再现性，接下去又用两个‘轻轻的’重复描摹无语作别的情境。”这里的“情境的再现性”倒是没有重复，但是，没有任何阐释，结果又成了独断，而且是空洞的独断。什么叫作情境的“再现性”？在一首诗中，情境是全部景物得以“再现”，还是仅仅将其中最有特殊性的一种感情“再现”（表现？）出来？退一步说，就是把情境都“再现”出来了，会不会杂乱无章？在这里，作者如果真有见解，真懂诗，至少应该“分析”一下，这种情境的再现和浪漫的抒情，有没有矛盾？如果有矛盾，徐志摩是如何处理这种矛盾，使二者达到和谐的？如果真要使论点有说服力，对读者理解和感受有启发，还应该考虑另一种可能，这根本不是“情境的再现”，而是一种直接的主体的抒情。作者显然，并没有游刃有余地应付这个论题的能力，接下来就只有赞叹了：“可谓情韵俱现地传达出诗人的袅袅情思，与感伤沉默的哀伤情态。”读者期待的是，情的特点是什么，韵的好处是什么，二者是如何统一的。评论家知道的应该比读者多，比读者深刻，写出文章来才有价值。然而读者的期待又一次失落了。接下去是：“‘作别西天的云彩’这一行点题式的诗句，它开启了情感的闸门，让诗人涌动的感情缓缓流出。”“点题”，是指题目，还是主题？如果是题目，似亦不准确。题目是和康桥告别，可是这里却是和云彩告别，这叫作点题吗？“开启情感的闸门”，如果更严密一些，就应该说明，在这以前，轻轻的、悄悄的，为什么不能算“开启”？“让诗人涌动的感情缓缓而出”，从什么地方能证明是“缓缓”地流出，而不是汹涌地冲击？这样说对于理解诗中最关键的语言的精彩（“我轻轻的招手，作别西天的云彩”）几乎没有什么帮助，所有这样的话语，都显得空洞。这是因为，作者并没有读懂这首诗艺术上的妙处，似乎作者读诗时所知所感并不比读者多。正是因为这样，才不厌其烦地把诗翻译成不着边际的散文，如：“把我们一同带入他深深依恋的康桥理想国，康桥的美，诗人对康桥的爱，可以说无处不在。而诗人对康桥的最爱是康河。自然康河成了诗人抒写离情别绪的载体。”①

这样的文风，在当今的文本分析中，可以说最有代表性。就在同一期中，另一篇分析《再别康桥》的文章，几乎同出一辙。作者在引用了轻轻、悄悄那四行诗以后说：“这种景象，让我们想到一个轻手轻脚的人来了，又走了，生怕惊醒一个熟睡中的人，我想这正是作者要表达的情感。他来了，来到这一所他所喜爱的学校，他又要走了，离开这一所衷心

① 参看《在梦的轻波里徘徊》，《名作欣赏》2003 年第 10 期。

喜爱的学校，不忍心惊扰这学校的安静，他甘愿一个人去承担那愈来愈凝重的离愁。”[①]和前面的引文一样，这里充满了重复性的无效信息。当然，也不能否认，其中也有一些非重复的，例如，把他所喜爱的学校当作一个熟睡的人，又如，“愈来愈凝重的离愁”。读者从下文可以看出，徐志摩并没有把康桥当作一个熟睡的人，要不然“夕阳中的新娘”怎么解释？也没有绝对沉默，要不然“满载一船星辉，在星辉斑斓里放歌”怎么解释？再说，这首诗是不是写“离愁”的？特别是说这种离愁“愈来愈凝重”，有什么根据？

其实，这种“愁”的感觉，不是从这首诗里来的，而是从评论者的阅读经验里冒出来的。一般说我国古典诗歌中，离别的主题大抵是与忧愁有关的，但是古典诗歌的主题到了现代有了变化，“五四”以后，从最早的康白情的《送别黄浦》，到后来的殷夫的《别了，哥哥》就没有一点离愁别绪了，现代的交通和交往方式和古代已经有根本不同，送别时感情肯定比之古代多样化。徐志摩自己的名作《沙扬娜拉》虽然写到离别，但是，抒发的是一种“甜蜜的忧愁”。怎能设想，当代的诗人告别任何人物和景物，一定要惆怅，而且还达到“千种愁绪，万般凄楚”的程度。谁说当代人的离别，命里注定只能有沉重之感，而没有甜蜜之感呢？其实不要多高的欣赏水平，光是凭直观，就可以看出，这首诗的风格特点是潇洒，轻松，还有一点甜蜜，找不到一个字可以说明是“感伤沉默的哀伤情态”，特别不能证明是“愈来愈凝重”的。（对这个论断，如果我光是这么说一下，就是独断了。我是要论证的，但是为了文章结构更合理，我把论证放到文章的后面去。）这种阐释，不是重复信息，不是空洞无物，而是属于另一个倾向，叫作“过度阐释”，其极端就是肆意强加。这些东西并不是从文本中分析出来的，而是从作者的阅读经验、优势记忆中跑出来的。因为告别（送别）主题的哀伤惆怅在古代经典诗歌中太普遍了，而作者不能从文本抽象出真正深层的奥秘来，就只好听任自己现成的观念自然流泻出来了。从方法论来说，这就不仅仅是机械论所能包含的了，而是带上了主体审美心理封闭的特点。

产生这样的问题的根源在于，从文本直接揭示出矛盾，然后加以分析，是有相当难度的，因为一切艺术形象都是以高度和谐统一为特点的。矛盾自然是有的，但是往往是潜藏在深层的，难度就在于，突破表层才能到达深层，不能突破表层，心里现成的东西就冒出来了，因为它一点难度也没有，轻而易举，但是也就成了废话。

这种难度、深度不仅是对于中学语文老师，对于大学教师，同样是挑战。把这样的诗歌拿给中文系现代文学史和文艺理论的教授去分析，不见得一定就能讲出更多到位的真知灼见来。从20世纪80年代以来，我们从西方引进了众多流派的文学理论，还没有来得及作经典文本的系统分析。西方的理论大多数是宏观的，文学性的微观分析，相对比较薄弱。

---

① 参看《仅仅面对作品》，《名作欣赏》2003年第10期。

美国的新批评倒是强调微观分析，可惜我们还没有来得及引进，它又被认为“过时”了。于是浮光掠影的空论，就见怪不怪了。我们在分析的基本方法上，至今还没有多少共识，更没有一套可操作的范式或者系统方法。当然这也与新批评本身的缺点有关。其实就算新批评没有缺点，由于英语文学与汉语文学的不同，我们也不能指望一旦搬用，不加任何（哪怕是部分的）证伪，就能取得完美的成效。我们的文学批评从20世纪50年代以来，就被一种公式化、概念化的教条主义霸权话语所垄断，艺术分析本来水平就不高，而20世纪90年代以来引进的西方文学理论，其中一个很大的流派是对于“文学性”持怀疑的态度，把艺术分析不当一回事。改革开放二十多年来，许多方面都有了长足的进步，就是艺术和微观分析方面，还在原地徘徊。我们等不到人家现成的东西，又没有自己建构自己的理论和操作系统，就只能靠自己低水平的、靠不住的感想了。当然，感想并不是一种很差劲的东西，只要有一点艺术水准，又有一点科学的抽象能力，还是比较经得起回味，有可能通过感受进入真正的分析的。

其实，不论是根据辩证法，还是根据现象学，我们都不应该把对象和艺术形象的一致性作为方法的出发点。相反应该从艺术形象中，把作家创造的、想象的成分从中分析出来。只有这样才能从被动的赞美解放出来，最起码的办法就是“还原”（这与现象的还原在精神上一致，但有重大的不同），也就是想象出未经作者处理的原生的状态，原生的语义，然后将之与艺术形象加以对比，揭示出差异或矛盾来，就可以分析了。

还是从这首诗的题目开始吧。

再别，是一种告别，从原生的语义来说，应该是和人告别，但是这里，并没有和人告别，这是第一层次的矛盾。在这里的语境中，用的是引申义，和母校的校园告别，前文作者说，是为了不惊动校园，可能有道理。如果不做过细的语义分析，大概到此就可以满足了。但是下面的诗句明明说，并不是和校园告别，而是：“我轻轻的招手，/作别西天的云彩。”更深刻的矛盾摆在面前了。在现实生活中，有和云彩告别的吗？由此可见，前面引文的作者说“极具情境的再现性”，是句大而化之的空话。关键是和云彩告别还要轻轻的，悄悄的。坚决用还原法：既然是和云彩告别，步子再大，再有声响，也不可能惊动它。这说明，和云彩告别不过是一个诗化的想象，通过这种想象，回味自己美妙的记忆。另一个作者分析这一段诗句说：“轻轻的来，再悄悄的去，在淡淡的神形描写（按：是描写吗？）中，蕴含了千种愁绪，万般凄楚。”“马上就要离开康桥了，一想起离别，诗人的心情就变得十分沉痛：离别时的沉重压得诗人发不出任何声音。”[①] 在开头这四句中，潇洒地来，悄悄地回味，哪里来的愁绪和凄楚呢？和云彩告别，就是和自己记忆告别。为什么是轻轻的

① 参看《仅仅面对作品》，《名作欣赏》2003年第10期。

呢？就是因为和自己的内心、自己的回忆在对话。这里所写的不是一般的回忆，而是一种隐藏在心头的秘密。大声喧哗是不适宜的，只有把脚步放轻、声音放低才能进入回忆的氛围，融入自我陶醉的境界。

这是一个什么样的境界呢？是一种梦的境界。诗中说得很明白，他说是到康桥的河边上来“寻梦”的。梦有两种，一是属于过去的，一是属于未来的。这里的情况是，“在浮藻间，沉淀着彩虹似的梦”，“沉淀”，说明是过去的，不是未来的；是记忆深处的，不是在表面的。梦是美好的，充满了诗意的，而不是一般的，当然更不是闻一多式的“噩梦”。诗中一系列美妙的词语可以作为证明（清泉为虹，碧水为柔波，杨柳为新娘），那梦美好到他要唱歌的程度。正因为是过去的，是旧梦，所以要向“青草更深处”去追寻。

当他写到“满载一船星辉，在星辉斑斓里放歌”的时候，好像激动得不能控制自己似的，但是，他又说“我不能放歌”，有歌却是不能唱出来的。这里出现了一个理解这首诗的关键性的矛盾：既是美好的，值得大声歌唱的，但是又不能唱：“沉默是今晚的康桥！”因为，这是个人独享的。最为传神的、最为独特的、最能表现这首诗和艺术特征的，是这样的句子：“悄悄是别离的笙箫。”

从修辞法上说，这是英语的矛盾修辞（paradox），笙箫是音乐，是有声的，有声才是美的，然而这里却悄悄的，无声的，无声才是更美的。为什么无声才是更美的，因为是不让他人听到的，只有自己独享的。这雄辩地表明了这是诗人的默默的回味，自我陶醉，自我欣赏。这种自我欣赏、这个旧梦的美好，有个重大的特点，那就是秘密的，不能和任何人共享的。连夏虫都为他这种秘密的美好的记忆而沉默了。从这里也可以看出，他的轻轻、悄悄，不是为了惊动校园，相反，他强调的是，校园的一切都是为了成全他悄悄地回忆自己的秘密。“悄悄是别离的笙箫”，这种悄悄的独享才是美好的，才是充满诗意的。无声是一种美妙的、幸福的音乐。懂得了这一点，才能更好地理解、体验最后一段：“悄悄的我走了，/ 正如我悄悄的来；/ 我挥一挥衣袖，/ 不带走一片云彩。”

主张这首诗中有沉重的痛苦的文章说：“诗歌最后一句好像很潇洒，其实很沉重。康桥如此美好，作者怎么不想带走呢？……不带走，其实是带不走，就像诗人只想做康桥的水草，而不得不离开一样。”① 在我看来，这是写在默默的回味中离开了，“不带走一片云彩”说的是，从客观世界没有带走什么东西，美好的回忆是不能和别人共享的，而是自己私有的。带走这样的记忆，是精彩的、轻松的、潇洒的。一个评论者却说：“在记梦的情感高潮后，情感转入低潮。诗人从沉醉的梦幻中觉醒，从昔日的美好忆念中回到寂寞的忧伤的现实。都已成过去，只在梦中，只有‘沉默是今晚的康桥’，‘夏虫也为我沉默’。可谓人哀景

① 参看《仅仅面对作品》，《名作欣赏》2003 年第 10 期。

也哀，渲染的是一种凄清冷落的离愁别绪。”“这种愁绪，是与彩虹般的理想作诀别后的沉痛与忧伤。”作者分析这种哀伤的性质，是诗人“执着而徒劳地追寻单纯信仰（爱、美、自由）的歌吟”[①]。这自然可备一说，但根据上述分析，这里并没有什么明显的“沉痛和忧伤”，退一步就是有一些对于单纯信仰的失落的成分，公开抒写失望的浪漫诗人也，绝对没有必要反复强调轻轻和悄悄，一个人秘密地自我陶醉。当然，一定要说离别，总不能没有一点忧愁，就说是有罢，那也是像《沙扬那拉》表现的“甜蜜的忧愁”，甚至是甜蜜多于忧愁。

前述引文的作者都提到了徐志摩的《我所知道的康桥》，但是却没有能还原出原生的状态，恰恰是他们忽略了的一段，对于还原徐志摩的心态有很不可忽视的价值。徐志摩在这篇文章中，特别强调欣赏风景，单独的自我陶醉是“第一个条件”：

> 单独是一个耐寻味的现象。我有时想它是任何发现的第一个条件。你要发现你的朋友的“真”，你得有与他单独的机会。你要发现你自己的真，你得给你自己一个单独的机会。你要发现一个地方（地方一样有灵性），你也得有一个单独玩的机会。我们这一辈子，认真说，能认识几个人？能认识几个地方？我们都是太匆忙，太没有单独的机会。说实话，我连我的本乡都没有什么了解。康桥我要算有相当交情的，再次许只有新认识的翡冷翠了。呵，那些清晨，那些黄昏，我一个人发痴似的在康桥！绝对的单独。[②]

隔了几段又重复了几次对于“单独”的赞美：“在康河连过一个黄昏是一服灵魂的补剂。呵！我那时的蜜甜的单独，甜蜜的闲暇。”[③]请注意，这里强调的不但是“单独”，而且是“甜蜜的单独”，正是这种单独的、一个人的、无声的“甜蜜”，才决定了这首诗“轻轻”和“悄悄”的基调。理解了这一点，才能辨别清楚，为什么徐志摩式的潇洒和沉重、沉痛、哀伤不能相容。这种单独的无声美，不仅是情感，而且是有理性和深度的：“我那时有的是闲暇，有的是自由，有的是绝对的单独的机会。说也奇怪，竟像是第一次，我辨认了星月的光明，草的青花的香，流水的殷勤。”[④]看不懂《再别康桥》的论者往往忽略了这里的“单独”的美是和“自由”联系在一起的。

如果还要再深入还原一下的话，这里可能有一个徐志摩不能明言的真正的秘密。这首诗写于1928年11月，刊于同年12月的《新月》杂志（据卞之琳《徐志摩诗选集》序）。1920年徐志摩在伦敦10月上旬结识林长民、林徽因父女。徐志摩和林徽因二人“曾结伴在

---

① 参看《仅仅面对作品》，《名作欣赏》2003年第10期。

② 徐志摩：《我所知道的康桥》，《中国现代散文选1918—1949》第二卷，人民文学出版社1982年版，第300页。

③ 徐志摩：《我所知道的康桥》，《中国现代散文选1918—1949》第二卷，第303页。

④ 徐志摩：《我所知道的康桥》，《中国现代散文选1918—1949》第二卷，第305页。

剑桥漫步”（据张清平的《林徽因》），1921年林徽因随父归国。1928年3月，林徽因与梁思成在加拿大结婚，游历欧亚到8月归。1928年6月赴美国、英国、印度游历（据韩石山《徐志摩传》）。徐志摩此诗，作于当年11月，当为获悉林梁成婚之后。据此，似可推断，徐志摩此诗当与林漫步剑桥有关。为什么轻轻、悄悄？就是因为，过去的浪漫的回味已经不便公开了，不像他和陆小曼的关系，可以用《这是一个怯懦的世界》来宣告。而且他已经和陆小曼在一场轰轰烈烈的恋爱以后，结婚了。值得注意的是，徐志摩的这首诗，写得很优雅，很潇洒，在他的精神世界里，没有一点世俗的失落之感，更不要说痛苦了。这种潇洒正是徐志摩所特有的，他只把过去的美好情感珍贵地保留在记忆里，一个人独享。蓝棣之先生对此有过中肯的分析：“‘不带走一片云彩’一方面是说诗人的洒脱，他不是见美好的东西，就要据为己有的人，另一方面，是说一片云彩也不要带走，让康桥这个梦绕魂牵的感情世界以最完整的面貌保存下来，让昔日的梦，昔日的感情完好无缺。”[①]这个解释本来已经接近了诗作的真谛，然而，却被斥之为“隔”。其实只要在蓝先生的基础上，把《再别康桥》做过细的分析，就不难阐释“轻轻”“悄悄”，实际上也就是一个人偷偷地来重温旧梦，若能如此，当不难揭示全诗的精神密码了。

如果还要深入一点作艺术的分析的话，从中国新诗的艺术发展中，还可以做些历史的比较：在新诗草创时期郭沫若引进了华兹华斯在《〈抒情歌谣集〉序言》中所说的“一切的好诗都是强烈的感情的自然流露”。这是一种浪漫主义的诗歌美学纲领，受到这种诗风影响的郭沫若早期的诗歌往往以“暴躁凌厉”而著称，但是，郭沫若多多少少是片面地理解了华兹华斯的话，因为华兹华斯还强调说，这种感情是要经过沉思（contemplation）和回忆（recollection）的提纯的。因而，郭沫若早期，只能比较自如地表现诗人的激情，而到了徐志摩则进了一步，不但可以表现激情，而且可以表现潇洒的温情了。这在中国新诗上，是一个巨大的历史飞跃。不但对于新诗，而且对于徐志摩自己也是一样。可以从《徐志摩诗全集》中找到他在四年前还写过一首《康桥再会吧》，那首诗就写得比较粗糙、芜杂。徐志摩把自己在康桥的生活罗列得太多，从四年前写，告别家园，先到美国，母亲临别的泪痕，在美国学习的情况，花去了近三十行以后，才写到和康桥告别。可是又先写自己一年中“心灵革命的怒潮”，次写明年燕子归来怀念自己。然后想象自己去身万里，梦魂常绕康桥：“任地中海疾风东指/我亦必纡道西回，瞻望颜色/归家后我母若问海外交好/我必首数康桥，在温清冬夜/蜡梅前，再细辨此日相与况味/设如我星明有福，素愿竟酬/则来春花香时节，当复西航/重来此地，再捡起诗针诗线/绣我理想生命的鲜花，实现/年来梦境缠绵的销魂足迹。”接着就是一连写了六个“难忘”，给人一种流水账的感觉。对自己

① 林志浩主编：《中国现代文学作品选讲》（下），高等教育出版社1987年版，第57页。

在乘船归国的过程舍不得割爱，甚至连归国以后，如何怀念母校，都写到了。这样的写法，虽然表现了相当强烈的激情，但是激情却被芜杂的过程和细节淹没了。应该说，述及离别时的感情，倒是有一点痛苦的：“昨宵明月照林，我已倾吐 / 心胸的蕴积，今晨雨色凄清 / 小鸟无欢，难道也为是怅别 / 情深，累藤长草茂，涕泪交零。”

很明显，这样的诗句，还没有完全脱出古典诗词的窠臼，感情仍然在离愁别绪的模式之中，所用语言，如“小鸟无欢”“心胸的蕴积”“怅别情深”“涕泪交零”，都比较陈旧，这说明，徐志摩还不能摆脱旧诗词情调和语言的拖累。到了《再别康桥》，不但情感脱出了古典诗词的窠臼，语言也从纯粹的接近口语的白话中提炼出来。但是，片面地摆脱旧诗词的拖累，又可能落入散文的圈套，停留在早期的俞平伯、康白情、胡适、郑振铎、叶圣陶乃至周作人等人幼稚的大白话的水平上。徐志摩毕竟是才子，他很快就学会轻松地驾驭着西方浪漫主义抒情诗歌的构思方法，把意象和情绪集中在一个心灵的焦点上。这个焦点，不是一般事物意象的焦点，而是一个动作的焦点。没有这个焦点，他就不能摆脱从散文向诗歌升华的第二个拖累。摆脱这两个拖累，不但是徐志摩的任务，而且是新诗的历史任务。不过五六年的工夫，徐志摩就学会了提炼，学会了精思，把感情集中在“轻轻”“悄悄”，无声地和“云彩”作别的有机构思中。本来一百五十多行都说不清的感情，用了三十几行，就很精致地表现出来了。从这里可以看出，诗的构思集中到“轻轻”“悄悄”上来，这种凝聚式的构思模式，正是新诗从旧诗和散文的束缚中解放出来的历史的里程碑。这不但是徐志摩的，而且是整个新诗的。不做这样的历史的还原，是不可能将这首新诗的经典的艺术价值充分阐释清楚的。

《死水》："以丑为美"的艺术

这是一首很经典的抒情诗，但是，与一般的抒情诗有很根本的不同。一般的抒情诗歌大抵都是写美好的感情和美好的事物的。而这首诗恰恰相反，是写丑恶的事物，而且是从丑恶的事物中写出美来。这是一首象征主义的诗。象征主义诗歌的特点是什么？不弄懂这一点，就不能算是在艺术上读懂《死水》。这是一个比较复杂的问题，不是直接分析这首诗就能说清楚的，要从它的来龙去脉说起。

一

闻一多本来是个浪漫主义的抒情诗人，大都是写浪漫的感情。什么叫作浪漫的感情？第一，在性质上，那就是美好的对象，甚至不美好的对象，都能激起美好的感情。第二，在程度上，这种感情，不是一般的，而是强烈的，是"强烈感情的自然流泻"。这个说法，是五四时期郭沫若从英国诗人华兹华斯《〈抒情歌谣集〉序言》里引来的。关键词"强烈"，powerful，而不是 strong，二者都可能是强壮的，但 powerful 含有威力，也就是作用力、感染力的意思，如 The wine is powerful，这酒是烈性的。第三，因为感情强烈，就不是理性的，也不能以写实性的语言来描述，而是上升到想象的、假定的境界去表达。郭沫若早期的代表作《凤凰涅槃》，本来既表示对现实，又表示对旧的自我的厌恶和决绝，但是，他没有这样说，而是说他要把这个旧世界和旧的自我一起烧毁，这样感情是强烈了，但是，太直白了，还不够浪漫。浪漫就要在想象、假定、虚拟中美化，让古埃及的不死鸟 phoenix、和中国古老的凤凰，在印度佛学的涅槃境界结合起来。在想象中，凤凰自觉地把自我烧掉，同时也烧毁了旧世界，其结果却是自我不但没有毁灭，反而变成了在烈火中永生的凤凰，世界不但没有毁灭，而且得到更生，构成一种新的自我和新的世界，达到"常、乐、我、净”的永恒的、没有矛盾的和谐境界。这就既是情感的强烈，又是想象的奇特，二者结合，就是美了。这就叫作浪漫。

闻一多大量的诗作，在性质上和程度上都是足够浪漫的。既是强烈的，也是美好的。如他的《发现》：“我来了，我喊一声，迸着血泪，/这不是我的中华，不对，不对！”写的是回到自己的祖国，却发现这不是在国外想象中的祖国。如果就这样老老实实把话说出来，就不是诗了。因为，太理性了，没有感情了。明明是回到祖国，偏要说，不是我的中华。从感情出发，再加上两个“不对”，感情强烈到既好像是在和别人，又好像是在和自己的眼睛争辩似的。而且，喊着“不对，不对”的时候，是迸着血泪的，这当然不是写实，这是想象。其动人处不但是非常强烈的感情，而且是非常独特的想象。有了这种想象，就更加美好。因为恰恰反衬了祖国在他心目中，本应该是如何的美好，而现实却是如此令人失望。“我哭着叫你，拳头擂着大地的赤胸”。因为是想象的，超越现实的，感情就得到更加浪漫的表现了。

据说闻一多写《死水》前几天，在北京看见过一个死水潭，回来后写成这首诗。用死水来渲染、批判现实的丑恶，让自我形象与现实对立，也可以展开奇特的想象，也可能写得很浪漫。但是，闻一多没有这样写，而是，写丑恶，还把它写得很美。这叫作“以丑为美”。这种“以丑为美”的创作原则，不属于浪漫派，属于另外一个流派，叫象征派。在19世纪70年代，象征派在欧洲是对浪漫主义的反拨。有一个大诗人，他不写美好、善良的花，他写的是“恶之花”，这个人叫波德莱尔。中国新诗的浪漫主义，来得比较晚，都20世纪初了，人家欧洲象征派已经把浪漫派取代了，我们才开始学习浪漫主义的美化。但是，也正是因为这样，徐志摩和闻一多浪漫得不可开交的时候，也就受到反浪漫的象征艺术的熏陶。1924年，徐志摩在《语丝》第3期上发表波德莱尔《恶之花》中《死尸》的翻译：

> 这是一具美女的溃烂的死尸，
> 发出恶腥粘味，
> 苍蝇在飞舞，
> 蛆虫在蠕动，
> 野狗在等待撕咬烂肉。[①]

波德莱尔对他的所爱说，不管你现在多么纯洁温柔，将来都免不了要变成腐烂的肉体为蛆虫所吞噬，发出腐臭。在这首译诗前面徐志摩还写了一则前言，认为这是《恶之花》中“最奇艳的花”，它不是云雀，而是寄居在古希腊淫荡的皇后的墓窟里的长着刺的东西：

> 他又是像赤带上的一种毒草，长条的叶瓣像鳄鱼的尾巴，大朵的花像满开着的绸

---

① 徐志摩：《死尸》，梁仁编《徐志摩诗全编》，浙江文艺出版社1991年版，第441页。

伞，他的臭味是奇毒的，也是奇香的，你便是醉死了也忘不了他那异味。十九世纪下半期文学的欧洲全闻见了他的异臭，被他毒死了的不少，被他毒醉了的更多。现在死去的已经复活，醉已经醒转，他们不但不怨恨他，并且还来钟爱他。[①]

欣赏是创作的前奏，他创作中不由自主地披露着的美好情感中，包含着可怕、丑恶、令人恶心的方面。徐志摩的《残春》本来写的是花瓶，插着桃花。但是，窗外的风雨在报丧，鲜花总是免不了变成“艳丽的尸体”。《又一次试验》最为典型，上帝最后的结论是：“哪个安琪儿身上不带蛆！”[②]《一个噩梦》所写的则是一个背盟的女郎，在逼骨的阴森中举行婚礼，其新郎竟“是一架骷髅狰狞”[③]。

这种追求并不是一时的好奇，这是一股潮流，中国新诗最早的象征派诗人李金发《有感》中有一个名句：“如残叶溅 / 血在我们 / 脚上，/ 生命便是 / 死神唇边 / 的笑。”这在艺术上，被认为是前驱。这是想象的解放，也是话语的开拓。当浪漫的美化的道路上挤满了太多的诗人，遮蔽了太广阔的空间的时候，超越美化、浪漫化，走向象征，哪怕丑化也好，就有必然性。美化可以成为艺术，为什么丑化就成不了艺术呢？艺术的本性就是与故步自封不相容的。艺术家需要探险的、不怕牺牲的魄力。闻一多和徐志摩一样，受到象征主义以丑为美的美学原则的影响。即使在美化自我形象的时候，也往往有大胆的丑化。比如《口供》：“我不骗你，我不是什么诗人，/ 纵然我爱的是白石的坚贞……/ 可是还有一个我，你怕不怕——/ 苍蝇似的思想，垃圾桶里爬。”

象征派的另外一个特点是不直接抒情，而是把感情寄托在一个客观对应物上，让读者有感觉。这是因为，欧美诗歌传统，过分依赖直接抒情，一方面造成了把诗歌当作“感情的喷射器”，带来滥情、矫情的潮流；另一方面，又造成概念泛滥，后浪漫派的诗歌越写越陷于抽象。象征派在艺术上就逃避直接抒情，感情不能直接讲出来，要有一个“客观对应物”（objective correlative），让读者有感觉，“像闻到玫瑰花的香气一样闻到你的思想”。[④]

前面已经说过，在写这首诗之前，闻一多的确看到过一个臭水沟，留下很深的印象。什么东西不好写，偏偏要拿这个景象写到诗里去呢？因为，死水符合了象征主义诗歌的两个要求，第一，它是丑的，第二，它是一个客观的对应物。这样一个丑恶的对象，可以展开奇特的想象，把它往美里写，这样表现自己对于现实的愤激感情，不用像在《发现》等诗作中那样直接抒发出来，通过死水的意象，让读者看得见，摸得着自己的感情。

① 徐志摩：《死尸》，梁仁编《徐志摩诗全编》，浙江文艺出版社 1991 年版，第 562 页。
② 徐志摩：《又一次试验》，梁仁编《徐志摩诗全编》，第 276 页。
③ 徐志摩：《一个噩梦》，梁仁编《徐志摩诗全编》，第 157 页。
④ 艾略特：《玄学派诗人》，《艾略特诗学文集》，王恩衷编译，国际文化出版公司 1989 年版，第 31 页。

当然，这是很严肃的艺术。审丑在艺术上，是审美的一个崭新的阶段。本来，审美（esthetics），是感觉和情感的学问，并不一定就是美，是日本人把这翻译成了“美学”。这造成了理解的方便，但也造成了狭隘，也注定了它迟早要从反面被突破。

二

有这样一个背景，有一种这样的潮流，以丑为美的原则，影响到中国新诗史产生一个这样的流派。但是，并不能保证，以这样的原则写出来的诗，每一首都是好的，都会成为艺术的经典。相反，以丑为美，比之以美为美的浪漫主义，要有更大的难度，至少在中国新诗的早期，投身这种流派的，失败者多于成功者。不要说，最早进行冒险的李金发，就是徐志摩、闻一多的，也不见得都是成功的。而这一首却可以说是象征派最为精美的作品。因为，它为自己设置了一种创新的难度，而且好像是漫不经心地克服了这个难度。

丑和美在对立的两极上，把丑转化美的最大难度，就是从一极转化到另一极的想象，要达到诗歌的自然顺畅，是需要语言驾驭的精致技巧的，稍有粗糙，难免生硬，这正是我们要深入考究的。且看《死水》第一节：

这是一沟绝望的死水，
清风吹不起半点漪沦。
不如多扔些破铜烂铁，
爽性泼你的剩菜残羹。

这四句，是丑的四个层次的强化。第一，已经是“绝望”的“死水”了；第二，还要说清风也吹不动，这可真是死定了；第三，还不够，还要让它更加丑恶；第四，破铜烂铁，已经是够糟的了，泼上剩菜残羹，就更加令人恶心了。这种层层递进的强化，并不仅仅是对象的，而且是情感的强化、极化，坏到透顶了，还要再坏；绝望到极点了，还要更加绝望。从手法上来说，是意象的链锁，重重的链接。整个第一节，联想很自然，很顺畅。因为，在联想中，属于相似、相近这一类。第二节则在联想上，发生了微妙的变化：

也许铜的要绿成翡翠，
铁罐上锈出几瓣桃花；
再让油腻织一层罗绮，
霉菌给他蒸出些云霞；

从铜绿到翡翠，从铁锈之红，到桃花之红，色彩上是相近联想，油腻变成罗绮、霉菌变成云霞，在视觉上，联想还是相近的。但是，这只是问题的一个方面。从性质说，这四行，又包含着相反的联想，极丑的变成了极美的。铜绿是铜腐蚀了的表现，是丑的，而翡翠却是珍贵的，铁锈和桃花，油腻和罗绮，霉菌和云霞，价值上属于两个极端。联想的渠道，不是相近的，而是相反的。相反联想和相近联想不同，比较容易引起突兀，但是和前面的视觉相似（铜绿／翡翠、铁锈／桃花、油腻／罗绮、霉菌／云霞）、色彩相近，相反的联想渠道就比较顺畅了。这就构成了这首诗想象的一种特色，是反向和同向的联想的交织：双重联想，正反交织，既十分奇特，又十分畅通。

不可忽略的是这种畅通，不仅仅取决于联想的心理机制，而且还得力于语言的精致。从极丑到极美，有一个中介性的词语过渡。第一句中的“绿”，过渡功能是很严密的，既是铜绿的绿，又是翡翠的绿。第二句的“锈”，则是谐音，既是铁锈的锈，又是绣花的绣；第三句的“织”，从油腻浮在水上的花纹，自然地过渡到罗绮；第四句的“蒸”，自然是要蒸发的，把它放大为云霞就可以不言而喻了。下面一节的“让死水酵成一沟绿酒”中的“酵”，用得也很有功力，从死水的发酵变成了绿酒的发香。

让死水酵成一沟绿酒，
飘满了珍珠似的白沫；
小珠笑一声变成大珠，
又被偷酒的花蚊咬破。
那么一沟绝望的死水，
也就夸得上几分鲜明。
如果青蛙耐不住寂寞，
又算死水叫出了歌声。

这是一沟绝望的死水，
这里断不是美的所在，
不如让给丑恶来开垦，
看他造出个什么世界。

本来，以丑为美，从丑转化为美，比从美直接通向诗意，要困难得多，比较难以自由贯通。但由于相近、相似和相反的想象的互补，就变得很自然而且独特了。妙在一系列中介性词语在功能上的双关性，既是相近的，又是相反的，化解了联想可能产生的阻隔。最难联系的，最具矛盾性的意象——“死水”和“绿酒”，“白沫”和“珍珠”，“绝望”和“鲜明”，“美的所在”和“丑恶”，就变得既遥遥相对，又息息相通。

最后，归结出这不是美的所在，不如让丑恶去开垦，也就是丑上加丑，恶上加恶，但是，负负得正，绝望就向希望方面转化了。不过闻一多颇有分寸，只是说看它造出个什么世界，并没有绝对肯定，一定就会是美好的。

《死水》的好处，还在于把对于整个中国现实的感受集中到死水这样一个核心意象上。如果光有这样一个主体，就单调了，闻一多的杰出之处就在于：第一，由这个主体意象又派生出一系列的意象来，这个派生意象系列，互相联系又互相补充，互相不可缺少，形成有机的统一体。死水——破铜烂铁——剩菜残羹，不是随意的链接，而是核心意象性质决定的。因为是臭水沟，才有可能扔破铜烂铁，剩菜残羹。第二，这些极丑的派生意象突然走向反面，变得极其美好、贵重。铜绿化成翡翠，铁锈变成桃花，发臭的水转化为酒，泡沫成了珍珠，也是与核心意象死水有着紧密的逻辑的关联。这是一种双重联想的关联，既有浪漫的、美化的，又有象征的、丑化转化为美化的，这样在艺术想象上，就不是一般的平面的、单向的统一，而是双向的，相互绷紧的，也就是新批评说的张力的结构。构造出这样的结构是很有语言功力的。相比起来，早期的追求象征主义艺术的一些诗人，在语言功力上稍逊，就难免貌合神离，失之毫厘，谬之千里了。姚蓬子的象征诗作《在你面上》，在当时算是比较优秀的了，他如此写爱情的亲密：

在你面上我嗅到霉叶的气味
倒塌的瓦棺的泥砖气味
死蛇和腐烂的池沼的气味
以及雨天的黄昏的气味
在你猩红的唇儿的每个吻里
我尝到了威士忌的苦味
多刺的玫瑰的香味，糖砒的甜味
以及残缺的爱情的滋味

把传统爱情主题集中在嗅觉这一点上，以丑为美，这明显是象征派的追求，但从艺术想象和联想的机制上来说，相当不平衡。有些地方，可以说比较有机地衍生，如，“在你猩红的唇儿的每个吻里 / 我尝到了威士忌的苦味 / 多刺的玫瑰的香味，糖砒的甜味 / 以及残缺的爱情的滋味”。其中有相近与相反的联想，甜与苦，美与丑的交织。但是，前面的“在你面上我嗅到霉叶的气味 / 倒塌的瓦棺的泥砖气味 / 死蛇和腐烂的池沼的气味 / 以及雨天的黄昏的气味”，从爱人的面上衍生出来，则给人以没来由，缺乏想象根据，给人以为丑而丑的感觉。从结构上讲，前半部分的“霉叶”和“死蛇和腐烂池沼的气味”与后半部分“猩红的唇儿”，显然是分裂的。这说明艺术流派的创新是艰巨的，并不是每一个人都有闻一多这样的才气，能这样得心应手地取得成功。

要对这首诗的思想，有准确的理解，有一点背景要交代，闻一多此时，当然是爱国的，但是，这一时期闻一多的思想并不是共产主义，他的“爱国主义”，具有当时的“国家主义”的性质。闻一多这时有点天真的愤激，只要对民族有利，什么恶魔都可以接受。闻一多倾向革命，支持共产党，是后来的事，在抗战后期，特别是抗战胜利以后。一些读者把闻一多提前“革命化”了，这一点是要具体分析的。

在诗歌的形式上，这首诗也有明显的特点，那就是非常整齐，每行都有相同的字数。闻一多是“五四”新诗的前驱，他的较早期的作品，是以打破旧体诗词的僵化格律为能事的。但是，后来他感到，完全不讲格律，带来了诗艺术内在和外在节奏上的混乱，他就勇敢地提出，为新诗创造一种格律。在《诗的格律》中，不但提倡诗的“音乐美”，而且还主张“诗的建筑美，诗的绘画美”，他宣布，不讲格律的诗，就是诗的“安拉基主义”（按：anarchism，无政府主义）。诗歌创作，就是“戴着脚铐跳舞”的理论就这样提出来了。闻氏以他特有的挑战姿态把话说得很绝：“越有魄力的作家，越是要戴着脚镣跳舞才跳得痛快，跳得好。只有不会跳舞的才怪脚镣碍事，只有不会做诗的才感觉到格律的束缚。”①

每当历史前进的时候，为历史前进而做出过贡献的人总要受到后来者的质疑和挑战。

“五四”新诗的先驱郭沫若说，要打破形式的枷锁，追求形式的绝对自由。诗是自然流泻出来的，而不是做出来的，闻一多唱反调说，诗就是“做”出来的。自然流露的“自我表现”，被斥之为“伪浪漫派”。因为，他看到诗歌的形式枷锁被打碎了，日子并不十分好过。事情很快走向了反面，当年打破形式枷锁的诗人，提出了要制造新的格律（枷锁）。闻一多认为新诗缺乏节奏，是由于句法的凌乱不整齐。根据英语诗歌轻重交替的 feet，他提出了“音尺”的观念，有人把它叫作“音步”，反正在英语里是同一个字。这比之五四时期诗人们老是在用韵、音节上纠缠不清，无疑是一个进步。闻氏提出，每一行诗要尽可能在字数上相等，如果不能在字数上相等，也应该在音尺（每尺三音或者二音节）相等。这样，诗行排列起来，就像房子一样整齐，这就是闻一多所说的，诗的“建筑美”。“方块诗”“豆腐干体”，不但音尺一致，而且字数相等，不过是建筑美的极端做法。

把诗写得整齐一点，节奏上讲究一点，不是闻一多一个人的孤军奋战，而是当时共同的倾向。当然，真正能做到豆腐干一样整齐的，只有闻一多这一首。豆腐干体，只是表面现象，实际上，闻一多追求的并不完全在字数，而在一种更为潜在的节奏感，那就是后来被何其芳总结出来的，叫作自然的“停顿”的东西，争取每一句的顿数相等，如三音尺就二个顿，四音尺就是四个顿。如果用这个理论来分析，《死水》就是每行四个顿：

---

① 闻一多：《诗的格律》，王钟陵主编《二十世纪中国文学史文论精华：诗词曲论卷》，河北教育出版社 2000 年版。

这是——一沟——绝望的——死水，
清风——吹不起——半点——漪沦。
不如——多扔些——破铜——烂铁，
爽性——泼你的——剩菜——残羹。

最后一节也是一样：

这是——一沟——绝望的——死水，
这里——断不是——美的——所在，
不如——让给——丑恶来——开垦，
看他——造出个——什么——世界。

当然这是闻一多努力追求的一种建筑美，就是闻一多自己也并不能够每一首都做到。但是，就这一首而言，他对于现代汉语多音节词能控制和驾驭到这样一种程度，无疑是前无古人的，甚至可以说是后无来者的。

戴望舒的《雨巷》：缠绵情结的客观对应物[1]

我在美国南俄勒冈大学英文系，讲授过这首诗，引用了已故的加州大学教授许建煜对戴望舒的论述，说他的诗作，包括他前后期的诗作，都可归入抒情诗之列。我就此提出了一个问题，使所有在座的英语系大学生面面相觑。我的问题是：既然所有戴望舒的诗都可以归入抒情诗，为什么一般文学史家还有诗学家都不约而同地把他归入象征主义之列？不但大学生无法回答，而且他们的教授也没有想过这个问题，戴望舒的作品为什么不是浪漫主义的呢？这是需要做具体分析的。

戴望舒的《雨巷》被称为是中国"象征主义"的代表作。象征派有两个特点：第一，"以丑为美"，第二，情感表现依附"客观对应物"。为什么要依附客观对应物？因为西方的诗歌，长期的传统就是直接抒情，往往写得很抽象、很概念，于是就有了象征派的主张，要把诗写得有感觉，很有名的一句话就是要读者"像闻到玫瑰花的香气一样，闻到你的思想"。不能把思想情感直接说出来，而是通过客观的、五官可感的对象作为对应物，来表现人的思想和情感。戴望舒这首诗的写法不是浪漫派的，也不全是象征主义的。我们具体看看这首诗与浪漫派、象征派相同和不同的地方："撑着油纸伞，独自／彷徨在悠长、悠长／又寂寥的雨巷，／我希望逢着／一个丁香一样地／结着愁怨的姑娘。"

这是爱情诗，油纸伞、悠长的雨巷，有很明显的江南背景，长长的狭巷，"悠长、悠长"不但是巷子长，而且意味着节奏缓慢，情调缠绵。"丁香一样地／结着愁怨的姑娘"则出自李璟的诗，"青鸟不传云外信，丁香空结雨中愁"。象征派是西方的，而油纸伞、丁香的意象又有中国古典的韵味。

第二节，"丁香一样的颜色，／丁香一样的芬芳，／丁香一样的忧愁"，这里把感觉分化

[1] 本文根据我对沈阳中学语文教师的讲话记录整理。

了，颜色是视觉，芬芳是嗅觉，都是直接可感的，“丁香一样的忧愁”，忧愁是抽象的，丁香是可感的，这是象征派的手法，把抽象的忧愁写成丁香一样的淡紫色的可感、可嗅。这就是法国象征主义者强调的，在多种感觉上的分化、组合。

第三节，“她彷徨在这寂寥的雨巷，/撑着油纸伞/像我一样，/像我一样地/默默彳亍着，/冷漠，凄清，又惆怅。”这里的重复形成了诗歌的节奏，句意的反复，断断续续，反反复复，也是情绪的徘徊。

注意这一句“像我一样，像我一样地”，这句话很重要，“我”的感受不能直接讲出来，这个姑娘其实不是客观意象描述，而是“我”的情绪的“对应物”。“默默”是指“我”心里的感受没有讲出来，冷漠、凄清、惆怅是她的特点，其实也就是我的情结的特点。

第四节，“太息一般的眼光”，用可听的叹息形容可视的目光。这是通感的手法，是象征派常用的。

第五节，“像梦中飘过一枝丁香地”，描述的一切都是朦胧的，所有的意象构成了一种内在的和谐：油纸伞，丁香一样的姑娘，缓慢的动作，悠长的雨巷，等等。

第六节，“在雨的哀曲里，/消了她的颜色，/散了她的芬芳，/消散了，甚至她的/太息般的眼光，/丁香般的惆怅。”在这里，还是有非常细致的五官感觉，颜色、芬芳、眼光、惆怅等，是一一消散了。

这里，姑娘的消失，充分说明或者暴露了戴望舒的象征派的追求：这个姑娘是不是存在过，这并不是他关注的。这个姑娘就是不曾存在过，只是诗人的一种幻觉，也并不重要。她之所以重要，有价值，就是因为她被营造成自己情感的客观对应物。

最后一节，“我希望飘过一个丁香一样地结着愁怨的姑娘”。其实诗人并没有碰见，这全是诗人想象中的情景。这个姑娘是诗人情绪的客观对应物。是什么情绪呢？失恋。这个姑娘的动作是徐缓的、无声的，哀愁是淡淡的、朦胧的，而这一切正是戴望舒自己失恋的感情，很凄清，默默的，一点声音也没有。这里的风格，就是一种无声的、飘然而来、飘然而消失的朦胧的美。

理解这首诗的关键词句“像我一样，像我一样地”无声地缓缓地走在孤独的哀怨之中，这正是客观对应的联结点。主观与客观性别不同，内在的无声的忧愁和外在的对应水乳交融。

《雨巷》一出现就得到叶圣陶的极高评价，说它开始了“新诗节奏的新纪元”。这个节奏是由语句、意象不断地重复形成的。叶圣陶的称赞说的是：它不像当时的格律诗派，以闻一多的《死水》为代表，追求每句诗都有同样的字数，或者顿数，也不一定是每章都是四句，字数、顿数并不一定要整齐划一，也可能形成节奏感，像《雨巷》这样，在参差错落中，也可能形成某种节奏感。这种节奏感，不仅仅是音节的，而且更重要的是情绪的，反反复复，断断续续，是音节的特点，更是情绪缠缠绵绵的特点。和《死水》相比，它的好处是自由一些，没有任何镣铐的感觉，不像《死水》的节奏严格，那样无以为继。虽然如此，可是戴望舒，并不太珍惜自己的这种创造，他不久以后，就在《论诗零札》中明白宣称“诗应该去掉音乐的成分”。结合他的作品，大致可以推测，他可能觉得，这样的节奏还是不够自然，还有些人工的痕迹，还是不够自由。他后来写的《我的记忆》，就更加自由了，句子长长短短，长的长到十几个字，短的只有几个字。如果他有兴趣做理论的表述，我想他一定是会反对“戴着镣铐跳舞”。他可能觉得，没有镣铐的跳舞，更爽，更自由。

戴望舒在这里，用了象征主义的手法，但没有象征派的那种“以丑为美”。戴望舒这个人很有意思，他参加过左联，也译过苏联的文艺理论、革命小说，思想上是革命的，但他不去参加游行，在诗歌里从来也不革命。他学象征派，可是对于象征派的以丑为美的纲领，并不像徐志摩那样神往，似乎并不买账。但是，他对感觉的表现是很精致的，这一点，似乎比之西方象征派更讲究。

有一个例子堪称经典，那就是他的《我用残损的手掌》。他当时在香港，被关在日本人的监牢里。他要表现自己对祖国的感情，本来可以调动的感知手段是很丰富的，眼耳鼻舌身，视听嗅味触，但是，他不，他只用触觉来表现，其中有他的思想，也有他感觉的变异。

“我用残损的手掌，摸索这广大的土地：这一角已变成灰烬”，为什么呢？国土已经沦陷了，被炮火毁灭了。“那一角只是血和泥”，损害非常严重！“这一片湖该是我的家乡”，戴望舒是浙江人。“（春天，堤上繁花如锦障，嫩柳枝折断有奇异的芬芳。）”诗人为什么在诗中要把这两句放在括弧里呢？因为一句是视觉，一句是嗅觉，不属于触觉，而这是一首表现触觉的诗。在江南水乡摸到水是非常“凉”的：“这长白山的雪峰冷到彻骨，这黄河的水夹泥沙在指间滑出。”滑的感觉，凉的感觉，冷的感觉，都是手的感觉，诗人就用这一种感觉来表现祖国山河沦陷的痛苦：“江南的水田，你当年新生的禾草/是那么细，那么软……现在只有蓬蒿。”这首诗集中在一种感觉上，触觉以外的感觉都被省略了，被舍弃了，诗人借用冷、凉、滑、细、软概括出对国家和家乡的热爱。当然，把感情绝对集中在手掌的感觉上，也可能过分束缚思想。所以，后半部分写到大后方、解放区的时候，就不能不多多少少地突破手的感觉了。不管多么挑剔，这都不算太大的毛病。值得一提的是，他的题目是《我用残损的手掌》，但他抚摸的过程中，只有手的感觉，没有残损的感觉，如果有残损的感觉，应该是更痛苦的。手上受伤了，受了伤再去摸就更痛了，那样写，会不会更好一点？应该看到，这里不仅是感觉有特点，感情有特点，而且诗歌里有一种深刻的理念，就是民族的理念。这在别林斯基那里叫“对真理的直感”。诗人要进入创作过程，就要找到这种深度，找到这种感觉、感情，让它深入到智性的层次。

如果要在艺术上挑剔一下这首经典性的诗作，可能也不是没有缺点，那就是，题目上点明是“残损的手掌”，可是在抚摸大地的时候，只有大地有残损，而手掌上却没有残损的感觉。试想，如果让残伤的 / 流血的手掌，抚摸着长白山的冰雪，江南的水田，应该有更加彻骨的痛楚。如果这样表现，是不是可能更加动人呢？这是可以想象的。要真正读懂诗不能满足于被动地接受，最高的境界是把自己提高到作者的面前和他对话。这是克罗齐说过的，要理解但丁就要把自己提高到但丁的水平。

郭沫若《地球，我的母亲》：回归自然的、平等的乐园

郭沫若在这首诗中强调的是人属于大自然的一部分，是大自然之子，除大自然之外，再没有一个创造了大自然的人格神（上帝），所以他在诗中写道："地球，我的母亲，我们都是空桑中生出的伊尹，我不相信那缥缈的天上，还有位什么父亲。"但郭沫若对这种自然观的兴趣，主要是他用此作为五四时期反对偶像崇拜的武器。后来他在《孤竹国君二子》中，又借伯夷之口，对偶像崇拜进行了猛烈的批判。他认为人形的上帝是私有制产生以后由"专擅的魔王"捏造出来的。正是这些专制魔王把自己神化，才"制造出许多礼教，许多条文"，要求人民"柔顺""忠诚""尊崇名分"和"牺牲"。他认为这一切"虚伪的人皮"，应该剥除个干干净净。如何才能彻底地剥除呢？诗人认为"只有回到自然中来"，像原始人那样，作为大自然的一员（没有物我的区分，没有国族的界限），才能没有争夺，没有私欲，实现真正的心灵的解放，这就是《地球，我的母亲！》中所描绘的那种乐园，在那里工人、农民、草木、蚯蚓都成为摆脱了暴力和私欲的、平等的、自由的兄弟。

很显然，这已经不是自然观，而是社会理想了。在这首诗中表现出来的已经大大超过了泛神论的想象范畴，实际上已渗入了卢梭的天赋人权观念。卢梭认为，在文明社会以前，存在着一个没有政府、没有法律、没有权威的自然状态，生活在这种状态中的自然人，生而具有自由、平等和追求幸福的权利。私有制的产生是不平等的根源，科学艺术的发展则使道德败坏。卢梭认为只有返回到自然状态中去才是人性得到解决的途径。郭沫若在《地球，我的母亲！》中所献唱的正是这种摆脱了封建权威、偶像和教条束缚的、"自由的、随分的、自主的、健康的"理想境界。这种境界，自然也不完全是卢梭天赋人权的境界，同时还有自然，这里还有郭沫若自己的特色，那就是对个性解放的追求。泛神论在他的诗里是和泛个性论相通的。但是这种泛个性论又由于受到日本当时社会主义思潮的影响，特别

强调工人、农民的伟大，因而他把工人比作“全人类的普罗米修斯”，农民比作“全人类的保姆”。在这首诗中，不止一次地流露出某种个性的自我批判色彩。“地球，我的母亲！我想除了农工而外，一切的人都是不肖的儿孙，我也是你不肖的子孙。”这一节后来曾被删去。其实作为新民主主义时期个性解放的特征，这一节是很重要的，它表明，在新的历史时期，个性解放不像资产阶级上升时期那样狂热地自我扩张，它在自我发现，自我解放，自我崇拜的同时还有自我批判，自我抑制的成分。这可以说是当时社会主义思潮的一种折光。

这首诗经过了七十年的历史考验，比之五四时期其他著名诗人的新诗，显得更具有艺术的生命，这是由于郭沫若，在抒发浪漫主义的激情的同时，为他的社会人生理想创造了一个前所未有的想象的艺术境界。正是郭沫若，不但把浪漫主义者的信条“一切的好诗都是强烈感情的自然流露”（华兹华斯），从日本的博多湾带到当时中国诗坛，而且把浪漫主义者在理论上十分强调的诗的想象在创作上付诸实践，从而为我国新诗艺术基础的奠定做出了不可磨灭的贡献。

“五四”前后，在新领域中发生的革命既不能简单地归结为一种诗行形式的革命，也不能表面地当成某种思想革命。诗作为一种想象的艺术，它更深刻的是一种想象的革命。

当年在胡适打破了脱离生活的旧的形式枷锁之后，新潮社和文学研究会的一批年轻诗人又走向另外一个极端，他们抛弃一切传统诗艺的规范，以为只要把真实的生活，用自由的句法，分行排列起来就是诗了。但是活生生的生活罗列并没有产生活生生的艺术。这很快引起了新诗的反对者与怀疑者的不满，就是在新文学阵营当中也激起了反感。就连起先提倡“有什么话，说什么话，话怎么说，就怎么说”的胡适也不能不嘲笑那“棒子面一根一根往嘴里送”的新诗了。正在这个时候，郭沫若异军突起，不但为中国新诗带来了新的思想，新的激情，而且为中国新诗带来了新的想象。

在《地球，我的母亲！》中，主要表现为既不像新潮社和文学研究会青年诗人那样简单地被动地描摹现实生活，也不像胡适及所谓“小诗”的作者那样，把抒情艺术变成表现理性智慧的形式。在郭沫若笔下，自我与地球的关系，并不是现实的自然关系，相反地，郭沫若超越了这种关系，使之成为母亲与孩子的情感关系。这正是郭沫若艺术想象的起点。由此出发，郭沫若大胆地把地球人格化了，使自然现象的因果从属于人格化的表现，在想象中让纷纭的自然现象之间构成一个统一的有机的因果。太阳和太阴（月亮）成了地球母亲化妆的明镜，雷霆成了她呼吸的声威，雪雨成了她血液的飞腾，这一切不但使想象的色彩瑰丽，引起读者的惊异，而且使想象统一，避免芜杂。因而郭沫若的这首诗，虽然相当长，但总体形象却颇为单纯。

造成这种艺术上单纯的原因，还在于郭沫若把地球母亲与自我的关系也在想象中单纯化了，目的化了。地球母亲的一切都是为了自我享受自由的生命：天降甘霖，成为地球母亲育儿的乳汁，地球上的一切声音，都是母亲育儿的歌声，一切浮动的生物，都成为安慰孩子的舞蹈，而地球运动不息的灵魂同时也是诗人自我的灵魂。在五四时期，新诗处于草创阶段，几乎没有一个诗人能像郭沫若这样，用一个形象核心，在想象中来统领一切变体，用一种想象的情感因果统一现实的纷繁的因果，也没有一个诗人能像郭沫若这样把丰富的意象和情绪如此精致地组织在一个有机的层次井然的结构之中。这充分说明郭沫若不但有丰富的想象力，而且对于自己的想象有巨人的制衡的气魄。

郭沫若《天上的街市》：缥缈中的确证

写诗，和写散文不大一样，散文写事情和人情，往往是实实在在的事，实实在在的人，引发了诸多感情活动。而郭沫若这首诗，却什么事情也没有发生，作者只是在街上看到天上的星星和地上的路灯。这有什么可写的呢？但是，诗人却写出一首经典诗歌。他所写的，不过是他的一些幻想，也许这种幻想，只是瞬息即逝。但是，他把它抓住了，写成了诗，这就不再是幻想，而是诗的想象了。正是因为诗的想象的不同凡响，它才有经久不衰的生命。近一个世纪，这首诗引起了一代又一代的青少年的共鸣。写作不一定要绝对贴近生活，有时，就如在郭沫若这首诗里，恰恰是超越了生活。不是照着生活去反映，让想象摆脱生活的原型的拘束，情感才能自由地飞翔。

这首诗里，来自外部世界的共有三个成分，一是天上的群星，二是街上的路灯，三是一颗流星。三者各不相干。在一般情况下，不要说写诗，就是写一篇流水账式的散文都很难。诗人由此而展开的想象，表面上是很自由的，可谓是天马行空，其实，并不是绝对自由的，它要遵循潜在的联想的渠道，读者才能共鸣。联想提供的渠道有好几种，相似、相近、相反。这里，郭沫若运用的，是相似渠道。街灯像星星，有相似性，但是，这样的联想有点勉强，因为街灯很近，而星星很远，作者加了一个限定，“远远的”，不是近在眼前的。这样二者的相似性就增加了，读者就容易接受了。

“远远的”很重要，不但是开头的联想渠道，而且是整首诗情境的特点。

当然，光是这样街灯和星星相似，还不能成为好诗，还是很单薄，缺乏诗意。下面一句，几乎是个重复。先把星星比作街灯，后把街灯比作星星。就像先说，花红似火，接着说，火红似花。或者先说，牙白如雪，接着说，雪白如牙。这样的重复在诗歌中是冒险的。但是，这个重复却是有点巧妙。因为，这里比喻仅仅是结构的重复，在意念上，带着强烈的反差。说街灯像星星，是有点勉强的，前面已经说过了。因为街灯是直线成行的，而“无数的星星”是分散的。这个比喻在联想上的缺陷是明显的。但是，加上后面一个比喻，没有说明星星的全部，而是“明星现了”开始出现星星，不是全部明星，刚刚出现的。这时的“现”字用得好。这里有一个过程，慢慢地次第分明地出现。应该说，第二个比喻，“好像点着了无数的街灯”，从结构上来说，具有对称性。结构的功能大于要素之和。后面的两句把前面的两句组织在一个完整的、统一的、有机的、不可分割的结构之中。天空和地面，本来是距离非常遥远的，并没有紧密的联系，由于诗句的对称，不但在画面上，而且在节奏上，连成一个整体。

对称句法结构的广泛运用，是中国古典诗歌特点，一般叫作对仗。句法结构上相同，语义内涵却可以相异，便于把空间、时间距离较大的意象统一起来。毛泽东的《沁园春·雪》：“长城内外，惟余莽莽；大河上下，顿失滔滔。”本来长城和黄河在空间上距离是很大的，由于对称的句法相同，遥远的空间就变得紧密了。又如，“秦皇汉武，略输文采；唐宗宋祖，稍逊风骚”，本来，在时间上有千百年的距离，由于句法的对称，其距离感几乎就消失了。

渭北春天树，江东日暮云。

何时一樽酒，重与细论文。

这是杜甫怀念李白的诗句，一个在渭北，一个在江东。空间如此遥远，一个对句就把距离缩短了。

诚然，在现代汉语诗歌中，这种句法，用得比较少，句法结构的对称，也不甚严格，而且用得有节制。郭沫若在第一节里，用了对称句法，到了第二、第三节里，就不用了，有意用了相对错综的句法。这是因为反复的对称句法可能给读者造成呆板之感。而错综的句法，不但富于变化，而且在句法上又可能比较自由。下面两节，郭沫若就用比较自由的错综句式，从现场的观感转入神话的想象：从星星联想到天河。形式上不对称的句式，不是不利于意象的契合吗？但是，这里，在词汇意涵上得到了弥补。两个关键词语起了作用：一是“缥缈的空中”的“缥缈”，这和前面的“远远的”是相呼应的，是“远远的”的衍生；二是“美丽的街市”中的“街市”，和前面的“街灯”相呼应，可以说达到了有机的统一。

这种统一，是统一为想象的，“远远”的，遥不可及的，是“缥缈”的，超越现实的。

从天河想象到神话传说：牛郎织女，当代青少年可能感觉不到这样的想象意义有多么深刻。但是，在五四时期，牛郎织女的联想，有一定的时代意义。因为牛郎织女的自由恋爱遭到神权、族权的惩罚，除了一年一度的鹊桥相会，终年忍受隔河相思之苦。而在这里，郭沫若把天河想象成“浅浅的”，而且“不甚宽广”，并不构成爱情的障碍，完全可以自由来往。这里蕴含着五四新文化反封建礼教的精神。但是，郭沫若并没有采取直接反抗的形式而是以浪漫的想象，宣告爱情婚姻自主的胜利。

如果就是这样写到这里，主题也可以说是完成了。但是，从艺术上说，还不够有机，不够完整。接着郭沫若加上一节，可以说有点神来之笔。偶然飞过的流星发激起了这样的想象：

不信，请看那朵流星

是他们提着灯笼在走。

流星是亲眼见的，把它转化为牛郎织女的灯笼，和前面的缥缈的境界，恰恰成为一种反衬，不是缥缈的，而是一种确证。在全诗的结构中，构成一种对比，一种张力，在情绪上是一种高潮。

整首诗的风格，在五四时期郭沫若的诗歌中是很特异的。郭沫若当时的诗，以“火山爆发”的风格著称，以破坏旧世界秩序，甚至不惜毁灭自我的决绝为特点，他的“暴躁凌厉”的诅咒、呐喊、欢呼构成了他个性的显著标志，他信奉“强烈的感情的自然流泻”，甚至夸耀说，当非理性的灵感袭来，写作就像打摆子一样，连纸都来不及摆正。而这一首则不同，不是现实的反抗和毁灭，而是理想境界的实现。从情致上说，非常温情，非常文静，一点没有“火山爆发”的痕迹。尤其是最后两句，十分优雅，很经得起欣赏玩味。好处在于，第一，增强了想象的可信性。星河挡不住情感的自由，可以轻易地渡过，已经说过了，再加上灯笼，就有一种证明的性质。这显示出五四新文化运动中，个性解放的乐观主义的天真和单纯。其次，在意象衍生上有一种反衬的效果，前面的星河和街灯意象，是静态的，和这里动态的流星是相反相成。再次，前面是街灯和星星对称，后来写到牛郎织女的时候，就只有星星，而没有街灯，对称未免残缺。到了最后，流星变成了灯笼，星星和街灯统一起来了，这样不但结构上对称，而且意象的衍生和组合上也更加有机、统一了。

这首诗，还有一点是值得注意的，那就是，意象是高度集中的，就是集中在星星和街灯上，集中到一个单纯的焦点上。

诗的想象，表现在两个方面，一方面就尽可能地凝聚，越是单纯越好。但是，越是单纯，情感和意象越是难以展开。因而，另一方面，在确定了意象的焦点以后，又要以焦点意象为核心，循相近、相似，乃至相反的联想渠道，展开想象，力求在意象上丰富地衍生、自然地派生、广泛地生发。如在这首诗里，郭沫若确立了星星和街灯，联想到星河，由星河联想到天河，由天河联想到牛郎织女的故事，再联想到银河清浅，最后把流星想象为灯笼，表明他们自由来往。进行丰富而又统一的意象派生，乃是诗的构思有别于散文的重要特点。

郭沫若《天狗》：从泛神、泛我到非我

20世纪末基础教育改革以来，欧美教学理论被系统性引入，强调师生平等对话、突出学生的主体性、“自主合作探究”成为重点。近来又有“学习共同体”“任务趋动型”等的推广。这在改变教师满堂灌，学生被动接受的成规方面取得的成效具有历史意义。但是，是不是从一个极端走向另一极端，把怎么教，看得比教什么更重要？教师把最大精力放在教学方式的设计上是不是也带来了副作用？例如，教师本身学养不足，与文本深度理解不相称。朱光潜先生十分推崇意大利美学家克罗齐所说的这样的观念，“要了解但丁，我们必须把自己提升到但丁的水准”[①]。但是，由于片面地强调“多元解读”，当前流行的许多解读，恰恰相反，不是把读者提升到经典作家的水准，而是代之以粗浅简陋的信口开河。盛行于课堂和媒体上的无知和混乱，吾人往往见怪不怪，熟视无睹，不能不令人忧思。

统编版高中语文《中国现代诗歌散文欣赏》入选了郭沫若《女神》中的《天狗》。这是非常经典的，但又是非常难以读懂的。作为《女神》的时代精神，狂飚突进的浪漫风格的代表，当然是《凤凰涅槃》。《凤凰涅槃》写于1920年1月3日，发表于2月7日，《天狗》写于1920年2月初，发表于2月7日。从严格意义上说，《天狗》乃是《凤凰涅槃》的压缩篇。然而，《凤凰涅槃》太长了，虽然思想深邃，但是语言显然拖沓。郭沫若采取另一种形象，将《凤凰涅槃》的宏大思想压缩在二十多行诗句之中，给解读者带来了极大的难度。不要说学生，就是老师，甚至是大学教授，就我目前所涉猎，尚无相应的专业准备。许多为文者还停留在草率的印象上，说些不着边际的空话。乐山师范学院一位教授说：“《天狗》的第一绝，是用语绝；《天狗》的第二绝，是抒情绝；《天狗》的第三绝，是立象绝；《天狗》的第四绝，是造境绝。”这完全是套话、废话，对于许多新诗，甚至古典诗歌杰作都可

① 朱光潜：《克罗齐美学述评／欣概室逻辑学哲学散论》，《朱光潜全集》第7册，中华书局2012年版，第34页。

以套上。把这样的轻浮的东西拿到课堂上去，完全是误人子弟。

关键是这首诗的核心意象“天狗”，究竟具有什么样的内涵？

天狗为什么要把日来吞了，把月来吞了，把全宇宙来吞了？这不是发疯了吗？网上有文做了回答：“郭沫若塑造的‘天狗’更像是一种要吞吃掉旧社会所有落后思想的象征，它表达了对自由和解放的强烈象征，是五四运动之后一代有志青年心中的共同所愿。”但是，不管是中国古典诗歌还是五四新诗所师承的欧美诗歌，太阳、月亮、星星都是光明的美好的意象，怎么可能变成了“旧社会所有落后思想的象征”？另一位意识到这个问题，改口说：“这‘天狗’其实就是郭沫若本人，他在日本这块土地上，饱餐世界优秀的思想文化的珍馐，把歌德来‘吞’了，把尼采来‘吞’了，把哥白尼、达尔文来‘吞’了，把斯宾诺莎也‘吞’了，他形成了一个思想丰富、主体意识浓烈的现代人。这‘天狗’又不只是郭沫若一个人，他包括了中国近现代史上所有寻求救国真理、追求现代知识与文化的中华儿女，他是梁启超、王国维、鲁迅、周作人、胡适、徐志摩、闻一多等。中国现代的思想与文化，就是由这一群‘天狗’合力铸就而成。”这样的解读似乎“气魄”很大，把西方著名学者、智者和中国近现代史上大学者都囊括了进去。殊不知梁启超主张君主立宪，反对共和，因孙中山先生的护法运动，他辞职，出访西欧，又入阁北洋军阀政府；而王国维则为殉清自沉于昆明湖(按：此说存疑)；郭沫若写《天狗》在1920年2月初，鲁迅的《呐喊》还没有出版；胡适的《尝试集》出版在这以后，郭沫若根本瞧不起，在《女神》中公然说，“如今的诗人/可惜还在吃奶”；徐志摩还在哥伦比亚大学读书，两年后才开始创作《志摩的诗》；闻一多有影响的诗集《红烛》要到三年以后才出版。从严格意义上说，这样的胡说八道，完全不讲学理，在片面的“多元解读”的旗号下风行无阻，不能不说是以其昏昏，使人昭昭。

难得的是武汉大学资深教授黄曼君直接面对天狗的疯狂了，他说：“‘天狗’突入宇宙，融于万物，与宇宙本体合一；到获得光和热，获得无尽的能量，再到它‘飞奔’‘狂叫’‘燃烧’，始而奔驰于外界，继而自噬其身，幻想境界中形象的发展。”(《黄曼君文集》第二卷)教授说得很明白，天狗吞日月星辰，不是消灭旧社会所有落后的思想，也不是汲取新文化精粹，而是“为了获得宇宙无尽的能量，可以自由地‘飞奔’‘狂叫’‘燃烧’”。难能可贵地接触到问题的实质。但是，黄教授接着说：“天狗又‘自噬其身’。这不是自相矛盾吗？把自己吞了，个性的主体都没有了，还解放个什么？”黄教授没有深入分析，国人对《天狗》的解读戛然而止。还是让我们回到文本中来细读：

> 我是一条天狗呀！
>
> 我把月来吞了，

我把日来吞了，

我把一切的星球来吞了，

我把全宇宙来吞了。

我便是我了！

解读的难点在于“我便是我了”。这说明，有两个“我”，在吞没日月星辰之前，那个“我”，不是“我”，吞没了日月星辰，我才是“我”。这“我”是怎样的“我”呢？

我是月的光，

我是日的光，

我是一切星球的光，

我是X光线的光，

我是全宇宙的Energy的总量！

“我”吞没了日月星辰，不是一片黑暗了吗？但是，却获得了自然的一切看得见的和看不见的光华，拥有了全宇宙一切能量Energy的总和。有学者用20世纪80年代才介绍到中国来的俄国巴赫金的“狂欢化”来解读。“《天狗》开篇便是高潮，即兴高涨，伴随着歇斯底里的狂叫与蛮不讲理的破坏，达到极致的狂欢化状态。”说《天狗》是歇斯底里、蛮不讲理而“狂欢化”，更完全是牛头不对马嘴。

“要了解但丁，我们必须把自己提升到但丁的水准。”[①]要了解郭沫若，也应该把自己提升到郭沫若的水准，但是，所有这些解读，都大大落后于当年二十八岁的郭沫若拥有的哲学水准，根本看不出，这种表面的“疯狂”，实质上蕴含着深邃的哲理。

五四时期，打破偶像崇拜，个性解放，是时代的共同呼声。胡适在《威权》中这样写：“‘威权’坐在山顶上，/指挥一班铁索锁着的奴隶替他开矿。/他说：‘你们谁敢倔强？/我要把你们怎么样就怎么样！’”这个神一样的威权，其实很虚弱，奴隶们同心合力，把山挖空了，“‘威权’倒撞下来，活活的跌死”。在郭沫若看来，这太粗浅了，太形而下了。他从泛神论的哲学形而上的高度去批判“神”，对以偶像崇拜为中心的愚昧发起凌厉的攻势。所谓泛神论的核心是“神”。本来，在基督教神学中，世界的本体是神，是神创造了人和自然；上帝是世界的本源，是超越于人和自然的人格化的偶像。17世纪荷兰的斯宾诺莎从话语上继承了“本体即神”的命题，但是，他的“神”，并不是创造了大自然的偶像，而是大自然本身这一实体。这样，他就提出了“神即自然”的反命题。凭借着泛神论的理念，郭沫若坚决否定了在现实世界以外存在偶像的可能。在《地球，我的母亲》中，他说：“地

① 朱光潜：《克罗齐美学述评/欣概室逻辑学哲学散论》，《朱光潜全集》第7册，中华书局2012年版，第34页。

球，我的母亲，/ 我们都是空桑中生出来的伊尹，/ 我不相信那缥缈的天上，/ 还有位什么父亲。”这就形象地说明了大自然本身就是最高的第一性存在，神即自然，根本不存在什么创造了生活和现实的偶像。

意味深长的是，在《女神》中，郭沫若反对偶像崇拜的激情，却往往采取了崇拜偶像的形式。在《我是个偶像崇拜者》中，他这样写：“我崇拜太阳，我崇拜山岳，我崇拜海洋；/ 我崇拜水，崇拜火，崇拜火山，崇拜伟大的江河；/ 我崇拜生，我崇拜死，崇拜光明，崇拜黑夜。”这里，诗人崇拜的是非人格的大自然本身。郭沫若的泛神论，不是为了反对天上的神，而是为了反对人间的神。那些在“壁龛之中”的“神像”，不过是为争夺统治权力的死尸“残骸”(《女神之再生》)。在《孤竹君之二子》中，借助伯夷之口对“偶像创造”进行了历史性的批判。他认为“人间的偶像”是私有制出现以后，由“专擅的魔王”捏造出来的“人形的上帝”，暴君自称为“上帝的代身”“万民的父母”。正是这些专制魔王，把自己神化，才“制造出许多礼、许多条文”，要求人民“柔顺”“忠诚”“尊崇名分”和“牺牲”。他宣告这种“偶像创造”的流毒“比那洪水的毒威还要剧甚”。这样，郭沫若就把批判偶像崇拜的矛头，政治上指向封建专制！意识形态上指向封建礼教。他认为，这一切都是应该剥除的“虚伪的人皮”。诗人号召人类，只有“回到自然中来”[①]，像原始人那样作为大自然的一员，“没有物我的区分，没有国族的界限”[②]，才能没有争夺，没有私欲，实现真正的思想解放。这正是《地球，我的母亲！》中描写的那个理想的乐园，在那里，工人、农民、草木、蚯蚓都成为摆脱了暴力与私欲的平等而自由的兄弟。

这样的人，就获得了“我是全宇宙的 Energy 的总量”，偶像破坏者，狂飚突进，一往无前，享受着极度的自由。后来他在《我作诗的经过》中描写了《地球，我的母亲！》的写作经过，其中特别强调了，当他灵感袭来时，他索性脱了“下駄”(日本木屐)，“率性倒在路上”，想真切地和“地球，母亲”“亲昵”“拥抱”的情景。他还说“自己觉得好像是新生了一样”。郭沫若在这里，不仅是陶醉于卢梭的思想，而且几乎是在模仿卢梭。卢梭在 1749 年应第戎科学院征文，构思《科学和艺术的发展败坏了风俗还是净化了风俗》时，也是躺在地上，有一种新生的感觉，觉得自己“看到了另外一个世界”，“变成了另外一个人”[③]。

我飞奔，

我狂叫，

---

① 郭沫若:《星空》,《郭沫若全集》第一卷，人民文学出版社 1982 年版，第 226—228 页。

② 郭沫若:《星空》,《郭沫若全集》第一卷，人民文学出版社 1982 年版，第 225 页。

③ 卢梭:《忏悔录》第八卷，黎星译，人民文学出版社 1980 年版，第 216 页。

我燃烧。

我如烈火一样地燃烧！

我如大海一样地狂叫！

我如电气一样地飞跑！

我飞跑，

我飞跑，

我飞跑，

……

正是因为这样，《天狗》中的“我”才显得那么大无畏。值得注意的是，诗人狂热地喊叫、奔跑中，摧毁“一切的偶像”。在《梅花树下醉歌》中，乐观地唱出了彻底摧毁偶像崇拜的胜利的战歌：“一切的偶像都在我面前毁破！/破！破！破！/我要把我的声带唱破！”

《女神》全部诗作都充满这种对偶像统治的世界宣布“否定一切”的叛逆的激情。在《匪徒颂》中，他崇拜的偶像是“一切政治革命”“一切学说革命”“一切文艺革命”“一切教育革命”的“匪徒”。从某种意义上说，这是个比鲁迅的《狂人日记》中的狂人更为自觉、勇猛的思想战士，其反叛的无畏，在“五四”新诗中是罕见的。

这个否定了一切天上的和人间的偶像，冲决了一切精神罗网的自我，在诗人的思想和艺术境界中，居于很崇高的地位，是被当作偶像，当作神来赞美的。在《我是个偶像崇拜者》中他又这样说：“我崇拜偶像破坏者，崇拜我！/我又是个偶像破坏者哟！”偶像破坏者变成了偶像崇拜者。彻底破坏偶像者，值得崇拜，崇拜什么呢？一方面是摆脱封建教条的偶像，另一方面，更深邃的是正面自我的创造。在《在梅花树下醉歌》中，这样说：“梅花呀！梅花呀！/我赞美你，/我赞美我自己！/我赞美这自我表现的全宇宙的本体！”按泛神论，神即自然，按当时郭沫若的理解，自然之神，神就神在一切事物都有Energy，获得了大自然的总能量的我，才能说，我便是我了。当人摆脱这种束缚，便也像梅花一样自由地表现自己了。梅花是自然，是神；我是自然，我也便是神了。郭沫若在文章中自白：“泛神便是无神。一切的自然只是神的表现，我也是神的表现。我即是神，一切自然都是我的表现。”①

“一切的自然都是我的表现”，我便成了能够以自我表现全宇宙的本体了。这个自我被提高到神一般的地位。作为大自然的一员，是不受任何人为的封建专制的教条束缚的，当人摆脱这种束缚，便也像梅花一样自由地表现自己。这里所写的和《地球，我的母亲》中那样自然人享受着天赋的（大自然赋予的）权利是一致的。本体即神，个性获得解放了的

① 郭沫若：《文艺论集》，光华书局1925年版，第290页。今本《沫若文集》删。

自我，也就像神一样居于最高权威地位。所以在《孤竹君之二子》中，诗人借伯夷的口说道：“假使有上帝，我们只要能够循着自己的本性，不为一切人为的桎梏奴隶的时候，那便甚么人都是上帝了。”①

从这里可以看出，郭沫若的泛神论与斯宾诺莎的泛神论有了很大的区别，在斯宾诺莎那里，神是大自然；在郭沫若这里“神”是不受人为的教条束缚的自我。泛神论成了泛我论、泛个性论，这是郭沫若的一大发明。《女神》正是披着泛神论的外衣，以天赋人权和个性解放为内容，向封建专制和愚昧发出了彻底的不妥协的挑战。

获得了神一样自我表现的伟大的能量，个性获得了极度的解放，自我转化为神，成为偶像，应该是极度的神圣的，但是，接着却是：

我剥我的皮，
我食我的肉，
我嚼我的血，
我啮我的心肝，
……

甚至是：

我的我要爆了！

个性解放的根本原则是自我极端肯定，不管是精神的还是肉体的，一切的追求都是自由的，天经地义的，任何外在的力量不可阻挡的，任何精神的枷锁，都是罪恶，都是应该粉碎的。自我的一切追求，包括物质的和精神的，灵魂和肉体的都是天赋的权利。但是，这里，却不是在自我摧残，自我毁灭吗？

解读的最高难度，就在这里了。

光是凭着“平等对话”“多元解读”“自主合作探究”“学习共同体”“任务驱动型”等名堂，是无所施其计的。从方法上说，光是停留在《天狗》个案上是不可能真正读懂的。要真正读懂，第一，要回到历史语境中；第二，要适当了解作者心路历程和哲学背景。

追溯到四年以前，也就是1916年，他由于“民族的郁积，个人的郁积”(国家没有出路，自己又陷入了双重婚姻的困境)，不时有一种自杀的动机。直到五四运动发生了以后，郭沫若觉得旧的祖国和旧的自我，一起被赵家楼上那场大火烧毁灭了，新的祖国和新的自我同时诞生了。1921年1月18日，他在给宗白华的信中，这种情绪涌现了出来：“我现在很想如phoenix一样，采些香木，把我现有的形骸毁了去，唱着哀哀切切的挽歌把它烧毁了

① 郭沫若：《星空》，《郭沫若全集》第一卷，人民文学出版社1982年版，第229页。

去，从那冷了的灰里再生一个‘我’来！可是我怕终竟是个幻想罢了。”[①]过了两天，郭沫若就写成了作为五四时期狂飙突进的时代精神象征的《凤凰涅槃》。古埃及的神话和中国传统凤凰结合起来。现实的、粗糙的“寻死”，原生的悲观情绪，进入了一种想象的诗化境界。凤凰点燃的烈火不但烧毁了旧世界，而且也是毁灭了旧的自我，烈火中翱翔的凤凰，成为新世界和新自我的永恒不死的象征。这不但是想象的解放，而且是思想的解放，情感的浪漫飞越，是浪漫艺术的胜利。

特别不能忽略的是，在《凤凰涅槃》中，凤凰所烧毁的不但有“身外的一切”，而且还有“身内的一切”，亦即诗人自己。闻一多早在于1923年，就注意到这种双重否定的特点。他在《女神之时代精神》中指出，五四时期的青年，“他们厌这旧世界，也厌他们自己”，“丹穴山上的香木不只烧毁了诗人的旧形体，而且连现时一切青年的形骸都毁掉了”[②]。在《天狗》中，诗人不但把现成的旧的“全宇宙”毁了，而且还把自我也毁了。“我剥我的皮，我食我的肉……我的我要爆了”，就是不但向旧世界，而且向旧自我决战的宣言。天狗和凤凰一样用否定旧我的肉体的形式来表现彻底砸烂精神枷锁的英勇气概，向旧世界决战和向旧的自我决战的欢乐和痛苦的交响构成了《女神》的主旋律。在《太阳礼赞》中，一方面是针对客观世界的，“我恨不把眼前的障碍一概铲平”；另一方面是针对主观世界的，“你不把我照得通明我不回去”。在《浴海》中则更加突出否定旧我的重要，诗人宣告要“把有生以来的尘垢糟糠”“全盘洗掉”。在《炉中煤》中，强调了思想得到解放的欢乐：“我活埋在地下多年，到今朝才得重见天光。”而在《雪朝》中，这种获得精神解脱的欢乐则为“我的全身好像要化作光明流去”。

在《女神》中，动人心弦的不但是这种胜利的欢呼，同时还有不得解脱的苦闷以及对自我的厌弃。把偶像批判和自我批判结合起来，折射着《女神》表现“五四”文化批判精神光辉。而《天狗》中则聚焦着诗人在《女神》中为否定旧我、旧观念而不安、苦闷、怀疑、绝望、挣扎、抗争、探求，为迎接新我、新观念而坐卧不宁，而兴奋若狂的精神旋律。

要把自己提升到郭沫若当年写《天狗》的水准，在学养上是要下苦功夫的，没有学养上的准备，不知道该教什么，光是在怎么教上设计各种花样，耽于种种时髦的花样，实在是缘木求鱼。

---

① 郭沫若、田汉、宗白华：《三叶集》，上海亚东图书馆1920年版，第11页。

② 《闻一多诗文选集》，人民文学出版社1955年版，第164—165页。

卞之琳《寂寞》：死亡是寂寞的，而不是悲惨的

诗一般是要抒情的，不管是浪漫派，还是象征派，闻一多、戴望舒都是抒情的。但卞之琳的这首诗，它在哪里抒情呢？一个童工在城里做工，死了三小时也没人知道，这是个悲剧，用浪漫派的写法，像郭沫若的写法，情感起码该大大宣泄一下。但诗人好像有一点抒情的企图，却流露出一种抑制抒情的倾向，或者可以说，他的抒情被另一种倾向所掩盖。

第一节，“乡下小孩子怕寂寞，枕头边养了一只蝈蝈”表明了孩子的天真，与“长大了在城里操劳，他买了一个夜明表”是个对比。对比什么？寂寞。夜明表，比之蝈蝈，显得更加寂寞。夜明表提示，半夜起来做工。没有人叫醒，只好买夜明表，为什么要夜明表，黑暗看不见，夜里发光的表，才看得见。这样的情况，可以向两个方面想象，一是，孩子工作很辛劳，很值得同情，如果让20世纪30年代的革命诗人来写，如殷夫，他肯定是要发出痛苦的叫喊的，但卞之琳并没有渲染同情，他的想象，往另外一个方向发展：很寂寞，没有人叫醒，很孤单，没有亲人，没有朋友。与蝈蝈相比，这个“夜明表”暗示着城里比乡村更寂寞。这个寂寞和乡下的寂寞是很不一样的，乡下的寂寞，还有点孩子气的天真的童趣，而城里的寂寞却是以无助为特点的。值得注意的还有，这里的意象，只有一个（夜明表），是很精练的，情感是很收敛的。

第二节，小时候他艳羡蟋蟀把“墓草”当“家园”。这两个意象，其中蕴含着对立。墓草是死亡，家园是亲情，意蕴很微妙。孩子居然并不觉得墓园恐怖，反而感到墓园是温馨的。这里，又一次暗示了童趣，天真。而这个童工，没有死在乡间，而是死在城里，死了三个小时，夜明表还不曾休止，还在运行，还在发光。说明他没有被发现，没有悲哀。一切都照常，夜明表还在运行，还在发挥它提醒上工的功能。这里，如果要抒情，可以突出孩子死了的悲惨、无辜，甚至发出控诉，但是，这不是卞之琳的追求。他经营的情境是，

寂寞，死的寂寞。夜明表还在运行，和孩子活着的时候一样，然而，人却死了。这和前面的孩子把墓草当家园，是一个对比。小孩子死了连蝈蝈也不如，蝈蝈还有“家园”呢。把墓草当家园，把蝈蝈当伙伴是天真。而人死了，夜明表的运行提醒读者，这里连墓草都没有，连蝈蝈都不如。这才叫作寂寞呢。这么深沉的寂寞，是全诗的核心，然而，用的不是描写，不是抒情，而是叙述。人死了都没有抒情，这种诗不是浪漫派，也不是象征派，叫“现代派”。现代主义的诗不是抒写感情，而是抑制感情。他们把智性的东西，留在空白中让读者去思考。

古典风格的诗包括浪漫派和象征派，都是抒情的，抒发人生的痛苦，以情动人，而现代主义的诗则是从痛苦到没有痛苦，现代诗的口号是“放逐抒情”。

卞之琳《断章》：超越抒情，相对性哲理

现代主义的诗要求读者高度关注、积极思索，需要智慧。如果说古典风格的诗是审美，我给现代诗一个名词，叫“审智”。比如卞之琳的《断章》，有一些与抒情相通的东西，例如，我们可以把它设想为爱情的错位。1935年前后，正是卞之琳与张充和的恋情失之交臂的时候，短暂的恋情在卞之琳的心中留下了痛苦和怀念。诗人在《雕虫纪历》中也曾说过这首诗中的爱情的原初感觉。他说：

> 在一般的儿女交往中有一个异乎寻常的初次相识，显然有彼此相通的“一点”。由于我的矜持，由于对方的洒脱，看来一纵即逝的这一点，我以为值得珍惜而只能任其消失的一颗朝露罢了。不料事隔三年多，我们彼此有缘重逢，就发现这竟是彼此无心或者有意栽培的一粒种子，突然发芽，甚至含苞了。我开始做起了好梦，开始私下深切感受这方面的悲欢。隐隐中我又在希望中预感到无望，预感到这还是不会开花结果，仿佛作为雪爪鸿泥，留个纪念。

诗人在《〈断章〉中的断章》的散文中，描绘了一幅图画：寂夜、灯光、小桥、一个伤心女子，深夜偶尔走上小桥，倚着栏杆，看着远方，沉默，沉默，心中有无限的哀愁，当她完全融入了夜、光、桥时，却惊奇地发现，不远处一座楼房的阳台上，有一张同样的寂寞的脸朝向自己这边，两人似乎在同一景色中默吟着同一种曲调。他们同时闯入了对方的世界。诗人不无深情地写道：

> 梦是困倦心灵的归宿，梦是痛苦心灵的慰藉，梦是绝望心灵的火种。愿在这个不凡的夜晚，这两个有缘的陌生人，都拥有一个永恒而美好的梦，支撑着他们各自坚强且快乐地走下去。

从这个意义上来说，这首诗可以说是一首爱情诗。但是，光是用爱情诗来解释，还是

有些不足。关于这一点，连作者自己的解释也有些动摇。《断章》问世之初，李健吾曾说这首诗是在“装饰”两个字上做文章，暗示人生不过是互相装饰，蕴含着无奈的悲哀。卞之琳本人又加以补充，他说：

这是抒情诗……是以超然而珍惜的感情，写一刹那的意境。我当时爱想世间人物、事物的息息相关，相互依存、相互作用。人（你）可以看风景，也可能自觉、不自觉点缀了风景；人（你）可以见明月装饰了自己的窗子，也可能自觉不自觉地成了别人梦境的装饰。

但是，最为关键的是：我的意思是着重在相对上。[①]

一方面说这首诗是抒情诗，另一方面，又说“我的意思是着重在相对上”，着重在“相对”上，就是着重在哲学观念上，就不是抒情所能概括得了的。可见，做出其他解释的可能是存在的。这里有两种成分在交织着。一种是情感的审美性质的，一种是哲理的审智价值的。审美的抒情的成分，是中国传统中很强大的因子，而审智的成分，则是从西方现代派那里来的。值得赞叹的是，卞之琳把民族的、古典的美和现代的智性的美，两种血脉相融得如此和谐。福建师大文学院研究生吕新明在网上发表文章说：“在这首短小的作品里面，‘桥’‘楼’‘明月’等等极具中国古典诗美意象的选用，给整首诗作铺染上了亲切的颜色，这使得现代哲学理念的蕴涵在一种极其温柔的状态之下得以体现，适应了国人传统的审美体验要求，将这首智性诗歌有限的美感处以最大可能的自然发挥。古典意象的使用，除了接受情感方面的优势之外，还给了整首诗非常具象的画面感。桥头，楼边，窗前，很容易让读者马上联想到佳人顾盼，杨柳依依的场景；明月高悬下的相思梦，又往往是穿过雕梁画栋飘散而出……卞之琳在传统审美定式与西方现代诗之间建立了一个结合点，实现了中西诗美的浑融一体。”

从整首诗来看，最动人的，不完全是抒情，更多的是哲理，“相对性”其中包含着“矛盾的转化”。先是，看的人，觉得自己在欣赏美好的风景，可是自己却变成了别人的风景。接下来是，明月装饰了你的窗子，你装饰了别人的梦。这就是说，明月在窗子的框架中，是一幅很美好的画图，可是你这一幅很美好的图画，在被你欣赏的时候，连同你一起，又成了别人的画图的一个部分。看与被看是相对的，欣赏与被欣赏也是相对的，又是可以转化的。所以这里讲的是“相对性”，美是相对的，人是相对的，这不仅仅是抒情，而且是审智。卞之琳的诗作，虽然有许多可以议论的缺失（例如，晦涩），却在中国现代新诗史上享有一定的地位，就是因为他是中国新诗审智风格最早的代表。当然，既然成为一种风格，也就成了一种潮流，就意味着不是一个人的偶然的孤立的现象，而是许多人士的共同追求。在这个潮流中，还有一个代表，那就是冯至。

---

① 《关于〈鱼目集〉——致刘西渭先生》，《大公报·文艺副刊》1936 年 5 月 10 日。

冯至《你说，你最爱看这原野里》：纪念没有印象的普通人

这首诗念起来，可能觉得不好玩，没有《死水》《再别康桥》《雨巷》那么有味道。这首诗是大白话，有许多地方好像不是诗，没有诗味。但它的确是诗，它的诗意在哪里呢？是不是它也像《断章》那样表现哲理呢？好像没有什么哲理。他所表达的是，人生体验，带着理性的思绪。

你说，你最爱看这原野里
一条条充满生命的小路，
是多少无名行人的步履
踏出来这些活泼的道路。

这里的关键词，显然是路，这个“路”，不是描绘，而是带有象征意义的。为什么？有个定语，“充满生命的”。生命从哪里来？是“多少无名行人”走出来的。理解的关键是，无名的行人。无名的行人，是什么意思？这要反过来理解，那就是，不是伟人，也不是亲人。在我们的现成话语中，路本来是没有生命的，是死的，路的生命一旦和英雄、伟大的事业、宏伟的理想联系在一起，就有了生命了。这种生命，就是一种精神，一种情感。但是，冯至在这里却说，不是这样，而是无名的行人，没有什么英雄色彩，没有什么宏伟气魄，只是一些无名无姓的人物，小人物。这就是另外一个世界了，另外一种精神了。不是那么引人注目，不是那么轰轰烈烈，也有一种精神境界。这种精神境界，不是那么浪漫，不一定激起强烈的感情，但是它有价值、有意义，在它的深处。把这样的话写到诗里，旨在引导读者思索，就不是以热情取胜，而是以冷静、冷峻，甚至以冷酷取胜。不以强烈的感情的抒发为务，就是现代派的“放逐抒情”原则。现代派认为，抒情可能成为滥情。从

浪漫派来看，路的生命，是很了不得的，是伟大的人物为我们开拓的，是亲人的足迹所在，有强烈情感的经历，就应该有鲜明的记忆。但冯至觉得和传统的路的生命牢不可破地联系在一起的宏大的话语，太现成了，如果照单全收，就俗了，就傻了。

在我们的心灵的原野里
也有一条婉转的小路，
但曾经在路上走过的
行人多半已经不知去处。

这里把路做了提升，不仅仅是客观存在的路，而是心灵之路、精神之路，婉转的，也就是平凡的、不起眼的小路，那些使得路富有生命的人物，不但是不知名的，而且是被遗忘的。但是，他们是在我们心灵深处起过作用的。这些人是什么样的呢？什么样子的都有：

寂寞的儿童、白发的夫妇，
还有些年纪轻轻的男女，
还有死去的朋友，他们都
给我们踏出来这些道路；
我们纪念着他们的步履
不要荒芜了这几条路。

这就是说，这些人，老、中、青都有，甚至有的已经死去，都不是英雄，而是普通人，芸芸众生，但是，这些人都影响到“我们”，通常最可能被遗忘。诗人在这里提醒我们不要、不能遗忘他们，因为，他们开拓了我们的生命之路，也就是塑造了我们的灵魂。这是一个很深邃的思想，或者叫作理念。我们往往觉得影响我们的灵魂的是我们印象中很深刻的人，而冯至却说，“那些影响我们生命的，恰恰是一些我们没有印象的、淡忘了的普通人”。

在这里，冯至没有强烈的抒情，没有变异幅度很大的感觉，也没有用象征派的客观对应物，也没有用通感，没有用强烈的形容词，而是用大白话，以一种平静的叙述，讲一个非常深邃的理念。我们不但要读懂理念，而且要读懂其中的艺术方法。大白话也可以成为诗，不抒情也可能成为很好的诗，因为其中的深邃的思索。

这不是抒情的审美的诗歌，而是审智的诗歌。

艾青《春》：从墓窟里开放出来的春天

一般说来，以春天为题材的诗，有一个共同的特点，就是以春天美好的景象来表现诗人美好的感情。艾青这一首，从题材来看，应属同一类型。一开头就写桃花，点明地点，是上海郊区龙华的桃花。这个地区为什么值得点一下呢？因为这是 20 世纪 30 年代国民党政府的警备司令部所在地，设有监狱，还是屠杀大批共产党人的刑场。写桃花是为了写春天，这是从古到今的传统，但是，为什么一定要写龙华的桃花呢？因为，第一，这个地方的蟠桃的鲜美是很出名的，但恰恰又是烈士牺牲的所在；第二，桃花的颜色是红的，很容易令人联想到烈士的鲜血。

懂得了这一点，才能理解下面为什么要写龙华的桃花是在“夜间”开的。难道白天的桃花就不开了吗？首先，屠杀常常是夜间进行的；其次，烈士流血牺牲的社会背景是黑暗的：

在那些血斑点点的夜间
那些夜是没有星光的
那些夜是刮着风的
那些夜是听着寡妇的咽泣

血点斑斑、没有星光都不难理解，但“刮着风”和“寡妇的咽泣”联系在一起，就把本来是有意抑制的哭泣，传得更远。下面这几句理解起来，要动一点脑筋：

而这古老的土地呀
随时都像一只饥饿的野兽
舐吮着年轻人的血液
顽强的人之子的血液

在我们的想象中，土地是母亲呀，为什么像饥饿的野兽呢？说它吮吸着年轻人的血液，是不是对母亲的不敬呢？这不是类比不当吗？不然。这是诗的比喻，它和一般的比喻有所不同，它不能照搬现成的习惯了的套路，它可以超越世俗的联想机制，进行想象的创新，借以表现诗人独特的思想和情绪。艾青写这首诗的时候，是 1937 年 4 月，全面抗战还没有爆发，这时艾青还比较忧郁，长期受法国象征派诗人波特莱尔的美学思想的影响，追求忧郁的美，即使他参加了革命，思想改变了，在写作革命的诗歌时，在艺术上也还有一点痕迹。这里的大地像“野兽”，吮吸年轻人的血液，所暗示的是，先觉者的牺牲是孤独的，在一个短时期里，不一定被理解。现实在某种意义上的确有非常残酷的一面，残酷得像野兽，似乎对于烈士的鲜血都是无动于衷的，听任它无声地渗入土地的深层。

有一个词很奇异，艾青不说烈士，这很好理解，那时他不便直说这些牺牲者的政治身份，但是为什么要用一个“人之子”来指称他们呢？人之子，就是人的儿子，这不是废话吗？还有一点，都是男性，难道就没有女性的烈士吗？

“人之子”，这是艾青早期诗歌的常用话语，连描述耶稣基督这样的神，他都用“人之子”。这说明，就是运用圣经题材，他也没有把耶稣当成神，而是当作人，当作和人一样的后代。从这个意义上说，在这里他描述烈士，也一样没有把他们当作超人的英雄，而是和普通人一样的人。在《圣经》的《旧约》中，的确人之子，通常就是“人”的同义字。但，在《新约》福音中，耶稣以“人子”自称，表示自己是神所差来的拯救者。从这个意义来说，这里艾青笔下的人之子，又不是一般的人，而是为了拯救人而牺牲的带着神性的人。

如果艾青的诗写到这里就结束，那么这些“人之子”的牺牲就比较悲惨了，他的思想也就比较悲观了。但是，艾青当时毕竟已经是一个革命者了，他自己就曾被捕，在租界里坐过西方殖民主义者的牢房。他虽然有点追求忧郁的美，但是，他还是有坚定的信念的。所以他在“人之子”的前面加上了一个形容词“顽强的”。

这种顽强，不仅仅表现在不怕牺牲上，而且还表现在对未来的追求上。接下去，艾青本要表现，烈士虽然牺牲了，但是，血没有白流，他们的精神将化为战胜黑暗的力量。但是，这样的话直接说出来，就不是诗了。艾青的创造，就在于把这种情感和思绪，化作了形象。他顺着鲜血渗入地下的想象逻辑，往下发展：

> 于是经过了悠长的冬日
> 经过了冰雪的季节
> 经过了无数困乏的期待
> 这些血迹，斑斑的血迹
> 在这神话般的夜里

在东方的深黑的夜里

爆开了无数的蓓蕾

点缀得江南处处是春天

“斑斑的血迹”化作了“无数的蓓蕾”，这不是科学的道理，而是诗的想象。烈士的鲜血，化作了桃花的蓓蕾。这个因果关系，是情感的表现。这里的桃花和蓓蕾，都已经不是诗歌开头所写的龙华的桃花了。开头的桃花，是现实的桃花；而这里的桃花，却是社会解放的象征了。正因为是象征的想象，下面这句“点缀得江南处处是春天”，不但充分表明了作者的强烈感情，而且还表现了必胜的理念。如果不是从诗的想象和象征去理解，龙华的桃花，只能是龙华的春天景观，怎么可能点缀得江南到处是春天呢?

很明显，接下来艾青对烈士精神的赞颂竟然是这样的：

人问：春从何处来，

我说：来自郊外的墓窟。

这一句从表面上看，说得十分突兀，好像极其不通，但是蕴含着深邃的哲理。要理解这一点，关键词是这里的“春”，它具有双重意指，不仅仅是大自然的“春”，而且是社会光明温暖的春天。郊外的墓窟，也有双重意指，一是龙华的墓窟，二是所有烈士的归宿，泛指一切烈士的鲜血培育了理想社会的美景。

烈士的鲜血不会白流，像《圣经》中的人之子一样，会给人间带来光明，这是人所共知的道理。但是，艾青是在极强烈的反差中展开想象，首先把鲜艳的桃花和龙华这个恐怖的屠场联系起来，其次是把鲜血和桃花的蓓蕾联系起来，再次是把墓窟和春天联系起来，把感情和理念统一起来。

从这里也可以看出，同样是春天，在古代诗人心目中，大体是一个模式，那就是大自然的美好和情致的美好。现代诗人艾青突破了这个模式，在他想象中，春天的花不一定是和美好的景色联系在一起的，他有意把它和恐怖的屠场、死亡的墓窟相关联。也就是说，春天，既可以和美的桃花，也可以和不美的东西联系起来，这就为诗歌艺术想象开拓了新的途径。

穆旦《春》：为青春的欲望寻求“归依”

写春天的美好，是传统的主题，诗作很多，李白写过，杜甫写过，要写就要与别人不一样，否则就不要写了。艾青写的春天的美艳是烈士的鲜血染红的，而艾略特笔下的春天（四月）是残酷的。读诗就是要把不同的春天的特点读出来。带着寻找特点，寻找特殊含义的目的去做心灵的探索。

第一节：第一个意象是“绿色的火焰”，就很有特点，一般说，火焰都是红色的。但是，春草是绿色的。说它是绿色的火焰，意思是，虽然是绿色的，但是像火焰一样热烈。“渴求拥抱花朵”，不说要开花，而说，渴望拥抱花朵。这里隐含着春草的姿态，一种飞舞的、张扬的姿态。而花朵冒出来，“反抗着土地”。为什么反抗土地？因为土地是坚固的，封闭的，柔弱的花朵居然能反抗它。可见其中有一种勇敢的、冲破的力度。这是什么样的力度呢？从“暖风吹来烦恼或者欢乐”可知，这显然不是自然的力度，“烦恼或者欢乐”，这是人的情绪，可见，这里写的不是植物的春天，是人的春天，是春天的生命觉醒：

> 如果你是醒了，推开窗子
> 看这满园的欲望多么美丽

读到这里，显然就可以断定，穆旦的春天，绿色的火焰，勇敢的花朵，冲破的力度，所赞美的是人的欲望，青春的、觉醒的欲望。注意这里说的是欲望，而不是感情。欲望是带着自发性，甚至是带着生理性质的冲动。然而，穆旦所表现的美，美在欲望，美在青春的欲望，这是这首诗与其他一切写春天的诗歌最大的不同。青春是美丽的，是理想，是光明，是奋斗，这一切都是传统的主题，都是为了社会，为了自己个性的发展。而欲望，和这一切是不太一样的。是什么样的欲望？是为了国家民族的欲望吗？是为了实现人生理想的欲望吗？都不是，而是青春的欲望。这在以往的诗中是没有地位的。西方在中世纪以前，把“人的欲望”当作“原罪”看待，中国则叫“非礼勿动、非礼勿言”。王阳明提出“去人欲，存天理”。但是，文艺复兴则以人为本位，反对、批判以神为本提出人的欲望不是罪恶的。这就是人道主义，反抗神道主义。

第二节，“蓝天下，为永远的谜迷惑着的 / 是我们二十岁的紧闭的肉体”，“紧闭”指的是欲望的紧闭，也就是受到束缚的肉体的欲望。因为是肉体的，所以就要受到紧闭。但是，它“一如泥土做成的鸟的歌”。鸟的歌声，为什么是泥土做成的呢？泥土，土地，是要反抗才能冲破的，冲破了，才有花的芳香，才有鸟的歌声。春天就是从封锁着花草的泥土中生长出来的。冲破了泥土，束缚的歌声是美好的，欲望也是美好的。但是：

> 你们被点燃，却无处归依。
>
> 呵，光、影、声、色、都已经赤裸，
>
> 青春的能量释放出来，赤裸裸地释放出来，没有归属：
>
> 痛苦着，等待伸入新的组合。

欲望固然像春天一样美好，但是，一旦被点燃，却是痛苦的，为什么痛苦？不是勇敢地反抗封闭的土地吗？痛苦就痛苦在，等待伸入“新的组合”。“新的组合”是相对于“旧的组合”而言的。旧的组合是肉体的、欲望的组合，而新的组合，之所以新，就要超越肉体的欲望。这里不但有“光，影，声，色，都已经赤裸”的欲望，而且有“痛苦”期待，不仅是欲望，而且渗入理念，“等待伸入新的组合”。“新的组合”说得很含混，和什么组合？就是要和一定的理念组合。也就是，青春的欲望虽然不是罪恶，但是，不能赤裸裸，要与理念配合起来，不组合，就仅仅是本能的欲望，组合了，才是理想的青春。

按我的定位，这是一首以现代派的理性为骨干，以浪漫派为血肉的诗。从文字上看，是相当浪漫的，相当花哨，感情相当强烈，但却又不完全是浪漫的，而是有一定的理念在内，这不是一般的歌颂春天，歌颂青春的诗，而是为青春的欲望寻求“归依”的诗。要注意这句诗，“你们被点燃，却无处归依”，欲望本身虽然无罪，但是“赤裸”的欲望，却是要寻求升华的，这个意思，诗人用了一个相当含蓄的字眼“新的组合”。为什么用这种平淡的词语？这是现代派的作风，不追求太强烈的字眼。

穆旦是20世纪40年代西南联大的学生，在20世纪60年代以前，在中国现代文学史上，在中国新诗史上，他没有地位，地位最高的是艾青。到了改革开放以后，这个当时的大学生诗人，逐渐地得到了历史肯定。有的文学史家、诗史家，把他放在艾青之上。当然，这是一种看法，是可以讨论的。

曾卓《悬崖边的树》：严峻的危机和精神升华的统一

读作品有两种读法。第一种，是把作家生平、时代背景，弄得清清楚楚，再来读文本。这当然有道理。但也有缺点。首先，过分关注了作家，把作家生平等同于文本，难免扼杀同一作家不同文本之间的差异。其次，就是单一文本，作品中的作家主体与作品中的自我是有区别的，文如其人，道理并不全面。文不一定如其人，文中之人，是生活中人的艺术化，艺术形式化，生活中的人，是人的原生化状态。过分注重作家生平的读法，从理论上来说，叫作作家主体中心论。直到今天仍然有市场。表现为“知人论世”方法。殊不知，同一作家在不同文体中的表现很不相同，一味拘执于作品与作家的统一，就可能抹杀了艺术形式的特殊规律。正是因为有这样的不足，就产生了另外一种读法，那就是先尽可能仔细地读文本，不管时代背景，也不管作家生平。一般的读者，都是这样读的。美国有一个批评的流派，叫作“新批评”，也是这么强调的。对于读者来说，最为关键的是，从文本中获得心灵的享受。过分关注时代背景和作家生平，反而会干扰甚至转移读者的注意。这种读法的特点，就是对文本主体的尊重，也是有一定道理的。毕竟，对于许多读者来说，不知道作家生平，时代背景，一样可以从作品中获得艺术的感染。

就曾卓《悬崖边的树》而言，读者首先感到惊异的是一个矛盾：悬崖边的树。悬崖边怎么会有树？一般的树在悬崖边是很难生存的。茅盾的白杨、苏童的三棵树，都是写实的，都是实有其物，什么地方，什么品种，什么样的形态，一清二楚。而这里的树就是一棵概括的树。品种，形态，来龙去脉，不在诗人关注的范围之内。在这里，悬崖边的树就是一棵树，没有品种、形态的特点，只有位置的特点。它可以是任何一种树，好像是所有的树的代表似的。这就是诗与散文的区别，诗中的树是概括的、虚拟的、想象的、假定的。

不知道是什么奇异的风

将一棵树吹到了那边

平原的尽头

临近深谷的悬崖上

光看这第一句就很明显，它和散文有明显的不同。诗人一点也不想费心交代一下来龙去脉，是什么原因，是什么风把树吹到这个地方。这里诗人强调表现的是：一棵树，在悬崖上。很危险，很不适合生命存活，这棵树活得是很艰难的，而且是很孤单的，应该是很痛苦，很悲凉的。但是，第二节所展示的却不是这样：

它倾听远处森林的喧哗

和深谷中小溪的歌唱

它孤独地站在那里

显得寂寞而倔强

这里有几点值得注意，第一，从“倾听”“孤独”“寂寞”等字眼，读者不难感到，这里写的已经不完全是树，植物是不会有听觉的，这是一种有情感知觉的高级的生命。这无疑是人的精神境界。第二，这种精神的特点是在危险（危机）的处境中，既不悲观，也不痛苦，其内在的感觉，在想象中，能够听到“喧哗”和“歌唱”。喧哗，当然是热闹的，生命的活跃的表现。而歌唱，尤其是小溪的歌唱，则更有一种流动的活泼的感觉。这样就显示出了一种对立。自己不但没有沉浸在危机的悲观中，相反，心灵却能关注远方，那目力不可达到的地方。那个地方和悬崖上的情况恰恰相反，那里是热闹的，是活跃的，甚至可以想象出是欢乐的。第三，诗人并没有回避它是孤独的，毕竟只有一棵树，而且又是在悬崖上。诗人甚至也没有回避它是寂寞的。这一节的最后两句，点出诗意的关键。高度的概括力，来自矛盾的修辞：孤独、寂寞，是矛盾的一面；而倔强，联系到前面的“倾听”“歌唱”，则是矛盾的另一面。既是寂寞的，又是喧哗的，既是孤独的，又是能够听到歌唱的。到此，诗人的意蕴已经很清楚了，就是抒写一种处境，在极度的危机中，在极度的孤寂中，内心相当热闹。正是因为这样，在寂寞/孤立中，显得倔强。从主题来说，已经完成。但是，从形象来说还不够丰满。也就是可感性还不够强，于是诗人接着就把这个主题提炼成这样：

它的弯曲的身体

留下了风的形状

诗人在这里，达到了思想的高度和艺术的高度，其中有一系列的矛盾。弯曲的身体是树的枝干受到扭曲的结果，这种扭曲的力量是什么力量呢？诗人说是风的力量。而风的力量，是看不见的，可是在树身体上，却留下了“风的形状”。以有形的弯曲表现了无形的风力，应该是很智慧的。下面两句就更为精致：

它似乎即将倾跌进深谷里

却又像是要展翅飞翔。

这里，又一次突出了矛盾，一方面是危机的加重，即将跌进深谷，而另一方面，则是展翅飞翔。这里有两个字眼特别重要，一个就是“跌”，危机可能变成灾难，一个就是“飞”，灾难又可能成为新的转机。这样就把前面一段的寂寞孤独而在内心又聆听欢乐的歌唱，大大向前推动了一步。不但是在内心远处的歌唱，而且自身就面临着转机。这样就把诗人的危机和乐观的矛盾统一起来。这里用了一种修辞法，在英语修辞学中叫作矛盾修辞法（paradox），本意是看起来自相矛盾但可能深邃的说法，有一点近似悖论。尽管这样的论断，从可接受的假设中推导出来，但其核心是自相矛盾的。在修辞学上，则引申为看似矛盾而实际上是有很深刻见地的隽语。这在现代修辞中，尤其是在表现非理性情感的诗歌中，是常见的，如冷峻的激情，又如永生的死亡，无声的音乐（悄悄是别离的笙箫）等。但是，在这里，诗人这种修辞手法一方面突出了矛盾，一方面又把矛盾的转化表现得天衣无缝。从跌入深谷到展翅飞翔，在想象上很自然。跌入深谷，是有深度的，没有深谷的深度就没有展翅飞翔的高度空间。因而深而危机严峻，同时又因为深而具备了高度飞翔的可能。这里显然说的是，严峻的危机和精神升华的统一。

对于这首诗，理解到这样，基本上可以说是完成任务了。

但是，前面我们说过阅读诗歌还有一种方法，那就是把诗与时代背景与作家生平联系起来。从曾卓的生平，我们知道，他在 19 世纪 50 年代，被打成胡风反革命集团成员。在所有打成胡风集团成员的人士中，他是最明显冤枉的。他冤屈了二十多年，才得以平反。

联系到他的这段遭遇，我们就可以更加清晰地理解，在灾难岁月中，他的思想风貌和人格风采。同时，也可以加深理解为什么开头诗人要这样写：“不知道是什么奇异的风”将一棵树吹到了“临近深谷的悬崖上”，是不知道吗？诗人很清楚。这个风的意象，很值得注意，到了后面又一次被提起，“它的弯曲的身体 / 留下了风的形状”。二十多年的灾难，身心所遭受的摧残，只用弯曲的枝干来概括。而被摧残的原因，归结为“风的形状”。写得这样潇洒，这里当然有意识形态上的考虑，又有艺术上的考虑。毕竟，这是写诗，诗的意象是在虚拟的、假定的、想象的境界中展开的，不能像在散文中那样进行具体的刻画。

基于这样的经历，曾卓还写过《我遥望……》。他说，童年的时候，遥望六十岁，像遥望异国的港口。经历了急风暴雨，到达了，回望年轻的时候，却像遥望迷失了的故乡。这首诗比较好懂，老年人的诗。主要抓住对称结构就可以了，一个联想，由港口和海洋有机地组合在一起。但港口之所以成为诗意的内涵，就是因为它的意蕴分化了。在少年的向往中，它是遥远的，陌生的。而在老年到达的时候，回望童年的向往的时候，它却并未变得多么自豪，相反变得“迷失在烟雾中”了。

这里还有一个关键词，那就是前面的“经历了狂风暴雨，惊涛骇浪”。童年向往远方港口的时候，生活、海洋、异国、港口，是有一点浪漫的、理想化的。但是并没有想到，要付出多么严峻的代价。虽然付出了代价毕竟是到达了，这时却感到“迷失”了。这个“迷失”，不是一般的“迷失”，而是觉得童年那些天真的向往，“迷失”在“烟雾”中了。为什么呢？身在其中，却变得难以言说了。但是光是这样，意蕴还是不够丰富、深沉。这个本来是遥远陌生的港口，却又是自己的“故乡”，又包含着熟悉亲切的意味。这就是诗的意蕴了，其中包含多少一言难尽，只有自己才能体验到的人生。

臧克家《有的人》：生死格言式的抒情

《有的人》是一首颂歌，是在鲁迅逝世以后写的，全部构思的特点是高度集中，集中到一个字——“死”上。焦点就是把死和生，作为对立面来展开。这种展开，只能是在想象中，才能有活着和死亡的自由转化，如果不是在想象中，死亡和活着是无法自由转化的。

抒情诗歌大体都是想象的，想象的表述是多种多样的，有依托景物人物描述的，有直接抒发的。诗的副标题是“纪念鲁迅有感”。有感，属于直接抒发，全诗每一章，都是两两相对的话语，虽然句法不对称，但是，内涵却是对立的，具有哲理性、格言的特点。诗人不是一般地歌颂鲁迅，而是把鲁迅精神转化为一种哲理。

在想象中，鲁迅是虚化了的。他说“有的人”，为什么不说“鲁迅先生，虽然死了，他还活着”？这样不是更为直截了当吗？但是，直截了，诗的意味就没有了。一切文学作品都离不开想象，但是诗歌的想象和散文的想象不太相同，它不是诉诸特殊的个别对象，而是以概括的、超越具体特殊的对象为特点。[①]和这首诗组合在一起的还有惠特曼《啊，船长！我的船长！》，明明是写林肯的，但是整首诗歌中，都没有提到林肯这个具体的总统，而是以船长来象征他，这正是诗歌想象的特点。

惠特曼作为一个新闻记者，在写林肯总统遇刺的文章中，就写了诸多具体的事情和细节：总统和他夫人准时来到剧院，他们出现在二楼的一个大包厢里，那是由两个包厢改建而成的，上面悬挂着星条旗。舞台的布景是一个十分豪华的大客厅……三位演员朝侧幕走去，舞台上这时空无一人，一切都停顿下来，剧场里出现了一阵短暂的静默。正是在这一时刻，亚伯拉罕·林肯遭到了暗杀。这一事件对人类社会的震动是史无前例的，然而它竟然发生在这样一个最为司空见惯的短暂静默中。就在静场和调换布景的那一片刻，传来了

① 参阅孙绍振《文学创作论》（海峡文艺出版社）或《文学性演讲录》（广西师范大学出版社）中的诗歌审美规范部分。

一声沉闷的射击声，大约只有百分之一的观众注意到它——紧接着的又是一阵寂静——其间夹杂着一种模糊的恐怖感觉——接着在总统包厢的布幔和星条旗之间现出了一个男子，他用双手撑着跳上包厢栏杆，在上面停顿了一下之后便纵向跳到舞台上（这之间距离大约是五米），由于脚被那面美国国旗绊了一下，因此落地时他摔倒了，但他立刻站起来（他的脚踝扭伤了，但当时他并未觉察）——这正是行刺者布斯。他穿着一件极普通的黑色上装，未戴帽子的脑袋显得很大，头发乱蓬蓬地披散着，眼睛里闪烁着疯狂的、野兽般的光芒，他异常地沿着舞台的脚灯走着——他将自己那张雕塑般俊美的脸转向观众，并用凶狠的目光向全场扫视，他以坚定而充满仇恨的语气说道："我除掉了那个暴君。"接着他便向舞台的后侧幕走去，并消失在那里……

在散文中，如果没有这么多的细节，就不叫散文了。而在诗歌中如果有了这么多的具体细节，也就不能叫作诗歌了。在惠特曼的诗中，林肯的被刺，被转化为一艘轮船的到达和一个船长的死亡。根本没有时间、地点、场景、凶手等等。把场景和人物集中起来，有什么好处呢？

一是寓意丰富而且深化。船长是海洋民族文化传统中引导者的象征（不像我们大陆文化的马：马首是瞻、老马识途、老骥伏枥等等），而且经历了海上航行的风险，所引起的联想，不仅仅是与大自然的搏斗。有这样一个集中的焦点，可能是相当凝练了，但如果一味停留在这个焦点上，又可能太单调、太贫乏了。要尽可能使形象丰富起来，但丰富不能是无序的，而是要在丰富中统一。如果丰富的意象，离开了船长这个核心形象，就可能变得杂乱无序。惠特曼的这首诗中相当丰富的细节，都是从船长这一核心意象中派生出来的。

二是形象集中，把所有的形象都统一到船长身上，由船长引发联想。第一联想系列，船长的职位（航行胜利的代表）：码头、海港、海岸、人群、千万只眼睛、欢呼、钟声、旗帜、军号；第二联想系列，船长作为一个人：甲板、抛锚、倒下、鲜血、心、嘴唇苍白、躯体冷却、感觉不到手臂、死亡。

这两个系列的意象之所以显得集中而不芜杂，就是因为它们都沿着船长的相近联想的渠道自然而然地派生出来。

从形式上来说，这首诗两个丰富意象群，相互之间不是游离的，而是有机联系的，自在一种相互补充和相互推动的关系之中，这样就达到了艺术形式所要求的丰富而统一。正是在这种有机结构中，意象的派生和情感、思想的延伸达到了高度的同步。

臧克家的《有的人》，在这两个方面和惠特曼的《啊，船长！我的船长！》是一致的：

其一，通过想象，把情感高度集中在一个焦点上。不过这个焦点，不是像惠特曼的诗中那样集中在一个人物、一个场景上，而是集中在一句话上："有的人"。这句话在每一节都重复两次，读者是不是感到重复和啰唆呢？根本就没有，这是因为同样是“有的人”，前一行和后面的一行，内涵是对立的，其中蕴含着深邃的含义，那就是把鲁迅那么丰富的精神集在一个焦点上，也就是和人民的关系上。而人民是一个政治概念，是和敌人相对的。

其二，臧克家的这个同语对立，很有特点：似乎是矛盾的悖论。这对矛盾，是关于死和生的，在字面上的矛盾是显而易见的，但是并不妨碍生死的自由转化：

有的人活着
他已经死了；
有的人死了
他还活着。

这是自相矛盾的，在逻辑上是不通的。但是如果要把它改成合乎逻辑的话语，例如说：“有的人活着，因为他与人民为敌，因而他虽然是活着，但是他实际上是已经死了；有的人虽然死了，可是他为人民的幸福而献身，因而他虽然死了，但是他仍然活在人民心里。”这样还像诗吗？一点诗意都没有了。这是因为，这首诗是抒情的，这里洋溢着强烈的情感。情感和理智，是有些区别的，具体到这首诗来说，在逻辑上有些不同。从理性来说是自相矛盾的，但是在表达情感方面却是十分强烈的：只要是为人民的幸福而奋斗的，就是不朽的。

这个核心，这个焦点，是很生动的，但是如果光是停留在这一点上，也可能是很单调而且可能流于抽象。接着诗人还要完成两项任务，首先是把这个思绪向形象的可感性上延伸下去，让它有血有肉，形象更加丰满；其次是让这个形象更加明确地和鲁迅结合起来，因为关于死和活，只是一般的哲理，必须落实到鲁迅的特点上。

有的人
骑在人民头上：“啊，我多么伟大！”
有的人
俯下身子给人民当牛马。

有的人
把名字刻入石头想“不朽”。
有的人
情愿作野草，等着地下的火烧。

有两处地方，让读者感到是歌颂鲁迅精神的。“俯下身子给人民当牛马”，令人想到鲁迅的《自嘲》中的“横眉冷对千夫指，俯首甘为孺子牛”；“情愿作野草，等着地下的火烧”

明显揭示了鲁迅在《野草·题记》中所说：

我自爱我的野草，但我憎恶这以野草作装饰的地面。地火在地下运行，奔突；熔岩一旦喷出，将烧尽一切野草，以及乔木，于是并且无可朽腐。

全诗的构思非常严密，原因在于其中存在着双重的对比，每一节的前两句和后两句，大都是均衡的对比（有分号为标志）；而前半部分与后半部分，又是一种逻辑的对比：

骑在人民头上的
人民把他摔垮；
给人民作牛马的
人民永远记住他！

把名字刻入石头的
名字比尸首烂得更早；
只要是春风吹到的地方
到处是青青的野草。

这里不但阐释了死了为什么还活着，而且提供了感性的形象（石头、野草）。

细心的读者可能会发现，引述的后面这一节的最后两行，并没有像前面那样，遵循对称的章法。“只要是春风吹到的地方，到处是青青的野草”虽然不对称，但是读起来，更觉顺畅。这是因为统一固然能给人匀称的美感，但一味统一，又可能造成单调、呆板之感。因此臧克家到了这里，有意打破读者的预期，给读者以意外的惊喜。最后一节：

他活着别人不能活的人，
他的下场可以看到；
他活着为了多数人更好活的人，
群众把他抬举得很高，很高。

这里的最后一个对比，不但形象比较顺畅，而且思想也比较鲜明。这首诗的思想倾向，有着鲜明的时代烙印。当时正是新中国成立才一个月，诗人所宣传的是当时的主流意识形态：首先，是政治立场的选择。和“人民”，还是和“敌人”站在一起。其次，是选择了人民的立场的个人，应该是卑谦的，只有卑谦的人，无条件献身事业的人，才可能是伟大的；反过来说，如果一味追求个人的杰出或者伟大，则可能变成反动的敌人。这种思想是不是有点绝对和武断，与我们当前对人的理解是不是完全一致，可以讨论。是不是应该一概抹杀个人的追求，有个人的追求是不是一定就注定要走向反动，这也是可以讨论的。

还有一点可以推敲，就是这首诗有一两节，语言是不是显得不够精练？例如上面这一节中的“他活着别人不能活的人”和“他活着为了多数人更好活的人”，都可以认为缺乏提炼。至于在当中还有一节：

有的人

他活着别人就不能活；

有的人

他活着为了多数人更好的活。

同样的一个意思，在同一首诗里重复了两次，而且并不流畅，这是应该避免的。臧克家早期是以讲究文字提炼著称的，但是在这首著名的诗中，却不太注意精练，可能受当时文风影响，为了把思想说得更鲜明一些，不惜牺牲艺术。

蔡其矫《雾中汉水》：情思决定红日朝霞间的因果

一个诗人，如果没有思想只有感情，是很糟糕的，很可能跟着感觉走，而感觉是不深刻的、不可靠的，而且可能是随大流的，跟着流行的调子，用自己的舌头唱别人的歌。1958年，我国陷入一种狂热，在所谓“大跃进”运动中，虚假的口号吓死人，比如“15年赶超英美”“跑步进入共产主义”等，实际上这是不可能的。诗坛上也充满了假大空的诗，后来被徐敬亚称为“吹牛诗”。这种诗风靡一时，绝大部分诗人都跟着瞎咋呼。当时，诗人蔡其矫凭着自己的思想做出了独立的判断：这是胡吹啊！他那时在长江水利规划办公室当宣传部部长。一般说，宣传部部长本该是很正统的，或者说，很不实事求是，不讲理的，然而，他却相反，看到我们的技术非常落后，在长江航行的船还是用纤夫来拉的，没有机械，他感到这是非常艰苦的劳动，就写了一首《雾中汉水》。

两岸的丛林成空中的草地，
堤上的牛车在天半运行，
向上游去的货船
只从浓雾中传来沉重的橹声，
看得见的
是千年来征服汉江的纤夫
赤裸着双腿倾身向前
在冬天的寒水冷滩喘息……
艰难上升的早晨的红日，
不忍心看这痛苦的跋涉，

用雾巾遮住颜脸，

向江上洒下斑斑红泪。

这种景象让人感到很不是滋味。那时，一味宣传要“跑步进入共产主义”，实际上我们的劳动者还做着相当原始的劳动，背负纤绳拉船。蔡其矫有自己的思想，他不跟着大家一起吹牛，他用他的感觉、感情和智慧来思维。他看到早晨的红日就跟别人不一样。我们前面已经讲过，红日在当时有政治象征意义，是非常宏伟、非常辉煌的，是光芒万丈的。何况是长江上的红日，有着美丽的朝霞。这样的景象，在当时的主流话语、套路意象中，是无比美好、无比欢乐的。但诗人思想深邃，他觉得不是这样，他感觉到的是艰难。

蔡其矫的杰出，还在于他的想象。他看到这样的原始的体力劳动，是很伤感的。他这种伤感和当时主流意识形态是迎头相撞的。如果他把这一切直截了当地说出来，那他充其量不过是道德的勇士。然而，他的重要，不仅仅在于道德上的勇敢，而且在于艺术上的独创。

他把他的感情，隐藏在当时的自然景观之中，对自然景观的三个成分：太阳、红霞、江水，进行了变异。首先，把红霞遮掩着太阳，不当成自然现象，而是有着一种心理的、情感的因果。是太阳不忍心看这样艰难的原始的体力劳动，才用雾当作手巾来挡着脸。其次，江上的朝霞，自然景象的霞光返照，在许多诗歌里，都是喜气洋洋的景象，可是，在蔡其矫这里，却成了悲郁不能自禁的，为这样艰难的体力劳动而洒下的血泪。红霞变成了斑斑的血泪，是诗人同情和思考的结果。这说明，在假大空的诗潮中，诗人的思想——他对劳动者的同情——决定了表层感觉的变异。

正是因为这样，我才说“审美”这个范畴不够用，还要加上一个“审智”。深刻的感情不是纯粹的感情，渗透着智性的感情才是深刻的感情。这一点，在下面这一首《波浪》中可以看得更为明显。

蔡其矫《波浪》：柔美却憎恨强权

在大自然的万千气象面前，要写出好文章来，并不像一些写作书上说的那样，只要贴近生活，只要仔细观察就成了，关键是看你能不能从自然景象中，激发出自己深层的情致来。见过冰雪的人，并不一定能浮想联翩，激发出"欲与天公试比高"的宏图壮志；见过海燕的人，很少能发出对革命高潮的预言。写作并不是只要贴近生活就成了，更为关键的是贴近自我，深入自己内心深处，把深厚感情和智慧调动起来，把整个生命的积累调动起来，使之和大自然的外部特点相结合。

谁没有见过波浪呢？如果一味贴近波浪，甚至贴近它的"本质"（水的运动），是写不出什么东西来的。蔡其矫先生凝神波浪，却写出了这首杰作，原因何在呢？

蔡先生看到的是"运动"，这好像很表面，甚至谈不上"贴近"。相反，倒像有一点"远离"——远离了水。从上下文来看，这个"运动"不仅仅是水的，而且是"大自然有形的'呼吸'"。而呼吸并不是水的特点，而是生物的特点。——这不是脱离对象了吗？"脱离"得好。因为脱离了才有想象的自由，没有想象，就不能表现出自己的情志。

诗就是要想象的，想象就要超越生活的原生形态，将生活加以变形、变质，才能把主观的感情和思绪渗透在对象之中。当然，这种"脱离"是加引号的，因为它只是一种超越，不是随意的，而是从客观对象丰富的属性中，抓住一个激发点，使之与情感和智慧融合，构成形象。作品的第一小节，先是把波浪从水的全部属性（如液体形态、温度等）中分离出来，使之变成只有生物才有的呼吸，而呼吸本是看不见的，蔡先生把它说成"有形的呼吸"，进而让它的功能再次发生变异，"一切都因为你而生动"。从科学上来说，这当然是片面的，但是，它又不是狂想或者呓语。因为从另一个意义上来说，水（当然不一定要有波浪）是一切蛋白质也就是生命的基础。

因为想象奇特，本来平常的语言（运动、呼吸、生动），就构成了一种新异之感。

但是，诗的想象的力量，不仅在于生动，而且在于深刻。这一点，越读到下面越清晰。

第二小节，波浪的性质和功能向感情方面发展，它成了“航海者”的“伙伴”，没有它，天空与大海就“单调”，海上的航行就显得“寂寞”。这个“航海者”是职业的水手吗？可能不是。这个航海者，显然很孤独，因为他“最亲密的伙伴”是波浪，而不是人。他孤独，是因为他把这种情感看得最重要，而世俗社会则不是这样。与其说这是个水手的形象，不如说这是诗人自己。

第三小节，是这位亲密伙伴的情感外部意象，一直扣紧大海和波浪的特点：“抚爱船只”“微笑”“飞溅的水花，是你露出雪白的牙齿”。其中隐含着海的开阔，与水手的心灵同步（按：这一句受西班牙诗人洛尔伽的影响，洛氏的名句是“在远方 / 大海笑盈盈 / 浪是牙齿 / 天是嘴唇”）。

第四小节，是对前面三节的总结：波浪形象的特点是“比玫瑰还要温柔迷人”。这里透露出蔡其矫先生常常把美和女性的柔美相结合的倾向。

这四个小节，所展示的波浪的美，其性质在柔美上是统一的。

如果下面还是展示波浪的柔美画面，就可能有平面滑行，缺乏深度之嫌。好在到了第五、六小节，诗人来了一个突然转折。这个转折是双重的。一是内涵上，波浪变得不再是温柔的玫瑰一样迷人的了，当风暴到来，波浪变得“凶猛”；二是句法，一连两个小节，陈述句都变成了疑问句：

> 是因为你厌恶灾难吗？
>
> 是因为人憎恨强权吗？

表面上是疑问，是不是厌恶灾难，是不是憎恨强权，似乎不确定，但是隐含着肯定：

> 我英勇的、自由的心啊，
>
> 谁敢在你上面建立它的统治？

这里又有两点值得注意。一，谁敢，就是谁也不敢，以疑问句法来肯定，比肯定还要更肯定。二，同时这是一个过渡，从对波浪的感叹，转为对自我的直接抒发。在想象上更自由了，不再拘泥于波浪的外部特点，直接进入了自我情感的抒发。读者不会怀疑波浪是不是会有自由、强权的观念。经过前面六个小节的过渡，诗人干脆自己跑出来讲话，一点也不显得突兀了：

> 我也不能忍受强暴的呼喝，
>
> 更不能服从邪道的压制。

这是本诗的主题，如果没有前面的铺垫，直接说出来，肯定是比较概念的，但是有了前面对于波浪的抒写，就显得顺理成章。在 1962 年那样一个极“左”的年代，敢于把个人的思想和情感的自由和“强权”“统治”“压制”，特别是“强暴的呼喝”对立起来，这是蔡先生胜过那个时代许多著名诗人（如贺敬之）的地方。在这首诗里，诗人的才情不仅仅表现在形象和意象的鲜明和独创上，而且表现在思想的光彩上。敢于把对抗主流意识形态的个性主义写到诗里，表现了诗人的不屈服，而且甘于冒政治风险。正是因为这样，随着时代的变迁，当年红极一时的诗歌纷纷从经典中凋落，蔡先生的诗作却作为历史的经典得到一代又一代的年轻读者的欣赏。

舒婷《致橡树》和《神女峰》：女性独立宣言

舒婷作为女诗人，其女性主题成就卓尔不群，就影响巨大来说，首推《致橡树》。但是，这种影响由某种不可重复的历史条件造成，毕竟《致橡树》是舒婷早期作品，难免有某种局限。就艺术成就来说，无疑是《神女峰》更为成熟。从橡树到神女峰，隐藏着一条舒婷从崭露头角到艺术成熟的道路。

舒婷作为女诗人，常常被某些文学评论家当作女权主义者的代表。这当然有一定的道理。不仅仅因为她的性别，而且因为她的作品里时时表现出来某种女性的视角。从早期的《致橡树》，到中期的《神女峰》，女性立场、女性价值的坚持一脉相承。《致橡树》长期以来受到女性读者的青睐，在婚礼上为女性来宾、新娘朗诵的故事比比皆是。被选入中学语文课本，不止一家。但是，《神女峰》却没有这样的幸运，在一般女性读者心中，似乎没有那么深的印象。其实，《神女峰》恰恰是《致橡树》姐妹篇，二者遥遥相对，息息相通。诗人有意在其中隐含着互相说明的寓意。关于这一点，舒婷在《都是木棉惹的祸》有过坦诚的告白：

> 1977年3月，我陪蔡其矫先生在鼓浪屿散步，话题散漫。爱情题材不仅是其矫老师诗歌作品的瑰宝，也是他生活中的一笔重彩，对此，他襟怀坦白从不讳言。那天他感叹着：他邂逅过的美女多数头脑简单，而才女往往长得不尽人意，纵然有那既美丽又聪明的女性，必定是泼辣精明的女强人，令人望而生畏。年轻的我气盛，与他争执不休。天下男人（不是乌鸦）都一样，要求着女人外貌、智慧和性格的完美，以为自己有取舍受用的权利。其实女人也有自己的选择标准和更深切的失望。当天夜里两点，一口气写完《橡树》。次日送行，将匆就的草稿给了其矫老师。他带到北京，给艾青看。北岛那时经常去陪艾青，读到了这首诗。经其矫老师的介绍，1977年8月我和北

岛开始通讯。前些日子，因为王柄根要写蔡其矫的传记，我特意翻找旧信，重新读到北岛78年5月20日信中这句话："橡树最好改成《致橡树》……这也是艾青的意思。"这首诗流传开来，不断碰到那些才貌双全的女孩子，向我投诉没有橡树。因此又写《神女峰》作为补充："与其在悬崖上展览千年，不如在爱人的肩头痛哭一晚。"年轻人却不予理会。至今，只要有人老话重提，说起当年的爱情史与《致橡树》有关，我赶紧追问："婚姻还美满吧？"好像我要承担媒人职责那么紧张。[①]

舒婷透露的信息很深刻：一方面是《致橡树》在读者的记忆中有那么重要，甚至与爱情史有关；而另一方面，对《神女峰》却"不予理会"。这是诗人感到多少有些困惑的。其实，这种困惑也是一些深思的评论家所感到的。

《致橡树》，写作在1977年，在思想高度上，是横空出世的。从传统观念来说，女性被男性的目光欣赏是天经地义的，不光是"三从四德"中就有"女容"，就是在经典文献上，也有"女为悦己者容"。现代男性把女性的容貌作为审美的首要选项，是堂而皇之的。蔡其矫之所以在女性面前坦言对女容的不满足，显然是在为自己的精神高度而自豪。但是，他完全没有考虑到女性也有权利对男性进行选择。舒婷说："天下男人（不是乌鸦）都一样，要求着女人外貌、智慧和性格的完美，以为自己有取舍受用的权利。其实女人也有自己的选择标准和更深切的失望。"当时社会情绪热点还集中在对"四人帮"政治批判，故舒婷的精神立场，并没有引起理性的震撼，只是在女性读者中，引起了感情的共鸣。正是因为这，这首诗在各式各样的婚礼和朗诵会上反复被朗诵。

就是面对如此空前的社会效应，舒婷也不改她的敏感和反思，她似乎不太踏实。"不断碰到那些才貌双全的女孩子，向我投诉没有橡树。"这句话轻描淡写，语焉不详，其中有比较深刻的意蕴，值得分析。今天我们可以从两个方面解读。第一，中国没有什么橡树，橡树意象，是从外国电影和风景中获得的。就是在杭州植物园中目睹，也是"病歪歪的，与想象相去甚远"。哪怕当地宣传部部长好心提议在鼓浪屿择块风水宝地，种一棵橡树，矗一块《致橡树》的诗碑，舒婷的回答也是："橡树在南方不容易成活，假使能生根，一定没精打采百无聊赖。橡树要长到可以托付终身的模样，需要好多年，至少我和部长都看不到了。"[②]这种解读涉及橡树的生物学真实与艺术想象之间的矛盾，这从理论上来说，是没有争议的，不够引发舒婷写另外一首诗来"补充"的程度。这就有了第二种解读，那些诉说"没有橡树"的女孩子，是从现实意义上说的，实际上是在中国找不到像橡树一样伟岸的男性。这里可能与当年一种特有的思潮有关系。在舒婷的《致橡树》在《诗刊》上发表前后，

① 舒婷：《真水无香》，作家出版社2007年版，第107页。
② 舒婷：《真水无香》，作家出版社2007年版，第111页。

日本电影《追捕》男主角高仓健在逆境中坚定不移的男子汉形象，在中国引起了轰动，报纸上一度出现“寻找男子汉”的话题。女孩子所谓“没有橡树”也包含着没有男子汉可以托付终身的意思。这样提出问题，使舒婷觉得这些女孩子，虽然可能在婚礼上朗诵了《致橡树》，但是，实际上并未真正读懂。舒婷为什么要在这些“女孩子”前面加上了“才貌双全”？这里显然并不是称赞，而是反讽。貌则有之，才则可疑。因为，在《致橡树》中，伟岸的橡树意象，并不是女性单方面可以依托的靠山。从一开头，舒婷就反对“攀缘”和“衬托”，她的立意是以同样的姿态，独立、平等，互相理解，互相鼓舞，互相支持：“我们分担寒潮、风雷、霹雳；/我们共享雾霭、流岚、虹霓。/仿佛永远分离，/却又终身相依。”

白马王子也好，理想的男子汉也好，都脱不了女性的依赖性。这和忍受男性单方面的选择，性质是共同的。正是出于这样的考虑，舒婷又写了《神女峰》，把平等的主题进一步深化：“与其在悬崖上展览千年/不如在爱人的肩头痛哭一晚。”在悬崖上展览千年，典故有两种来源，一是，古代书面文献，巫山神女主动献身于楚怀王，这是女性主动向男性奉献躯体；二是，出于民间故事，妻子在悬崖上等待丈夫，经年不至，久而化石，这是女性为男性献出生命。三峡景观，如果取巫山神女典故则当为神女峰。取民间传说，则并无神女，只有民妇，或曰美女，当为美女峰。舒婷取民间浪漫故事之实，以经典文献神女名之。借此向数千年的“妇德”发出质疑。锋芒所向，不但在男性，而且在女性：“在向你挥舞的各色花帕中/是谁的手突然收回/紧紧捂住了自己的眼睛。”传统妇德观念的赞美者、崇拜者并不仅仅是男性，而且还有挥舞花手帕的女性。花手帕的挥舞者是如此众多，而质疑者却只有一个。尽管浪漫的传说是美丽的，留下的忧伤也是美丽的，“人间天上，代代相传”，但是，这仍然是不人道的：“但是，心/真能变成石头吗。”为什么要这样等待，难道为了表现等待的痴情，就应该把只有一次的生命牺牲？把鲜活的心灵变成没有生命的景观？“心，真能变成石头吗？”这是激烈的感情，也是深刻的理念。

“为了眺望远天的杳鹤/而错过无数次春江月明。”神女峰作为浪漫爱情的坚贞的象征，已经被传说话语霸权化了，成了不言而喻潜在的成规了。但是，把生命献给绝望的等待，以表现爱情的坚贞，塑造成千年的道德楷模，是值得的吗？她提出的质疑是：生命每一刻的体验都是珍贵的，不能为了非常遥远的、可望而不可即的概念（“眺望远天的杳鹤”）而忽略生命的美好体验。就是再浪漫的情操，也不能抹杀生命的珍贵感觉。为了把这样的思索强化，舒婷不惜把传统观念和生命价值放在两个极端上。一个是展览千年，作为道德的、情感的楷模，作为永恒的荣耀，一个是一晚上的痛哭。在通常情况下，当然是千百年的荣耀更为光彩，但是，在一个条件下，二者发生了转化，那就是“在爱人肩头”，为了体验真正的爱，哪怕是痛苦的爱，哪怕是片刻的爱，也比没有感觉的石头有价值。

舒婷的困惑在于许多“才貌双全的女孩子”，对《致橡树》十分热衷，而对《神女峰》却没有多少感觉，甚至“不予理会”。莫非她是觉得《神女峰》的思想比之《致橡树》更深邃？不一定。因为她自己说了《神女峰》是《致橡树》的“补充”。从观念的全面来说，应该说《致橡树》更值得注重。但是，舒婷的字里行间，却流露出相反的倾向。是不是舒婷对《神女峰》有所偏爱呢？这种领受的实质是什么呢？事实上，舒婷对《神女峰》如此“偏心”，唯一的原因，在艺术上。

《致橡树》写于1977年，是舒婷的早期作品，从构思到语言，都有20世纪70年代诗歌的某种宏大叙事的烙印。感情的强烈，结构的前后对称，句法上的多重排比，这些都是舒婷中期诗歌所扬弃了的。从20世纪80年代中期，以更加成熟的眼光来看，这样的句法：

我必须是你近旁的一株木棉，
作为树的形象和你站在一起。
根，紧握在地下，
叶，相触在云里。
每一阵风过，
我们都互相致意，
但没有人
听懂我们的言语。
你有你的铜枝铁干，
像刀，像剑，
也像戟，
我有我的红硕花朵，
像沉重的叹息，
又像英勇的火炬。

这里自然有舒婷式的精致语言，但是，也有太呆板的对仗，而且某种话语不无陈旧之感，这和《神女峰》的清新的语言相比，显然太过滔滔不绝，不够含蓄。在艺术上成熟了的舒婷认为这是很幼稚的。正是因为这样，我们在她的文章中看出来，只要有人提起《致橡树》她就有点紧张：“至今，只要有人老话重提，说起当年的爱情史与《致橡树》有关，我赶紧追问：‘婚姻还美满吧？’好像我要承担媒人职责那么紧张。”

从语言上来看，这样的对仗和排比，完全是在做出一副作诗的架势，从一些宏伟的词语中，甚至可以看出一些样板戏《沙家浜》的影子，细心的读者，可以从指导员郭健光的唱词中找到“模板”。如果读者不嫌我唐突，请把郭健光口中的青松和舒婷的橡树略做比较：

要学那泰山顶上一青松，
挺然屹立傲苍穹。
八千里风暴吹不倒，
九千个雷霆也难轰。
烈日喷炎晒不死，
严寒冰雪郁郁葱葱。
那青松逢灾受难，经磨历劫，
伤痕累累，瘢迹重重，
更显得枝如铁，干如铜，
蓬勃旺盛，倔强峥嵘。

郭健光的“枝如铁，干如铜”到了《致橡树》中成了“铜枝铁干，像刀，像剑”，这样的宏大话语，带着当时的英雄主义的音调。但是，舒婷毕竟是舒婷，她把青松改造成橡树，虽然她没有真正见到过橡树，但是，总算把青松强烈的政治色彩、英雄主义的高亢声调消解了。同时，她也加入了自己的话语：木棉，不仅像英勇的火炬，而且能发出“沉重的叹息”。如果这些还不是太重要的话，那么下面这几句就很重要了：“我们都互相致意，/但没有人/听懂我们的言语。”

这就不是集体的英雄话语，而是个人的话语，正是在这样的语言上，我们看到了舒婷之所以成为后来的舒婷的端倪。这也许是我的吹毛求疵，但，这实在很正常，舒婷当时还是一个回城知识青年，才二十七岁，在厦门灯泡厂流水线劳动。在她成熟了以后，理所当然地有一种悔其少作的感觉。虽然是不经意的流露，也应该成为研究舒婷艺术的不可多得的线索。

北岛《无题》：对麻木和愚昧的决绝

20世纪80年代初出现的朦胧诗中，有一部分智性比较深邃的诗歌，许多读者以读不懂为由而批判它们。就连比较好懂的舒婷的诗歌，也有人以看不懂为荣。舒婷当时很坚定，说你不懂，你儿子会看懂。要学会读当代的审智诗歌，就要调整自己对诗歌的预期，提高自己的智慧水准，让自己适应这种新异的文本，准备伤一点脑筋。读诗变得不太令人舒服了，这是时代的一种潮流。要不然，你就去听流行歌曲好了，那是很轻松的。但那是可以批量生产的。萝卜白菜，各有所爱。既然选择了现代派诗歌，就要有现代派的哲学和诗学水平。我们来看北岛的《无题》：

永远如此
火，是冬天的中心
当树林燃烧
只有那些不肯围拢的石头
狂吠不已

挂在鹿角上的钟停了
生活是一次机会
仅仅一次
谁校对时间
谁就会突然衰老

从诗人的角度看，逃避抒情的倾向在这里就更加明显。诗人通过一系列陌生的意象，在奇特的想象和话语中，表达一种冷峻的思考。读者也不能光是从感情的角度去理解，要通过想象把诗歌中脱落了的逻辑还原出来，体会到诗中的理念。这是需要智慧的。所以说，如果讲审智，作者和读者需要共同协作才能得到沟通。在这里，说北岛的思想冷峻可能还不够，可能要列入冷酷的范畴。

要读懂这首诗，得把传统读法以及习惯了的预期丢开，因为北岛的这种风格，不但讲思想，而且追求语言的陌生化和个人化。他的诗歌意象，不像一般浪漫主义的诗歌，以一系列共用的意象和话语为基础。“火”还有一点公共意象的痕迹，让人联想到温暖光明，“火是冬天的中心”与传统意象还有某种关联，但这种关联是比较薄弱的。因为冬天在传统的意象中是寒冷，而北岛却说火、温暖、光明是冬天的中心，从另一个意义上来说，火是被包围，被寒冷围困的。这就有点超越传统读诗的预期了。

“只有那些不肯围拢的石头 / 狂吠不已”，作者给了石头以一种性质“不肯围拢”，“不肯”，说明它有意志，它就不是石头。冬天，有意志的石头，应该向火、向光明、向温暖围拢，但它就是不围拢，不管多么寒冷，它就是不向光明、温暖靠近。因而，从这个意义上说，它不是石头，又有石头的性质。这实质上说的是人，说的是人的一种精神倾向。这种倾向的可怕，倒不完全在于不向光明靠拢，更为严重的是它“狂吠不已”，向火、向光明、向温暖“狂吠”。身居寒冷、黑暗之中，却向光明、温暖狂吠，这让我们想到某一特定的历史时期对先觉先知的声讨和批判，群众不但麻木而且顽固，而且凶残。这是令人恐怖的、荒谬的人生。但这还不够荒谬，更加荒谬的是：

挂在鹿角上的钟停了

这句可真是个人化的话语。鹿角上的钟令人想到圣诞老人的雪橇（是鹿拉的），那么，钟为什么挂到鹿角上？这是表示年份的转折吧。钟停了，也就是时间停了。时间停了，就是前面所说的“永远如此”，就是这样荒谬的精神麻木永远不会过去。这太可悲了，因为“生活是一次机会 / 仅仅一次”，生命是短暂的，可这样的悲剧性麻木，这种先知者的孤独，却是永恒的，没有希望改变的。“谁校对时间 / 谁就会突然衰老”，也就是说，尽管生活的悲剧不会改变，可时间还是在流逝，而人们都没有感觉。如果“校对时间”，与过去浪费生命进行比对，人就会发现时间过去了，人也变得衰老了。为什么衰老？一是麻木时不知道，一校对，就发现不知不觉间岁月流逝，就不麻木了。二是对生命白白丧失的震惊。这么可悲，这么可怕，却永远如此。

北岛的这首诗没有标明写作时间，是不是有意揭示这并不是某一个时期孤立的现象？这么难懂的、精英化的、个人化的诗歌，对读者是一个严峻的挑战，接受这个挑战的，就要提高自己的智慧水准，向诗人围拢过去；不接受的，也不要像石头一样“狂吠”起来。你尽可以去享受大众文化、流行歌曲，这也许是对精英诗歌的一种反抗。这是当代诗歌的一种分化，是历史的偶然还是必然，到现在我们也说不清楚，因为这是全世界的事情。全世界的诗歌都有这种分化：一方面通俗歌曲的听众无限多，崇拜歌星成风，甚至一见到偶像就晕倒在地的“追星族”比比皆是；另一方面，严肃的精英文化，后新潮的诗，读者非常少。我们还需要思考走向精英的文化，这种非常晦涩的诗学，是不是唯一的道路。对此，大家可以讨论。但精英诗歌所取得的成就是不可忽视的。有时，大众的阅读和艺术的创造是不平衡的。如从智性深度和艺术语言的突破来说，洛夫在诗歌艺术上的成就高于余光中，但他的读者群、他的知名度远远落在余光中后面。有时候，两位诗人同时出现在公众场合，余光中面前人头攒动，而洛夫面前的人就比较稀少。据舒婷说，洛夫颇为失落。其实大可不必，把余光中弄到张学友、刘德华等歌星那里去，也会有这样的反差。

海子《麦地》：月亮下面的劳动颂歌

吃麦子长大的
在月亮下端着大碗
碗内的月亮
和麦子
一直没有声响

和你俩不一样
在歌颂麦地时
我要歌颂月亮

月亮下
连夜种麦的父亲
身上像流动金子

月亮下
有十二只鸟
飞过麦田
有的衔起一颗麦粒
有的则迎风起舞，矢口否认

看麦子时我睡在地里
月亮照我如照一口井
家乡的风
家乡的云
收聚翅膀
睡在我的双肩

麦浪
天堂的桌子
摆在田野上
一块麦地

收割季节
麦浪和月光
洗着快镰刀

月亮知道我
有时比泥土还要累
而羞涩的情人
眼前晃动着
麦秸

我们是麦地的心上人
收麦这天我和仇人
握手言和
我们一起干完活
合上眼睛，命中注定的一切
此刻我们心满意足地接受

妻子们兴奋地
不停用白围裙

擦手

这时正当月光普照大地
我们各自领着
尼罗河，巴比伦或黄河
的孩子　在河流两岸
在群蜂飞舞的岛屿或平原
洗了手
准备吃饭

就让我这样把你们包括进来吧
让我这样说
月亮并不忧伤
月亮下
一共有两个人
穷人和富人
纽约和耶路撒冷
还有我
我们三个人
一同梦到了城市外面的麦地
白杨树围住的
健康的麦地
健康的麦子
养我性命的麦子！

海子的诗是最前卫的，又是最具传统价值的，是朦胧诗以后最高成就的代表。一般印象中，他最有名的作品是《面朝大海，春暖花开》，但是，从艺术的独创来说，“大海”“春暖花开”这样的话语，并不是他的独创。他完全独创的意象，最有深度的是“麦地”和“月亮”系列。不但有独特的观念，而且有独创的意象系统，正是一个大诗人的标志。海子的话语，或者意象，不但独特，而且很单纯又很丰厚。其中有浪漫主义性质的，也有现代主义的，甚至后现代的成分。一般来说，不管浪漫派还是象征派的作品，意象的内涵，或象征意义，是比较固定的，比如港口、海洋、火焰、原野、小路、雨巷等。而海子诗中的意象是比较个人化的，自己发明的，有他自由的规定性，内涵不太确定。阅读这样的作品，要有思想准备，那就是迎接难度。

首先，要把它读懂。“吃麦子长大的”，可能写的是北方，提供一个农村出身的背景，强调麦子是生存的根本物质保证。“在月亮下端着大碗”，月亮，和麦地连在一起，给读者的感觉是原野的空旷、明静、优美，虽然粗犷，但有月光，显得柔和、优美了。农民，尤其是陕北老农，常常端着碗到处串门。“碗内的月亮”，可能是说比较穷困，喝的是稀的，月亮才会照在碗里。这种联想，渗透着空灵。不管是植物还是人的生命，在传统的诗歌中，是和什么联系得比较多呢？应该是和太阳。太阳蕴含着辉煌的、给万物以生命的联想。可是，海子却逃避了太阳的意象，而把月亮的意象和活命的粮食并列在一起，特别提醒读者，月亮和麦子一样，是没有多少声音的、一声不吭的（一直没有声响）。意思是麦子对生命有多么重要，月亮就有多么重要，但没有被重视。而麦子和月亮，也没有张扬。这一点很重要，一般说歌颂的对象，都要有些夸张和形容，而这里没有。诗人也没有用夸张的语言。正是因为这样，所以才说，和“你俩不一样”。“你俩”指的是谁呢？应该是月亮和麦子，因为前边就提到月亮和麦子。他们一声不响，没有自我表扬，但“我”要歌颂他们。怎么歌颂呢？麦地是粗犷的，而月亮的美，是精神的、柔和的。二者的统一，构成了海子这首诗的风格。以柔和的情调，而不是慷慨激昂的声调，来歌颂和平的、宁静的、平凡的劳动，而不是沸腾的斗争。

父亲“身上流动着金子”，本来，在太阳底下流汗，才显得艰辛。太阳照耀着的汗珠，才像金子。但这里却说，月光下面的汗珠像金子。这里可以有三种解释。第一，月光下的劳动，是“连夜播种”，比之阳光下的辛劳是更加辛劳的。第二，更加辛劳的，却很少得到诗歌里的赞美，所以“我”要歌颂。第三，这是一种劳动之美，生命的美，却不一定有阳光下的辉煌。劳动的美，辉煌的美，已经有了现成的经典，优雅、温和、平凡的劳动之美，则是海子追求的新的境界。

“十二只鸟 / 飞过麦田”，十二，与月联系在一起，好像毫无联想依据，可是，十二与月有联系，就是每年有十二个月。说十二只鸟，就是十二个月都在地里，这样成年累月在麦田操劳。“衔起一颗麦粒”，意思是收成，也许并不十分丰硕罢，下面是“矢口否认”，否认什么？可能否认的是麦子。“迎风飞舞”，好像是很轻松的样子，不在乎月亮下面的麦地里的艰辛。

“月亮照我如照一口井”，井者，有水而深也。这是心灵对麦子的感情，深不可测。风、云、翅膀，睡在我的双肩，和月亮联系在一起，显然是抒写“我”对麦地的感觉：宁静、明净、自然、自在、自由。

“麦浪——/ 天堂的桌子”，是很浪漫的语言，是麦地养育了人。饭桌，在上面吃饭，意思庄稼养育着生命。有麦子的地方，就是人间的天堂了。最平凡的，也是最伟大的。月光“洗着快镰刀”，月亮洗着刀，把月光暗喻为水，这是对收割的歌颂，同时营造一种婉约的情调。

这首诗，以月亮为纲，所展开的意象系列，在性状上，在情趣上，都带着一种柔和的情调。月亮、十二只鸟、家乡的风、收拢的翅膀、安睡、月光如水，性质上都是美好、平凡的，在程度上，是不强烈的，优雅的。二者结合体现了海子的抒情格调。“月亮知道我，有时比泥土还要累”。只有月亮知道，只有大自然知道，一般人不知道。就是情人也只能看到麦秸晃。就是谈恋爱，收获感情，也是在秋收（麦秸）的季节。

“我们是麦地的心上人”，这里不说“我爱”麦地，而说麦地爱“我”。不是一般的爱，而是恋爱，心上人，情人。“命中注定的一切”是指死亡，只要有麦子收获就是死亡也心满意足了。[①] 收获带来了欢乐，日常的、家族的兴奋，是抽象的，有了妻子的“白围裙”（新的，是洗干净的），节日的氛围就出来了。海子善于以平常的语言显示强烈的感情。

他思想的特点，他艺术的特点，只有通过语言、意象才能真正触摸到。

他的语言的简朴、单纯，表现了他情感的单纯，心灵的天真，许多现代诗人的痛苦、悲壮感和他是绝缘的。他很热情，挺浪漫，天真地赞美大地上朴素的生活，这种生活，集中在劳动、感恩上面。在红色文学衰微以后，劳动的主题早已销声匿迹，海子居然对劳动放声歌唱。但是，红色文学的劳动是一种社会功利价值的劳动，是对革命和社会改造的奉献，而海子的劳动，是自由的，他的内心发出对于简朴的物质生活的感恩。诗人在本诗的最后说，梦到“城市外的麦地……健康的麦地，健康的麦子”，什么是健康的？就是非城市的，与麦地相亲的。这一点和许多后朦胧诗人很不一样，他不是冷峻的，更不是充满了欲望的，只是把热情纯朴化的。他对单纯、简朴的生活的向往，就是对单纯的精神生活的向往。也许在一些理论家看来，逃离城市，歌颂农业劳动，这不是反现代性了，在他们看来，只有北岛、韩东的冷峻才是现代性的精神坐标。但是，海子的出现恰恰是对现代性、对现代城市生活对人性、人情过分压抑的反抗。

海子的诗之所以如此风靡一时，不仅由于他的思想，而且由于他的语言，以这首为例，以“月亮”“麦地”为代表，是最概括的。一方面，没有地点，没有具体时间限定，好像在天空与大地之间，一片空灵，其他什么东西也没有，只有月亮麦地，联想的弹性空间是很大的，形象单纯而又高度概括。另一方面，这组意象，丰富得超越了单调和贫乏，因为它具有母题的性质，具有不断派生为系列的功能，“月亮和麦子一直没有声响”，月光下劳动，“身上流动着金子”，“月亮照我如照一口井”，“月亮知道我/有时比泥土还要累”，“麦浪——/天堂的桌子”，“我们是麦地的心上人”，特别是“收麦这天我和仇

① 海子在《死亡之诗》中说，他的骨头埋在麦地中，“如一束芦花”。

人 / 握手言和”。正是在这种派生中，不但月亮和麦地的意象丰富了，而且其内涵也向形而上方面升华了：人与人之间的仇恨，在麦子的收获中才能得到消解。这是天真的理想，又是纯洁的抒情。

这时正当月光普照大地
我们各自领着
尼罗河，巴比伦或黄河
的孩子　在河流两岸
在群蜂飞舞的岛屿或平原
洗了手
准备吃饭

在这节诗中，海子把视野拓展到全人类，麦子、粮食、农业劳动，不只是对于我们，对于中国，而且对于全世界都一样。尼罗河、巴比伦河、黄河的孩子在一起吃饭，用今天的话来讲，世界各民族之间实现和谐。农业劳动给各民族带来了幸福和安宁。在这里，本来是极其普通的词语“月光”，充其量是中国北方的月亮，升上了世界的高空，带上了形而上学的内涵。这就是超越了国界的和平和友好，享受生命：

月亮下
一共有两个人
穷人和富人
纽约和耶路撒冷
还有我
我们三个人
一同梦到了城市外面的麦地

“穷人和富人”指的是超越了阶级，“纽约和耶路撒冷”说的是超越了物质（纽约）和宗教（耶路撒冷）的。从这里，我们可以看到，这个高度概括的意象，转化为高度概括的理念。但是，这个意象和理念，又是和最为具体、最为经验化的感性生活细节（围裙、洗手、吃饭）交融的。

正是这种内在丰富和自由升华和降落，海子不用追求繁复的修辞，仅凭名词和动词，以及通用的形容词，就能把最形而上的理想和最形而下的生活经验水乳交融结合起来。他可以赋予麦地以天鹅的性质，“五月的麦地上　天鹅的村庄 / 沉默孤独的村庄 / 一个在前一个在后 / 这就是普希金和我　诞生的地方”，又可以“站在痛苦质问的中心”，被麦地灼伤。意象的统一性与意味的丰富性结合得如此有机，其中蕴含着海子奇妙的情智交融的深邃逻辑。

附录

恢复“良好的自我感觉”①

我从20世纪70年代以来的新诗评论绝大部分都在这里了。翻阅之余，一则以喜悦，一则以忧惧。喜的是，毕竟生活证明了，当年本着诗的信仰，为朦胧诗率真地抗争，义无反顾地坚守，已经为历史所肯定；如今看来，其精神价值不仅限于诗论，同时也不失为冲击思想牢笼的一支报春的响箭，这种超越了纯诗范畴的价值，也许是历史最大的褒奖。但是，这不但不能使我沉迷，相反，一种不可抑制的忧惧油然而生。

少年时代就立志以诗为生命，青年时代更升华为以生命为诗。在“文革”中，被困于绝望之中，除了读诗能给我一点生命的精彩以外，我作为一个活人的一切感觉都麻木了。那时，我是世界上最贫穷的人，贫困得只剩下诗了；同时，我是世界上最富有的人，只要一打开诗，就感到比任何凌辱我的“左派”在精神上要富有。1971年，有整整七个月的时间，我失去了自由，包括没有阅读的自由，我唯一的精神天国，就是打扫厕所时偷偷得来的一本《西厢记》。我舍不得一下子读完，秘密地用发给我写交代的白纸，以仿宋体手抄，来从容滋润、激活我濒危的生命的感觉。灾难有多深重，对于诗情的渴望就有多深。对于诗歌艺术的绝对的忠诚，正是在灾难中养育起来的。也许就是凭着这一点，时机一到，我就义无反顾，悍然为朦胧诗摇旗呐喊，冲锋陷阵。当时那股傻气、那股疯劲、那种自信，真有一种不虚此生的甜蜜。但是，回望近三十年的生命，仅有为朦胧诗辩护这么一点生动的亮色。从那以后，也就是“后新潮”诗出现，在新诗进入新的探索时期以后，我就感到困惑。我对诗的忠诚，对诗的理解，不能达到高度的一致。坚持我对诗歌艺术的信仰，就不能完全认同新一代的弄潮儿；要从我所信奉的艺术观念为“后新潮”诗做出阐释，就不能不自我否定。虽然谢冕兄反复说我“永远自我感觉良好”，但是，从20世纪90年代初开始，

① 本文为《新的美学原则在崛起》（语文出版社2009年版）一书自序，收入本书略有修订，题目为编者所加。

我第一次感到自信的缺乏。甚至对已经发出的批评，虽然出于信仰，却缺乏论辩的激情。

对于一个从青年时代，就以身许诗的人来说，是不是有点郁闷？

读者不难发现，从20世纪90年代中期以后，我面对新诗争论基本上沉默了。这不但因为我信奉历史的实践具有证明和证伪功能，而且还因为我怀疑从西方引进的某些理论。我年轻的朋友正是在这些理念指导下，进行灵魂和语言的探险的。在很长一段时间里，我不能确定这些理念是把诗歌艺术推向绝境，还是拥向胜境。我选择了在沉静中观察。忠于自己的观察和深思，不能不感到，那些号称最为前卫的理论，并不一定是放之四海而皆准的。甚至当它们从欧洲出口到美国的时候，美国人也并不是没有怀疑的。我的朋友刘亚猛教授在一篇文章中说起，被我国理论界奉为圭臬的美国理论家J.希利斯·米勒“对1960年以来美国思想界从欧洲大陆的大规模理论引进进行了反思，得出了一系列发人深省的结论”：

> 理论并不如一般人想象的那么“超脱大度”（“impersonal and universal”），而是跟它萌发生长的那个语境所具有的“独特时、地、文化和语言”盘根错节、难解难分。又如，在将理论从其“原址”迁移到一个陌生语境时，人们不管费多大的劲总还是无法将它从固有的“语言和文化根基”完全剥离。“那些试图吸收外异理论，使之在本土发挥新功用的人引进的其实可能是一匹特洛伊木马，或者是一种计算机病毒，反过来控制了机内原有的程序，使之服务于某些异己利益，产生破坏性效果”。①

从他那里，我长期的困惑得到理论上某种程度的阐明。我们引进的那些西方理论，我们模仿的那些西方的诗风，是不是可能“是一匹特洛伊木马，或者是一种计算机病毒”呢？是不是“反过来控制了机内原有的程序”，对我视为生命的诗艺“产生破坏性效果”呢？乔纳森卡勒说过，作为理论，其本身的准则就是反思。

回顾自以为奉献给诗的生命历程，忧惧之情油然而生。整整七十多年的岁月，对诗真正有把握，不过是20世纪80年代那不到十年的时间，在20世纪70年代以前，我为正统诗坛的“假大空”的权威所窒息，在20世纪90年代以后，我又为新诗的眼花缭乱所迷惑。

人，甚至像我这样一个并不太愚蠢的人，实在是很渺小的。

虽然渺小，但聊可自慰的是，毕竟这是一个追求诗歌艺术的人心灵探险的记录，一个颇有时代特点的个案，其中许多观念和细节，也许还有历史文献的价值。

正是因为这样，在20世纪末、21世纪初，我的研究转向了新诗历史、诗学审美和新诗经典文本的解读，在这个领域中，我欣慰地感到，我又恢复了谢冕所说的“良好的自我感觉”。

2009年5月3日

① 刘亚猛：《理论引进的修辞视角》，《外国语言文学》2007年第2期。

语言自觉与现代汉诗的发展座谈记录[①]

按：今年9月份，《扬子江诗刊》要做一系列纪念新诗百年的诗歌对话，也希望借此机会提出并梳理一些百年以来新诗发展的状况与问题。活动要求每位参与的学者选择自己关心的话题，组织对话，首先会在《扬子江诗刊》发表，次年将以书籍的形式出版。我最终选择了新诗的语言问题作为讨论的对象。

时间：2015年10月25日上午8：30—11：30

地点：安徽黄山黟县奇墅仙境中坤国际大酒店会议室

主持人：王光明

人员：孙绍振、王光明、赖彧煌、伍明春、景立鹏

录音整理：景立鹏

王光明：我认为讨论20世纪以来百年中国新诗的变革有很多的层面和角度，但最绕不开的问题一定是语言问题。所谓"新诗革命"，也是从语言上展开的。《新青年》最初发表的不讲押韵，不讲格律的诗，本身就强调语言上与过去的不同。到了总结十年文学革命成就，编选《中国新文学大系》时，朱自清在编选诗集时说，十年来新诗作者所有的努力与探索都在围绕着"学习新语言，寻找新世界"展开。现在一百年过去了，这对张枣等诗人的诗歌创作仍有重要影响。他在之前一篇重要文章中谈到，回顾朦胧诗以来所有的诗歌实验，它的题目仍然是"朝向语言风景的旅行"。所以，在《扬子江诗刊》讨论回望新诗百年的选题时，我提出话题必须讨论"诗歌与语言"问题，大家都非常认同。这是一个很多人

① 本文发表于《扬子江诗刊》2016年4月。

都在关注，但是又始终都没有说清楚的话题。所以这个话题就由我们来讨论。此次讨论，我们有幸请到了新诗研究领域的权威学者孙绍振先生，相信会给我们的讨论增添很多光彩。首先请孙老师来谈一谈。

孙绍振：最初，我很关注新诗问题，20世纪90年代以后转向小说。因为我觉得与新诗走得太近容易看不清。新诗问题的确是重要的语言问题，这个问题很大，很不好讲，我想通过一个个案来说明。“五四”新诗产生以前，拜伦长诗《唐璜》中的一个片段，是很经典的，原文是：

The Isles of Greece, the Isles of Greece!

Where burning Sappho loved and sung,

Where grew the arts of war and peace,

Where Delos rose and Phoebus sprung!

Eternal summer gilds them yet,

But all, except their sun, is set.

最初是马君武用古风体翻译的，叫作《哀希腊歌》：“希腊岛，希腊岛，诗人沙孚安在哉？爱国之诗传最早。战争平和万千术，其术皆自希腊出……”后来苏曼殊纯用五言翻译：“巍巍西腊都，生长萨福好。情文何斐亹，荼辐思灵保。征伐和亲策，陵夷不自葆……”这样的译文，简直可以说是非驴非马。胡适不满意这样的幼稚的翻译，以骚体译之，开头是第一节是这样的：

嗟汝希腊之群岛兮，

实文教武术之所肇始。

诗媛沙浮尝咏歌于斯兮，

亦羲和素娥之故里。

今惟长夏之骄阳兮，

纷灿烂其如初。

我徘徊以忧伤兮，

哀旧烈之无余！

胡适这样的翻译与原文，简直把拜伦的形象变成了屈原，不但在思想上，而且在艺术上可谓差之毫厘，谬之千里。当时还没有新诗，也没有诗歌的语言，翻译诗歌是一种灵魂的冒险。弗洛斯特说，诗就是在翻译中失去的。这句话特别适用中国古典诗歌与新诗交替时期。要么就不翻译，要翻译，就不能不削足适履，把人家的诗艺扭曲。过了六十的我在《新诗的民族传统和外来影响问题》中翻译成这个样子：

希腊的群岛啊，希腊的群岛！

在这里，火一样热情的莎孚曾经恋爱和歌唱，

在这里，战争与和平的艺术曾经生长，

在这里，浮起月亮的故乡，跃出太阳的神像，

在这里，一切都还镀着永恒的夏日的华光，

但是除了那太阳，一切都已沦丧。

我想，我这样的翻译，应该是比较接近拜伦的原意的。诗的翻译不能像弗洛斯特那样悲观，因为歌德说过和他意思相反的话："诗就是翻译以后留下来的东西"。我在学问上，比之前面三位大师可以用不可望其项背来概括，但是，我的翻译，之所以不太离谱，是因为20世纪80年代，新诗已经成立了，而且建构了一套自身的语言体系。尽管当时朦胧诗才出现，新诗的语言体系还不是很完美，但是，至少它已经拥有表现现代经验的白话诗歌语言。

为诗歌寻找新语言的确是非常困难的，语言是我们思维的桥梁，也是一个牢笼，它对诗歌语言具有强大的统治力量，强大到好像离开了它就没有诗。到"五四"前夕，古典诗歌的传统语言不管有多么辉煌的成就，但是，到了20世纪，它的稳定性使得它脱离了现实的环境和人。胡适在美国就嘲笑过他的朋友梅光迪等人，明明坐在美国大学的现代化的灯光明亮的楼房里，却用古典语言，如"荧荧一灯如豆""鸳鸯瓦"之类的话语来表现。以为不用这些话，就没有诗意。明明是现代经验，却被古典的语言思维与表达模式窒息着。这个问题解决起来很艰巨。最初胡适提倡白话新诗，但是他的很多诗作是旧诗的格调。胡适师承了黄遵宪说"我手写我口"，但是这样就行了吗？手里写出的东西还不是心里想的和嘴里要说的话。意识里有一种强大的、自动化、现成的话语，只要一开口他就滔滔不绝地出来了，来不及为一个新事物命名，就被旧思维淹没了。这就涉及理论问题：不是内容决定形式，而是形式消灭内容。具体到这里就是真实情致被旧语言消灭。现在很多前卫诗人用白话写诗已经不成问题了，但是，前卫的诗歌语言，用得久了，也成了一个套子。许多诗人，包括一些先锋诗人，陷入在打破逻辑和语法的追求中，风格有一种趋同的倾向。许多诗，不看作者的名字，和外国翻译诗差不多。我曾经喜欢欧阳江河的一些诗如《一夜肖邦》，但是，最近他送给我两本诗，我说句老实话，多多少少有点翻译诗的感觉。看来，在新诗已经走向成就的过程中，我们还要寻找新的不同于西方的诗歌语言。这个过程永远没有终点。

王光明："五四"文学革命从语言入手就是让语言陌生化了，对语言的习惯反应被陌生化了。一旦陌生化，一些口语和西方语法中的双音词、多音词也就可以被接纳了。语言的

变更其实打开了一个世界，新的事物的出现成为一种可能。

孙绍振：关于陌生化的观念，我持批判的立场，它是片面的。陌生化作为一个学术的基本范畴，应该是与其对立面有内在联系的，如俄国别林斯基所说的“熟悉的陌生人”，应该是与潜在意识“熟悉”相联系的陌生化，而不能是四分五裂的无限度的陌生化。熟悉的陌生化和绝对的陌生化是有区别的。新诗语言第一步是陌生化，接下来就是提炼和淘汰，与熟悉化相联系。早期郭沫若的浪漫主义就是代表。比如《凤凰涅槃》，“涅槃”是佛教的，“凤凰”是汉语的，其蕴含的哲学泛神论是欧洲（荷兰）的，而不死鸟 phoenix，是非洲埃及的。他把这些综合起来就创造了一种陌生化，又潜藏着熟悉化。这本来是他的个人化的语言，后来成为全民语言。但是，后来郭沫若没有继续这个原则。在建构新诗的语言过程中，一是寻找新的陌生化的语言，一是摆不脱熟悉化，仍回到旧的，民歌体的，如《卖布谣》。胡适以为他的《两只蝴蝶》很有诗意、很新，也就是很陌生化了，但是实际上缺乏诗意，并不艺术。胡适有个底线，他改革的指导思想是意象派，他把意象派的信条抄录在日记里面。意象派是反对浪漫主义，反对抒情的。胡适的意象派实验没有成功，但是，从诗歌语言的探索来说，他为封闭的古典诗歌语言体系，打开了一个门缝。

王光明：其实他只是借助《意象派宣言》那样一个格式，并不真懂意象派。

孙绍振：意象派本身用普通语言来写。庞德的《地铁车站》只有两行，本身也是普通的语言，尽管其中 apparition 一词是相当文雅的。理论有时是不全面的，必须根据文本去检验它。如果是正确的，就发展它，反之，就证伪它。胡适的新诗具有历史的价值而不是艺术的价值。所有的作家都不可能一下子完成历史的转变。

赖彧煌：确实，单纯从俄国形式主义或者新批评角度来看陌生化，的确需要批判，但是他们实际上跟过去保持着一种差异性的关系。也许也很不成功，但是在这里是不是可以提出一个问题：古典诗歌和现代诗歌这两种文学形式在美学上存在差异性的取向，是否可以进一步挖掘陌生化的问题?

孙绍振：刚才我说到陌生化不能绝对化，我在《文学性讲演录》中也提到“有理陌生化”和“无理陌生化”。后来我谈到熟悉的陌生化还举到一个例子，比如“二月春风似剪刀”，把春风比作剪刀是陌生化，但是它又是“熟悉的”，因为前面说“不知细叶谁裁出”。“裁剪”在中国文化中是一种熟悉的经验。

王光明：就像你在《新的美学原则在崛起》中谈到的一样，崛起还是要和中国文学传统建立起关联，能够分享传统的光辉。

孙绍振：二月春风似剪刀是陌生化，似菜刀也是陌生化，为什么前者是成功的陌生化？就是因为在汉语中，“裁剪”是一个词，高度熟悉化的，而在英语中是两个词。

王光明：你刚才这个例子很好，我引申一下。“裁剪”一词和“文”有关，和图案有关，和画和美有关，由此可以建立起一系列语言学上的细微的、自然的联系。

孙绍振：所以《文心雕龙》里有《熔裁》篇嘛。这是一种潜意识的联想，它的语言精致性背离了民族文化心理积淀，哪怕差一点点，读起来就不舒服。所以说如何把陌生化变成一种熟悉的陌生化是一个艰难的过程。陌生化是俄国克洛夫斯基提出来的，到了他晚年，也就是20世纪80年代，他承认极端的陌生化，导致光怪陆离的东西，他宣布放弃了。

伍明春：新诗从一开始就用白话，但是由于准备不足，还来不及从艺术层面来很好地表达思想感情。

孙绍振：后来郭沫若取代了康白情、俞平伯，包括鲁迅的打边鼓的新诗创作。都说康白情的《三弦》多么好，我看不出多好，当然在当时也是开风气之先的。可见寻找一种新语言，是要不怕幼稚的。就像成年人，看自己当年穿开裆裤，露出小鸡鸡，也是很可爱的。找一条新路非常难，大师都没有搞成，胡适没搞成、鲁迅也没搞成。鲁迅写的新诗基本上是杂文，风格上有打油性质。

王光明：寻找一种新的言说机制是很困难的，就像一个孩子要学会说话一样，掌握新的语法、词汇。

孙绍振：难度在于不仅要用白话写作，还要是一种诗的白话，而不是散文的白话。这里还有形式问题，难度太大了。

王光明：我们研究学习一种新的语言，还可以更深入一些，把它放在白话文运动中来看。新的语言不是新的文字，我们寻找一种新的语言是要把原来说话和写作的分裂状态建立起一种关联。简单说就是，过去写作和说话是互不搭界的，现在让他们结婚。这是一种婚姻关系的语言。在古代，说话和写作是分裂的，官方有一套言语，日常生活有一套言语。语言不统一，国家就不统一；国家不统一，诸侯各自为政就办不成大事，不能成立统一的宗法帝国。近代以来，国家要统一，语言就要统一。我们的白话诗就变成白话文运动的一部分。

孙绍振：一个民族有它的共同语言，从而构成一个民族的文化心理。不同语言，心理状态是不一样的，联想也是不一样的。以月亮这个意象来说，在中国，到唐朝，月亮成为家庭团圆的象征。这就是共同心理的表现。在西方和阿拉伯国家，对月亮的想象是新月，它代表着丰收、吉祥。可见，语言的分裂，造成心理状态的分裂。

景立鹏：但是也有这样一种现象。以前在法国，如果你用英语问路，法国人会表现得比较冷漠。他们有很强的民族意识，会觉得“我是法国人，为什么要用英语给你指路”。但是在全球化的背景下，由于英语成为一种流行的通用语，法国年青一代似乎不太介意，会很愉快地用英语为你指路。由此可见，有时经济力量对于语言的影响也是不可忽视的。

孙绍振：过去，法语、英语、德语同为国际性语言，“一战”后，德国战败，开始流行英语，法国人非常不满。“二战”中，法国曾经亡国，但是，法国人的文化自豪感很强，认为美国人没有文化。有一个法国人，到福州工作，觉得福州很美，但是，他对翻译用英语讲，翻译问他为什么突然用英语，他说我从来不用法语赞美另一个国家。当然这是少数，我曾经在巴黎地铁，搞错了方向，只好用英语问路，一个法国大学生指引我，结果她也搞错了，我们一起出了地铁站……后来她把我委托给另一个大学生。

景立鹏：经济对语言的推动也许也是一个重要的力量。比如就普通话的推广来说，在北方，普通话推广起来比较顺利，但是在边远少数民族地区就会有很大困难。因为他们处在一个较为封闭的地理文化空间里，本民族的方言足以应付日常的交流。但是随着经济发展，与外界的联系日益密切，当地要获得更大的经济发展，必须掌握普通话这种共同语才能顺利展开。

孙绍振：这很简单，比如壮族，直到20世纪50年代，他们还没有自己的文字，政府为他们发明了拼音文字。在早期的人民币上，还有壮语，我在一张两角钱的票子上，琢磨出来，壮语的拼音是shuangga(双角)。但是，壮语缺乏历史文献和传媒，壮族青年学了实用性也有限，所以至今不太普及。

王光明：景立鹏讲到了一个方面，就是工业化的背景。但是不能完全按照现在的语境理解当初的语境。当初的语境是我们作为一个农业国家，迫切地需要工业化。还有另外一个层面，就是现代国家。工业化需要现代国家的推动，而白话成为推动现代化的基础。所以在当时不完全是经济决定一切。

孙绍振：国民党光复台湾的时候，派文教官员、校长等人去学校演讲，但是当地人只会讲闽南语和日语，底下的人就用闽南话嘲笑国民党派来的领导。后来发动推广普通话运动，要当公务员、教师，不懂普通话，休想！如果不强势推广，他们就变成日本人了，所以现在台湾的普通话很普及。

王光明：白话文运动在当时而言，不管是在工业化的背景下还是现代国家的推动下已然成为事实了，这一点很重要。一旦白话成立，日常口语介入，或者也能接纳一些西方的语法，那么语言就变了，过去的单字单音的字思维，变成了多字多音的思维。语言代表一种思维方式，所以古代汉语那种七律七绝的写作方式无论如何都行不通了。平仄必须取消，押韵也得再商量。

孙绍振：即使写下去也就可能假了，就会产生鲁迅所说的“瞒和骗”的问题。但是，这个问题有点复杂，至今不接受新诗的人，还不在少数。旧诗的生命力就在于旧诗形式，至今仍有很多人写旧诗，他们不看新诗，就像毛主席说过，“给我两百大洋都不看”。《中华诗词》这个刊物，发行量还有几万份。还产生了一种“老干体”。这说明，我们的新诗还没有完全战胜古诗。但是，他们的旧诗的圈子也很有限，不像新诗这样流派风格日新月异，他们对诗歌艺术语言，没有发展。因而，在我看来，除个别大家偶有杰作以外，绝大多数是垃圾。古典诗歌协会的一个副会长也不得不承认，不少这样的作品，虽然中规中矩，然而只是“格律溜”而已。

王光明：开始我们的新诗是求“言”的，后来就是求“诗”了。赖彧煌的博士论文探讨的就是新诗怎样寻找一种新的言说机制问题。赖彧煌你来讲一讲。

赖彧煌：无论从语言的统一和功能角度，还是进一步引申到国家想象的进程，其实隐含着一种分野：诗歌语言是一种超出工具性的存在的语言。这可以从两个维度考虑：一个是现代经验。这个经验和过去不一样了，是一种差异性经验，我们如何呈现。另一个是语言的问题。我们日常使用的工具性的语言，放到诗歌中时，是需要被塑造的，需要去探求、纯洁化的。存在一个寻求新的言说可能，是求秩序还是求活力的问题。

孙绍振：当时是先打破再说，那时叫作打破镣铐。但是，奇怪的是，那些打破镣铐的勇士，不久以后，又要制造镣铐，而且还有借用外国的镣铐的，如冯至写十四行诗。外国现成的东西，不陌生的东西，弄到中国来，也有神秘的生命力。

王光明：这是孙老师比较擅长的。不能太陌生了，也必须要熟悉，要在熟悉与陌生之间建立一种张力关系。诗歌是有一些基本问题的，并不是说新诗就是新的，说到底不管新诗还是旧诗，汉诗还是外国诗，都是诗，他们有一种共通的东西。所以白话诗和古典诗歌不是一种完全断裂的关系。

孙绍振：读一下《诗经》里的诗和朦胧诗以后的诗作，不管花样多么翻新，互相如何颠覆，但还是有一些共同的东西。完全的颠覆就不是诗了。所以问题就到了第二个层面，寻找新的语言，新的想象方式、感觉方式。这就涉及诗歌语言，不能抽象地研究，要把它和文学形式联系起来。不同的文学形式，语言的艺术法门是不尽相同的。小说是一种想象方式，戏剧也是一种想象方式，我们需要找新的诗的想象方式，其实是非常艰难的。所以寻找新语言包括两个方面，首先它要是诗的，其次又要不可成为公式的、僵化的，要追求不同的流派、不同的风格。艺术的生命就是革新，革新就是冒险，就要准备付出代价。诗歌形式的探索烂熟了以后才会产生新的变化，比如欧美浪漫主义诗歌，到惠特曼的时候就浪漫得无以复加了。许多跟着他跑的人，就免不了要牺牲，包括郭沫若后期，最后他就只好去写旧诗了。这才有了现代派，开拓了一个新的语言境界，这是要付出代价的，后现代的探索，就更有很大的牺牲。新诗语言建设难在哪里呢？旧诗有一个深厚的传统的文化的积淀，而新诗没有，到现在也不过一百年。唐诗伟大，从沈约搞平平仄仄，搞了四百年，才出现了王维、李白、杜甫那样的天才，是几代人的才智的积累，才有诗歌艺术的高峰。

赖彧煌：孙老师，你刚才说诗要有诗的语言，而诗的语言恰恰是积累的。寻找新语言和寻找新世界是同时的。

景立鹏：这一点很关键，诗歌语言、形式与经验的诗性关系，是一种无限趋近而很难达到理想状态的关系。

孙绍振：这样做不到的时候就用旧的嘛。

王光明：我有一种感觉，如果按伍明春的话来说，新诗合法性取得以后，一直存在一个很重要的问题。就是从诗出发，与中外伟大的诗歌传统之间和解与创新的张力。一方面，新诗必须是诗，必须在诗的角度和传统和解；另一方面，新诗的言说机制还没有找到，因此又要不断寻找，不断创新。这个时候就开始思考形式问题、技巧问题。比如新月派向英国浪漫主义诗歌寻找形式上的启发，希望能够和新的语言建立起关联。从李金发开始的现代诗，从象征派等法国诗歌注重感觉想象的技巧上寻找灵感。这些技巧的更新和语言的使用带来了很多新的东西。新月派和李金发的探索都带来了新气象，但是要把它变成一种固定的言说机制却是不太可能。但它给了我们一种启示，就是新诗语言言说的各种可能性。而且还有一些成功的文本，比如《死水》《再别康桥》。但是不是要成为一种模式呢？大家是不认同的。

孙绍振：吴思敬在这次会上也谈到，要再搞一个模式出来，是绝对不可能的。但是为什么冯至就去写十四行诗，何其芳又提出现代格律诗，林庚就去实验半逗律的诗行呢？

王光明：因为固定的言说机制寻找上的不可能，可能导致另一个极端。同时，我们还可以谈一下冯文炳的新诗语言观问题。他认为，旧诗内容是散文的，形式是诗的；新诗形式是散文的，内容却要是诗的。这种观点其实也不能成立，太机械化了。

孙绍振：这里还有一个问题，我们寻找新的世界，不是仅仅是诗就满足了，我们还要写出好诗。比如郭沫若的《凤凰涅槃》一出，大家承认它是诗了，马上就有一个问题，可以探索另外一种写法。比如戴望舒就与郭沫若不同，他早期追求用象征派的客观对应物与晚唐诗歌的联系，创作出《雨巷》那样的佳作。后来写《我的记忆》的时候，他就不要那种古典写法了，开始了那种零零碎碎、稀稀拉拉的写法，什么啤酒瓶啊、纸烟啊，这些意象在古典诗歌中是绝对没有的。而在郭沫若和闻一多的诗歌中，意象有时仍和古典诗歌有关系，又受到西方诗歌强烈感情的冲击，想象开放了。“太阳”本来是日为君象的，现在变成光明的、民主的象征。但是这样就满足了吗？还有一个创新的问题。这种创造力和表现力包括两个方面，一个是流派，一个是风格。同样的流派，我们可以说徐志摩是浪漫派，闻一多也是浪漫派，郭沫若也是浪漫派。闻一多和郭沫若感情比较强烈，而徐志摩在写《再别康桥》时感情却非常潇洒，更加追求内心的微妙，和国计民生没有关系。革命诗人一般不会有这种表达方式，会认为这首诗中没有内容。所以，每个流派、每个诗人、每首诗都不但是对他们内心世界，而且是对新语言的探索。

王光明：刚才孙老师讲的是风格问题。把风格分成心灵的、社会的和世界的。但是，这里还可以从另一个角度来说，就是“五四”以来的诗从个人到社会的言说体系的转换。现代汉诗与古典诗歌相比，它是一个系统的变化，按照赖彧煌的说法叫系统性的差异化。如果说古典诗歌是基于中国诗歌伟大的抒情传统的情志的表现，那么到新诗中，它开始向社会倾斜。这一点我们不得不承认。我们的新诗如果从语言体系的风格来讲，它是从《人力车夫》开始的。社会上很多现代意象开始进入诗歌体系。个人意象比如梅竹菊等开始发生转变，社会关怀性的意象大量产生。

孙绍振：还有“大海”的意象也发生了较大转变。

王光明：又比如“红”这个意象，已经变成了时代的象征。郭沫若的诗歌意象也都变成了社会化的意象，而非个人化的意象。在这种情况下才会产生矛盾的感觉，比如茅盾指责徐志摩的诗没有内容。徐志摩的诗怎么会没有内容，只不过是一种心灵化的内容，微妙的探析罢了。如果放在古典诗歌传统中是很正常的，但是在茅盾看来却是没有内容的。这就是从社会角度而言造成的诗歌美学上的分歧。

孙绍振：分歧大了反而更好。戴望舒写的《雨巷》受到叶圣陶等人的高度评价，说是开拓了新诗节奏的新纪元。但是他后来在《论诗零札》中说，新诗不应该借助音乐的成分。

王光明：这恰恰说明20世纪30年代在寻找新的言说机制时，多重矛盾交织在一起。一方面，诗歌历来就是表达一种心理感受和情感。戴望舒表达的孤独感和传统诗歌是一脉相承的，从情调上讲，他认为《雨巷》式的一唱三叹是浪漫主义的，所以后来他在表达的时候更倾向于用“烟斗及其上面的花纹”等这些非常个人化的手段，而这种情调依托的还是一种古典主义的灵魂。另一方面，他的意象又是介于古典与现代之间的，所以这种撕裂感造成他更加孤独。比如他的笔下塑造的“村姑”形象是那么独立的一个形象，而他又是那么怀念那个村姑。

孙绍振：那个时代的诗人都似乎有意享受孤独，每个人都在寻找属于自己的新的语言、新的方式。到20世纪30年代的时候就比较丰富了，每个人都有自己的一套，包括后来卞之琳搞的那一套。现在来看，卞之琳的很多诗很难理解，但是他至少说明，新诗可以这样写了，好坏可以另说。

王光明：我认为卞之琳的诗要比何其芳的好。如果要选20世纪中国十大诗人的话，我觉得卞之琳可以位列其中。好像谢冕老师认为卞之琳作品太少，格局太小。

孙绍振：是这样，卞之琳打开了局面。以前都是抒情嘛，哲理很少。卞之琳打开了新诗中哲理的世界。例如他的《断章》，李健吾等评论家争论，不得要领，他站出来说他写的是相对性问题。但是诗中他又没有完全离开抒情，中国古典的画面还在，表达的是一种相对性的知性感受。可以说，卞之琳打开了一个门户。如果说何其芳、李广田等还在唯美主义的道路上前进的话，是因为他们还没有看到其中的哲理。理性对现代诗歌太重要了。现代派就是这样过来的，但是它同时又必须要是诗的。寻找新的语言很痛苦，因为我们的新诗是一种迟到的新诗。有一个很奇怪的现象：我们奠定新诗的基础要到郭沫若的浪漫派，在西方浪漫派已经过去了。1914 年前后出现了反浪漫派的意象派，但是我们的新诗取得成功的是浪漫派，而非意象派。我们迟到以后，人家新的流派已经出现了。由于革命的需要，浪漫派直接抒情，便于宣泄和呼喊，因而占据了主流，然后又被逐渐边缘化。

王光明：孙老师给我们一个启示。我们的新诗在寻诗的过程中，其实还是受到西方各种文学流派的很大影响和牵引的。真正静下心来寻找自己的言说机制还是做得不够的。

孙绍振：我觉得林庚写的那些“抽一支烟，再抽一支烟”的很宁静的、波澜不惊的诗很有创造力，不过洪子诚很不喜欢他。我觉得他越来越显出他的重要性。孙玉石，就对林庚有很高的评价。

赖彧煌：孙老师刚才谈到了流派的问题，我认为从流派的角度观察文学的动向很有意义。刚才王老师说到何其芳和卞之琳在谢冕老师眼中的高下，但是从感知方式来看，他们两个人也许一个人是比较外在的情感的、浪漫的，另一个人更注重内在的、现代的。这种区分也许更有意义。

孙绍振：卞之琳写到最后说他是抒情的。

赖彧煌：但是在感知方式上它是更加精微的，更深入，甚至可以说更深刻，但也可能更偏至。

孙绍振：不过当诗人面临民族灾难的时候，他可能会有一些变化。比如抗战时期，他写了《慰劳信集》，里面甚至涉及对建筑飞机场工人的赞美，我记得开头两句这是这样的：“母亲铺床总要铺得平，谁不爱自家的小鸽儿小鹰？”中华人民共和国成立后，卞之琳还写过一首诗《天安门四重奏》，歌颂新中国。这首诗一出来就受到批判，说是小资产阶级的情调。

王光明：回到这个话题，在从语言的角度寻诗的过程中，除了新月派探索一种新的言说结构，还有一些细微的变化呈现在后期新月派的脉络里。比如何其芳和卞之琳。卞之琳致力于寻找一种表达现代经验的言说机制，他借鉴的是一种戏剧性的表现方式，揭示了很多矛盾。从何其芳《预言》等作品中所表现出的特点来看，可以发现，现代汉语是有它的长处的。它的细微与曲折是古代汉语无法表现的。五古的气象非常大，非常疏朗，像何其芳的《预言》那么精致，那么微妙，对声音那么敏感，这些都是古典诗歌所没有的。卞之琳的复杂性（比如《断章》中的多角度及相对性）和何其芳诗中的那些细微的、微妙的感觉都是古典诗歌无法传达出来的。在孙老师的文本解读实践中，新诗可以进行细密的解读，但是古典诗歌，往往传递的是一种恢宏的朦胧的感情。由此可见，现代汉语在新诗里还是存在新的可能性。

下面我们要谈到语境问题。新诗要寻找新的语言，通过新的语言去寻找新的世界。但是我们面对的这个现代世界的语境是非常复杂的。这种复杂性在于，语言的语境受社会语境的影响。工业化、理性化、功利化的语境要求语言非常明晰，所指非常确定，也就是语言的工具化。或者说，我们整个社会都是理性主导的社会，这是社会语境。另外还存在语言本身的语境。白话本身就不成熟，但是在全球化背景下又受到各种语境的夹击，除了本民族方言外，还有英语、法语等各种语言的夹击，所以欧化、散文化等问题也相继被提出来。

孙绍振：格律派失败后，艾青干脆提出诗的散文美。我觉得挺有道理。这是一大发现。我们暂时把格律抛开，诗的散文美是非常有道理的。虽然艾青不是理论家，但是这个纲领是非常重要的。在古典诗歌里提倡的散文美是失败的。韩愈“以文为诗”，为人诟病不已。关于散文美这个课题，我们研究得不是很透。艾青和穆旦有很多散文性的句子，读起来很绵密、完整，很美，不是古典的。但是，这并不是说诗和散文就没有区别了。问题在于什么样的散文美是诗的美，这就涉及形式问题。

撇开别的条件不谈，诗要成为经典的诗，获得生命，把语言组织在什么样的形式中，是很关键的。

下面我以裴多菲的一首关于爱情与自由的诗为例来谈。流传的文本是这样的：“生命诚可贵，/爱情价更高。/若为自由故，/二者皆可抛。”此诗写于1847年1月1日，流行于1848年诗人发动佩斯起义（3月15日）的前夕。此诗政治性价值在于号召匈牙利人民反抗奥地利帝国统治。由于鲁迅在《为了忘却的记念》中的推崇，又长期为多家中学语文课本编入，此诗在中国可谓家喻户晓。其实，这首题为《自由·爱情》的格言诗，在中国不止一种译本。据宋炳辉教授收集，“较有影响的译本就有八个或者更多”。至少鲁迅引用殷夫译文之前，已经有了三种译文，周作人是用四言六行的文言体翻译的：“欢爱自由，/为百物先；/吾以爱故，/不惜舍身；/并乐蠲爱，/为自由也。”1923年是裴多菲诞辰一百周年，沈雁冰在《小说月报》第14卷第1号发表了《匈牙利爱国诗人裴都菲百年纪念》一文，其中引述了这样的译文："我一生最宝贵：/恋爱与自由，/为了恋爱的缘故，/生命可以舍去；/但为了自由的缘故，/我将欢欢喜喜地把恋爱舍去。"第三个译本就是殷夫自己的了。这就是后来发表在《奔流》(第2卷第5期"译文专号"，1929年12月20日)上的题为《黑面包及其他(诗八首)》的九首裴多菲译诗。其中有《彼得斐·山陀尔形状》一文所引的那首七言两行的《自由与爱情》："爱比生命更可宝，/但为自由尽该抛！"

该诗原为匈牙利民歌体诗，所谓"格言诗"本非诗题。后来有人根据匈牙利原文逐字逐句译成这样：

Szabadság，Szerelem！（自由，爱情！）

E kettö kell nekem.(我需要这两样。)

Szerelmemért föláldozom(为了我的爱情)

Az életet,(我牺牲我的生命,)

Szabadságért föláldozom(为了自由)

Szerelmemet.(我将我的爱情牺牲。)

(pest，1847. január I.)(佩斯，1847.1.1)

应该说，所有译文，这是最为准确，最为忠实于原文的。前三种译文，也大致是接近于原文的。但是，所有这些译文，包括从匈牙利原文翻译的，都没有流传下来。原因何在呢？最明显的就是它们太散文了，一是完全是大白话，二是完全是直线式的逻辑推理。人家的原文，本是民歌体，带着格言的性质，字面和逻辑上的准确，却把人家的民歌韵律破坏了。而殷夫后来为鲁迅发现的翻译，从字面上看并不太准确："生命诚可贵，/爱情价更高。/若为自由故，/二者皆可抛。"

首先，是突出两层次的推理(为了爱情，牺牲了生命；为了自由，牺牲了爱情)。原文属于"格言诗"，格言在汉语中，是很简明的，而这里格言式带着的层次性推理，有点复杂，不明快。其次，人家本来是民歌，是有韵律的，这么一翻，就完全散文化了。而殷夫最后的译文，从表面上看，有点不合原意(先是为了爱情，而牺牲生命，后是为了自由，牺牲了生命)。将之变成生命可贵，爱情更可贵，并没有后者牺牲前者，而是为了自由将二者牺牲。这是另一种推理模式。虽然不完全符合原意，但是却将此前此后，八种以上的翻译淘汰。原因在于，第一，人家原文是民歌，是有韵律的，并不是散文，也不是大白话。殷夫的译文，是五言诗，也是有韵律的。第二，殷夫的译文，不但在字面上有韵律，而且在句法上，在情感上也富于五言古诗的韵律。具体表现为，开头两句是陈述语气，第三四句改用假定语气。于情思来说，是一个大转折。这在杰出的五言古诗和绝句中是基本的规范。从最深刻的意义上来说，用古典诗歌的形式来译裴多菲此诗，更能传达其神韵。所谓表离内合者也。

从理论上说，诗歌的语言的质量和形式的关系是很复杂的，有时它是很自由的，如艾青抗战期间在武汉码头留言板上看到的“安明，记着那车子”这样的口语，的确很有诗意。有时则这样的大白话，就变成备受诟病的“丽华体”。当然殷夫这样用古典诗歌的形式翻译，成为杰作，无疑是二度创作，可能是例外的。但是，它提醒了我们，哪怕是借助所谓“死去了的”“过时的”诗歌形式，也比自由的散文更有诗意。

这就产生一个问题：如何把散文变诗美？如果散文化后不美，还不如五言的古诗，这是一个很严肃的问题：追求诗的散文美，诗的散文却不美，翻译成古诗反而更美。散文如何变得美，美得和诗歌的古典的美一样。美国诗人弗罗斯特讲过，诗就是翻译失去的东西，这个观点很有道理。我们不讲中外翻译，就以古代汉语和现代白话之间的翻译看，例如“大江东去”，翻译成“长江滚滚向东流去”马上就可感到失去了诗意。还有一个相反的说法是歌德说的：诗就是翻译留下的东西。关键是我们怎么做。诗的形式和语言的神秘关系，我们研究得不太透彻，以至于陷入盲目，有时免不了导致艺术上的全军覆没。比如田间在《在延安文艺座谈会上的讲话》以后，丢掉了他熟悉的形式。我在 1980 年南宁会议上就说过他把《赶车传》改来改去，改到 1959 年，结果把车子赶到沟里去了。

中国古典诗歌有个缺点：意象、形象感染力很强，但是思想容量很小。西方的大诗人都有叙事诗，抒情诗是其中的一部分，包括《哀希腊》就是叙事诗《唐璜》的一个插曲。中国的诗人，可以说基本上没有叙事诗。我看过臧克家写李大钊的叙事诗，可谓一塌糊涂，这一点值得我们研究。20 世纪 50 年代，闻捷写过《复仇的火焰》应该是不错的，后来郭小川写过《一个和八个》《深深的山谷》《白雪的赞歌》应该是他最好的作品，至今仍然有生命力。把这个问题提高到理论层面上来：中国新诗追求散文美以后，为什么没有产生有分量的叙事诗？因为我们的语言变得工具化了，能指与所指的固定化，按理说应该有更大的叙事功能，但事实上我们在这方面并没有取得很大的进展。我这样说，是不是太偏颇了？

从另一方面讲，我们还是有很大进展的。参照台湾的诗歌流变来看，他们先把大陆的现代派的潮流带过去，走得很远，并引起极大的争议。当然余光中、洛夫他们后来又在西化极端以后，回归了传统，进行了精彩的探索。余光中是比较通俗的，洛夫比较深刻，尤其是他的《边界望乡》。它里面表达的经验既是最现代的，又用了很古典的意象和联想，在艺术上可谓是最成熟的。从成功经验的角度看，正如光明刚才所言，既要保持和古典诗歌的距离，又不能离得太远。为什么这么讲呢？因为你们所喜欢的那些诗人，比如臧棣、西川等人，他们的好多诗像翻译的一样。把名字掩盖起来，单看作品，可能误会为翻译来的。从这个意义上讲，我们应该参照台湾诗歌发展的经验……

王光明： 包括你刚才谈到的《边界望乡》，实际上给我们提出了一个问题，就是中国诗歌对待现代汉语的语法及特点，应该采取什么方法才能使它变成诗。

赖彧煌： 我想接着刚才孙老师举的裴多菲《自由与爱情》的译本，提一个可能不成熟的想法。你举的例子是翻译成古体的裴多菲这首诗的版本。我认为，这首诗的内容是比较简单的，当我们遭遇比较复杂的内容时，古体诗是无法很好完成的。我这样说，并不是主张散文化就这样走下去，而是说这种散文化也许此时变成了一种理想化的悬设。追寻的路也许很曲折，但也并非要回到古体。简单的内容，古体诗可以处理得很好，但是复杂经验，古体诗歌是无法容纳和有效处理的。

景立鹏： 接着散文化的话题，我想谈一下自己不成熟的看法。我不太认可散文美、散文化这种看法。如果我们追求散文美、散文化，我们去写散文就好了，为什么还要写诗歌的呢？这在逻辑上就是荒谬的。

伍明春： 文类互渗。

王光明： 刚才也说到，我们的语言背景非常混杂。在这样的语言背景下现代汉语能不能写诗，怎样写诗始终缠绕着我们。刚才孙老师肯定了殷夫对《自由与爱情》这首诗的翻译，是非常有道理的，但我不认同因此转向与古典诗歌的妥协，它也许说明了另外的问题。为什么这首诗的多个散文化的译本没有诗意呢？我觉得说明了两个问题：诗首先要求有节奏感和旋律感，殷夫的译法恰恰是注意到了这种起承转合的节奏感；而其他人的散文化的译法，严格按照逻辑语法进行，但是按照结构主义观点来看，诗要求的恰恰是诗法，是赋比兴，而非逻辑严密的语法。其次要有意象和情境的魅力。殷夫按照诗法，通过选择、并置将爱情、自由、生命构成一种充满表现力的情境。这让我们明白，诗有诗的基本问题。诗的语言的基本问题就是，它不是被工具理性训导的语言。比如它是讲情感逻辑的，不是理性逻辑，但又不是完全对立的。有人认为诗是抒情的，我认为不是，它是对情感的驾驭。

孙绍振： 昨天读到王维的诗句“晚年唯好静，万事不关心”，就不是以抒情取胜的，可是，多么好的诗。《江雪》和卞之琳的《断章》一样是以智性取胜的好诗。用我的话来说，这是审智的诗。

王光明： 已经有很多诗歌理论谈到这个问题，比如华兹华斯就说过“诗是强烈感情的自然流露，它源于宁静中积累起来的情感”。孙老师给我们提供了一个好例子。第一它启发我们，在工业化、市场化、利益化的语言背景中，诗歌语言的可能性如何遵照诗的要求。第二是要讲究节奏。

孙绍振： 刚才你讲到我们不要回到诗歌的道路，其实我们走过一条曲折的道路。1942年以后提倡写民歌，20世纪50年代又提倡“在民歌和古典诗歌的基础上发展”。

王光明：你举的例子给我们的启示在于，为什么古体的翻译更有诗的味道，恰恰说明古今中外，只要是诗都有相通性，所以读起来感觉到一种古典诗歌的魅力。

孙绍振：我再补充一点，它的魅力还在于，遵循了古体诗起承转合的章法。“生命诚可贵，爱情价更高”都是陈述句，构成一个比较，第三句“若为自由故”是一个假设句。第三句在绝句中很关键，如果还是陈述句就显得呆板了，它需要一种情感的瞬间转换，这个假设句恰好做到了这一点。中国古典诗话中论及绝句时，非常强调第三句的转折。以元朝人杨载为代表，他说第三句是关键，与前两句相比，是开与合、正与反的关系。我和蔡其矫讨论过这个问题，他非常赞同。他的抒情诗，不管是《川江号子》《祈求》还是《双虹》，到了最后，都有一个情绪上，色彩上的开合、正反的转折。比如说《祈求》一连串的祈求都是正面的，可是到了最后一句，变成了我祈求此后不要再祈求。这就是得了古典的神韵。大白的语言进入了这样的结构就不可能堕落为“丽华体”了。

王光明：对，里面存在一种起承转合的逻辑。但是从另外一个角度来看，古今中外诗歌的相通性表现出对举的特点，比如生命与爱情。所以，真正进入文本可以发现很多微妙的东西。从孙老师的文学批评中我们可以学到的东西是，一个文本可以从多个角度进入，其中隐藏着很多密码。

孙绍振：我们培养研究生通常有两种方法：一种是先让他们学习很多理论。还有一种办法就是学习一点理论后就去解读大量文本，你看我的《月迷津渡》都是案例分析，然后一转转向散文解读，从孔夫子一直解释到外国散文。在这个基础上再学习理论，然后证明、证伪。

王光明：理论要变成活的东西，变成一种理解问题的方法，而不是直接呈现理论本身。

孙绍振：理论有理论的价值，那就是去搞美学去。搞美学的人，越抽象越好，因为他要解决一个形而上学，终极关怀的问题，永远不会有结论。我们做的是诗歌批评，往往有点形而下的执着。

王光明：在这个意义上我还想讨论一个问题。现在比较流行的一种观点就是郑敏和叶维廉的观点，他们在新诗产生问题以后就很迷恋古典诗歌那种没有语法的、很松动的诗歌美学。叶维廉主张一种完全自呈式的古典诗歌美学，郑敏认为诗歌问题的罪过在现代汉语文字的简化。其实并非如此。

孙绍振：没有文字，我们国家就变成好多国家了。欧洲法国、意大利、西班牙、葡萄牙、罗马尼亚，以前都属拉丁语族，后来逐渐分化出法语、意大利语、西班牙语、葡萄牙语、罗马尼亚语，进而分化出不同的国家。如果搞拼音文字，我们现在已经分化为十几个国家了。

王光明：语言失去诗意以后，要在新的语言中重新获得诗意，而不是简单地回到历史的语言环境，这是郑敏和叶维廉不一样的地方。

孙绍振：郑敏自相矛盾，诗写得很好，却自我否定。

王光明：她是从解构主义立场来看的，却没有看到解构主义的一种活力。

孙绍振：解构主义把解构作为一种普适原则，应该是对一切观念都适用的，如果是这样，那么应该对解构主义本身也是适用的，如果这样，那解构主义本身也是要解构的，其结果是对解构主义的否定。这是解构主义内在的悖论。他们的死穴就在这里。这样的死穴，不是在促进诗歌创作，而是在釜底抽薪。

王光明：这一点需要警惕，介绍西方理论，要真正理解，不能简单搬运。比如你不能完全批判米勒，我认为米勒有重要价值。虽然我们还不能完全理解。即使我们不能原汁原味还原一种理论，也不代表它就没有价值，这是米勒提供给我们的一种观点。

孙绍振：米勒不相信翻译，不主张把一种语言翻译成另一种语言。比如古代汉语翻译成现代汉语，“道可道，非常道”如何翻译？翻译不出来。这是有道理的。但是，这样把翻译的可靠性绝对化地否决了，也就否决了他自己。他很重视中国人阅读他的理论，但是，绝大多数读者是通过翻译的。他就不应该授权给那些翻译他著作的人。洋人有时说话很霸气，但是，许多霸气是针对别人的，他自己除外。

王光明：翻译不出来，但是重新阐释还是有价值的。我们讨论了很多新诗的问题，包括新诗是从白话开始的，然后开始寻诗的过程，在这个过程中发现语言环境的混杂。那么我们怎么办？在复杂的语境中，我们的新诗是求秩序，还是求自由，又抑或是求活力？换一句话说，我们的诗歌可不可以有一种形式，可不可以不要形式？从现代汉语的特点来看，固定形式不行，所以有的人认为不要形式。

孙绍振：我认为，这种观点主要是受西方的影响。但是，我想应该有一个弹性的、开放的形式，即便如此也相当困难。过去的豆腐干体，肯定难以为继了。我觉得林庚提出的“半逗律”可以考虑。比如七言就是上四下三，如“烟笼寒水/月笼沙，夜泊秦淮/近酒家”。我反对何其芳“烟笼/寒水/月笼/沙，夜泊/秦淮/近酒/家”这样的停顿。他是从音尺、音步角度划分的。我觉得新诗可以有一个宽泛的结构，正如林庚说的，新诗要建行，而非建造一个整体，也就是说建一种典型的诗行。建构固定的形式已经不可能，他说的建行，我觉得是可行的。建完行，当中用半逗律停顿一下，这一点符合中国古典诗歌的规范。因为我分析过，不管是五言还是七言，关键在后三个字，前面加多少都没问题，后面三个字变了，整个节奏就变了，如“烟笼寒水/月笼沙”，“月笼沙”前面加多少、减多少都没问题。因为它本质上是四言加三言，这决定了它的调性。如果改成“烟笼寒水月笼轻沙，夜泊秦淮近酒之家”，整个调性就变了。中国诗歌用西方诗歌形式来分析的话，其依据来自音步、音尺概念。音步是由轻音重音相反的两个音节构成一个节奏的。从这个角度看，“烟笼寒水”不是平平一个单位，仄仄一个单位，形成节奏，而是平平仄仄、平平仄仄的对立构成一个单位节奏。如果这样来看，中国的五言七言诗是半逗的。林庚提出的半逗和中国古典诗歌的节奏有关系，先定一个行，然后给它一些适当弹性，这样做也许有点希望。一行定下来以后，一章一节怎么样还有弹性空间，比如西方的十四行诗有四四四二和四四三三两种变体。我设想一下，按照半逗律，我们的诗节也可以是四行一节，也可以三行一节，四行一节比较容易对，三联句则比较不普及。其实中国词中的《浣溪沙》，就是三联句的。吸收西方诗歌章节的精神，可以复苏我们薄弱的三句模式。

但是这还是外在节奏，更重要的是情感的节奏。无动于衷是禅宗追求的一种境界，我们暂时不讲，现在讲情绪节奏的起伏。比如绝句的第三句一定是要转换的，不单是句式的转换，更是情绪、精神的转换。何其芳最大的缺点就是仅仅讲究音节的顿数，不讲情绪和节奏。为什么卞之琳的诗很精彩，我觉得他就讲究情绪的节奏。比如《断章》中情绪的转折就在两次以上。我觉得，或者我空想，如果我们定几个原则，一是要建行，二是要讲究情绪的节奏。如闻一多的豆腐干体往往好在最后两句，前面是绝望的，到后来变得有希望了，这就体现了一种情绪的转折与节奏。这是中国古典诗歌的一个特点，又比如“春眠不觉晓，处处闻啼鸟。夜来风雨声，花落知多少”，前两句很舒适、幸福的氛围，第三句突然情绪发生转折，变成了春愁。西方的诗歌大多不是这样，而是情绪一直上去，不转折，是递增的，比如《西风颂》最后两句：“冬天来了，春天还会远吗？”

赖彧煌：您的美学趣味是黑格尔式的古典主义趣味。

孙绍振：可能是的，但是，我也有突破。例如，我提出审美、审丑和审智的系统，就是对古典诗学系统的突破。这一点，许多同人没有充分注意，但是王光明注意到了，他说，你比你的同代人强的地方，就是提出了“审智”的范畴。我在大学生时代就接受马雅可夫斯基的未来派《穿裤子的云》那样的诗句，还有西班牙诗人洛尔加，法国诗人艾吕雅、阿拉贡，智利诗人聂鲁达等人超越古典美学的诗歌，这也是我在朦胧诗大辩论时，去摇旗呐喊的本钱。

王光明：你刚才谈到林庚。我觉得从林庚触发一个话题很好。你研究过林庚，可以说说。

赖彧煌：如果说建行建节建章，我觉得在现在几乎不可能。按照黑格尔的美学观，当古典式的、追求形式和理念之间有机性的协调的艺术类型发展到顶峰以后就会衰落。按照辩证法的要求，这种类型的艺术就再也不会持续下去了。所以他感叹道，艺术不再是人类心灵的最高需要了。当然，这个看法有很多种解读，有观点认为这说明艺术已经死亡了。

但是我认为不是，黑格尔指的是这种发展到顶峰的艺术类型死亡了，是说有机性的艺术类型不会再存在了。今天就处在这样一种境地。那么在这种境地，我们该怎么办？我觉得，诗作为一种特殊问题，需要一种悬设。它要向后看，不会继续袭用古典式的典范，但是它又需要古典形式传统的某种纠偏与平衡。比如于坚、西川近年来的创作，他们的经验与形式甚至超出了散文诗的界限，表现出一种轶事经验书写。一方面，这种经验很尖锐，另一方面，作为读者我又感到惋惜。真正体现诗的一种东西，目标在哪里，我们也许不知道，但绝对不是在古典类型那里。林庚的问题也在这里。我们无法定型，只能在经验混杂的冲击性里不断摸索，但是完全打破又不行。

王光明：我同意你说的有机性的艺术观念很难成为现代人认同的文学观念。但是任何没有被形式化的内容不是内容这个观点又是成立的。这里面又存在一个悖论。

赖彧煌：这个悖论是存在的。一方面，我们必须要冲决传统的、秩序井然的古典审美规范；另一方面，诗歌作为一种艺术的、形而上的悬设，对它的追求又是无法打破的。在这一点上我和孙老师的趣味是接近的。

孙绍振：这里其实有一个乌托邦引导着我们。在现在这种情况下，我们的诗歌还没有达到破产的极致，所以我们还混得下去，要追求某种形式的话，达成共识的话，条件就是达到破产，大家觉得混不下去了。

伍明春：诗歌形式确实是个难题。就现在来看，存在多种诗歌形式，包括自由体、格律体和微诗体，甚至十四行诗也有很多人写。所以一种公共化的形式很难存在。

王光明：赖彧煌觉得西川20世纪90年代后这种不分行的写法有点可惜，是吗？

赖彧煌：西川的创作可以分两段，20世纪90年代写的《致敬》《厄运》等作品，其实已经达到了一种很尖锐的写作处境。他现在的写作更加混杂。我觉得他站在一个十字路口。对比之前的创作，他现在的创作仍然处在一种掘进的状态。如果他再回头，就死定了。他现在的创作隐藏着一种深刻的危机。

景立鹏：就西川的创作而言，我大体同意赖师兄对其创作中隐含的某种危机的看法。但是是否必然走向死亡，我觉得可以再等等看。

伍明春：新诗也许需要一个基本的形式，但是底线在哪里依然很难确定。

王光明：我为什么觉得孙老师谈到林庚的实验很有意义，在我看来，林庚的贡献很大，给我们很多启示。他一直在为现代汉诗寻找节奏，寻找出路，但很难说他的实验为我们提供了范例。可以说，他的精神是好的，结果是失败的。原因在哪里呢？我觉得单纯从汉语节奏、建行建节上实验是不够的。一方面，诗歌需要一种节奏，另一方面，诗歌又是在反抗语法中产生的。林庚恰恰忽略了这一点，把诗写成了散文式的句子。如果现代汉语诗歌的发展只从一个层面求解放，不管是求秩序，还是求自由，我认为都有问题，必须回到现代汉语本身和诗歌的内在要求之间的张力与可能中，使诗歌保持活力。林庚的实验不可能了，或者借用赖彧煌刚才说的有机性的艺术形式不可能了，但是悖论在于没有被形式化的内容是不存在的。所以说，诗也还是要有形式。但是像西南大学的吕进教授说的进行新诗的第二次革命，建立新的固定形式的设想也是不可能的。现代汉诗的发展还是要根据现代汉语和诗的要求去寻找新的可能性。在我看来，诗歌是有秩序的，诗歌也是自由的，但是这些都是建立在临时的、具体的、境遇性的基础上的。我反对那种诗歌不需要形式的观点，认为新诗还是要在一种具体的情绪、经验和境遇中寻找形式。在这一点上，我觉得吴兴华给我们提供了榜样。他的每首诗都不一样，没有固定形式，但是又是有规律的，他找到了内在与外在契合的形式。在未来的探索中，固定的形式也许是没有的，但是对形式的探寻还是存在的。因为只有被驯化的经验才能产生美感。

中国新诗百年论坛课题研讨记录

时间：2016 年 4 月 18 日（星期一）上午 9：00—12：00

地点：广西民族大学（南宁）

主持人：吴思敬

对话人：谢 冕、孙绍振、师力斌、罗小凤

文字整理：罗小凤

吴思敬： 这次研讨会为什么以中国新诗形式建设问题为中心，这是因为新诗诞生百年以来，新诗的形式是一个历来最众说纷纭的话题，新诗到现在应当有一种什么样的形式，它肯定不同于旧体诗，但是自由诗的形式，还是格律诗的形式？格律诗有种种，有何其芳设计的格律诗，有十四行体等等。我们去年秋天由北京大学中国诗歌研究院和首都师范大学中国诗歌研究中心在北京西郊卧佛山庄举行了中国新诗形式建设问题的研讨会，会上有很多不同的意见。对新诗形式建设问题光靠一两次的研讨肯定不够，还需要继续深化，所以，我们把卧佛山庄讨论的问题继续带到中国新诗百年论坛南宁分会场。

这次论坛选在南宁也有一个特殊的历史纪念意义，也就是在三十六年前的 1980 年 4 月，在南宁开了一次重要的关于诗歌的学术会议，可以说朦胧诗论争的肇始就在南宁会议上。在座的谢冕教授和孙绍振教授都是南宁会议的主要参与者、主要发言人。南宁会议实际上围绕着朦胧诗的争议，牵涉到朦胧诗的内容，提供了一种对人自由的呼唤和决绝的背叛精神。在思想上，同时也在艺术上为中国新诗提供了新鲜血液。而朦胧诗艺术上的探讨在当时绝对是新潮的，它提供了新的表现方式、新的艺术手法、新的艺术语言。当时谢冕老师、孙绍振老师是为朦胧诗辩护的最早的两位辩护家，他们用敏锐的远见卓识抓住了朦胧诗的特点，同时给予充分肯定的评价。正是南宁会议之后，对朦胧诗的讨论就深入展开了，谢冕老师在5月的《光明日报》就写了著名的代表作《在新的崛起面前》。同年秋天，孙老师的发言稿就是“第二个崛起”。也就是说，这几个“崛起”都发源于南宁，所以我们在南宁开这个会，也是对朦胧诗论争史上一个重要的认真的回顾，而且它的内容确实牵涉到新诗形式建设问题。今天我们在这里做这个论坛，是具有丰富的历史意义的。

一、百年新诗：成在形式，败在形式

谢冕：“五四”以来新诗的问题，我今天可以从容一点讲了。其实新诗酝酿是在晚清的时候开始的，黄遵宪没有成功，为什么没有成功？我觉得是在形式上，他墨守五言七言的格局，于是就造成一个问题，新诗的内容想“新”，但是形式限制了“新”，因为五七言的格局限制了很多新名词的进入，所以没办法把新思想、新名词、新思维融入诗的格式里，造成的结果就是非常生硬的、非常难听的词语装也装不了，半新不旧，旧瓶想装新酒，但是装不来，因为现代语言非常长，特别是外来语。早先的诗界革命之所以没有成功是在形式上栽了跟头。胡适的成功是因为打破了形式，他把五七言的诗歌推倒了，不要了，干脆用白话，用自由体来写诗，一下子道路就畅通了，就像城里有很多城门，打通以后就好了，新名词、新思想才能进入到诗里，这样就成功了。

所以，我觉得胡适、陈独秀这批先行者之所以获得成功在于敢于打破旧形式，冲破旧形式的堡垒，新思想、新名词就进入了。为什么当初追求这样一种路径？是因为救国救民，这个话说起来很长了，就略过了。我就讲形式，新诗的形式问题是最大的成功。但同时，我觉得新诗的失败也在形式上。我说的失败，我有点考虑，但是我暂时用“失败”，失败也败在形式上，我们都说胡适先生是形式主义者，其实胡适的新诗革命就是形式革命，他着眼于形式革命再谈到内容革命，革命的内容进来了，所以胡适先生的成功在于形式，新诗的成功也在于形式。这点不知道大家有没有不同的意见？我想我敢这么大胆地说。

孙绍振：新诗搞了一百年了，直到现在为止至少有很大一部分人士，还是看不起新诗。毛主席曾说“新诗给我二百大洋都不看”。现在古典诗词的刊物发行量非常大，中央电视台搞了一个古典诗词的节目很热门，那些参赛的是普通的人，不是古典文学专业的人，把古典诗歌背得那么熟，比我还厉害，受到了广泛的赞许。新诗搞了一百年却没有这样的荣幸，这是我们要反思的。在这个问题上，可能我保守了，但是我必须思考这个问题，这不是中国的问题，而是世界的问题。西方也是这样，诗越来越成为贵族、精英、少数人的东西。中国的古典诗歌在五四时期，被陈独秀说成是“贵族文学”，是“腐朽的”，要打倒的。

但是，直到现代、后现代不但没有倒，而且还被广大读者所热爱，成为一种不可缺少的精神的财富。我的孙女才一岁多一点就会背“床前明月光”，为什么？这是语言训练的启蒙，中国新诗就没有这样的荣幸，如果把目标定到这样的高度，我们达到这个水平不知到猴年马月。

形式问题得到这么大的重视，引起了很多诗人的苦闷探索、纷纭的论争，为什么？有一个理论在作怪，这个理论是从黑格尔来的，经过马克思主义的传播——就是内容决定形式。只要内容好了，形式就无所谓了，这种观念已经成为我们的潜意识了，实际上我们把形式看得不当一回事。其实，这是缺乏常识的，只要说“诗”的时候，就是从形式出发的，就意味着它不是散文，不是小说，也不是戏剧，不言而喻这是一种形式。有别于其他形式乃是它的生命，如果把诗的形式的内在功能忽视了，其结果是什么？诗就不像诗了，比如“梨花体”之类的，内容也受到局限。我们时代最具革命意义最伟大的诗，我认为是《天安门诗抄》，但是，现在没人念了，不是它的内容不值一谈，而是它在形式上，新不新旧不旧的。因为它的形式没解决，它是旧诗的形式，很粗糙。所以形式问题也是内容的问题，从严格的美学理论上说，席勒早就提出形式可以杀死内容。从历史实践看，在很大程度上是形式扼杀内容，形式可以强迫内容就范，形式可以按照它的规范，不同于小说、戏剧的逻辑，去创造内容，形式赋予内容生命。在这个意义上看，我们就可以知道为什么苦恼了我们一百年的形式问题，在理论上就是盲目的。从根本上说，就是形式/内容这样的二分法，来考虑形式问题，还是不到位的。这样的二分法，是美学的思维模式，而不是文学的思维模式。哲学思维模式是对立统一的，是主客观二分，内容与形式的二分，而文学的基本范畴，其形象结构并不是这样的。在文学形象中，主观情志与客观的生活并不能直接发生关系，而是要通过形式这样的一个中介。一个艺术家要表现生活，抒发情志，首先遇到的并不仅仅是生活和情志，同时还有形式，同样一朵花用油画的硬笔画在帆布上所遵循的规律和用软笔和水墨画出来的是很不一样的。同样一个题材，如杨贵妃和李隆基的恋爱故事，在白居易《长恨歌》中，越是心心相印，生死不渝才越有诗意，而在洪昇的《长生殿》中则不闹矛盾就没有戏可演了。哲学/美学的细胞形态是主客二维直接起作用的，是没有形式范畴的。通常所说是内容/形式中的“形式”，对于一切哲学/美学是一样的，而是文学的形式范畴则不是原生形式，而有限的，诗歌、小说、散文、戏剧等等加起来，不超过十种。这是不断地反复地使用着的，可以说是一种规范形式，积淀着审美的历史性的规范。故文学形象的细胞形态是主观情志、客体生活和文学形式的三维结构。当然，这种规范是历史的、开放的。从这个意义说，仅仅从形式/内容上着眼，来说新诗的形式问题，可能是缘木求鱼的。

我们对形式这个范畴，至今缺乏严密的分析，一些权威的观念所说的形式仅仅是形式的外部形态，而不是形式的内在结构和功能。由于在这一点上不清醒，我们一直被胡适、何其芳误导。他们讲的新诗形式就是外部格律，胡适把中国古典诗歌分为“节”，五言是两节半、七言是三节半。何其芳讲现代格律诗的时候用的是“顿”，不是“节”，变成了节之间的停顿。把这个东西当成一切，而不讲内在的情绪的节奏、不讲它的起伏、不讲意象的疏密、不讲直接情志的徐疾，就是缘木求鱼了。

但是，我要提醒大家关注一个非常奇怪的现象，在“五四”新诗早期，以打破格律为痛快，叫作打破镣铐，可是不久以后打破镣铐的人又去制造镣铐。闻一多提出戴着镣铐跳舞，去制造格律。但是，仅仅囿于外部节奏，而不是从情绪节奏上着眼。直到20世纪50年代，何其芳的现代格律诗就不能不以失败告终。郭沫若、臧克家晚年新诗写不出来了，后来写旧诗去了，这是一个悲剧。现在又产生了梨花体、口水诗，这是历史对我们的惩罚。我觉得惩罚得还不够，因为绝大部分的新诗人还没意识到新诗本身的形式问题应该是作为诗的生命来考虑的。

罗小凤：关于百年来新诗的形式问题，我想说两句话。

一句是新诗依然没有“鞋子”穿。郭沫若1920年在致宗白华的信中说：“我也是最厌恶形式的人……总觉得以自然流露的为上乘。”在他看来，诗歌最重要的是“自我表现”，故而相应的形式亦必须“绝端的自由”“绝端的自主”，因此在郭沫若时期，新诗自由得毫无节制，成为“裸体的诗”，“鞋子”更是无从寻找。直到新月诗派，诗人们才开始意识到自由诗之过度自由的流弊，因而提出“要把创格的新诗当作一件认真事情做”，所谓“创格”，即为新诗寻找“新格式”和“新音节”，但他们关于新格律的建设主要向西方的抑扬格等格律形式寻求援助，与现代汉语自身的语言谱系并不“契合”，因此，新月诗派也没有为新诗找到合适的鞋子。20世纪30年代，废名宣讲的“新诗应该是自由诗”成为主导的声音，他所主张的“新诗没有什么诗的格式，真是诗该怎样做就怎样做了”“与散文唯一不同的形式便是分行”等观点影响了一代诗人。戴望舒虽然一直想找“最合自己脚的鞋子”，但也没有找到，以至1934年鲁迅在给窦隐夫的信中感叹：“新诗直到现在，还是在交倒霉运！”后来林庚进行了各种诗歌形式的实验，也失败了，而何其芳、卞之琳也都没有成功。因此，一百年来，新诗依然没有找到合适的“鞋子”穿。

我要说的第二句是：新诗依然是个“问题少年”。这个说法是王光明老师在他2003年出版的《现代汉诗的百年演变》里提出的，他认为新诗在文类秩序上还不成熟，没有成年人的老成练达，尚未达到作者与读者的普遍共识。现在，又过了十多年了，我觉得这个“问题少年”现在进入了叛逆期，尤其是21世纪以来，进入了非常激烈的叛逆期。比如梨花体、乌青体、羊羔体、垃圾派等。诗歌界表面上非常繁荣，各种各样的活动，各种各样的诗歌节，各种各样的诗歌奖，一波未平一波又起。但如果真正沉下来看，纷繁的背后让我感觉到很冷寂，谢冕老师在一篇文章里提出“丰富的贫乏”，我觉得确实也是贫乏。20世纪80年代中后期开始，“拒绝隐喻”的口号提出以后，新诗的形式就被放弃了，尤其是21世纪以来，形式上的问题，可用两句话去概括，第一句是“不堪入目之平”，“拒绝隐喻”之后，不讲究任何的诗歌艺术，隐喻、象征全部被否定掉了，读诗的时候没有艺术上的美感，没有惊奇感，造成了诗性的缺失。有人认为我们的诗只要会按回车键就可以写，我觉得这是很大的问题。我想举个例子，骆晓戈的《要想》，他说，“要想一天不得安宁 / 你就请客吃饭 / 要想一周不得安宁 / 你就去旅游 / 要想一年不得安宁 / 你就去装修住房 / 要想一辈子不得安宁 / 你就找情人 / 要想知道天下多少人不得安宁 / 你就天天看新闻”。这是诗吗？我觉得这好像是喝醉酒以后在胡言乱语，这样的诗对诗歌的形式、艺术是很大的损害。第二句是“不忍卒读之白”。当下的口语诗歌太泛化了，小学生的日记都可以达到这种水平，但是这类诗人却被捧为“当代著名诗人”，或自封为“诗人领袖”“诗歌教父”，后面有一大批的追随者，这是一种什么样的诗歌生态？像乌青的《天上的白云真白啊》，就是在感叹“天上白云真白啊，简直是白死了”，完全是口水话。还有张进步的《有病》，“大街上的人都怎么啦 / 有人卖油炸臭豆腐 / 有人买油炸臭豆腐 / 有人卖夹馍 / 有人买夹馍 / 有人卖甘蔗 / 有人买甘蔗 / 有人卖水果 / 有人买水果 / 有人卖衣服 / 有人买衣服 / 有人开车 / 有人坐车 / 有人走路 / 有人走路还勾肩搭背……这些人是怎么了 / 有病啊”，这种诗，完全是在铺排，语言上没有任何的提炼。这些都被认为是著名诗人的诗歌，甚至被列入代表作，对很多初学者都是很大的误导。

1927年朱自清曾在《新诗杂话》中引用一首题为《新诗》的诗感慨新诗的发展状况：

新诗破产了！
什么诗！简直是：
罗罗苏苏的讲学语录；
琐琐碎碎的日记簿；
零零落落的感慨词典！

我觉得当下很多诗依然是这种状况。百年新诗依然是个“问题少年”，依然没有找到自己合适的鞋子，还有很长的探索之路需要走。

师力斌：关于新诗形式方面的成就，我自己的感觉是，新诗不像谢老师和孙老师那么悲观，包括小凤教授也很悲观，我比较乐观。我觉得新诗中存在不少好诗，在形式上已经取得很大成功。比如余光中《等你，在雨中》等一些作品。台湾评论家江萌在《论三联句》

一文提出，余光中创造了一种新诗的对仗，新的音乐感，那就是三联句。大家对新诗都比较悲观，有几个原因：一个是古典诗歌的“压迫”，大家一提诗歌，还是李白、杜甫，就像一提绘画，就是元四家、齐白石，一提书法就是王羲之。对新诗的理解也一样，就是徐志摩、戴望舒、北岛、舒婷，最新的则是赵丽华、余秀华这样的媒体“明星”。实际上有一个很重要的问题，有多少人心平气和地阅读当下新诗的作品？有多少人知道陈先发、张执浩、杨键、娜夜、安琪，知道王小妮？实际上，新诗在内容、题材、技术，包括节奏或音乐性方面的进展相当可观，但评论短缺的问题非常突出，特别是与小说相比。

二、新诗底线与标准的探讨

谢冕：所谓自由诗，所谓形式革命，当时“五四”的时候，新诗革命初期就有人发现了，他说我们闹了半天，我们为了“新”而忘记了“诗”，“新”是什么？就是新形式，自由体的形式，而忘记了“诗”，我们为了“自由”而忘记了“诗”，忘记了“诗”是什么。“诗”就是诗歌的底线，就是吴思敬说的诗歌有没有底线，忘记了诗本身的要素，我们因为新和白话忘记了诗本身的要素，这是最大的失败，最大的教训在这。这样的话，我们新诗采取的自由体是以旧体诗为参照的，旧体诗的形式就是五七言，我们破坏了旧诗的格局，使得我们讲到诗歌的形式忘记了很多东西。

我们今天讲的，我们有没有底线？底线具体在哪里？我觉得现在看来底线有两点非常重要，一个是诗的味道、诗的韵味，另一个是诗的节奏感，这两点在新诗当中保持非常少，新诗没有味道，但是有很多问题，新诗和古典诗歌对比，味道很差，低了很多，比如不押韵了，不讲究平仄了，我不知道到哪里寻找新诗。我去哪里找新诗的感受，节律的感受？我找不到。当我努力去找的时候，我找到语言的节奏感，或者新诗当中出现的复沓，或者新诗的语言节奏，只能到这些地方找。我觉得我们新诗的确取得很大的成功，但是付出的代价太大，使得今天我们对旧体诗还很怀念，因为新诗没有的要素，旧体诗还保存着。

罗小凤：关于新诗的底线问题，我很赞同谢冕老师所说的，新诗的“底线”就是“诗是诗”，也就是诗成其为诗的关键，而不是“非诗”。

从新诗诞生后，新诗就一直遭受是不是诗的质疑，1935年沈从文指出：“书店印出的单行本诗集很多，那些作品或许得在‘诗’以外找寻一个名称比较妥当些。”沈从文实际上是认为当时的许多诗集中的作品并不是“诗”。而到了1941年，吴兴华也还在指责：“在杂志上被印作‘新诗’的作品，不但不供给我们什么‘新’意，而且不是‘诗’。”吴兴华否定了杂志上的所谓“新诗”，认为它们既非“新”又非“诗”，从根本上质疑了“新诗”

的质量。那么，新诗到底有没有底线？到底怎样才算是“诗”。我认为无论新诗还是旧诗，都有同一个标准，那就是“诗是诗”。早在1933年，《现代》杂志便鲜明地亮出自己的标语“《现代》上的诗是诗”，这是第一次明确地提出“诗是诗”的命题。金克木也在几篇诗论文章中都指出：“新诗和旧诗却绝不仅是用语的不同。新诗和旧诗，除了都是诗外，就几乎毫无共同之点。”20世纪30年代的诗人们发现了“诗是诗”是中国新诗建设过程中最基本的问题，因而将“诗”而非“新”提上新诗建设的议事日程，废名强调新诗要有“诗的内容”，金克木强调诗中要有“纯诗”，林庚则认为诗中最重要的质素是“极端的诗”，卞之琳则强调“纯姿”，都是诗人们为新诗私设的底线，这是新诗与旧诗的相通之处，也是新诗的底线，这一底线在当下依然奏效，那就是新诗必须是“诗”，要有“诗”性，这是诗之为诗最基本的质素。诗歌的底线找到了，但是“诗”的标准我觉得一百年来，尤其是当下，还是很模糊的，可以说，这是一个失去诗歌标准的时代。目前大家都是各自为政，没有统一的标准，陈超说这是一个“泛诗”的时代，诗失去了公信力，其实都是在讲诗歌失去了标准。

孙绍振：我觉得不必有统一的标准，什么是诗什么不是诗，要由历史来评判，但是现在开这个会就是想找一下，在新诗与古典诗中，在中国诗与外国诗中，在《诗经》与余秀华中，有一点是毋庸置疑的，那就是它不是散文，不是小说，不是戏剧，我们还需要做一些工作：研究理论，总结历史的经验，希望推动当前的创作。但是我们从历史发展过程中，还是可以找到一些历史已经证明的东西。像徐志摩、闻一多的作品留下来了，而胡适的诗则是失败的。我们要有思想家的魄力，站在历史的制高点，前观古人后视来者，从历史的经验中找出一些对未来有用的东西。我觉得现在许多诗写得没亮点，可是作者说，为什么要有亮点？我就是追求没有亮点的诗。理由呢？是外国有人就是这样搞的。但是，外国人也是在探索呀。也许他们非常前卫的观念和探索拿到中国，给我们不少好处，但是，我们要冷静考虑，要分析。美国的希利斯·米勒，前年在一篇文章中说，20世纪50年代，美国人从欧洲大陆引进了很多思想，他们本该把属于欧洲的文化基因剥离掉，但是，这样的“转基因”工程，很困难，做不成。而我们在汲取西方文论、诗论的时候，连美国人的这一点自觉都没有。现在西方也承认文本解读对文学已经“一筹莫展”。例如解构主义的思潮，在颠覆旧的、传统的、狭隘的，包括古典的诗，动机都是很好的，但是一百个人去引进，去探索，是不是一百个人都会成功，会不会一百人中有九十九个人失败？被淘汰的，总是比成功的多。历史就是个无情的淘汰和优选的过程，这里就有某种规律和准则在起作用。我们不做任何工作，历史也会淘汰优选的，但是，那是自发的，盲目性的，代价太大。而我们如果从历史的经验里展望未来，就有某种自觉性，就可能付出比较小的代价。所以，我认为有些东西可以讨论，我不赞成每个人都有自己的标准，我是绝对的个人话语，你们是国家话语，我不参与讨论，发展到极端，诗就是非诗。如果站在历史发展的制高点上，就可能比较清醒地看出其中的盲目性。连20世纪50年代在民歌和古典诗歌的基础上发展都失败了，你什么基础都没有，那就更可能是无意义的艺术自杀。这样的历史教训难道不应该吸取？作为理论家是不能任性的，是要有理性的、冷峻的反思的。我反思过了，哪怕有错误也总比盲目自杀好一点。从历史的角度来看一些古典的低水平的诗歌，如元诗、明诗、清诗，现在看起来，也不太差。因为它有形式规范，只要中规中矩，就能保持在一定的历史水平线上。

吴思敬：把杜甫作为研究新诗有参照意义的诗人，也能给我们很深的启示，梁启超说过两句话，我觉得对我们很有启示。第一句话是："中国事事落人后，惟文学似可颉颃西域。"这是梁启超在中国最虚弱，在亡国绝种危机之时，对文学保持的民族自尊感。第二句话，他说："有人似乎极其爱国，凡学问文章事业皆以古人为不可及矣。"这句话对我们观察中国的当代文学、现代文学，包括观察我们的诗歌，我认为非常有启示意义。古人给我们留下了光辉的遗产，但是我们这代人需要超越古代，需要有创作。

再有，刚才师力斌和孙老师提到的，对西方现代诗或者西方的理论不要盲目崇拜，盲目模仿，我非常同意这样的见解。比如法国小说派作家阿兰·罗伯·格里耶，他是新小说派理论的重要代表，他有一个有名的说法，叫作抛弃关于深度的古老观念，他接着说，在他看来，世界既不是有意义的，也不是荒谬的，因此作为一种客观存在，物就是物，没有什么物我同一，物我一致，所以我们要拒绝比喻的语言和传统的人道主义，拒绝悲剧的观念和一切使人相信物与人具有一种内在的相同的本质观点。他取消意义和深度，我们中国就有模仿者，我们的诗歌界就是四川诗人杨林，他写撒哈拉沙漠的三张纸牌，绝对没有任何的意义，你怎么挖掘就是客观存在，这首诗在实验的角度有一点新意，但是作为诗，我们得不到任何诗性的思考。跟这种相近的，比如像阿武20世纪80年代中期在光明日报社做编辑，他推出不变形史，当时也有相当的影响。我在他的斗室中，我向前走了三步，向后倒退了六步，向左走了两步，向右走了几步，就是用这样的语言，他把空间展示出来。这首诗能展示什么，只能展示他住得比较窄，不带其他任何的感情色彩，这种现代诗对后来的影响太大，后来的口语派就在这点上追寻阿兰·罗伯·格林耶，你说的梨花体也好，我做的馅饼如何如何，全是生活现象的罗列，把生活现象的罗列当成诗。你想，阿兰·罗伯·格里耶的观点风靡一时，把我们诗学的很多美学东西都颠覆了，什么距离说，什么托物言志，什么象征，什么比喻，全给颠覆掉，如果我们不对他的这些理论加以分析评论，我们中国的诗人，特别是年轻诗人还觉得口语派非常新潮，非常现代，实际上他的现代派模仿过来已经不值钱了。我们对古人不要神秘化，不要跪在面前那种崇拜，古人就是超越不过去，我们这个时代怎么会超越不过去呢？古人知道电脑吗？知道现在大自然的空间探索吗？我的意思是，我们应当有勇气超越古代、超越传统，不要太自卑，更不要因为写旧体诗的人的恶意嘲讽的态度就如何如何，我们也犯不着跟他们打架，最好拿出作品，谁能够在这个时代留下作品。是古代诗歌能反映这个时代，还是新诗反映这个时代，我想这个结论是毫无疑问的。

三、新诗基本要素的寻找

谢冕：就新诗的基本要素，我要说的，一个是韵味问题，一个是新诗的节奏感，我们怎么样保持它。我觉得没有韵，没有押韵，也不讲什么的时候，我们到哪去找音乐性？我找的音乐性就是你读起来有没有感觉，这是节奏的感觉。节奏的感觉在哪，怎么找出来？我觉得这是非常艰难的，但是我试图找过。在魏巍的《高粱，长起来吧》的诗中我找过，找到了复沓，过了一段就“高粱，长起来吧”；在庄步璇的诗中“如果你爱花朵”也有同样的复沓，这大概是不断地唤起感觉的东西。我们的寻找非常艰难，但是我们竭力在寻找诗歌的底线，这个底线就是节奏感，节奏感就是新诗中残留的音乐性。

孙绍振：新诗一产生以后就自由了，一般的自由不够，后来就变为绝对自由了。今天来看，节奏、格律问题是诗最外部的形式，最外部的形式是分行，原来诗歌是不分行的，分行了，就是诗吗？不。五七言就是诗吗？也不。因为汤头歌诀等都是七言的，但不是诗。但是我们没有理解到的时候，大家互相不对话，我的老师林庚先生在努力做一个更宽松的规范，中国新诗应该首先建行，一行诗，当中半逗，叫作“半逗律”，受到了法国的影响。我在袁可嘉先生家里看过陆志韦的新诗实验，用重点符号标注在词语的旁边，因为中国的语言不像西方语言讲重音，而是讲平仄的，很可惜，我后来再也没看见这本书，袁可嘉先生去美国了，当时也没有复印机。陆志韦是一个大语言学家，也是早期新诗的开拓者之一。我们一直在找一个外部的节奏来改善新诗，外部的节奏跟现在的汉语有很大的矛盾，所以很难成功。于是又产生一种倾向，找不到节奏还是回到民歌吧，所以五四时期刘半农他们也搞过民歌体。后来毛泽东干脆说新诗在古典诗歌和民歌基础上发展，人为的推动，加上政治的强制性，把农民王老九他们都捧上天，就等于是压制新诗了。贺敬之写的《三门峡·梳妆台》，完全是古典派的，其实人家搞古典诗歌也不理他，何况三门峡水库，也失败了。我们创造不来怎么办？我们有一大批诗人干脆不搞中国古典诗歌，而是搞外国的格律诗，用中文写十四行诗，而且产生了经典，如冯至，这说明一点，我们新诗人正被形式苦恼，但是我觉得这个苦恼很肤浅，就是外部形式，始终没有理解到戴望舒提出的东西。

我觉得要讲新诗的形式，要走向内部情绪，不仅仅是语言格律的问题。戴望舒的《雨巷》，我希望遇到一个像丁香一样的姑娘，缓缓地走来，这是心里的反复的复沓。叶圣陶就很兴奋，他说这首诗开辟了新诗音节的新纪元，戴望舒非常不买账，马上回击，他在《论诗零札》中说：

诗不能借重音乐，它应该去了音乐的成分。

诗的韵律不在字的抑扬顿挫上，而在诗的情绪的抑扬顿挫上，即在诗情的程度上。

新诗最重要的是诗情上的 nuance 而不是字句上的 nuance。[①]

戴望舒认为诗歌节奏不是外部音节的问题，是内部的情绪。戴望舒提出的问题很深刻，新诗的形式应该在音节以下更深刻的东西。他用了一个法语词：nuance，就是情绪的微妙变化，情绪变化是非常微妙的，我觉得这是我们值得研究的。我国的古典诗歌，的节奏并不仅仅在五七言的“三字尾”，更重要的是，情绪的抑扬开合，意象的疏密聚散，例如元人杨载对绝句的分析：关键在第三句和第四句的情绪转换。当然，戴望舒理论上提出情绪的节奏，但是，没有完全做到，后来他写《我的记忆》的时候什么也不管了，可他后期在香港写的诗歌，有一种内部情绪的起伏变化。如果我们能注意到这点的话，在情绪意象的起伏变化，可能是一条路。就不必在什么顿啊，什么三字尾啊什么上纠缠不休了。

关键不在外部形式，而是情绪的起伏变化上。

中国的绝句四句是不分行的，后来学了西方诗歌的形式，我们把四句分为四行，有没有道理？如果严格按照字句的结构来说，没话说，如果严格按情绪则不应该这样分。因为西方的十四行诗的分节，有两种形式，一种是三个四行一个两行，一种是两个四行两个三行（三联句），如果以情绪为主，不是语言为主，我们可以重新考虑绝句四行一章，律诗八行一章。按照这种分法，我认为绝句应该写两句一节，空一行，下面的两句再一节。比如：

葡萄美酒夜光杯，

欲饮琵琶马上催。

这是一种呈现。但是：

醉卧沙场君莫笑，

古来征战几人回？

这是超越呈现的直接抒情。应该说，前面两行是一章，后面两行是另外一章。律诗也是这样，前面两行不对仗的是一章，最后两行是一章，当中四句是一章。这样才对。但是由于一直写成平行的四行和八行，我们把律诗和绝句看成情绪是一样的，平铺直叙发展的，

---

① 原题为《望舒诗论》，原载 1932 年《现代》第 2 卷第 1 期，收入 1933 年《望舒草》，更名为《论诗零札》。

其实其中的情感起伏很多，语气变化也很多。如果我们这样寻找最高水平的诗歌，基本上是这样的结构，以绝句为例，如：“闺中少妇不知愁，春日凝妆上翠楼，忽见陌头杨柳色，悔教夫婿觅封侯。”

这在宋朝的时候认为是一个模式，这个模式是什么？开头两句是一个呈现，接着两句是内心的激发。这个模式拿来解释所有的绝句都是这样的，即使是不讲抒情的，讲道理的诗，也一样。像朱熹的“半亩方塘一鉴开，天光云影共徘徊。问渠那得清如许，为有源头活水来”，情绪的节奏不单调，由第三句的语言的疑问、感叹，和前面两句的陈述来构成。从这里看，情绪的起伏才是关键。所以，我认为新的形式问题，不应该停留在单独的行上、顿上，而是在行之间的情绪起伏开合上。林庚先生提出我们的诗歌要有建行的问题，或者何其芳提出“顿”的问题，都不太全面。新诗形式的建构，不能是以“行”为单位，我觉得我们应该以情绪的节奏，微妙的变化和转折为单位。如果这样的想法没有大错，形式核心就是情绪的节奏，包括思想的节奏。如朱熹的诗是讲道理的：为什么人的心灵那么丰富，那么清净？是因为经常读书。所以，我们重新研究一下内在的节奏——断续的节奏、情绪深化的节奏、情绪走向理念的节奏，情绪层次的节奏，这样的话，可能开阔一点，老纠缠在多少顿上，说老实话，可简直是作茧自缚。

我提出节奏感是情绪的节奏感，就是戴望舒的节奏感，有紧张和缓和，有密度和空白，有直线和转折，有平缓和提升。比如杜甫的《望岳》，先是远望泰山，非常雄浑博大，接着是拉近距离，山顶的层云就在我胸间，空中的飞鸟就冲着我的眼帘。最后不管它多么伟大，总有一天，我登临其绝顶，所有的山脉就变得渺小了（“一览众山小”），这就是情绪远望之雄，近观之亲，登临之渺。有了这一点自觉，我们写诗的时候情绪、意念、思维，起伏纵横、聚散深浅，像书法家写字一样，有个法度。现在一些诗人气魄很大，谁理你，你们这些教授吃饱饭没事干，但是学术不管眼前的成败。提出了情绪的节奏，具体表现在意象群落之中，我把这叫作意脉。刚才吴思敬和罗小凤所举的滥调诗，就是平面的，没有一种潜在的意脉贯穿，所以是散漫的。我提出这一点，目的是留给历史去检验。其精神是戴望舒提出的，但是戴望舒没有完全做到，我们对这样宝贵的思想资源研究不够。

罗小凤：具体在诗歌的要素上，我个人认为诗应该有“自然的韵律和节奏”。

我的这个观点是从林庚那里受到启发的。林庚做了很多诗歌实验，最后他的实验失败了。但他在自由诗和新格律诗之间，还有一个过渡的诗歌实验，这是一直被大家忽略的，那就是“自然诗”。

可以说，林庚的诗歌之路是充满传奇的，他曾出版两本自由诗集《夜》(1933)、《春野与窗》(1934)，但当他在自由诗王国声名鹊起之时，他却又于1934年秋开始进行新的诗歌形式的尝试。1935年他真正开始新格律诗的创作实验，并于1936年先后出版了《北平情歌》《冬眠曲及其他》两本新格律诗集。由此林庚在20世纪30年代的诗歌创作之路被学术界截然分为两段，即1931年至1934年为自由诗阶段，1935年至1937年为新格律诗阶段。事实上，林庚在进行新格律诗体式的尝试之前还有过一个诗歌概念：自然诗。对此，学术界探讨不多，就我的了解，只有张桃洲老师有过一篇文章谈及自然诗，冷霜在他的文章中曾有所提及，他把林庚1935年在《诗的韵律》中明确提出“自然诗”至1937年明确阐释自然诗概念的《什么是自然诗》之间的两年多称为“自然诗理论阶段”，但没有深入探讨。其实，“自然诗”是林庚诗论中非常重要的一个概念。可以说是林庚对于新诗的一种理想，一种他自己认为比较完美的诗歌体式。只不过他失败了，后来被新格律诗的大量实验遮蔽了，因而没有引起很大关注。

林庚的“自然诗”是怎么回事呢？他是在仔细地分析了自由诗的弊端后提出的，他在发表于1935年第3期的《文饭小品》上的《诗的韵律》一文中指出：

> 自由诗好比冲锋陷阵的战士，一面冲开了旧诗的约束，一面则抓到一些新的进展；然而在这新进展中一切是尖锐的，一切是深入但是偏激的；故自由诗所代表的永远是这警绝的一方面。然而人则永远不能满足于只得到一面的……而且尖锐的、深入的、偏激的方式，若一直走下去必有陷于“狭”的趋势。于是人们乃需要把许多深入的进展连贯起来，使它全面发展，成为一种广漠的自然的诗体。
>
> 这种诗体，姑名之曰“自然诗”。

在林庚看来，“自然诗”能规避自由诗的缺陷，使之避免陷于“狭”的危险。可以说，自然诗是为规避自由诗的弊病应运而生的。

那么，到底什么是“自然诗”呢？由林庚的诗论可以看出，自然诗是由自由诗发展而来的，显然带有自由诗的特点，即在内容和外形上自由，这是自然诗的两个重要特点。但自然诗又还有其自身的独特之处，即有“如宇宙之均匀的，从容的，有一个自然的，谐和的形式”，林庚在《诗的韵律》中明确指出：“自然诗的性质，自然诗的价值是自然，故其外形亦必自然，外形的自然则自由反不如韵律。”可见，“自然诗”的性质和价值都在于“自然”，不仅内在自然，其外形也必自然，而若使外形自然，则自由反不如韵律。在林庚的理念里，“韵之有自然性是很显明的”，许多日常生活中看似毫无逻辑之事“一谐韵便事属‘当然’，好像已成自然的习惯法似的”。林庚为证明他的这种认识，援引了很多谚语和民歌说明“韵”是自然的靠山，如“一寸光阴一寸金，寸金难买寸光阴”，叶韵是因为“平仄的铿锵及双声叠韵的使用”，而非其格式。他认为叶韵具有“神妙的声音上的力量”，并认为“自然诗的声韵不只是形式本身的悦耳，且有时也可辅佐着诗意”。因此，林庚指出：

“自然的诗为使其外形‘虽有若无’，于是采用了一个一致的有韵的形式；轻车熟路，走过时便自然一点也不觉得了。”而这使其外形“虽有若无”的一致的有韵的形式便是韵律。因此，林庚的“自然诗”注重内在的自由与韵律的自然的结合，而并不一定要有整齐的字数、句数和严格的韵律要求。林庚曾把他的《春野与窗》这首并不整齐的八行诗作为他的第一首“自然诗”：

春天的蓝水奔流下山
河的两岸生出了青草
再没有人记起也没有人知道
冬天的风哪里去了

仿佛傍午的一点钟声
柔和得像三月的风
随着无名的蝴蝶
飞入春日的田野

这首诗在字数、句数、节拍上都不整齐，是一首千真万确的自由诗；但由于这首诗在韵律上使用了自然的韵，或许诗人是不自觉的，刹那间自然而然地形成的“韵”，如第一节的“草”“道”“了”押了“ao”韵，第二节的“声”与“风”押了“eng”韵，而“蝶”和“野”又自然地换成了“ie”韵，整首诗虽然叶了韵，却非常自然自由，未有丝毫刻意为之的痕迹，因此林庚把它作为自己第一首“自然诗”。我觉得，这首诗是林庚“自然诗”的代表作，是他“自然诗”理想的一个范本。其实，林庚在这里是成功了的，他发现了自然的韵律和节奏对于新诗的重要性，但他却将重心偏移错了。本来发现“韵律”是要为“自然”服务的，但他却偏向了韵律而忽视了“自然”，忽视了他最初的目的，结果一头栽进韵律的“不祥的魅力”中，他后来进行的十一字诗、十字诗、八字诗、十五字诗、十八字诗、七字诗、十二字诗等各种定行齐言的诗体的实验，都是对韵律的走火入魔，都失败了，都不再是“自然诗”，而变成了定行齐言的新格律诗。因此，我想把林庚倒退一下，退回他的“自然诗”阶段，主张诗应该有自然的韵律和节奏，关键在于自然。这或许是新诗的一条出路。

谢冕：问题非常复杂，千头万绪，我想把我的思路再梳理一下，大概是这样的。新诗的诞生，我强调一点，是一百年来的一件大事儿。胡适讲这是八年来一件大事，他说的是辛亥革命以来的，与其讨论没有意义的政治，不如讨论诗歌的建设问题。新诗诞生以后，它适应了我们的时代，新诗的根本问题、根本特点是自由，而且表达了个性独立、思想解放，这点也不容置疑，我始终站在维护新诗的立场上。

我现在探讨的是一百年之后新诗究竟存在什么问题。刚才罗小凤讲了新诗是“问题少年”，依旧有问题存在，我是在新诗当中寻找诗的元素，我发现诗的根本品质逐渐在消散。为什么失踪了，这是革命带来的，革命的结果是为了追求新的结果，我不想对立起来，我们今天寻找的是诗的痕迹，我们在解放革命的过程中，发现诗的元素逐渐在消失。

现在讲诗的痕迹是什么，我想讲韵味的问题。诗是什么，诗是有音乐性的文体，或者叫音乐的文学，在诗当中连这点形式感都没有了，我们的失落感是非常大的。这几年我一直在寻找，非常用心寻找诗的踪迹，我现在把寻找的结果报告一下，艾青先生写太阳，从远古的牧民，从黑暗的年代，从人类死亡之流的那边，震惊沉睡的山脉，若火轮飞旋于沙丘之上，太阳向我滚来。我为什么背下来？因为有诗的痕迹，节奏感很清楚，它是新诗。因此艾青这首诗可以背下来。还有一首诗，因为节奏音乐在那，它是新的生活、新的内容、新的情感，但是音乐在那，我们就得到一种欣喜、安慰，要是没有这点我就非常失望，那就是新诗的时代。我为什么不断重复表扬杜涯？她不写女性，也不写爱情，就写了苏山北部绿森林的感受。什么感受？好像也不说清楚，人与树木都不说清，但是我在杜涯不押韵的诗当中，我发现了内在的节奏感。因此，我就欣然找到了一种诗，这种诗的写作者叫作杜涯。我推荐大家读读她的诗，可以感受到内在的节奏感，不是押韵，可能是孙绍振教授讲的情绪，但那个太玄乎了，不知道该怎么把握。我们要讨论的是一百年了，为什么还在苦苦寻找诗，我们在写诗，为什么还要苦苦讨论究竟诗有没有病。我不讲别的问题了，因为用白话写诗以后，诗变得非常容易，这个时候找七个字的感受，去找炼字，这简直是风马牛不相及。我们应该大喝一声：不应该滥用语言！诗是音乐性的文学，这是我想讲的一点。

罗小凤：我要补充一点，我觉得在诗歌的基本要素上，诗歌语言的诗化也是非常重要的。新诗击败旧诗以自立于诗坛的革命武器便是白话。初期新诗的始作俑者胡适明确提出新诗必须“推翻词调曲谱的种种束缚；不拘格律，不拘平仄，不拘长短；有什么题目，做什么诗；诗该怎么做，就怎么做”[①]，这便是他后来所概括的“作诗如作文”，他为“胡适之体”所设定的戒约第一条便是“说话要明白清楚”“要人看得懂”[②]。由此，“明白清楚”的白话语言迅速席卷新诗领域，新诗革命实际上成为“白话诗革命”，最大的革命成果便是确立了“白话”这种语言载体。这是为了形式革命的需要，而现在，新诗一百年了，应该与“初期”有所区别，与刚刚落地，牙牙学语的时候有所区别。但正如我前面说的，“不忍卒读之白”，当下很多诗歌依然是大白话，什么“一只蚂蚁，两只蚂蚁，后面还有很多蚂

① 胡适：《谈新诗——八年来一件大事》，《星期评论》纪念号，1919 年 10 月 10 日版。

② 胡适：《谈谈“胡适之体”的诗》，《自由评论》1936 年第 12 期。

蚁”“天上的白云真白啊真白啊，简直是白死了”这类诗，又回到新诗刚出生的时候那种幼稚的语言。我觉得诗歌的语言还是要锤炼，要淘洗，要像何其芳那样经过一千只手指的精神抚摩，这样的诗歌才经得住时间和历史的检验。

孙绍振：当时陈亦门反对新诗的无政府主义，现在许多跨文体的写作，包括西川目前那种非诗的写作，要打破诗与散文的界限，作为一个探索当然是可以的，百花齐放，我说一句武断的话，还是要一家做主，还是需要有诗的基本的东西，这是我的追求。这可能是空想，也许经过许多年可能有一种凝聚。因为中国古典诗歌从齐梁沈约，到真正写出盛唐花了三百年，我们只有一百年，实践的过程还不够长，教训还不够严峻、惨痛，建设的任务还艰巨得很。我们要耐心一点，沉着一点。